LE GUIDE VERT

J. Damase/MICHELIN

France

Direction	Hervé Deguine
Rédaction en chef	Nadia Bosquès
Rédaction	Hélène Payelle, Sylvie Chambadal, Marylène Duteil
Informations pratiques	Maryvonne Kerihuel, Blandine Lecomte, Perrine Facy, Catherine Rossignol, Danielle Leroyer, Jean-François Branchet, Philippe Gallet, Didier Hubert, Michel Chaput, Yves Croison, Philippe Robic, Sandrine Durieux
Documentation	Isabelle du Gardin
Cartographie	Alain Baldet, Geneviève Corbic, Fabienne Renard, Gaëlle Wachs, Virginie Bruno
Iconographie	Stéphane Sauvignier
Secrétariat de rédaction	Mathilde Vergnault, Danièle Jazeron
Correction	Sophie Jilet, Juliette Dablanc
Mise en page	Didier Hée
Conception graphique	Christiane Beylier à Paris 12e
Maquette de couverture	Agence Carré Noir à Paris 17e
Fabrication	Pierre Ballochard, Renaud Leblanc
Marketing	Cécile Petiau
Ventes	Antoine Baron (France), Robert Van Keerberghen (Belgique), Christian Verdon (Suisse), Nadine Naudet (Canada), Sylvaine Cuniberti (grand export)
Relations publiques	Gonzague de Jarnac

Pour nous contacter	Le Guide Vert Michelin 46, avenue de Breteuil 75324 Paris Cedex 07 ☎ 01 45 66 12 34 Fax 01 45 66 13 75 www.ViaMichelin.fr LeGuideVert@fr.michelin.com

Note au lecteur

Ce guide tient compte des conditions de tourisme connues au moment de sa rédaction. Certains renseignements (prix, adresses, numéros de téléphone, horaires) peuvent perdre de leur actualité, de même que des établissements ou des curiosités peuvent fermer. Michelin Éditions des Voyages ne saurait être tenu responsable des conséquences dues à ces éventuels changements.

À la découverte de la France !

« C'est comment, la France ? » Pour les étrangers qui ne sont jamais venus chez nous, la France est un mystère, les Français, une énigme. Pour ceux qui l'ont brièvement visitée, c'est un joyau sans égal, et les Français... un mal nécessaire ! Pour ceux, enfin, qui, nés ailleurs, ont décidé de s'y installer – ils sont plusieurs millions dans ce cas – ou qui, nés sur ce sol magique, ont choisi d'y rester, la France est tout simplement un pays merveilleux, où tout est possible ou presque, où la grogne au quotidien masque un goût certain pour l'action et le panache, où les certitudes et les stéréotypes n'empêchent pas l'accueil des différences, où l'avenir n'est pas écrit d'avance .C'est le pays de la liberté et de la solidarité.

Ce guide ne prétend pas révéler en quelques centaines de pages tous les aspects d'un pays où l'art et l'histoire jouent un rôle prépondérant, ni d'une société aux multiples facettes. Destiné aux voyageurs disposant de peu de temps ou aux touristes qui se déplacent sans itinéraire précis, il dévoile l'essentiel et le plus caractéristique, région par région, ville par ville. Vous ne trouverez pas tout dans les pages qui suivent, mais les sites que nous avons retenus justifieront toujours le voyage. Quant aux plus exigeants, ils pourront ensuite approfondir leur découverte de tel endroit en se procurant l'un de nos 24 guides régionaux.

L'édition 2003 de ce guide a été entièrement revue. Sous la direction de Nadia Bosquès, rédactrice en chef, Hélène Payelle, responsable de l'ouvrage, et Sylvie Chambadal, rédactrice, ont renouvelé et mis à jour les informations qui faciliteront votre séjour. Voyage culturel, vacances en famille, découverte gastronomique, tourisme d'affaires... chacun trouvera dans les pages qui suivent les conseils dont il a besoin.

Merci d'avoir choisi Le Guide Vert et bon voyage en France !

Hervé Deguine
Directeur des Guides Verts
LeGuideVert@fr.michelin.com

Sommaire

Informations pratiques

Invitation au voyage

S. Sauvignier/MICHELIN

Symbole de Paris, la Tour Eiffel.

J. Damase/MICHELIN

Au cœur de l'Auvergne, le puy de Pariou.

Villes et sites

S. Sauvignier/MICHELIN

Ami de toutes les fêtes, le champagne.

M. Thiery/MICHELIN

Très colorés, des chalutiers de l'île d'Yeu.

Cartes et plans

Les cartes routières qu'il vous faut

Comme tout automobiliste prévoyant, munissez-vous de bonnes cartes. Les produits Michelin sont complémentaires : ainsi, chaque ville ou site présenté dans ce guide est accompagné de ses références cartographiques sur les différentes gammes de cartes que nous proposons.
Pour circuler en France, vous avez le choix entre trois gammes de cartes.

Les nouvelles **cartes Regional**, au 1/200 000, couvrent le réseau routier principal et secondaire et donnent de nombreuses indications touristiques. Elles sont pratiques lorsqu'on aborde un vaste territoire ou pour relier des villes distantes de plusieurs centaines de kilomètres. Elles permettent d'apprécier chaque site d'un simple coup d'œil et signalent, outre les caractéristiques des routes, les châteaux, les grottes, les édifices religieux, les emplacements de baignade en rivière ou en étang, les piscines, les golfs, les hippodromes, les terrains de vol à voile, les aérodromes, etc.
L'assemblage de ces cartes est présenté ci-dessous avec les délimitations de leur couverture géographique.

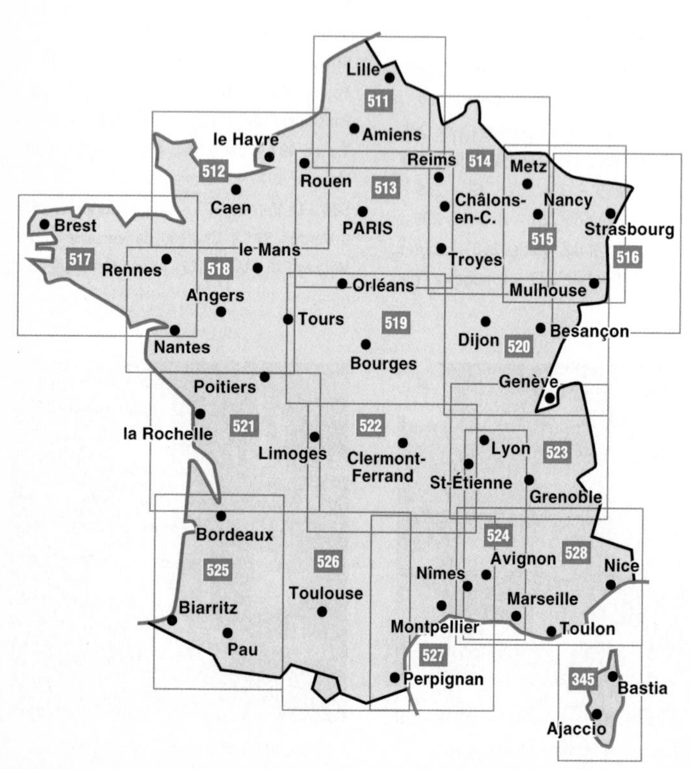

Les **cartes Local**, au 1/150 000 ou au 1/175 000, ont été conçues pour ceux qui aiment prendre le temps de découvrir une zone géographique plus réduite (un ou deux départements) lors de leurs déplacements en voiture. Elles disposent d'un index complet des localités et proposent les plans des préfectures.

N'oubliez pas la **carte de France n° 721,** qui vous offre la vue d'ensemble des régions au 1/1 000 000, avec leurs grandes voies d'accès, d'où que vous veniez.

Enfin, sachez qu'en complément de ces cartes, le site Internet **www.ViaMichelin.fr** permet le calcul d'itinéraires détaillés avec leur temps de parcours, et offre bien d'autres services. Le Minitel **3615 ViaMichelin** vous permet d'obtenir ces mêmes informations ; les **3617 et 3623 Michelin** les délivrent par fax ou imprimante.

Certains thèmes, villes et circuits de ce guide sont par ailleurs illustrés de plans.
En voici la liste :

Cartes thématiques

Plan de ville

Cartes des circuits décrits

Légende

Monuments et sites

Itinéraire décrit, départ de la visite
Église
Temple
Synagogue - Mosquée
Bâtiment
Statue, petit bâtiment
Calvaire
Fontaine
Rempart - Tour - Porte
Château
Ruine
Barrage
Usine
Fort
Grotte
Habitat troglodytique
Monument mégalithique
Table d'orientation
Vue
Autre lieu d'intérêt

Signe particulier

Bastide : dans le Sud-Ouest de la France, ville neuve créée aux 13e-14e s. et caractérisée par son plan régulier.

Plage

Sports et loisirs

Hippodrome
Patinoire
Piscine : de plein air, couverte
Cinéma Multiplex
Port de plaisance
Refuge
Téléphérique, télécabine
Funiculaire, voie à crémaillère
Chemin de fer touristique
Base de loisirs
Parc d'attractions
Parc animalier, zoo
Parc floral, arboretum
Parc ornithologique, réserve d'oiseaux
Promenade à pied
Intéressant pour les enfants

Abréviations

A	Chambre d'agriculture
C	Chambre de commerce
H	Hôtel de ville
J	Palais de justice
M	Musée
P	Préfecture, sous-préfecture
POL.	Police
	Gendarmerie
T	Théâtre
U	Université, grande école

	site	station balnéaire	station de sports d'hiver	station thermale
vaut le voyage	★★★			
mérite un détour	★★			
intéressant	★			

Autres symboles

	Information touristique
	Autoroute ou assimilée
	Échangeur : complet ou partiel
	Rue piétonne
	Rue impraticable, réglementée
	Escalier - Sentier
	Gare - Gare auto-train
S.N.C.F.	Gare routière
	Tramway
	Métro
	Parking-relais
	Facilité d'accès pour les handicapés
	Poste restante
	Téléphone
	Marché couvert
	Caserne
	Pont mobile
	Carrière
	Mine
B F	Bac passant voitures et passagers
	Transport des voitures et des passagers
	Transport des passagers
③	Sortie de ville identique sur les plans et les cartes Michelin
Bert (R.)...	Rue commerçante
AZ B	Localisation sur le plan
▶▶	Si vous le pouvez : voyez encore...

Carnet pratique

20 ch. : 38,57/57,17 €	Nombre de chambres : prix de la chambre pour une personne/chambre pour deux personnes
demi-pension ou pension : 42,62 €	Prix par personne, sur la base d'une chambre occupée par deux clients
6,85 €	Prix du petit déjeuner; lorsqu'il n'est pas indiqué, il est inclus dans le prix de la chambre (en général dans les chambres d'hôte)
120 empl. : 12,18 €	Nombre d'emplacements de camping : prix de l'emplacement pour 2 personnes avec voiture
12,18 € déj. - 16,74/38,05 €	Restaurant : prix menu servi au déjeuner uniquement – prix mini/maxi : menus (servis midi et soir) ou à la carte
rest. 16,74/38,05 €	Restaurant dans un lieu d'hébergement, prix mini/maxi : menus (servis midi et soir) ou à la carte
repas 15,22 €	Repas type « Table d'hôte »
réserv.	Réservation recommandée
	Cartes bancaires non acceptées
P	Parking réservé à la clientèle de l'hôtel

Les prix sont indiqués pour la haute saison

Les plus beaux sites

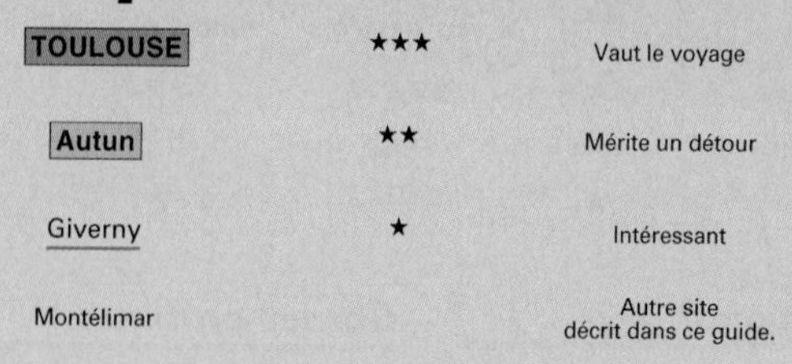

La cotation des stations (balnéaires, thermales et de sports d'hiver) répond à des critères liés à leur activité.

Cette carte situe les villes et sites classés par ordre alphabétique, les sites les plus importants qui leur sont rattachés et les grandes stations.

Le guide mentionne en outre d'autres localités, monuments, souvenirs historiques ou sites naturels illustres: consultez l'index

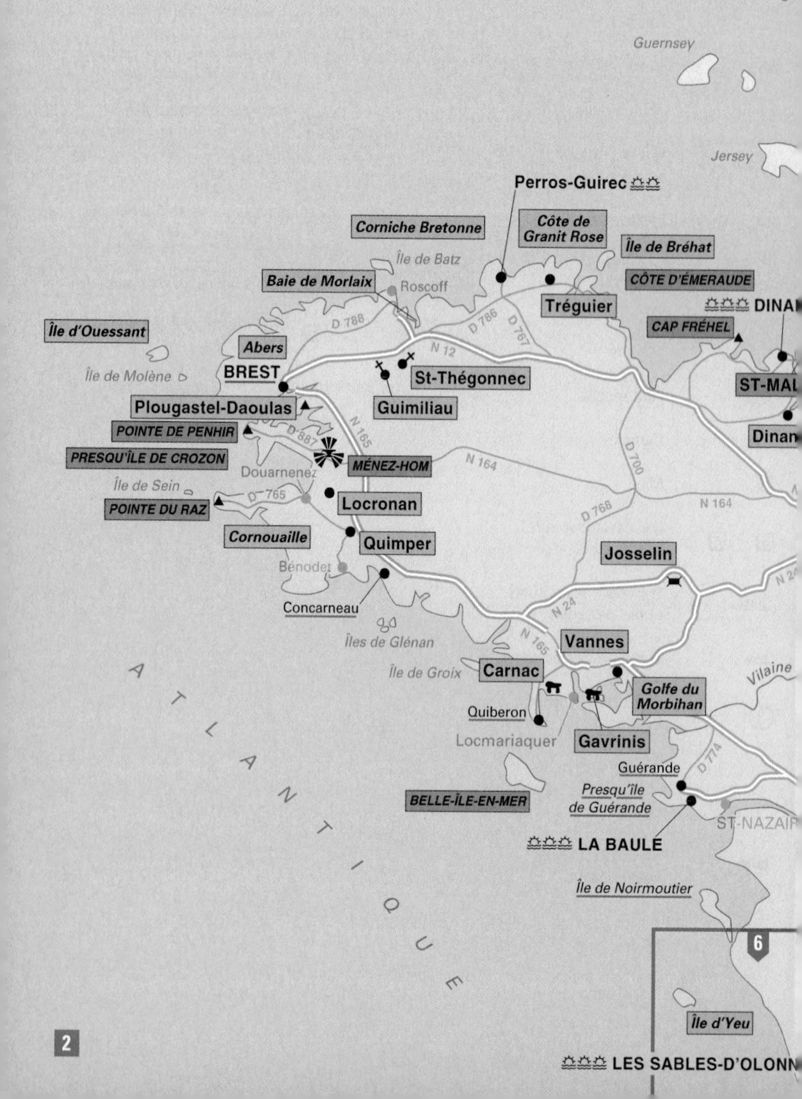

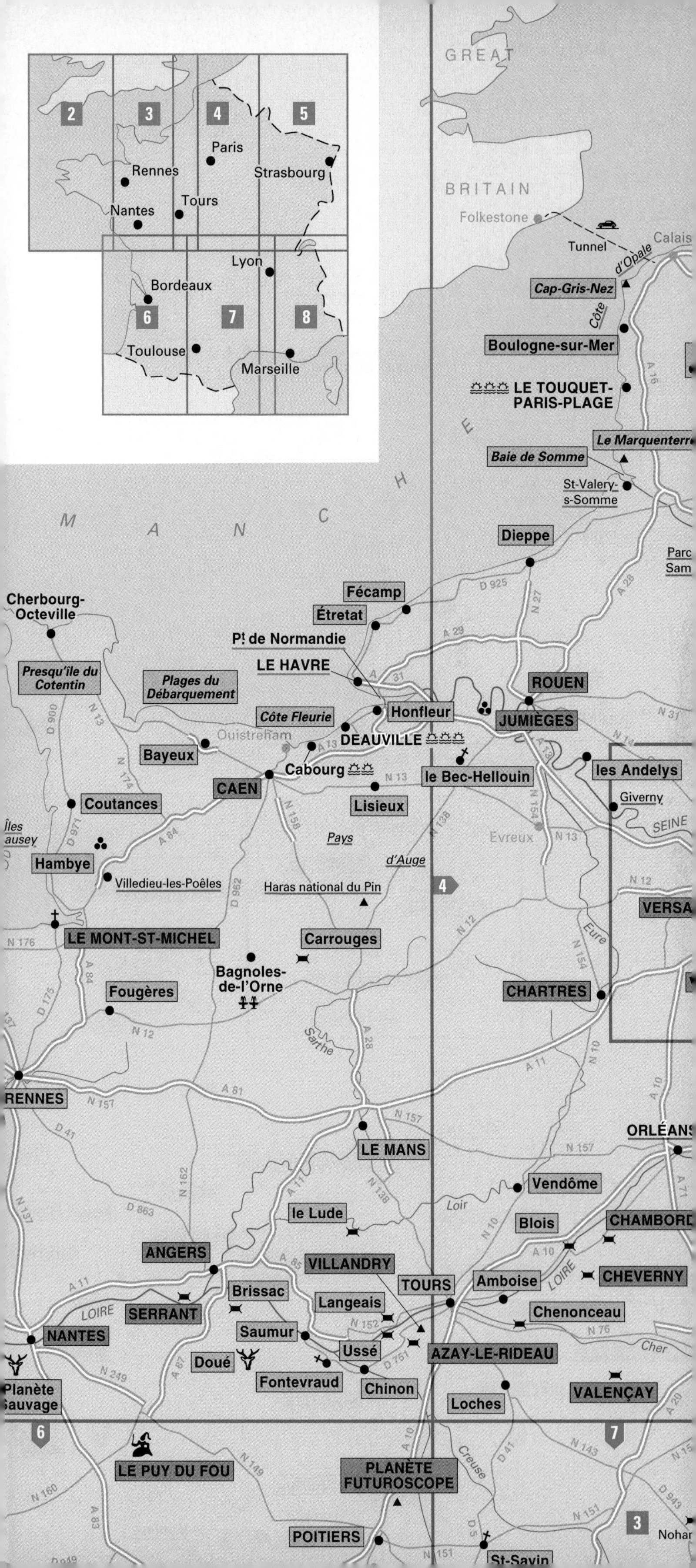

2
3
4
5
Paris
Rennes
Strasbourg
Tours
Nantes
Lyon
Bordeaux
6
7
8
Toulouse
Marseille
GREAT
BRITAIN
Folkestone
Tunnel
Calais
Côte d'Opale
Cap-Gris-Nez
Boulogne-sur-Mer
LE TOUQUET-PARIS-PLAGE
Le Marquenterre
Baie de Somme
St-Valery-s-Somme
M A N C H E
Dieppe
Parc Sam
Fécamp
Étretat
Cherbourg-Octeville
Pt de Normandie
LE HAVRE
Presqu'île du Cotentin
Plages du Débarquement
Côte Fleurie
Honfleur
ROUEN
JUMIÈGES
Ouistreham
DEAUVILLE
Bayeux
Cabourg
le Bec-Hellouin
les Andelys
CAEN
Coutances
Lisieux
Giverny
SEINE
Îles Chausey
Pays d'Auge
Evreux
Hambye
Villedieu-les-Poêles
Haras national du Pin
4
LE MONT-ST-MICHEL
Carrouges
VERSA
Eure
Bagnoles-de-l'Orne
Fougères
CHARTRES
Sarthe
RENNES
ORLÉANS
LE MANS
Vendôme
Loir
le Lude
Blois
CHAMBORD
ANGERS
VILLANDRY
CHEVERNY
Brissac
TOURS
Amboise
LOIRE
SERRANT
Langeais
Chenonceau
NANTES
Saumur
Ussé
AZAY-LE-RIDEAU
Cher
Doué
Fontevraud
Chinon
Loches
VALENÇAY
Planète Sauvage
6
7
LE PUY DU FOU
PLANÈTE FUTUROSCOPE
Creuse
3
POITIERS
St-Savin
Nohant
A 16
A 28
A 29
A 31
A 13
D 925
N 27
N 31
N 13
N 14
N 154
N 138
N 158
N 174
D 900
D 971
A 84
D 962
N 12
N 176
D 175
N 137
N 157
A 81
A 11
N 10
A 10
A 71
D 41
N 162
D 863
A 85
N 152
D 751
A 87
N 249
N 76
A 20
N 143
N 149
N 160
A 83
D 5
N 151
D 943
D 949

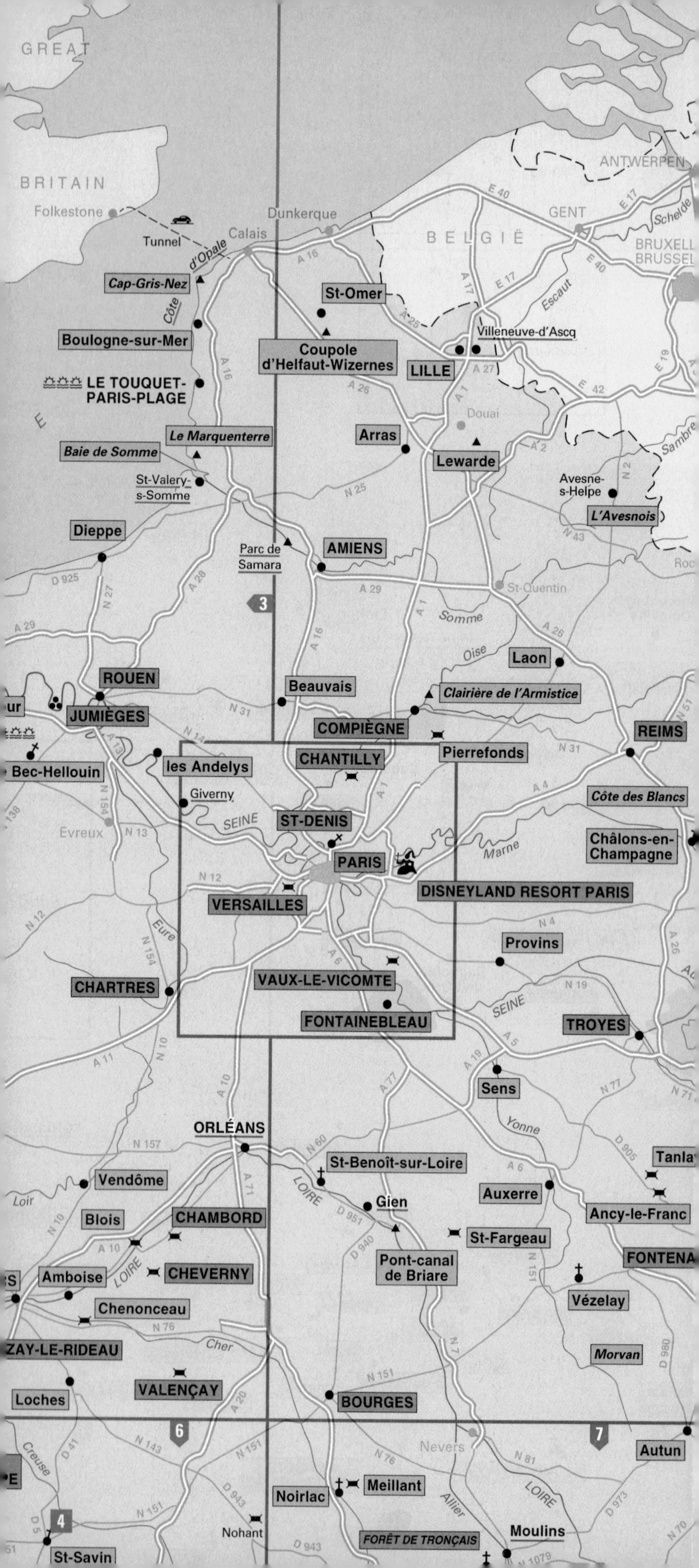
GREAT BRITAIN
Folkestone
Tunnel
Calais
Côte d'Opale
Dunkerque
BELGIË
GENT
ANTWERPEN
BRUXELLES BRUSSEL
Schelde
Escaut
Cap-Gris-Nez
Boulogne-sur-Mer
St-Omer
Coupole d'Helfaut-Wizernes
Villeneuve-d'Ascq
LILLE
LE TOUQUET-PARIS-PLAGE
Douai
Arras
Lewarde
Le Marquenterre
Baie de Somme
St-Valery-s-Somme
Avesnes-s-Helpe
L'Avesnois
Sambre
Dieppe
Parc de Samara
AMIENS
St-Quentin
Somme
Oise
Laon
ROUEN
JUMIÈGES
Beauvais
Clairière de l'Armistice
COMPIÈGNE
REIMS
Bec-Hellouin
les Andelys
CHANTILLY
Pierrefonds
Giverny
Evreux
SEINE
ST-DENIS
Côte des Blancs
Châlons-en-Champagne
PARIS
Marne
DISNEYLAND RESORT PARIS
VERSAILLES
Eure
Provins
CHARTRES
VAUX-LE-VICOMTE
FONTAINEBLEAU
TROYES
Sens
Yonne
ORLÉANS
St-Benoît-sur-Loire
Vendôme
Loir
LOIRE
Gien
Auxerre
Ancy-le-Franc
Blois
CHAMBORD
St-Fargeau
Pont-canal de Briare
Amboise
CHEVERNY
Vézelay
Chenonceau
Cher
ZAY-LE-RIDEAU
Morvan
Loches
VALENÇAY
BOURGES
Nevers
Autun
Creuse
Meillant
Noirlac
Allier
Nohant
FORÊT DE TRONÇAIS
Moulins
St-Savin
3
4
6
7

NEDERLAND
BELGIQUE
LIÈGE
MEUSE
CHANTILLY
Senlis
Royaumont
Parc Astérix
Auvers-s-Oise
Ecouen
Enghien
Mantes
Meaux
ST-GERMAINS-EN-LAYE
ST-DENIS
PARIS
Rueil-Malmaison
DISNEYLAND REPORT PARIS
Vincennes
Port-Royal-des-Champs
VERSAILLES
Rambouillet
VAUX-LE-VICOMTE
Melun
Courances
Étampes
Barbizon
Milly-la-Forêt
FONTAINEBLEAU
Méandres de la Meuse
Monthermé
Charleville-Mézières
Sedan
DEUTSCHLAND
LUXEMBOURG
MANNHEIM
SAARBRÜCKEN
CHAMPS DE BATAILLE DE VERDUN
Verdun
METZ
KARLSRUHE
Hunspach
Seebach
Épine
St-Mihiel
Bar-le-Duc
Toul
NANCY
Marmoutier
Saverne
STRASBOURG
St-Nicolas-de-Port
Lunéville
Obernai
Mont Ste-Odile
VINS
Haut-Kœnigsbourg
MASSIF DES VOSGES
RIQUEWIHR
DES
Colombey-les Deux-Eglises
Vittel
Contrexéville
Gérardmer
COLMAR
ROUTE DES CRÊTES
Murbach
Bourbonne-les-Bains
Ecomusée d'Alsace
BALLONS D'ALSACE
ROUTE
Châtillon-s-Seine
Langres
Ronchamp
Mulhouse
Belfort
BASEL
RHEIN
Montbéliard
Doubs
Saône
DIJON
BESANÇON
SAUT DU DOUBS
Saline royale d'Arc-et-Senans
BERN
SOURCE DE LA LOUE
Beaune
Pontarlier
SUISSE
Chalon-s-Saône
Forêt de la Joux
Lons-le-Saunier
BAUME-LES-MESSIEURS
SCHWEIZ
LAUSANNE
Tournus
LES ROUSSES
CASCADES DU HÉRISSON
SVIZZERA
Cormatin
8
5

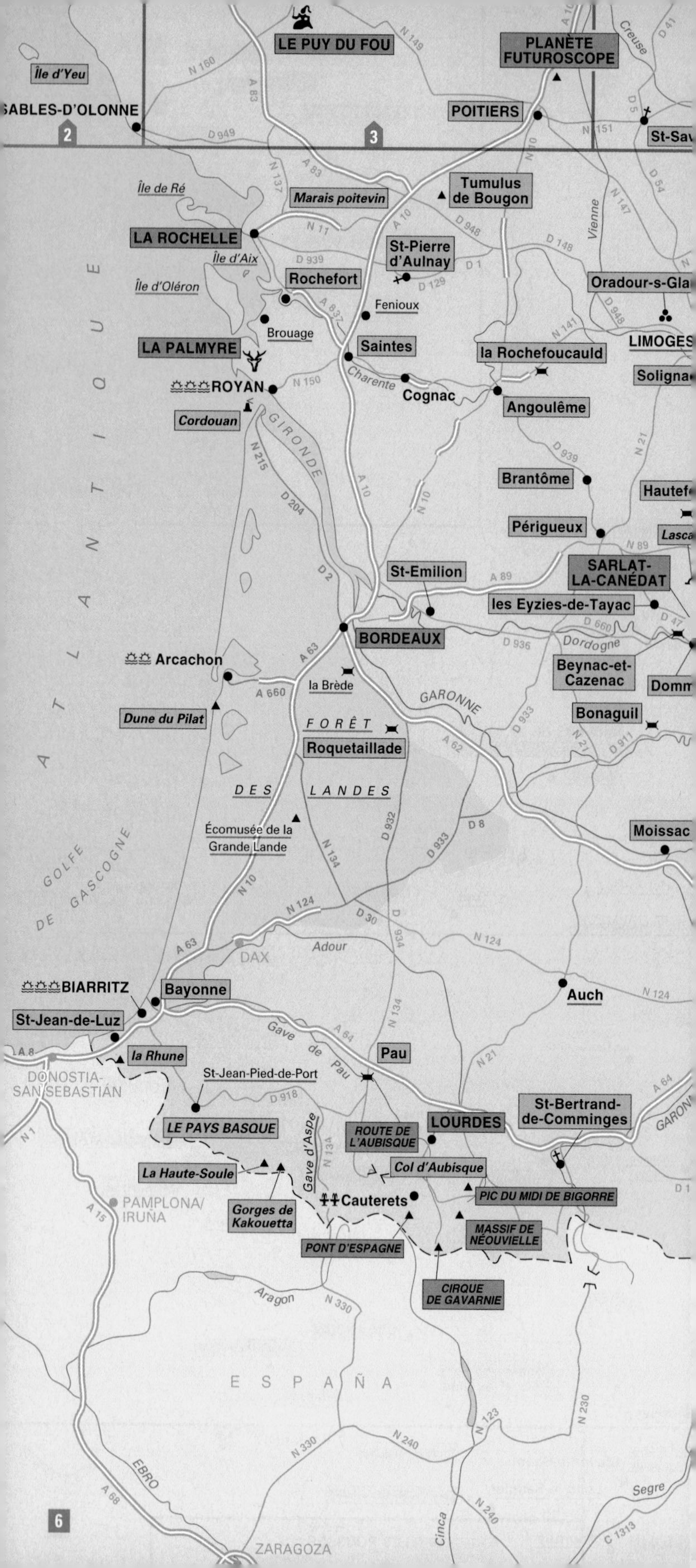

LE PUY DU FOU
PLANÈTE FUTUROSCOPE
Île d'Yeu
SABLES-D'OLONNE
POITIERS
St-Sav
Île de Ré
Marais poitevin
Tumulus de Bougon
LA ROCHELLE
Île d'Aix
St-Pierre d'Aulnay
Île d'Oléron
Rochefort
Oradour-s-Gla
Fenioux
Brouage
LIMOGES
LA PALMYRE
Saintes
la Rochefoucauld
ROYAN
Solignac
Cognac
Angoulême
Cordouan
Charente
GIRONDE
Brantôme
Hautefort
Périgueux
Lascaux
SARLAT-LA-CANÉDAT
St-Emilion
les Eyzies-de-Tayac
BORDEAUX
Dordogne
Arcachon
Beynac-et-Cazenac
la Brède
Domme
GARONNE
Dune du Pilat
Bonaguil
FORÊT
Roquetaillade
DES LANDES
Écomusée de la Grande Lande
Moissac
GOLFE DE GASCOGNE
ATLANTIQUE
DAX
Adour
BIARRITZ
Bayonne
Auch
St-Jean-de-Luz
Gave de Pau
Pau
la Rhune
DONOSTIA-SAN SEBASTIÁN
St-Jean-Pied-de-Port
St-Bertrand-de-Comminges
LE PAYS BASQUE
ROUTE DE L'AUBISQUE
LOURDES
Gave d'Aspe
Col d'Aubisque
La Haute-Soule
PIC DU MIDI DE BIGORRE
Cauterets
PAMPLONA/IRUÑA
Gorges de Kakouetta
MASSIF DE NÉOUVIELLE
PONT D'ESPAGNE
CIRQUE DE GAVARNIE
Aragon
ESPAÑA
EBRO
Segre
Cinca
ZARAGOZA

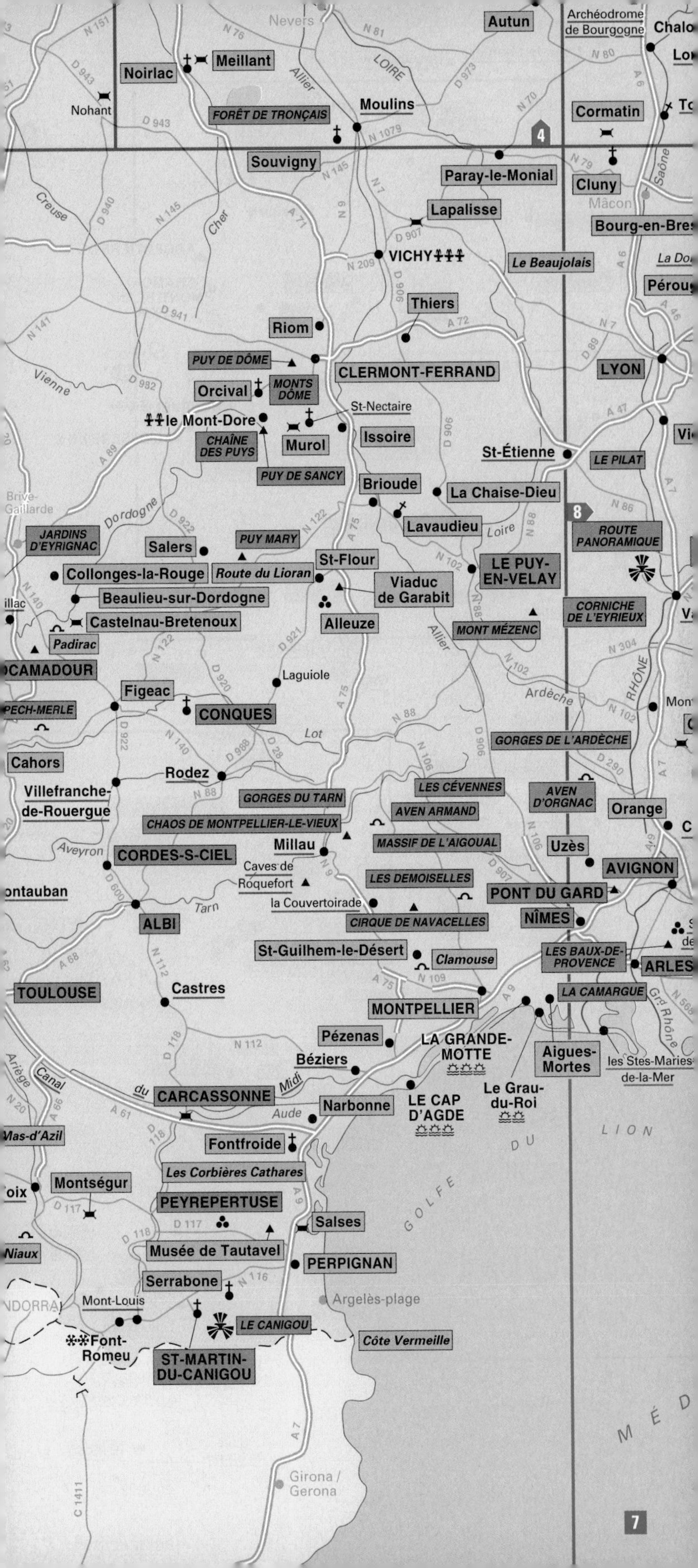

Nevers
Autun
Archéodrome de Bourgogne
Noirlac
Meillant
Nohant
FORÊT DE TRONÇAIS
Moulins
Cormatin
Souvigny
Paray-le-Monial
Cluny
Mâcon
Lapalisse
Bourg-en-Bresse
VICHY
Le Beaujolais
Thiers
Riom
PUY DE DÔME
CLERMONT-FERRAND
LYON
Orcival
MONTS DÔME
St-Nectaire
le Mont-Dore
CHAÎNE DES PUYS
Murol
Issoire
St-Étienne
LE PILAT
PUY DE SANCY
Brioude
La Chaise-Dieu
Brive-Gaillarde
JARDINS D'EYRIGNAC
Lavaudieu
ROUTE PANORAMIQUE
Salers
PUY MARY
St-Flour
LE PUY-EN-VELAY
Collonges-la-Rouge
Route du Lioran
Viaduc de Garabit
Beaulieu-sur-Dordogne
CORNICHE DE L'EYRIEUX
Castelnau-Bretenoux
Alleuze
MONT MÉZENC
Padirac
ROCAMADOUR
Laguiole
Figeac
PECH-MERLE
CONQUES
Cahors
GORGES DE L'ARDÈCHE
Rodez
Villefranche-de-Rouergue
GORGES DU TARN
LES CÉVENNES
AVEN D'ORGNAC
Orange
AVEN ARMAND
CHAOS DE MONTPELLIER-LE-VIEUX
Millau
MASSIF DE L'AIGOUAL
Uzès
CORDES-S-CIEL
Caves de Roquefort
LES DEMOISELLES
AVIGNON
Montauban
PONT DU GARD
la Couvertoirade
ALBI
CIRQUE DE NAVACELLES
NÎMES
St-Guilhem-le-Désert
Clamouse
LES BAUX-DE-PROVENCE
ARLES
TOULOUSE
Castres
LA CAMARGUE
MONTPELLIER
Pézenas
LA GRANDE-MOTTE
Aigues-Mortes
Béziers
les Stes-Maries-de-la-Mer
Le Grau-du-Roi
CARCASSONNE
LE CAP D'AGDE
Narbonne
Mas-d'Azil
Fontfroide
GOLFE DU LION
Les Corbières Cathares
Montségur
Foix
PEYREPERTUSE
Salses
Niaux
Musée de Tautavel
PERPIGNAN
Serrabone
ANDORRA
Mont-Louis
Argelès-plage
LE CANIGOU
Côte Vermeille
Font-Romeu
ST-MARTIN-DU-CANIGOU
Girona / Gerona
MÉD

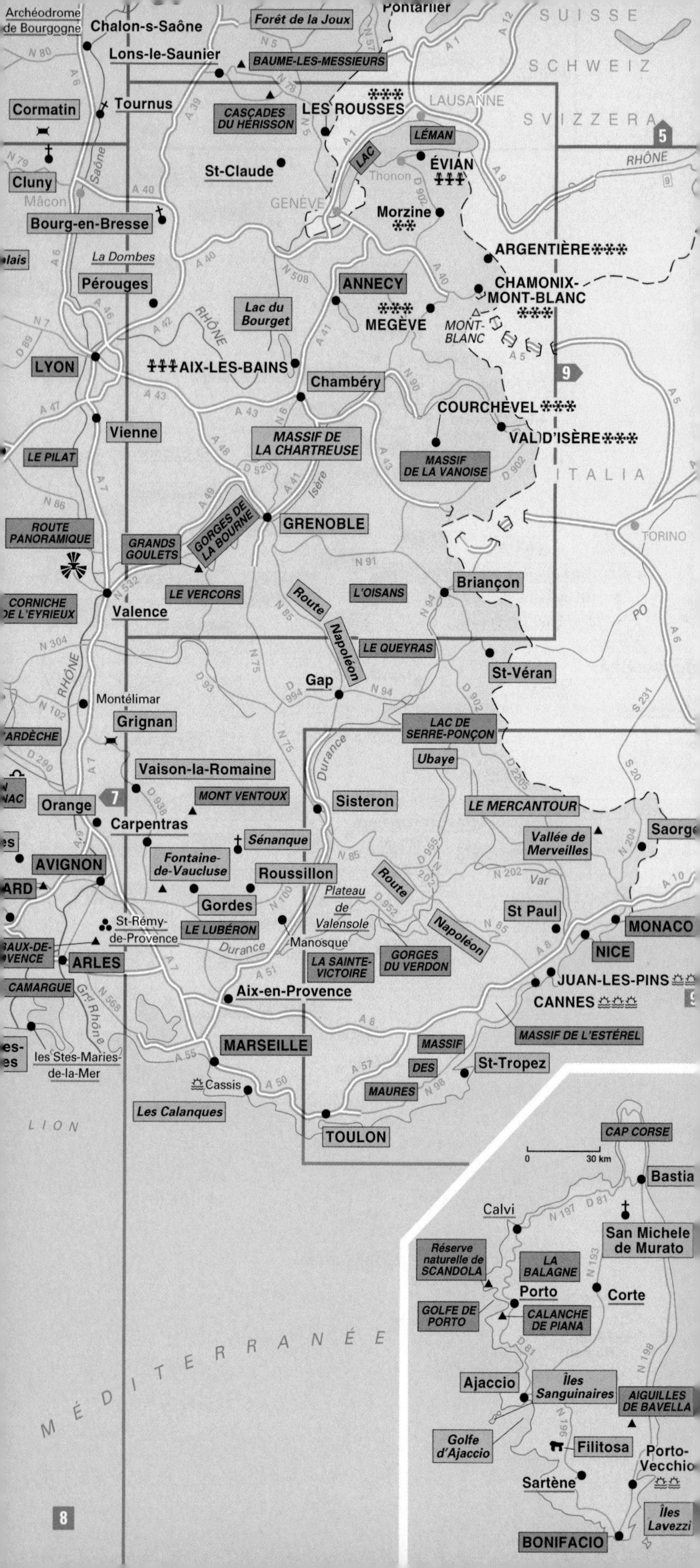

Archéodrome de Bourgogne
Chalon-s-Saône
Forêt de la Joux
Pontarlier
SUISSE
SCHWEIZ
SVIZZERA
Lons-le-Saunier
BAUME-LES-MESSIEURS
Tournus
Cormatin
CASCADES DU HÉRISSON
LES ROUSSES
LAUSANNE
LÉMAN
LAC
ÉVIAN
Cluny
Mâcon
St-Claude
Thonon
GENÈVE
Morzine
Bourg-en-Bresse
La Dombes
ARGENTIÈRE
CHAMONIX-MONT-BLANC
Pérouges
ANNECY
Lac du Bourget
MEGÈVE
MONT-BLANC
LYON
AIX-LES-BAINS
Chambéry
COURCHEVEL
Vienne
VAL D'ISÈRE
MASSIF DE LA CHARTREUSE
LE PILAT
MASSIF DE LA VANOISE
ITALIA
ROUTE PANORAMIQUE
GRANDS GOULETS
GORGES DE LA BOURNE
GRENOBLE
TORINO
LE VERCORS
Route Napoléon
L'OISANS
Briançon
CORNICHE DE L'EYRIEUX
Valence
LE QUEYRAS
St-Véran
Gap
Montélimar
Grignan
LAC DE SERRE-PONÇON
Ubaye
Vaison-la-Romaine
MONT VENTOUX
Orange
Sisteron
LE MERCANTOUR
Carpentras
Sénanque
Vallée de Merveilles
Saorge
Fontaine-de-Vaucluse
AVIGNON
Roussillon
Gordes
Plateau de Valensole
St Paul
St-Rémy-de-Provence
LE LUBÉRON
Manosque
MONACO
NICE
ARLES
LA SAINTE-VICTOIRE
GORGES DU VERDON
JUAN-LES-PINS
CAMARGUE
Aix-en-Provence
CANNES
MASSIF DE L'ESTÉREL
MARSEILLE
les Stes-Maries-de-la-Mer
MASSIF DES MAURES
St-Tropez
Cassis
Les Calanques
TOULON
LION
MÉDITERRANÉE
CAP CORSE
Bastia
Calvi
San Michele de Murato
Réserve naturelle de SCANDOLA
LA BALAGNE
Porto
Corte
GOLFE DE PORTO
CALANCHE DE PIANA
Ajaccio
Îles Sanguinaires
AIGUILLES DE BAVELLA
Golfe d'Ajaccio
Filitosa
Porto-Vecchio
Sartène
Îles Lavezzi
BONIFACIO

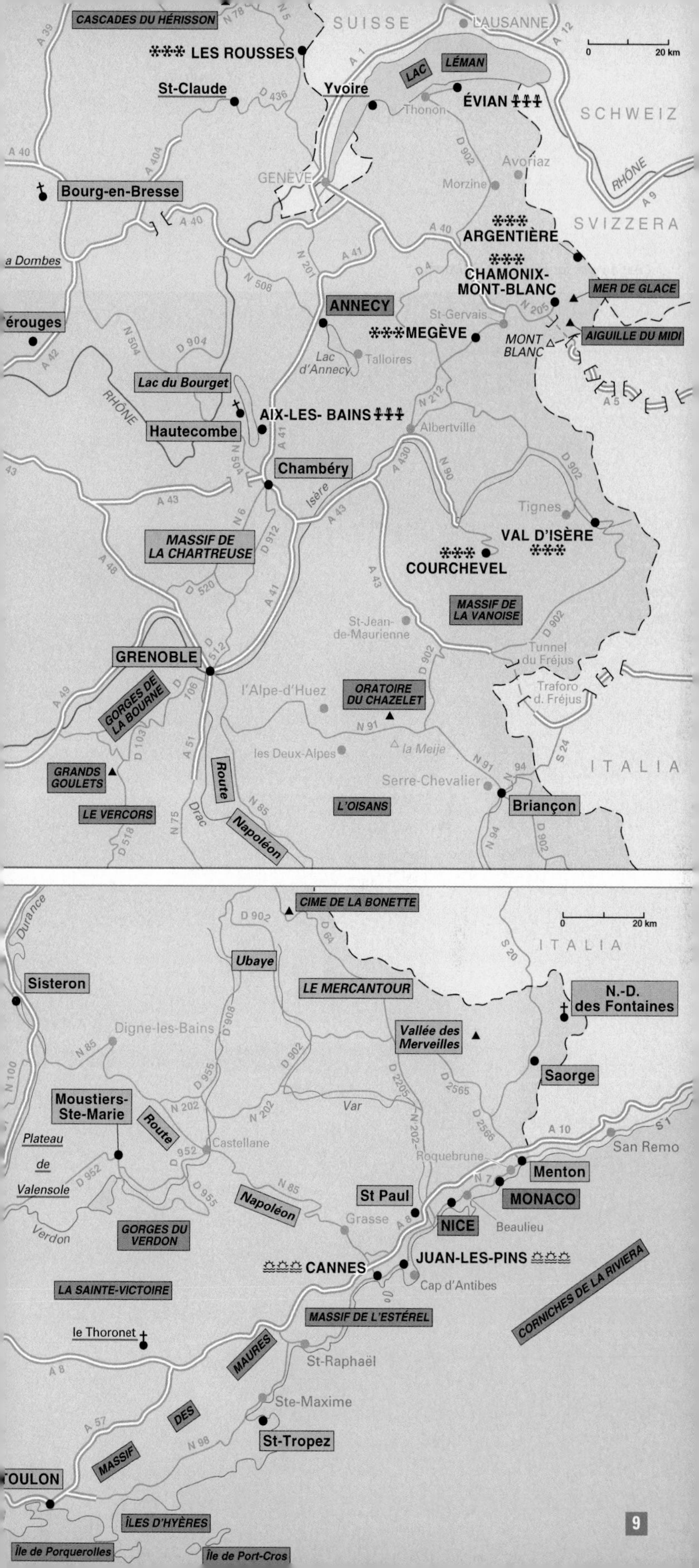

CASCADES DU HÉRISSON
LES ROUSSES
SUISSE
LAUSANNE
LAC
LÉMAN
St-Claude
Yvoire
ÉVIAN
Thonon
SCHWEIZ
Bourg-en-Bresse
GENÈVE
Avoriaz
Morzine
RHÔNE
SVIZZERA
ARGENTIÈRE
CHAMONIX-MONT-BLANC
MER DE GLACE
a Dombes
ANNECY
St-Gervais
érouges
MEGÈVE
AIGUILLE DU MIDI
MONT BLANC
Lac d'Annecy
Talloires
Lac du Bourget
AIX-LES- BAINS
Albertville
Hautecombe
Chambéry
Isère
Tignes
VAL D'ISÈRE
MASSIF DE LA CHARTREUSE
COURCHEVEL
MASSIF DE LA VANOISE
St-Jean-de-Maurienne
Tunnel du Fréjus
GRENOBLE
Traforo d. Fréjus
l'Alpe-d'Huez
ORATOIRE DU CHAZELET
GORGES DE LA BOURNE
la Meije
les Deux-Alpes
ITALIA
GRANDS GOULETS
Serre-Chevalier
Briançon
Route Napoléon
LE VERCORS
L'OISANS
Drac
0
20 km
CIME DE LA BONETTE
Durance
ITALIA
Ubaye
Sisteron
LE MERCANTOUR
N.-D. des Fontaines
Digne-les-Bains
Vallée des Merveilles
Saorge
Moustiers-Ste-Marie
Route Napoléon
Var
Plateau de Valensole
Castellane
San Remo
Roquebrune
Menton
MONACO
St Paul
Grasse
NICE
Beaulieu
Verdon
GORGES DU VERDON
CANNES
JUAN-LES-PINS
Cap d'Antibes
LA SAINTE-VICTOIRE
CORNICHES DE LA RIVIERA
MASSIF DE L'ESTÉREL
le Thoronet
MASSIF DES MAURES
St-Raphaël
Ste-Maxime
St-Tropez
TOULON
ÎLES D'HYÈRES
Île de Porquerolles
Île de Port-Cros

Char à voile sur les plages du Nord.

S. Sauvignier/MICHELIN

Informations pratiques

Avant le départ

adresses utiles

Ceux qui aiment préparer leur voyage dans le détail peuvent rassembler la documentation utile auprès des professionnels du tourisme des régions françaises. Outre les adresses indiquées ci-dessous, sachez que les coordonnées des offices de tourisme ou syndicats d'initiative des villes et sites décrits dans le corps du guide sont données systématiquement au début de chaque chapitre (paragraphe « la situation »).

Comités nationaux de tourisme

Fédération nationale des comités régionaux de tourisme – 17 av. de l'Opéra, 75001 Paris, ☎ 01 47 03 03 10. www.fncrt.com

Fédération nationale des comités départementaux de tourisme – 280 bd Saint-Germain, 75007 Paris, ☎ 01 44 11 10 20.

Fédération nationale des offices de tourisme et syndicats d'initiative – 280 bd Saint-Germain, 75007 Paris, ☎ 01 44 11 10 30. Il existe en France près de 3 600 offices de tourisme, syndicats d'initiative et offices municipaux de tourisme.

Les maisons régionales à Paris et les comités régionaux du tourisme

Alpes-Dauphiné-Isère – 2 pl. André-Malraux, 75001 Paris, 01 42 96 08 43/56. www.isere-tourisme.com

Alsace – 39 av. des Champs-Élysées, 75008 Paris, ☎ 01 53 83 10 10.
20a r. Berthe-Molly, BP 247, 68005 Colmar Cedex, ☎ 03 88 25 01 66. www.tourisme-alsace.com

Aquitaine – Cité Mondiale, 23 parvis des Chartrons, 33074 Bordeaux Cedex. ☎ 05 56 01 70 00. www.crt.cr-aquitaine.fr

Auvergne – 194 bis r. de Rivoli, 75001 Paris, ☎ 01 44 55 33 33. www.maisondelauvergne.com
44 av. des États-Unis, 63057 Clermont-Ferrand Cedex 1, ☎ 04 73 29 49 49. www.crt-auvergne.fr

Aveyron – 46 r. Berger, 75001 Paris, ☎ 01 42 36 84 63. www.maison-aveyron.com

Bourgogne – BP 1602, 21035 Dijon Cedex, ☎ 0 380 280 280. www.bourgogne-tourisme.com

Bretagne – 203 bd St-Germain, 75007 Paris, ☎ 01 53 63 11 50.
1 r. Raoul-Ponchon, 35069 Rennes Cedex, ☎ 02 99 28 44 30.
Infos 24h/24, ☎ 02 99 36 15 15. www.tourismebretagne.com

Champagne-Ardenne – 15 av. Mar.-Leclerc, BP 319, 51013 Châlons-en-Champagne Cedex, ☎ 03 26 21 85 80. www.tourisme-champagne-ardenne.com

Centre-Val de Loire – 6 r. Cassette, 75006 Paris, ☎ 01 53 63 02 50.
37 av. de Paris, 45000 Orléans, ☎ 02 38 79 95 00. www.loirevalleytourism.com

Corse – ATC, 17 bd Roi-Jérôme, BP 19, 20181 Ajaccio, ☎ 04 95 51 00 00. www.visit-corsica.com

Franche-Comté – 2 bd de la Madeleine, 75009 Paris, ☎ 01 42 66 26 28.
La City, 4 r. Gabriel-Plançon, 25044 Besançon Cedex, ☎ 03 81 25 08 08. www.franche-comte.org

Hautes-Alpes – 4 av. de l'Opéra, 75001 Paris, ☎ 01 42 96 05 08.

Île-de-France – 91 av. des Champs-Élysées, 75008 Paris, ☎ 01 56 89 38 00. www.paris-ile-de-france.com

Languedoc-Roussillon – 20 r. de la République, 34000 Montpellier, ☎ 04 67 22 81 00. www.cr-languedocroussillon.fr/tourisme

Limousin – 30 r. Caumartin, 75009 Paris, ☎ 01 40 07 04 67.
27 bd de la Corderie, 87031 Limoges Cedex, ☎ 05 55 45 18 80. www.tourismelimousin.com

Lorraine – 2 r. de l'Échelle, 75001 Paris, ☎ 01 44 58 94 00.
Abbaye des Prémontrés, BP 97, 54700 Pont-à-Mousson, ☎ 03 83 80 01 80. www.crt-lorraine.fr

Lozère – 4 r. Hautefeuille, 75006 Paris, ☎ 01 43 54 26 64. www.lozere-a-paris.com

Midi-Pyrénées – 15 r. St-Augustin, 75002 Paris, ☎ 01 42 86 51 86.
54 bd de l'Embouchure, BP 2166, 31022 Toulouse Cedex 2, ☎ 05 61 13 55 55. www.tourisme.midi-pyrenees.com

Nord-Pas-de-Calais – 6 pl. Mendès-France, 59028 Lille Cedex, ☎ 03 20 14 57 57. www.crt-nordpasdecalais.fr

Normandie – Le Doyenné, 14 r. Charles-Corbeau, 27000 Évreux, ☎ 02 32 33 79 00. www.normandy-tourism.org

Pays de la Loire – 6 r. Cassette, 75006 Paris, ☎ 01 53 63 02 50.
2 r. de la Loire, BP 20411, 44204 Nantes Cedex 2, ☎ 02 40 48 24 20. www.loirevalleytourism.com

Paris – 127 av. des Champs-Élysées, 75008 Paris, ☎ 0 892 68 31 12. 3615 et 3617 otparis. www.paris-touristoffice.com

Picardie - 3 r. Vincent-Auriol, 80011 Amiens Cedex 1, ☎ 03 22 22 33 63.

Poitou-Charentes - 68 r. du Cherche-Midi, 75006 Paris, ☎ 01 42 22 83 74. 62 r. Jean-Jaurès, 86002 Poitiers Cedex, ☎ 05 49 50 10 50. www.poitou-charentes-vacances.com

Provence-Alpes-Côte d'Azur - Les Docks, Atrium 10.5, 10 pl. de la Joliette, BP 46214, 13567 Marseille Cedex 02, ☎ 04 91 56 47 00.

Riviera-Côte d'Azur - 55 prom. des Anglais, BP 1602, 06011 Nice Cedex 1, ☎ 04 93 37 78 78. ww.guideriviera.com

Rhône-Alpes - 104 rte de Paris, 69260 Charbonnières-les-Bains, ☎ 04 72 59 21 59. www.rhonealpes-tourisme.com

Savoie - 31 av. de l'Opéra, 75001 Paris, ☎ 01 42 61 74 73. www.maisondesavoie.com

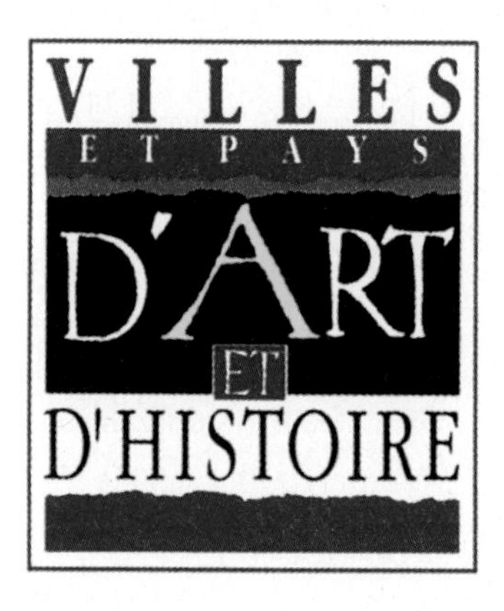

Villes et pays d'art et d'histoire

Sous ce label décerné par le ministère de la Culture et de la Communication sont regroupés quelque 130 villes et pays qui œuvrent activement à la mise en valeur et à l'animation de leur patrimoine.
Dans ce réseau sont proposées des visites générales ou insolites (1h1/2 ou plus), conduites par des guides-conférenciers et des animateurs du patrimoine agréés par le ministère.
Les enfants ne sont pas oubliés grâce à l'opération « L'Été des 6-12 ans » qui connaît chaque année un grand succès. Renseignements auprès des offices de tourisme des villes ou sur le site www.vpah.culture.fr

Forfaits

Cartes Musées-Monuments - Elles offrent un accès libre, direct et illimité aux musées, monuments et jardins dans la plupart des régions, pour une durée variable. Ces cartes sont en vente dans les musées concernés et les offices de tourisme.

météo

Quel temps pour demain ?

Météo-France a mis en place un système de services téléphoniques : les bulletins diffusés sont réactualisés trois fois par jour et sont valables pour une durée de sept jours.

Prévisions nationales - ☎ 08 92 68 00 00 (0,34€/mn).

Prévisions régionales - ☎ 08 92 68 01 01 (0,34€/mn).

Prévisions départementales - ☎ 08 92 68 02 suivi du numéro du département (☎ 08 92 68 02 83 pour le Var par exemple).

Prévisions pour les bords de mer - ☎ 08 92 68 08 suivi du numéro du département côtier et ☎ 08 92 68 08 77 pour les informations au large.

Prévisions pour les massifs montagneux - ☎ 08 92 68 04 04. Bulletins d'enneigement et des risques d'avalanches, ☎ 08 92 68 10 20.

Prévisions pour l'aviation ultralégère (vol libre et vol à voile) - ☎ 08 92 68 10 14 (0,34€/mn).

Ces informations sont disponibles sur 3615 météo et www.meteo.fr

Les saisons

Les gens du Nord se montrent souvent jaloux du soleil dont les méridionaux jouissent tout au long de l'année, de la luminosité exceptionnelle, de la rareté des pluies et des températures clémentes. Il faut toutefois savoir que, même en Provence, le rythme des saisons est parfois fort irrégulier.
La France jouit d'un climat tempéré, plus humide au Nord qu'au Sud, la Loire jouant le rôle de barrière météorologique efficace entre le Nord et le Sud du pays. À l'Ouest, la Bretagne se trouve dans une zone de dépressions, où l'humidité marine apportée par l'Atlantique lui assure un climat doux tout au long de l'année. Le Val de Loire, quant à lui, semble hésiter constamment entre soleil et nuages. Mais le ciel ne s'obscurcit jamais bien longtemps. Vers l'Est, le climat est davantage continental et donc soumis à de forts contrastes

	Nbre heures soleil/an	Nbre jours pluie/an
Annecy	2027	110,4
Bordeaux	2084	125,4
Cannes	2694	64,5
Dijon	1831	115,1
La Rochelle	2250	114,9
Lille	1600	121,5
Paris	1798	111,6
Strasbourg	1637	111,3
Toulouse	2047	101,3
Tours	1845	114,2

saisonniers : les hivers sont rudes, tandis que les étés, très chauds, sont ponctués par de violents orages.
L'été est la belle saison par excellence : chaleur et absence de pluie font le plus souvent la joie des vacanciers venus à la recherche du soleil, que ce soit sur le littoral méditerranéen, mais aussi le long des côtes atlantiques, en montagne ou en Picardie. C'est naturellement à cette époque qu'il y a le plus de personnes sur les plages et les sites touristiques.
L'automne est marqué par l'apparition des pluies, entre la mi-septembre et la fin novembre, sous l'influence des dépressions atlantiques. Après les vendanges, la nature passe par tous les tons du vert, de l'ocre et du doré. C'est à cette époque qu'il faut profiter des paysages de Bourgogne, d'Alsace ou de Normandie, d'autant plus que les touristes sont moins nombreux.
L'hiver est la saison idéale pour se rendre dans les stations de ski, que ce soit dans les Vosges, le Jura, le Massif Central les Alpes ou les Pyrénées. Sous leur parure de neige, les villages et les forêts font alors le ravissement des vacanciers.
Le printemps est parfois capricieux : il peut être marqué par le retour des dépressions atlantiques (en général moins violentes qu'en automne) qui alternent avec de belles journées, presque estivales. Mais gare aux imprudents qui n'auront pas emporté une « petite laine » !

tourisme et handicapés

Un certain nombre de curiosités décrites dans ce guide sont accessibles aux handicapés. Elles sont signalées par le symbole ♿.
Pour de plus amples renseignements au sujet de l'accessibilité des musées aux personnes atteintes de handicaps moteurs ou sensoriels, contacter la Direction des musées de France, service des Publics, 6 r. des Pyramides, 75041 Paris Cedex 01, ☎ 01 40 15 35 88.

Guides Michelin Hôtels-Restaurants et Camping Caravaning France – Révisés chaque année, ils indiquent respectivement les chambres accessibles aux handicapés physiques et les installations sanitaires aménagées.

Guide Rousseau H... comme Handicaps – Édité par l'association France Handicaps (9 r. Luce-de-Lancival, 77340 Pontault-Combault, ☎ 01 60 28 50 12), il donne de précieux renseignements sur la pratique du tourisme, des loisirs, des vacances et des sports accessibles aux handicapés.

Transports

En avion

Renseignements – Pour connaître les horaires, l'état des vols en cours, les accès aux aéroports de Paris, les services en aérogare : ☎ 0836 681 515 ; 3615 ou 3616 horav ; www.adp.fr
Paris est desservi par deux aéroports : Roissy-Charles-de-Gaulle, à 23 km au Nord par l'autoroute A 1, et Orly, à 11 km au Sud, par l'autoroute A 6.
En sortant de l'avion, vous pouvez gagner la capitale, en prenant les autocars Air France (☎ 0892 35 08 20 informations 24h/24, 7j/7), les bus RATP (☎ 08 36 68 77 14), les RER B ou C, ou encore les taxis.
Les principaux aéroports régionaux sont ceux des villes suivantes : Ajaccio, Bordeaux, Lille, Lyon, Marseille, Montpellier, Mulhouse, Nantes, Nice, Strasbourg et Toulouse. Certains d'entre eux sont aujourd'hui largement concurrencés par le TGV.

En train

Renseignements – ☎ 0836 35 35 35. 3615 SNCF et www.sncf.fr. La SNCF met à disposition des voyageurs des guides répertoriant horaires et gares.
Six gares parisiennes (Austerlitz, Est, Lyon, Montparnasse, Nord, St-Lazare) accueillent les voyageurs en provenance des grandes villes de France et d'Europe. Parmi les différents trains qui circulent sur le réseau ferroviaire, vous pourrez prendre :
- les **TGV** (trains à grande vitesse) qui vous conduisent : vers le Nord, à Arras, Lille ou Calais en 1h ; vers l'Ouest et le Sud-Ouest, à Rennes, Quimper, Brest, Nantes (2h), Tours, Poitiers (1h30), La Rochelle, Bordeaux (3h), Biarritz (4h40) et Toulouse (5h) ; vers le Sud-Est, à Dijon (1h50), Lyon (2h), Valence (2h15), Avignon (2h30), Nîmes (2h45), Marseille (3h15), Toulon (4h) et Nice (5h30) ;
- les trains des **grandes lignes** qui permettent de traverser aisément le pays ;
- les **TER** (trains express régionaux) qui sillonnent les régions. Ils sont parfois complétés par des lignes autocars TER.

Billets – La SNCF propose de nombreuses formules de tarifs réduits : sous forme de cartes – enfant,

12-25 ans, senior – ou de formules « découverte » J8 ou J30 à réserver, suivant l'option choisie, 8 ou 30 jours à l'avance, découverte à deux, etc.

Par la route

Informations sur Internet et Minitel – Le site www.ViaMichelin.fr offre une multitude de services et d'informations pratiques d'aide à la mobilité (calcul d'itinéraires, cartographie : des cartes pays aux plans de villes, sélection des hôtels et restaurants du Guide Rouge Michelin...).
Les calculs d'itinéraires sont également accessibles sur Minitel 3615 ViaMichelin et peuvent être envoyés par fax (3617 ou 3623 Michelin).

Informations autoroutières – 3 r. Edmond-Valentin, 75007 Paris, ☎ 01 47 05 90 01 (lun.-ven.).
Informations sur les conditions de circulation sur les autoroutes : ☎ 08 36 68 10 77, 3615 autoroute et www.autoroutes.fr
La carte Michelin n° 911 au 1/1 000 000 donne les grands itinéraires, les temps de parcours, les itinéraires de dégagement ainsi qu'un calendrier des prévisions de circulation.
L'atlas autoroutier Michelin n° 914 détaille chaque autoroute (péages, aires de repos ou de service, tableaux des distances avec temps de parcours, ravitaillements essence, téléphones, etc.).

Hébergement, restauration

La France compte près de 20 000 hôtels homologués et classés de 1 à 4 étoiles, des plus simples au plus sophistiqués. Bien entendu, les grandes villes, les stations et les sites touristiques réputés offrent plus de choix pour passer des vacances : ils sont pourvus en hôtels, mais aussi en locations de chambres chez l'habitant, de studios et d'appartements et en campings.
La plupart des hôtels proposent, en sus de la chambre, le petit déjeuner composé d'un jus de fruit, un croissant, du beurre et de la confiture, et une boisson chaude (café, chocolat ou thé).
Dans les villages à la campagne, campings, hôtels, gîtes ruraux, auberges familiales installées dans de vieilles demeures, chambres d'hôte – équivalent du B&B anglais – pleines de charme, parfois superbement aménagées et décorées vous permettront de rencontrer des hôtes souvent passionnants.
Mais attention : si vous souhaitez découvrir certaines régions en période hivernale (entre la Toussaint et Pâques), comme la Corse et le Massif central, se loger relève parfois du casse-tête (comme du reste y manger !), tant leur rythme d'activité est accordé avec celui des vacances...
Mieux vaut alors privilégier les villes qui disposent de nombreux hôtels de toutes catégories.
Quant aux restaurants, vous n'aurez que l'embarras du choix, du café au grand restaurant, en passant par les brasseries, les crêperies, les winstubs et les établissements qui servent les « cuisines d'ailleurs » (Asie, Afrique du Nord, Proche-Orient et des différents pays d'Europe).

En général, vous pourrez déjeuner entre midi et 14h ou 14h30, et dîner entre 19h et 22h30. La plupart des établissements proposent un menu à prix fixe ou menu du jour. Le prix des boissons est rarement inclus.
Mais la restauration est inégale : souvent « industrielle » dans les sites les plus touristiques, elle peut être authentique dans certains petits établissements qui ne paient pas de mine : un poisson grillé aromatisé au fenouil et accompagné d'un vin blanc, un plateau de fruits de mer présenté sur le coin d'une table recouverte d'une improbable toile cirée, et un hôte chaleureux vous laisseront un souvenir inoubliable !
À l'intérieur des terres, outre quelques grandes tables, vous trouverez une cuisine volontiers rustique, souvent copieuse, toujours savoureuse et relevée, que ce soit dans les restaurants de villages ou dans les tables d'hôte et fermes-auberges qui privilégient une gastronomie du terroir.

J. Damase/MICHELIN

les adresses du guide

Pour la réussite de votre séjour, vous trouverez la sélection des bonnes adresses de la collection Le Guide Vert. Nous avons sillonné la région pour repérer des chambres d'hôte et des hôtels, des restaurants et des fermes-auberges... En privilégiant des étapes, souvent agréables, au cœur des villes, des villages ou sur nos circuits touristiques, en pleine campagne ou les pieds dans l'eau ; des maisons de pays, des tables régionales, des lieux de charme et des adresses plus simples... pour découvrir la région autrement : à travers ses traditions, ses produits du terroir, ses recettes et ses modes de vie.
Le confort, la tranquillité et la qualité de la cuisine sont bien sûr des critères essentiels ! Toutes les maisons ont été visitées et choisies avec le plus grand soin, toutefois il peut arriver que des modifications aient eu lieu depuis notre dernier passage : faites-le nous savoir, vos remarques et suggestions seront toujours les bienvenues !
Les prix que nous indiquons sont ceux pratiqués en **haute saison** ; hors saison, de nombreux établissements proposent des tarifs plus avantageux, renseignez-vous...

Mode d'emploi

Au fil des pages, vous découvrirez nos carnets pratiques : toujours rattachés à des villes ou à des sites touristiques remarquables du guide, ils proposent une sélection d'adresses à proximité. Si nécessaire, l'accès est donné à partir du site le plus proche.
Dans chaque carnet, les maisons sont classées en trois catégories de prix pour répondre à toutes les attentes :
Vous partez avec un budget inférieur à 42€ pour l'hébergement ? Choisissez vos adresses parmi celles de la catégorie **« À bon compte »** : vous trouverez là des hôtels, des chambres d'hôte simples et conviviales. Côté restauration, des tables gourmandes, à prix toujours honnêtes, vous sont proposées à moins de 16€.
Votre budget est un peu plus large, jusqu'à 76€ pour l'hébergement et 31€ pour la restauration. Piochez vos étapes dans la catégorie **« Valeur sûre »**. Vous y trouverez des maisons, souvent de charme, de meilleur confort et plus agréablement aménagées, animées par des passionnés, ravis de vous faire découvrir leur demeure et leur table. Là encore, chambres et tables d'hôte sont au rendez-vous, avec également des hôtels et des restaurants plus traditionnels, bien sûr.
Vous souhaitez vous faire plaisir le temps d'un repas ou d'une nuit, vous aimez voyager dans des conditions très confortables ? La catégorie **« Une petite folie ! »** est pour vous... La vie de château dans de luxueuses chambres d'hôte pas si chères que cela ou dans les palaces et les grands hôtels : à vous de choisir ! Vous pouvez aussi profiter des décors de rêve de lieux mythiques à moindre frais, le temps d'un brunch ou d'une tasse de thé...
À moins que vous ne préfériez casser votre tirelire pour un repas gastronomique dans un restaurant renommé. Sans oublier que la traditionnelle formule « tenue correcte exigée » est toujours d'actualité dans ces élégantes maisons !

L'hébergement

Les hôtels – Nous vous proposons un choix très large en terme de confort. La location se fait à la nuit et le petit déjeuner est facturé en supplément. Certains établissements assurent un service de restauration également accessible à la clientèle extérieure.

Les chambres d'hôte – Vous êtes reçu directement par les habitants qui vous ouvrent leur demeure. L'atmosphère est plus conviviale qu'à l'hôtel, et l'envie de communiquer doit être réciproque : misanthropes, s'abstenir ! Les prix, mentionnés à la nuit, incluent le petit déjeuner. Certains propriétaires proposent aussi une table d'hôte, en général le soir, et toujours réservée aux résidents de la maison. Il est très vivement conseillé de réserver votre étape, en raison du grand succès de ce type d'hébergement.
NB : certains établissements ne peuvent pas recevoir vos compagnons à quatre pattes ou les accueillent moyennant un supplément. Pensez à le demander lors de votre réservation.

La restauration

Pour répondre à toutes les envies, nous avons bien sûr sélectionné des restaurants régionaux, mais aussi classiques, exotiques ou à thème... Et des lieux plus simples, où vous pourrez grignoter une salade composée, une tarte salée, une pâtisserie ou déguster des produits régionaux sur le pouce.

Quelques fermes-auberges vous permettront de découvrir les saveurs de la France profonde. Vous y goûterez des produits authentiques provenant de l'exploitation agricole, préparés selon la tradition et généralement servis en menu unique. Le service et l'ambiance sont bon enfant. Réservation obligatoire ! Enfin, n'oubliez pas que les restaurants d'hôtels peuvent vous accueillir.

et aussi...

Si d'aventure, vous n'avez pu trouver votre bonheur parmi toutes nos adresses, vous pouvez consulter les Guides Michelin d'hébergement ou, en dernier recours, vous rendre dans un hôtel de chaîne.

Le Guide Rouge hôtels et restaurants France

Pour un choix plus étoffé et actualisé, Le Guide Rouge recommande hôtels et restaurants dans toute la France. Pour chaque établissement, le niveau de confort et de prix est indiqué, en plus de nombreux renseignements pratiques. Les bonnes tables, étoilées pour la qualité de leur cuisine, sont très prisées par les gastronomes. Le symbole « **Bib Gourmand** » sélectionne les tables qui proposent une cuisine soignée à moins de 21€.

Guide Camping et Caravaning France

Le Guide Camping et Caravaning propose tous les ans une sélection de terrains visités régulièrement par nos inspecteurs. Renseignements pratiques, niveau de confort, prix, agrément, location de bungalows, de mobile homes ou de chalets y sont mentionnés.

Les chaînes hôtelières

L'hôtellerie dite « économique » peut éventuellement vous rendre service. Sachez que vous y trouverez un équipement complet (sanitaire privé et télévision), mais un confort très simple. Souvent à proximité de grands axes routiers, ces établissements n'assurent pas de restauration. Toutefois, leurs tarifs restent difficiles à concurrencer (moins de 38€ la chambre double). En dépannage, voici donc les centrales de réservation de quelques chaînes :
B&B, ☎ 0 820 90 29 29.
Etap Hôtel, ☎ 08 36 68 89 00.
Mister Bed, ☎ 01 46 14 38 00.
Villages Hôtel, ☎ 03 80 60 92 70.
Enfin, les hôtels suivants, un peu plus chers (à partir de 52€ la chambre), offrent un meilleur confort et quelques services complémentaires :
Campanile, ☎ 01 64 62 46 46.
Kyriad, ☎ 01 64 62 51 96.
Ibis, ☎ 0 803 88 22 22.

Locations, villages de vacances, hôtels...

Fédération nationale des services de réservation Loisirs-Accueil – 280 bd St-Germain, 75007 Paris, ☎ 01 44 11 10 44. Elle propose un large choix d'hébergements et d'activités de qualité et édite un annuaire regroupant les coordonnées des services Loisirs-Accueil et, pour certains départements, une brochure détaillée. 3615 résinfrance. www.resinfrance.com ou www.loisirsaccueilfrance.com

Fédération nationale Clévacances France – 54 bd de l'Embouchure, BP 2166, 31022 Toulouse Cedex, ☎ 05 61 13 55 66, fax 05 61 13 55 94. 3615 clevacances (0,34€/mn) et www.clevacances.com. Cette fédération propose près de 20 000 locations de vacances (de la villa à la chambre en passant par l'appartement ou le chalet) et près de 1 600 chambres dans 21 régions réparties sur 63 départements en France et en outre-mer. Cet organisme publie un catalogue par département (passer commande auprès des représentants départementaux Clévacances).

« Bon week-end en villes »

Bon week-end en villes vous permet de passer deux nuits pour le prix d'une dans certains hôtels d'une ville et, en outre, de profiter des visites et des activités que les offices de tourisme proposent. La brochure complète répertoriant les hôtels participant à l'opération est disponible dans les offices de tourisme des villes concernées. www.bon-week-end-en-villes.com

Hébergement rural

Maison des Gîtes de France et du tourisme vert – 59 r. St-Lazare, 75439 Paris Cedex 09, ☎ 01 49 70 75 75. Cet organisme donne les adresses des relais départementaux et publie des guides sur les différentes possibilités d'hébergement en milieu rural (gîte rural, chambres et tables d'hôte, gîtes d'étape, chambres d'hôte et gîtes de charme, gîtes de neige, gîtes de pêche, gîtes d'enfants, camping à la ferme, gîtes Panda, gîtes équestres). Renseignements et réservation possibles au 3615 gites de France et www.gites-de-france.fr

Fédération des Stations vertes de vacances et Villages de neige – 6 r. Ranfer-de-Bretenières, BP 71698, 21016 Dijon Cedex, ☎ 03 80 54 10 50. www.stationsvertes.com. Cet organisme regroupe 865 communes recensées pour leur attrait naturel, leur environnement de qualité, leur offre diversifiée en matière d'hébergement et de loisirs.

Hébergement pour randonneurs

Les randonneurs peuvent consulter le guide *Gîtes d'étapes, refuges,* par A. et S. Mouraret (Rando-Éditions, BP 24, 65421 Ibos, ☎ 05 62 90 09 90) et le site Internet www.gites-refuges.com. Cet ouvrage et ce site sont principalement destinés aux amateurs de randonnées, d'alpinisme, d'escalade, de ski, de cyclotourisme et de canoë-kayak.

Propositions de séjour

On peut décider de passer un mois à bronzer sur la plage ou à goûter tous les produits du terroir ou encore à visiter les vignobles. Mais il arrive qu'on dispose de peu de temps ou que l'on souhaite découvrir certains aspects de la France : lors d'un week-end, en trois ou quatre jours ou en une semaine. Voici quelques idées de séjour, suivant le temps dont vous disposez.

idées de week-end

Noël à Strasbourg

Tout à Strasbourg est fait pour que vous vous y sentiez bien le temps d'un week-end sans soucis. De Gutenberg à la Communauté européenne, en passant par *La Marseillaise* (eh oui, elle est alsacienne), vous êtes ici au centre de l'Histoire. Pour vous en imprégner : musées (Arts décoratifs, Art moderne et contemporain, Beaux-Arts...), églises et Palais de l'Europe. À la fin de l'année, Strasbourg, blotti dans le froid, s'illumine comme un conte de fées pour le marché de Noël... à ne pas manquer, mais ne rentrez pas les mains vides. Bien sûr, il y a aussi le bon goût. Pour cela, faites confiance aux winstubs : vins et plats régionaux vous y attendent (choucroute, flammekueche...). Pour digérer : des promenades sur l'Ill vous font découvrir la ville autrement. Pour finir ces deux jours au rythme des promenades, la cité ancienne vous fait passer de ponts en places pour finir à la Petite France, autrefois quartier des pêcheurs et des tanneurs, avec ses airs de village de poupée.

Les joyaux de Paris

La Conciergerie, la Sainte-Chapelle et Notre-Dame sont les joyaux de l'île de la Cité, que vous ne manquerez pas de visiter. Pour vous remettre de votre périple, reposez-vous dans le jardin du Luxembourg. Finissez l'après-midi par une promenade dans le quartier du Palais-Royal, de l'Opéra et de la Madeleine. Le faubourg St-Honoré recense les plus grands noms de la haute couture. Et, le soir, rendez-vous à la Bastille et dans ses petites rues animées.

Le dimanche, plongez dans le Paris pittoresque à travers Montmartre et sa butte. Gagnez l'Arc de Triomphe et descendez les Champs-Élysées. Traversez la Seine, et, avant de quitter la capitale, prenez de la hauteur en montant à la tour Eiffel.

Vallée de la Seine et Côte Fleurie

De Giverny à Cabourg avec étapes à Rouen et Deauville pour un week-end bien rempli. On longe la vallée de la Seine où se succèdent des sites remarquables et variés. Parmi les plus intéressants : Giverny (maison de Monet), Château-Gaillard (Les Andelys), les abbayes de St-Martin-de-Boscherville, Jumièges, St-Wandrille, le Parc naturel régional de Brotonne, le pont de Normandie sur l'estuaire qui mène à Honfleur, Ville d'art et d'histoire. La fin du séjour se passe sur la Côte Fleurie, entre Deauville et Cabourg.

Sarlat et ses environs

Le samedi matin, un petit déjeuner sur la place de la Liberté avant de parcourir les rues et ruelles du vieux Sarlat, de l'ancien évêché à l'hôtel Plamon en passant par le Présidial. Après l'effort, le réconfort : voici l'heure de se sustenter dans un des restaurants du centre. L'après-midi sera consacré à la visite du gouffre de Padirac. Après une bonne nuit de sommeil, rendez-vous au moulin de la Tour, situé à une poignée de kilomètres de la ville. Après vous être familiarisé avec la fabrication de l'huile de noix, poussez jusqu'aux magnifiques allées des jardins d'Eyrignac. Les uns y trouveront matière à disserter sur l'art paysager, les autres profiteront du calme du lieu pour se laisser aller à quelques pensées vagabondes... Rejoignez la vallée de la Dordogne à hauteur de Carlux pour contempler la silhouette du château de Fénelon et la beauté du cingle de Montfort par la route de la falaise. En fin d'après-midi, vous aurez gagné La Roque-Gageac et Beynac pour parcourir ces deux petits bourgs qui étalent leurs belles maisons de pierre ocre sur les berges de la rivière.

En Camargue

On quittera Arles après avoir arpenté le marché du samedi matin sur le boulevard des Lices et visité les arènes et le Museon Arlaten. Sur la route des Stes-Maries, on s'arrêtera au Musée camarguais et au parc ornithologique du Pont-de-Gau pour observer les oiseaux. Les Stes-Maries-de-la-Mer sont l'endroit idéal pour déguster quelques tellines suivies d'une «gardiane» de taureau avant d'assister à une course camarguaise ou de s'habiller de pied en cap en gardian dans les boutiques de la ville. Un peu d'aventure? On louera un vélo pour arpenter la digue à la Mer ou, si l'on est courageux, faire le tour de l'étang du Vaccarès. Désireux de découvrir une Camargue différente, on poussera à Salin-de-Giraud: après les étincelantes camelles (collines de sel), une marche sur les sentiers du domaine de la Palissade révélera une Camargue à l'état brut, non endiguée. Plus loin, on pourra se baigner à la plage de Piémanson. Sur les traces de Saint Louis et de Marie Durand, on visitera Aigues-Mortes où l'on prendra plaisir à flâner et à faire provision de vin des sables!

idées de séjour de 3 à 4 jours

Le golfe du Morbihan et les mégalithes

Ce programme de trois jours débute par Vannes où l'on se promène une journée, et que l'on quittera le lendemain pour une excursion en bateau dans le golfe du Morbihan. Au soir de cette journée, on gagnera Auray après avoir visité le cairn de Gavrinis, près de Larmor-Baden. On logera à Auray afin de dîner dans le charmant port de Saint-Goustan, sur les bords du Loch. Le lendemain, on ira visiter l'ensemble mégalithique de Locmariaquer, puis celui de Carnac, non sans pousser jusqu'au port de La Trinité-sur-Mer, port de plaisance par excellence, ou jusqu'à Quiberon pour profiter de la vue sur Belle-Île, et se régaler de bonnes crêpes accompagnées d'une bolée de cidre.

Poitiers et le Futuroscope

Ce séjour est idéal pour profiter de la douceur de vivre du Poitou. La ville de Poitiers recèle un superbe patrimoine architectural dont le point fort est l'église N.-D.-la-Grande et sa merveilleuse façade romane. On y verra aussi plusieurs musées. Goûtez les spécialités régionales salées – le farci poitevin, le fromage de chèvre – et sucrées – le broyé du Poitou ou les macarons de Montmorillon. Le deuxième jour, mettez-vous en route pour la «Venise verte» du Marais poitevin. Laissez-vous tenter par la promenade en barque sous les saules et les frênes, mais choisissez de préférence un port calme comme point de départ (Arçais, Le Vanneau, Damvix, Maillezais). Ne repartez pas sans avoir goûté les anguilles sautées, plat typique du marais. Le ou les jours suivants, vous plongerez dans le monde de l'image à Planète Futuroscope, qui propose une multitude de films sur des écrans géants. Avant votre départ, n'oubliez pas de vous renseigner par téléphone, Minitel, ou Internet, et de réserver vos places et éventuellement vos billets combinés si vous souhaitez dormir à côté du parc.

La « côte »

Pour les amateurs de bons vins! Il est vrai qu'un simple week-end consacré au vignoble bourguignon peut sembler un peu court, surtout si l'on souhaite déguster, comparer les crus... et repartir avec une petite réserve, bien sélectionnée, pour enrichir sa cave. Mieux vaut donc, d'emblée, s'accorder 3 ou 4 jours, d'autant qu'il n'est jamais inutile de rappeler que l'on ne saurait conduire en ayant abusé des dégustations. On reprendra l'itinéraire décrit sous la rubrique la « côte » *(voir la partie Villes et sites)*... en ayant pour base de départ Beaune ou Dijon. Fixin, gevrey-chambertin, aloxe-corton, pommard, volnay, puligny-montrachet vont alors exciter vos papilles et, si vous êtes bien conseillé, faire de ce voyage une aventure à nulle autre pareille.

Le Luberon

Suivant les cas, on choisira de s'installer à Apt (on ne manquera pas alors le marché du samedi, un des plus colorés de Provence, ni d'emplir les paniers de fruits confits), Cavaillon (à l'époque du melon) où l'on visitera la synagogue ou l'un des villages perchés du Luberon: Gordes la blanche, avec ses bories, ses «calades» et non loin l'abbaye de Sénanque qui aime se parer de lavande ; Roussillon, l'ocre, avec son sentier tracé dans les anciennes carrières, le conservatoire des Ocres, et, sur les murs des maisons, le résultat de cette activité humaine ; Ménerbes que rendit célèbre l'écrivain anglais Peter Mayle ; ou encore, plus au Sud, Lourmarin. Et l'on en profitera pour faire une incursion dans le Comtat venaissin en découvrant Carpentras qui, outre les fameux berlingots, recèle quelques belles surprises.

idées de séjour d'une semaine

Côte d'Opale, Artois et Picardie occidentale

Départ de Dunkerque. Découverte des sites de la Côte d'Opale où l'on passera 2 nuits dans un hôtel en bord de mer, à moins que l'on opte pour un gîte rural à l'intérieur des terres. Le 3e jour sera bien rempli en parcourant l'arrière-pays : Boulonnais et Audomarois, jusqu'aux rives de la Lys, avec la visite de Nausicaä. Chemin faisant, haltes à St-Omer et son proche marais, Helfaut-Wizernes et sa coupole chargée de terribles souvenirs, Aire-sur-la-Lys, Desvres... Le 4e jour, remontée de la vallée de la Canche, depuis Le Touquet. De Frévent, on file sur Arras pour l'étape du soir. Le lendemain, retour sur la côte par Lucheux et la vallée de l'Authie. Entre Doullens et Fort-Mahon-Plage, découverte de l'abbaye de Valloires. Peut-être s'y offrira-t-on une nuit de sommeil (réservation impérative) bien méritée, après avoir rencontré la gent ailée dans le parc du Marquenterre, visité Rue et la baie de Somme, du Crotoy à St-Valery. L'étape suivante est Amiens, que l'on aborde via St-Riquier ou Abbeville et la vallée de la Somme. Avec sa célèbre cathédrale, ses hortillonnages et ses musées, la visite de la capitale picarde exige un jour entier. Deux autres journées sont donc à prévoir pour rayonner autour d'Amiens. On les consacrera à la découverte du parc Samara, et à la remontée de l'autre partie de la vallée de la Somme, vers St-Quentin. L'Ouest de la Picardie révèle aussi le meilleur d'elle-même dans le Vimeu, à Rambures et Ault, comme dans la région de Beauvais, où l'on terminera en beauté avec le pays de Bray, St-Germer-de-Fly et Gerberoy.

Au jardin de Touraine

Départ de Tours, après y être resté deux jours, par l'Ouest, sur la rive droite de la Loire. Vous visiterez Langeais et Bourgueil avant de gagner Chinon. Le lendemain (3e jour), pour peu que vous ayez quelque affection pour Rabelais, vous passerez la journée en Chinonnais. Vous arriverez le soir à Azay-le-Rideau pour être de bon matin devant le château. Le surlendemain (4e jour), Ussé et Villandry seront sur la route qui vous ramènera en fin de journée à Tours où vous ferez une nouvelle fois étape. Le 5e jour, vous visiterez la vallée de la Manse (fromages à Sainte-Maure-de-Touraine) et la vallée de l'Indrois pour vous arrêter, le soir, à Loches. Le lendemain (6e jour), exploration de la cité médiévale, du château, des logis royaux et du donjon. Vous rejoindrez Chenonceaux par la voie la plus directe d'où vous suivrez le Cher jusqu'à Montrichard. Le 7e jour est réservé à Amboise avec visite de la pagode de Chanteloup, l'aquarium de Touraine et du château pour terminer en beauté cette magnifique semaine.

Cannes, l'Esterel et les Maures

Depuis la capitale du cinéma, une incursion dans la forteresse rouge de l'Esterel et le massif des Maures ne nécessite pas de préparation particulière sauf l'appréhension des routes sinueuses et des belvédères accessibles par des chemins parfois très escarpés. La première journée sera consacrée à la visite du vieux Cannes, puis à longer la Croisette, son allée des stars et ses palaces où il se passe toujours quelque chose. Le lendemain, cap vers les îles de Lérins. Le 3e jour, prenez la route des villages perchés du Tanneron : Auribeau-sur-Siagne, Tanneron et Caillan se succèdent dans une explosion d'odeurs et de couleurs. Si vous venez en février, mois où les mimosas sont en fleur, ce sera un véritable océan de jaune et de parfum qui vous accueillera. Arrêt incontournable à Mougins, village perché fréquenté en son temps par Picasso, avant d'étourdir vos sens devant l'orgue à parfum d'un « nez » à Grasse. Vieille ville, musée provençal, parfumeries à découvrir : Grasse offre un choix éclectique de distractions. Ce sera également une excellente étape pour votre soirée. Profitez-en pour vous promener, comme les Grassois après le dîner, sur la corniche qui domine la rade de Cannes. La route Napoléon vous ramène le 4e jour à Cannes d'où vous longerez le littoral à l'Ouest. À l'approche de la cité romaine de Fréjus, vous êtes accueillis par les témoignages militaires de toutes les époques : mosquée sénégalaise, musée des Troupes coloniales et vestiges d'aqueduc romain. Gardez une partie de la soirée pour flâner dans le vieux Fréjus ou longer les canaux de Port-Fréjus. Le lendemain matin sera consacré à la visite du quartier

épiscopal et de la chapelle N.-D.-de-Jérusalem. Vous irez ensuite déguster les spécialités de poissons à la terrasse d'un des restaurants de St-Raphaël avant de vous engager sur la corniche de l'Esterel. Multipliez les arrêts chaque fois que la route vous le permet : vous ne le regretterez pas, chaque point de vue est différent.
Longez la côte jusqu'à St-Tropez, en faisant une étape à Port-Grimaud. Les 6e et 7e jours, parcourez le massif des Maures, et revenez à St-Tropez ou faites étape dans une des stations du littoral.
De retour à Cannes, visitez en cette fin de séjour les sites inoubliables de Juan-les-Pins, Biot, St-Paul-de-Vence et Vence.

A. de Valroger/MICHELIN

Les charmes du Sud de la Corse

Au départ de Porto-Vecchio, profitez de la plage de Palombaggia, puis consacrez votre deuxième journée aux vestiges torréens qui abondent autour de la cité du sel : Castello d'Araghju, Torre. Vous poursuivrez cette découverte de l'intérieur jusqu'à Zonza, étape du soir.
Aux aurores du 3e jour, vous accompagnerez les alpinistes qui vont se mesurer aux aiguilles de Bavella ; sagement, vous vous contenterez d'une promenade dans le sous-bois jusqu'au trou de la Bombe et au panorama offert sur les fameuses aiguilles.
Descente en fin de journée par Zonza sur l'Alta Rocca et sa capitale, Levie, où la visite du musée vous préparera à celle du site de Cucuruzzu le lendemain matin. Ainsi vous mesurerez combien la civilisation des mégalithes avait de l'ambition (taille colossale des pierres), et manifestement du goût (choix de sites qui embrassent des paysages magnifiques).
Par Ste-Lucie-de-Tallano, vous rejoindrez la vallée du Rizzanèse avant de bifurquer sur la droite par la D 19 qui serpente entre Arbellara et Viggianello, procurant presque à chaque virage de superbes échappées sur le littoral et la montagne.
Halte du quatrième jour à Propriano, l'un des meilleurs endroits pour savourer un « aziminu », variante corse de la bouillabaisse. Le 5e jour débutera par la visite du site mégalithique de Filitosa, l'un des plus étranges que nos ancêtres nous aient légués.
Remontez le Rizzanèse jusqu'au fameux pont génois de Spin'a Cavallu, puis rejoignez Sartène et son musée préhistorique. Vous profiterez de la mer à Tizzano, admirable anse dominée par un vieux fort et dégusterez un poisson dans une des auberges, les pieds dans l'eau. Halte du soir à Sartène.
Le 6e jour, en prenant la route de Bonifacio, accordez-vous une halte au lion de Roccapina puis faites une dégustation de langoustes auprès des pêcheurs de Caldarello, et de vin de Sartène aux coopératives de Figari. Faites une pause panorama sur les hauteurs du plateau, à l'ermitage de la Trinité, pour découvrir le site incomparable de Bonifacio. Dans cette ville, vous disposez encore de temps pour arpenter les quais de la marine et les remparts face aux bouches.
La journée suivante (7e jour), au choix, visite des musées et flâneries dans la ville haute, ou excursion en bateau aux îles Lavezzi, qui permet de longer les impressionnants à-pics des falaises. Retour à Porto-Vecchio.

Chamonix et la vallée Blanche

Avant de partir, prévoyez le nécessaire pour de brefs séjours en haute montagne (crème solaire, lunettes de protection, lainage, jumelles) et, surtout, assurez-vous que la météo est favorable. Les deux premiers jours seront réservés aux montées à l'aiguille du Midi et à la mythique traversée de la vallée Blanche par le téléphérique du Helbronner (compter une bonne journée), puis au Brévent et à la mer de Glace.
On entamera le 3e jour par le secteur d'Argentière et la fameuse aiguille des Grands-Montets. Les moins téméraires (ou les personnes sujettes au vertige) s'offriront une journée bucolique de marche dans la réserve des Aiguilles-Rouges. Vallorcine, Le Châtelard (Suisse) et l'ascension par funiculaire au barrage d'Émosson (4e jour) : émotion garantie ! Martigny vous accueillera pour l'étape du soir : calme et minutie helvétiques.
Le 5e jour, suivez le val d'Entremont, qui vous offre un aperçu inhabituel sur les glaciers du versant oriental de la chaîne du Mont-Blanc, avant d'atteindre les grandioses ouvrages d'art du tunnel du Grand-Saint-Bernard, qui marque la frontière avec l'Italie.
À Courmayeur, ceux qui se languissent de leur chalet savoyard pourront couper court par le tunnel du Mont-Blanc, les amateurs de polenta et de spumante prolongeront leur séjour.

Itinéraires à thème

routes du patrimoine

Routes historiques

Pour découvrir le patrimoine architectural régional, la Fédération nationale des routes historiques (www.routes-historiques.com) a élaboré en France 24 itinéraires à thème. Tracés et dépliants sont disponibles auprès des offices de tourisme ou à La Demeure historique (Hôtel de Nesmond, 57 quai de la Tournelle, 75005 Paris, ☎ 01 55 42 60 00, fax 01 43 29 36 44. www.demeure-historique.org).

Le Périgord préhistorique

Au départ des Eyzies-de-Tayac, allez à la découverte des principaux sites de la vallée de la Vézère et du Périgord noir, en axant les visites sur l'art pariétal et ses superbes fresques, ou sur le magnifique spectacle des concrétions minérales, ou tout simplement, en conjuguant les deux. Parmi ceux-ci : Font-de-Gaume, Lascaux II, Padirac, Pech-Merle, Rouffignac (Périgord)...

Sur les pas de Vauban dans les Alpes du Sud

Le formidable système défensif conçu par Vauban, renforcé et amélioré par ses successeurs, constitue un ensemble exceptionnel d'architecture militaire. Une partie de ces éléments demeure propriété du ministère de la Défense. Cependant, de superbes ensembles fortifiés peuvent se visiter. Les citadelles de Mont-Dauphin et de Briançon, ainsi que la forteresse de Château-Queyras sont les exemples les plus homogènes de l'architecture de Vauban. La vallée de Briançon offre un étonnant panorama chronologique des styles de défense militaire :
Treize ouvrages sont ouverts aux visites en saison. L'Office du tourisme de Briançon organise l'ensemble de ces visites.

D. Pazery/MICHELIN

Châteaux et jardins en Île-de-France

Les plus beaux jardins, à la française, à l'italienne, à l'anglaise, potagers et parcs paysagers, agrémentés de jeux d'eau, encadrent de splendides demeures des 16e, 17e et 18e s.
En commençant par Fontainebleau, ville équestre, Vaux-le-Vicomte, majestueuse demeure qui rendit Louis XIV jaloux, Versailles, sublime construction royale, St-Germain-en-Laye avec sa terrasse, et Chantilly où l'on retrouve le monde des chevaux.

Villes roses entre Tarn et Garonne

Villes roses de brique et villes d'art parsèment ce parcours entre les deux rivières. Tout d'abord Toulouse, capitale européenne de l'aéronautique, puis Albi et son orgueilleuse cathédrale Ste-Cécile, enfin Cordes-sur-Ciel, ville rêvée pour flâner parmi les échoppes d'artisans. Avant d'arriver à Moissac où se trouve une merveilleuse abbaye, voici Montauban, ville natale d'Ingres et d'Antoine Bourdelle.

Parcours de l'Espace historique de la bataille de Normandie

Pour mieux comprendre l'enjeu de ce combat décisif, huit parcours thématiques proposent aux visiteurs de suivre la chronologie des faits.
Le balisage « Normandie Terre-Liberté » représente une mouette (symbole de liberté) volant entre ciel et plage ; à chaque circuit est attribuée une couleur différente suivant le parcours historique proposé. Parmi ceux-ci : Overlord-L'assaut (70 km), de Pegasus Bridge à Bayeux par Sword, Juno et Gold Beach ; D Day-Le choc (130 km), de Bayeux à Carentan par Omaha Beach et St-Lô ; Objectif-Un port (95 km), de Carentan à Cherbourg par Ste-Mère-Église et Valognes...
Pour tous renseignements, contactez les comités départementaux de tourisme qui éditent un document très clair sur ces itinéraires.
Pour en savoir plus, consultez les cartes historiques Michelin (réimpressions de l'édition de 1947) : n° 102 Bataille de Normandie au 1/200 000 ; n° 105 Voie de la Liberté.

routes du terroir

Routes de l'olivier

Il existe en Provence plusieurs variétés d'olives : la tanche (ou olive de Nyons), la première à obtenir le label AOC, l'angladau, la grossane ou olive piquée

au sel, la salonenque ou olive des Baux, la picholine, la berruguette et la verdale.
L'arbre symbolique de l'univers provençal fait l'objet de plusieurs circuits répartis dans les Bouches-du-Rhône (route de l'olivier des Alpilles et de la vallée des Baux ; route de l'olivier du pays d'Aix-en-Provence) et dans la Drôme (route de l'olivier en Baronnies, autour de Nyons et Buis-les-Baronnies), unissant les principales oliveraies et les producteurs d'huile d'olive ayant reconnu la charte « Route de l'olivier ». Ils sont signalés par des panonceaux détaillant les spécificités de la production locale. En outre, chaque restaurateur signataire de la charte s'engage à intégrer un produit oléicole dans ses menus.
Comité économique de l'olivier, 22 r. Henri-Pontier, 13626 Aix-en-Provence Cedex 1, ☎ 04 42 23 01 92.

Le vignoble bordelais

Si le Bordelais évoque le vin, il y a aussi les châteaux, les coteaux et les chais, car ici le raisin fait partie de l'histoire. À partir de Cadillac, bastide du 13e s., on rejoint les vignobles de Sauternes en portant une attention au Château Yquem. Puis le précieux vignoble de St-Émilion et son village médiéval. Le haut Médoc ensuite vous ouvre ses portes : Château Margaux ou Château Maucaillou. Les Châteaux Mouton-Rothschild et Lafite-Rothschild évoquent quant à eux des millésimes sans âge, des étiquettes jaunies par le temps et du plaisir pour le palais.

Au pays de l'or blanc et du vin jaune

Il est vrai que le nom de l'or blanc n'est pas aussi évocateur qu'il y a quelques siècles mais il ne faudrait pas oublier que c'est bien le sel qui a fait la richesse de villes comme Salins-les-Bains ou Lons-le-Saunier, et qui est à l'origine du fabuleux site d'Arc-et-Senans. Et vous succomberez certainement aux attraits de ces cités devenues d'agréables stations thermales. D'autant que vous êtes au pays du vin jaune, un pays dont les caves, à Château-Chalon ou à Arbois, recèlent de véritables trésors. Et, pour couronner le tout, rien ne vaut une poularde aux morilles et au vin jaune...

routes de l'art

Sur les traces de Van Gogh

À Arles avec la fondation Van-Gogh, hommage des artistes contemporains au peintre hollandais, le café de la place du Forum reconstitué et l'espace Van-Gogh, ancien hôtel-Dieu devenu centre culturel, mais aussi au pont de Langlois. À St-Rémy avec l'ancien monastère de St-Paul-de-Mausole où il fut interné un an et, en ville, le centre d'Art Présence Van-Gogh installé dans l'hôtel Estrine. Et, enfin, Avignon, avec la fondation Angladon, seul musée de Provence où vous pourrez voir une toile de Vincent.

Art moderne et contemporain sur la Côte d'Azur

Forte de sa lumière, qui ne pouvait qu'envoûter les peintres, la Côte d'Azur a illuminé les toiles de Dufy et de Matisse, de Léger et de Picasso. Rien d'étonnant à ce que cet éden touristique soit aussi celui des arts, avec une école de Nice pleine d'exubérance et une concentration unique de musées, collections et fondations de renom.
St-Tropez : musée de l'Annonciade.
Fréjus : chapelle de Jérusalem conçue par Cocteau. Antibes : musée Picasso.
Cagnes-sur-Mer : musée Renoir.
Biot : musée Fernand-Léger.
Vallauris : musée Magnelli et musée national « Guerre et Paix » (Picasso).
Vence : chapelle du Rosaire décorée par Matisse. Nice : musée Chagall, musée d'Art moderne et contemporain, musée Matisse et musée des Beaux-Arts. Menton : musée des Beaux-Arts, musée Jean-Cocteau.

autres thèmes

Paris la nuit – Ville Lumière

Les illuminations des monuments et des ponts de la capitale ont lieu dès la tombée de la nuit, variable selon les saisons (17h05-22h20) à minuit ou 1h.
Pour avoir une vision magique des monuments, embarquez le soir sur les bateaux-mouches au port de l'Alma, au pied de la tour Eiffel, au Pont-Neuf ou encore au port de l'Arsenal près de la Bastille.
Promenez-vous sur les Champs-Élysées jusqu'à la place de la Concorde, puis rendez-vous dans la cour Napoléon au Louvre, et sous la tour Eiffel, encore plus belle de nuit avec son habit de lumières. Finissez par le rutilant dôme des Invalides.

Route des phares et balises

C'est en Bretagne que l'on trouve la plus grande concentration de phares, feux et autres bouées et balises des côtes françaises. Une route permet, en parcourant le littoral des pays de Brest, de voir et de visiter quelques-uns des phares les plus importants d'Europe. Renseignements auprès de l'Office du tourisme de Brest, ☎ 02 98 44 24 96.

14 phares se visitent : Belle-Île, Roscoff, île de Batz, Stiff (Ouessant), île Vierge, Kéréon (Ouessant), Kermovan, Trezien, Saint-Mathieu, Petit-Minou, île de Sein, Eckmuhl, Pyramide (Bénodet), cap Fréhel.

Les oiseaux

Voici un voyage idéal à faire dans un pays d'estuaires, de lacs, d'îles et de marais. Choisissez le moment des grandes migrations (automne-hiver et printemps). En automne, les oiseaux d'Europe du Nord et de Sibérie descendent vers le Sud. Certains hivernent sur la côte atlantique, d'autres poursuivent leur route vers des pays chauds mais y font halte pour se ravitailler dans les vasières. Rendez-vous dans la baie de Bourgneuf, sur l'île de Noirmoutier, dans les lacs du Der-Chantecoq et d'Orient. N'oubliez pas les réserves naturelles : Müllenbourg à Noirmoutier, St-Denis du Payré dans la baie de l'Aiguillon, Lilleau des Niges à Ré, Moëze près de Rochefort, le marais aux oiseaux à Oléron, le parc du Marquenterre, celui du Tech, la Camargue.

Découvrir la France autrement

On peut, certes, effectuer une visite classique de la France, mais pourquoi ne pas abandonner la voiture afin de privilégier des approches plus insolites ou plus originales qui donneront du piment à votre séjour ?

vue du ciel

Toute l'année, en fonction des conditions météorologiques, on peut visiter la France par la voie des airs : ULM, planeur, hélicoptère, monomoteur à ailes hautes survolent la plupart des régions.

Ballons et montgolfières

Le charme suranné des voyages en ballon s'ajoute au plaisir de découvrir d'en haut les châteaux de la Loire, entre autres. Si les aérostiers peuvent décoller d'à peu près n'importe où (sauf des villes bien entendu), en revanche, selon le vent, sa force et sa direction, le lieu d'atterrissage est plus incertain. Le décollage a lieu, en général, au petit matin ou en fin de soirée. Les vols proprement dits durent de 1h à 1h30, mais il faut pratiquement tripler ce temps pour tenir compte de la préparation du vol, des aléas du vent, du temps de rapatriement par le véhicule de récupération qui suit en permanence la progression de l'engin.

H. Dewynter/MICHELIN

sur des rails

Ces petits trains au charme d'antan, souvent animés par des bénévoles, ne revivent que l'espace de quelques heures, en général le week-end ; il est donc prudent de se renseigner.

Le chemin de fer de la baie de Somme – Il utilise les voies de l'ancien réseau des bains de mer, qui desservait Le Crotoy, St-Valery-sur-Somme et Cayeux-sur-Mer à partir de Noyelles-sur-Mer. Les paysages traversés permettent d'admirer la baie de Somme et ses mollières. Le train, composé de vieilles voitures à plate-forme, circule entre Noyelles et Cayeux.

Le chemin de fer de La Mure – Dans les Alpes du Nord, de St-Georges-de-Commiers à La Mure, cet ancien chemin de fer minéralier franchit sur 30 km un nombre impressionnant d'ouvrages d'art et procure des vues uniques sur les gorges du Drac. Construit à partir de 1882 pour le transport de la houille, il conserva la traction à vapeur jusqu'au début du siècle. Actuellement, des locomotives électriques d'un modèle des années 1930 parcourent pour les visiteurs ce surprenant réseau.

Le chemin de fer en Corse – Les 230 km à voie unique et métrique constituent la liaison ferroviaire «la plus pittoresque d'Europe». Le trajet offre des panoramas uniques, même en hiver, puisque le tronçon principal est toujours déneigé.
Partant du niveau de la mer, la voie franchit la chaîne centrale pour culminer à Vizzavona à 906 m, puis redescend au niveau de la mer. L'ensemble du réseau comprend 38 tunnels dont le plus remarquable, celui de Vizzavona, en forte pente, est en ligne droite rigoureuse sur 4 km: dès l'entrée on en voit la sortie, minuscule point de lumière. La voie emprunte sur l'ensemble du réseau 12 ponts et 34 viaducs dont le plus célèbre est le pont du Vecchio. Le fleuron des CFC est sans doute le superbe parcours «aérien» Bocognano-Corte. L'autre originalité de ce réseau est la desserte, en saison, du littoral de Calvi à L'Île-Rousse sur un trajet épousant au plus près les plages (nombreux arrêts).

Train à vapeur des Cévennes – La ligne de chemin de fer qui desservait, de 1905 à 1960, les gares d'Anduze, Générargues et St-Jean-du-Gard a été remise en service en tant que ligne touristique. Son tracé prend départ en face de la « porte des Cévennes » à Anduze, passe par la bambouseraie de Prafrance, suit ou traverse les gardons d'Anduze, de Mialet et de St-Jean, et débouche à St-Jean-du-Gard.

Chemin de fer du Vivarais – Au départ de Tournon-sur-Rhône, le train du Vivarais, authentique matériel de la fin du siècle dernier (locomotive à vapeur, voitures en bois, plates-formes), serpente au fond de la vallée du Doux, empruntant une ligne à voie métrique et longeant arbres fruitiers et vignes, puis escaladant la montagne où voisinent bruyères, sapins et châtaigniers. Après Colombier-le-Vieux et la sortie des gorges, il dessert Boucieu-le-Roi et Lamastre. Comptez une journée d'excursion.

sur l'eau

Les croisières organisées

Nombre d'organismes proposent des promenades commentées en bateau sur les rivières, les canaux, les lacs. Ces croisières peuvent durer de quelques heures à plusieurs journées. Vous pourrez ainsi naviguer sur la Seine (à Paris), la Loire, le Cher, le Léman, le Rhin, le canal de Bourgogne, celui du Midi, etc.

Location de péniches

Autrefois réservés au transport et à la batellerie, les rivières et canaux offrent aujourd'hui leurs voies navigables aux plaisanciers désireux de parcourir la Bretagne, les Pays de la Loire, la Bourgogne ou encore le canal du Midi. La location de «bateaux habitables» (house-boats), aménagées pour 4 à 12 personnes, permet une approche insolite des sites parcourus sur les canaux. C'est le plaisir de se réveiller chaque matin dans un lieu différent, de faire du vélo sur un chemin de halage... Diverses formules existent: à la journée, au week-end ou à la semaine. Aucun permis n'est exigé (la manette de commande n'a que deux positions), mais le barreur doit être majeur; il reçoit une leçon théorique et pratique avant le début de la croisière. Le respect des limitations de vitesse, la prudence et les conseils du loueur, en particulier pour passer les écluses et pour accoster, suffisent pour manœuvrer ce type de bateau.

Naviguer sur les vieux gréements

De nombreuses unités ont été restaurées ou tout simplement construites à l'ancienne. Ainsi est-il possible d'embarquer pour une demi-journée, une journée, un week-end ou le temps d'une longue croisière sur l'un de ces merveilleux voiliers récemment restaurés en Bretagne.

en gourmand

Stages œnologiques

Pour s'initier à l'art du «savoir boire», des stages d'**initiation à la dégustation des vins de Bourgogne** ou des stages œnologiques sont proposés à Beaune; ils peuvent durer 2h, une journée, un week-end ou plusieurs jours. Se renseigner à l'École des vins de Bourgogne. BIVB, ☎ 03 80 25 04 95.

Stages culinaires

L'art de vivre, c'est aussi l'art de bien manger, en prenant son temps. Nombre de promenades en France remplissent le panier de souvenirs gourmands. En Bourgogne, en Aquitaine, en Provence, à Paris, des séjours avec cours de cuisine sont organisés, principalement en hiver, par certains restaurateurs. Le «chef» vous emmène sur les marchés, vous donne des leçons de cuisine, fait découvrir des produits tels que la truffe ou le foie gras, déguster les vins.
Les stages de **préparation du foie gras** se déroulent le week-end ou en semaine sur une durée de 2 à 3 jours (voire plus), pendant la saison du gras, généralement d'octobre à mars. Les personnes désirant apprendre à confectionner le foie gras, le confit, le cou farci, etc., sont reçues dans des fermes, gîtes ou hôtels.

Le prix du stage comprend l'initiation (découpe, transformation et conservation), les repas et l'hébergement. Voici deux adresses :

Loisirs-Accueil Dordogne – 25 r. du Prés.-Wilson, 24000 Périgueux, ☎ 05 53 35 50 24.

Service Loisirs-Accueil du Gers – Maison de l'agriculture, rte de Tarbes, BP 178, 32003 Auch Cedex, ☎ 05 62 61 79 00.

avec les enfants

Pour varier les plaisirs pendant les vacances, pour profiter d'une journée boudée par le soleil, de nombreuses attractions sont aménagées le long des côtes et à l'intérieur du pays : parcs de loisirs nautiques, parcs animaliers, musées du jouet, visites de fermes... Dans ce guide, le pictogramme ☺ signale la plupart de ces sites susceptibles d'intéresser les jeunes.

Villes et Pays d'art et d'histoire

Le réseau Villes et Pays d'art et d'histoire (ministère de la Culture et de la Communication) propose des visites-découvertes et ateliers du patrimoine aux enfants.
Munis de livrets-jeux et d'outils adaptés à leur âge, ces derniers s'initient à l'histoire et à l'architecture et participent activement à la découverte de la ville.
En atelier, ils s'expriment à partir de multiples supports (maquettes, gravures, vidéo) et au contact d'intervenants de tous horizons : architectes, tailleurs de pierre, conteurs, comédiens.
Ces activités ont lieu pendant les vacances estivales dans le cadre de l'opération « L'Été des 6-12 ans ».

Label Kid

La plupart des stations de sports d'hiver et des stations balnéaires disposent d'un centre animation-garderie sous l'appellation de « village d'enfants » pour goûter, sans risques, aux joies de la neige ou de la mer. Les stations « label Kid » proposent une bonne gamme de prestations à des tarifs avantageux pour les moins de 10 ans. Les comités départementaux de tourisme diffusent la liste de ces stations.

Sports et loisirs

baignade

De nombreux équipements sportifs sont à la disposition des petits et des grands dans les stations balnéaires : piscine, ski nautique, scooter des mers, promenades en mer, char à voile, cerf-volant, kayak de mer, etc. Se renseigner sur place, aux syndicats d'initiative ou offices de tourisme.
Les plages sont en général surveillées durant les mois d'été. Il convient cependant de respecter quelques règles élémentaires : éviter de nager après un repas ou une longue station au soleil, ne pas sortir de la zone surveillée, généralement délimitée par des bouées, bien se protéger du soleil, que l'on reste sur la plage ou que l'on soit dans l'eau. En outre, les pavillons hissés chaque jour sur les plages surveillées indiquent si la baignade est dangereuse ou non, l'absence de pavillon signifiant l'absence de surveillance :
vert = baignade surveillée sans danger ; jaune = baignade dangereuse mais surveillée ; rouge = baignade interdite.
Des contrôles de **qualité des eaux** de baignade sont effectués en général dès le mois de juin. Ils classent les eaux en quatre catégories :
A : eaux de bonne qualité
B : eaux de qualité moyenne
C : eaux pouvant être momentanément polluées
D : eaux de mauvaise qualité
Les résultats des contrôles peuvent être obtenus sur Minitel 3615 infoplage.
Le littoral atlantique, notamment celui de Vendée et de Charente-Maritime, remporte le duo gagnant. Il rassemble près de la moitié des communes qui figurent au palmarès du « pavillon bleu d'Europe », drapeau garantissant la qualité des eaux de baignade.
Voici quelques stations balnéaires dont les plages sont réputées :
en **Picardie** : Berck-sur-Mer, Le Touquet-Paris-Plage ;
dans le **Nord-Pas-de-Calais** : Wimereux ;
en **Normandie** : Le Tréport, Deauville ;
en **Bretagne** : Dinard, Le Val-André, Trégastel-Plage, Bénodet, Quiberon, Carnac, La-Baule-les-Pins ;
en **Vendée** et **Charente-Maritime** : île de Noirmoutier, Les Sables-d'Olonne, Royan ;
en **Aquitaine** : Arcachon, Cap-Ferret, Capbreton, Biarritz, Hendaye ;
en **Roussillon** : Argelès-Plage,

St-Cyprien-Plage, Port-Barcarès;
en **Languedoc**: La Grande-Motte, Le Cap-d'Agde, Le Grau-du-Roi ;
en **Provence**: Les Stes-Maries-de-la-Mer, La Ciotat;
sur la **Côte d'Azur**: Le Lavandou, Ste-Maxime, Cannes, Golfe-Juan, Juan-les-Pins, Beaulieu;
en **Corse**: Propriano, Porto-Vecchio.
Si vous êtes dans les terres et que vous voulez vous baigner, c'est possible! N'oubliez pas que lacs, étangs et plans d'eau vous attendent et vous offrent une large gamme de loisirs: voile, planche à voile, motonautisme, ski nautique, etc.

canoë-kayak

La pratique de cette activité connaît actuellement un succès croissant.
Le **canoë** (d'origine canadienne) se manie avec une pagaie simple. C'est l'embarcation pour la promenade fluviale en famille, à la journée, en rayonnant au départ d'une base ou en randonnée pour la découverte d'une vallée à son rythme.
Le **kayak** (d'origine esquimaude) se déplace avec une pagaie double. Les lacs et les parties basses des cours d'eau offrent un vaste choix de parcours.

Fédération francaise de canoë-kayak – 87 quai de la Marne, BP 58, 94344 Joinville-le-Pont, ☎ 01 45 11 08 50. La fédération édite, avec le concours de l'IGN, une carte *France canoë-kayak et sports d'eau vive,* avec tous les cours d'eau praticables. 3615 canoëplus, www.ffcanoe.asso.fr

cerf-volant

Le cerf-volant s'est imposé comme un véritable sport sur les plages de Berck-sur-Mer (Picardie) et du Cap-d'Agde (Languedoc). Des magasins spécialisés proposent des stages d'initiation ou de perfectionnement au pilotage. Cette activité n'est pas autorisée, en saison, sur les plages de certaines communes.

S. Sauvignier/MICHELIN

Par prudence, gardez à l'esprit qu'un cerf-volant peut atteindre 100 km/h lors d'une chute en piqué; aussi, prenez soin de vous placer derrière le manipulateur.

Fédération francaise de vol libre (delta – parapente – cerf-volant) – 4 r. de Suisse, 06000 Nice, ☎ 04 97 03 82 82. 3615 FFVL. www.ffvl.fr

char à voile

Cette discipline (réglementée en saison) se pratique à marée basse quand la mer se retire et laisse une large surface de sable mouillé. Les plages du littoral vendéen, du Sud charentais et de Picardie, vastes et planes, sont adaptées à ces drôles de machines sur roues se déplaçant trois fois plus vite que le vent.
Les speedsails, planches à voile sur roulettes, se pilotent debout et peuvent atteindre les 60 km/h.

Fédération francaise de char à voile – 19 r. des Sables, 62600 Berck-sur-Mer, ☎ 03 21 89 99 10. La fédération donne la liste des clubs, des constructeurs et autres renseignements.

cyclotourisme et VTT

La randonnée à vélo est une activité qui peut se pratiquer un peu partout. Signalons que, grâce à un relief peu accidenté, les bords de Loire, la Sologne, le Poitou, les rivages charentais et vendéens sont autant de terrains accessibles à tous. La Gironde et les Landes sont également sillonnées de nombreuses pistes.
Pour les plus sportifs, des panneaux indiquent, au départ des routes de cols, les kilomètres et pourcentages de pente des itinéraires. De nombreux sentiers de grande randonnée ou de randonnée de pays sont accessibles aux amateurs de VTT.
Les clubs cyclotouristes organisent des sorties week-end ou des circuits «découverte» avec des guides.

Fédération francaise de cyclotourisme – 12 r. Louis-Bertrand, 94200 Ivry-sur-Seine, ☎ 01 44 16 88 88. La fédération fournit des fiches-itinéraires pour toute la France avec kilométrages, difficultés et curiosités touristiques. 3615 VTT ou 3615 FFC.
Les offices de tourisme et les syndicats d'initiative communiquent les adresses des points de location.

escalade

L'infinie variété de sites et de natures de roches offerts par les massifs alpins, corses et pyrénéens en font le théâtre

idéal de l'escalade. Les offices de tourisme et les bureaux de guides proposent en saison une large gamme de prestations en initiation et en entraînement.
Ce sport trouve son terrain de choix dans les grands massifs : Mont-Blanc, Écrins, Vanoise, Ubaye, Baronnies, Monte Cinto...
À mi-chemin entre la randonnée et l'alpinisme, l'ascension des **via ferrata** constitue une découverte de l'escalade sans l'astreinte d'une longue pratique.

Fédération francaise de la montagne et de l'escalade – 8-10 quai de la Marne, 75019 Paris, ☎ 01 40 18 75 50. 3615 ffme. www.ffme.fr. Consulter également le *Guide des sites naturels d'escalade en France*, par D. Taupin (Éd. Cosiroc/FFME) pour connaître la localisation des sites d'escalade dans la France entière.

golf

Les amateurs de ce sport consulteront la carte *Golf, les parcours français*, établie à partir de la carte Michelin 989.

Fédération francaise de golf – 68 r. Anatole-France, 92309 Levallois-Perret Cedex, ☎ 01 41 49 77 00. 3615 ffgolf et audiotel : 08 36 69 18 18. www.ffgolf.org

navigation de plaisance

L'engouement pour la navigation de plaisance a conduit à l'aménagement de surfaces d'amarrage dont le confort satisfera les plaisanciers les plus exigeants. Parmi les grands ports de plaisance, on retiendra Bandol, Toulon, Hyères, Le Lavandou, St-Raphaël, Cannes et Antibes pour la Côte d'Azur, Le Grau-du-Roi (Port-Camargue), Cassis et La Ciotat pour la Provence, Le Cap-d'Agde, Palavas-les-Flots, Sète et Port-Leucate/Port-Barcarès pour le Languedoc. Mais vous en trouverez aussi d'excellents le long des côtes atlantiques, notamment au Havre, à Ouistreham, Cherbourg, La Trinité-sur-Mer, le Crouesty et La Rochelle, Capbreton, Hendaye et Arcachon.

Fédération francaise de voile – 55 av. Kléber, 75784 Paris Cedex 16, ☎ 01 44 05 81 00. www.ffv.fr

pêche

En eau douce

Les régions riches en étangs, lacs, rivières et canaux attirent les pêcheurs. Quel que soit l'endroit choisi, il convient d'observer la réglementation nationale ou locale, de s'affilier, pour l'année en cours, à une association de pêche et de pisciculture agréée, d'acquitter les taxes afférentes au mode de pêche pratiqué, etc. Pour certains étangs ou lacs, des cartes journalières sont délivrées.

Conseil supérieur de la pêche – 134 av. Malakoff, 75016 Paris, ☎ 01 45 02 20 20.

En mer

L'étendue des côtes, les baies sinueuses et les îles semblent promettre un champ d'activités sans limite à l'amateur de pêche en mer qui pourra pratiquer à pied, en bateau ou en plongée. Au départ des principaux ports, des sorties avec des pêcheurs professionnels peuvent être organisées à la journée. S'adresser aux offices de tourisme.
La pêche à pied peut se pratiquer sans aucune formalité administrative, sauf pour l'usage des filets qui nécessite une autorisation délivrée par les Affaires maritimes. Il existe toutefois des restrictions locales (date, quantité autorisée par pêcheur) qui diffèrent selon le littoral et selon les zones. Il convient de se renseigner auprès des autorités compétentes et de tenir compte des panneaux législatifs placés à proximité des zones de pêche.
La chasse sous-marine est quant à elle soumise à une réglementation stricte, aussi convient-il de s'informer préalablement auprès du service des Affaires maritimes.

plongée sous-marine

La Bretagne Sud et la Corse offrent des sites idéals pour la pratique de ce sport (criques limpides, poissons et crustacés). Le principal centre d'activités subaquatiques de la Côte d'Azur se situe à Bendor : c'est l'un des plus importants d'Europe.

Fédération francaise d'études et de sports sous-marins – 24 quai de Rive-Neuve, 13284 Marseille, ☎ 04 91 33 99 31. 3615 ffessm. www.ffessm.fr.

Elle regroupe un grand nombre de clubs locaux et publie un annuaire sur l'ensemble des activités subaquatiques en France.

rafting

C'est le plus accessible des sports d'eaux vives. On descend le cours des rivières à fort débit dans des radeaux pneumatiques à six ou huit places maniés à la pagaie et dirigés par un moniteur-barreur installé à l'arrière.

AN Tour – 144 r. de Rivoli, 75001 Paris, ☎ 01 42 96 63 63. www.an-tour.com

randonnée équestre

Dans chaque département, des itinéraires balisés sont accessibles par les randonneurs et leur monture. Pour connaître ces itinéraires et obtenir les topoguides et cartes correspondants, s'adresser au **Comité national de tourisme équestre** – 9 bd Macdonald, 75019 Paris, ☎ 01 53 26 15 50. 3615 FFE, N° Vert 0 800 02 59 10.

randonnée pédestre

Grande randonnée

Des sentiers de grande randonnée (GR), jalonnés de traits rouges et blancs horizontaux, permettent de découvrir la diversité des paysages.

Petite randonnée

Les sentiers de petite randonnée (PR) sont destinés aux marcheurs d'un jour. Au départ des circuits, des balisages de couleur indiquent la durée de la promenade:
Bleu – Jusqu'à 2h.
Jaune – De 2h15 à 3h45.
Vert – De 4h à 6h.

Fédération francaise de la randonnée pédestre – 14 r. Riquet, 75019 Paris, ☎ 01 44 89 93 93. www.ffrp.asso.fr. La fédération édite 200 topoguides qui donnent le tracé détaillé des GR, GRP et PR ainsi que d'utiles conseils.

Chemins de St-Jacques-de-Compostelle

Il existe quatre itinéraires principaux et historiques (qu'empruntent les pèlerins depuis le Moyen Âge) aboutissant tous à Ostabat (sauf la route d'Arles qui passe par le col du Somport); après Ostabat, un chemin commun mène à St-Jacques-de-Compostelle. Ces chemins ont été classés au Patrimoine mondial de l'Unesco.
La Fédération française de randonnée pédestre a balisé le chemin du Puy.

Les autres chemins étant en partie balisés, mieux vaut se procurer un bon guide ou suivre un «pèlerinage organisé»:

Compostelle 2000 – 54 r. Ducouëdic, 75014 Paris, ☎ 01 43 20 71 66.

ski

L'ensemble des massifs alpin et pyrénéen demeure le domaine de prédilection de tous les sports de neige.

Le ski alpin (ou de descente) – Le plus populaire, il offre les formes les plus diverses de descente que pratiquement toutes les stations proposent.

Le ski de fond (ou nordique) – Les stations offrent, pour la plupart, un balisage pour les fondeurs dans la partie basse des versants skiables. Les régions comme le Vercors, le Massif central, les Vosges et le Jura se prêtent particulièrement bien au ski de fond.

Le ski de randonnée (ou de haute montagne) – Il combine la technique du ski de fond en montée et celle du ski alpin hors piste en descente. Il est préférable de se faire accompagner par un guide. Les grandes classiques dans les Alpes du Nord regroupent la Grande Traversée des Alpes (GTA) qui du lac Léman suit le tracé du GR 5 jusqu'à la Méditerranée, la Chamonix-Zermatt, les Dômes de la Vanoise et le Haut-Beaufortain.

Alpes du Nord

Elles sont riches en stations de toutes sortes. À côté des grandes vedettes internationales comme Tignes, Val-d'Isère, Courchevel, Chamonix, il existe des stations familiales qui ont conservé leur caractère villageois.
La conception des stations a évolué avec le développement de la pratique du ski. Les premières s'étaient greffées à des villes ou villages traditionnels comme Morzine, Megève, puis on a recherché les bonnes pentes enneigées et les stations sont montées vers les alpages: Val-d'Isère, L'Alpe-d'Huez, Les Deux-Alpes. Après la guerre se sont développées les stations planifiées comme Courchevel, Chamrousse, Tignes, et plus récemment les stations conçues dans leur ensemble par un seul promoteur: Les Arcs, Avoriaz, Les Menuires, Val-Thorens, Flaine.
Les remontées mécaniques sont installées de plus en plus haut, élargissant un domaine skiable souvent commun à plusieurs stations. Dans certaines (L'Alpe-d'Huez, Val-d'Isère, Tignes, Les Deux-Alpes, Val-Thorens), elles parviennent aux neiges éternelles permettant la pratique du ski d'été.

Pyrénées

On distingue les stations de vallée, qui exploitent en altitude un domaine skiable de hautes courbes ou de plateaux (Cauterets, St-Lary, Superbagnères) et les stations hautes, qui, en dehors de Barèges, berceau du ski pyrénéen, sont souvent des créations (La Mongie, Piau-Engaly). L'équipement performant de certaines stations pyrénéennes les rend tout à fait comparables à leurs sœurs alpines. On pratique le ski de fond dans les stations de Font-Romeu, Cauterets-Pont d'Espagne, Campan-Payolle, Val-d'Azun, Nistos-Cap-Nestes et Ax-les-Thermes.

spéléologie

Les amateurs de spéléologie trouvent, sur les plateaux ou dans les vallées riches en grottes et en cavités de toutes sortes, de nombreux clubs avec lesquels ils pourront prendre contact.

Fédération francaise de spéléologie – 130 r. St-Maur, 75011 Paris, ☎ 01 43 57 56 54.

voile, planche à voile et autres sports de glisse

Les écoles de voile reconnues par la Fédération française de voile proposent des stages ou des cours. Dans la plupart des stations balnéaires, il est possible de louer des bateaux à l'heure ou à la demi-journée, avec ou sans équipage, en saison. Renseignements auprès de chaque capitainerie de port, des offices de tourisme.

Fédération francaise de voile – 55 av. Kléber, 75784 Paris Cedex 16, ☎ 01 44 05 81 00. www.ffv.org

Planche à voile

La pratique de la planche à voile est réglementée sur les plages : s'adresser aux clubs de voile. Sur toutes les grandes plages, locations de planches (à l'heure ou à la demi-journée).
Ce sport est affilié à la Fédération française de voile (voir coordonnées ci-dessus).

Ski nautique

Plutôt pratiqué sur les étendues d'eau douce, ce sport se rencontre également en saison sur le littoral.

Fédération francaise de ski nautique – 16 r. Clément-Marot, 75008 Paris, ☎ 01 47 20 05 00. 3615 skinautic. www.ffsn.asso.fr

Surf et bodysurf

Les plages des côtes landaise et basque, avec les impressionnants rouleaux du golfe de Gascogne, constituent un paradis pour les adeptes du surf et du bodysurf.
Quelques « spots » se trouvent dans le Sud de la Vendée, en Charente-Maritime, et permettent l'initiation à la prise de la vague. Les meilleurs spots se trouvent à Lacanau-Océan, Arcachon, Mimizan, Seignosse-Hossegor, Capbreton, Anglet, Biarritz, Bidart, Guéthary, St-Jean-de-Luz et Hendaye.

Fédération francaise de surf – BP 28, 30 imp. de la Digue-Nord, 40150 Hossegor, ☎ 05 58 43 55 88.

Scooter des mers

Le pilotage de ces jets motorisés de 300 à 750 cm³ demande une très grande vigilance. Les pratiquants les plus chevronnés peuvent exécuter de spectaculaires figures. En saison, nombre de communes interdisent l'accès de leurs plages à ces engins.

Forme et santé

thermalisme

L'abondance des sources minérales et thermales a fait la renommée de nombreuses régions dès l'Antiquité. Par leur nature et leur composition variées, elles offrent un large éventail de propriétés thérapeutiques, depuis les voies respiratoires aux maladies de l'appareil digestif et surtout les rhumatismes.
Le thermalisme fut remis au goût du jour dès la fin du 18e s. et, en particulier au milieu du 19e s., grâce à l'amélioration des transports et à la création par Napoléon III d'une route thermale reliant les stations des Pyrénées.
Prenant le relais du thermalisme mondain d'autrefois, le thermalisme actuel attire 500 000 curistes par an venus se soigner pour des affections très diverses, respiratoires et rhumatismales principalement, dans l'une des 105 stations thermales françaises.
Aujourd'hui de nombreuses cures thermales sont reconnues comme un traitement médical à part entière et peuvent être prises en charge par les différents organismes de sécurité

sociale. Les soins n'occupant qu'une partie de la journée, les stations thermales offrent à leurs visiteurs des activités diverses (sports, spectacles...) qui en font souvent des lieux de séjour très agréables, attirant autant les touristes que les malades. La beauté des sites qui les environnent et la possibilité de faire alentour de nombreuses excursions en font des lieux privilégiés pour une reprise de contact avec la nature.
Outre les cures traditionnelles, certaines stations proposent remise en forme, forfait dos, cure anti-tabac, cure d'amincissement, cure anti-stress, relaxation...
Les sources se situent principalement dans la zone axiale des Pyrénées, en Auvergne, dans les Alples du Nord, le Jura et les Vosges.

J. Damase/MICHELIN

La température tiède des sources sulfurées peut s'élever jusqu'à 80 °C. Utilisées sous la forme de bains, douches et humages, elles sont utilisées dans le traitement de nombreuses affections : oto-rhino-laryngologie (oreilles, nez, gorge et bronches), maladies osseuses et rhumatismales, rénales et gynécologiques.
Les sources salées, dont les eaux sont dites chlorurées-sodiques, sont utilisées sous forme de douches et de bains et soulagent les affections gynécologiques et infantiles.
Dans les Landes, les boues de Dax ont une action bénéfique sur les rhumatismes. Les limons prélevés sur les bords de l'Adour sont mis en maturation au contact d'une eau chaude thermale (de 53 °C à 62 °C). La boue qui en résulte est appliquée sur les articulations. Les soins thérapeutiques sont complétés par divers bains et douches à l'eau thermale.

Rhumatologie et traumatismes ostéo-articulaires – Bagnères-de-Bigorre (Hautes-Pyrénées) ; Bagnoles-de-l'Orne (Orne) ; Dax (Landes) ; Vichy (Allier) ; Le Mont-Dore (Puy-de-Dôme).

Voies respiratoires – La Bourboule (Puy-de-Dôme) ; Eaux-Bonnes (Pyrénées-Atlantiques) ; Le Mont-Dore (Puy-de-Dôme) ; Luchon (Haute-Garonne).

Gynécologie – Châtel-Guyon (Puy-de-Dôme) ; Luz-St-Sauveur (Hautes-Pyrénées) ; Luxeuil-les-Bains (Vosges) ; Salies-de-Béarn (Pyrénées-Atlantiques).

Maladies de l'appareil digestif et métaboliques – Évian-les-Bains (Haute-Savoie) ; Vichy (Allier) ; St-Nectaire (Puy-de-Dôme) ; Vittel (Vosges).

Troubles du développement de l'enfant – La Bourboule (Puy-de-Dôme) ; Lons-le-Saunier (Jura) ; Salies-de-Béarn (Pyrénées-Atlantique).

Dermatologie – Avène-les-Bains (Hérault) ; Uriage-les-Bains (Isère) ; La Bourboule (Puy-de-Dôme) ; La Roche-Posay (Vienne).

thalassothérapie

La mer et son environnement (algues, climat marin) remettent en forme très naturellement les personnes stressées ou fatiguées. La thalassothérapie (du grec *thalassa*, la mer) est un ensemble de diverses techniques qui renforcent l'action naturelle du bord de mer : algothérapie (applications ou bains d'algues), hydrothérapie (jet, douche ou bain d'eau de mer), kinésithérapie (gymnastique, massage), sauna, aérosols d'eau de mer, etc. La durée moyenne (et reconnue comme étant efficace) d'une cure en centre de thalassothérapie est de l'ordre de 7 à 10 jours.
La côte atlantique, de la Bretagne au Pays basque, est réputée pour ses centres de thalassothérapie généralement installés au sein de complexes hôteliers, proposant des séjours d'une semaine ainsi que des séjours week-end, avec ou sans logement.
Les **principaux centres** se trouvent à : Arcachon, La Baule, Belle-Île-en-Mer, Bénodet, Biarritz, Carnac, Dinard, Douarnenez, La Flotte-en-Ré, Hendaye, La Rochelle, St-Trojan-les-Bains à l'île d'Oléron, Perros-Guirec, Pornic, Port-Crouesty, Quiberon, Roscoff, Les Sables-d'Olonne, St-Jean-de-Luz, Saint-Malo.

vinothérapie

Les Sources de Caudalie – 4 chem. Bourran, 33650 Martillac, ☎ 05 57 83 83 83. www.sources-caudalie.com. On peut désormais prendre soin de son corps grâce au vin ! L'eau minérale riche en fer et en fluor associée à l'extrait de raisin, à l'huile de pépins de raisin, à la levure de vin, aux extraits de vigne rouge ou encore aux tanins possède des vertus hydratantes et raffermissantes. Parmi les soins anti-âge et minceur proposés, on retiendra le « bain barrique », bain bouillonnant au marc de raisin, l'« enveloppement merlot », application chaude d'argile et d'huiles essentielles, ou le « massage pulpe friction », soin complet du corps à base de raisin frais... Ce type de cure reste assez coûteux, mais laisse rêveur...

adresses utiles

Union nationale des établissements thermaux – 1 r. Cels, 75014 Paris, ☎ 01 53 91 05 75. www.france-thermale.org

Chaîne thermale du soleil/Maison du thermalisme – 32 av. de l'Opéra, 75002 Paris, ☎ 01 44 71 37 37 ou 0 800 05 05 32 (N° Vert). 3614 novotherm. www.cts-groupe.com

Maison de la thalassothérapie – 5 r. Denis-Poisson, 75017 Paris, ☎ 01 45 72 38 38.

Souvenirs

Que rapporter d'un séjour en France ? Voici quelques idées qui n'ont d'autre ambition que vous aider à faire votre choix. Depuis quelques années, plusieurs régions font renaître l'artisanat et redonnent ainsi un peu de vie aux villages.

pour les gourmands

Alcools

Champagne – Brut ou sec, on le trouve aussi bien dans les grandes maisons de renommée internationale que chez les simples viticulteurs de la Champagne.

Vins – Ceux d'Alsace (riesling, gewurztraminer, sylvaner, pinot blanc et pinot noir) mais aussi ceux de Bourgogne, du Bordelais, de Provence, du Languedoc, de Corse, et encore les vins locaux comme le jurançon, l'irouléguy, le tursan, le buzet, etc., au fur et à mesure de vos visites. On les trouve dans toutes les caves de villages vignerons comme dans les boutiques spécialisées des grandes villes.

Eaux-de-vie – Comment repartir de Lorraine sans avoir acheté une bouteille d'eau-de-vie de quetsche, mirabelle, cerise, framboise ? À consommer (avec modération) au coin du feu quand dehors il fait froid.
À Dijon, vous trouverez de quoi concocter un excellent kir : crème de cassis et bourgogne aligoté.
En Normandie, dégustez le calvados AOC et le calvados AOC pays d'Auge. Mais attention, les dénominations sont nombreuses. Les goûts et les prix aussi !
De Saint-Barthélemy-d'Anjou, il faut rapporter la fameuse (et délicieuse) bouteille carrée de Cointreau, liqueur à l'orange base de cocktails, d'apéritifs ou de préparations pâtissières savoureuses.
Complétez votre bar avec du pineau des Charentes et un cognac, après avoir visité les chais.
Un séjour en Aquitaine est l'occasion rêvée pour agrandir sa cave. On trouve armagnac et floc de Gascogne dans les Landes, en particulier, à Labastide-d'Armagnac, haut lieu de ces nectars gascons.

Cidre – Dans les caves de Normandie, on parle aujourd'hui avec délectation d'un bon **cidre**, comme on parle en d'autres lieux d'un grand vin. Est-il fruité, gouleyant, a-t-il du nez... Est-il long en bouche ? Le plus puissant et le plus moelleux est sans nul doute le cidre pays d'Auge, appellation contrôlée, mais il existe aussi les cidres « fermiers » aux arômes plus rustiques et plus secs que l'on trouve dans le Nord de la Manche.

Douceurs

Les fêtes de notre calendrier sont souvent associées à des spécialités, lesquelles ne sont jamais très loin... Si l'année est avancée et que Noël s'annonce, une petite incursion sera la bienvenue à Montélimar pour choisir de bons nougats, ou on préfèrera Privas pour rapporter les savoureux **marrons glacés** d'Ardèche.
Mais finalement il n'y a pas de saison pour les bonnes choses et si vous passez par la Lorraine, vous aurez l'embarras du choix entre les bergamotes et les macarons de Nancy, les dragées de Verdun, les bonbons et le miel des Vosges.
Et qui ne connaît les bêtises de Cambrai ? Ce bonbon parfumé à la menthe, de forme rectangulaire,

conserve sa fameuse rayure jaune.
Les plus célèbres **caramels** de Normandie sont à base de crème d'Isigny, bien que fabriqués à Carentan. Et il ne faut pas attendre la fin d'un séjour en Bretagne pour comprendre que les Bretons sont assez gourmands. On croise un peu partout des biscuiteries artisanales qui titillent les papilles de loin, bien que la meilleure soit indéniablement celle de Pont-Aven avec ses *traou-mads*. Vous pourrez peut-être aussi rapporter de la confiture de lait et des caramels au beurre salé, des berlingots nantais, ou des craquelins de St-Malo.
Plus au Sud, pensez aux **pruneaux** d'Agen (naturels, fourrés, à l'armagnac, au chocolat), aux canelés bordelais, aux **chocolats** de Bayonne et de Biarritz, aux tourons basques, et à la fameuse confiture de cerises noires d'Itxassou, dont on fourre d'ailleurs les excellents gâteaux basques.
En Corse, vous trouverez en Balagne de délicieuses **confitures** élaborées à partir des fruits des riches vergers : figue, abricot, orange, châtaigne, et, plus original, myrte, arbouse ou cédrat.
Quant aux pâtisseries, la fameuse **tarte de Saint-Tropez** sera à réserver à la consommation sur place... mais si vous passez dans la région entre Noël et l'Épiphanie, pourquoi ne pas ramener une couronne des rois qui changera de la traditionnelle galette à la frangipane, d'autant que vous y trouverez encore des fèves faites de petits sujets en porcelaine
Et encore, **calissons** d'Aix-en-Provence, fruits confits d'Apt, berlingots de Carpentras, seront aussi tentants.

produits du terroir

Pour de bonnes **salaisons**, généralement dans les régions de montagne, vous trouverez de quoi vous régaler auprès des producteurs sur les marchés ou dans les charcuteries de village : saucisses de Morteau et de Montbéliard dans le Jura, saucisse sèche, rillettes et gratons en Auvergne, jambons crus et saucissons de montagne en Aveyron, jambon de Bayonne...
Foie gras et confits sont indispensables pour affronter les longs mois d'hiver (en bocaux, pour faciliter leur transport). Outre les marchés au gras, vous pourrez vous fournir chez les producteurs des villages du Gers et du Périgord. Pour confectionner un cassoulet à votre retour de vacances, fournissez-vous en haricots (ceux de Tarbes sont excellents) et en ail (de Lautrec, bien sûr).
En Bretagne, la **sardine** peut être à l'huile d'arachide ou d'olive, nature ou aux piments, par 3, 6 ou 12 filets ; les

S. Sauvignier/MICHELIN

boîtes et préparations (le pâté de sardine au whisky) se gardent sans problème. Et, parmi les condiments, procurez-vous, auprès d'un paludier, du **sel** de Guérande (gros sel et fleur de sel).
La **soupe de poissons** est une spécialité du Touquet : elle est disponible en bocaux, chez de nombreux mareyeurs, épiciers et traiteurs. Vous y trouverez aussi (en boîte de conserve ou sous vide) les fameux rollmops (harengs marinés au vinaigre et oignons) et harengs saurs du Nord de la Côte d'Opale.
En Provence, pensez aux huiles d'olive et aux olives des Baux-de-Provence ou de Nyons. Pour rappeler les repas de vacances, rapportez de la tapenade et de l'anchoïade en conserve, que vous trouverez dans les épiceries fines de la région...

pour la maison

Vaisselle

Les poteries sont généralement de belles créations artisanales recouvertes d'émail naturel. On en trouve sur les marchés et chez les potiers installés dans les villages touristiques.
Les faïenceries de Quimper perpétuent une longue tradition de qualité. Populaire, amusant, le bol à prénom est un produit incontournable qui enchante les plus petits.
Ne quittez pas la Provence sans être allé choisir votre faïence à Moustiers-Ste-Marie, Aubagne, ou encore Varages. Enfin, faites le plein de plats, moules à gâteau, cruches, pots et autres jarres dans les villages potiers alsaciens que sont Betschdorf et Soufflenheim. Ils sont tellement beaux avec leurs couleurs vives et leurs décors naïfs !

Dentelle

Dans le Nord, Calais et Caudry-en-Cambrésis forment toujours le premier pôle « dentellier » de France : la dentelle, de type mécanique, fournit notamment les ateliers de haute couture.

Nul ne peut se rendre en Normandie et visiter Alençon, Argentan ou Bayeux sans penser également aux merveilleuses dentelles d'autrefois. Cet art se pratique en Haute-Loire depuis des décennies : dans la région du Puy et de Brioude, on utilise encore le fuseau pour réaliser de belles compositions à la main. Mais la plupart des réalisations se font maintenant à la machine, sur des modèles anciens.

LINGE

Pour décorer sa maison aux couleurs provençales, rien de plus facile. On trouve en effet partout des tissus provençaux, plus particulièrement dans les boutiques Souleïado (Tarascon) et Les Olivades (Nîmes).
On ne taira pas l'extrême qualité et robustesse des toiles des Vosges: torchons en lin et draps en coton vous dureront longtemps. Les nappes damassées ou jacquard de Gérardmer sont superbes.
Le tissu basque est également bien apprécié des maîtresses de maison pour sa qualité et sa résistance. Tissé en coton et en lin, il est le plus souvent décoré de bandes de couleur.

COUTEAUX

Qu'il soit de corne, de bois ou de métal, le couteau dont la lame est fabriquée à Thiers relève parfois de la création artistique.
Nogent, grand centre ciselier, produit ciseaux, canifs, couteaux de table, sécateurs...
En Corse, Lumio a conservé vivaces les techniques de la coutellerie: on produit toujours le temperinu, mais aussi le vendetta.
Pour trancher dans le lard ou dans la tome de Laguiole, il vous faut un véritable couteau de Laguiole, que l'on reconnaît grâce à son abeille.
L'Opinel, le couteau de poche par excellence, est né en vallée de Maurienne. 4 000 000 d'exemplaires par an sortent des ateliers...
Le nontron, originaire du Périgord, se distingue avec son manche de buis blond pyrogravé.
Le couteau des bergers pyrénéens s'appelle le capucin. Comme le nontron, sa lame est en feuille de sauge, mais il tient son nom de son manche recourbé au profil de moine.

MEUBLES ET OBJETS DU QUEYRAS

Les artisans du Queyras fabriquent de très beaux meubles, jouets, panneaux, petit mobilier et objets de décoration ou de cuisine en bois. Généralement jamais peints ou vernis, ces derniers doivent répondre à cinq critères pour bénéficier du label de l'artisanat du Queyras : la pièce doit être fabriquée en Queyras par un artisan y résidant ; elle doit être

entièrement réalisée en pin cembro sans ajout d'aggloméré ou de contreplaqué ; elle doit être décorée de sculptures traditionnelles propres au Queyras ; le bois doit être chevillé, les chants montés en queue d'aronde, et les bois tournés ne peuvent provenir de série commerciale ; l'objet ou le meuble doit être « au 1/5 en création », c'est-à-dire sculpté au moins sur 1/5 de sa surface.

à porter

VÊTEMENTS DE MARIN

Le pull marin bleu marine ou blanc ligné de bleu est un classique. Les coopératives maritimes des ports bretons sont des cavernes d'Ali Baba où chacun trouvera son bonheur d'apprenti loup de mer, que ce soit avec les bonnets et casquettes bleus ou encore avec la vareuse, aujourd'hui déclinée dans des coloris très actuels. Il reste évidemment le traditionnel ciré jaune, mais des versions plus modernes et plus sportives ont vu le jour avec le développement de la pratique de la voile.

CHAUSSURES

Si les sabots de bois sont encore vendus en Bretagne, plus pratiques pour l'été, légères pour s'exercer aux danses traditionnelles basques, idéales pour aller à la plage, les **espadrilles** sont tout simplement indispensables. En plus, elles sont en tissu basque, ce qui n'ôte rien à leur beauté. Elles sont fabriquées pour la plupart à Mauléon-Licharre.

BÉRETS

Et, pour l'hiver, procurez-vous une bonne paire de charentaises lors d'un passage dans la région d'Angoulême. Symbole de la France, le béret est en fait originaire du Béarn, avant d'être basque. En laine tricotée, il servait aux bergers des montagnes à se protéger du froid. Une grande fabrique de bérets subsiste à Oloron-Ste-Marie ainsi qu'à Nay.

pour les enfants

Jouets en bois

L'Alsace a gardé de l'Allemagne la tradition des jouets en bois, qui vous rappelleront ceux de vos parents ou grands-parents. On en trouve en particulier à Ingwiller et Éloyes, dans les Vosges du Nord.
Dans le Jura, les artisans de Moirans-en-Montagne sont réputés pour leurs jouets de qualité. Pour éveiller le talent d'un marionnettiste ou gâter un collectionneur, entrez dans une boutique spécialisée du quartier Saint-Leu, à Amiens : Lafleur et son épouse Sandrine y font bon ménage, parmi d'autres figures locales.
Leur confection soignée, le choix de leurs vêtements font de chaque personnage une pièce unique...

Décorations de Noël

Si vous venez en Alsace en décembre, profitez-en pour repenser toute votre décoration de Noël. Promenez-vous sur les marchés de Noël (celui de Strasbourg est le plus important) et achetez – vos enfants adoreront vous accompagner – boules, petits sujets en bois, guirlandes, couronnes de l'Avent, décoration de table, bougies, etc. Pour un sapin rouge et vert, bleu et blanc, or, argent, ou encore multicolore...
Pour faire sa crèche ou la compléter (les Provençaux ont l'habitude d'acheter chaque année un ou deux nouveaux santons), on ira sur les marchés et foires aux santons, ou dans les maisons qui les fabriquent, notamment à Aubagne, Marseille et Aix-en-Provence.

à offrir ou pour soi

Travail du bois

En Auvergne, vous emporterez volontiers un **bouffadou**, solide bâton évidé, sans pareil pour ranimer la flamme vacillante de vos cheminées et de vos barbecues.
Au Pays basque, le **makhila** est à la fois un bâton de marche et une arme de défense. Le bâton en bois de néflier sauvage est muni, en haut, d'un aiguillon, pointe que l'on découvre en dévissant la poignée et, en bas, d'une massue. Les riches décorations en acier ciselé font de ces objets de véritables œuvres d'art.
En Corse, ou dans le Jura, laissez-vous tenter par les superbes pipes ou par de magnifiques objets en bois.

Parfums

Pour parfumer les armoires, **lavande** et produits dérivés (secteur entre Moustiers, Riez, Valensole), herbes aromatiques (Baronnies et Buis) se rapportent facilement et évoquent au retour l'atmosphère des vacances.
Les **parfumeries** à Grasse, mais aussi à Èze, à Menton, proposent parfums et toutes sortes de savons, de produits pour le bain ou pour le massage.

marchés

Très important dans la vie des communes, le marché est un moment fait de rencontres et d'échanges. Tout en couleurs, parfums et senteurs, il constitue une excellente façon de connaître une région et de découvrir les spécialités locales que proposent les producteurs eux-mêmes. Toutes les villes et presque tous les bourgs possèdent leur marché.

Marchés au gras

Ces marchés typiques, où l'on peut acheter des canards et des oies, des foies crus ou déjà préparés, ont traditionnellement lieu en hiver. Ils sont souvent pittoresques, et toujours appétissants On les trouve principalement dans le Sud-Ouest (Landes, Gers, Dordogne...). Les plus réputés ont lieu à Agen, Aire-sur-l'Adour, Brantôme, Brive-la-Gaillarde, Dax, Excideuil, Mirande, Monségur, Orthez, Ribérac, Samatan, Sarlat, Thiviers, Villeneuve-de-Marsan, Villeneuve-sur-Lot.

Marchés aux truffes

Le Vaucluse est le premier producteur national de truffes, mais le Périgord et le Quercy ne sont pas en reste. Si vous êtes sur place, profitez-en pour aller aux marchés aux truffes qui ont lieu le matin, de la mi-novembre à la mi-mars. À savoir, les transactions se font toujours au comptant et en liquide.
Marchés aux truffes du Vaucluse : Carpentras, Richerens et Valréas.
Marchés aux truffes du Périgord et du Quercy : Excideuil, Lalbenque, Brantôme, Limogne-en-Quercy, Martel et Sarlat.

Cinéma

Parmi les milliers de films tournés en France, nous avons sélectionné quelques œuvres remarquables soit pour la qualité de leurs acteurs ou de leurs metteurs en scène, soit pour la beauté de leurs décors et paysages.

Alsace

La Grande Illusion (1937) de J. Renoir, avec P. Fresnay et J. Gabin (Haut-Kœnigsbourg - 67 ; Colmar et les environs de Neuf-Brisach - 68).

Bretagne

Les Vacances de M. Hulot (1951) de Jacques Tati (St-Marc-sur-Mer - 44).

Chouans (1988) de P. de Broca, avec S. Marceau (Locronan - 29).

Bourgogne

La Grande Vadrouille (1966) de G. Oury, avec de Funès et Bourvil (Meursault, Beaune - 21).

Corse

L'Œil du monocle (1962) de G. Lautner avec P. Meurisse (Bonifacio - 20).

Île-de-France

Au revoir les enfants (1987) de L. Malle, avec G. Manesse (Provins - 77).

Si Versailles m'était conté (1954) de S. Guitry avec J. Marais (Versailles - 78).

Lorraine

La Vie et rien d'autre (1989) de B. Tavernier avec P. Noiret et S. Azéma (55).

Midi-Pyrénées

Le Retour de Martin Guerre (1982) de D. Vigne, avec G. Depardieu et N. Baye (09).

Microcosmos, le peuple de l'herbe (1996) de C. Nuridsany et M. Perennou (12).

Normandie

Le Jour le plus long (1962) de D. Zanuck, avec J. Wayne, H. Fonda (Ste-Mère-Église - 50).

Il faut sauver le soldat Ryan (1998) de S. Spielberg (14).

Paris

Le Dernier Métro (1980) de François Truffaut, avec Gérard Depardieu et Catherine Deneuve.

Le Fabuleux Destin d'Amélie Poulain (2001) de J.-P. Jeunet, avec A. Tautou et M. Kassovitz (Paris).

Périgord

Duellistes (1977) de R. Scott avec H. Keitel (Sarlat et Castelnaud - 24).

Les Misérables (1982) de R. Hossein, avec L. Ventura (Monpazier, Sarlat et Sireuil - 24).

Picardie

Camille Claudel (1988) de B. Nuytten avec I. Adjani et G. Depardieu (Villeneuve-sur-Fère - 02).

La Reine Margot (1994) de P. Chéreau avec I. Adjani (Compiègne - 60 ; St-Quentin - 02).

Poitou-Charentes

Les Demoiselles de Rochefort (1966) de J. Demy, avec C. Deneuve et F. Dorléac (Rochefort - 17).

Provence

Marius (1931), **Fanny** (1932), **César** (1936) d'après M. Pagnol (Marseille - 13).

Jean de Florette et **Manon des Sources** (1986) de C. Berri, avec Y. Montand (Cuges-les-Pins, Mirabeau et Plan-d'Aups - 13).

Marius et Jeannette (1997) de R. Guédiguian (Marseille - 13).

Quercy

C'est quoi la vie (1999) de F. Dupeyron, avec J. Dufilho (Causses - 48).

Rhône-Alpes

Le bonheur est dans le pré (1995) par E. Chatiliez, avec M. Serrault et S. Azéma (Dombes - 01).

Les Enfants du marais (1999) de J. Becker, avec M. Serrault et A. Dussolier (Bugey - 01).

Val de Loire

Peau d'âne (1970) de J. Demy, avec C. Deneuve, J. Marais et J. Perrin (Plessis-Bourré - 49).

Cyrano de Bergerac (1990) de J.-P. Rappeneau, avec G. Depardieu (Le Mans - 72 ; abbaye de Fontenay - 21).

Kiosque

Il existe une infinité d'ouvrages traitant des villes, des monuments et des sites de France ; les bibliographies sont nombreuses, les histoires de France foisonnent ; il est difficile de donner une liste exhaustive. Voici cependant quelques titres :

Ouvrages généraux - Histoire

Les Français, Th. Zeldin, Fayard, 1983.
Atlas de l'histoire de France, R. Rémond (dir.), Perrin, 1997.
Charles de Gaulle, E. Roussel, Gallimard, 2002.
Dictionnaire de l'histoire de France, J.-F. Sirinelli (dir.), Larousse, 1999.
Histoire de France, G. Duby (2 tomes), Hachette, coll. « Pluriel », 1998-1999.
L'Identité de la France, les Hommes et les Choses, F. Braudel, Flammarion, 1993.
Louis XIV, F. Bluche, Fayard, 1986.
Napoléon, ou le Mythe du sauveur, J. Tulard, Fayard, 1983.
Paris brûle-t-il ?, D. Lapierre, L. Collins, Robert Laffont, 1993.
Les Rois maudits, M. Druon, LGF, 1973.

Art

La Route des abbayes normandes, F. Barbut, Ouest-France, 1997.
Les Châteaux du Val de Loire, J.-M. Pérouse de Montclos, Place des Victoires, 2000.
Versailles, J.-F. Solnon, B. de Cessole, F. Valloire, Le Chêne, 2001.
Les éditions du Zodiaque publient dans la collection « La Nuit des temps » des livres remarquables sur l'art roman.

Littérature, romans

À la recherche du temps perdu, M. Proust, Gallimard, 1987.
L'Auvergne absolue, A. Vialatte, Julliard, 1993.
La Billebaude, H. Vincenot, Gallimard, coll. « Folio ».
Le Colonel Chabert, H. de Balzac, Gallimard, coll. « Folio ».
La Colline inspirée, M. Barrès, Slatkine, 1996.
Colomba, P. Mérimée, Gallimard, 1979.
Contes et Nouvelles, G. de Maupassant, Gallimard, 1974.
La Gloire de mon père, M. Pagnol, De Fallois, 1990.
Le Grand Meaulnes, Alain-Fournier, Le Livre de Poche, 1997.
Les Lettres de mon moulin, A. Daudet, Gallimard, coll. « Folio ».
Paris est une fête, E. Hemingway, Gallimard, coll. « Folio ».
Un homme d'Ouessant, H. Queffélec, Gallimard, coll. « Folio ».
Une année en Provence, P. Mayle, Nil Éditions, 1995.
Le Ventre de Paris, E. Zola, Gallimard, coll. « Folio ».

Nature

Guide de charme. Parcs et jardins en France, Ph. Thebaud, Rivages, 2002.
Jardins de curé, M. Tournier, G. Herscher, Actes Sud, 2002.
France, terres sauvages, F. Roger, F. Milochau, Éditions du Pélican, 2001.
Guide des parcs naturels régionaux, A. Reille, Delachaux & Niestlé, 2000.

Gastronomie

L'Accord parfait, Ph. Bourguignon, Le Chêne, 1997.
La Cuisine de nos mères, G. Blanc, C. Jobard, Hachette Pratique, 2000.
Cuisine des régions de France, P. Bocuse, Flammarion, 1997.
Cuisiner les fromages, G. Martin, Le Chêne, 2002.
Desserts traditionnels de France, G. Lenôtre, Flammarion, 1991.
Dictionnaire des vins de France, Hachette, coll. « Les Livrets du vin », 2001.
Histoire de la cuisine française, H. Pariente, G. de Ternant, Éditions de La Martinière, 1997.

Calendrier festif

fêtes traditionnelles

Janvier	
Saint-Vincent tournante : procession en l'honneur des vignerons (22)	**Tonnerre, Chablis, Dijon, Meursault**
Février	
Fête de l'ours (1er week-end)	**Vallespir**
Carnaval (autour de Mardi gras)	**Nice, Dunkerque**
Jeudi et Vendredi saint	
Procession des pénitents blancs (jeudi)	**Le Puy-en-Velay**
Processions de pénitents (vendredi)	**en Corse, Roussillon**
Avril	
Fête des jonquilles (milieu du mois)	**Gérardmer**
Mai	
Fêtes de Jeanne d'Arc (1re semaine)	**Orléans**
Fête folklorique de la Saint-Michel de printemps	**Mont-St-Michel**
Pèlerinage des gitans (24 au 26)	**Stes-Maries-de-la-Mer**
Fêtes de Jeanne d'Arc (dimanche près du 30)	**Rouen**
Pentecôte	
Fête des marins. Bénédiction de la mer	**Honfleur**
Feria : corridas, lâchers de taureaux dans les rues	**Nîmes**
Juin	
Commémoration du débarquement du 6 juin 1944	**Utah Beach**
Fêtes de la Tarasque (dernier week-end)	**Tarascon**
Juillet	
Sortie des géants Gayant (dimanche après le 5)	**Douai**
Fête nationale : feux d'artifice (14)	**en France**
Défilé sur les Champs-Élysées (14)	**Paris**
Joutes nautiques (15 juillet et 15 août)	**Palavas-les-Flots**
Grand Pardon de Sainte-Anne (25 et 26)	**Ste-Anne-d'Auray**
Août	
Fête du lac d'Annecy (1er samedi)	**Annecy**
Fêtes traditionnelles : courses de vaches landaises, - corridas, jeux nautiques, etc. (1re semaine)	**Bayonne**
Pardons à Notre-Dame (15)	**en Bretagne**
Fête des guides (15)	**Chamonix**
Pèlerinage à N.-D. de Boulogne (dernier week-end)	**Boulogne-sur-Mer**
Fête des Filets bleus (avant dernier dimanche)	**Concarneau**
Septembre	
Grande braderie (1er week-end)	**Lille**
Novembre	
« Les trois glorieuses » : vente aux enchères des vins des Hospices de Beaune	**Beaune, Meursault, Clos de Vougeot**
Commercialisation du beaujolais nouveau (3e jeudi, à 0h)	**dans le Beaujolais**
Décembre	
Foires aux santons	**Marseille, Arles**
Fête de la Sainte-Odile (14) : pèlerinage alsacien	**Mont-Ste-Odile**
Marchés de Noël	**en Provence, Alsace**
Noël	
Messe de minuit avec pastrage	**en Provence**

festivals

Janvier	
La Folle Journée : musique (dernier week-end)	**Nantes**
Festival international de la bande dessinée (fin du mois)	**Angoulême**
Avril	
Printemps de Bourges : festival de chansons	**Bourges**
Festival international du film policier (1er week-end)	**Cognac**

Mai	
Festival international du film	**Cannes**
Juin	
Jazz à Vienne (1re quinzaine)	**Vienne**
Fête de la musique (21)	**France**
Festival international des jardins (mi-juin à mi-octobre)	**Chaumont-sur-Loire**
Juillet	
Festival international d'art lyrique et de musique	**Aix-en-Provence**
Festival de théâtre	**Avignon**
Chorégies : opéras et concerts symphoniques	**Orange**
Francofolies, Festival de l'Atlantique (vers le 14)	**La Rochelle**
Festival international de jazz (2e quinzaine)	**Juan-les-Pins**
Festival de Cornouaille (fin du mois)	**Quimper**
Août	
Festival interceltique (1re quinzaine)	**Lorient**
Jazz in Marciac (1re quinzaine)	**Marciac**
Festival de musique (2e quinzaine)	**La Chaise-Dieu**
Festival international de théâtre de rue	**Aurillac**
Septembre	
Festival du film américain (1re semaine)	**Deauville**
Festival international des francophonies en Limousin (fin septembre-début octobre)	**Limoges**
Festival mondial des théâtres de marionnettes (triennal : prochain en 2006)	**Charleville-Mézières**
Novembre	
Foire du livre (1er week-end)	**Brive-la-Gaillarde**

manifestations sportives

Janvier	
Grand prix des chiens de traîneaux	**Megève**
Février	
Enduro des sables (mi-février)	**Le Touquet**
Transjurassienne (3e week-end)	**Lamoura-Mouthe**
Avril	
Rencontres internationales de cerfs-volants	**Berck-sur-Mer**
D'avril à septembre	
Présentations publiques du Cadre noir	**Saumur**
Juin	
Internationaux de France de tennis (Roland-Garros)	**Paris**
Course automobile des 24 Heures	**Le Mans**
Juillet	
Tour de France cycliste	**France**
Biarritz Surf Festival (3e semaine)	**Biarritz**
Novembre	
Vendée Globe : course à la voile en solitaire (départ tous les 4 ans)	**Les Sables-d'Olonne**

Festival international de théâtre de rue d'Aurillac.

La calanque de Sormiou, près de Marseille.

Invitation au voyage

Les plaisirs de la table

J. Demase/MICHELIN

Si vous êtes en quête de spécialités gourmandes lors de vos voyages, vous découvrirez que chaque région, chaque terroir est une corne d'abondance emplie de mille délices, depuis le beurre de Charente aux olives de Nyons, en passant par l'aligot auvergnat ou le poulet de Chalosse.

Soupes, consommés et autres veloutés

Onctueux et parfumés, ils ont le plus souvent comme base de liaison le pain. Les plus renommés sont le velouté d'asperges, la soupe de pommes de terre aux poireaux et aux lardons, la soupe à l'oignon appelée aussi «gratinée», la bisque de homard, la cotriade (soupe aux poissons de Bretagne), la garbure (soupe aux choux épaisse du Sud-Ouest). Ils sont servis au début du repas.

Entrées

Elles comportent le plus souvent des **salades** composées en Alsace et dans le Lyonnais de pommes de terre chaudes et de cervelas assaisonnés d'une vinaigrette à l'échalote; en Auvergne, de lentilles vertes; sur la Côte d'Azur, d'un savoureux mariage de tomates, anchois, oignons, poivron vert, thon, œufs durs et d'olives, nappé d'huile d'olive et de basilic et appelé **«niçoise»**.
En Périgord et en Alsace, on vous proposera du **foie gras**; dans le Nord, une flamiche (tarte aux poireaux) ; en Picardie, une ficelle (crêpe au jambon avec sauce à la béchamel aux champignons); dans l'Est, une **quiche lorraine** (tarte au jambon ou au lard avec de la crème); en Provence, une **pissaladière** (tarte aux oignons, tomates et anchois); en Bourgogne, des œufs en meurette (sauce à base de vin rouge), des **escargots**, des cuisses de grenouille ou des **gougères** (pâte à choux au fromage) ; en Périgord, une omelette aux cèpes et, dans les régions giboyeuses, d'excellentes terrines.
La **charcuterie** fait la renommée de nombreuses régions: jambon cru des Ardennes, saucisses de Strasbourg, andouille de Vire, coppa et figatelli en Corse.
En Bretagne, laissez-vous tenter par les plateaux de **fruits de mer** et crustacés, qui sont composés d'huîtres, crevettes, langoustines, palourdes, crabe, etc.

Plats de résistance

Parmi les préparations à base de produits de la mer, n'hésitez pas à savourer les moules marinières à Lille, le homard à l'armoricaine en Bretagne, le brochet au beurre blanc à Nantes ou les quenelles, également de brochet à Lyon, le thon à la sauce pipérade (tomates, poivrons et oignons) au Pays basque, la **bouillabaisse** à Marseille (composée de trois poissons – rascasse, grondin et congre – cuits dans un bouillon aromatisé de safran, thym, ail, laurier, sauge, fenouil), la **brandade** à Nîmes (crème onctueuse de morue à l'huile d'olive, au lait, parfumée à l'ail), le loup grillé au fenouil ou au sarment de vigne au bord de la Méditerranée. Les **viandes** de volaille (Bresse, Landes), de gibier (Alsace, Ardennes, Sologne), de bœuf (Bourgogne, Limousin, Auvergne), d'agneau (Pyrénées) sont accommodées de légumes de saison. Rien ne vaut un poulet rôti ou «vallée d'Auge», un confit de canard, un lapin à la

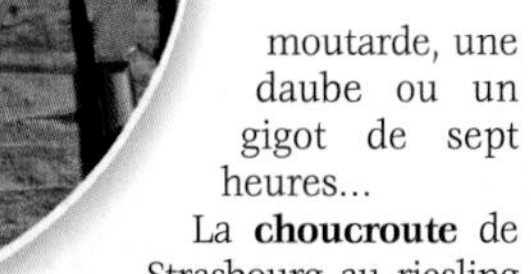

Cassoulet de Castelnaudary.

Charcuterie et fromages d'Auvergne.

moutarde, une daube ou un gigot de sept heures...

La **choucroute** de Strasbourg au riesling (chou, pommes de terre, lard salé, saucisses, côtes de porc), le **cassoulet** de Toulouse ou de Castelnaudary (ragoût de haricots blancs, confit d'oie ou de canard, ail et lard), la **potée** auvergnate (chou, porc, lard et navets) ou franc-comtoise (chou, saucisse de Morteau ou de Montbéliard), l'**aligot** (onctueux mélange de tomme fraîche de Laguiole et de pommes de terre écrasées, assaisonné d'ail), les petits farcis provençaux ne vous laisseront que l'embarras du choix. Et si vous hésitez encore, prenez, dans les Alpes, un gratin dauphinois, une tartiflette ou une fondue savoyarde.

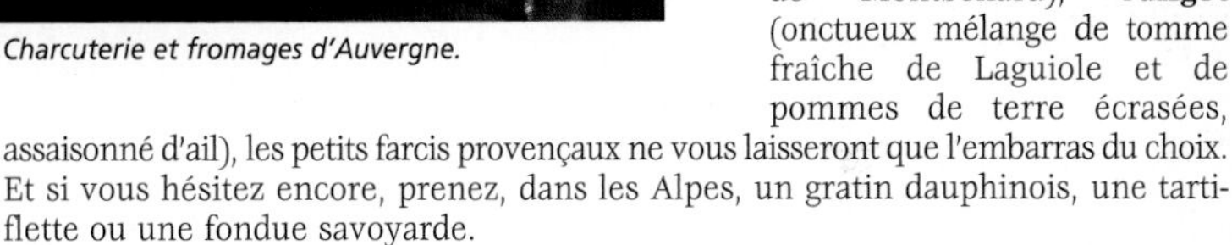

Le plateau de fromages

Il faut le lait quotidien de vingt à trente vaches pour faire un cantal de 40 kg... Et l'on dit qu'en France, il y a plus de 500 fromages différents que l'on classe en grandes familles:

Les fromages à pâte molle – À croûte fleurie, ils sont couverts d'un duvet blanc et ont une pâte souple (brie de Meaux, camembert, chaource...). À croûte lavée: ces fromages fabriqués avec du lait de vache sont lavés ou brossés et leur croûte devient rouge orangé (livarot, pont-l'évêque, munster, maroilles, vacherin...)

Les fromages à pâte pressée – Ils proviennent surtout d'Auvergne et de Savoie. Leur pâte non cuite est souple et ferme (cantal, saint-nectaire, tomme, reblochon...).

Les fromages à pâte cuite – Fabriqués avec du lait de vache, ils proviennent du Jura et de Savoie, et leur pâte ferme comporte des trous. Ils sont souvent de grande taille (comté, emmenthal, beaufort...).

Les fromages à pâte persillée – Des veinures bleu-vert strient ces fromages à pâte molle fabriqués avec du lait de vache ou de brebis. Ils ont un goût assez soutenu (fourme d'Ambert, roquefort, bleu de Gex...).

Les fromages de chèvre – Ils sont à pâte tendre, demi-dure ou dure. Leurs formes sont très variées (crottin de Chavignol, sainte-maure, pélardons...).

En Bretagne, la crêperie est une institution.

Entremets, fruits et desserts

Sous l'appellation générale de desserts, les «douceurs» de fin de repas comprennent, outre les corbeilles de fruits du verger, les fraises à la crème, les poires au vin rouge, et d'innombrables pâtisseries. Vous trouverez en Bretagne le far et le **kuign amann**; en Gâtinais et à Dijon, le pain d'épice; en Sologne, la tarte Tatin aux pommes caramélisées; à Grenoble, le gâteau aux noix; en Limousin, le **clafoutis** aux cerises; en Alsace, le **kugelhopf** (prononcer «kouglof»), sorte de brioche aux raisins secs; à Bordeaux, les **canelés**. Dans la plupart des restaurants, on vous proposera les **profiteroles** (choux garnis de glace vanille et nappés de chocolat chaud), les crèmes caramel, la mousse au chocolat, les millefeuilles, les îles flottantes et les soufflés.

R. Mattes/MICHELIN

De fameux vins

Terre bénie du dieu Bacchus, qui inventa le vin, la France produit depuis l'Antiquité des vins réputés. Ceux-ci ont acquis leurs lettres de noblesse grâce à la diversité des sols, la bonne exposition des vignobles, au choix de cépages de qualité, et le savoir-faire ancestral des vignerons.

Le champagne

Au 18e s., dom Pérignon, moine bénédictin, obtint l'**effervescence** des «vins du diable» en observant les conditions de la seconde fermentation, qui reprend au printemps après les vendanges, avec la remontée de la température.
La qualité d'un grand champagne dépend de celle du vin de base. 75 % de la vendange est composée de raisins noirs de deux cépages: pinot noir et pinot meunier; on utilise un cépage blanc: le chardonnay. Les vins de la Montagne de Reims et de la côte des Bars, où domine le pinot noir, sont charpentés et corsés, ceux de la vallée de la Marne, issus en majorité du pinot meunier, sont ronds et fruités, les vins frais et élégants de la côte des Blancs viennent du cépage chardonnay. Les années exceptionnelles, le champagne est millésimé.
Le champagne ne se fabrique qu'en Champagne. Il ne faut pas confondre champagne et crémant, vin mousseux élaboré selon la méthode traditionnelle, mais dont la pression est plus faible et la durée d'élevage moins longue. Ce sont les crémants de Loire, d'Alsace, de Bordeaux, du Jura, de Limoux, de Bourgogne et de Die.
Le champagne doit être servi frais, à une température de 8-10 °C, et versé précautionneusement dans des flûtes qui mettront en valeur son bouquet et la finesse de ses bulles. Le champagne brut peut être servi tout au long d'un repas; beaucoup d'amateurs, cependant, le préfèrent en apéritif. Les champagnes secs ou demi-secs seront réservés pour le dessert (génoise, biscuit), ou un champagne rosé pour les charlottes aux fruits rouges).

Les vins blancs

Parmi les vins blancs légers à boire jeunes, le muscadet, seul vin breton, est entouré d'un culte jaloux par les Nantais. Son cépage, le melon de Bourgogne, donne un vin blanc sec et fruité recommandé pour la dégustation des poissons et des fruits de mer.
Les trois quarts des vins blancs que la France élève viennent d'Alsace. Ils sont issus en général d'un seul cépage. Le plus prestigieux est le riesling, dont le bouquet est subtil et d'une exceptionnelle finesse aromatique. Il accompagne bien les poissons, grillés ou en sauce, et les volailles rôties.
Le chardonnay donne naissance aux magnifiques vins blancs onctueux de Bourgogne. La côte de Beaune présente des sommités en vin blanc: corton-charlemagne, chablis grand cru, puligny-montrachet..., qui s'accordent avec des crustacés, des poissons en sauce, et des volailles aux morilles.
Ils sont servis à une température de 10 à 12 °C.

Champagne MOËT & CHANDON

Bouteilles de champagne: du nabuchodonosor au quart.

Le vignoble alsacien ensserre le village d'Andlau.

Environ 60 % de la production des vins de Loire est en blanc. Le cépage le plus fameux est le pineau de la Loire. C'est celui du vouvray, ainsi que des plus grands moelleux et liquoreux de la région, coteaux-du-layon, quarts-de-chaume, bonnezeaux. Le plus célèbre vin blanc liquoreux est le sauternes, issu de saumillon, sauvignon et muscadelle, implantés sur des graves. Ce vin de garde exceptionnel, jusqu'à cent ans, à la robe d'or et au parfum de miel, accompagnera magnifiquement un foie gras.

Les vins rouges

Le beaujolais nouveau, qui arrive le troisième jeudi de novembre, se distingue par son caractère fruité (banane le plus souvent). Ce vin rouge léger à la teinte violacée doit se boire jeune, de même que les vins de Loire, du Languedoc et des Côtes du Rhône. Ils sont légèrement tanniques, fruités et souples et accompagnent volontiers des viandes grillées et un plateau de fromages.
Le Bordelais produit des vins fins aux noms prestigieux: margaux, pomerol et son petrus, saint-julien, saint-émilion, issus de cabernet-sauvignon, cabernet franc et merlot. Leur aptitude au vieillissement est remarquable: il faut savoir les attendre cinq à dix ans, car les tanins ont eu le temps de se fondre. À l'élégance et la rondeur des médocs fait écho l'arôme puissant, le caractère corsé des saint-émilion. Il faut les servir lors d'un repas fin qui comprendra par exemple un gibier à plume.
La côte de Nuits en Bourgogne engendre presque exclusivement de très grands vins rouges: marsannay, fixin, gevrey-chambertin, morey-saint-denis, chambolle-musigny, vougeot, vosne-romanée, nuits-saint-georges. Le cépage est essentiellement le pinot noir. Ces vins de garde – cinq à vingt ans en général –, que l'on sert à une température de 16 à 18 °C, affichent des arômes de fruits rouges ou noirs, de sous-bois, ou même des nuances animales. Leur personnalité, leur finesse demandent de les servir avec un lièvre à la royale, un chapon aux truffes ou un chevreuil.

L'art de la dégustation

La dégustation débute par un examen visuel de la «robe» du vin. Différente selon les cas, elle désigne la couleur et la limpidité.
On inhale, puis on fait tourner le verre pour libérer les arômes, en essayant de définir les odeurs. Celles-ci sont classées en dix familles: animale, boisée, épicée, balsamique, chimique, florale, fruitée, végétale, empyreumatique et éthérée.
L'examen gustatif commence par une attaque en bouche de quelques secondes, le temps que le vin entre en contact avec la langue. Après une rétro-olfaction, l'évolution en bouche permet d'analyser plus longuement toutes les nuances du vin.

Des paysages

À l'extrémité occidentale du continent européen, l'histoire géologique a engendré une diversité de paysages – eux-mêmes liés à la nature des sols, à l'action des éléments, à l'étagement naturel de la végétation – qui offre un plaisir raffiné et sans cesse renouvelé à qui parcourt la France et sait l'observer.

S. Sauvignier/MICHELIN

Paris : vingt siècles d'urbanisme

Paris est née des îles qui facilitaient la traversée de la Seine sur la grande voie Nord-Sud devenue les rues St-Martin et St-Jacques croisant la route fluviale ; la Lutèce gauloise se limitait à l'île de la Cité. Elle doit son rôle politique au choix que firent d'elle les Capétiens pour leur capitale et son rayonnement au talent des écrivains, compositeurs, artistes, au travail des savants, à l'œuvre des hommes d'État et des administrateurs qui y ont exercé leur activité. L'urbanisme Renaissance et classique fait le charme du Marais où l'hôtel particulier à la française naquit.

Au milieu du 19e s., sous l'impulsion du baron Haussmann, le cœur de la ville et les villages ruraux qui la ceinturaient furent remodelés. Les lieux d'habitation, de travail, de loisirs, de commerce furent disposés selon une ordonnance raisonnée, plus harmonieuse et plus économique que par le passé ; des quartiers nouveaux et de grands axes furent créés en même temps que l'activité se différenciait par secteurs.

Le Second Empire et la IIIe République marquent de leur empreinte la Voie triomphale. Depuis 1945, sous l'influence entre autres de Le Corbusier, l'esthétique architecturale connaît un renouveau : Unesco (1957), Palais de la Défense (CNIT) (1958), Maison de la Radio et de la Télévision (1963), tour Montparnasse (1973), Palais des Congrès (1974). Les années qui suivent verront cette tendance se confirmer avec la construction, au centre de Paris, de quelques monuments phares, œuvres des plus grands architectes du moment : le Palais omnisports de Bercy (1984), la Cité des sciences et de l'industrie ainsi que la Géode à la Villette (1986), l'Opéra Bastille (1989), la Grande Arche de la Défense (1989), la Pyramide du Louvre (1989), le ministère des Finances à Bercy (1990), l'aile Richelieu (1994), étape importante du projet « Grand Louvre » (1981-1998), la Cité de la Musique à la Villette (1995), la Bibliothèque de France (1996).

Île-de-France, une ceinture de forêts et de rivières

De grands massifs forestiers (Fontainebleau, Rambouillet, qui comptent parmi les plus belles forêts de France) et de belles rivières serpentant dans des vallées verdoyantes (l'Oise tranquille, la Marne capricieuse, la Seine majestueuse) font la parure des environs de Paris (le Bassin parisien), opulent territoire agricole qu'illustrent les noms du Vexin, du Valois, de la Brie, du Gâtinais, de la Beauce, du Hurepoix et du Mantois. Deux chiffres soulignent le poids industriel de la région : sur 2,2 % du territoire travaillent 22 % de la population active.

En outre, la proximité du pouvoir politique a valu à l'Île-de-France ses admirables monuments dont bon nombre subsistent de nos jours, chefs-d'œuvre des époques Renaissance et classique. À côté des plus grands châteaux, la nature a été aménagée en parcs et jardins, par des maîtres de l'art paysager : Vaux-le-Vicomte, Versailles, Chantilly.

À Paris, les péniches sont amarrées aux quais de la Seine.

Le Val de Loire ou le jardin de la France

Pays de grâce paisible, le Val de Loire passe pour la région la plus éminemment française. Les pépinières et les roseraies de l'Orléanais, les halliers de Sologne où de tout temps chassèrent nos gouvernants, les maisons troglodytiques de Touraine, l'ardoise fine et la douceur angevine chères à Du Bellay se succèdent le long du fleuve nonchalant.

Nonchalant, du moins depuis que la concurrence du chemin de fer a ruiné, au siècle dernier, l'activité du chemin d'eau. Durant cinq siècles, en effet, la Loire a apporté la vie au pays comme grande voie de transit encore améliorée en 1642 par la mise en service du canal de Briare. Tout le long du fleuve, les villes conservent la marque de cette activité : Gien, reconstruite, où, de berrichon, le fleuve devient solognot à hauteur du pont que franchit Jeanne d'Arc en se rendant de Vaucouleurs à Chinon ; Orléans, principal entrepôt de marchandises et port de voyageurs lors de la grande batellerie ; plus en aval Blois, Tours, Langeais et Saumur.

Bretagne : l'attrait de la mer

La zone maritime bretonne, l'Armor, offre l'infinie variété de la côte, déchiquetée par une mer « qui bouge » : une myriade d'écueils, des baies immenses et des anses étroites, d'admirables « bouts du monde », le spectacle des vagues sans cesse recommencé, le cycle des marées réglant la vie des pêcheurs dans les estuaires.

L'intérieur, l'Argoat, reste une terre de légendes et de foi. Les monts d'Arrée et les Montagnes noires enserrent la région du lac de Guerlédan et le bassin de Châteaulin. Aux premiers se rattachent le Ménez (mont) Bré et les sites forestiers des rochers d'Huelgoat, la montagne St-Michel et le roc Trévezel ; aux secondes le Ménez Hom qui domine la baie de Douarnenez et le plateau du Finistère.

Partout, de beaux monuments de granit retiennent l'attention : menhirs, dolmens, châteaux, cathédrales, villes anciennes, maisons rurales, calvaires, fontaines.

De l'embouchure de la Loire à la vallée de l'Aulne, le pays de Nantes, la Grande Brière, les marais salants et la presqu'île de Guérande, ainsi que la Cornouaille composent l'intérieur d'un littoral, la côte de l'Atlantique, dont les ports, les stations balnéaires, les bourgs pittoresques et les sites marins (golfe du Morbihan, presqu'île de Crozon) font l'originalité.

De Fougères et du bassin de Rennes au grand port de Brest et à l'île d'Ouessant, sur la côte de la Manche, le particularisme breton s'individualise dans les terroirs du Guildo, du Penthièvre, du Trégor et du pays de Léon où se succèdent des villes historiques (Morlaix, Tréguier), des stations élégantes, des corniches marines. Alors que des caps et des promontoires (cap Fréhel, pointe St-Mathieu) grandioses s'avancent en mer, battus par les flots, la vallée de la Rance et les estuaires des abers sont envahis par la mer à marée haute.

La magnifique forêt de Compiègne.

J.-L. Gallo/MICHELIN

La verdure normande

Le paysage normand traditionnel est célèbre pour ses collines boisées et ses frais vallons où l'aimable silhouette d'un château ou d'un manoir apporte une note d'opulence et d'ordre. La floraison architecturale aux époques romane et gothique s'y est manifestée dans de célèbres abbayes et d'admirables cathédrales.
La presqu'île du Cotentin, en Basse-Normandie, évoque la Bretagne par l'austérité de ses paysages granitiques, la vie maritime de ses petits ports et l'amplitude des marées dans la baie du Mont-St-Michel. Le bocage séduit par ses chemins creux, ses champs cloisonnés, ses hameaux dispersés, ses herbages plantureux cernés de haies méticuleusement entretenues, ses vergers de pommiers dont la floraison en avril-mai est un enchantement. De grands massifs forestiers font la parure végétale de la province. Les modes et les jeux ont bien changé depuis que Marcel Proust contemplait Albertine jouant au diabolo, mais les plages font toujours le bonheur des vacanciers.
La vallée de la Seine est le grand axe des échanges de la Haute-Normandie, tout entière tournée vers Rouen, la ville-musée. Le pays d'Auge, bocage de luxe, y règne par son cidre, son calvados, ses prestigieux fromages et l'élégance de ses manoirs. Au Nord du fleuve, le pays de Caux, au limon fertile, où les fermes sont de vraies oasis de verdure, tombe dans la mer par les falaises de la Côte d'Albâtre.

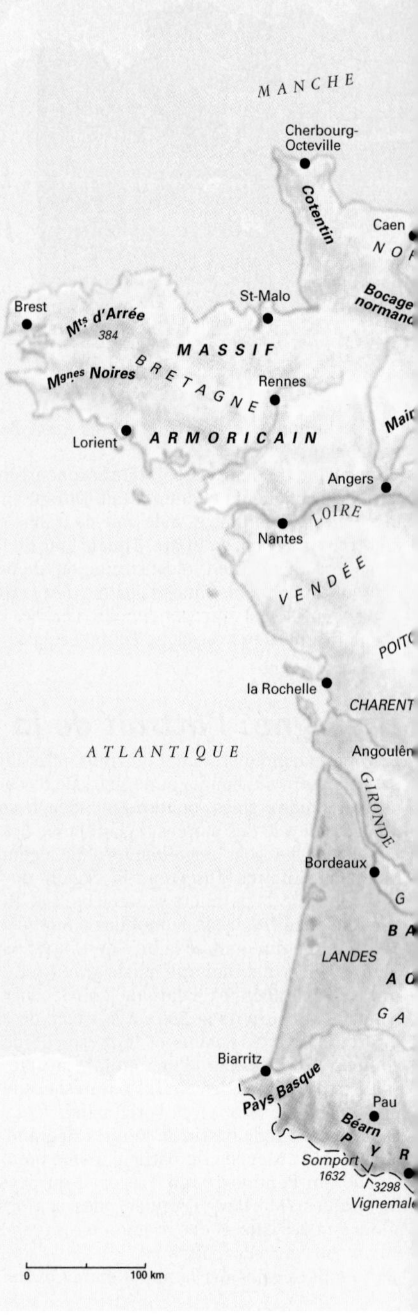

Flandres, Artois, Picardie

Sous un ciel très doux, les plaines du Nord composent un pays agricole et industriel verdoyant, aux maisons de brique caractéristiques dont la diversité s'observe dans la Thiérache, le Hainaut, l'Avesnois et le Soissonnais. Les grands plateaux de Picardie, coupés d'étangs et de vallées bordées de peupliers, portent des champs de betteraves et des céréales. Au Sud, le pays de Bray est échancré, à la manière d'une boutonnière, dans la craie du Bassin parisien. Le Boulonnais est connu pour ses plages immenses. Le «plat pays» de Flandre, coupé de canaux et agrémenté de moulins, oppose les hauts fourneaux et les terrils du « pays noir » au bocage de l'Avesnois et au pays d'élevage de la Thiérache aux originales églises fortifiées.
Aux portes de Compiègne s'étend une vaste et magnifique forêt, vestige de l'immense forêt gauloise qui s'étendait de l'Île-de-France aux Ardennes et dont les massifs de St-Gobain et Retz représentent d'autres lambeaux.

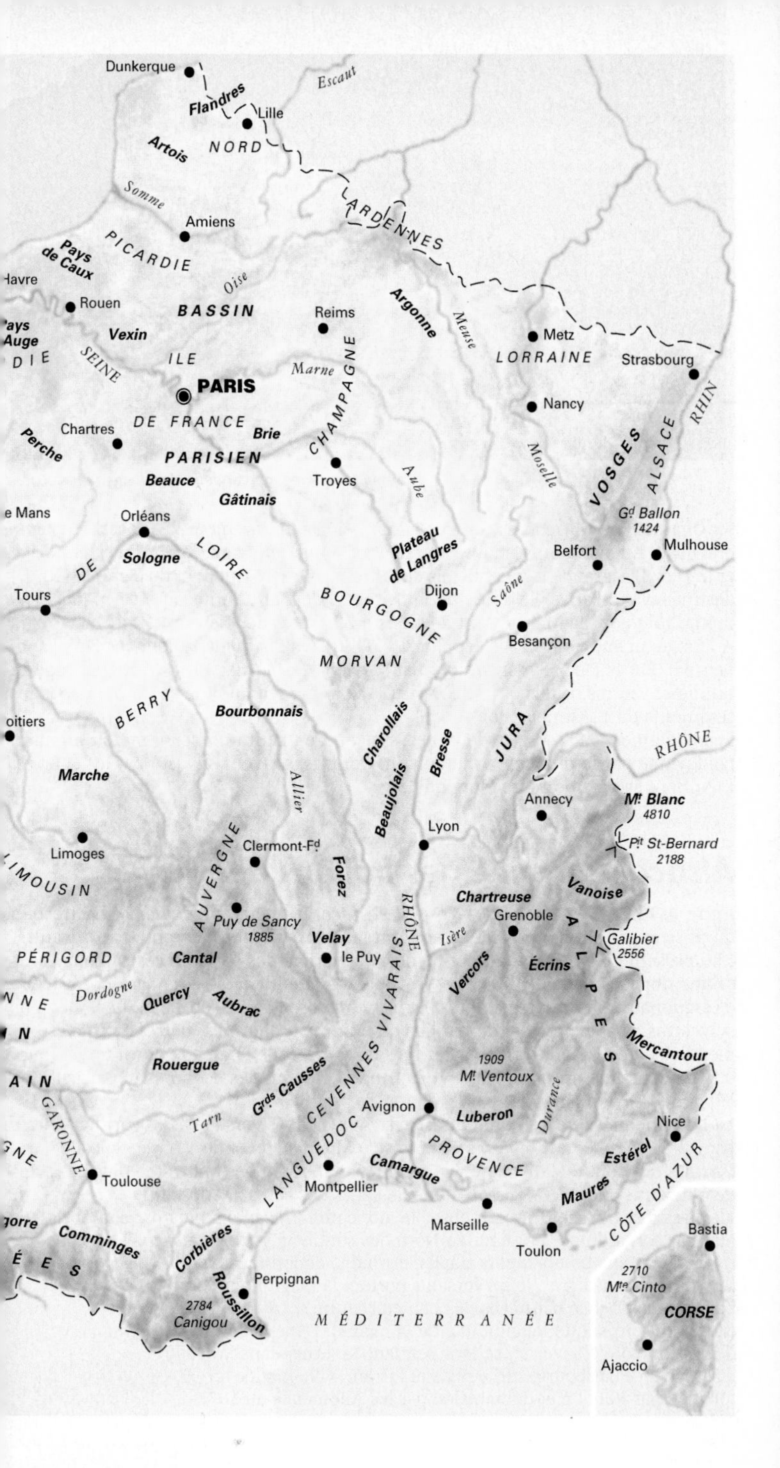

Champagne, Ardennes

La côte de l'Île-de-France porte le célèbre vignoble champenois, en particulier de part et d'autre de la Montagne de Reims, sur les versants qu'y creuse l'entaille de la vallée de la Marne et, au Sud d'Épernay, sur les pentes de la prestigieuse côte des Blancs aux bourgs caractéristiques (Cramant, Vertus). Le mont Aimé, isolé en avant du front de la côte, couronné de bois, est une butte-témoin exemplaire de l'évolution du relief en pays de couches sédimentaires peu inclinées.

La Champagne crayeuse (sèche), vaste plaine de Châlons-sur-Marne et de Troyes connue pour ses terrains militaires, est devenue l'un des grands terroirs agricoles de la France (betteraves, céréales, industries agroalimentaires).

Ph. Gajic/MICHELIN

Dans la campagne morvandelle : le village de Bazoches.

La Champagne humide est la vaste dépression qui auréole à l'Est la Champagne crayeuse. Au Sud du massif forestier de l'Argonne s'étendent le Perthois, le Vallage et le Der. Les grands lacs artificiels de la forêt d'Orient (1966) et du Temple (1991), destinés à régulariser le cours de la Seine, et de Der-Chantecoq (1974), jouant le même rôle pour la Marne, sont devenus des centres de loisirs.
À l'Est et au Sud, le paysage est plus accidenté. On distingue la côte des Bars jalonnée par Bar-le-Duc, Bar-sur-Aube, Bar-sur-Seine et le plateau de Langres rude et immense, où les reliefs qui prolongent la côte bourguignonne se perdent sous les sédiments du Bassin parisien.
Les Ardennes, où la Meuse déroule ses méandres, sont un ancien massif primaire bouleversé par le plissement hercynien. Ce pays, souvent dévasté par les guerres, maintient sa tradition métallurgique.

Alsace, Lorraine, les ballons des Vosges

Entre le Rhin et la chaîne des Vosges, l'Alsace, plaine affaissée par le contrecoup du plissement alpin, apparaît comme un immense verger bien doté par la nature. Elle présente des aspects différents liés à la variété des sols. Sur les cailloux et les sables déposés par le Rhin et ses affluents s'étendent de grandes forêts; celle d'Haguenau couvre près de 14 000 ha, composée pour les deux tiers de pins sylvestres et pour le reste de feuillus où dominent charmes, hêtres et chênes. Au pied des coteaux sous-vosgiens hérissés de tours et de châteaux en ruine, la route du Vin constitue un pittoresque et gourmand chemin des écoliers, en particulier à l'époque des vendanges.
La Lorraine présente un ensemble de plateaux inclinés vers le Bassin parisien, barrés par l'original relief des « côtes »; les buttes de Montfaucon et de Monsec, la colline des Éparges qui domine la Woëvre, la Colline inspirée sont des buttes témoins des côtes de Meuse, la butte de Mousson, l'une de celles des côtes de Moselle.
Le massif des Vosges, qui fait obstacle aux communications plus par son épaisseur que par son altitude, présente au Nord des sommets gréseux, escarpés. Au Sud, on trouve de hauts bombements trapus, arrondis, dénommés ballons. Les vallées abritent des lacs glaciaires, leurs versants portent la magnifique forêt vosgienne et leurs hauteurs les riches pâturages des hautes chaumes. La route des Crêtes est le grand itinéraire touristique longitudinal de la chaîne. Dans le sens transversal, de part et d'autre du col de Saverne, se font pendant Saverne, dans la plaine d'Alsace, et Phalsbourg, sur le plateau lorrain, ville fondée au 16e s. fortifiée par Vauban et démantelée par les Allemands en 1871.

Au pied du Honeck, dans les Vosges.

La verdure, les eaux, les belvédères du Jura

Le vert sombre des forêts de sapins (forêts de la Joux, du Massacre) et celui plus frais des immenses prairies enchantent l'œil. De même, l'abondance des eaux vives : torrents écumants, cascades en nappe ou en éventail (du Hérisson, du Saut du Doubs), innombrables petites sources, puissantes résurgences (sources de la Loue, du Lison), réseau serré du Rhône, du Doubs, de l'Ain et de leurs affluents (Valserine, Loue, Bienne, Albarine).

Les nappes tranquilles de 70 lacs (Bonlieu, Nantua, St-Point...) contrastent avec ce ruissellement; tout comme les retenues formées par les barrages (Vouglans), qui transforment la vallée de l'Ain en un gigantesque escalier d'eau.
De grands belvédères (Grand Colombier, Colomby de Gex, Mont-Rond...) dévoilent des paysages qui parlent aux yeux: vals parallèles séparés par des monts, réunis par des cluses qui font l'originalité du plissement jurassien; grandioses reculées (cirque de Baume) révélant des structures géologiques si caractéristiques qu'on a donné le nom de jurassique, en raison de son exceptionnel développement ici, à un étage important de la sédimentation de l'ère secondaire.

Les vignes de Bourgogne, la forêt du Morvan

Le seuil de Bourgogne, entre les bassins de la Seine et de la Saône, et les pays qui l'avoisinent, Auxois, Bresse et Charolais, doivent pour une grande part leur unité à la réussite politique des grands ducs d'Occident au 15e s. Leur richesse est liée aux 23 500 ha d'un vignoble qui passe pour l'un des plus beaux du monde.
En altitude et à l'écart des grandes routes, la forêt du Morvan occupe une place prépondérante dans un paysage de physionomie bocagère. La forêt occupe le tiers de la superficie; les parties inférieures des versants sont aménagées en pâturages. La dispersion des hameaux dans le paysage permet de mesurer la dissémination de la population imposée par les ressources naturelles.

Berry, Limousin

Sur le versant Nord du Massif central se déploient les horizons du Berry, domaine de la grande culture, dont Bourges, la capitale, matérialise l'unité historique. Des paysages très divers le composent: terres brunes hérissées de petits tertres rouges de la Brenne aux mille étangs, terre opulente de la Champagne berrichonne autour de Châteauroux, défrichée depuis l'époque néolithique, bocage vert autour de La Châtre chanté par George Sand.
Plus au Sud, les plateaux et la montagne du Limousin sont le pays des haies vives, des étangs, des herbages et des ombrages. Leurs bourgs, aux solides maisons de granit couvertes d'ardoise, maintiennent leur tradition de villes-marchés.
Autour de Guéret, la Marche est une région d'élevage dont les hauteurs tapissées de bruyères sont couronnées de ruines. Le plateau de Millevaches domine de quelque 350 m le pays alentour. Sur un éperon, dans un méandre de la Vézère, Uzerche dispose ses maisons de granit, si belles qu'elles ont justifié le dicton populaire: « Qui a maison à Uzerche a château en Limousin. »
Le site de Tulle, au débouché du cours supérieur de la Corrèze, en aval de replats où reposent des étangs, apparente anomalie hydrographique, manifeste de façon spectaculaire la vigueur de la phase d'érosion en cours depuis le début de l'époque quaternaire.

R. Mattes/MICHELIN

Poitou, Vendée, Charentes

De la Loire à la Gironde, l'unité de la façade littorale, aux plages immenses et au climat océanique, contraste avec la variété de son arrière-pays.
Du mont Mercure au mont des Alouettes, la ligne de crêtes du haut bocage vendéen, coupé de haies vives, représente la dernière ride de granit où s'achève le Massif central.
À l'Ouest de Niort s'étend le ravissant marais poitevin qui débouche sur les polders et les marais salants de l'anse de l'Aiguillon. La Gironde, estuaire de la Garonne, attaque inlassablement la falaise sur laquelle s'est perchée l'église romane de Talmont : elle est appréciée pour la qualité de ses plages.
Au large, cinq îles exercent leur attirance sur le tourisme familial. Noirmoutier est connue pour ses primeurs et ses pommes de terre. Yeu, plus rocheuse, est une vieille terre bretonne où vécut autrefois un collège de druidesses et où débarqua au Moyen Âge un village entier de Cornouaille, sous la conduite de son recteur. Ré est l'île des petites maisons blanches et des marais salants. Aix, fortifiée par Vauban en 1699, abrita Napoléon durant ses derniers jours en terre française. Oléron, qui ferme au Sud le pertuis d'Antioche, séduit par sa végétation et la douceur de son climat.

Périgord, Quercy

Les plateaux boisés du Périgord et les causses du Quercy criblés de gouffres sont entaillés par des vallées épanouies et cultivées ou étroitement encaissées. Du rebord de leurs falaises, de grands belvédères dominent une campagne humanisée ou de profondes solitudes. Certaines grottes attirent ceux qui s'intéressent aux sciences de la terre par leurs concrétions, leurs réseaux hydrographiques souterrains ou leurs résurgences, d'autres, ceux qui s'attachent à connaître le passé lointain de l'humanité par les témoignages millénaires de l'industrie humaine qu'elles recèlent (sculptures, gravures, peintures, traces d'habitat).

La barrière des Pyrénées

La chaîne des Pyrénées dresse en travers du dernier isthme européen une barrière continue, longue de 400 km, entre l'océan Atlantique et la mer Méditerranée.
À l'Ouest, dans les Pyrénées atlantiques et les Pyrénées centrales, des vallées perpendiculaires à la ligne de faîte individualisent la moyenne montagne en « pays » originaux : Pays basque, Béarn, Bigorre, Comminges. À leurs vallonnements semés de maisons blanches succèdent des crêtes découpées, des cimes neigeuses, des cirques rayés de cascades, des lacs d'altitude, des gaves tumultueux et des bassins bien cultivés. À l'Est, le Roussillon est la grande unité

Le pic du Midi d'Ossau, dans les Pyrénées.

S. Sauvignier/MICHELIN

Le Marais poitevin.

régionale des Pyrénées méditerranéennes et le secteur le plus épanoui de la chaîne malgré le rude profil et le ravinement de ses montagnes. Les hauts bassins intérieurs de la Cerdagne et du Capcir, la cime bien dégagée du Canigou, les forêts et les pâturages du Vallespir précèdent le jardin roussillonnais qui, avec ses immenses vergers, ses cultures maraîchères et ses vignes, compose l'arrière-pays de la Côte Vermeille où Collioure conserve sa physionomie de petit port catalan.

Aquitaine

L'Aquitaine constitue l'avant-pays gascon où les pays de l'Adour conservent leur identité. Au Nord, Agen manifeste la richesse du pays des Serres qui, entre le Lot et la Garonne, porte des vignes et des arbres fruitiers sur les pentes. Les Landes sont devenues, depuis la fixation des dunes par Brémontier et l'assainissement de l'intérieur par Chambrelent, une immense forêt de pins. Dans les clairières de leurs 14000 km subsistent de jolies maisons à colombages.
Le Bordelais, cœur de l'ancienne province de Guyenne, est célèbre pour les crus qui s'élaborent sur les rives de la Garonne et de la Gironde.
La rectiligne Côte d'Argent, tout juste échancrée par le bassin d'Arcachon, offre aux estivants l'immensité de ses plages de la pointe de Grave à l'estuaire de l'Adour que commande Bayonne, port de «tête de marée» dont les accès maritimes sont tributaires de digues et de dragages continuels.

Languedoc, Cévennes et gorges du Tarn

La bordure méridionale du Massif central se distingue par des paysages d'une sévère et rare singularité. Les Grands Causses (causse de Sauveterre, causse Méjean, causse Noir, causse du Larzac) se présentent comme de vastes tables calcaires arides et pierreuses. De leurs corniches se découvrent d'inoubliables panoramas (Point Sublime, cirque de Navacelles) sur des canyons aux parois verticales – en particulier celui du Tarn.
Dans ces plateaux s'ouvrent des grottes et des avens (les Demoiselles, la Clamouse, aven Armand) où le travail des eaux souterraines a donné naissance à des formes rocheuses inconnues à la surface du sol: stalactites, stalagmites, gours, excentriques. Autour de la région caussenarde se déploient, en arc de cercle, des paysages d'une surprenante diversité. Dans l'Aubrac aux immenses horizons, des coulées de laves très fluides ont colmaté le vieux socle granitique déjà labouré par l'érosion. De l'Aigoual au Tanargue, les Cévennes présentent la succession de leurs lourds sommets granitiques entre lesquels les «serres» schisteuses et d'étroites vallées boisées sont longtemps restées impénétrables. Plus au Sud, la garrigue, buissonneuse, tapissée de plantes aromatiques, est dominée par le pic St-Loup.

Les volcans d'Auvergne

L'Auvergne présente des paysages qu'on ne peut voir nulle part ailleurs en France: des volcans de tous âges. Certains comme les monts Dôme ont des cônes qu'on dirait éteints d'hier, des coulées de lave qui semblent à peine refroidies; d'autres (monts Dore et surtout Cantal) ont été démantelés par les éléments, mais leur forme générale transparaît toujours. Dans le Cézallier, les laves fluides se sont épanchées et superposées; à la Cheire d'Aydat, leur torrent s'est cristallisé; aux planèzes de St-Flour, elles ont recouvert le plateau. Ailleurs, elles se sont glissées dans des vallées qu'elles ont protégées de l'érosion qui attaquait les collines alentour. Parfois, en se refroidissant, elles se sont cristallisées en «tuyaux d'orgues» (Bort-les-Orgues, Le Puy).

G. Magnin/MICHELIN

Des oliviers centenaires, en Provence

La vallée du Rhône, grande voie de passage

Depuis l'Antiquité, la vallée du Rhône en aval de Lyon n'a cessé d'être une voie de passage : route de l'étain de Cornouaille, route du vin de Bourgogne, coche d'eau... De nos jours, autoroute, routes nationales, canaux dérivant partiellement le fleuve, facilitant la navigation et alimentant des usines hydroélectriques, voies ferrées sur chaque rive, oléoduc et gazoduc assurent un trafic de toute première importance. Mais, sur quelque 250 km, la physionomie du couloir rhodanien se renouvelle. Au Nord, le Mont-d'Or lyonnais apparaît comme un petit récif calcaire que la Saône contourne avant de forcer son passage, à Lyon.
Le Rhône lui-même ne sépare pas rigoureusement les géologies cristallines du Massif central et calcaire des Alpes. À Vienne, il a creusé son lit dans des avancées granitiques. Au contraire, à Valence, il se glisse entre une des dernières terrasses du Dauphiné et l'échine calcaire de Crussol venue prendre appui sur les granits du Vivarais. De part et d'autre du fleuve, Tournon et Tain-l'Hermitage forment deux anciens ports jumeaux, le premier à la base des falaises du Massif central, le second au pied de l'éperon calcaire qui porte son célèbre vignoble.

Les vallées alpines

Les superbes vallées alpines, dont les eaux vives atténuent peu à peu le caractère glaciaire, constituent les secteurs les plus actifs du massif.
Dans les Alpes du Nord savoyardes, les vallées tantôt s'étirent en couloirs industriels ou de transit (Romanche, Maurienne), tantôt s'élargissent en bassins où se concentrent les cultures et l'élevage et où, sur des terrasses bien exposées, se rassemble la population dans des villes-marchés. Grenoble, la métropole des Alpes françaises, occupe un élargissement au confluent du Drac et de l'Isère.
Dans les Aravis, le Beaufortin, la Chartreuse, l'Oisans et le Vercors, les villages sont fiers de leurs maisons rurales traditionnelles bien intégrées à un milieu naturel difficile (altitude, froid, enneigement).
Les vallées profondes se raccordent latéralement par de grands cols (Lautaret, Galibier) et séparent des massifs de haute montagne (Écrins, Mont-Blanc).
Au pied des versants humides et verdoyants, parés de magnifiques forêts de hêtres, de sapins et d'épicéas, dorment de splendides lacs (Annecy, le Bourget, Léman).
Les Alpes du Sud, provençales, plus arides et plus sèches, drainées par le grand sillon de la Durance, annoncent les paysages méridionaux. Là, les cluses entaillent en gorges les chaînons et les plateaux intérieurs, le mont Ventoux domine la plaine du Comtat, le grandiose canyon du Verdon ouvre une prodigieuse entaille dans les plans de Haute-Provence, prenant en écharpe les ultimes contreforts des Alpes.
L'élevage du mouton, la culture de la lavande, l'exploitation des forêts de mélèzes nourrissent des villages de haute altitude (St-Véran).

Delta du Rhône et chaînons de Provence

Le Rhône charrie chaque année quelque 20 millions de m³ de graviers, de sables et de limons qui ont donné naissance à la Camargue. Ce delta, dont les terres sont imprégnées de sel, est curieux par sa flore et sa faune et intéressant par sa mise en valeur.

De même la Durance, qui, avant d'être un affluent du Rhône, se jetait directement dans la mer en empruntant le pertuis de Lamanon, avait accumulé dans son delta les cailloux arrachés à ses berges, les avait roulés en galets puis laissés sur place – créant ainsi la plaine de la Crau – lorsque s'est produit son changement de cours. Le lumineux climat provençal irradie le plateau aride du Vaucluse, les chaînons broussailleux des Alpilles, du Luberon, de l'Estaque, de la Ste-Baume, de la montagne Ste-Victoire et de la chaîne de l'Étoile où se déploient les olivettes, les champs de lavande, les cultures maraîchères, protégées du mistral par des haies de cyprès.

La Côte d'Azur, un nom prometteur

Quelle variété ! les calanques, le massif boisé et la corniche des Maures, l'abrupte montagne rouge de l'Esterel baignant dans la mer, les corniches de la Riviera...
La Côte d'Azur est la fenêtre méditerranéenne des Alpes : de Nice à Menton la montagne plonge dans la mer. Les hauts reliefs des Préalpes de Nice orientés Nord-Sud sont traversés de vallées très profondes en raison de la proximité de la mer comme celles de la Vésubie, du Var, du Loup.
Toute cette région a vu séculairement sa population se réfugier dans des villages perchés, véritables nids d'aigle, et fortifiés (Peille, Èze, Gourdon, Saorge, St-Paul...). Plus à l'Ouest se signalent le massif de l'Esterel, de porphyre, qui culmine à 618 m au mont Vinaigre, le massif schisteux des Maures qui appartient au plissement hercynien et les courts chaînons provençaux du mont Faron qui dominent Toulon et sont d'origine pyrénéenne.
Les cordons littoraux de la presqu'île de Giens rattachant une ancienne île au continent, les îles d'Hyères détachées du massif des Maures à une époque géologiquement récente et les îles de Lérins ajoutent à la diversité de ces paysages.

Une montagne dans la mer : la Corse

1 000 km de côtes rocheuses et découpées, inondées de soleil, des gorges arides et sauvages, des forêts de pins et de châtaigniers, des sommets dépassant 2 000 m, enneigés jusqu'au printemps, avaient déjà valu à l'île le surnom de Kallisté (la plus belle) décerné par les Grecs il y a vingt-cinq siècles. L'île se distingue par ses villages perchés aux maisons de granit ou de schiste hautes et massives et desservis par d'étroites routes de montagne, ses régions naturelles bien individualisées comme la riante Balagne, le sévère Cap Corse, la verte Castagniccia, les Agriates désertiques, le Niolo isolé formé par le bassin supérieur du Golo et le chaud parfum du maquis. Elle se distingue aussi par ses vallées fermées de l'Asco, de la Restonica, ou ses sites originaux comme les calanche de Piana ou le col de Bavella.

Le golfe de Porto en Corse.

L'histoire

Vaste creuset de populations avant même l'arrivée des Romains et jusqu'à nos jours, la France a vu dès le Moyen Âge son unité se faire grâce à l'action des rois capétiens qui centralisent le pouvoir à Paris. Cette unité s'est renforcée au tournant du 19e s., au moment de la Révolution et de l'Empire.

A. Éli/MICHELIN

La Marseillaise, *sculpture de Rude (1*
sur l'Arc de Triomphe, à Paris.

Préhistoire et antiquité

Avant J.-C.

- **35000** – L'homme de Cro-Magnon est établi dans la vallée de la Vézère (Périgord).
- **18000** – Il réalise des peintures sur les parois des cavernes (Lascaux, Niaux).
- **Ve-IIe millénaire** – La civilisation mégalithique se répand en Bretagne (Carnac), en Corse (Filitosa), en Lozère, et dans la vallée des Merveilles (Alpes du Sud).
- **8e s.** – Les Celtes, originaires d'Europe centrale, s'installent en Gaule.
- **Vers 600** – Les Phocéens, venus de Grèce, établissent des cités dans des anses abritées ou au débouché de vallons : Marseille, Nice, Antibes, Agde, etc.
- **2e s.** – La civilisation celte qui avait atteint la Bretagne régresse sous les coups des Germains et des Romains. Ces derniers fondent Fréjus, comme port relais vers l'Espagne ; ils s'établissent à Aix et Narbonne.
- **58-52** – Jules César entreprend la « guerre des Gaules ». Il refoule les bandes germaniques et conquiert la Gaule. Cependant, en 52, il subit à Gergovie le revers que lui inflige Vercingétorix. Mais quelques mois plus tard, à Alésia, le chef gaulois est défait par le général romain.

Après J.-C.

- **1er s.** – La Gaule romaine est divisée en provinces : Narbonnaise, Aquitaine, Lyonnaise et Belgique. L'empereur Auguste conduit une politique d'expansion et de rayonnement, ce dont témoignent les cités d'Autun, Lyon, Orange, Nîmes...
- **5e s.** – Implantation du christianisme : de nombreux monastères sont érigés à Marseille, Marmoutier, Arles, Lyon, Troyes, etc.

Les Mérovingiens (481-751)

- **451** – Mérovée, roi des Francs saliens de Tournai, remporte la victoire des champs Catalauniques (près de Chalons-sur-Marne) sur Attila.
- **476** – Chute de l'Empire romain d'Occident ; les Barbares occupent la Gaule.
- **498** – Baptême de Clovis, roi des Francs, par saint Remi à Reims.
- **507** – À Vouillé, près de Poitiers, Clovis bat et tue Alaric II, roi des Wisigoths.
- **6e s.** – Des insulaires venus de Grande-Bretagne, accompagnés d'évangélisateurs, supplantent les Celtes en Bretagne.
- **732** – Au Nord de Poitiers, à Moussais-la-Bataille, Charles Martel arrête la progression arabe en Aquitaine.

Les Carolingiens (751-987)

- **751** – Pépin le Bref se fait élire roi des Francs à Soissons.
- **800** – Charlemagne, fils aîné de Pépin le Bref, est couronné empereur d'Occident à Rome. Son règne est marqué par une belle renaissance culturelle.
- **820** – Début des incursions des Normands, venus du Danemark, de Norvège et de Suède. Ils remontent la Seine et fondent des postes fixes le long du fleuve.
- **843** – Le traité de Verdun partage l'Empire carolingien entre les fils de Louis le Pieux. Charles le Chauve reçoit la zone occidentale.
- **910** – Fondation de l'abbaye de Cluny, qui sera à la tête d'un empire monastique.
- **911** – L'accord de St-Clair-sur-Epte, conclu entre Charles le Simple et Rollon chef des Normands, institue le duché de Normandie, où sont établies d'importantes abbayes : St-Wandrille, Jumièges, Fécamp.

Les Capétiens directs (987-1328)

- **987** – Hugues Capet est élu roi des Francs à Senlis et sacré à Noyon. En faisant couronner son fils aîné de son vivant, il installe sa dynastie qui ne devient réellement héréditaire qu'avec Philippe Auguste en 1180.
- **1066** – Guillaume le Bâtard, parti de Dives en Normandie, débarque outre-Manche. Par sa victoire d'Hastings, il devient roi d'Angleterre. Pour le roi de France, le Conquérant est un vassal redoutable. La reine Mathilde gouverne la Normandie.
- **1095** – Prêche de la première croisade à Clermont pour délivrer les Lieux saints.
- **1137** – Mariage de Louis VII et d'Aliénor d'Aquitaine ; sa rupture, quinze ans plus tard, est une catastrophe politique pour les Capétiens : elle est à l'origine de la guerre de Cent Ans.
- **1180-1223** – Philippe Auguste succède à Louis VII. Paris est une véritable capitale. Il conquiert la Normandie, le Maine, la Touraine, l'Anjou et le Poitou.
- **1209-1244** – Croisade contre les « albigeois » ou cathares, en Languedoc.
- **1214** – La victoire de Bouvines (près de Tournai) remportée par Philippe Auguste sur l'empereur Othon IV et le comte de Flandre est considérée comme la première manifestation d'un sentiment national en France.
- **1226-1270** – Louis IX – Saint Louis – consolide les conquêtes de Philippe Auguste.

Les Valois (1328-1589)

- **La guerre de Cent Ans (1337-1475)**

Cette guerre qui s'étend sur six règnes est à la fois un affrontement politique et dynastique entre les Plantagenêts et les Capétiens et un conflit de droit féodal concernant les prérogatives de la suzeraineté et les règles successorales. C'est une période de misère engendrée par les troubles nés du brigandage, du pillage par les grandes compagnies et où la pauvreté, la maladie (peste noire de 1348-1349) et le désordre de l'Église plongent la population dans le désarroi.

1337 – Philippe VI de Valois doit défendre son royaume contre les prétentions d'Édouard III d'Angleterre (petit-fils, par sa mère, de Philippe le Bel). C'est le début de la guerre. Trois ans après le revers de Crécy, en 1349, Clément VI est alors le 4e pape d'Avignon ; Philippe VI négocie avec Humbert II l'achat du Dauphiné jusqu'alors terre d'Empire.

Alignements de menhirs en Bretagne.

B. Kaufmann/MICHELIN

Ph. Gajic/MICHELIN

La salamandre de François Ier.

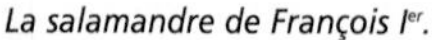

1356 – Jean le Bon perd la bataille de Poitiers devant le Prince Noir. Il est emprisonné à Londres.

1364-1380 – Sous Charles V, Du Guesclin rétablit l'ordre dans les campagnes. Après le désastre d'Azincourt, puis l'entrevue de Montereau, Jean sans Peur, duc de Bourgogne, bascule dans l'alliance anglaise.

1429 – Après avoir reconnu le roi à Chinon, Jeanne d'Arc délivre Orléans; elle empêche ainsi l'armée de Salisbury de franchir la Loire et de faire la jonction avec les troupes anglaises stationnées dans le Centre et le Sud-Ouest.

1436 – Paris, la Normandie et la Guyenne sont libérées.

1453 – La victoire de Castillon-la-Bataille marque le dernier affrontement de la guerre de Cent Ans qui se conclut, vingt-deux ans plus tard, par le traité de Picquigny.

- **1515** – François Ier remporte la bataille de Marignan sur les Suisses alliés au pape.
- **1520** – Entrevue du Camp du Drap d'or à Guînes: François Ier essaie de convaincre Henri VIII de ne pas s'allier à Charles Quint.
- **1539** – Ordonnances de Villers-Cotterêts promulguées par François Ier: elles imposent la tenue de registres d'état civil dans les paroisses, réforment la justice en interdisant aux artisans et aux compagnons de s'associer, en instituant le secret de l'instruction criminelle et en astreignant tout le personnel de justice à rédiger en français leurs actes.
- **1559** – Par le traité de paix du Cateau-Cambrésis, Calais, Metz, Toul et Verdun reviennent à la France.
- **Les guerres de Religion (1562-1598)** – Ce nom désigne la crise de trente-six ans durant laquelle se superposent les désordres religieux entre catholiques et protestants et un conflit politique complexe. Les guerres qui menaçaient depuis le tumulte d'Amboise commencent à Wassy en 1562 avec le massacre des protestants. Dreux, Nîmes, Chartres, Longjumeau, Jarnac, Moncontour, St-Lô, Valognes, Coutras, Arques, Ivry... les jalonnent. La paix de St-Germain en 1570, le massacre de la St-Barthélemy en 1572 en marquent les temps forts.

La Ligue formée par les Guises et les Montmorency, catholiques, joue l'appui espagnol et rivalise avec les Bourbons, les Condés et les Coligny, huguenots, soutenus par l'Angleterre. Les ligueurs opposés aux tentatives de centralisation monarchique obtiennent la convocation d'états généraux à Blois. Henri III, inquiet du pouvoir que prend Henri de Guise, ordonne son assassinat le 23 décembre 1588. La mort du duc, meilleur capitaine du royaume, chef de la Ligue, ouvre au roi, soutenu par Henri de Navarre (futur Henri IV), la route de Paris.

L'abjuration solennelle du protestantisme par Henri IV en 1593, et l'édit de Nantes en 1598, permettent la pacification du royaume à laquelle aspirent les deux partis épuisés par la lutte, mettant ainsi un terme à la crise.

Les Bourbons (1589-1789)

- **1589-1610** – Henri IV restaure l'image de la France. Il rattache la Bresse, le Bugey et le Valromey. Il nourrit un grand dessein économique. Sully, son vieil ami huguenot, applique ses qualités de gestionnaire et d'organisateur au redressement des finances publiques, au creusement de canaux, à la création de routes et de ports. Olivier de Serres conforte Sully dans sa conviction que «labourage et pâturage sont les deux mamelles de la France». Le roi médiatise cette valeur en souhaitant que les paysans mettent «la poule au pot chaque dimanche».
- **1610** – Louis XIII, roi de France. L'activité des ports intérieurs et l'extension urbaine se poursuivent (Orléans, La Rochelle, Montargis, Langres). Le règne, marqué par une rébellion de grands seigneurs, est illustré par saint Vincent de Paul, précurseur des œuvres sociales et, dans le domaine des idées, par le *Discours de la méthode* (1637) où Descartes fonde son raisonnement sur le doute systématique, à l'origine d'une révolution intellectuelle dont la géométrie analytique est l'un des premiers fruits.

• **1624** – Richelieu (1585-1642), Premier ministre, amenuise l'importance politique du protestantisme, réduit la noblesse par quelques exécutions exemplaires (Montmorency, Cinq-Mars) et le démantèlement de ses châteaux. Il renforce le rôle de la France en Europe (guerre de Trente Ans). En 1635, il fonde l'Académie française.

• **1643-1715** – Les soixante-douze ans de règne de Louis XIV marquent la France et l'Europe. À son avènement, le roi n'a que 5 ans, Anne d'Autriche, régente, confirme Mazarin dans sa charge de Premier ministre.

En 1648, les traités de Westphalie concluent la guerre de Trente Ans, reconnaissant à la France ses droits sur l'Alsace (sauf Strasbourg et Mulhouse) et consacrant l'usage du français comme langue diplomatique.

En 1662, la première année du règne personnel de Louis XIV se couronne par l'achat de Dunkerque. La ville devient un repaire de contrebandiers et de corsaires au service du roi.

En 1678, le traité de Nimègue marque la fin de la guerre de Hollande, la restitution par l'Espagne de la Franche-Comté et de 12 places dans les Flandres, la reconquête de l'Alsace: Louis XIV fait assurer les frontières par Vauban.

L'affaire de la Régale qui oppose durant vingt ans le clergé de France et le roi à la papauté, la révocation de l'édit de Nantes en 1685, la répression menée contre les camisards en 1702 jalonnent une politique religieuse difficile.

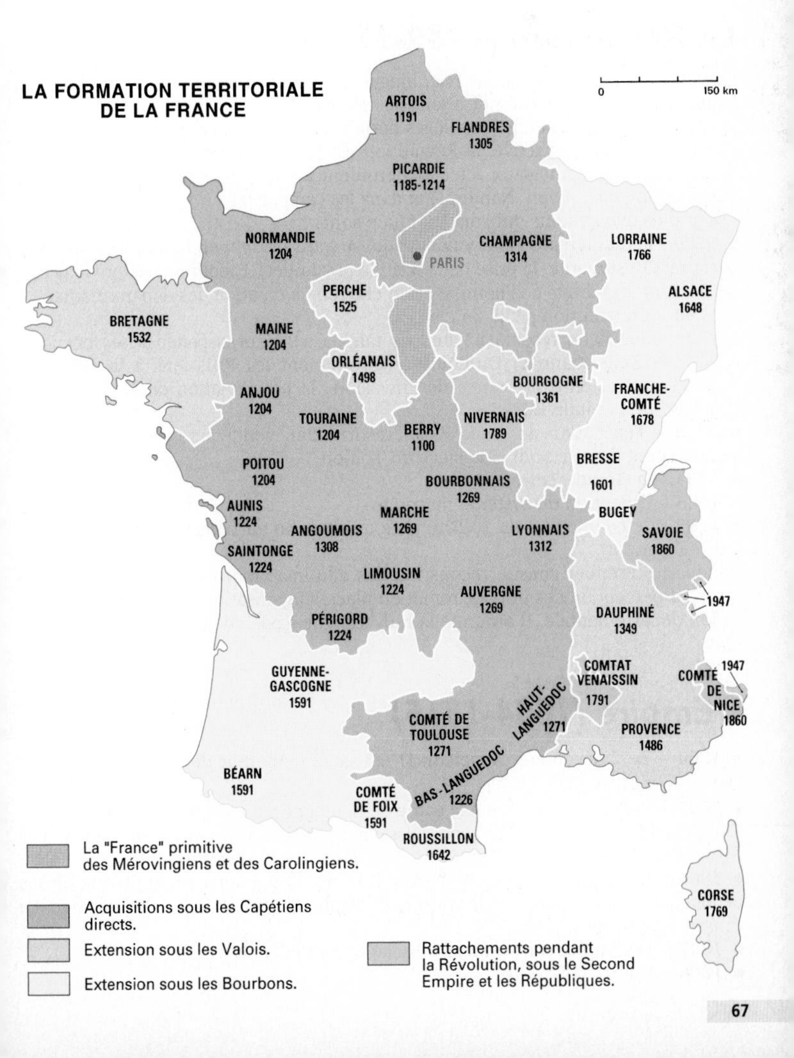

La Marche des Marseillais, *illustration de Newton (18e s.)*

Des rêves aventureux vers l'Orient – Un siècle après que Jean Ango et Jacques Cartier ont sillonné les océans à la suite des Portugais, des Hollandais et des Anglais, Colbert fonde en 1664 la Compagnie des Indes orientales. En mars 1666, il autorise son installation à Port-Louis.

• **1715** – Régence du duc d'Orléans. Louis XV, roi de France. Le règne est marqué par la perte de la plupart des terres lointaines (Sénégal, Québec, Antilles, Indes) mais, à l'intérieur, par une modération fiscale qui permet une aisance croissante, une amélioration du niveau de vie (succès de l'épargne) et une période de calme propice à l'agriculture (extension des prairies artificielles, introduction de la culture de la pomme de terre).
• **1766** – Réunion de la Lorraine à la France.
• **1769** – La Corse est rattachée à la France.
• **1774** – Louis XVI, roi de France. Lafayette participe à la guerre d'Indépendance des États-Unis contre l'Angleterre (le traité d'Indépendance est signé à Versailles en 1783).

La Révolution (1789-1799)

La Révolution française est la crise, longue d'une décennie, qui met fin à l'Ancien Régime. Hâtée par les revendications des philosophes à l'encontre de l'absolutisme royal, des institutions et des privilèges hérités de la féodalité et ne répondant plus à une charge sociale effective, la Révolution est provoquée par une crise financière désastreuse. Les principaux actes se déroulent à Paris et se répercutent dans les villes de province (Lyon, Nantes...) et dans les campagnes.
Les grands événements qui l'ont marquée sont :
• **1789** – la réunion des États généraux qui se transforment en Assemblée nationale déclarée Constituante, la prise de la Bastille (14 Juillet), l'abolition des privilèges, la Déclaration des droits de l'homme et du citoyen, la création des départements ;
• **1790** – Constitution civile du clergé ;
• **1791** – fuite du roi, reconnu à Varennes, ramené à Paris et suspendu de ses fonctions ;
• **1792** – Kellermann et Dumouriez contraignent les Prussiens à la retraite à Valmy, sauvant ainsi la France de l'invasion ; la proclamation de la République française une et indivisible ;
• **1793** – l'exécution de Louis XVI, l'insurrection vendéenne, la répression du soulèvement dans le Midi et le siège de Toulon ;
• **1794** – la Grande Terreur ;
• **1795** – l'adoption du système métrique ;
• **1799** – le coup d'État du 18 Brumaire qui met fin au Directoire et le remplace par le Consulat.
Bonaparte, Premier consul, reconstitue les administrations centrales, rétablit les taxes, la perception des impôts, remet en place l'organisation judiciaire et l'organisation départementale. Il ordonne la rédaction du Code civil.

L'Empire (1804-1815)

• **1804** – Le 2 décembre, Napoléon Ier est sacré empereur des Français, à Notre-Dame de Paris par le pape Pie VII.
• **1805** – Napoléon abandonne le camp de Boulogne d'où se préparait l'invasion de l'Angleterre. L'échec de Trafalgar laisse aux Anglais la maîtrise des mers. Les Autrichiens sont vaincus à Ulm et les Austro-Russes à Austerlitz.
• **1806** – Le blocus continental, destiné à ruiner l'Angleterre en la privant de ses débouchés commerciaux sur le continent, implique une politique d'annexions. La Prusse est écrasée à Iéna.
• **1807** – Les Russes sont vaincus à Eylau et à Friedland.
• **1808** – Guerre d'Espagne.

- **1809** – L'Autriche est écrasée à Wagram.
- **1812** – Campagne de Russie.
- **1813** – Après la défaite de Leipzig, l'Europe entière se ligue contre Napoléon. La campagne de France révèle le génie stratégique de l'Empereur mais ne peut éviter la prise de Paris et l'abdication de Fontainebleau (20 avril 1814).

Ces guerres font plus d'un million de morts du côté français.

La Restauration (1815-1830)

- **1814** – Règne de Louis XVIII.
- **1815** – Les Cent-Jours (20 mars au 22 juin) sont une tentative de rétablissement de l'Empire qui s'achève par la défaite de Waterloo.

Retour de Louis XVIII. La France est ramenée à ses frontières de 1792.
Au congrès de Vienne, Talleyrand replace la France dans le concert européen.

La monarchie de Juillet (1830-1848)

- **1830** – La promulgation des ordonnances, suspendant en particulier la liberté de la presse, donne le signal des journées révolutionnaires des Trois Glorieuses (27, 28, 29 juillet) qui chassent les Bourbons. Avènement de Louis-Philippe.
- **1837** – Inauguration de la 1re ligne voyageurs de chemin de fer (Paris-St-Germain-en-Laye).

L'industrialisation – Dès le règne de Louis-Philippe se dessine la civilisation industrielle. Elle met en œuvre les progrès de la science, ceux des techniques et l'évolution des mentalités où interviennent les notions de performances et d'applications pratiques. L'ère du machinisme débute avec l'utilisation de la vapeur et de la houille blanche.

L'industrialisation se concentre sur les gisements de matières premières ou à proximité des sources d'énergie : Nord, Est, Paris, Lyon, Marseille, Dunkerque, St-Étienne, Montbéliard, Caen, Mulhouse, vallées alpines et pyrénéennes ou du Massif central. Cette concentration permet une production standardisée, abondante et moins coûteuse et une large diffusion des articles.

LAUROS-GIRAUDON

Napoléon Ier en tenue de sacre, *par François Gérard (musée Napoléon-Ier, château de Fontainebleau).*

R. Mattes/MICHELIN

La IIe République et le Second Empire (1848-1870)

- **1848** – Louis Napoléon Bonaparte est élu président de la République au suffrag universel.
- **1851** – Lors d'un coup d'État, le 2 décembre, il dissout l'Assemblée législative e s'octroie la présidence de la République pour dix ans.
- **1852** – Le Second Empire est plébiscité (2 décembre): Napoléon Bonapart devient Napoléon III.
- **1855** – Exposition universelle à Paris.
- **1860** – La France reçoit Nice et la Savoie.
- **1870** – Le 19 juillet: déclaration de guerre à la Prusse. Le 2 septembre, la capi tulation de Sedan marque la chute du Second Empire. Le surlendemain au matin l'émeute gronde à Paris, la République est proclamée. Mais la route de la capital est ouverte aux troupes ennemies qui l'atteignent et l'investissent.

La IIIe République (1870-1940)

- **1870** – Après la défaite de Sedan, la IIIe République est proclamée le 4 septembre à l'Hôtel de Ville de Paris.
- **1871** – La Commune de Paris (du 21 au 28 mai). La même année, par le traité de Francfort, la France perd l'Alsace, sauf Belfort, et une partie de la Lorraine.
- **1881** – Lois de Jules Ferry: enseignement primaire, gratuit puis obligatoire.
- **1889** – Inauguration de la tour Eiffel construite pour l'Exposition universelle.
- **1895** – Condamnation du capitaine Dreyfus. Émile Zola s'engage dans l'Affaire
- **1904** – Entente cordiale: rapprochement de la France et l'Angleterre.
- **1905** – Loi de séparation des Églises et de l'État.
- **La Grande Guerre 1914-1918**

Le 3 août 1914, l'Allemagne viole la neutralité belge, engage la bataille des frontières puis déclare la guerre à la France. La résistance en Belgique et en Lorraine et les retours offensifs des Français sur Guise et sur la Meuse dérèglent le plan de l'état-major allemand de fondre sur Paris par le Nord et la vallée de l'Oise; les armées française et britannique refluent en deçà de la Marne. Le général von Kluck fonce alors sur la Seine et, enfreignant les ordres, veut atteindre la capitale par l'Est. Devant cette situation, Joffre, secondé par Gallieni, ose une manœuvre délicate et prend l'armée allemande en plein mouvement sur son flanc droit, avec la vallée de l'Ourcq pour objectif. L'armée de Maunoury, la garnison de Paris et 4 000 territoriaux conduits au front par 600 taxis parisiens gagnent, le 13 septembre, la première bataille de la Marne. Simultanément, Foch et Franchet d'Esperey attaquent.

La guerre de position (septembre 1914-mai 1918) – Les armées se terrent alors dans des tranchées. Dans l'Argonne, la cote 285, Vauquois et sa butte et, plus à l'Est, la crête des Éparges deviennent l'enjeu de la guerre des mines (150 000 morts). Les attaques destinées à forcer la décision en perçant le front échouent (Artois en mars, Champagne en septembre 1915). Il faut se résoudre à grignoter chaque position.

Verdun (16 février 1916-20 août 1917) est point culminant de la guerre, le champ du courage et du patriotisme, où le général Philippe Pétain (1856-1951), le grand vainqueur de Verdun, stoppe l'offensive ennemie.

Destinées à desserrer l'étau de Verdun, les offensives échouent (Nivelle sur l'Aisne) ou ne réussissent que partiellement. Clemenceau cherche alors à redresser le moral des troupes et à préparer l'opinion aux épreuves d'un nouvel assaut. Sur la Somme, les Allemands (offensive de Ludendorff) remportent des succès, colmatés à Montdidier.

Le 2 mars 1918, sur le front oriental, à Brest-Litovsk, l'Allemagne dicte à Lénine et à Trotski les conditions de la paix qu'ils ont demandée.

En juin 1918, le nom de Château-Thierry cristallise l'anxiété française. L'ennemi est encore à moins de 80 km de Paris, et ce n'est que le 9 juillet que la 39e division française et la 2e division américaine parviennent, au bout de cinq semaines de combat, à le déloger de la cote 204 (seconde bataille de la Marne).

Ci-contre, le cimetière militaire du Faubourg-Pavé, à Verdun.

Foch, généralissime des troupes alliées, reprend l'initiative sur tout le front; le 26 septembre, il déclenche l'offensive générale qui décide l'Allemagne à envoyer ses plénipotentiaires à Rethondes dans la clairière de l'armistice, le 11 novembre 1918.

- **1919** – Traité de Versailles (28 juin): fin de la Première Guerre mondiale.
- **1934** – Les manifestations et les affrontements du 6 février aggravent la division politique qui débouche sur le Front populaire (1936).
- **Seconde Guerre mondiale 1939-1945**

En juin 1940, les troupes allemandes submergent la France; la défaite contraint le gouvernement du maréchal Pétain, à demander l'armistice (signé le 22 juin).
Dès l'appel de De Gaulle (18 juin 1940) et durant toute l'Occupation, la Résistance se développe et s'organise sur le territoire national. Par la force morale de ses héros, le martyre de ses 20000 fusillés et 115000 déportés, le courage de ses combattants, elle a facilité la libération. Dès l'été, les Forces françaises libres, composées surtout des troupes de Norvège et des volontaires de l'empire colonial français, poursuivent la guerre aux côtés des Alliés et s'illustrent par l'épopée Leclerc au Sahara, en Tripolitaine, dans le Sud tunisien et en Syrie.
En 1942, la France entière est occupée, la flotte se saborde à Toulon; en juin 1944, débarquement allié en Normandie, en Provence en août et libération de Paris. Le 7 mai 1945, capitulation allemande à Reims.

R. Mattes/MICHELIN

Le Parlement européen à Strasbourg.

La Ve République

1946 – IVe République.
1958 – Ve République.
1958 – Entrée en vigueur de la Communauté économique européenne (CEE). Approbation, par référendum, de la Constitution inspirée par le général de Gaulle.
1962 – Référendum instituant l'élection du président de la République au suffrage universel.
1968 – Événements de mai 1968.
1969 – Élection du président Georges Pompidou (16 juin).
1974 – Élection du président Valéry Giscard d'Estaing (19 mai).
1981 – Élection du président François Mitterrand (10 mai). Inauguration de la ligne TGV Paris-Lyon.
1992 – Ratification du traité de Maastricht par la France (2 juillet).
1994 – Inauguration du tunnel sous la Manche (6 mai).
1995 – Élection du président Jacques Chirac (7 mai).
2002 – Le franc est remplacé par l'euro (1er janvier).

ABC d'architecture

Architecture religieuse

Plan-type d'une église

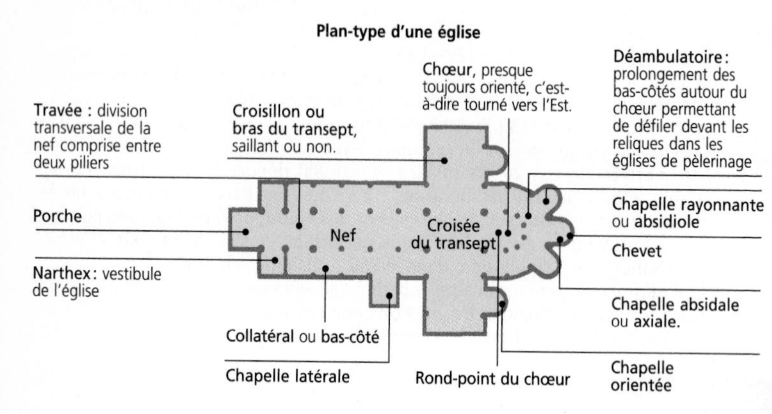

Coupe d'une église

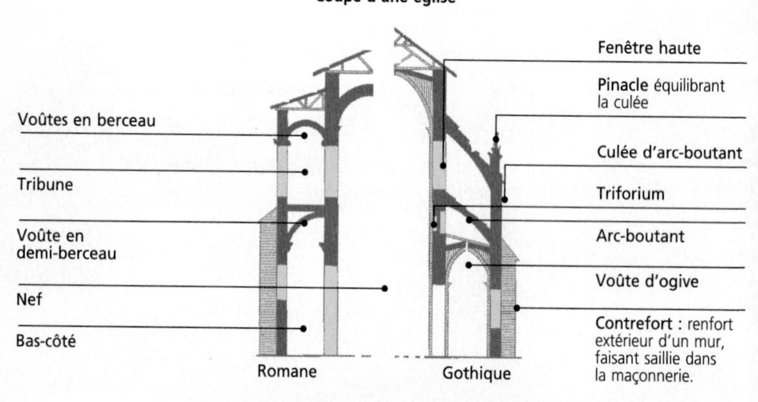

AUTUN – Portail principale de la cathédrale St-Lazare (12e s.).

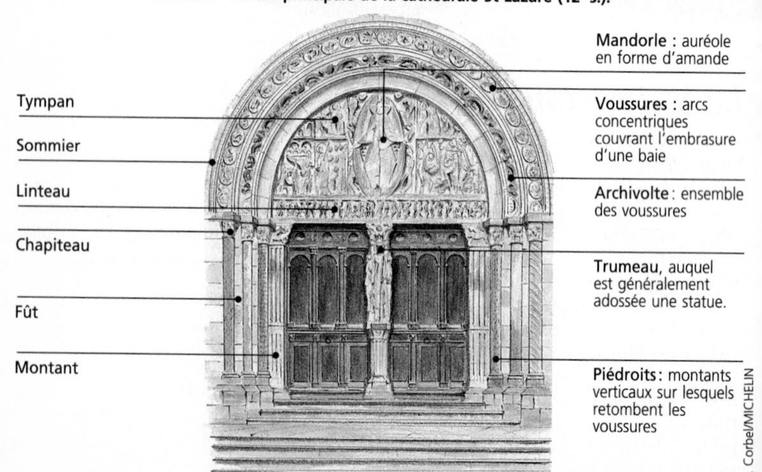

POITIERS – Élévation de la nef de l'église St-Hilaire-le-Grand (11e et 12e s.)

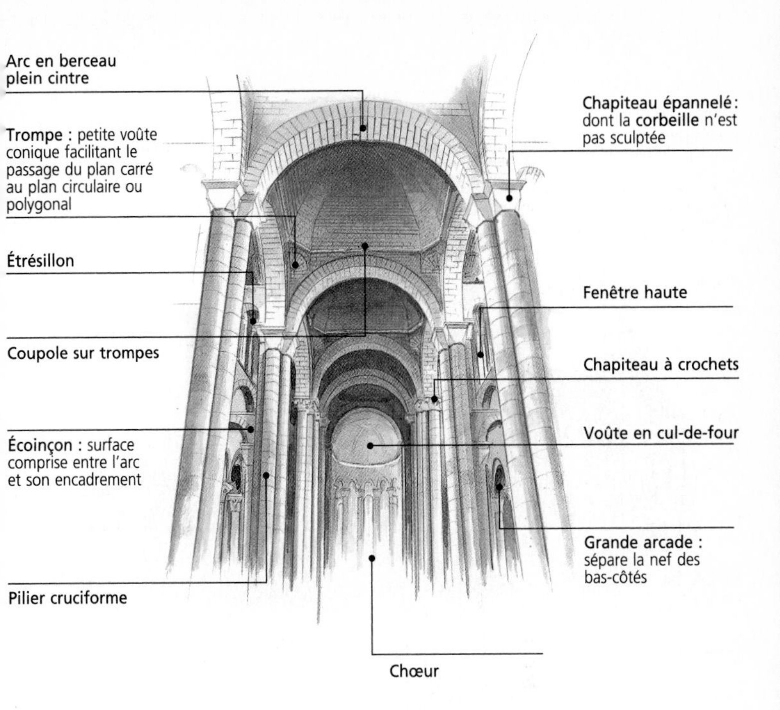

ROUEN – Chœur et croisée du transept de l'abbatiale St-Ouen (14e s.)

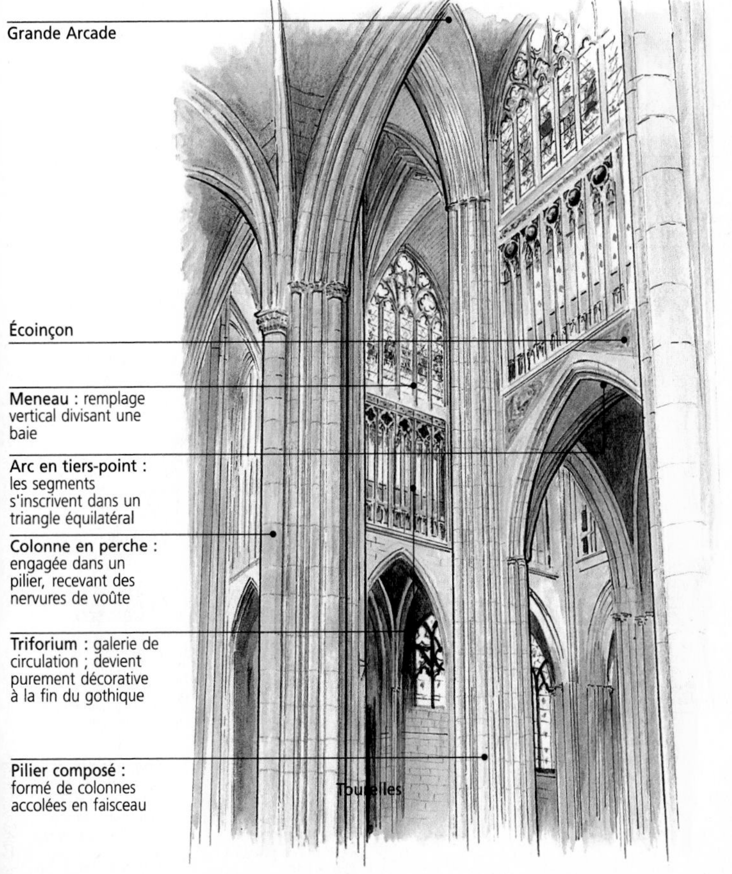

ST-BENOÎT-SUR-LOIRE – Basilique Ste-Marie (11e-12e s.)

Église romane. Plan à double transept, rare en France ; le petit transept, ou faux transept, se déploie de part et d'autre du chœur.

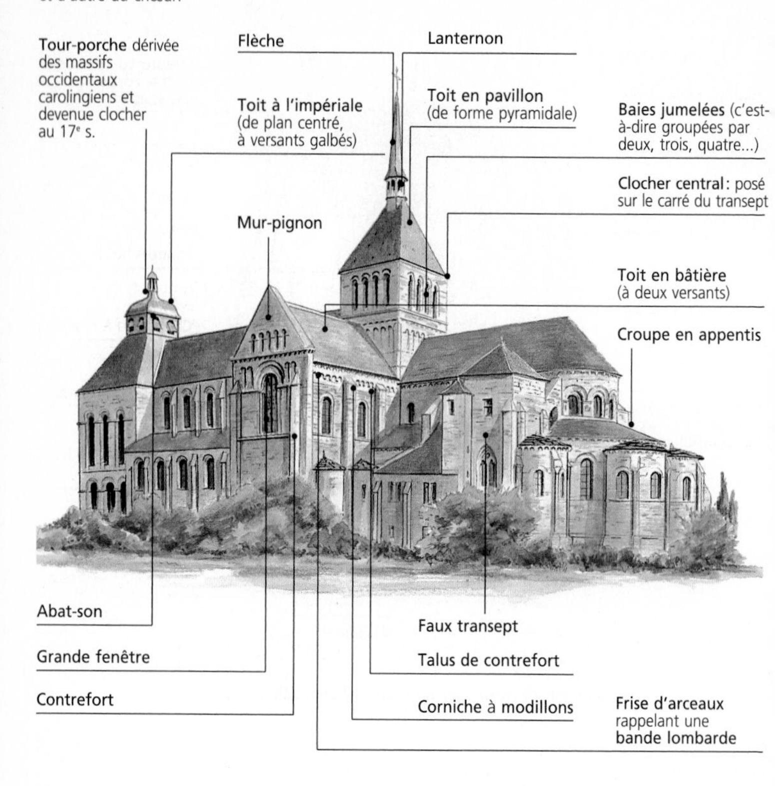

LE MANS – Chevet de la cathédrale St-Julien (13e s.)

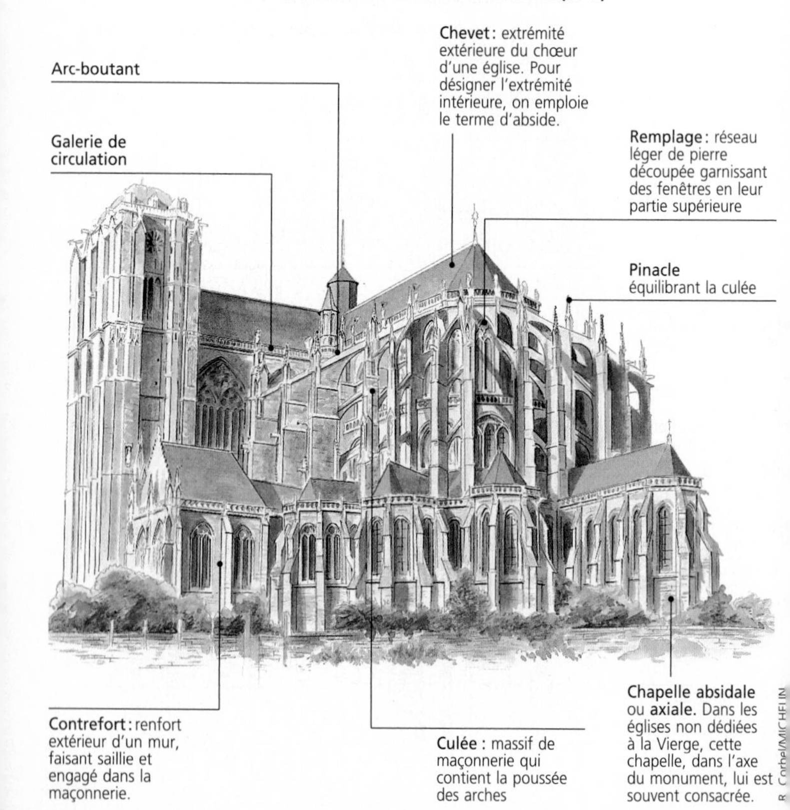

Église de la SORBONNE

Partie la plus ancienne de l'université, l'église fut érigée par Le Mercier de 1635 à 1642.

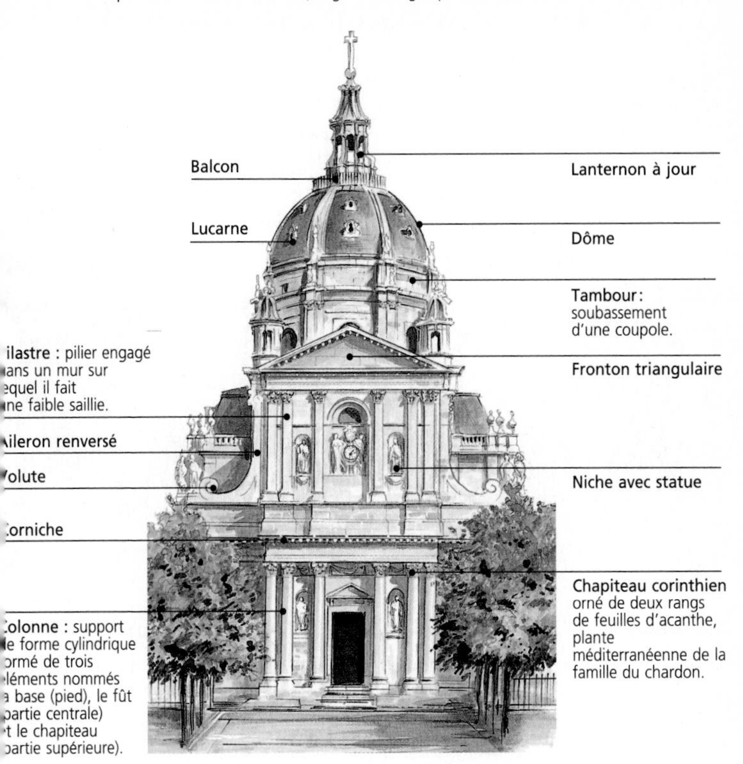

AJACCIO – Cathédrale de l'Assomption

es retables baroques sont nombreux dans l'île. Celui-ci, offert par la sœur de Napoléon, Élisa, princesse de ucques, provient d'une église de cette ville italienne.

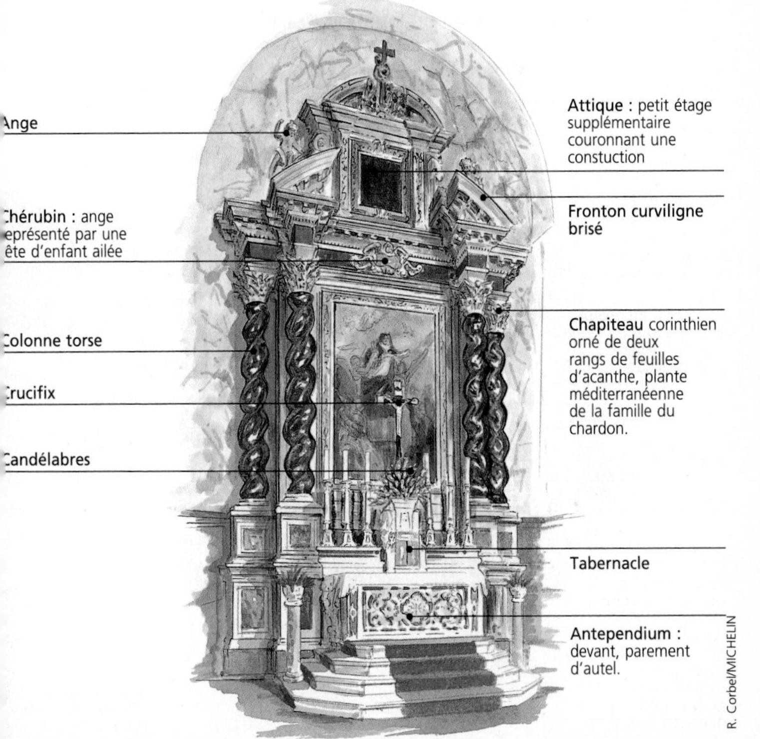

Architecture civile

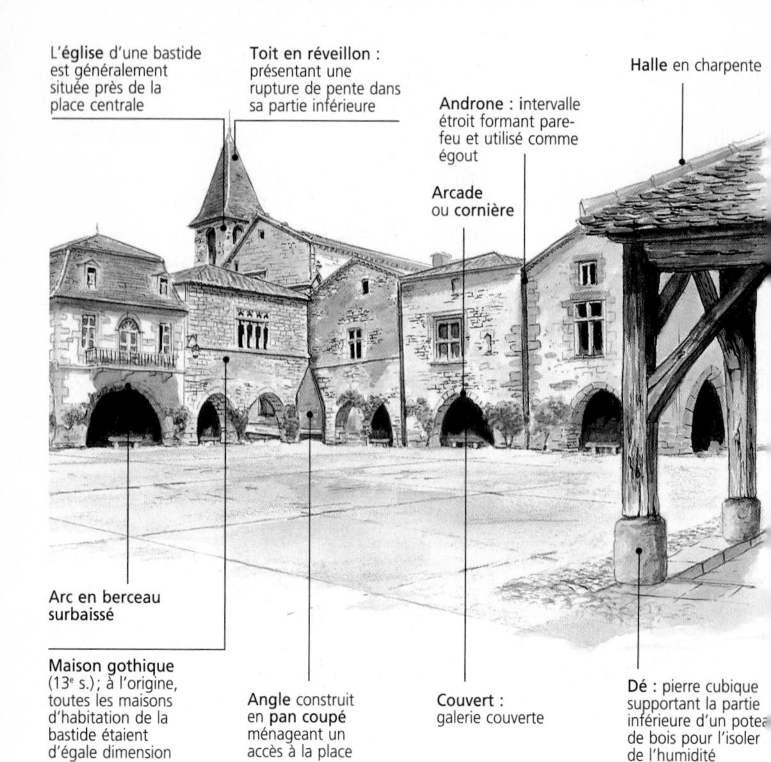

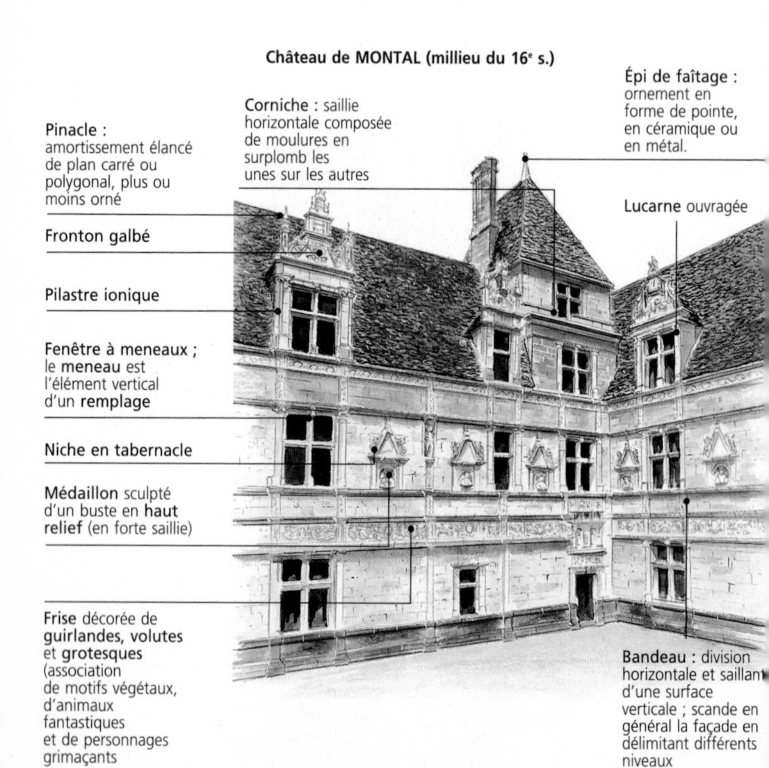

ARRAS
Façades de la Grand'Place (15e et 17e s.)

À gauche, l'hôtel des Trois Luppars (1467), la plus ancienne maison de la Place, à droite maison datant de 1684.

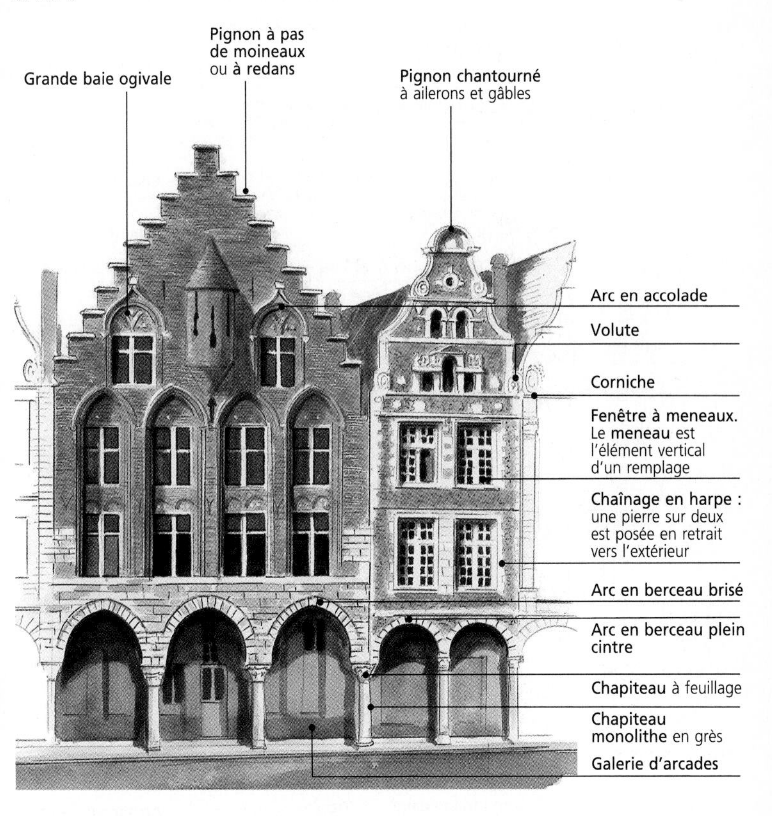

Château de COURANCES (16e et 17e s.)

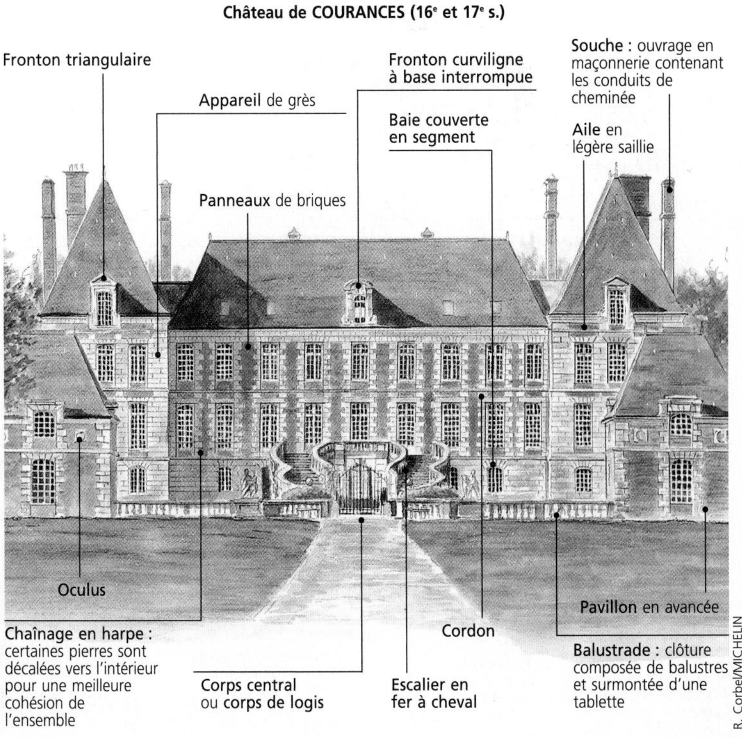

R. Corbel/MICHELIN

AIX-EN-PROVENCE – Pavillon Vendôme (17e-18e s.)

L'ordonnance de la façade est rythmée par la superposition des ordres dorique, ionique et corinthien, suivant le « grand ordre » prôné par Palladio dès la Renaissance.

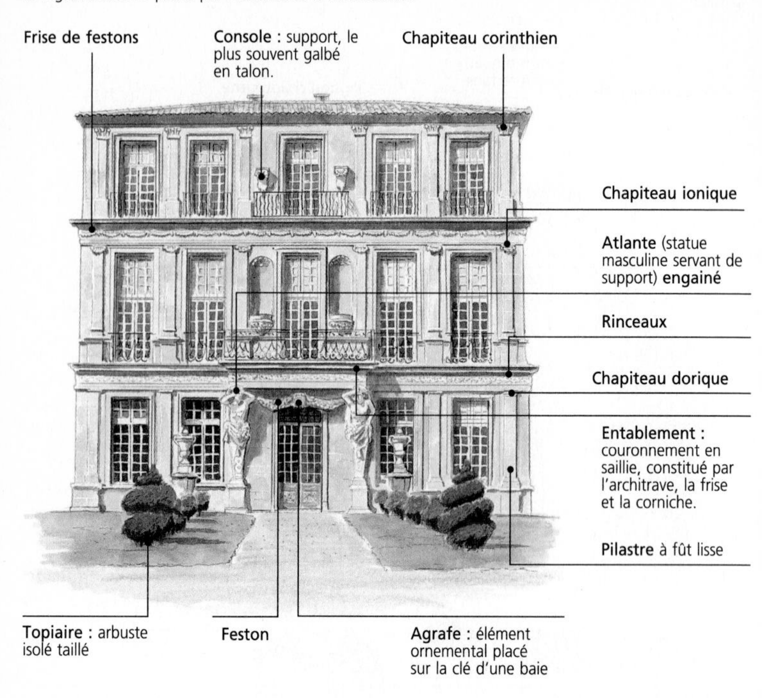

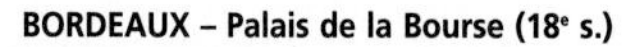

BORDEAUX – Palais de la Bourse (18e s.)

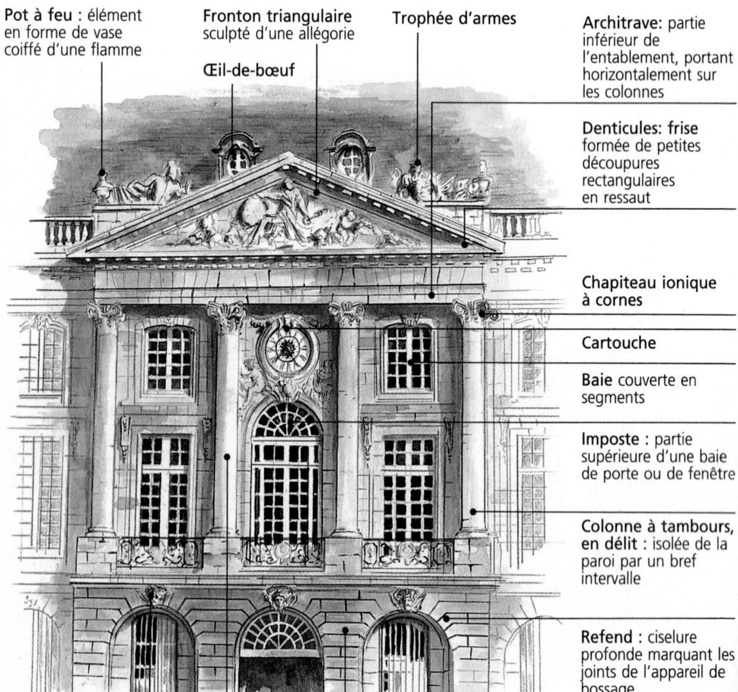

Architecture militaire

CARCASSONNE – Porte Est du Château Comtal (12e s.)

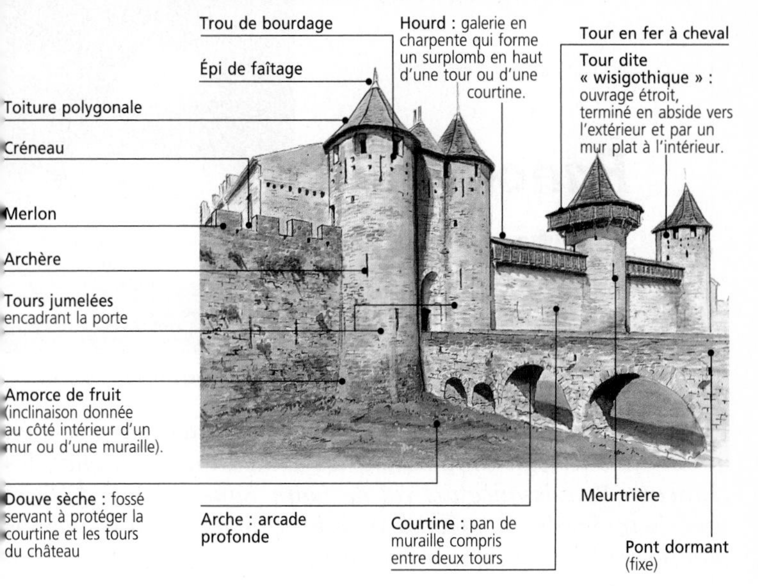

NEUF-BRISACH – Place forte (1698-1703)

Le système bastionné polygonal naît au 16e s. avec les progrès de l'artillerie : le canon d'un ouvrage supprime l'angle mort de l'ouvrage voisin.

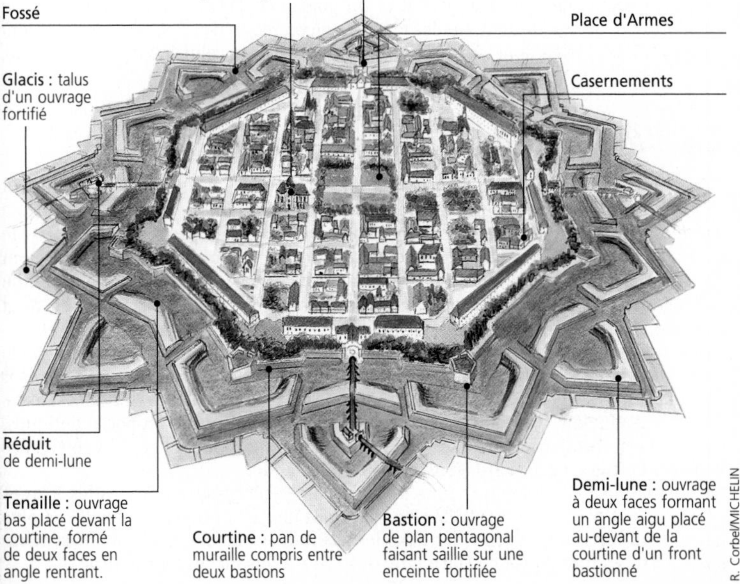

R. Corbel/MICHELIN

Panorama artistique

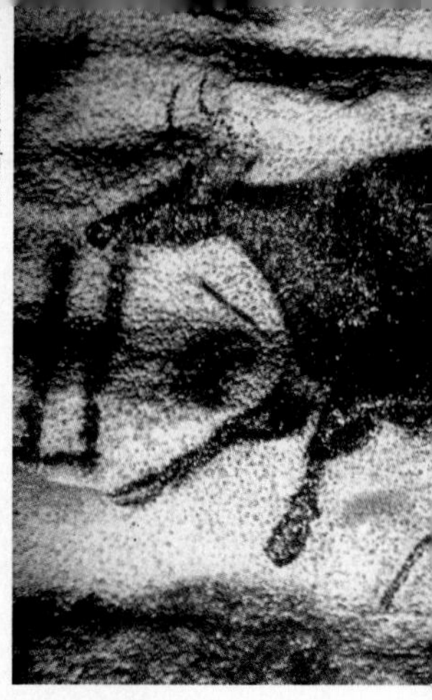

Le grand taureau noir de Lascaux.

Tous les éléments sont ici réunis pour couvrir l'histoire de l'art des origines, c'est-à-dire depuis la préhistoire, à nos jours, en faisant des étapes de siècle en siècle dans les églises romanes, les cathédrales gothiques, les châteaux Renaissance du Val de Loire. Sans omettre de faire un séjour chez le Roi-Soleil à Versailles, ou de prendre le temps d'observer les impressionnistes peindre « sur le motif »...

Au temps de la préhistoire

Si l'outillage apparaît dès le paléolithique inférieur, l'art n'est pas attesté avant le paléolithique supérieur (35000 à 10000 avant J.-C.) et trouve son apogée au magdalénien, notamment en Dordogne, aux Eyzies-de-Tayac. Le Périgord, les Pyrénées, l'Ardèche, le Gard et les Bouches-du-Rhône ont conservé de belles œuvres sur les parois des cavernes. Les peintures, exécutées avec des colorants d'origine minérale, sont parfois associées à des bas-reliefs ou des gravures. Les statuettes taillées dans l'ivoire devaient aussi avoir une signification: culte de la fécondité? fonction rituelle? Lors de la révolution néolithique (vers 6500 avant J.-C.), l'homme se sédentarise. Les potiers inventent toutes sortes de récipients en terre cuite qu'ils ornent de figures géométriques. Le culte des morts implique la construction de tombes: ce sont les allées couvertes, les dolmens, près desquels se trouvent des alignements de menhirs, comme à Carnac, en Bretagne.
La découverte du métal introduit la civilisation préhistorique dans l'âge du bronze (2300-1800 avant J.-C.) puis du fer (750-450 avant J.-C.). L'art celtique montre une parfaite maîtrise du travail du métal et un goût pour l'ornementation végétale ou géométrique: armes, torques, fibules et bijoux en or, monnaies et vaisselle constituent les trésors des tombes, dont l'un des plus beaux est peut-être celui de Vix, en Bourgogne.

De l'époque des Gaulois à l'an 1000

Dans les cités, le pouvoir central romain érige des bâtiments en pierre qui reflètent sa puissance et impose sa culture: théâtre à Orange, temple à Nîmes, thermes à Saintes, porte à Autun... Cette présence romaine modifie le paysage français par le développement urbain et la construction de routes, de ponts et d'aqueducs (Pont du Gard). À la fin du Bas-Empire, la reconnaissance officielle de l'Église chrétienne (380) génère l'apparition d'une architecture chrétienne avec des baptistères, dont celui de Poitiers.
Au 5e s., les invasions barbares entraînent le recul de l'art figuratif au profit de motifs abstraits (entrelacs, rouelles) ou animaliers. L'orfèvrerie cloisonnée (trésor de Childéric découvert à Tournai) a produit des pièces précieuses très décoratives. L'art mérovingien (6e-8e s.) élabore une synthèse entre les apports antiques, barbares et chrétiens. Quelques exemples nous sont parvenus: l'hypogée des Dunes à Poitiers, l'église St-Pierre-aux-Nonnains à Metz.
La Renaissance carolingienne (9e s.) est marquée par l'essor de toutes les formes artistiques et par un retour délibéré aux formes de l'art antique impérial. Les plus belles manifestations se trouvent dans les manuscrits, les fresques de St-Germain-d'Auxerre, les mosaïques de Germigny-des-Prés, et les pièces d'orfèvrerie.

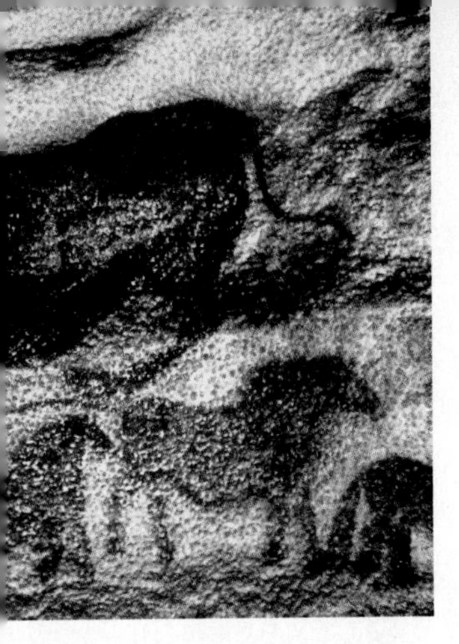

L'art roman (11e-12e s.)

Après les troubles de l'an 1000, le rayonnement spirituel et la puissance de l'Église permettent l'éclosion de l'art roman.
La généralisation du système de voûtement en pierre, qui se substitue à la charpente, l'utilisation de contreforts, le retour au décor architectural caractérisent les premiers édifices romans (St-Martin-du-Canigou).
Le plan basilical (nef et bas-côtés, parfois précédés par un porche) prédomine. Le chevet révèle une grande variété formelle: plat, fréquent dans les abbayes cisterciennes, ou muni d'absidioles, il est souvent en hémicycle avec des chapelles échelonnées dans le sens de la nef ou avec des chapelles rayonnantes. Des plans plus complexes combinent chevet à déambulatoire et chapelles rayonnantes (Conques, Cluny).
Tympans, voussures, piédroits, trumeaux se couvrent de sculptures à thèmes religieux ou profanes (illustration du *Roman de Renart* à Saint-Ursin de Bourges). À l'intérieur, l'essentiel du décor est constitué par les fresques (Saint-Savin-sur-Gartempe, Paray-le-Monial) et les chapiteaux sculptés, dont l'iconographie est parfois complexe (Autun, St-Benoît-sur-Loire, églises de Poitiers).
Le style roman s'inspire de modèles orientaux (griffons, animaux fantastiques) véhiculés par les croisades, ainsi que de modèles byzantins (représentation du Christ en majesté, graphisme des drapés) et islamiques (végétaux stylisés, pseudo-coufique).
L'art roman conquiert l'ensemble de la France, avec cependant des disparités stylistiques et chronologiques. Apparu très tôt dans les zones méridionales et en Bourgogne, il ne s'impose que tardivement dans l'Est. Le roman languedocien doit beaucoup au modèle de l'église Saint-Sernin de Toulouse. Les sculptures de la porte Miégeville sont caractérisées par un style graphique, des drapés bouillonnants, un canon allongé que l'on retrouve à Moissac et à Saint-Gilles-du-Gard.
En Saintonge et en Poitou, l'originalité des édifices est due à la hauteur des nefs latérales, dont la fonction est de renforcer les murs de la nef centrale, et d'assurer ainsi l'équilibre du berceau. Les façades, flanquées de lanternons, sont couvertes d'arcatures abritant statues et bas-reliefs (N.-D.-la-Grande à Poitiers).
En Auvergne, la croisée du transept est souvent couverte par une coupole, contrebutée de hautes voûtes en quart de cercle et soutenue par des arcs diaphragmes. L'utilisation de la lave, pierre difficile à sculpter, explique la pauvreté du décor (St-Nectaire, N.-D.-du-Port à Clermont-Ferrand, Orcival).
En Bourgogne, l'art roman a été influencé par le modèle de l'abbaye de Cluny (aujourd'hui détruite), caractérisé par l'importance du chœur aux chapelles rayonnantes, un double transept, et l'amorce d'un éclairage direct de la nef par de faibles ouvertures à la base du berceau; Paray-le-Monial en dérive. Au Nord du Morvan, la Madeleine de Vézelay représente un parti simplifié et un couvrement en voûte d'arêtes qui exerceront leur influence dans la région.
Dans les zones du Rhin et de la Meuse, le respect des formules héritées de l'époque carolingienne définit une architecture qui relève de l'art ottonien: permanence du plan à double chœur et double transept (Verdun), reprise du plan centré et de l'élévation intérieure de la chapelle palatine d'Aix (Ottmarsheim).

B. Kaufmann/MICHELIN

Détail du tympan de l'abbatiale Ste-Foy de Conques.

S. Sauvignier/MICHELIN

En Normandie enfin, l'architecture est restée longtemps fidèle à la charpente (Jumièges, Bayeux). L'adoption du voûtement en pierre entraîne l'utilisation de nervures décoratives (St-Étienne de Caen). L'ampleur et la monumentalité des édifices, les façades harmoniques à deux tours sont caractéristiques du style roman anglo-normand.
Outre ces traits régionaux, certains édifices doivent leur particularité à leur fonction. Le plan des églises de pèlerinage (chœur muni d'un déambulatoire, transept à collatéraux, nef centrale à double collatéraux) facilite le culte des reliques ; Ste-Foy de Conques, St-Sernin de Toulouse constituaient les principaux édifices de ce type sur la route de St-Jacques-de-Compostelle.
Les **trésors** d'église se constituent, rassemblant objets liturgiques en orfèvrerie, manuscrits, étoffes précieuses et reliquaires. Une Vierge en majesté, en bois polychrome ou en métal repoussé et orné de pierreries, est souvent intégrée au trésor. L'essor de l'émaillerie limousine est l'un des aspects majeurs de l'histoire des arts somptuaires à l'époque romane. Exécutée sur cuivre doré et champlevé (la plaque de métal est creusée pour recevoir l'émail), elle connut un exceptionnel développement et fut exportée dans toute l'Europe.

Art gothique (12e-15e s.)

Dès 1140 environ, à Saint-Denis, des innovations architecturales importantes marquent les préludes du gothique : l'adoption dans l'avant-nef et le chœur de la **voûte sur croisée d'ogives**, associée à l'arc brisé.
Ogives et moulurations provenant du voûtement se prolongent en faisceaux de colonnettes sur les piles des grandes arcades ; le chapiteau, simplifié, s'amenuise et tend à s'effacer. En façade préside une nouvelle organisation du décor sculpté, au sein duquel apparaissent les statues-colonnes.
Ces innovations se retrouvent dans un groupe d'édifices en Île-de-France et au Nord de la France, dans la seconde moitié du 12e s. À la cathédrale de Sens, la voûte sexpartite, qui répond au plan rectangulaire des travées, entraîne l'alternance pile forte-pile faible au niveau des supports des grandes arcades. La pile forte reçoit trois éléments d'ogive, tandis que la pile faible ne supporte que la seule ogive intermédiaire. Voûte sexpartite avec alternance des supports et élévation à quatre étages – grandes arcades, tribunes, triforium, baies hautes – caractérisent ce premier art gothique (Sens, Noyon, Laon).
Dans les années 1180-1200, à Notre-Dame de Paris, les voûtes surhaussées sont renforcées, à l'extérieur de l'édifice, par des **arcs-boutants**. À l'intérieur, l'alternance des supports disparaît.

Façade gothique de la cathédrale d'Amiens

Les règnes de Philippe Auguste (1180-1223) et de Saint Louis (1226-1270) voient l'apogée du style gothique en France. La reconstruction de la cathédrale de Chartres (vers 1210-1230) donne un modèle, adopté par les édifices de Reims, Amiens, Beauvais: voûte sur plan barlong, élévation à trois étages (sans tribunes), arcs-boutants à l'extérieur. Le chœur à double déambulatoire et les transepts munis de collatéraux aménagent un volume intérieur grandiose. Les fenêtres hautes de la nef centrale sont divisées en deux lancettes surmontées d'une rosace.

Les façades se subdivisent en trois registres, par exemple à Laon ou à Amiens: la zone des portails, aux porches profonds unifiés par des gâbles, est surmontée d'une rose ajourée enserrant des vitraux. Sous l'étage des tours court une galerie d'arcatures.

Le perfectionnement technique du voûtement, et notamment l'utilisation d'arcs de décharge, permet d'ouvrir les murs, comme à Saint-Urbain de Troyes où à la Sainte-Chapelle de Paris (1248): c'est le **gothique rayonnant**, qui s'impose en France du Nord, de la fin du 13e s. aux années 1370 (le chœur de Beauvais, transept Nord de la cathédrale de Rouen).

Dans le Centre et le Sud-Ouest, l'architecture gothique se développe à la fin du 13e s. avec des formules originales. Le maître d'œuvre à la cathédrale de Narbonne conçoit une architecture aux proportions massives, où l'élan vertical est brisé par l'aménagement de terrasses au-dessus des bas-côtés. À Sainte-Cécile d'Albi, le recours à la brique et la fidélité au système des contreforts, hérités de l'art roman, dessinent un édifice d'une très grande indépendance par rapport aux modèles du Nord de la France.

Tout au long du 14e s., la **sculpture** envahit l'intérieur des édifices: jubés, clôtures de chœur, retables monumentaux et statues de dévotion.

Dès la fin du 14e s., les grands principes architecturaux n'évoluent plus, mais le vocabulaire décoratif multiplie flammèches, arcs lancéolés, pinacles, choux frisés, définissant le **gothique flamboyant**. La Sainte-Chapelle de Riom, construite pour le duc de Berry, en constitue un exemple précoce. Le gothique flamboyant caractérise en France de nombreux édifices civils (hôtel Jacques-Cœur à Bourges) ou religieux (façade de l'église Saint-Maclou à Rouen), et s'étend au mobilier liturgique (clôture du chœur et jubé de Sainte-Cécile d'Albi).

Durant toute la période gothique, les châteaux restent fidèles aux modèles féodaux (Angers, Cordes) et n'évolueront qu'à l'aube de la Renaissance.

La **statuaire** illustre les progrès du naturalisme et du réalisme. Les statues-colonnes des portails, encore hiératiques au 12e s., témoignent dès le 13e s. de plus de liberté et d'expressivité (Amiens, Reims). De nouveaux thèmes s'imposent: le Couronnement de la Vierge, traité à Senlis pour la première fois (1191), devient un sujet privilégié.

Au 12e s., les maîtres verriers mettent au point un bleu intense, devenu célèbre sous le nom de «bleu de Chartres». Vers 1300-1310, l'invention du jaune d'argent permet d'obtenir des verres émaillés plus translucides, aux couleurs plus nuancées.

L'association du vitrail à l'architecture gothique a eu pour conséquence l'élargissement des baies. Les vitraux de Chartres, de la Sainte-Chapelle à Paris, en grande partie intacts, constituent de précieux témoignages de cet art caractéristique de l'esprit gothique.

La peinture de chevalet n'est attestée en France que vers 1350 (portrait de Jean le Bon, musée du Louvre). Les influences italiennes et surtout flamandes sont sensibles dans les œuvres des grands artistes du 15e s., Jean Fouquet, Enguerrand Quarton, ou le Maître de Moulins, tant dans le traitement du paysage que par le souci du détail.

Ph. Gajic/MICHELIN

L'art du vitrail s'illustre dans les grandes verrières de la cathédrale de Chartres..

Le château de Chenonceau sur le Cher, joyau de la Renaissance.

Renaissance

L'art gothique se maintient en France jusqu'au milieu du 16e s. Cependant, dès les années 1500, apparaissent dans la **région de la Loire** les signes d'une rupture avec les traditions médiévales.

L'esthétique de la Renaissance lombarde, connue en France depuis les campagnes militaires de Charles VIII et de Louis XII, à la fin du 15e s., n'affecte dans un premier temps que le **décor architectural**, en y introduisant les motifs antiquisants de pilastres, rinceaux, coquilles. Peu à peu, l'architecture féodale, militaire et défensive laisse place à des demeures seigneuriales plus luxueuses et plus confortables. Le château de Chenonceau et celui d'Azay-le-Rideau témoignent de cette évolution, par le souci de régularité dans le plan, la symétrie des façades, l'amorce d'un décor architectural. Ce sont cependant les grandes entreprises royales qui furent déterminantes pour l'essor de la Renaissance française.

Au château de Blois entrepris en 1515, si l'irrégularité des travées relève d'un archaïsme médiéval, le désir de s'inspirer des modèles italiens atteste la nouveauté capitale de cette entreprise. Le château de Chambord (1519-1547), mélange de traditions françaises (tours d'angle, toits irréguliers à lucarnes) et d'innovations (symétrie des façades, raffinement du décor, escalier monumental intérieur), inspire la réfection de nombreux châteaux de la Loire sous le règne de François Ier (Chaumont, le Lude, Ussé).

Après la défaite de Pavie (1525) François Ier délaisse ses résidences du Val de Loire et privilégie l'Île-de-France. En 1527 débute la construction du château de **Fontainebleau**, sous la direction de Gilles Le Breton. La conception du décor intérieur, œuvre des artistes de la première école de Fontainebleau, aura une profonde influence sur l'évolution de la production artistique française.

L'italien le Rosso (1494-1540) impose un système décoratif nouveau en France, combinant stucs, lambris, fresques allégoriques aux coloris acides, nourries de références humanistes, philosophiques et littéraires. Le **style maniériste**, caractérisé par l'influence de la statuaire antique, l'allongement des proportions et la surcharge décorative, s'accentue avec l'arrivée à la Cour du Primatice (1504-1570), en 1532.

Après les guerres de Religion (1560-1598), de nouvelles tendances viennent renouveler les arts et préludent au classicisme. L'intérêt du pouvoir monarchique pour les questions d'**urbanisme** conduit à l'aménagement rationnel de places (place des Vosges, place Dauphine à Paris) et à l'uniformisation des bâtiments qui les bordent (arcades au rez-de-chaussée, façades en brique et pierre). Imitées en province (Charleville, Montauban), ces réalisations préfigurent les places royales du Grand Siècle.

Le décor de Fontainebleau se poursuit sous la seconde école de Fontainebleau, qui désigne l'ensemble des peintres actifs dans l'entourage de la Cour sous le règne d'Henri IV et sous la régence de Marie de Médicis.

À la fin du 16e s., l'architecture des châteaux présente une ordonnance nouvelle, composée d'un corps de logis unique, centré sur un avant-corps et flanqué de pavillons aux extrémités. Les ailes en retour d'équerre sont supprimées et les façades allient parement de brique et chaînage de pierre.

L'art du 17e s.

Formation du classicisme

Trois architectes, Jacques Lemercier (vers 1585-1654), François Mansart (1598-1666) et Louis Le Vau (1612-1670) eurent un rôle essentiel dans la définition des normes de l'architecture classique en France.

Lemercier (château de Rueil, ville de Richelieu, église de la Sorbonne à Paris) se montre tributaire des influences italiennes, dominantes dans le domaine de l'architecture religieuse : façades à deux étages, avant-corps à colonnes, couronnement en fronton triangulaire. Mansart innove davantage (aile Gaston d'Orléans à Blois) : le plan des châteaux (pavillon central avec avant-corps), la répartition du décor architectural établi pour accentuer les lignes verticales et horizontales, l'utilisation des ordres (dorique, ionique, corinthien) sont désormais des constantes de l'architecture classique française. L'œuvre de Le Vau, qui débute sa carrière avant le règne de Louis XIV en concevant des hôtels particuliers pour la noblesse ou la haute bourgeoisie (hôtel Lambert à Paris), possède, par la recherche d'une architecture grandiose, d'apparat, les caractéristiques du classicisme sous Louis XIV (Vaux-le-Vicomte).

Le retour de Simon Vouet (1590-1649) en France en 1627 (après un long séjour romain), puis la création de l'**Académie royale de peinture et de sculpture** en 1648 permettent l'essor de l'école française. Les références italiennes, vénitiennes (richesse du coloris) ou romaines (dynamisme de la composition) sont présentes dans l'art de Vouet et de son élève Eustache le Sueur (1616-1655), toujours tempérées par un souci d'ordre et de clarté.

Décors à sujets mythologiques, sujets religieux prônés par la Contre-Réforme, portraits constituent l'essentiel de leur œuvre.

Poussin (1595-1665) et Champaigne (1602-1674) pratiquent en peinture un art intellectuel, nourri de références philosophiques, historiques ou théologiques, emblématique du classicisme français.

D'autres courants picturaux se manifestent en France dans la première moitié du siècle. L'Italien Caravage influence par son réalisme l'école toulousaine, dont Nicolas Tournier (1590-après 1660) est la figure majeure. En Lorraine, le caravagisme affecte l'œuvre de Georges de La Tour (1593-1652) par la science du clair-obscur et le choix de sujets humbles.

Dans les premières décennies du 17e s., la sculpture est marquée par les modèles italiens contemporains. Jacques Sarrazin (1588-1660), formé à Rome, adopte un vocabulaire classique, mesuré, dérivé de l'antique et des modèles picturaux de Poussin. François Anguier et son frère Michel se montrent davantage sensibles au langage baroque par la mise en scène théâtrale des sculptures et la traduction du dynamisme.

Le classicisme versaillais

Sous le règne de Louis XIV (1643-1715), la centralisation du pouvoir et la toute-puissance de l'Académie royale engendrent un art officiel, reflet des goûts et de la volonté du souverain. Défini à Versailles, le style Louis XIV s'impose en France dans le dernier tiers du 17e s., imité dans ses principes, mais avec moins de moyens, par l'aristocratie.

Les références à l'Antiquité, le souci d'ordre et d'apparat caractérisent cet art, en architecture comme en peinture ou en sculpture. L'échec des projets du Bernin pour le palais du Louvre symbolise la résistance française aux formules du baroque, qui ne l'atteignent que superficiellement. Le Collège des Quatre-Nations (aujourd'hui Institut de France), réalisé par Le Vau, adoptant une église à coupole et des ailes incurvées, en est l'une des rares expressions.

À **Versailles**, Le Vau puis Hardouin-Mansart (1646-1708) érigent une architecture grandiose : volumes rectangulaires scandés par des avant-corps à colonnes jumelées, toit plat, décor architectural inspiré de l'antique.

Le Dôme des Invalides, édifié par Jules Hardouin-Mansart entre 1677 et 1706.

S. Sauvignier/MICHELIN

Le Brun (1619-1690), Premier peintre du roi, supervise l'ensemble du décor intérieur et lui assure une remarquable homogénéité de style. Tissus foncés, lambris sombres, stucs dorés, plafonds compartimentés et peints, copies de statues gréco-romaines composent ce décor, qui s'allège cependant vers la fin du siècle.
En 1662, la création des **Gobelins**, Manufacture royale des meubles de la Couronne, assure l'essor des arts décoratifs. Peintres, sculpteurs, lissiers, marbriers, orfèvres, ébénistes travaillent sous la direction de Charles Le Brun et parviennent à une grande perfection technique. Le mobilier est massif, souvent sculpté et parfois doré. La marqueterie Boulle, qui associe laiton, écaille et bronze doré, est l'une des plus luxueuses productions de la période dans le domaine des arts décoratifs. Le parc, conçu par Le Nôtre (1613-1700), répond aux exigences de rigueur et de clarté du **jardin « à la francaise »**. Compositions végétales géométriques, grandes perspectives axiales, jeux d'eau, théâtres de verdure, bosquets et sculptures allégoriques donnent l'image d'une nature maîtrisée et ordonnée. Le décor de sculptures est omniprésent dans les jardins : les deux sculpteurs majeurs du règne, Girardon (1628-1715) et Coysevox (1640-1720), y contribuent, avec des œuvres inspirées de la mythologie antique. Puget (1620-1694), autre sculpteur important de la période, est l'auteur d'une œuvre beaucoup plus tourmentée, baroque.

L'art du 18e s.

Il est né en réaction contre l'austérité et le caractère imposant du grand style Louis XIV, inadapté à la vie luxueuse et aux plaisirs de l'aristocratie et de la haute bourgeoisie sous la Régence (1715-1723), puis sous Louis XV (1723-1774).

L'art rocaille français (1715-1750)

L'architecture rocaille reste fidèle, dans son ordonnance extérieure, à certains principes de composition classiques (volumes simples, symétrie des façades, avant-corps sommé d'un fronton triangulaire), mais le recours aux ordres antiques est moins rigoureux et moins systématique. Les hôtels particuliers sont les édifices les plus représentatifs de cette nouvelle architecture (hôtel de Soubise à Paris).
Les appartements d'apparat pompeux sont abandonnés au profit de pièces plus petites, plus intimes. Les lambris, souvent blanc et or, couvrent la surface des murs (cabinet de la Pendule à Versailles).
Le **répertoire ornemental** combine enlacements végétaux, courbes, coquilles, motifs naturalistes ; des peintures – paysages ou scènes champêtres – sont insérées dans les lambris au-dessus des portes, ou aux écoinçons des plafonds.
La génération des peintres du début du siècle est marquée par l'influence de l'art flamand. Desportes (1661-1743), Largillière (1656-1746), Rigaud (1659-1743) traitent de somptueuses natures mortes décoratives ou des portraits d'apparat. Les thèmes profanes s'imposent : fêtes galantes, théâtre de la vie mondaine. Watteau (1684-1721), Boucher (1703-1770), Natoire (1700-1777) et Fragonard (1732-1806) peignent des scènes de genre, aimables ou bucoliques, parfois à prétexte mythologique.
Le **portrait** connaît un important renouvellement. Peintre officiel des filles de Louis XV, Nattier (1685-1766) exécute des portraits en travesti mythologique ou des portraits à mi-corps, moins pompeux que les traditionnels portraits de cour. Le pastelliste Quentin de La Tour (1704-1788) excelle dans le rendu du tempérament individuel et de la psychologie, en insistant sur l'étude du visage, moins chargé de signification sociale que le costume ou les accessoires.
Les petits genres (nature morte, paysage), méprisés par l'Académie mais appréciés en tant que décor dans les intérieurs bourgeois, connaissent un essor significatif. Chardin (1699-1779) peint de sobres natures mortes, ou des petites scènes de genre d'inspiration flamande, à la fois réalistes et pittoresques.
Les frères Adam (bassin de Neptune à Versailles), Coustou (1677-1746) (chevaux de Marly) ou Slodtz (1705-1764) introduisent dans la sculpture le vocabulaire du

lyrisme baroque, recherchant la traduction expressive du mouvement et du sentiment. Drapés animés ou flottants, goût pour la représentation des détails, poses instables caractérisent les principales tendances de cet art.
Bouchardon (1698-1762), formé à Rome au contact de l'archéologie antique, représente jusqu'au milieu du siècle une tendance plus classique.
L'importance de la vie mondaine favorise la création d'un **mobilier** de luxe, dont le style s'harmonise avec celui des lambris. Naissent alors de nouveaux meubles : après la commode, ce sont les secrétaires - droit ou en pente -, bonheur-du-jour, chiffonnier et innombrables petites tables, et pour les commodités de la conversation : la bergère, la voyeuse et toutes sortes de canapés et sièges où s'alanguir (duchesse, dormeuse, divans...). Les lignes courbes sont privilégiées ; les matériaux rares et précieux - bois exotiques, panneaux de laque de Chine - sont associés aux marqueteries florales et aux bronzes dorés finement ciselés. Les grands ébénistes rocaille signent Cressent, Joubert, Migeon, et les menuisiers en siège Foliot, Sené, Cresson...
La manufacture de Vincennes, transférée à Sèvres en 1756, produit des pièces somptueuses, certaines décorées d'un bleu profond (bleu de Sèvres). La dorure est théoriquement réservée aux services royaux. L'orfèvrerie rocaille se distingue par des motifs de roseaux, vagues, cartouches, coquillages, souvent agencés de façon dissymétrique. Thomas Germain (1673-1748) fut l'un des plus prestigieux fournisseurs de modèles pour les tables princières.

La réaction néoclassique

Dès le milieu du siècle, une réaction à la fois morale et esthétique se dessine contre le style rocaille. Les modèles classiques - ceux du 17e s. et de l'Antiquité - apparaissent alors comme un recours absolu.
La nouvelle architecture s'astreint à plus de rigueur et de monumentalité. Les façades sont marquées par la discrétion du décor sculpté, et l'utilisation de l'ordre dorique se généralise. Certains édifices dérivent de modèles antiques, comme par exemple l'église Ste-Geneviève (actuel Panthéon) à Paris, due à Soufflot (1713-1780). Victor Louis (1735-1807), qui donne les plans du théâtre de Bordeaux, Brongniart (1739-1813) et Bélanger (1744-1818) bénéficient de la majorité des commandes architecturales sous Louis XVI.
L'influence de la philosophie des Lumières engendre un intérêt accru pour l'architecture publique et fonctionnelle, dont on a un exemple fameux aux salines d'Arc-et-Senans, par Claude Nicolas Ledoux (1736-1806).
Les sculpteurs recherchent un rendu naturaliste de l'anatomie, éloigné des excès de l'art rocaille. Ils s'inspirent de modèles gréco-romains. Houdon (1741-1828) est l'un des sculpteurs majeurs de la seconde moitié du siècle. Ses bustes constituent une véritable galerie de portraits de ses contemporains, aussi bien français

Rare écrin pour une place : les grilles de fer forgé et doré (18e s.), œuvre de Jean Lamour, à Nancy.

(Voltaire, Buffon, Madame Adélaïde) qu'étrangers (B. Franklin, G. Washington). Très réalistes, sans perruque ni vêtement, «à la française», ils représentent l'apogée du portrait sculpté en France. Houdon fut l'auteur de tombeaux et de statues mythologiques. Pigalle (1714-1785) se montre encore tributaire des formules du début du siècle (tombeau du maréchal de Saxe, dans le temple Saint-Thomas de Strasbourg), que la réaction néoclassique ne parvint pas à effacer en sculpture.
Dès les années 1760, les tentatives de l'Académie royale pour restaurer le Grand Genre conduisent à favoriser de nouveaux thèmes: histoire antique, héroïsme civique ou tragédies constituent le répertoire des peintres comme David (1748-1825). Le style est inspiré des bas-reliefs et de la statuaire antiques, les principes de composition se réfèrent aux œuvres de Poussin et des grands maîtres du 17e s. Une tendance plus souple, représentée par les œuvres de Greuze (1725-1805), accorde davantage d'importance à la sensibilité et au sentiment, prémices du romantisme qui s'épanouira après la Révolution.
Le mobilier Louis XVI conserve certaines caractéristiques héritées du début du siècle (utilisation de matériaux précieux, décor de bronze doré ciselé), mais le galbe et la courbe laissent place à la ligne droite. Le décor, quoique conservant les motifs de fleurs et de rubans, adopte volontiers la frise d'oves, les grecques, les faisceaux. René Dubois (1738-1799) est, avec Louis Delanois (1731-1792), l'initiateur du style «à la grecque», inspiré du mobilier antique révélé par les fresques d'Herculanum et de Pompéi. À ce genre se rattachent des artistes prestigieux comme Œben, Riesener et, pour les meubles ornés de plaques de porcelaine peinte, Carlin, puis par la suite, Beneman et Levasseur.
À la fin du siècle, les motifs importés d'Angleterre - épis, lyres, corbeilles de vannerie, montgolfières - sont introduits dans le vocabulaire décoratif.
La porcelaine dure - dont la technique n'est connue en France qu'au début des années 1770 - domine la production de la manufacture de Sèvres. Les biscuits (statuettes en porcelaine non émaillées et laissées blanches), reproduisant des modèles de Fragonard et de Boucher connaissent un vif succès.
Enfin, l'ouverture du musée du Louvre en 1793 prélude à la création de nombreux musées en France.

L'art du 19e s.

Après le sacre (1804), Napoléon favorise un **art officiel** par la commande de décors (Fontainebleau) ou de tableaux relatant les grands événements de l'Empire. Des artistes formés au 18e s., comme David ou ses élèves, Gros (1771-1835) et Ingres (1780-1867), bénéficient de la faveur de l'Empereur. Ingres s'impose comme le défenseur du néoclassicisme, en digne successeur de David. Les thèmes nouveaux du romantisme inspirés par la littérature contemporaine, l'orientalisme, le goût pour les anecdotes de l'histoire nationale chez les peintres troubadours définissent les nouvelles orientations de la production picturale.
Dans le domaine de l'architecture, l'art est moins novateur. Napoléon commande de grandes réalisations commémoratives à la gloire de la Grande Armée: arc de triomphe du Carrousel,

RMN

Bureau à cylindres d'Œben et Riesener (château de Versailles).

Portrait de Mme Conse *par Ingres (musée Ingres, Montauban).*

Musée Ingres, Montauban

colonne Vendôme, église de la Madeleine. Les architectes officiels, Percier (1764-1838) et Fontaine (1762-1853), supervisent l'ensemble des entreprises architecturales, et donnent des modèles aussi bien pour les édifices que pour les décors de fêtes ou les arts décoratifs.

Les palais royaux sont remeublés. Le mobilier dérive du mobilier néoclassique: commodes et serre-bijoux aux volumes massifs, quadrangulaires, en acajou plaqué de bronze doré aux motifs antiquisants. Jacob-Desmalter (1770-1841) est le principal ébéniste de la cour impériale. La campagne d'Égypte introduit le style dit «retour d'Égypte» (sphinx, lotus) dans les arts décoratifs.

De 1815 à 1848, deux grandes tendances traversent la production artistique en France. D'une part, l'épuisement de la veine néoclassique, d'autre part, l'éclosion de l'historicisme. Ce dernier style multiplie les références à l'architecture du passé, notamment médiévale (église N.-D. de Boulogne-sur-Mer, cathédrale de Marseille par Vaudoyer). La création des Monuments historiques en 1830 et les débuts de la carrière de Viollet-le-Duc (1814-1879) en sont le prolongement.

Avec l'avènement de Napoléon III, l'éclectisme domine dans l'ensemble des arts. L'achèvement du Louvre par Visconti (1791-1853), puis par Lefuel (1810-1880), et la construction de l'Opéra de Paris par Garnier (1825-1898) comptent parmi les plus vastes entreprises du siècle. Les références aux styles du passé (16e, 17e et 18e s.) sont omniprésentes. Toutefois, l'introduction de nouveaux matériaux comme le fer, le verre et la fonte (gare du Nord par Hittorff, église St-Augustin par Baltard à Paris) témoignent de l'apport des doctrines rationalistes et du progrès technologique.

Le baron Haussmann (1809-1891), préfet de la Seine, établit les règles d'un urbanisme qui modernise la capitale.

En peinture, l'académisme triomphe. Cabanel (1823-1883), Bouguereau (1825-1905) ou Winterhalter (1805-1873) s'inspirent aussi bien de la statuaire antique que des grands maîtres vénitiens du 16e s. ou des décors rococo. Cependant, Courbet (1819-1877), Daumier (1808-1879) et Millet (1814-1875) forment l'avant-garde du réalisme en peinture, avec des sujets privilégiant la vie urbaine ou rurale.

Ingres (1780-1867), qui représente la tendance classique, et Delacroix (1798-1863), le grand peintre romantique du siècle, sont au faîte de leur carrière.

Les chantiers architecturaux favorisent l'essor de la sculpture. Carpeaux (1827-1875), auteur du haut-relief de la Danse sur la façade de l'Opéra, transcende l'éclectisme par un style très personnel, qui se réfère sans plagiat à l'art flamand, à la Renaissance et au 18e s.

Le goût du pastiche prévaut dans les arts décoratifs. Mobilier et objets d'art reproduisent les formes et les motifs ornementaux de la Renaissance, du 16e ou du 18e s.

Sous la IIIe République, les créations architecturales suivent le rythme des Expositions universelles à Paris: tour Eiffel, Grand-Palais et pont Alexandre-III.

Dès les années 1890, les architectes de l'Art nouveau, influencés par l'Angleterre et la Belgique, se démarquent du style officiel. Décor des façades et décor intérieur sont harmonisés, et l'architecte conçoit l'ensemble des éléments: vitraux, carrelage, mobilier, papier peint... Tiges végétales, motifs floraux stylisés et japonisants, asymétrie prévalent dans le nouveau vocabulaire décoratif. Guimard (1867-1942) est le principal représentant de cet art (Castel Béranger à Paris, décor d'entrée des bouches de métro parisiennes). Les arts décoratifs sont intégrés au mouvement de l'Art nouveau, grâce à l'ébéniste Majorelle (1859-1929) ou au verrier-céramiste Gallé (1846-1904) à Nancy.

En peinture, les **impressionnistes** exposent, dès 1874, en dehors du Salon officiel. Monet (1840-1926), Renoir (1841-1919), Pissarro (1830-1903) renouvellent la technique et les thèmes du paysage, par l'étude de la lumière et le travail en plein air,

M. Lewandowski/RMN

L'Estaque, Vue du golfe de Marseille, *par Paul Cézanne (musée d'Orsay, Paris).*

et imposent des sujets nouveaux, inspirés par la vie contemporaine. Manet (1832-1883) et Degas (1834-1917) se joignent temporairement au groupe.
Dans les années 1885-1890, les **néo-impressionnistes** – Seurat (1859-1891), Signac (1863-1935) – portent à son paroxysme la technique de la touche fragmentée. Peintre néerlandais, Van Gogh (1853-1890) arrive en France en 1886. Sa technique (couleurs pures, touche visible), ainsi que sa conception de l'art, où la vision intérieure prévaut sur l'étude du réel, auront une grande influence sur les peintres du début du 20e s. Cézanne (1839-1906) et Gauguin (1848-1903), influencés par l'art japonais, rejettent en partie l'héritage de l'impressionnisme pour s'attacher davantage au volume. En 1886, Gauguin vient chercher un renouvellement de son inspiration à Pont-Aven, près de Concarneau, déjà fréquenté par Corot dans les années 1860. Les artistes qui travaillent alors à ses côtés, Émile Bernard et Paul Sérusier, forment l'école de Pont-Aven, caractérisée par des recherches synthétiques et symbolistes, et ouvrent la voie aux **Nabis**. Ces derniers, parmi lesquels Denis (1870-1943), Bonnard (1867-1947) et Vuillard (1868-1940), prônent la supériorité de la couleur sur la forme et le sens.
En sculpture, la fin du siècle est dominée par le génie de Rodin (1840-1917)qui la libère des conventions formelles académiques.

L'art du 20e s.

Jusqu'en 1945, les mouvements d'avant-garde se définissent comme une réaction contre les courants issus du 19e s.
Le « retour au style » est caractérisé en architecture par des volumes géométriques simples, animés de sobres bas-reliefs : le Théâtre des Champs-Élysées à Paris, réalisé par les frères Perret, avec un décor de Bourdelle (1861-1929), en fut l'un des manifestes les plus éclatants. En sculpture, Maillol (1861-1944) simplifie les volumes, parfois jusqu'à la schématisation, en contraste avec l'esthétique de Rodin.
Le **fauvisme** crée l'événement en peinture au Salon d'automne de 1906. Derain (1880-1954), Marquet (1875-1947) et Vlaminck (1876-1958) décomposent le paysage en couleurs arbitraires et ouvrent la voie à l'art non figuratif. Matisse (1869-1904), après des débuts fauves, développe un art indépendant des grands courants, basé sur l'étude de la couleur.
L'autre manifestation majeure de l'avant-garde en peinture est traduite dans l'œuvre de Braque (1882-1963) et de Picasso (1881-1973), qui poursuivent l'étude de la décomposition des volumes amorcée par Cézanne (1839-1906). Ces recherches conduisent au **cubisme** (discontinuité dans la représentation de la réalité, monochromie, illisibilité des sujets), qui domine leur production entre 1907 et 1914.
Les cubistes du groupe de la Section d'or (Gleizes et Metzinger, Léger à ses débuts) pratiquent un art moins révolutionnaire, plus figuratif.
Dans les années 1920-1930, le **surréalisme** renouvelle l'inspiration des artistes. Art subversif, il crée un univers non logique, onirique ou fantastique. Le hasard, les messages de l'inconscient sont intégrés pour la première fois au processus de création. Duchamp (1887-1968), Masson (1896-1987), Picabia (1879-1953) et Magritte (1898-1967) participent à ce mouvement.

L'**abstraction** s'impose en France dans le domaine de la peinture, après la Seconde Guerre mondiale. Herbin conçoit l'art abstrait à la manière d'un triomphe de l'esprit sur la matière. Il exerce une grande influence sur les jeunes artistes du mouvement de l'abstraction géométrique.
Les peintres de l'abstraction lyrique axent leurs recherches sur le chromatisme et la matière, comme Riopelle qui applique la couleur au couteau, ou Mathieu qui travaille la peinture directement extraite du tube. L'art d'Extrême-Orient influence Soulages, dont le lyrisme méditatif est une variation sur les noirs. Nicolas de Staël crée un lien entre abstraction et figuration, ses compositions abstraites dérivant d'une observation d'objets réels, parfois encore lisibles dans l'œuvre finale.
Certains artistes tels que Fautrier travaillent la peinture en pâte épaisse, ou lui adjoignent d'autres matériaux comme le sable.
Le domaine de l'architecture a connu un renouveau important avec **Le Corbusier** (1897-1965), qui respecte à la fois les exigences fonctionnalistes et le purisme dans l'esthétique des façades (Cité radieuse à Marseille, chapelle de Ronchamp).
Dans les années 1960, le nouveau réalisme, dont le théoricien est Pierre Restany, tente d'exprimer la réalité quotidienne de la vie moderne et de la société de consommation. Il se développe une réflexion critique sur les objets industriels, symboles de cette société: en les accumulant, en les cassant (Arman), en les compressant ou en les assemblant (César), en les piégeant sous verre...
Yves Klein (1928-1962), au-delà de son appartenance aux nouveaux réalistes, tente dans ses *Monochromes* de capter et d'exprimer l'espace, l'énergie ou l'essence universelle des choses. Il travaille la couleur pure.
Le rejet du formalisme et du traditionalisme caractérise l'œuvre de Dubuffet (1901-1985). En 1968, il publie *Asphyxiante Culture*, un pamphlet qui prône la révolution permanente, la dérision, l'inattendu. Dans ses dernières œuvres, il compose peintures et sculptures à partir d'un puzzle d'unités colorées ou noir et blanc.
Depuis les années 1960, les problèmes d'urbanisme ont conduit à reconsidérer le rapport entre architecture et sculpture, pour une meilleure intégration des deux arts. Architectes et sculpteurs travaillent de concert, comme Ricardo Bofill et Dani Karavan à Cergy-Pontoise. Les artistes sont incités à intervenir dans le paysage urbain (colonnes de Buren au Palais-Royal).
Le mouvement Support-Surface (Claude Viallat, Pagès, Daniel Dezeuze...), au cours des années 1970, réduit la peinture à sa réalité matérielle en jouant sur le support ou sur le mode d'application des couleurs: la toile, hors châssis, est découpée, suspendue, pliée. Les années 1980 voient le retour à la figuration, avec des recherches multiples: références à la tradition pour Gérard Garouste et Jean-Charles Blais, postmodernisme, etc.
L'extrême diversité des styles et des courants qui caractérisent la création contemporaine est l'expression de sa vitalité.

Cathédrale d'Évry due à Mario Botta (1996).

Ph. Gajic/MICHELIN

« France, mère des Lettres... »

À la différence de nombreux pays qui s'incarnent dans une grande figure d'écrivain (l'Angleterre et Shakespeare, l'Italie et Dante, l'Espagne et Cervantès, l'Allemagne et Goethe...), la France n'est guère réductible à une seule plume. Il est aussi juste de parler du « siècle de Louis XIV » que du « siècle de Voltaire », du « siècle de Hugo », voire du « siècle de Sartre ». Rien de surprenant, dès lors, que le Nobel de littérature ait été attribué à 14 reprises à des Français.

Les voix du Moyen Âge

C'est par l'épopée que prend forme la littérature française : la *Chanson de Roland* (vers 1080) ouvre la voie aux **chansons de geste** qui, deux siècles durant, vont faire vibrer les auditeurs des cours seigneuriales aux « exploits » (en latin *gesta*) de Charlemagne puis des croisés, en glorifiant Dieu et les valeurs de la féodalité.

Au cours du 12e s. apparaît le **roman** (ainsi appelé parce qu'il raconte en « roman », c'est-à-dire dans la langue populaire), qui met en scène des chevaliers soucieux de prouesses pour la conquête de la Dame ou la quête du Graal, ce vase mystérieux dans lequel aurait été recueilli le sang du Christ en Croix. L'amour que l'on nomme « courtois » n'est pas séparable du mysticisme et les héros de la Table ronde (dont les aventures nous sont principalement contées par **Chrétien de Troyes** dans la seconde moitié du 12e s.) rejoignent dans l'imaginaire occidental *Tristan et Yseult* que leur passion fatale unit jusque dans la mort.

La littérature médiévale s'exprime aussi par le théâtre, religieux (avec les amples **mystères** ou les miracles) ou profane (avec les **farces**, assez souvent grossières, à l'exception de *La Farce de maître Pathelin*), par le **fabliau** (dont *Le Roman de Renart* est une manifestation originale), par les récits historiques qui enregistrent les grands événements que sont les croisades (**Villehardouin** et *La Conquête de Constantinople*) ou la guerre de Cent Ans (*Chroniques* de Jean le Bel ou de **Froissart**, mémoires du Bourgeois de Paris), et par la poésie lyrique qu'incarnent, à côté des **troubadours** de langue d'oc, deux grandes voix du Nord : **Rutebeuf** et **Francois Villon** (1431-ap. 1463), tous deux auteurs de pathétiques complaintes où l'ironie sert (parfois) de masque à l'expression d'une expérience de la misère vécue jusqu'au seuil de la mort.

Fueil.i.
Ordonnances Royaulx sur le faict de la iustice.
Francoys
Par la grace de dieu Roy de France Scauoir faisons a to' presens et aduenir. Que pour aucunement pouruoir au bien de nostre iustice/abre[...]iation des proces/et soulagemēt de noz subiectz/ Auons par edict perpetuel et irreuocable/ statue et ordonne/ Statuons et ordonnons les choses qui sensuyuent.
Cest a scauoir que nous auons deffendu & def[...] Article fendons a tous noz subiectz/de ne faire citer ne p̄mier. conuenir les laiz/par deuant les iuges deglise/es actions pures personnelles/sur peine de perdition de cause et de amende arbitraire.
Et auons deffendu a tous iuges ecclesiastic[...] ii. ques de ne bailler ne deliurer aucunes citations Verballement ou par escript/pour faire citer lesd[...] dictz subiectz purs laiz esdictes matieres de a[...] ctions pures personnelles/sur peine aussi damen[...] de arbitraire.
Et ce par maniere de prouision quant a ceulx iii. dont le faict a este receu sur la possession den con[...]
a

Édit de Villers-Cotterêts.

J.-L. Charmet/BRIDGEMAN-GIRAUDON

La Renaissance au service de l'homme

L'invention de l'imprimerie modifie radicalement le statut de la littérature : le livre remplace la parole. La redécouverte des textes antiques et la naissance de l'humanisme italien fondent une nouvelle approche de l'homme, conçu non plus dans ses aspects mythiques et abstraits, mais dans sa réalité. Ainsi **Rabelais** (vers 1494-1553) qui sous les aventures de ses bons géants, Pantagruel et Gargantua, cherche d'abord à élaborer un espace de sagesse et de savoir ; ainsi encore

Musée J.-J. Rousseau, Montmorency

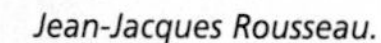

Jean-Jacques Rousseau.

Montaigne (1533-1592) qui s'attache à se « peindre soi-même » dans ses *Essais*, en essayant de trouver la voie du bonheur. De même les poètes qui, par-delà les figures de rhétoriques obligées, disent la détresse de l'exil (*Les Regrets* de **Du Bellay**, 1558), les peines et les joies de l'amour et de ses vanités (*Les Amours* de **Ronsard**), les ravages dévastateurs de la passion (*Sonnets* de **Louise Labbé**, 1555), les malheurs de la France déchirée par les guerres de Religion (*Les Tragiques* d'**Agrippa d'Aubigné**, 1577).

Dictionnaires, traités de poétique ou traductions (**Calvin** publie une traduction de la Bible en 1541) viennent consacrer le français – dont Du Bellay publie une *Défense* et *Illustration* en 1549 – que François Ier avait imposé comme langue administrative officielle par l'édit de Villers-Cotterêts (1539).

Le classicisme : la raison au service de l'ordre

Le 17e s. est le siècle de l'ordre : on norme la langue (Vaugelas, *Remarque sur la langue française*, 1647), on l'épure (et ce sera d'abord l'œuvre des précieuses), on l'ordonne (il revient à l'**Académie francaise**, instituée en 1635 par Richelieu, de publier un *Dictionnaire* officiel, en 1694). De même pour la pensée : le projet de Descartes (*Discours de la méthode*, 1637) n'est-il pas de « bien conduire sa raison » pour aboutir à la vérité ? Quant aux Lettres, on les soumet à toutes sortes d'arts poétiques dont le plus célèbre est celui de **Boileau** (1674), qui édicte les fameuses « règles des unités ». En dépit de ce que les romantiques dénonceront comme un obstacle au génie, le théâtre brille de mille feux : la tragédie s'illustre avec **Corneille** (1606-1684) dont les pièces, très politiques, opposent chez le héros la passion au devoir *(Le Cid, Horace, Cinna, Polyeucte)* et **Racine** (1639-1699) qui, préférant des sujets « chargés de peu de matière », met en scène l'essence même du tragique au travers de personnages consumés par la fatalité *(Andromaque, Bérénice, Phèdre)*. **Molière** (1622-1673), tout à la fois directeur de troupe, acteur et auteur, hausse la farce jusqu'à la « grande comédie » dont l'objet est de « châtier les mœurs par le rire » *(L'École des femmes, Tartuffe, Dom Juan, Le Misanthrope, Les Femmes savantes)*.

Hors de la scène, le classicisme, art de la règle et de la mesure, s'illustre dans les genres brefs qu'il porte à leur perfection formelle : la maxime avec **La Rochefoucauld** (1613-1680), le portrait avec **La Bruyère** (1645-1696) dont *Les Caractères* (1688) seront l'un des grands succès du siècle, la lettre avec **Mme de Sévigné** (16266-1696) et, bien sûr, la fable que **La Fontaine** (1621-1695) cisèle comme une véritable petite comédie animalière et humaine. Inclassable, le météorique **Pascal** (1623-1662) invente machines et théorèmes, polémique avec les jésuites dans ses *Provinciales* et meurt en laissant de fulgurants fragments publiés sous le titre de *Pensées* (posth., 1670), où s'affirme l'évidence de Dieu au cœur de l'homme.

Reste le roman, confisqué par les précieux dans d'interminables et mièvres récits-fleuve, mais qui donne deux chefs-d'œuvre : les *Lettres portugaises* (1669), attribuées à Guilleragues, et surtout *La Princesse de Clèves* (1678) de Mme de La Fayette, premier d'une série de récits d'analyse qui, jusqu'à nos jours, alimente le roman français.

Les Lumières contre les pouvoirs

La raison n'est plus mise au service de l'ordre ni de la religion mais au profit du bonheur de l'homme sur terre : le philosophe n'est plus cet être isolé, spéculant de métaphysique. Il s'intéresse à l'organisation politique, défend le libéralisme économique, s'insurge contre les abus (Voltaire prend parti dans diverses « affaires ») et l'obscurantisme. Témoin de cet engagement dans le monde, *L'Encyclopédie* (1746-1765) dirigée par Diderot et d'Alembert, vaste entreprise en 28 volumes (dont 11 de planches), entend « rassembler les connaissances éparses [pour rendre les hommes plus instruits, plus vertueux et plus heureux ». De même qu'il ne

J.-B. Darasse/MICHELIN

Manuscrits de Balzac.

s'enferme plus, le philosophe alterne traités savants et œuvres de fiction destinées à un plus large public : ainsi Montesquieu (1689-1755) avec ses *Lettres persanes* et *De l'esprit des lois* ; ainsi **Voltaire** (1694-1778) qui donne des *Lettres philosophiques*, un *Traité sur la tolérance* et un gros *Dictionnaire philosophique* mais distille son humour et son ironie dans des contes qui connaissent un succès immédiat (*Zadig*, *Candide*, *Micromégas* ou *L'Ingénu*) ; de même **Diderot** (1713-1784) qui, à côté de l'épuisante entreprise encyclopédique, tente de toucher un public renouvelé au théâtre en créant ce que l'on appellera le drame bourgeois *(Le Père de famille)*. **Rousseau** (1712-1778) pour sa part construit une œuvre exigeante où la théorie touche aussi bien l'organisation sociale *(Discours sur l'origine de l'inégalité, Du Contrat social)* que l'éducation *(Émile)*, donne un long roman où se mêlent amour, vertu, nature et société *(La Nouvelle Héloïse)* et n'en finit pas de rechercher l'impossible complicité du lecteur dans ses textes autobiographiques *(Les Confessions, Rêveries du promeneur solitaire)*.
Le roman, explorant de nouvelles voies, acquiert enfin sa dignité et produit d'authentiques chefs-d'œuvre : *Manon Lescaut* de l'**abbé Prévost**, *Jacques le fataliste* de Diderot, *Les Liaisons dangereuses* de **Laclos**, *Paul et Virginie* de **Bernardin de Saint-Pierre**, sans oublier l'inclassable **Sade** aux romans du « vice triomphant et de la vertu victime de ses sacrifices ».
Reste le théâtre qui, lorsqu'il n'imite pas les classiques, traduit les aspirations d'un nouveau plaisir de vivre : **Marivaux** (1688-1763) joue de l'être et du paraître dans un incessant échange de rôles entre maîtres et valets *(L'Île des esclaves, Le Jeu de l'amour et du hasard)* ; **Beaumarchais** (1732-1799) annonce, par son rusé valet *(Le Barbier de Séville, Le Mariage de Figaro)*, les événements qui vont enflammer la rue.

Le 19e s., au rythme de l'Histoire

Fille des Lumières, la Révolution est aussi mère du 19e s., et le mouvement romantique se pense comme un « 14 Juillet du goût ». Comment, dès lors, s'étonner que l'Histoire soit omniprésente à travers le siècle ? Elle se constitue en discipline autonome, lyrique avec **Michelet**, narrative avec Augustin Thierry, philosophique avec **Tocqueville** ou Quinet. C'est elle qui sous-tend le grand projet des *Mémoires d'outre-tombe* de **Chateaubriand** (1768-1848), véritable confrontation du sujet et du monde. C'est elle qui s'insinue dans le drame (*Hernani* de Hugo, *Lorenzaccio* de Musset) pour lui donner ses couleurs et sa dynamique. C'est elle qui explique l'évolution messianique de la poésie, du lyrisme encore traditionnel d'un **Lamartine** (*Méditations poétiques*, 1820) ou exacerbé d'un **Musset** (cycle des *Nuits*, 1835-1838) à la « modernité » dont **Baudelaire** (1821-1867) se fait le chantre dans *Les Fleurs du mal* (1857) ou à l'idéalisme de **Vigny** dans *Les Destinées* (posth. 1864), jusqu'à la « voyance » de **Rimbaud** (*Illuminations*, 1873) et l'hermétisme de **Mallarmé** (*Poésies*, 1887). Et **Hugo** (1802-1885), « l'homme-verbe », alternant l'intimisme *(Les Contemplations)* et l'épopée *(La Légende des siècles)*, le pamphlet virulent *(Les Châtiments)* et la vision du Mage *(Dieu)*, montre par son parcours que la poésie ne se réduit plus à la seule rhétorique.
Si la poésie se renouvelle, le roman (et la nouvelle, que pratiquent **Mérimée** ou **Maupassant**) affirme son hégémonie, d'autant que le feuilleton apparu en 1836 vient amplifier son lectorat. Des récits d'analyse de **Constant** *(Adolphe)* ou **Nerval** *(Aurélia)* aux sommes de **Balzac** (1799-1850) sur la Restauration *(La Comédie humaine)* ou de **Zola** (1840-1902) sur le Second Empire *(Les Rougon-Macquart)*, en passant par les romans dans lesquels **Stendhal** (1783-1842) fait partager le bonheur de ses personnages *(Le Rouge et le Noir, La Chartreuse de Parme)* ou les romans désabusés des anti-héros de **Flaubert** *(Madame Bovary, L'Éducation sentimentale)*, sans oublier les fresques historiques de **Dumas** (*Les Trois Mousquetaires*, *La Reine Margot*, etc.), le genre montre sa flexibilité et sa capacité à absorber toutes les formes.

Si la scène du premier demi-siècle avait vu triompher le drame libéré des contraintes classiques, la seconde moitié du siècle, plus consensuelle, voit le triomphe de la mélodramatique *Dame aux camélias* (1852) de Dumas fils, les essais sans grand succès de drames symbolistes (à l'exception notable de **Claudel** [1868-1955] qui commence, avec *Tête d'or*, une féconde carrière qui se poursuivra sur toute la première moitié du 20e s.), et surtout le triomphe du vaudeville avec **Labiche** *(Le Voyage de M. Perrichon)* et **Feydeau**, le maître des portes qui claquent. Quant à **Rostand**, il donne avec *Cyrano de Bergerac* (1897) un pur chef-d'œuvre, mêlant dans une versification hautement fantaisiste et virtuose le comique et le tragique.

Le siècle des incertitudes

C'est l'ère des ruptures et des voies nouvelles : **Apollinaire** (1880-1918) libère le vers de ses diverses entraves (mètre, ponctuation) allant jusqu'à en faire de véritables dessins *(Alcools, Calligrammes)*. Après lui, les surréalistes (au premier rang desquels **Breton**), s'appuyant sur la psychanalyse, cherchent dans l'inconscient et l'écriture automatique matière à « changer la vie ». Mais devant les impasses diverses, certains renouent avec un lyrisme amoureux où s'exprime également le renouveau d'un humanisme militant (**Eluard**, **Aragon**, **Char**) ou renouvellent le grand chant épique **(Saint-John Perse)**. Plus près de nous, la poésie retirée du bruit du monde, essaie dans le secret de l'abstraction de retrouver une vérité sans cesse dérobée **(Bonnefoy)**. Plus ludiques, **Prévert**, **Ponge** et **Michaux** montrent que la poésie peut être populaire et s'attacher au quotidien le plus trivial.
Si la tradition perdure avec les romans ironiques d'**Anatole France**, *Le Grand Meaulnes* d'**Alain-Fournier**, les grandes fresques de **Martin du Gard** *(Les Thibault)*, **Romain Rolland** ou **Jules Romains**, les récits à l'engagement catholique prononcé d'un **Mauriac** *(Thérèse Desqueyroux, Le Nœud de vipères)* ou d'un **Bernanos** *(Sous le soleil de Satan)* autant que ceux résolument révolutionnaires de **Malraux** *(Les Conquérants, La Condition humaine, L'Espoir)* ou les fables provençales de **Giono**, le roman explore lui aussi de nouvelles voies. **Proust** (1871-1922), dans *À la recherche du temps perdu*, transforme le monde en une suite de « métaphores » qui sont autant de signes révélateurs de la face cachée du réel. **Gide** (1869-1951), par la technique de la « mise en abyme » *(Les Faux-monnayeurs)*, tente de montrer les mécanismes mêmes de l'artifice romanesque. Quant à **Céline** (1894-1961), soucieux de « rendre l'émotion du langage parlé », il hache sa phrase de points de suspension et jette les mots sur le papier comme autant de cris *(Voyage au bout de la nuit, Mort à crédit)*. Dans la mouvance « existentialiste », **Sartre** (1905-1980) et **Camus** (1913-1960), tous deux philosophes, cherchent à rendre accessibles leurs idées dans des romans de facture classique *(La Nausée, Les Chemins de la liberté, L'Étranger, La Peste)* comme dans leur théâtre.
Les années 1960 voient l'apparition du « nouveau roman » (**Sarraute**, Duras, Beckett, **Simon**, Butor, Robbe-Grillet...) qui refuse tout autant la notion de personnage que celle d'intrigue. Dans le sillage de **Queneau**, **Perec** construit une œuvre personnelle fondée sur les contraintes les plus farfelues, du lipogramme au récit puzzle. Aujourd'hui, toutes les formes d'un roman omniprésent chez les libraires cohabitent, et si certains creusent interminablement le même sillon (Modiano), d'autres, après avoir erré en tous sens, reviennent au récit classique (Sollers) alors que de nouvelles voix font entendre des sons originaux (Houellebecq, Angot) qui se mêlent aux plus traditionnelles (d'Ormesson, Nourissier, Tournier, Rinaldi, Quignard...).
Du côté du théâtre, une nouvelle figure s'est imposée entre l'auteur et le spectateur : le metteur en scène dont certains ont étroitement collaboré avec les dramaturges (ainsi de Jouvet avec **Giraudoux** ou Barrault avec Claudel). Les sujets antiques sont copieusement revisités : *Électre* ou *L'Iliade* par Giraudoux, l'*Orestie* par Sartre dans *Les Mouches*, *Œdipe* par **Cocteau** dans *La Machine infernale*, *Antigone* par **Anouilh**... **Montherlant** retrouve la rigueur du tragique classique dans des pièces d'une grandeur d'un autre temps *(La Reine morte)*. À l'opposé, **Genet** use de la scène pour exhiber ses pulsions et ses fantasmes, ses refus d'une société policée *(Les Bonnes)*. Mais le plus original procède de ce « théâtre de l'absurde » qu'illustrent **Ionesco** *(La Cantatrice chauve, Le roi se meurt)* ou **Beckett** *(En attendant Godot)* : le langage s'y vide de toute signification et les personnages se réduisent à des pantins ou se fondent dans les objets qui les entourent.

Folklore et traditions

Partout en France, tout au long de l'année, les simples fêtes de village comme les grandes manifestations préservent les particularismes régionaux. Que ce soit en Bretagne, en Picardie, en Alsace ou en Languedoc, l'identité des régions se maintient grâce au folklore. Avec ses fêtes païennes ou religieuses, les traditions relevant de croyances anciennes reflètent les mentalités et des façons de vivre particulières.

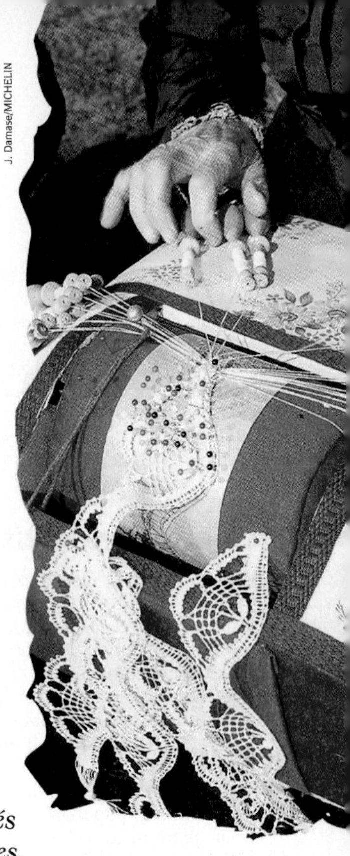
J. Damase/MICHELIN

L'art de la dentelle.

Carnavals

Depuis le Moyen Âge, des fêtes populaires, réminiscences de rites païens antiques, se déroulent à la veille du carême, au moment de Mardi gras. Pendant ces jours de fêtes, de licence joyeuse, où les règles de la vie normale sont temporairement arrêtées, où l'on mange et boit plus que de raison, les cortèges serpentent au rythme des fifres et des tambours. C'est l'occasion de se déguiser et de danser lors du bal des Corsaires ou pendant la nuit des Acharnés... de l'un des carnavals les plus populaires, des plus fous du Nord de la France, celui de Dunkerque.
Sur la Côte d'Azur, des corsos de chars et de centaines de grosses têtes en carton-pâte aux couleurs éclatantes défilent à Nice. Les chars fleuris de milliers de pétales de fleurs donnent lieu à de fameuses batailles sur la promenade des Anglais, tandis que des formations musicales se joignent au défilé et créent l'ambiance.

Pèlerinages et fêtes

Que ce soit en Alsace ou en Bretagne, par exemple, les fêtes joyeuses et colorées sont l'occasion de ressortir les costumes régionaux. Lors du pardon de Ste-Anne-d'Auray, de la grande troménie de Locronan ou du pèlerinage à Sainte-Odile, les femmes et les jeunes filles portent de magnifiques coiffes, des costumes d'une variété et d'une richesse surprenante, tandis que les hommes vêtus de gilets brodés brandissent de superbes bannières. Ces manifestations religieuses se terminent généralement par des fêtes villageoises profanes, animées de danses et de musiques.
Dès la fin du mois de novembre, l'ambiance est exceptionnelle en Alsace : sur les marchés, les choix des décorations et des accessoires pour décorer les sapins de Noël sont féeriques. On y trouve également des objets d'artisanat local, les grands produits du terroir et les gâteaux traditionnels.
À la même saison, en Provence, nombre de villages perpétuent la tradition des crèches vivantes pour mettre en scène la Nativité. La messe de minuit débute avec le *pastrage* : tandis que le prêtre dépose le Divin Enfant sur la paille, les cloches appellent le cortège des bergers. Guidés par les anges et les tambourinaires, ces derniers apportent dans leur charrette illuminée un agneau. Fifres et tambourins entonnent alors les vieux chants provençaux repris en chœur par les fidèles.

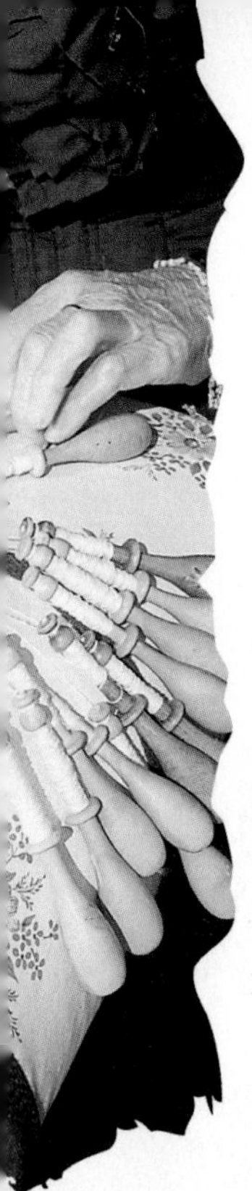

Un folklore bien vivant

Restons en Provence, puisque, semble-t-il, ses habitants ont un goût prononcé pour la fête. Temps fort des festivités, les premières notes des musiciens ouvrent la farandole. Entraînés par un rythme à six temps, les danseurs évoluent main dans la main. Véritables virtuoses de la mélodie, les tambourinaires jouent de leur main gauche du galoubet, petite flûte très aiguë, tandis que, de la droite, ils martèlent le tambourin.
De Sète à Béziers, d'Agde à Palavas, en Languedoc, il faut voir les jouteurs de blanc vêtus, pieds nus sur la planche des barques, le pavois décoré dans une main, la lance de pin dans l'autre, s'affronter de juin à septembre devant les badauds en émoi.
Un peu partout, les fêtes champêtres à la manière d'autrefois connaissent une renaissance, animées par des groupes réputés. Les danses – bourrée en Auvergne, sardane en Languedoc –, les chants polyphoniques en Corse, deviennent emblématiques des régions.
Contes et légendes, histoires de loups-garous, de sorciers, de lutins et de fées ont longtemps alimenté les veillées. Ils sont aujourd'hui repris par des conteurs professionnels.

La langue d'ici

Les parlers traditionnels, qui étaient encore largement parlés jusqu'au début du 20e s. ont pratiquement disparu aujourd'hui. En Savoie, en Bretagne, en Languedoc, ils se sont maintenus grâce à une littérature régionale et aux travaux d'associations culturelles. Les intrigantes terminaisons en z ou en x ne doivent pas se prononcer dans les Alpes du Nord et servent à manger l'accent tonique. Dans la langue provençale, l'accent tonique qui vient sur l'avant-dernière syllabe ou sur la dernière lui donne sa musicalité. Le provençal se caractérise par une forte accentuation de voyelles par rapport aux consonnes. Très proche de l'occitan, le catalan est le lien culturel des anciens pays du royaume de Catalogne ; il bruit doucement de Salses en Roussillon à Valence en Espagne. Ici, les u deviennent des « ou », les v des « b », les x des « ch », etc. Au Nord de la Loire, le picard a gardé, comme le normand, le lorrain et le wallon, des traits germaniques. Du point de vue linguistique, le breton appartient au groupe des langues celtiques.

La Vouivre

Il y avait une fois dans le Jura un château occupé par une princesse d'une rare beauté mais au cœur incroyablement dur. Hautaine, cruelle et impitoyable, elle terrorisait les habitants. Et voici qu'un jour une dame de noble allure vint lui rendre visite et s'entretint longuement avec elle sur la pitié et la générosité. Mais la dureté de la châtelaine demeura telle que la visiteuse, qui était fée, changea la méchante princesse en vouivre (en patois, cela signifie vipère). Devenue un serpent affreux affublé d'ailes de chauve-souris, la Vouivre portait néanmoins un diadème orné d'un magnifique rubis qui, disait-on, procurerait la fortune à celui qui le posséderait. Or, elle ne déposait le joyau sur le rivage que pour se baigner dans la Loue. Nombreux ont été les Comtois qui, dominant leur frayeur, ont tenté de dérober le bijou magique et ont ainsi perdu la vie, tués par des milliers de serpents.

R. Mattes/MICHELIN

Personnages en costume alsacien.

Jardins de Villandry.

Villes et sites

Aix-en-Provence★★

Prenez le temps de visiter cette cité: ses avenues majestueuses sont bordées d'hôtels élégants aux façades mordorées, marquées par l'art baroque, ses innombrables fontaines agrémentent les places discrètes, tandis que les terrasses des brasseries et des cafés sont perpétuellement animées. La capitale du calisson se veut aussi 21e arrondissement de Paris et métropole étudiante: c'est une ville d'aujourd'hui qui a su préserver un héritage culturel raffiné.

La situation

134 222 Aixois – Cartes Michelin Local 340 H-I 4, Regional 528 – Le Guide Vert Provence – Bouches-du-Rhône (13). À une trentaine de kilomètres au Nord de Marseille, la montagne Ste-Victoire veille sur Aix, dont le nom rappelle l'origine romaine, Aquæ Sextiæ. D'où que vous veniez, vous emprunterez les boulevards périphériques qui enserrent les vieilles rues. Les places de parking étant rares, un conseil: cherchez du côté du bd du Roi-René au Sud, ou sur le bd Aristide-Briand au Nord.

2 pl. du Gén.-de-Gaulle (plus connue sous le nom de «la Rotonde»), 13100 Aix-en-Provence, ☎ 04 42 16 11 61, www.aixenprovencetourism.com

Le journal, *Le Mois à Aix*, (gratuit) recense les événements de la saison.

Pour poursuivre la visite, voir aussi: MARSEILLE, GORGES DU VERDON, LUBERON, LA CAMARGUE, ARLES, LES BAUX-DE-PROVENCE.

comprendre

C'est au 15e s. avec le roi René que la cité romaine fondée sur les restes de l'oppidum d'Entremont connaît sa période la plus brillante.

Mais qui est le roi René? Avant tout, un lettré: il connaît le grec, l'hébreu, le latin et l'italien. Mélomane à ses heures, peintre d'enluminures à l'occasion, volontiers rimailleur, féru de mathématiques et de théologie, d'astrologie et de géologie, bref un homme cultivé qui aime donner des fêtes somptueuses. Duc d'Anjou, roi très théorique de Naples et de Sicile et comte de Provence de surcroît, tous ces titres l'obligent à jouer un rôle politique pour lequel il est peu fait. Le bon roi fait venir à Aix des artistes renommés, comme Barthélemy d'Eyck, Nicolas Froment. S'il encourage le commerce, stimule l'agriculture, introduit le raisin muscat en Provence, ordonne le nettoyage des quartiers de la ville, c'est au prix d'une fiscalité pesante et d'une dépréciation de sa monnaie... Veuf d'Isabelle de Lorraine, il épouse, à 44 ans, une jeune femme de 21 ans, Jeanne de Laval. Mais le roi perd son fils et deux petits-fils, et meurt à Aix en 1480 à l'âge de 72 ans, sans descendance.

Siège du parlement, la ville connaît à nouveau une période de splendeur au 17e s. avec l'émergence de magistrats et de juristes fortunés qui se font bâtir de splendides hôtels particuliers. La ville s'embellit avec un cours à carrosses – le cours Mirabeau –, des places, des fontaines, des bâtiments publics comme le palais de justice. Après la Révolution, Aix souffre du développement de Marseille.

Il faut attendre les années 1970 pour connaître un renouveau industriel avec les entreprises du secteur high-tech, et culturel avec le rayonnement de son université et de son Festival d'art lyrique.

découvrir

LA VILLE DE CÉZANNE

Au départ de l'Office de tourisme, le circuit balisé permet de découvrir en ville et, dans les environs, les lieux qui ont inspiré le peintre, en particulier la montagne Sainte-Victoire, qu'il a représentée une soixantaine de fois.

Atelier de Paul Cézanne

9 av. Paul-Cézanne, au Nord de la ville. De mi-juin à fin sept. : 10h-18h30 (dernière entrée 1/4h av. fermeture) ; de déb. avr. à mi-juin : 10h-12h, 14h30-18h ; oct.-mars : 10h-12h, 14h-17h. Fermé 1er janv., 1er mai et 25 déc. 5,5€. ☎ 04 42 21 06 53.

Des souvenirs du peintre sont exposés dans son atelier, où il créa *Les Grandes Baigneuses*, œuvre essentielle qui donna naissance au mouvement cubiste.

LE PEINTRE ET SA MONTAGNE

Fils d'un chapelier, Paul Cézanne (1839-1906) est né à Aix. Après une scolarité au collège Bourbon, où il se lie d'amitié avec Émile Zola, il fait des études de droit tout en commençant à peindre dans la campagne du Jas de Bouffan, demeure entourée d'un parc située aux portes d'Aix et que son père avait achetée en 1859.

À Paris, Cézanne fréquente les impressionnistes. De retour en Provence, il travaille sur les couleurs et les volumes, recherchant des sites sauvages de la campagne aixoise, revenant sur les mêmes motifs: le Château Noir, la Sainte-Victoire, etc. Il bâtit des figures au contour et au relief accentués; il simplifie les volumes.

Après un séjour à l'Estaque, près de Marseille, le peintre connaît enfin la consécration au Salon d'automne de 1904.

carnet pratique

Restauration

• À bon compte

Vieille Auberge – *63 r. Espariat - 13100 Aix-en-Provence - ☎ 04 42 27 17 41 - fermé 7 au 20 janv. et lun. midi - 14,94€ déj. - 22,11/33,54€.* Sur une placette très animée le soir, cadre rustique avec poutres, colonnes et monumentale cheminée en pierre de Rognes. Cuisine personnalisée, bon choix de menus.

Le Poivre d'Ane – *7 r. de la Couronne - 13100 Aix-en-Provence - ☎ 04 42 93 45 56 - fermé 15 j. en août, j. fériés à midi, dim. et lun. - réserv. obligatoire - 15,24€ déj. - 25,15€.* Une des adresses préférées des Aixois : on se serre les coudes dans la petite salle chaleureuse de ce restaurant qui doit son succès à sa cuisine du marché bien tournée et à ses produits frais. On peut en plus y consulter des guides et ouvrages sur la région.

Hébergement

• Valeur sûre

Prieuré – *13100 Aix-en-Provence - 3 km au N d'Aix-en-Provence, rte de Sisteron - ☎ 04 42 21 05 23 - P - 22 ch. : 53/70€ - ☕ 6,10€.* Ancien prieuré du 17e s. bénéficiant d'un environnement calme. Les chambres, au décor romantique, ont vue sur un élégant parc dessiné par Le Nôtre.

Manoir – *8 r. Entrecasteaux - 13100 Aix-en-Provence - ☎ 04 42 26 27 20 - msg@hotelmanoir.com - fermé 3 au 27 janv. - P - 40 ch. : 70€ - ☕ 7€.* Belle construction ancienne, naguère fabrique de chapeaux. Un élément de cloître du 14e s. y est annexé ; aménagé en terrasse d'été, il procure une atmosphère unique.

Hôtel St-Christophe – *2 av. Victor-Hugo - 13100 Aix-en-Provence - ☎ 04 42 26 01 24 - saintchristophe@francemarket.com - 52 ch. : 70/88€ - ☕ 8€.* Chambres de style années 1930 ou provençal en plein centre-ville, à deux pas du cours Mirabeau. Joli cadre Art déco à la brasserie Léopold, qui propose cuisine régionale et plats de brasserie. Aux beaux jours, terrasse-trottoir.

Le temps d'un verre

Café des Deux Garçons – *53 cours Mirabeau - 13100 Aix-en-Provence - ☎ 04 42 26 00 51 - tlj 7h-2h.* Cette célèbre brasserie – Cézanne et Zola furent des habitués de la maison – est une escale touristique à elle seule tant il est vrai que le décor du 18e s. tout en dorures, frise et boiseries vaut le coup d'œil. Terrasse très agréable et luxueux piano-bar à l'étage.

Achats

Marchés – Marché traditionnel tous les matins place Richelme, les mardi, jeudi et samedi place des Prêcheurs et place de la Madeleine. Marché aux fleurs mardi, jeudi et samedi place de l'Hôtel-de-Ville, les autres jours place des Prêcheurs.

Santons Fouque – *65 cours Gambetta - 13100 Aix-en-Provence - ☎ 04 42 26 33 38.* Cette maison a donné naissance, depuis sa création en 1934, à près de 2 000 modèles de santons dont le mondialement connu « Coup de Mistral », personnage plié sous la bourrasque. La visite de l'atelier dévoile les étapes de la fabrication. En décembre, une crèche géante est dressée dans le jardin.

S. Sauvignier/MICHELIN

Calissons du Roy René – *10 r. Clemenceau - ☎ 04 42 26 67 86 - royrene@calisson.com -* Faites provision des incontournables calissons et autres douceurs provençales, dans cette boutique tenue par la même famille depuis 1920. Les produits sont présentés dans de jolies faïences.

Calendrier

Festival international d'art lyrique et de musique - Ce prestigieux festival se tient chaque été en juillet dans la cour du palais épiscopal transformée en théâtre, tandis que concerts et récitals sont donnés dans la cathédrale, le cloître St-Sauveur et l'hôtel Maynier d'Oppède. ☎ *04 42 17 34 34.*

se promener

LE VIEIL AIX**

Cours Mirabeau**

Aix, art de vivre... Vous y prendrez certainement goût en flânant sur cours, vaste artère ponctuée de fontaines, d'hôtels aux balcons de fer forgé soutenus par des cariatides et des atlantes sculptés par **Pierre Puget** (17e s.), ou encore en vous installant à la terrasse d'un café. Parmi les plus beaux hôtels, voyez celui d'Isoard de Vauvenargues, au no 10, édifié vers 1710. Le marquis d'Entrecasteaux, président du Parlement, y assassina sa femme, Angélique de Castellane.

Dans la rue Émeric-David, voyez le beau portail de l'**hôtel de Panisse-Passis**, élevé en 1739.

Église Ste-Marie-Madeleine

L'édifice (17e s.) abrite en particulier une belle **Vierge**★ en marbre (18e s.) et, surtout, le volet central du triptyque de l'**Annonciation**★ (vers 1445), attribué à Barthélemy d'Eyck. Observez le jeu des lumières et le traitement proche des miniatures.

Place d'Albertas★

Un lieu plein de charme, ouvert en 1745. On y donne des concerts en été. Au n° 10, l'hôtel d'Albertas (1707) a été décoré par le sculpteur toulonnais Toro.

Place de l'Hôtel-de-Ville★

Elle prend tout son éclat le samedi matin lorsque s'y tient le marché aux fleurs. L'hôtel de ville, édifié de 1655 à 1670 par l'architecte Pierre Pavillon, se signale par un balcon orné d'une belle ferronnerie, une magnifique grille d'entrée, et une jolie **cour**★ pavée de galets. La tour de l'Horloge supporte à son sommet une cloche dans sa cage de ferronnerie (16e s.), où un personnage à chaque fois différent marque les saisons.

Cathédrale et cloître St-Sauveur★

Nov.-avr. : tlj sf pdt offices 10h-12h, 14h30-17h30 ; avr.-nov. : tlj sf pdt offices 9h-12h, 14h-18h. Possibilité de visite guidée. ☎ 04 42 23 98 90.

Commencez par le cloître : une merveille d'art roman dont vous admirerez la légèreté et l'élégance, due en particulier aux colonnettes jumelées et aux chapiteaux, à feuillages ou historiés. Sur un pilier d'angle, remarquez l'image de saint Pierre.
De là, entrez dans la nef romane de la cathédrale où voisinent tous les styles, du 5e au 17e s. Vous ne pourrez malheureusement pas admirer le merveilleux **triptyque du Buisson ardent**★★ *(en cours de restauration)*, désormais attribué à Nicolas Froment après l'avoir longtemps été au roi René lui-même. Vous vous rattraperez sans doute avec le **baptistère**★ d'époque mérovingienne.
Le grand portail est fermé par des **vantaux**★ (1504) en noyer, sculptés de quatre prophètes et de douze sibylles (masqués par de fausses portes).

Quartier Mazarin★

Au n° 12, l'hôtel de Marignane fut le théâtre des douteux exploits du jeune Mirabeau : aussi désargenté que débauché, il séduit une riche héritière, Mlle de Marignane. Le mariage devient inévitable mais le beau-père coupe les vivres au ménage. Mirabeau accumule les dettes chez les commerçants de la ville jusqu'à ce que ceux-ci le fassent interner au château d'If. Libéré, il séduit une femme mariée et s'enfuit avec elle en Hollande. Il revient à Aix en 1783 pour répondre à la demande de séparation formulée par sa femme : il présente lui-même sa défense, et sa prodigieuse éloquence lui fait gagner le procès en première instance !

visiter

Musée Granet★

Tlj sf mar. et j. fériés 10h-12h, 14h-18h. Gratuit. ☎ 04 42 38 14 70.

Aménagé dans un prieuré des chevaliers de Malte, il possède une intéressante collection de peintures, provenant de divers legs, dont celui du peintre aixois François Marius Granet (1775-1849).
On s'attardera devant les primitifs avignonnais (triptyque de la reine Sanche, dû à Matteo Giovanetti, le peintre du palais des Papes à Avignon), italiens et flamands avant d'aborder les œuvres des écoles européennes du 16e au 19e s. De l'école française, voyez les tableaux de Champaigne, Le Nain, Rigaud, Largillière, Greuze, Géricault et les huiles, aquarelles, gravures et dessins de Cézanne. Ne manquez pas non plus les œuvres du Guerchin, Rubens et de l'école de Rembrandt.

Fondation Vasarely★

10h-13h, 14h-19h, w.-end 10h-19h (nov.-mars : 18h). Fermé 1er janv., 1er mai et 25 déc. 6,10€. ☎ 04 42 20 01 09. www.fondationvasarely.com

À 2,5 km à l'Ouest d'Aix sur la colline du Jas de Bouffan, elle propose dans une architecture moderne (16 structures hexagonales) un panorama des recherches de Vasarely (1906-1997) portant sur les déviations linéaires (à partir de 1930) puis sur la lumière et l'illusion de mouvement (dès 1955).

circuit

LA SAINTE-VICTOIRE★★★

Circuit de 74 km au départ d'Aix-en-Provence – compter une journée. Quitter Aix par la D 10 à l'Est, puis prendre à droite une route en direction du barrage de Bimont.

À l'Est d'Aix-en-Provence, la montagne Sainte-Victoire culmine à 1 011 m au pic des Mouches. Avec sa face abrupte qui lui donne une silhouette reconnaissable entre toutes, la « Sainte », plus qu'une montagne, est un symbole pour la Provence.

Le massif de la Ste-Victoire, cher à Paul Cézanne.

Croix de Provence★★★

3h1/2 à pied AR. Prendre le chemin muletier des Venturiers qui s'élève dans la pinède, puis cède la place à un sentier, plus aisé, serpentant en lacet à flanc de montagne. Du prieuré de N.-D.-de-Ste-Victoire édifié en 1656, une petite escalade permet de gagner la Croix de Provence (alt. 945 m), haute de 17 m. La vue embrasse un superbe **panorama★★★** : au Sud, le massif de la **Ste-Baume** et la chaîne de l'Étoile, puis, en tournant vers la droite, la chaîne de Vitrolles, la Crau, la vallée de la Durance, le Luberon, les Alpes de Provence et, plus à l'Est, le pic des Mouches.

Par la D 10, on traverse Vauvenargues, dont le château du 17e s. appartint à Picasso, qui est enterré dans le parc. La route remonte ensuite les **gorges de l'Infernet★**, très boisées, et franchit le col des Portes. *Prendre à droite au Puits de Rians la D 23 qui contourne la montagne et traverse le bois de Pourrières. Dans Pourrières, suivre à droite la direction de Puyloubier.* Ce parcours offre de belles vues sur la Ste-Victoire et le massif de la Ste-Baume, puis franchit la montagne du Cengle avant de rejoindre la D17. Un détour par **Beaurecueil** s'impose : c'est depuis ce village que la vue sur la Sainte-Victoire est certainement la plus belle, surtout en fin d'après-midi, lorsque le soleil se couche. *Retour à Aix par le Tholonet.*

Ajaccio★★

Ajaccio, qui vit naître Bonaparte, mérite mieux qu'une brève halte. Chaque matin, le marché anime le square César-Campinchi et les rues adjacentes. Sur le port, les pêcheurs écoulent leurs poissons frais, tandis que, sur les bancs, les retraités discutent au soleil. Le soir, poussez jusqu'au bout de la jetée de la citadelle : le port et la ville basse scintillent dans la nuit.

La situation

52 880 Ajacciens - Carte Michelin Local 345 A-B 7-8 - Le Guide Vert Corse - Corse-du-Sud (2A). Au fond du plus grand golfe de l'île, Ajaccio s'étend le long du rivage et grimpe à flanc de montagne. La vieille ville se visite aisément à pied. Vous trouverez des parkings place du Gén.-de-Gaulle et square César-Campinchi.
3 bd du Roi-Jérôme, 20181 Ajaccio, ☎ 04 95 51 53 03, www.tourisme.fr/ajaccio
Pour poursuivre la visite, voir aussi : PORTO, SARTÈNE.

comprendre

Convoitée à toutes les époques, la Corse est passée aux mains des Grecs, des Romains, des Pisans, a vécu cinq siècles sous l'emprise des Génois avant de connaître une courte période d'indépendance sous l'action de Pascal Paoli, au 18e s. Mais c'est Napoléon Bonaparte qui voulut que l'île où il était né « soit une bonne fois française ». Ajaccio perpétue le souvenir de « l'enfant de la Corse » et de sa famille. Une cité romaine a existé au Nord de la citadelle, toutefois la fondation d'Ajaccio sur son site actuel est l'œuvre accomplie en 1492 par l'Office de Saint-Georges qui, depuis 1453, administrait l'île pour le compte de la république de Gênes. Ainsi Ajaccio demeura génoise jusqu'en 1553. Mais le véritable envol de la ville date du 18e s. Aujourd'hui chef-lieu du département de Corse-du-Sud, elle est le siège de l'Assemblée territoriale de Corse, créée en 1991.

carnet pratique

Restauration

• À bon compte

Marinella – *Rte des Îles Sanguinaires, pointe du Scudo - 20000 Ajaccio - 5 km à l'O d'Ajaccio - ☎ 04 95 52 07 86 - 16,80/28€.* Près de la maison du célèbre chanteur corse Tino Rossi, dans une atmosphère musicale, posez-vous sur cette terrasse au bord de l'eau comme Pagnol, Raimu et Fernandel l'ont fait. Appréciez la gargoulette, les poissons du jour, pâtes et pizzas au feu de bois.

Grand Café Napoléon – *10 cours Napoléon - 20000 Ajaccio - ☎ 04 95 21 42 54 - cafe.napoleon@wanadoo.fr - fermé sam. soir, dim. et j. fériés - 14,48€ déj. - 27,44/33,54€.* Une belle terrasse de grand café pour l'apéritif, une immense salle de style Second Empire pour déjeuner, dîner ou prendre une collation l'après-midi... Cette prestigieuse maison, l'une des plus anciennes d'Ajaccio, est depuis peu dirigée par un jeune chef prometteur.

Chez Mico – *20138 Portigliolo - 36 km au S d'Ajaccio par N 196 et D 55 - ☎ 04 95 25 47 69 - 26,07/36,59€.* Vous ne rêvez pas ! De la terrasse de ce restaurant au style un peu ginguette, la vue est idyllique sur la mer..., à vos pieds pendant que vous dégusterez les spécialités de poissons. Quelques pâtes et pizzas pour compléter la carte.

Hébergement

• Valeur sûre

Hôtel Kallisté – *51 cours Napoléon - 20000 Ajaccio - ☎ 04 95 51 34 45 - fermé nov. - 50 ch. : 42/69€ - ☕ 6,50€.* Cet hôtel occupe une maison ajaccienne de 1864 au cœur de la ville. Avec sa belle façade colorée, son entrée voûtée et ses briques, elle a gardé son caractère. Pour votre confort, les chambres sont modernes. Prix très raisonnables hors saison.

Hôtel Spunta di Mare – *Quartier St-Joseph - 20000 Ajaccio - ☎ 04 95 23 74 40 - fermé mi-déc. à fin janv. - P - 60 ch. : 51/69€ - ☕ 6,30€ - restaurant 12,20€.* Entre le centre-ville et l'aéroport, cet hôtel bénéficie d'une vue sur le golfe d'Ajaccio depuis sa terrasse-solarium et de la majorité de ses chambres. Fonctionnelles et blanches, elles s'égaient de meubles de couleur.

Hôtel Marengo – *2 r. Marengo - 20000 Ajaccio - ☎ 04 95 21 43 66 - fermé 11 nov. au 19 mars - 16 ch. : 55,64€ - ☕ 5,35€.* Voilà une petite adresse pas chère, dans un quartier légèrement excentré mais plutôt calme. Ses chambres claires sont simples et bien entretenues... Accueil aimable.

Achats

Marché – *À Ajaccio - tlj 7h30-12h (sf lun. hors sais.).* Nombreuses spécialités (lonzu, coppa, miel, tarte au brocciu, etc.). Vente de vêtements sam.-dim.

Atelier du Couteau – *Port de l'Amirauté - 20000 Ajaccio - ☎ 04 95 10 16 52 - lun.-sam. 9h-12h, 14h30-20h - fermé j. fériés.* Dans cette boutique de style moderne, MM. Bellini et Caggiari vous feront partager leur passion pour la coutellerie artisanale. Vous y découvrirez un grand choix de couteaux traditionnels, de répliques anciennes et de créations personnalisées.

A Casetta – *3 av. du 1er -Consul - 20000 Ajaccio - ☎ 04 95 21 77 12 - été : tlj 9h-13h, 15h-20h30 ; reste de l'année : 9h-13h, 15h-19h30.* Dans ce petit magasin de spécialités situé à deux pas de la place du Diamant, la charcuterie traditionnelle est à l'honneur : saucisse (figatellu), jambon fumé (coppa et lonzu) ou cru (prisuttu). De nombreuses confitures, confiseries et fromages figurent aussi parmi les bons souvenirs gustatifs à emporter ou à expédier.

D. Pazery/MICHELIN

découvrir

LA VILLE NATALE DE BONAPARTE★

Jetée de la citadelle

De son extrémité, vous aurez une excellente **vue★** sur le front de mer et une partie du golfe d'Ajaccio. Au pied de la citadelle *(domaine militaire, elle n'est pas ouverte au public)*, la jetée abrite le port de pêche et de plaisance.

Place d'Austerlitz (U Casone)

Elle est dominée par l'imposant monument de Napoléon Ier qui ferme l'axe ouvert 1 500 m plus bas, place Foch, par la statue du Premier consul. Précédé de deux aigles et d'une immense stèle inclinée rappelant ses victoires, Napoléon, coiffé du bicorne, regarde la ville (réplique de la statue située aux Invalides, à Paris).

Musée Fesch★★

♿ Juil.-août : mar.-ven. 9h-18h30 (ven. nocturne 21h-00h), lun. 13h30-18h, w.-end et j. fériés 10h30-18h ; avr.-juin et sept. : 9h15-12h15, 14h15-17h15, lun. 13h-17h15; oct.-mars : tlj sf lun. et dim. 9h15-12h15, 14h15-17h15. 5,34€. ☎ 04 95 21 48 17.

Installé dans le palais Fesch, ce musée abrite la plus importante collection de **peintures italiennes★★★** conservée en France, après celle du Louvre. Ces toiles furent léguées à la ville par le cardinal Fesch, oncle maternel de Napoléon et archevêque de Lyon, qui les avait collectionnées tout au long de sa vie. Deux œuvres à ne pas manquer lors de votre visite: la *Vierge* de Giovanni Bellini (1430-1516) et celle de Sandro Botticelli (1440-1510). Tendresse, charme et sensibilité se dégagent de la première, tandis que la Vierge à la guirlande de Botticelli, peinte en 1470, enchante par sa grâce et son naturel.

Maison Bonaparte★

Avr.-sept. : 9h-12h, 14h-18h, lun. 14h-18h (dernière entrée 1/4h av. fermeture) ; oct.-mars : 10h-12h, 14h-16h45, lun. 14h-16h45. 3,35€, gratuit 1er dim. du mois. ☎ 04 95 21 43 89.

Devant la place Letizia, ornée du buste du roi de Rome enfant, s'élève la maison natale de l'Empereur. Les salles sont décorées de portraits et de meubles Directoire. Remarquez les masques mortuaires de l'Empereur, réalisés à Ste-Hélène juste après son décès par son médecin, Antommarchi.

▶▶ Musée napoléonien★

Un autre empereur

La fabuleuse carrière artistique de Tino Rossi (1907-1983) débuta à 20 ans à l'Alcazar de Marseille avant de recevoir la consécration à Paris dans les revues de Vincent Scotto et le film *Marinella* (1936). Après avoir enregistré plus de mille chansons, participé à 24 films et animé quatre opérettes, le chanteur ajaccien à la voix de velours demeure une référence dans la chanson de charme. Les inconditionnels de l'auteur de *Petit Papa Noël* iront voir sa maison natale *(47 r. Cardinal-Fesch)* et se recueillir sur son tombeau en granit blanc *(situé à gauche de la première entrée du cimetière d'Ajaccio)*.

alentours

Îles Sanguinaires★★

Pour approcher au plus près des Sanguinaires en voiture, quitter Ajaccio par l'Ouest et prendre la route des Sanguinaires (12 km) qui mène à la pointe de la Parata. Le mieux bien sûr est d'entreprendre une excursion en bateau. De déb. avr. à fin oct. : accès en vedette au dép. du port d'Ajaccio, quai Napoléon, face à la pl. du Mar.-Foch. Dép. 15h30, retour 18h avec arrêt sur l'île. 20€. Sarl Nave Va, ☎ 04 95 21 83 97.

Ces îlots de porphyre prolongent la pointe de la Parata au Nord du golfe où ils se disposent en sentinelle. Alphonse Daudet habita le phare des Sanguinaires en 1863 et consacra à la grande île une des *Lettres de mon moulin*.

La **promenade en vedette★★** permet d'avoir une vue d'ensemble de la ville d'Ajaccio. Le bateau longe la côte Nord du golfe, puis passe au large de la pointe de la Parata couronnée d'une tour génoise pour accoster la Grande Sanguinaire. C'est le plus éloigné du rivage et le plus important des îlots qui constituent l'archipel. Sur la Grande Sanguinaire s'élèvent un phare à éclipses, un ancien sémaphore et une tour en ruine.

Au Nord d'Ajaccio, la belle route côtière s'achève à la pointe de la Parata, veillée par les îles Sanguinaires.

E. Souty/MICHELIN

GOLFE D'AJACCIO**

Route des Sanguinaires*

29 km – environ 1h1/2. Quitter Ajaccio par la D111.

La route bordant la côte Nord du golfe permet de découvrir la «corniche ajaccienne» et ses quartiers résidentiels. D'agréables petites plages sont animées de bars.

Pointe de la Parata – Elle est surmontée d'une tour édifiée par les Génois pour protéger l'île des incursions barbaresques. La route s'arrête au pied du promontoire. Le chemin qui la prolonge permet de gagner l'extrémité de la pointe – *1/2h à pied AR* – qui offre une **vue**** sur les îles Sanguinaires.

Reprendre la route en sens inverse; au bout de 2 km environ, suivre à gauche «Capu di Fenu». Poursuivre pendant 8 km environ, puis emprunter une route non goudronnée (sur 200 m).

Plage de Grand Capo – C'est la plage de prédilection des Ajacciens. Eau turquoise et impression de «bout du monde», les lieux sont restés sauvages. L'ouverture vers le large et l'orientation des vents attirent les adeptes du surf.

Rentrer sur Ajaccio par la D11^B (rte de St-Antoine).

Côte Sud du golfe**

104 km – environ 4h. Quitter Ajaccio vers l'Est en direction de Porticcio.

Porticcio – Plages de sable, hôtels et restaurants, institut de thalassothérapie et ensembles résidentiels attirent de nombreux estivants.

Au port de Chiavari, prendre la route de la pointe de la Castagna *(D155)* qui suit la côte. On rejoint la belle **plage de Mare e Sole**, ombragée par quelques pins.

Forêt de Chiavari* – La route pénètre dans la forêt domaniale. Originaire d'Australie, l'eucalyptus fut introduit en Corse au 19e s. dans les environs du pénitencier pour en assainir l'environnement. En effet, gros consommateur d'eau, cet arbre pompe le sol et assèche les zones marécageuses, en outre ses feuilles ont des vertus antiseptiques et repoussent les moustiques.

Coti-Chiavari – L'esplanade ombragée de ce village, bâti en terrasse, offre un agréable point d'observation vers la pointe de la Castagna et les îles Sanguinaires.

Punta Guardiola – *1/2h à pied AR.* Le promontoire, dominé par une tour génoise, ferme, au Sud, le golfe d'Ajaccio.

Revenir à Coti-Chiavari. De là, le retour à Ajaccio s'effectue par la route des Colsa (D55).

Albi***

Une ville fascinante, dont le rouge de la brique se reflète dans les eaux vert émeraude du Tarn. La cathédrale à l'allure de forteresse, qui semble écraser la cité de toute sa hauteur, abrite des chefs-d'œuvre d'une rare finesse. Beaucoup d'animation dans cette cité aux ruelles tortueuses que Toulouse-Lautrec, descendant direct des comtes de Toulouse, a délaissée pour fréquenter les bars de Montmartre, et qu'un explorateur, Lapérouse, a quittée pour naviguer sur les mers du Sud et se faire dévorer par les Polynésiens...

La situation

66231 Albigeois – Cartes Michelin Local 338 D6, E7, Regional 526 – Le Guide Vert Midi-Pyrénées – Tarn (81).

À 75 km au Nord-Est de Toulouse, dominée par la fantastique silhouette de sa cathédrale-forteresse, «Albi la Rouge», bâtie en brique, s'étend au bord du Tarn qui, nonchalant, vient d'abandonner les derniers contreforts du Massif central.

Palais de la Berbie, pl. Ste-Cécile, 81000 Albi, 05 63 49 48 80, www.mairie-albi.fr

Pour poursuivre la visite, voir aussi: CAHORS, RODEZ, TOULOUSE, MONTAUBAN.

Voûte de la cathédrale Ste-Cécile.

carnet pratique

Restauration

• À bon compte

Le Poisson d'Avril – *17 r. d'Engueysse - 81000 Albi - ☎ 05 63 38 30 13 - 11,50€ déj. - 14/28€.* Dans une vieille maison albigeoise à 200 m de la cathédrale, ce restaurant, original, est conçu comme un intérieur de tonneau, avec ses voûtes de bois. Les prix se font très doux et la cuisine légère.

• Valeur sûre

Le Moulin de La Mothe – *R. de Lamothe - 81000 Albi - ☎ 05 63 60 38 15 - fermé vac. de fév., de Toussaint, dim. soir sf juil.-août et mar. soir du 15 sept. au 30 avr. - 24,39/28,20€.* Sa terrasse donne sur le parc et la rivière. Par temps plus frais, vous apprécierez sa salle à manger lumineuse avec la même vue.

Auberge de la Bouriette – *Campes - 81170 Cordes-sur-Ciel - 25 km au NO d'Albi par D 600 - ☎ 05 63 56 07 32 - fermé en sem. du 1er déc. au 15 mars - 11€ déj. - 15,50/31€.* Cette ferme céréalière est toujours en activité. La salle à manger, aménagée dans l'ancienne grange, ouvre sur la campagne environnante. Cuisine simple de produits régionaux. Possibilité d'hébergement en chambre d'hôte. Terrasse et piscine.

Hébergement

• À bon compte

George V – *29 av. du Mar.-Joffre - 81000 Albi - ☎ 05 63 54 24 16 - hotel.georgev@ilink.fr - 9 ch. : 32/42€ - ☕ 6€.* À deux pas de la gare, cette avenante maison de maître abrite des chambres de bonne ampleur, parfois dotées d'une cheminée. Dès les premiers beaux jours, profitez de l'agréable cour-terrasse pour prendre votre petit déjeuner, à l'ombre et au calme.

• Valeur sûre

Hôtel Mercure – *41 bis r. Porta - 81000 Albi - ☎ 05 63 47 66 66 - h1211-gm@accor-hotels.com - P - 56 ch. : 68/86€ - ☕ 8,50€ - restaurant 16/30€.* Le cadre de cet hôtel moderne est plutôt original. C'est un ancien moulin de briques rouges du 18e s. au bord du Tarn. Ses chambres fonctionnelles jouissent de la vue sur la rivière et la cathédrale. Une vue dont vous profiterez aussi de la salle à manger.

Achats

Marchés – Un grand marché a lieu le samedi sur la place Ste-Cécile : on y trouve des fruits et légumes, des volailles, foies gras (en saison), cèpes, ail rose de Lautrec, charcuterie de Lacaune et vins de Gaillac.

Pâtisserie J.-P. Galy – *7 r. Saunal - 81000 Albi - ☎ 05 63 54 13 37 - mar.-sam. 9h45-19h - fermé 1 sem. fév. et 4 sem. sept.-déb. oct.* Les spécialités de la maison Galy (navettes, gimblettes, croquants aux amandes, jeannots à l'anis et croissants aux pignons) régalent Albigeois et touristes à deux pas de la cathédrale.

visiter

Cathédrale Sainte-Cécile***

Ce vaste vaisseau voûté d'ogives, sans transept, épaulé de contreforts intérieurs, chef-d'œuvre de l'art gothique méridional, possède une magnifique décoration, dont l'un des rares **jubés***** conservés en France. L'art flamboyant déploie ici toute sa technique : motifs enlacés, pinacles et arcs savamment mêlés, voûtes aux clefs richement décorées. Remarquez à l'entrée du jubé, au revers de la croix, sainte Cécile tenant un orgue. L'influence bourguignonne est manifeste dans l'expression réaliste des visages, les drapés un peu lourds des vêtements, l'allure souvent trapue des personnages.

Le Jugement dernier, commandé vers 1480, illustre à gauche le paradis, avec les anges, les apôtres, les saints et les ressuscités. À droite, les maudits sont précipités dans les ténèbres de l'enfer, où sont dépeints de façon truculente les châtiments.

Palais de la Berbie – Musée Toulouse-Lautrec**

Attention, musée en travaux. Juil.-août : 9h-18h ; juin et sept. : 9h-12h, 14h-18h ; avr.-mai : 10h-12h, 14h-18h ; oct.-mars : tlj sf mar. 10h-12h, 14h-17h (mars et oct. : 17h30). Fermé 1er janv., 1er mai, 1er nov.et 25 déc. 4,5€ (-14 ans : gratuit). ☎ 05 63 49 48 70.

Henri de Toulouse-Lautrec est né à Albi en 1864. Après une enfance marquée par deux accidents, qui le rendent difforme, il s'installe à Montmartre en 1882. Valentin le Désossé, la Goulue, Bruant, Jane Avril, Yvette Guilbert – personnages de maisons closes, de cabarets – deviennent ses modèles. Dessinateur incomparable, il observe et reproduit impitoyablement, laissant paraître le trait de fusain sous la peinture.

alentours

Cordes-sur-Ciel***

26 km au Nord d'Albi. Perchée au sommet du puech de Mordagne dans un **site**** superbe, cette cité médiévale que l'on appelle aussi la « ville aux cent ogives » est un lieu hors du temps. Visiter Cordes, c'est flâner au hasard des ruelles empierrées, parmi un exceptionnel ensemble de **maisons gothiques**** (13e-14e s.), en admirant les détails sculptés de leurs façades. C'est aussi découvrir le travail des artistes et artisans qui sont installés ici.

Amiens★★

Cabotans, hortillonnages et spécialités gastronomiques – pâtés de canard en croûte, tuiles au chocolat, macarons – offrent autant de bonnes raisons de se rendre à Amiens, dont la cathédrale, admirable vaisseau gothique, fut heureusement épargnée par la guerre. Parmi les célébrités qui ont vécu ici, il faut citer Jules Verne (1828-1905) qui y rédigea «Le Tour du monde en 80 jours», «Michel Strogoff», «Le Rayon vert»... et fut conseiller municipal de la ville.

La situation

160815 Amiénois – Cartes Michelin Local 301 G8, Regional 511 – Le Guide Vert Picardie Flandres Artois – Somme (80). Ce nœud de communications très important est dominé par deux silhouettes, celle de la cathédrale et celle de la tour de 104 m de haut conçue par l'architecte Auguste Perret au 20e s.

6 bis r. Dusevel, 80000 Amiens, ☎ 03 22 71 60 50, www.amiens.com

Pour poursuivre la visite, voir aussi: BAIE DE SOMME.

carnet pratique

Restauration

• *À bon compte*

La Queue de Vache – *51 quai Bélu - 80000 Amiens - ☎ 03 22 91 38 91 - fermé Noël au J. de l'an, dim. soir et lun. - 10,67/15,24€.* Au rez-de-chaussée, un sympathique bar à vins et quelques tables. À l'étage, la salle de restaurant chaleureusement décorée de publicités et affiches anciennes, et réchauffée l'hiver d'une cheminée. Terrasse au bord de la Somme. Restauration simple.

Le T'chiot Zinc – *18 r. de Noyon - 80000 Amiens - ☎ 03 22 91 43 79 - fermé lun. midi et dim. - 11,40/27,70€.* L'endroit, installé dans une pâtisserie de 1643, a beaucoup de charme. Décor typique de bistrot avec alcôves et photos du vieil Amiens. Au menu : solide cuisine traditionnelle, cochon de lait et le fameux caqhuse (porc mijoté avec oignons, vin blanc et crème fraîche).

Hébergement

• *À bon compte*

Hôtel Alsace-Lorraine – *18 r. de la Morlière - 80000 Amiens - ☎ 03 22 91 35 71 - alsace-lorraine@wanadoo.fr - 14 ch. : 28,50/62€ - ☕ 5,70€.* Vous ne serez pas déçu par le confort de cet aimable petit hôtel caché derrière une lourde porte cochère, à 5mn à pied du centre-ville et de la gare. Les chambres, égayées de tissus colorés, donnent sur la charmante cour intérieure, gage de calme absolu.

• *Valeur sûre*

Chambre d'hôte M. et Mme Saguez – *2 r. Grimaux - 80480 Dury - 6 km au S d'Amiens par N 1 dir. Beauvais - ☎ 03 22 95 29 52 - alainsaguez@libertysurf.fr - 🚭 - 4 ch. : 43/56€.* À 10mn du centre d'Amiens, vous pourrez vivre la campagne à votre rythme dans le bâtiment annexe de cette demeure massive du 19e s. Les chambres, confortables, sont réservées aux non-fumeurs. Le propriétaire, passionné d'automobiles anciennes, se fera un plaisir de vous montrer sa collection.

Spectacles

Théâtre de marionnettes - Chés Cabotans d'Amiens – *31 r. Édouard-David - 80000 Amiens - ☎ 03 22 22 30 90 - spectacles : mi-juil.-mi.-août du mar. au dim. : 18h. Fermé dim. matin, lun. et j. fériés - fermé de sept. à mi-oct. et du 24 déc. à déb. janv. - 5 à 10€.* Chaque marionnette a une histoire et un langage qui lui est propre (le picard ou le français) et surtout un visage remarquablement expressif que l'on peut admirer dans l'exposition du rez-de-chaussée. Un spectacle fascinant pour tous, dans un véritable théâtre miniature au décor très soigné.

Achats

Caveau St-Loupien - La Galerie Gourmande – *19 r. de la République-Galerie des Jacobins - 80000 Amiens - ☎ 03 22 72 40 40 - lun. 14h30-19h30, mar.-sam. 10h30-19h30, j. fériés (matin).* Chez ce spécialiste de la gastronomie picarde, vous trouverez un large choix de moutarde picarde, de confits de vin, de confitures de fruits rouges, de terrines et de plats régionaux ainsi que toutes les bières brassées en Picardie, les sirops et les limonades artisanales (à la rose, à la violette, à la lavande...), les apéritifs picards et, bien sûr, les véritables macarons d'Amiens.

visiter

Cathédrale Notre-Dame★★★

Elle fut rapidement construite, ce qui explique l'homogénéité de son architecture : le gros œuvre, entrepris en 1220, fut achevé en 1269, les chapelles latérales bâties en 1375, mais il fallut attendre le 15e s. pour achever le couronnement des tours. La façade est rythmée par l'étagement que forment les trois portails, les deux galeries dont celle des rois aux effigies colossales, la grande rose flamboyante, la galerie des sonneurs surmontée d'une arcature. Le célèbre **Beau Dieu**, Christ au visage noble et serein, constitue le point central du portail principal.

Admirez l'élévation du chevet aux arcs-boutants ajourés, et l'envolée de la flèche en châtaignier recouverte de feuilles de plomb : elle s'élève à 112,70 m.

À l'intérieur, on est saisi par la luminosité et l'ampleur de la nef: longue de 54 m, c'est la plus haute de France (42,50 m). Ne manquez pas les **gisants en bronze★** (13e s.) des évêques fondateurs de la cathédrale, un étonnant labyrinthe, et les **110 stalles★★★** en chêne sculptées (début du 16e s.), chef-d'œuvre de l'art gothique flamboyant, où plus de 4000 figures évoquent des sujets bibliques et de fantaisie.

Quartier St-Leu★

C'était, au Moyen Âge, le quartier où l'on fabriquait et teignait les tissus, notamment le velours qui fit la réputation d'Amiens. Ses rues sont bordées de maisons colorées à colombages. Du pont de la Dodane, belle vue sur la cathédrale.

S. Sauvignier/MICHELIN

Maisons colorées du quartier St-Leu, à Amiens.

Hortillonnages★

Avr.-oct.: visite guidée (1h) en barque à 14h. Maison des hortillonnages, 54 bd Beauvillé. 4,8€. ☎ 03 22 92 12 18.

Les hortillons (du latin *hortus*, «jardin») s'étendent dans un lacis de canaux. Aujourd'hui, arbres fruitiers et fleurs tendent à remplacer les légumes. Les cabanes des maraîchers deviennent des maisons de week-end. On peut y observer de nombreux oiseaux.

alentours

Parc Samara★

13 km au Nord-Ouest d'Amiens par la N1. Juil.-août : 10h-19h30 ; de mi-mai à fin juin: 9h30-17h30, w.-end et j. fériés 9h30-19h30 ; de mi-mars à mi-mai et de déb. sept. à mi-nov.: 9h30-17h30, w.-end, j. fériés et vac. scol. 9h30-18h30. 9€ (enf.: 7€). ☎ 03 22 51 82 83.

Ce parc consacré à la préhistoire est aménagé au pied d'un oppidum celtique. Vous pourrez visiter une maison néolithique, une demeure de l'âge du bronze et une autre de l'âge du fer, assister à des démonstrations de taille du silex, de tissage, ou encore découvrir l'arboretum en forme de poisson, le jardin botanique, comme un labyrinthe, depuis le ballon captif.

Angers★★★

Les murailles colossales de sa forteresse se mirant dans la Maine rappellent qu'Angers fut la capitale d'un royaume qui comprenait l'Angleterre et la Sicile. Patrie des formidables Foulques, puis des Plantagenêts, la cité garde la tenture de l'Apocalypse, chef-d'œuvre universel. Cette terre d'Histoire, si magnifiquement chantée par Joachim Du Bellay, conserve aujourd'hui encore tout le charme de sa «douceur angevine», avec ses vins frais, ses fleurs, ses primeurs et ses paysages ensoleillés.

La situation

141404 Angevins - Cartes Michelin Local 317 E-F-G4, Regional 518 - Le Guide Vert Châteaux de la Loire - Maine-et-Loire (49). À quasiment mi-chemin entre Tours et Nantes, Angers ne borde pas la Loire, contrairement à Tours, Blois ou Orléans, mais s'étend sur les deux rives de la Maine, à quelques kilomètres de son confluent avec la Loire.

i 7 pl. Kennedy, 49100 Angers, ☎ 02 41 23 50 00. www.angers-tourisme.com

Pour poursuivre la visite, voir aussi: SAUMUR, LE PUY DU FOU, NANTES.

comprendre

La première dynastie angevine apparaît en 898 avec Foulques le Roux, vicomte puis comte d'Angers - titre qu'il transmet à ses descendants. **Foulques III Nerra** (987-1040) est le plus redoutable de cette lignée de puissants féodaux. Turbulent, féroce, il ne cesse de guerroyer pour agrandir son domaine: tour à tour, il obtient la Saintonge, annexe les Mauges, pousse jusqu'à Blois et Châteaudun, s'empare de Langeais, de Tours, intervient en Vendômois, prend Saumur et de nombreuses autres places fortes. Ambitieux, cruel, violent, rapace et cupide, Nerra (le Noir, car il avait le teint très brun) est le type même du grand féodal de l'an 1000. Il est également un grand bâtisseur de forteresses à travers tout le Val de Loire.

Ses descendants poursuivent son œuvre. Fils de Geoffroi V et de Mathilde d'Angleterre, **Henri II Plantagenêt** épouse en 1152 Aliénor d'Aquitaine, récemment divorcée de Louis VII. À ses domaines, qui comprennent l'Anjou, le Maine, la Touraine et la Normandie, il ajoute le Poitou, le Périgord, le Limousin, l'Angoumois, la Saintonge, la Gascogne, la suzeraineté sur l'Auvergne et le comté de Toulouse. En 1154, il monte sur le trône d'Angleterre, mais Henri II réside le plus souvent en France, notamment à Angers.

En 1231, profitant d'une trêve, Blanche de Castille et son fils Louis IX entreprennent la construction de l'impressionnante forteresse d'Angers. L'Anjou revient alors dans la mouvance capétienne.

Dernier des ducs d'Anjou, le roi René *(voir Aix-en-Provence)*, amateur de parfums et de jardins fleuris, introduit dans la région l'œillet et la rose de Provins. Vers la fin de sa vie, il voit Louis XI mettre la main sur l'Anjou. Comme il est aussi comte de Provence, il délaisse Angers qu'il a embellie pour Aix où il termine ses jours.

carnet pratique

Restauration

• *Valeur sûre*

Provence Caffé – *9 pl. du Ralliement - 49100 Angers - ☎ 02 41 87 44 15 - fermé 30 juil. au 19 août, 24 déc. au 6 janv., dim. et lun. - réserv. obligatoire - 16/25€.* Jouxtant l'hôtel St-Julien, ce restaurant a la cote et affiche complet midi et soir. Le patron vient du Midi et a parfumé sa carte de saveurs méditerranéennes. La salle à manger a elle aussi un air provençal. On entendrait presque les cigales...

Le Relais – *9 r. Gare - 49100 Angers - ☎ 02 41 88 42 51 - fermé 11 août au 3 sept., 22 déc. au 7 janv., dim. et lun. - 17,50/26,68€.* Boiseries et fresques murales sur le thème du vin habillent les murs de ce pittoresque établissement aux allures de taverne. On y sert une cuisine traditionnelle simple à des prix abordables.

Hébergement

• *À bon compte*

Le Progrès – *26 r. D.-Papin - 49100 Angers - ☎ 02 41 88 10 14 - hotelleprogres@aol.com - 41 ch. : 36/54€ - ☕ 7€.* À deux pas de la gare, adresse accueillante mettant à votre disposition ses chambres actuelles, claires et pratiques. Avant de visiter le château, prenez votre petit déjeuner dans une salle au décor d'inspiration provençale.

Hôtel Mail – *8 r. des Ursules - 49100 Angers - ☎ 02 41 25 05 25 - hoteldumailangers@yahoo.fr - P - 26 ch. : 39/59€ - ☕ 6€.* La rue est tranquille et les murs de cet ancien couvent d'ursulines vous préserveront du bruit du centre-ville pourtant tout proche. Les chambres personnalisées sont assez spacieuses et mansardées au dernier étage.

Chambre d'hôte Le Grand Talon – *3 rte des Chapelles - 49100 Angers - 11 km à l'E d'Angers par N 147 dir. Saumur puis D 4 - ☎ 02 41 80 42 85 - ⊠ - 3 ch. : 40/59€.* Près d'Angers, cette élégante demeure du 18e s. couverte de vigne vierge est un havre de paix. Vous pourrez pique-niquer dans le parc, ou profiter d'un instant de détente dans la belle cour carrée. Les chambres sont joliment décorées et l'accueil très agréable.

Achats

Les commerces se localisent surtout dans le secteur du Château. Les principales boutiques de vente de porcelaine bordent le bd Louis-Blanc ou s'éparpillent à l'Ouest du centre-ville. À noter, pour les amateurs d'affaires, les boutiques de porcelaines déclassées de Morel Michel (bd Louis-Blanc) et du Cygne Bleu (pl. des Jacobins). Art et feu (r. de la Boucherie) présente d'originales créations en émail.

Maison du vin de l'Anjou – *5 bis pl. Kennedy - 49100 Angers - ☎ 02 41 88 81 13 - tlj 9h-13h, 15h-18h30, sf lun. avr. à sept. et dim.-lun. en mars, oct., déc. et j. fériés.* Située au centre d'Angers, près du château, cette maison au cadre lumineux vous présente une large palette de vins d'Anjou et de Saumur, à déguster sur place. Pour commencer idéalement la route touristique du vignoble de l'Anjou.

se promener

Une promenade à travers les rues du vieil Angers, c'est un peu visiter les galeries d'un musée en plein air. Certes, la vie ne manque pas, ni l'animation, mais vous aurez tant de choses à voir, sans compter le château, alors pourquoi ne pas couper la journée par un pique-nique au jardin des Plantes ?

Cathédrale St-Maurice★★★

Ce très bel édifice des 12e et 13e s. à nef unique est couvert d'une des premières voûtes gothiques nées en Anjou (milieu du 12e s.). Les chapiteaux et les consoles sont remarquablement sculptés. Remarquez dans le transept les voûtes bombées aux nervures légères et gracieuses. D'un type particulier, la **voûte angevine** se distingue par la clef des ogives qui est située à plus de 3 m au-dessus des clefs des formerets et des doubleaux, alors que dans les autres voûtes gothiques toutes ces clefs sont sensiblement à la même hauteur. Elles couvrent la plus large nef qui ait été élevée à l'époque : 16,38 m, alors que la largeur normale était de 9 à 12 m. Les **vitraux**★★ du 13e s., aux belles tonalités bleues et rouges, illuminent le chœur.

LES TAPISSERIES

Château***

Mai-août : visite guidée (1h, dernière entrée 3/4h av. fermeture) 9h30-18h30 ; sept.-avr. : 10h-17h30. Fermé 1er janv., 1er mai, 1er et 11 nov., 25 déc. 5,5€ (-17 ans : gratuit), gratuit 1er dim. du mois (oct.-mars). ☎ 02 41 87 43 47.

La forteresse construite par Saint Louis de 1228 à 1238 constitue un magnifique spécimen d'architecture médiévale. Pendant les guerres de Religion, le roi Henri III ordonne la démolition du monument, mais le gouverneur se contente de découronner les tours. Les 17 tours, qui atteignent 40 à 50 m, étaient autrefois plus hautes d'un ou deux étages et coiffées de toits en poivrière. Rendez-vous sur la plus haute d'entre elles, la tour du Moulin, pour bénéficier d'une **vue*** étendue.

Tenture de l'Apocalypse*** – Cette superbe tenture est la plus ancienne qui nous soit parvenue. Vraisemblablement exécutée à Paris entre 1373 et 1383, elle mesurait à l'origine 133 m de long. Cette œuvre raffinée manifeste un vrai sens de la composition et de la narration. En effet, dans chacune des tentures, un personnage est assis sous un dais, le regard tourné vers deux rangées de 7 tableaux dont le fond, alternativement rouge et bleu, forme un damier.

▶▶ Tenture de la Passion et tapisseries mille-fleurs** dans le logis royal

Ph. Gajic/MICHELIN

Les puissantes murailles de schiste, construites par Saint Louis, protègent la résidence des ducs d'Anjou.

Galerie David d'Angers*

33 bis r. Toussaint. De mi-juin à mi-sept. : 9h30-18h30 ; de mi-sept. à mi-juin : tlj sf lun. 10h-12h, 14h-18h. Fermé 1er janv., 1er et 8 mai, 14 juil., 1er et 11 nov., 25 déc. 2€. ☎ 02 41 87 21 03.

L'ancienne église abbatiale Toussaint, dont les voûtes angevines effondrées ont été remplacées par une verrière, abrite les œuvres d'atelier que le sculpteur David d'Angers (1788-1856) légua de son vivant à sa ville natale. La collection présente des statues monumentales (le roi René, Gutenberg, Jean Bart) et un ensemble de bustes de ses contemporains, hommes de lettres et du monde politique, musiciens et scientifiques.

Musée Jean-Lurçat et de la Tapisserie contemporaine**

4 bd Arago. De mi-juin à mi-sept. : 9h30-18h30 ; de mi-sept. à mi-juin : tlj sf lun. 10h-12h, 14h-18h. Fermé 1er janv., 1er et 8 mai, 14 juil., 1er et 11 nov., 25 déc. 3,5€. ☎ 02 41 24 18 45 ou 02 41 24 18 48.

Jean Lurçat (1892-1966), rénovateur de l'art de la tapisserie, découvre avec admiration, en 1938, la tenture de l'Apocalypse ; dix-neuf ans plus tard, il entreprend sa plus belle pièce, exposée ici. Ces dix compositions symboliques sont l'aboutissement de ses recherches : conception monumentale, absence quasi totale de perspective, travail à gros points, réduction du nombre des teintes. L'ensemble illustre les joies et les angoisses de l'homme face à l'univers, et enchevêtre formes, rythmes et couleurs avec un rare dynamisme.

Château de Brissac★★

15 km à peine séparent Brissac d'Angers. Après avoir traversé la Loire, suivre la D748 vers Doué-la-Fontaine. De déb. juil. à mi-sept. : tlj sf mar. 10h-17h45 ; avr.-juin et de mi-sept. à fin oct. : visite guidée (1h) 10h-17h15. 7,5€. ☎ 02 41 91 22 21. www.chateau-brissac.fr
Dominant la vallée de l'Aubance, active région viticole, le château trône au milieu de son parc planté de superbes **cèdres★**. 200 fenêtres vous regardent... et en font l'un des plus imposants châteaux de la Loire, qui surprend aussi par l'enchevêtrement des deux constructions, aux styles très tranchés mi-médiéval, mi-Louis XIII. À l'intérieur, les plafonds à la française ont conservé leurs peintures du 17e s. ; les tapisseries et le mobilier sont superbes. Un très bel escalier Louis XIII mène au 1er étage. Au 2e étage, on voit le ravissant théâtre aux somptueuses dorures et draperies rouges construit en 1883 dans le style des théâtres du 17e s.

Château de Serrant★★★

En retrait de la N23 à 20 km à l'Ouest d'Angers juste avant Saint-Georges-sur-Loire. Juil.-août : visite guidée (1h) 10h-17h15 ; avr.-juin et de déb. sept. à mi-nov. : tlj sf lun. et mar. 10h-12h, 14h-17h15. 9€. ☎ 02 41 39 13 01.
Commencé en 1546 par Charles de Brie, ce château Renaissance, entouré de larges douves en eau, vous séduira progressivement pour vous laisser une forte impression de totale harmonie, remarquable accord entre la perfection du détail et la beauté d'ensemble. La cour d'honneur, ses balustrades et ses pavillons de schiste, le corps central et ses deux ailes, pierre blanche rythmée de pilastres, les deux tours rondes coiffées de clochetons, s'agencent dans une parfaite symétrie.
À l'intérieur, l'exceptionnelle richesse et l'état de conservation du mobilier, conservé à Serrant depuis presque quatre siècles, vous permettront de saisir pleinement ce que la « vie de château » signifie. La **bibliothèque★★★** recèle quelque 12000 volumes (incunables, gravures de Piranèse, 1res éditions des *Fables* de La Fontaine et de l'*Encyclopédie* de Diderot...). Le sens du raffinement est perceptible jusque dans les cuisines où un remarquable ensemble de pièces témoigne de l'art de la table dans les grandes maisons ducales.

Angoulême★★

On parcourt Angoulême à pied pour le plaisir de découvrir un lacis de rues étroites, de beaux édifices anciens et de vastes horizons du haut de ses remparts. Ou encore pour se plonger dans l'atmosphère fébrile du Festival de la bande dessinée, fin janvier. La ville porte d'ailleurs l'empreinte du festival, depuis les peintures reproduites sur ses murs, jusqu'aux plaques de ses rues en forme de bulles de BD.

La situation

43171 Angoumois ou Angoumoisins – Cartes Michelin Local 324 K-L-M 5-6, Regional 521 – Le Guide Vert Poitou Vendée Charentes – Charente (16). Angoulême se partage entre une ville haute et une ville basse. Les voies de communication prolongeant les nationales et départementales cernent la ville haute et conduisent à des parkings.
Pl. des Halles, 16007 Angoulême, ☎ 05 45 95 16 84, www.ot-angouleme.fr
Pour poursuivre la visite, voir aussi : COGNAC, SAINTES, PÉRIGUEUX.

La BD

Fin 1972, tout commence avec la reprise à Angoulême de l'exposition « Dix millions d'images ». En 1974, un Salon de la bande dessinée démarre ; Hugo Pratt signe l'affiche. Hergé, Reiser, Moebius, Tardi, Bilal... se mobilisent pour soutenir la manifestation. Claire Bretécher et Paul Gillon sont couronnés lors du 10e anniversaire, et le salon s'offre une exposition sur la BD française à New York.
En 1989 vient la création d'un Centre national de la bande dessinée et de l'image (CNBDI). Il comprend un musée et une médiathèque, et a la charge d'innover dans le domaine de l'image numérique. En 1996, le salon devient Festival international de la BD pour appuyer sa dimension festive. Il attire 200000 passionnés chaque année, séduisant de plus en plus le grand public. Il s'est branché au multimédia en créant l'Espace cyberbédé pour les jeunes (au CNBDI).
Aujourd'hui, la BD sort de ses bulles, s'anime sur les écrans, et Angoulême se dote d'un pôle image. Ce projet englobe des centres de formation, avec notamment une école des métiers du cinéma d'animation (dessins animés, images 3 D...) et un pôle d'entreprises expertes dans le secteur de l'image animée. Son aménagement est prévu sur les bords de la Charente, à proximité du CNBDI, dans le cadre d'une vaste réhabilitation. Une fusée de Tintin (à damier rouge et blanc) de 53 m, une Mégathèque (banque d'images) et un Centre virtuel des nouvelles images devraient voir le jour avant 2005.

carnet pratique

Restauration

• *À bon compte*

Preuve par Trois – *5 r. Ludovic-Trarieux - 16000 Angoulême - ☎ 05 45 90 07 97 - fermé dim. - 15,24€.* Une boutique pour les chineurs et les gourmands, au cœur de la vieille ville. Cuisine simple, légère et conviviale à déjeuner, scones, pâtisseries maison et thé à l'heure du goûter : voilà de quoi vous restaurer avant de faire un tour dans sa petite brocante.

• *Valeur sûre*

La Chouc' – *16 pl. du Palet - 16000 Angoulême - ☎ 05 45 95 18 13 - fermé août, Noël, J. de l'an, j. fériés, sam. midi, dim. et lun. - 23/31€.* Comme son nom le laisse imaginer, ce discret restaurant vous propose de la choucroute (novembre à janvier), mais aussi une cuisine de marché simple et bien tournée. Service rapide mais pas précipité. Une adresse à ne pas manquer...

Hébergement

• *Valeur sûre*

Hostellerie du Maine Brun – *16290 Asnières-sur-Nouère - 10 km au NO d'Angoulême par N 141 et D 120 - ☎ 05 45 90 83 00 - hostellerie-du-maine-brun@wanadoo.fr - fermé 1er nov. au 28 fév., mar. midi et dim. soir sf du 15 avr. au 15 oct. et lun. - P - 18 ch. : 74/116€ - ☕ 10€ - restaurant 27/34€.* Si vous rêvez de dormir dans du Louis XIII, Louis XV ou Empire, les chambres de ce moulin de caractère, situé aux bords d'une charmante rivière charentaise, vous iront à merveille. Une jolie terrasse et une piscine donnent sur la campagne tranquille. Dans la propriété la distillerie et les chais de Cognac se visitent.

Calendrier

Festival international de la bande dessinée – De plus en plus reconnu, il attire aujourd'hui près de 200 000 visiteurs. C'est devenu l'événement incontournable de la fin janvier à Angoulême. *☎ 05 45 97 86 50.*

visiter

LA VILLE HAUTE★★

Elle se découvre en faisant le tour complet des remparts qui la cernent. Le Nord de la vieille ville est sillonné de rues étroites tandis que le Sud est coupé de voies spacieuses bordées de façades aristocratiques.

Cathédrale St-Pierre★

Elle date du 12e s. Admirez la **facade★★** de style poitevin, où plus de 70 personnages, statues et bas-reliefs, illustrent le thème du Jugement dernier. Un Christ en majesté, entouré des symboles des évangélistes, d'anges et de saints dans des médaillons, préside l'ensemble. Remarquez aussi les archivoltes et les frises des portails latéraux sculptés de feuillages, d'animaux et de figures d'une grande finesse. Au linteau du premier portail latéral aveugle, à droite, observez les curieuses scènes de combat, tirées d'épisodes de la *Chanson de Roland*.
L'intérieur en impose par son ampleur. Son envolée de coupoles sur pendentifs est d'une grande hardiesse. Admirez les remarquables chapiteaux.

Centre national de la bande dessinée et de l'image (CNBDI)★

♿ 10h-19h, w.-end 14h-19h (hors sais. : tlj sf lun. 10h-18h, w.-end 14h-18h). Fermé j. fériés. 5€ (enf. : 2€). ☎ 05 45 38 65 65.
Un hommage y est rendu aux grands auteurs de la BD: Töpffer, Christophe (*La Famille Fenouillard*, 1889), Pinchon (*Bécassine*, 1905), Forton (*Les Pieds Nickelés*, 1908), Alain St-Ogan (*Zig et Puce*, 1925), les Belges Hergé (*Tintin*, 1929) et Franquin (*Gaston Lagaffe*, 1957), les Américains Raymond (*Flash Gordon*, 1934) et Schulz (*Peanuts*, 1950), et les Français Goscinny et Uderzo (*Astérix*, 1959), Gotlib, Bretécher, Reiser, Bourgeon, Wolinski, Loustal, Bilal, Baudoin, Tardi...

Musée municipal des Beaux-Arts★

Fermé pour travaux. ☎ 05 45 95 07 69.
Vaut vraiment le détour pour la qualité de ses collections d'art africain et océanien.

Peinture murale Mémoire du 20e s., *d'après un dessin original de Yslaire.*

I. Labbé/MICHELIN

alentours

Château de La Rochefoucauld★★

À 22 km au Nord-Est d'Angoulême, en suivant la N 141. De déb. avr. à fin nov. : 10h-19h, dim. et j. fériés 14h-19h. 6,10€. ☎ 05 45 62 07 42.

Reconstruit en grande partie au 16e s., il appartient toujours à l'illustre famille des La Rochefoucauld. Remarquez dans la **cour d'honneur★★** les galeries à arcades, souvenir de la Renaissance italienne. Admirez aussi l'**escalier à vis★** et son élégante voûte en palmier ainsi que le boudoir de Marguerite d'Angoulême, décoré au 17e s. de panneaux peints.

Annecy★★★

Surnommée la « Venise savoyarde », Annecy est une ville au charme irrésistible. Flâner au bord de son lac, le long du Thiou ou du canal du Vassé, marcher dans ses rues piétonnes dont les chaudes couleurs évoquent le Piémont vous laissera un souvenir aussi inaltérable que le pont des Soupirs, comme une étrange sensation d'éternité...

La situation

52 000 Annéciens – Cartes Michelin Local J-K 5-6, Regional 523 – Le Guide Vert Alpes du Nord – Haute-Savoie (74). L'animation touristique se partage entre les rives du lac et le vieil Annecy, dont on aura une belle vue d'ensemble en montant au château. Annecy est une base incomparable pour découvrir le massif des Aravis, pays du reblochon, et l'Albanais dont on peut parcourir les gorges du Chéran en canoë.

ℹ Centre Bonlieu, 1 r. Jean-Jaurès, 74000 Annecy, ☎ 04 50 45 00 33. www.lac-annecy.com

Pour poursuivre la visite, voir aussi : CHAMBÉRY.

comprendre

Née au 12e s. autour de son château fort, Annecy est appelé à l'époque Annecy-le-Neuf pour la distinguer de la commune voisine Annecy-le-Vieux, d'origine gallo-romaine. Elle ne prend vraiment de l'importance qu'à partir du 16e s.

Francois de Sales (1567-1622), docteur de l'Église, est sans doute la grande figure d'Annecy. Il a fortement marqué son époque tant par son apostolat que par son *Introduction à la vie dévote*, manuel de spiritualité à l'usage des laïcs. Après des études universitaires à Paris et Padoue, le jeune avocat reçoit la prêtrise à Annecy à 26 ans, et s'engage dans la lutte contre le calvinisme. Pendant six ans, il dirige des missions. Son renom s'étend en France : il prêche même à la cour d'Henri IV. En 1602, il devient évêque de Genève, mais réside à Annecy, le siège épiscopal y ayant été transféré depuis que Genève est devenue la citadelle du calvinisme. François de Sales est canonisé dès 1665. Ses reliques sont aujourd'hui exposées dans la basilique de la Visitation.

se promener

LES BORDS DU LAC★★

Laisser la voiture au parking du centre Bonlieu ou à celui de la place de l'Hôtel-de-Ville. Par les allées du Pâquier, gagner le bord du lac. De là s'offre une **vue★★** étendue sur le mont Veyrier, les dents de Lanfon, la Tournette, le crêt du Maure.

Parc de l'Impérial

À l'extrémité Est de l'avenue d'Albigny, le parc héberge, sous l'œil vigilant d'arbres séculaires et des habitants de sa volière, la principale plage. Un majestueux hôtel Belle Époque, abritant un centre de congrès et un casino, lui a donné son nom.

Revenir vers la ville, en marchant le long du lac.

Pont des Amours

Faites une halte sur ce pont qui enjambe le canal du Vassé, et laissez-vous emporter par les charmes du lieu : ici, le joli bras d'eau ombragé où se pressent des barques au bois doré ; là, le ravissant bouquet d'arbres de l'île des Cygnes.

Les jardins de l'Europe★

Aménagés en arboretum lors du rattachement de la Savoie à la France en 1860, ils présentent une belle variété d'essences d'Europe, d'Amérique et d'Asie. On y admire plusieurs séquoias géants centenaires et un ginkgo biloba, « l'arbre aux quarante écus ».

carnet pratique

RESTAURATION

• Valeur sûre

Le Fréti – *12 r. Ste-Claire - 74000 Annecy - ☎ 04 50 51 29 52 - fermé lun. sf vac. scol. - 16,77/22,87€.* Au cœur de la vieille ville, au-dessus des arcades et de la fromagerie familiale d'où proviennent les spécialités, les parfums des raclettes, fondues, tartiflettes... s'exhalent et attirent le gourmand. La salle est simple. Terrasse en été.

Le Chalet Savoyard - Le Matafan – *Quai de l'Évéché - 74000 Annecy - ☎ 04 50 45 53 87 - fermé lun. d'oct. à fin mars et dim. d'avr. à fin sept. - 18,29/30,49€.* Imaginez-vous : en été, sur la terrasse du restaurant au bord du canal pour profiter de la douceur de l'air et du ballet harmonieux des cygnes... En hiver, vous apprécierez la chaleur d'un intérieur où se mêlent objets anciens, bibelots et trophées de chasse.

Auberge de Savoie – *1 pl. St-François-de-Sales - 74000 Annecy - ☎ 04 50 45 03 05 - fermé 8 au 17 avr., 18 oct. au 6 nov., 1er au 10 janv., mar. et mer. sf juil.-août - 23/45€.* Ses fenêtres ouvrent sur une ravissante place pavée, juste en face du palais de l'Isle. Son décor contemporain raffiné s'accorde parfaitement avec une carte qui met à l'honneur poissons et fruits de mer.

HÉBERGEMENT

• À bon compte

Auberge de la Ferme de la Caille – *18 chemin de la Caille - 74000 Annecy - ☎ 04 50 68 85 21 - fermé dim. soir hors sais. - réserv. obligatoire le soir - 7 ch. : 33,54/39,64€ - ☕ 4,57€ - restaurant 10,21/24,08€.* Côté hébergement, chambres spacieuses au décor personnalisé ou chalets flambant neuf entourés de massifs de fleurs. Côté restauration, cuisine régionale servie dans une grande salle à manger lambrissée ou sur la terrasse en été.

• Valeur sûre

Les Terrasses – *15 r. L.-Chaumontel - 74000 Annecy - ☎ 04 50 57 08 98 - lesterrasses@wanadoo.fr - P - 20 ch. : 46/59€ - ☕ 6,50€ - restaurant 13€.* Dans un quartier calme assez proche de la gare, hôtel neuf disposant des chambres au mobilier de bois clair. Au restaurant, un menu unique renouvelé chaque jour. Aux beaux jours, repas sur la terrasse ensoleillée et repos au jardin. Prix attractifs hors saison.

Chambre d'hôte Le Jardin du Château – *1 pl. du Château - 74000 Annecy - ☎ 04 50 45 72 28 - jardinduchateau@wanadoo.fr - fermé 15 oct. à mai - ⊠ - 6 ch. : 53,36/83,85€.* Cette très aimable adresse occupe une situation de choix au cœur de la vieille ville. Les chambres, lambrissées, possèdent pour la plupart un balcon et un coin cuisine. Terrasse verdoyante avec vue sur Annecy, coquet jardinet et petit snack.

ACHATS

Marché – *R. Ste-Claire - 74000 Annecy - dim. matin.* Considéré comme l'un des plus beaux de France, ce marché qui se tient dans le cœur historique d'Annecy connaît des records d'affluence pendant la saison estivale. Marché aux fromages tous les mardis.

LOISIRS-DÉTENTE

Tours du lac en bateau – *Compagnie des Bateaux du lac d'Annecy - 74000 Annecy - ☎ 04 50 51 08 40 - www.annecy-croisieres.com - d'avr. à fin oct. - 9,60€.* Plusieurs types de croisières commentées (1h). Excursions à bord de vedettes, avec des escales dans les ports de Veyrier, Menthon, Duingt, St-Jorioz et Sévrier.

LE VIEIL ANNECY**

Se balader dans ses vieux quartiers en grande partie piétonniers, c'est un moment de poésie. Comment rester insensible à ces maisons à arcades, à ces fontaines dispensant une eau fraîche? Un quai, une église du 15e s., un pont, une île, un palais... Un programme enchanteur qui ne devrait pas manquer de vous séduire.

Palais de l'Île**

C'est le monument emblématique de la ville. Construit au 12e s. sur une île naturelle, lorsque la capitale de la Haute-Savoie n'était qu'une bourgade de pêcheurs, ce bâtiment servit de résidence au comte de Genève.

Rue Ste-Claire*

C'est la principale artère du vieil Annecy, bordée de maisons à arcades. Son tracé sinueux épouse la base du rocher où se dresse le château. Les mardi, vendredi et dimanche matin, un marché colore de ses étals la rue et celle de la République.

Musée-château d'Annecy*

Accès soit en voiture par le chemin Tour-la-Reine, soit à pied par la rampe du château ou les abruptes «côtes» qui s'amorcent rue Ste-Claire. Juin-sept. : 10h-18h30 ; oct.-mai : tlj sf mar. 10h-12h, 14h-17h. Fermé 1er janv., dim. et lun. de Pâques, 1er mai, 1er et 11 nov. 24, 25 et 31 déc. 4,60€. ☎ 04 50 33 87 31.

L'ancienne résidence des comtes de Genève comprend des bâtiments construits entre le 12e s. et la fin du 16e s. Ravagés plusieurs fois par le feu, puis laissés à l'abandon au 17e s., ils servirent ensuite de caserne jusqu'en 1947. De la terrasse, on a une vue générale sur la masse des toits enchevêtrés du vieil Annecy d'où émergent quatre clochers (cathédrale, N.-D.-de-Liesse, St-Maurice, St-François); plus loin on aperçoit la ville nouvelle.

circuit

TOUR DU LAC D'ANNECY

D'une longueur de 17 km, ceinturé par une route qui serre au plus près le rivage et offre de superbes occasions de s'arrêter, le lac d'Annecy est une importante source d'inspiration pour les peintres et les écrivains depuis le 19e s. Et vous constaterez que l'atmopshère n'est pas la même selon que vous vous trouvez sur les rives du Grand Lac, au Nord, dont les villages sont entourés de vignes, et celles du Petit Lac, au Sud, où les versants abrupts des montagnes plongent directement dans ses eaux. Celles-ci peu polluées n'accueillent d'ailleurs pas que les baigneurs : on pêche de beaux spécimens de truites et de perches, qui font la gloire des menus régionaux.

Suivre la rive Est.

À Veyrier, en prenant la route du **mont Veyrier★★**, puis un sentier – *5h à pied AR* – qui mène à la table d'orientation du mont Baron, vous pourrez admirer Annecy et le Grand Lac. Par temps clair, les glaciers de la Vanoise brillent au Sud-Est.

Menthon-St-Bernard★

À 9 km d'Annecy, ce village se distingue avec son château digne de la Belle au bois dormant, perché au-dessus d'un village charmant.

Talloires★

Il n'en est séparé que par un promontoire boisé. Ce lieu de villégiature également très prisé (plage et base nautique) bénéficie d'un **site★★** remarquable.
N'hésitez pas à prendre la route qui grimpe au **col de la Forclaz★★** (alt. 1150 m) où une buvette permet de faire une halte tout en appréciant le paysage.

Poursuivre la route D42 en direction de Faverges, où l'on revient vers Annecy par la rive Ouest du lac.

Duingt★

C'est une agréable station, dont les maisons à escaliers extérieurs, décorées de treilles, ont gardé intact leur rusticité. Elle est dominée par l'éperon du Taillefer qui plonge dans le lac en face de Talloires.

Sévrier

Une visite s'impose, celle de l'intéressant **musée de la Cloche★** créé par la fonderie **Paccard**. *Juin-août : tlj sf lun. et dim. matin 10h-12h, 14h30-18h30 (dernière entrée 1h av. fermeture) ; sept.-mai : 10h-12h, 14h30-17h30. Fermé de déb. déc. à mi-déc., 1re sem. janv. et 25 déc. 4,27€. 04 50 52 47 11.*

La D912 permet d'accéder au **crêt de Châtillon★★★** (alt. 1699 m) où le panorama offre une sélection des sommets les plus fameux des Alpes occidentales : massifs du Haut-Faucigny, du Mont-Blanc, de la Vanoise, des Écrins, des aiguilles d'Arves, du mont Viso.

Retour à Annecy par la D 41 qui traverse la montagne du Semnoz.

Agréable lieu de villégiature, Talloires offre de belles vues sur le lac d'Annecy.

Fr. Isler/MICHELIN

Arcachon☼☼

Des senteurs balsamiques de l'Océan et des pins de la forêt landaise. Un air de vacances les pieds dans l'eau, l'épuisette à la main. Une pincée de snobisme. Des villas folles, plantées au cœur des bois. Un parfum d'autrefois... Point n'est besoin de faire la réputation d'Arcachon, belle aux quatre saisons, née de l'imagination hallucinée de pionniers audacieux. Elle a ses fidèles, ses inconditionnels. Elle sait les retenir et les faire revenir.

La situation

11 454 Arcachonnais – Cartes Michelin Local 335 D 6-7, Regional 525 – Le Guide Vert Aquitaine – Gironde (33). À 60 km au Sud-Ouest de Bordeaux (par la N 250 ou l'A 63), les quatre «villes» d'Arcachon correspondent à quatre quartiers bien distincts. C'est au cœur du Moulleau que se concentre l'essentiel de l'animation nocturne. L'été, de nombreux bars, des restaurants et des boutiques attirent un monde fou.

Esplanade Georges-Pompidou, 33310 Arcachon, ☎ 05 57 52 97 97, www.arcachon.com

Pour poursuivre la visite, voir aussi : BORDEAUX, FORÊT DES LANDES.

carnet pratique

Restauration

• *À bon compte*

Restaurant Le Grand Bleu – *30 bd de la Plage - 33120 Arcachon - ☎ 05 56 54 92 92 - fermé dim. soir et lun. - 13,57/19,82€.* Envie de poisson, fruits de mer, bouillabaisse, paella ou autres copieux plats inspirés par l'ambiance océane ? Cette adresse située entre plage et port est pour vous. Le cadre en bleu et blanc et l'accueil souriant vous laisseront un agréable souvenir.

• *Valeur sûre*

Le Patio – *10 bd de la Plage - 33120 Arcachon - ☎ 05 56 83 02 72 - fermé 15 au 28 fév., 15 au 30 nov., mar. sf le soir en été et lun. midi - 26,68/56,71€.* Proche du port de plaisance, un restaurant traditionnel où vous pourrez dîner à la belle étoile dans son patio aménagé en terrasse. Vous y goûterez la fraîcheur nocturne ou vous vous installerez dans la salle à manger aux couleurs chatoyantes. Cuisine classique.

Hébergement

• *À bon compte*

Chambre d'hôte Les Tilleuls – *17 bis r. des Écoles - 33380 Mios - 20 km au SE d'Arcachon par A 660 sortie 2 et D 3 - ☎ 05 56 26 67 85 - gitemios@club-internet.fr - fermé nov. à avr. - 4 ch. : 35,06/59,46€ - repas 15,24€.* Voilà un joli mariage de brique rouge et de bois dans ces granges et écuries entièrement rénovées, à l'écart de la foule du bassin d'Arcachon. Chambres meublées à l'ancienne avec beaucoup de goût. Et le patron vous mitonnera sa cuisine régionale.

Hôtel Orange Marine – *35 bd Chanzy - 33120 Arcachon - ☎ 05 57 52 00 80 - 21 ch. : 38,11/64,03€ - 5,79€.* Voici une petite adresse qui ne vous ruinera pas. Située à deux pas du port de pêche, elle abrite des chambres sobres et impeccablement tenues, à choisir de préférence côté mer. Les autres donnent sur un joli patio verdoyant où l'on dresse le couvert en été.

Achats

Les Viviers d'Aquitaine – *62 digue Est des Ostréiculteurs - 33260 La Teste-de-Buch - 3 km au S d'Arcachon par A 660 - ☎ 05 57 52 56 60 - tlj 8h-12h, 15h-19h.* Ces viviers vous convient à une véritable promenade gastronomique : en effet, ils longent la digue des Ostréiculteurs et offrent une vue superbe sur le port de La Teste et ses cabanons. Vous pourrez y déguster et y acheter des huîtres, des amandes, des palourdes, des bigorneaux, des tourteaux, des langoustines... et du poisson.

Loisirs-Détente

Union des Bateliers Arcachonnais – *Jetée Thiers - 33120 Arcachon - ☎ 05 57 72 28 28 - www.bateliers-arcachon.asso.fr - tte l'année : traversée Arcachon-Cap-Ferret 9,15€ AR, tour de l'île aux Oiseaux 12,20€. En sais. visite commentée des parcs à huîtres 10,67€, visite de la réserve du Banc d'Arguin 13,72€, circuit du littoral 12,20€. Embarquements : jetée Thiers et jetée d'Eyrac (Arcachon, jetée Bélisaire (au Cap-Ferret), jetée Moulleau, jetée d'Andernos.* Les Bateliers sont des professionnels de la mer issus du monde de la pêche et de l'ostréiculture. Embarquez à leur bord pour vous promener autour de l'île aux Oiseaux, pêcher à la ligne et au gros, visiter des parcs à huîtres ou encore cingler vers le Cap Ferret ou Andernos. Location de pinasses (embarcations traditionnelles des ostréiculteurs).

Foire aux huîtres, Gujan-Mestras

La Fête de l'huître est à suivre chaque été dans le bassin d'Arcachon.

se promener

La ville de printemps
Dynamique, sportive et cossue, elle tient ses quartiers dans le parc Pereire. La plage est bordée d'une longue promenade piétonne ombragée. À l'extrémité Sud, les Arbousiers est le spot des surfers.

La ville d'été
À la fois détendue aux terrasses des restaurants de fruits de mer, mondaine dans son casino ou sportive lors des régates à la voile, la ville d'été longe la mer entre la jetée de la Chapelle et la jetée d'Eyrac.

La ville d'automne
Maritime avec son port de plaisance où s'alignent les voiliers et son port de pêche où vont et viennent les chalutiers.

La ville d'hiver★
En retrait, elle est bien abritée des vents du large. Ses artères jalonnées de chalets à pans de bois, cottage anglais, villa mauresque, manoir néogothique ou maison coloniale, sillonnent une forêt de pins. Pins atlantiques, chênes, érables, robiniers, prunus, micocouliers, platanes, tilleuls, mimosas, catalpas, magnolias... c'est comme si les arbres avaient voulu rivaliser avec l'extravagance des toitures !

circuit

BASSIN D'ARCACHON★
76 km – compter une journée.

Cap-Ferret★
Étroite bande de terre entre Océan et bassin, le cap court sur une vingtaine de kilomètres. Balades à vélo dans la pinède, baignades au calme dans le bassin ou plus houleuses côté Océan, dégustation d'huîtres dans les restaurants en plein air, visite des villages ostréicoles... un vrai programme de vacances.

Parc ornithologique du Teich★
♿ *Juil.-août : 10h-20h ; de mi-avr. à fin juin et de déb. sept. à mi-sept. : 10h-19h ; de mi-sept. à mi-avr. : 10h-18h. 6€ (enf. : 4,3€). ☎ 0556228093. www.parc-ornithologique-du-teich.com*

Au printemps et à l'automne, les prairies et les digues qui bordent l'Eyre sont l'étape de dizaine de milliers de migrateurs (comme l'oie cendrée ou la mouette rieuse). L'hiver, c'est au tour de la sarcelle, du bécasseau variable ou du grand cormoran d'y faire une halte. On y dénombre aussi plus de 1 000 couples de hérons cendrés, d'aigrettes garzettes ou de gardebœufs. *Pensez à prendre des jumelles.*

OSTRÉICULTURE

Les huîtres plates d'Arcachon, les gravettes, ont un goût de noisette incomparable. Sur place, on se régale en les dégustant avec des crépinettes bien chaudes (galettes de chair à saucisse) et un vin blanc sec. Le bassin d'Arcachon abrite une multitude de petits ports ostréicoles, où, chaque été, l'huître est dignement fêtée. À cette occasion, les ostréiculteurs sortent de leurs cabanes colorées pour parader dans leur costume traditionnel : vareuse bleu marine et pantalon de flanelle rouge. Musique, danses et distractions sont proposées à côté des stands de dégustation d'huîtres. Ces fêtes ont lieu mi-juillet aux ports de Lanton, Lège-Cap-Ferret et Andernos, mi-août dans les ports de Gujan-Mestras et Arès.

La dune du Pilat, la plus haute d'Europe, est un formidable terrain de découverte.

Ch. Faurie/MICHELIN

Dune du Pilat**

Accès par la D 218 au Sud de Pilat-Plage. Laissez votre voiture au parking payant. Pour gagner le sommet, escalader le flanc de la dune (montée assez difficile) ou emprunter l'escalier (présent seulement lors de la saison estivale, 154 marches). Équipez-vous de chaussures montantes de randonnée ; attention, le sable peut être très chaud.

Énorme ventre de sable qui enfle chaque année sous l'action des vents et des courants (actuellement environ 2,7 km de long, 500 m de large et 114 m de haut), c'est la plus haute dune d'Europe. Le versant Ouest descend en pente douce vers l'Océan alors que le versant Est plonge en pente abrupte vers l'immense forêt de pins. Une revigorante balade à ne pas manquer.

Gorges de l'Ardèche***

La descente des gorges en barque, en canoë ou à pied, de Vallon-Pont-d'Arc à St-Martin-d'Ardèche, est une expérience inoubliable. En effet, entre ses falaises vertigineuses, torturées par l'érosion, les eaux vertes ou turquoise de l'Ardèche se fraient un chemin parmi d'énormes rochers ruiniformes : façonné par le temps, ce « Grand Site d'intérêt national » offre une multitude de panoramas grandioses pour le bonheur des visiteurs.

La situation

Cartes Michelin Local 331 I-J 7-8, Regional 522 – Le Guide Vert Lyon et la vallée du Rhône – Ardèche (07). À la sortie du bassin de Vallon, l'Ardèche creuse ses gorges dans le plateau calcaire du Bas-Vivarais. De part et d'autre s'étendent le plateau des Gras et le plateau d'Orgnac, truffés de grottes et plantés d'un fouillis de chênes verts. Écosystème fragile, la réserve naturelle des gorges de l'Ardèche fait l'objet de mesures de protection : on s'abstiendra donc d'y faire du feu, d'y abandonner des détritus, d'arracher les plantes ou d'ébrancher les arbres et de s'écarter des sentiers. Campings et bivouacs sont interdits en dehors des aires autorisées.

Maison de la réserve, Gournier, ☎ 04 75 38 63 00.

Pour poursuivre la visite, voir aussi : UZÈS, ORANGE, MONTÉLIMAR.

carnet pratique

Restauration

• À bon compte

L'Esplanade – *Pl. de l'Église - 30430 Barjac - ☎ 04 66 24 58 42 - fermé 30 sept. au 15 janv. et mar. sf juil.-août - 13/23€.* Petite maison en pierre du 18e s. dont la terrasse fleurie offre une jolie vue sur la campagne. Intérieur voûté, décoré de vieux outils agricoles et autres objets chinés dans les brocantes.

• Valeur sûre

L'Auberge Sarrasine – *R. de la Fontaine - 30760 Aiguèze - ☎ 04 66 50 94 20 - fermé janv. - 20/34€.* En vous promenant dans les ruelles anciennes du village, vous découvrirez ce petit restaurant installé dans trois salles voûtées (11e s.) réchauffées l'hiver par des cheminées. Le chef marie avec bonheur saveurs provençales et épices.

Hébergement

• Valeur sûre

Hôtel Le Clos des Bruyères – *Rte des Gorges - 07150 Vallon-Pont-d'Arc - ☎ 04 75 37 18 85 - clos.des.bruyeres@online.fr - fermé oct. à mars - P - 32 ch. : 51/55€ - 6,50€ - restaurant 11,90/32€.* La route des gorges de l'Ardèche est magnifique, mais fatiguante avec ses virages ! Faites étape dans cette maison de style régional, dont les arcades ouvrent sur la piscine d'été. Chambres avec balcon ou en rez-de-jardin. Cuisine de la mer au restaurant doté d'une terrasse.

Chambre d'hôte La Sérénité – *Pl. de la Mairie - 30430 Barjac - 6 km à l'O de l'aven d'Orgnac par D 317 et D 176 - ☎ 04 66 24 54 63 - fermé janv. et fév. - - 3 ch. : 60/105€.* Au cœur du village, demeure du 17e s. aux volets bleus tapissée de vigne vierge. Meubles chinés, bibelots, patine des murs, carrelages et tomettes personnalisent chaque chambre. Délicieux petit déjeuner servi devant la cheminée ou sur la terrasse fleurie à la belle saison. Un vrai bijou !

Loisirs-Détente

Descente en barque ou en canoë – Elle peut s'effectuer de mars à fin novembre (conseil d'ami : privilégiez les mois de mai et juin, lorsque les journées sont longues et la foule n'a pas envahi les gorges).

Location – Une cinquantaine de loueurs implantés à Vallon-Pont-d'Arc, Salavas, Ruoms, St-Martin, St-Remèze proposent la descente des gorges, soit en location libre soit en location accompagnée de 1 à 2 j. pour un forfait variant entre 18,29€ et 22,87€ par personne. Liste des loueurs aux Syndicats d'initiative de Ruoms *(☎ 04 75 93 91 90)*, Vallon-Pont-d'Arc *(☎ 04 75 88 04 01)* et St-Martin-d'Ardèche *(☎ 04 75 98 70 91)*. La descente en individuel est libre ; prévoir alors la réservation de sa nuitée en bivouac auprès d'une des centrales de réservation implantées dans les offices de tourisme précités.

comprendre

Prenant sa source à 1 467 m d'altitude dans le massif de Mazan, l'Ardèche se jette dans le Rhône, après 119 km de course. Si la pente est surtout très forte dans la haute vallée, c'est dans le bas pays que l'on rencontre les exemples d'érosion les plus étonnants. Les affluents, qui dévalent de la montagne, accentuent son régime irrégulier : maximum en automne, faible débit hivernal, crues au printemps et basses eaux en été. Le débit de l'Ardèche peut passer de 2,5 m^3/s à plus de 7 000 m^3/s : c'est un véritable mur d'eau qui s'avance à la vitesse de 15 ou 20 km/h au point de repousser le flot du Rhône. La décrue, quant à elle, est tout aussi soudaine.

circuit

88 km – compter une journée. Quitter Vallon-Pont-d'Arc vers le Sud en direction du Pont d'Arc. Ce circuit permet de découvrir les gorges de l'Ardèche par la D 290, route panoramique qui domine l'entaille du plateau, sur la rive gauche de l'Ardèche puis, après avoir franchi la rivière à St-Martin-d'Ardèche, de rentrer à Vallon par le plateau d'Orgnac.

Pont d'Arc**

Un sentier s'amorçant à 150 m du belvédère permet d'accéder à cette étonnante arche naturelle, haute de 34 m, large de 59 m. Sous l'arche ne se déversait autrefois qu'un simple cours d'eau souterrain. On suppose que l'Ardèche, à la faveur d'une forte crue, aurait abandonné son ancien cours pour se glisser à travers l'orifice qu'elle a peu à peu agrandi, donnant naissance au Pont d'Arc.

Le paysage devient grandiose. Au fond d'une gorge déserte, longue de 30 km, cernée par des falaises dont certaines atteignent 300 m de hauteur, les eaux vertes de la rivière dessinent des méandres, entrecoupés de rapides.

Belvédère du Serre de Tourre**

Il est établi à la verticale de l'Ardèche qu'il surplombe d'une hauteur de 200 m. Vue superbe sur le méandre du Pas de Mousse.

Grotte de la Madeleine*

Juil.-août : visite guidée (1h) 9h-19h ; avr-juin et sept. : 10h-18h ; oct. : 10h-17h30. 6,30€. ☎ 04 75 04 22 20.

La grotte a été forée par un ancien cours d'eau souterrain. Une magnifique coulée blanche entre deux amas rouges de draperies évoque une cascade par sa fluidité et ses concrétions des roses des sables.

La haute Corniche***

Dans cette partie, la plus spectaculaire du parcours, les belvédères offrent des vues saisissantes sur les gorges. Une vallée cultivée largement ouverte vers le Rhône succède brusquement à ce paysage tourmenté. Sur la droite, on aperçoit Aiguèze, agrippée à une crête rocheuse dominant l'Ardèche avant de traverser St-Martin-d'Ardèche.

Dans la commune d'Orgnac-l'Aven, prendre sur la gauche la petite D 317 jusqu'à l'aven.

Aven d'Orgnac***

Juil.-août : 9h30-20h ; avr.-juin : 9h30-19h ; fév.-mars et de déb. nov. à mi-nov. : 10h30-18h ; vac. scol. Noël : se renseigner. 8,50€ (enf. : 5,50€). ☎ 04 75 38 65 10.

Sous l'arche du pont d'Arc passent les canoës.

J. Damase/MICHELIN

L'exploration de ce gouffre féerique laisse un souvenir inoubliable. Ce ne sont que draperies colorées, extraordinaires stalagmites de tailles et de formes impressionnantes. Les immenses salles de cet aven doivent leur origine à l'action des eaux souterraines alimentées par infiltration dans les calcaires fissurés. La salle supérieure possède de magnifiques stalagmites. Les plus grosses, au centre, montrent des excroissances qui leur donnent l'aspect de «pommes de pin». La faible lueur bleutée qui tombe par l'orifice naturel de l'aven renforce l'impression d'irréalité.

Poursuivre la D217 jusqu'à la D579, à droite, qui permet de rentrer à Vallon en passant par Salavas.

▶▶ Aven de la Forestière★ ; aven de Marzal★ ; grotte de St-Marcel★

Arles★★★

Joyau posé sur le Rhône, sous un ciel transparent purifié par le mistral, cette cité antique et romane, riche d'un patrimoine architectural unique au monde, est aussi capitale de l'image. Avec son Arlésienne et ses ferias endiablées, elle a depuis toujours inspiré artistes et poètes.

La situation

53057 Arlésiens ou Arlatens (en provençal) - Cartes Michelin Local 340 C3, Regional 528 - Le Guide Vert Provence - Bouches-du-Rhône (13). Sitôt quittée la voie rapide, que l'on vienne de Nîmes, d'Avignon ou d'Aix-en-Provence, on se trouve sur le boulevard des Lices, centre nerveux de la ville qui longe le tracé des anciens remparts. Une suggestion : se garer sous les platanes du boulevard G.-Clemenceau. Une mise en garde : ne pas s'aventurer en voiture dans le dédale de ruelles du vieux Arles !

43 bd de Craponne, 13200 Arles, ☎ 04 90 18 41 20, www.ville-arles.fr

Pour poursuivre la visite, voir aussi : LA CAMARGUE, LES BAUX-DE-PROVENCE, NÎMES, AVIGNON.

comprendre

Une cité antique - Colonie romaine, Arles reçoit le privilège de se clore à l'intérieur d'une enceinte fortifiée. Les rues découpent la ville en damier. Un forum, des temples, une basilique, des thermes, un théâtre sont édifiés ; un aqueduc amène l'eau pure des Alpilles, qui alimente les fontaines, les thermes et les maisons privées. Au 1er s., sur la rive opposée du Rhône, mariniers, bateliers et marchands entretiennent l'animation, et un pont de bateaux est lancé sur le fleuve.

Un siècle d'or - En 395, la cité devient préfecture des Gaules. Aux 4e et 5e s., cinq corporations de mariniers font florès : certains arment des navires sillonnant la Méditerranée, d'autres naviguent sur Rhône et Durance, ou à bord de radeaux portés par des outres gonflées d'air sur les étangs. Arles est un centre industriel actif : on y fabrique des tissus, de l'orfèvrerie, des sarcophages, des armes. Un atelier impérial bat monnaie. Le blé, la charcuterie, l'huile d'olive et le vin sont exportés.

Le déclin - Mais Francs et Sarrasins se disputent le pays, avec les ravages qu'on imagine... et au 9e s., la ville n'est plus que l'ombre d'elle-même. Il faut attendre le 12e s. pour voir l'amorce d'un renouveau : l'empereur **Frédéric Barberousse** se fait couronner roi d'Arles en 1178 dans la toute nouvelle cathédrale Saint-Trophime. En 1239, les bourgeois arlésiens se rallient au comte de Provence et dès lors, la ville suit les destinées de sa province.

découvrir

LA VILLE ANTIQUE

Compter une journée de visite.

On se promènera avec plaisir sur le boulevard des Lices, avec ses grands platanes, ses terrasses de cafés et son animation, particulièrement colorée lorsque le samedi matin le marché envahit l'avenue. Par l'agréable jardin d'été, puis la rue Porte-de-Laure où de nombreux restaurants se sont installés, on accède à l'antique cité.

Théâtre antique★★

Mai-sept. : 9h-19h (dernière entrée 1/2h av. fermeture) ; mars-avr. et oct. : 9h-12h, 14h-18h ; nov.-fév. : 10h-12h, 14h-17h. Fermé 1er janv., 1er mai, 1er nov., 25 déc. 3€ (billet combiné 12€). ☎ 04 90 49 36 74 ou 04 90 49 39 57.

Construit vers 27-25 avant J.-C., il disparut au cours des temps sous les habitations et ne fut dégagé qu'à partir de 1827. La scène, la fosse du rideau, l'orchestre et des gradins sont encore visibles. Ne restent du mur de scène que deux admirables colonnes.

carnet pratique

Restauration

• À bon compte

Le Criquet – *21 r. Porte-de-Laure - 13200 Arles - ☎ 04 90 96 80 51 - fermé 20 déc. au 28 fév. et mer. - ⊄ - 14/17€.* Préférez la salle à manger de ce petit restaurant voisin des arènes : avec ses pierres apparentes et ses poutres, elle a davantage de charme que sa terrasse. Tranquillement attablé, vous pourrez y savourer la bourride du jeune chef et autres spécialités.

• Valeur sûre

La Gueule du Loup – *39 r. des Arènes - 13200 Arles - ☎ 04 90 96 96 69 - fermé 8 janv. au 8 fév., 16 au 30 nov., dim. et lun. - 25€.* On entre dans cette maison du 17e s. par la cuisine, décorée de carreaux provençaux émaillés. La patronne y mitonne des plats aux multiples saveurs du Sud. Son mari, magicien à ses heures, fait parfois quelques tours de passe-passe entre deux commandes...

Hébergement

• À bon compte

Hôtel Le St-Trophime – *16 r. Calade - 13200 Arles - ☎ 04 90 96 88 38 - st-trophime@worldonline.fr - fermé 4 nov. au 28 fév. - 22 ch. : 35/56€ - ☕ 5,80€.* Cet ancien hôtel particulier des 12e et 17e s. est situé dans une ruelle proche du théâtre antique, de l'église et du cloître St-Trophime. Un imposant escalier vous mène aux chambres, spacieuses, meublées dans divers styles. Charmant patio où murmure une petite fontaine.

• Valeur sûre

Mireille – *2 pl. St-Pierre, à Trinquetaille - 13200 Arles - ☎ 04 90 93 70 74 - contact@hotel-mireille.com - fermé 4 nov. au 4 mars - 34 ch. : 68,60/114,30€ - ☕ 9,91€ - restaurant 23/29,73€.* C'est au calme que vous plongerez dans la piscine d'été de cet hôtel un peu excentré, oubliant son environnement urbain. Chambres de bonne taille, aux couleurs gaies, garnies de meubles provençaux. Lumineuse salle à manger rehaussée d'étoffes rouges et jaunes.

Le temps d'un verre

Café Van Gogh – *11 pl. du Forum - 13200 Arles - ☎ 04 90 96 44 56 - juil.-août : tlj 9h-2h ; hors saison : 9h-0h.* Ce café et sa grande terrasse sur la place du Forum doit sa célébrité à Vincent Van Gogh qui en a fait le sujet de l'une de ses toiles en 1888 : « Voilà un tableau de nuit sans noir, rien qu'avec du beau bleu et du violet et du vert et, dans cet entourage, la place illuminée se colore de soufre pâle, de citron vert. Cela m'amuse énormément de peindre la nuit sur la place... » *(extrait d'une lettre de Van Gogh à sa sœur Wilhelmine, datée de septembre 1888).*

Achats

Maison Chave – *14 rd-pt des Arènes - 13200 Arles - ☎ 04 90 96 15 22 - mai-sept. : mar.-sam. 9h-19h ; hors sais. : 9h-12h30, 14h-19h - fermé janv.* Dans cet atelier, quatre personnes moulent et décorent les santons. Grande variété proposée à la vente. Exclusivité de figurines faites main à base de deux ou trois terres. Ici, on est santonnier depuis trois générations.

Huiles Jamard – *46 r. des Arènes - 13200 Arles - ☎ 04 90 49 70 73 - mar.-sam. 11h-12h30, 16h-18h - les bouteilles d'huile d'olive sont vendues entre 6,10€ et 18,29€, selon les variétés d'huile.* D'origine provençale mais aussi espagnole, grecque et italienne, les huiles d'olive recèlent chacune une saveur particulière. En compagnie de Pierre, maître huilier et ancien ingénieur, vous dégusterez plusieurs variétés d'huiles tout en recueillant, avec force anecdotes, les secrets de leur fabrication.

Calendrier

Tauromachie – Si une visite des arènes permet d'en apprécier l'architecture, rien de tel que d'y pénétrer un jour de corrida ou de course camarguaise pour y trouver une ambiance, sans doute guère éloignée de ce qu'elle était durant l'Antiquité. En dehors des spectacles isolés, les corridas se donnent lors des ferias de Pâques (w.-end de Pâques) et du Riz (2e w.-end de sept.) qui réunissent le gotha de la tauromachie. De grandes courses camarguaises ont lieu au début du printemps (le Printemps des Royales les 1er et 2e dim. d'avr. et 2e dim. de mai), mais les grands rendez-vous sont la Cocarde d'Or (déb. juil.) et un an sur deux, en octobre, en alternance avec Nîmes, la finale du Trophée des As. Réservation au Bureau des Arènes (à droite de l'entrée principale), ☎ 04 90 96 03 70. www.label-camargue.com (réservation en ligne.)

Arènes**

Mêmes conditions de visite que pour le théâtre antique.

L'amphithéâtre date vraisemblablement de la fin du 1er s. Il mesure 136 m sur 107 m. À l'origine, l'arène était recouverte d'un plancher sous lequel se trouvaient les machineries, les cages aux fauves et les coulisses. Ces arènes pouvaient recevoir plus de 20 000 spectateurs amateurs de combats de gladiateurs. Au Moyen Âge, sous les arcades bouchées, sur les gradins et sur la piste s'élevaient plus de 200 maisons et 2 chapelles construites avec des pierres prélevées sur l'édifice.

Thermes de Constantin*

Accès par la rue Maïsto. Mêmes conditions de visite que pour le théâtre antique.

Ces thermes datent du règne de Constantin (4e s.). Ce sont les plus vastes qui subsistent en Provence (98 m sur 45 m). On y pénètre par la salle tiède, le tepidarium, avant d'accéder à la salle chaude (le caldarium) qui a conservé son hypocauste, système de chauffage souterrain permettant de transformer la salle en étuve.

Cryptoportiques★

Mêmes conditions de visite que pour le théâtre antique.

Cette double galerie souterraine en fer à cheval date de la fin du 1er s. avant J.-C. Les deux couloirs voûtés sont séparés par un alignement de piliers massifs tandis que des soupiraux diffusent la lumière du jour. On ignore si ces substructions du forum antique avaient une autre fonction que celle d'en assurer la stabilité : grenier à blé ? promenade souterraine ?

Les Alyscamps★★★

Dans cette allée bordée de grands arbres et d'une double rangée de sarcophages, l'émotion subsiste. Les Alyscamps (« Champs Élysées ») ont été une des plus prestigieuses nécropoles d'Occident. Le voyageur antique était accompagné, ici comme dans la plupart des villes du monde romain, par un cortège de tombeaux et de mausolées. Le grand essor des Alyscamps est venu lors de la christianisation du cimetière, autour des reliques de saint Trophime et du tombeau de saint Genès, fonctionnaire romain qui, ayant refusé de transcrire un édit de persécution contre les chrétiens, fut décapité.

Musée de l'Arles antique★★

Accès par le bd Georges-Clemenceau que l'on suit jusqu'au Rhône, avant de passer à gauche sous la voie rapide. ♿ Mars-oct. : 9h-19h ; nov.-fév. : 10h-17h. Fermé 1er janv., 1er mai, 1er nov. et 25 déc. 5,35€. ☎ 04 90 18 88 92.

La vie quotidienne des Arlésiens est présentée en parallèle avec leurs activités traditionnelles. À découvrir, les somptueuses mosaïques et l'éblouissante série de **sarcophages★★**, païens ou chrétiens, généralement taillés dans le marbre.

À CHACUN SON COSTUME

Difficile d'imaginer aujourd'hui la diversité des costumes portés en Provence aux 18e et 19e s. Heureusement, certaines célébrations font revivre les plus somptueuses de ces parures. Les femmes arborent des tissus brodés ou de brocart de soie, inspirés par les indiennes d'Alep. Leur succès perdure grâce au savoir-faire traditionnel d'entreprises comme Souleïado, basée à Tarascon.

Élégante avec son gracieux éventail, l'Arlésienne revêt une longue jupe et un corsage à manches serrées. Un grand fichu de dentelle tombe sur un plastron de tulle au drapé complexe. Les croix maltaises et le bracelet coulas enrichissent la parure. Les hommes portent, quant à eux, une chemise blanche attachée au col par un fin cordon, parfois recouverte d'un gilet sombre. Un pantalon de toile, retenu par une large ceinture rouge ou noire, et un chapeau de feutre à larges bords complètent la tenue.

D. Pazery/MICHELIN

Église St-Trophime★

Cette église fut bâtie vers 1190 à l'emplacement d'un sanctuaire carolingien. Elle fut alors embellie d'un magnifique **portail sculpté★★**. Il représente le Jugement dernier. Parfait exemple de l'art roman méridional, ce portail affecte la forme d'un arc de triomphe, influence de l'art de l'Antiquité sur les bâtisseurs du Moyen Âge. À l'intérieur, on est surpris par la hauteur du vaisseau et l'étroitesse des bas-côtés, ainsi que par la sobriété romane de la nef qui contraste avec les nervures et les moulures du chœur gothique.

Cloître St-Trophime★★

Mêmes conditions de visite que pour le théâtre antique.

C'est le plus célèbre cloître de Provence par l'élégance et la finesse de sa décoration sculptée, peut-être due à des artistes venus de St-Gilles-du-Gard. Remarquez les sculptures sur les chapiteaux et les piliers d'angle de la galerie Nord *(à gauche en entrant)*. Ne manquez pas non plus la représentation de saint Paul, dont le vêtement a des plis profondément incisés. Les chapiteaux et les piliers de la galerie Est évoquent la vie du Christ, ceux de la galerie Ouest sont consacrés à des thèmes provençaux, comme sainte Marthe et la tarasque. Bordant la galerie Est, le réfectoire et le cloître accueillent des expositions temporaires, dont la fameuse foire annuelle aux santons.

▶▶ Espace Van Gogh *(où le peintre se fit soigner en 1889)* ; Musée Réattu★ ; Museon Arlaten★ ; Abbaye de Montmajour★

Arras★★

Capitale de l'Artois, Arras, dont les tapisseries firent la renommée, cache un véritable décor de théâtre avec sa Grand'Place et sa place des Héros, héritages du style flamand. Le carnaval s'y tient en mars et, à la fin de l'été, une grande braderie est dédiée à «l'ami Bidasse», héros d'une chanson locale. Arras cultive le goût de la fête et de la gastronomie: andouillette, bière de l'Atrébate et pain d'épice en forme de cœur...

La situation

42 715 Arrageois – Cartes Michelin Local 301 J 5-6, Regional 511 – Le Guide Vert Picardie Flandres Artois – Pas-de-Calais (62). Entre Lille et Amiens, Arras est accessible par l'A 1, puis la N 39 ou la N 50. Le Nord-Ouest de la ville correspond au cœur médiéval (la cité se développa autour de l'abbaye St-Vaast), tandis que la Grand'Place se trouve à l'Est du centre.

Hôtel de ville, pl. des Héros, 62000 Arras, ☎ 03 21 51 26 95, www.ot-arras.fr

Pour poursuivre la visite, voir aussi: LILLE, ST-QUENTIN, AMIENS.

carnet pratique

• *À bon compte*

Le Briquet – *Dans le Centre minier - 59287 Lewarde - 30 km au NE d'Arras par N 50 jusqu'à Douai et N 45 rte de Valenciennes - ☎ 03 27 95 82 82 - 9,15€ déj. - 13,72/23,63€.* Sous le regard bienveillant de sainte Barbe, patronne des mineurs, vous pourrez poursuivre la visite du site en vous attablant dans l'ancienne scierie de la mine. Au menu, plus de « briquet » (casse-croûte des mineurs) mais une cuisine d'inspiration régionale.

• *Valeur sûre*

La Table du Troubadour – *43 bd Carnot - 62000 Arras - ☎ 03 21 71 34 50 - fermé lun. soir et dim. - 23/31€.* La propriétaire a voulu que son restaurant ne ressemble à aucun autre. Pari réussi ! Le lieu est une véritable caverne d'Ali Baba : confiturier, clichés de Doisneau, vieux poêles en émail, tourne-disque, poupées, landau... Côté table, produits du marché de grande qualité au service d'une cuisine de grand-mère.

HÉBERGEMENT

• *À bon compte*

Chambre d'hôte Le Clos Grincourt – *18 r. du Château - 62000 Arras - 9 km à l'O d'Arras par N 39 puis D 56 - ☎ 03 21 48 68 33 - réserv. obligatoire en hiver - 3 ch. : 32/47€.* Une allée arborée mène à cette belle demeure bourgeoise dont la construction entamée sous Louis XIV ne s'est achevée qu'à l'époque de Napoléon III. Les chambres ressemblent à de petits appartements et donnent toutes sur le parc abondamment fleuri. Accueil attentionné.

• *Valeur sûre*

Hôtel Diamant – *5 pl. des Héros - 62000 Arras - ☎ 03 21 71 23 23 - www.arras-hotel-diamant.com - P - 12 ch. : 44/58€ - 7€.* Sur la place des Héros, au pied du beffroi, cet hôtel bénéficie d'un emplacement de choix. L'accueil y est très agréable et les chambres, un peu petites, sont impeccablement tenues.

ACHATS

Marché – Marché traditionnel sur la Grand'Place mercredi et samedi matin.

Andouillette d'Arras – Chez tous les artisans charcutiers de la région. Elle se prépare uniquement à base de fraise de veau, assaisonnée de persil, échalotes, épices, aromates et genièvre ; il faut la savourer avec une pointe de moutarde et un peu de crème fraîche.

Caudron – *11-15 pl. de la Vacquerie - 62000 Arras - ☎ 03 21 71 14 23 - lun. 14h-19h, mar.-sam. 9h-12h, 14h30-19h.* Bien que cet artisan travaille sur de la porcelaine importée (la manufacture d'Arras fut fermée en 1790), sa cuisson à four très chaud permet à la couleur de se répartir élégamment sur la porcelaine, restituant ainsi le vrai bleu d'Arras. Vous y trouverez de très belles pièces inspirées des motifs traditionnels tels que le barbeau ou l'arbre de vie.

se promener

AU FIL DES PLACES

Grand'Place et place des Héros★★★

Reliées par la rue de la Taillerie, ces places existaient déjà au 11e s. Soucieux de sécurité et d'esthétique, l'échevinage impose dès 1583 des constructions «en pierres ou en briques et sans aucune saillie». Il en résulte un ensemble d'une homogénéité exceptionnelle, de style baroque flamand: 155 maisons (17e et 18e s.) ornées de pilastres, chaînages, frontons curvilignes et pignons à volutes. La maison la plus ancienne (15e s.) est l'hôtel des Trois Luppars, avec son pignon à pas de moineaux. La place des Héros, plus petite et plus animée, est dominée par le beffroi.

SOUVENIRS MILITAIRES

Citadelle

♿ *De déb. juin à mi-sept. : visite guidée (1h1/2) dim. à 15h30. 4,57€.* ☎ *03 21 51 26 95.*
Construite entre 1668 et 1672 sur les plans de Vauban, cette citadelle de forme octogonale est composée de cinq bastions. En ordonnant sa construction, le but de Louis XIV était moins de protéger la cité contre les troupes espagnoles que de surveiller les habitants d'Arras : elle fut donc surnommée « la Belle Inutile ».

Mémorial britannique

Accès par le bd Charles-de-Gaulle. Dans cette région particulièrement éprouvée en 1914-1918, il rappelle le souvenir des nombreux soldats britanniques disparus.

visiter

Hôtel de ville et beffroi★★

Détruit en 1914 et reconstruit dans le style gothique et Renaissance, l'hôtel de ville possède une jolie façade aux arches inégales. La montée au **beffroi** offre un panorama complet de la ville. Il abrite un carillon de 40 cloches. *Oct.-avr. : 9h-12h, 14h-18h, dim. 10h-12h30, 15h-18h ; mai-sept. : 9h-18h30, dim. 10h-13h, 14h30-18h30. 2,30€.* ☎ *03 21 51 26 95.*

Ancienne abbaye St-Vaast★★

À droite de la cathédrale. Avr.-sept. : 10h-12h, 14h-18h ; oct.-mars : 10h-12h, 14h-17h, w.-end 10h-12h, 14h-18h). 3,05€, gratuit 1ers dim. et mer. du mois. ☎ *03 21 51 26 95 (Office de tourisme).*
Fondée au 7e s., elle reçut les reliques de saint Vaast, premier évêque d'Arras. En 1746, le cardinal de Rohan la fit reconstruire. Le porche d'entrée, surmonté des armes de l'abbaye, ouvre sur une belle cour d'honneur.

Musée des Beaux-Arts★ – *R. Paul-Doumer, dans le corps central de l'abbaye. Tlj sf mar. 9h30-12h, 14h-17h30, jeu. 9h30-17h30. Fermé 1er janv., 1er et 8 mai, 14 juil., 1er et 11 nov., 25 déc. 4€, gratuit 1ers mer. et dim. du mois.* ☎ *03 21 71 26 43.*
On y découvre les plus beaux témoignages de l'histoire d'Arras : archéologie, sculptures médiévales, tapisseries du 15e s., trésor de la cathédrale, porcelaines, peintures. Ne manquez par le masque funéraire de femme, exposé dans le salon italien, ni les toiles de très grand format qui furent offertes chaque printemps, de 1630 à 1707, à la cathédrale Notre-Dame de Paris par la corporation des orfèvres d'Arras.

BEFFROIS ET GIROUETTES

Symbole de la puissance communale au Moyen Âge, le beffroi se dresse isolé ou englobé dans l'hôtel de ville. Il est conçu comme un donjon avec échauguettes et mâchicoulis. Au-dessus des fondations qui abritent la prison, les salles superposées avaient diverses fonctions, comme la salle des gardes. Au sommet, la salle des cloches renferme le carillon qui égrène ses airs guillerets toutes les heures, demi-heures et quarts. La salle des cloches est entourée d'échauguettes d'où les guetteurs surveillaient les ennemis et les incendies. Enfin, couronnant l'ensemble, la girouette symbolise la cité : lion des Flandres à Arras, Bergues et Douai, dragon à Béthune, sirène à Bailleul.

alentours

Centre historique minier de Lewarde★★

34 km à l'Est par la N50 jusqu'à Douai, puis la N45 jusqu'à Lewarde. Mars-oct. : visite guidée (1h1/2) 9h-17h30 ; nov.-fév. : 13h-17h, dim., vac.-scol. et j. fériés 10h-17h. Fermé janv., 1er mai., 1er nov. et 25 déc. 10,20€, haute sais., 9€ hors sais. (enf. : 5,10/4,50€). ☎ *03 27 95 82 82.*
Le carreau abrite le plus grand musée de la mine en France, dont les visites sont commentées par d'anciens mineurs. Personnalités attachantes et de fort tempérament, ce sont les derniers héros de la grande épopée des houillères du Nord. Casque sur le crâne, vous voilà embarqué dans le train qui mène au puits no 2 où la « descente » s'effectue en ascenseur vers les galeries.

La force de traction des chevaux était fréquemment utilisée pour le déplacement des wagonets dans les galeries.

Mémorial canadien de Vimy*

8 km au Nord d'Arras. Proche du front durant la Grande Guerre, Arras souffrit des bombardements. Après la bataille de la Marne, les Allemands s'accrochent aux collines du Nord et, à l'automne 1914, en débouchent pour attaquer la ville. L'offensive est contenue au terme des combats d'Ablain-St-Nazaire, Carency et La Targette. En mai-juin 1915, Foch tente une percée. Les Français reprennent Neuville-St-Vaast et N.-D.-de-Lorette, mais échouent devant Vimy, reconquise seulement en 1917 par les Canadiens. Élevé sur un terrain cédé au Canada, le mémorial évoque la terrible bataille de la crête de Vimy, enlevée aux Allemands en 1917. Inauguré en 1936, il porte le nom de 11 285 Canadiens morts en France sans sépulture connue.

Auch*

Pays des mousquetaires, halte gourmande au cœur du Gers producteur de foie gras, d'armagnac et de croustades, Auch, très animée dans la semaine, se farde de multiples couleurs le samedi, jour de marché. Elle se dévoile à travers le labyrinthe de ses ruelles médiévales, où il est amusant de se perdre... et elle constitue un bon point de départ pour explorer les bastides de la région.

La situation

21 838 Auscitains – Cartes Michelin Local 336 E 6-7, C-D-E-F 8, Regional 526 – Le Guide Vert Midi-Pyrénées – Gers (32). Que l'on vienne de Toulouse à l'Est, Agen au Nord, Tarbes au Sud-Ouest ou Biarritz à l'Ouest, on laisse la voiture de préférence en bordure du Gers (parking aménagé sur la N 21) avant de partir à l'ascension de l'escalier de quelque 232 marches et d'explorer la ville à pied.

1 r. Dessoles, 32000 Auch, ☎ 05 62 05 22 89. www.mairie-auch.fr

Pour poursuivre la visite, voir aussi : MOISSAC, TOULOUSE, LOURDES, PAU.

visiter

Cathédrale Ste-Marie**

Sa construction, commencée en 1489 par le chevet, n'a été terminée que deux siècles plus tard ; l'ensemble est de style gothique. Les chapelles du déambulatoire ont été dotées de 18 **verrières**** au début du 16e s., dont on connaît l'auteur, Arnaut de Moles, puisqu'il a signé son œuvre. La répartition des sujets tient compte, suivant les thèses des théologiens de l'époque, de la concordance entre l'Ancien Testament, le Nouveau Testament et le monde païen, comme en témoigne la représentation des sibylles.

Les **stalles*****, gigantesque chef-d'œuvre de huchiers (ceux qui travaillaient le bois), ont demandé 50 années de travail (vers 1500-1552). Les 113 stalles de chêne, dont 69 stalles hautes abritées par un baldaquin flamboyant, sont peuplées de plus de 1 500 personnages ! Le thème d'ensemble manifeste le même souci de parallélisme iconographique que les vitraux. La Bible, l'histoire profane, la mythologie et la légende y mêlent leurs motifs. *Avr.-sept. : 8h30-12h, 14h-18h ; oct.-mars : 9h30-12h, 14h-17h. 1,50€.*

Les verrières de la cathédrale Ste-Marie d'Auch, chef-d'œuvre de l'art du vitrail.

A. Thuillier/MICHELIN

carnet pratique

Restauration

• *À bon compte*

Le Café Gascon – *5 r. Lamartine - 32000 Auch - ☎ 05 62 61 88 08 - fermé 1 sem. vac. fév., 1 sem. à Pâques, 1 sem. déb. juil., 1 sem. à Noël, dim., lun. soir et mar. soir - 15,25/27€.* Les deux salles à manger de ce petit restaurant sont séparées par un vieil escalier en bois. Soyez patient car la cuisine du terroir est, ici, réalisée à la minute. À la fin du repas, découvrez le fameux café gascon préparé sous vos yeux.

Moulin du Petit Gascon – *Rte d'Eauze - 32100 Condom - 47 km au NO d'Auch par N 124 puis D 930 - ☎ 05 62 28 28 42 - fermé 3 sem. en nov., dim. soir et lun. de mi-sept. à mi-juin - 11,43€ déj. - 16,01/29,73€.* Un petit coin de campagne que l'on voudrait garder secret... Au bord de la Baïse, une charmante petite écluse, un vieux moulin sur l'une des rives et, accolé à l'ancienne maison de l'éclusier, un restaurant. Sans oublier la terrasse et la cuisine classique du patron.

La Table d'Hôtes – *7 r. Lamartine - 32000 Auch - ☎ 05 62 05 55 62 - fermé 24 juin au 7 juil., dim. et mer. - réserv. obligatoire - 16/20€.* Dans une rue étroite de la vieille ville, face aux halles et proche de la cathédrale, ce modeste restaurant rustique est bien agréable avec sa terrasse adossée au marché couvert. Cuisine du terroir, d'un bon rapport qualité/prix.

Hébergement

• *À bon compte*

Hôtel Continental – *32000 Auch - ☎ 05 62 68 37 00 - conti.condom@libertysurf.fr - 25 ch. : 37/50P - ☕ 6€ - restaurant 15/25€.* D'importants travaux de rénovation ont redonné tout son éclat à cet établissement du début du 20e s., situé à deux pas de la rivière. Les chambres possèdent toutes un balcon ou une terrasse ; celles côté cour sont plus calmes. Joli jardin.

Chambre d'hôte La Garlande – *Pl. de la Mairie - 32380 St-Clar - 35 km au NO d'Auch par N 21 puis D 953 - ☎ 05 62 66 47 31 - nicole.cournot@wanadoo.fr - fermé Toussaint à Pâques - ⊭ - 3 ch. : 37/55€ - repas 16€.* Cette belle et immense demeure aux tons ocre se dresse au cœur du village, face à la halle du 16e s. Ses chambres, nanties de tapisseries et meubles anciens, ont gardé leur sol d'origine. Le salon de lecture et le jardin de curé sont très calmes.

Chambre d'hôte Mme Menegelle – *Grand-Rue - 32000 Auch - ☎ 05 62 64 55 03 - fermé janv. - ⊭ - 5 ch. : 42/45€.* Meubles anciens, tapisseries et tissus muraux de couleurs sourdes, et çà et là quelques notes africaines signent l'ambiance de cette ancienne maison de maître restaurée. L'une des chambres possède un lit à baldaquin. Accueil d'une grande discrétion.

Achats

Maison de Gascogne – *R. Gambetta - 32000 Auch - ☎ 05 62 05 12 08 - juil.-août : lun.-sam. 10h-13h, 14h30-19h, dim. 14h30-19h.* Chaque été, les commerçants se réunissent à cet endroit pour exposer et vendre les produits de la région : foie gras, armagnac, croustade, artisanat d'art et ébénisterie.

Établissements Esquerré-Bounoure – *64 r. Caumont - 32000 Auch - ☎ 05 62 05 20 71 - visite : lun.-sam. 14h-18h - fermé j. fériés.* Depuis 1867, cette maison s'applique à faire vieillir patiemment les armagnacs dans des fûts de chêne. Les plus vieux de ces alcools datent de 1933, 1934 et 1935. Visite des chais et dégustation possibles.

circuit

BASTIDES ET CASTELNAUX D'ARMAGNAC

Circuit de 185 km. Quitter Auch au Sud-Ouest par la N21.

Mirande

Place à couverts (arcades), maisons à pans de bois, plan régulier en damier... voilà une vraie bastide. Ce type de ville neuve apparut au 12e s. en terre occitane, à l'instigation des seigneurs afin d'étendre leur influence politique et contrôler leur territoire. On compte environ 300 bastides disséminées le long de la Garonne et du Tarn. *Suivre la signalisation « Route des bastides et des castelnaux ».*

Montesquiou

Ce castelnau – agglomération dépendante d'un château – est situé en hauteur. Au bout de la rue principale subsiste une porte, vestige de l'enceinte fortifiée du 13e s.

Bassoues

Donjon★ médiéval aussi belliqueux d'apparence que raffiné lorsqu'on s'approche de lui, il résume l'esprit de cette terre où l'on savait se battre mais aussi bien vivre !

Marciac

Les fans de jazz viennent surtout dans cette bastide fondée à la fin du 13e s. pour une visite en musique des « **Territoires du jazz** ». ♿ *Avr.-sept. : 9h30-12h, 14h30-18h, lun. 14h30-18h (dernière entrée 3/4h av. fermeture) ; oct.-mars : tlj sf sam. et j. fériés. 5€. ☎ 05 62 08 26 60.*

Termes-d'Armagnac

Le donjon abrite le **musée du Panache gascon**, où les figures de cire des mousquetaires, d'Henri IV... vous attendent. *Juin-sept. : tlj sf mar. matin 10h-19h30 ; oct.-mai : tlj sf mar. 14h-18h. 4€ (musée), 4,50€ (musée et diaporama).* ☎ *05 62 69 25 12.*

Fourcès*

Adorable bastide anglaise. Son originalité ? Le plan circulaire de la cité. Ses maisons à colombages abritent des ateliers d'artisans et des galeries d'art.

Condom

La capitale de l'Armagnac, avec ses vieux hôtels, est une cité on ne peut plus gasconne, et qui fleure bon l'odeur des chais.

Autun**

Un théâtre de 20 000 places, le plus grand de Gaule, un temple, des portes monumentales et bien d'autres vestiges attestent la puissance passée de la cité fondée par Auguste. Les rues médiévales, les sculptures de la cathédrale et la richesse du musée Rolin ne peuvent manquer de séduire ses visiteurs. Autun est aussi une base de départ pour entreprendre des randonnées dans le Morvan.

La situation

16 419 Autunois – Cartes Michelin Local F8, J9, Regional 520 – Le Guide Vert Bourgogne – Saône-et-Loire (71). L'accès à cette région boisée est facilité par la proximité du TGV (Le Creusot) et par un important réseau routier : N 81 et A 38 (vers Dijon), D 973 (vers Beaune), D 978 (vers Nevers ou Chalon).

2 av. Charles-de-Gaulle, 71400 Autun, ☎ *03 85 86 80 38, www.autun.com*

Pour poursuivre la visite, voir aussi : BEAUNE, CLUNY, TOURNUS.

se promener

Les remparts

Le long du boulevard des Résistants-Fusillés, vous avez un bel aperçu de la portion la mieux conservée des remparts gallo-romains. Longez-les à votre guise jusqu'à la tour des Ursulines, donjon du 12e s.

Porte St-André*

C'est l'une des 4 portes qui, avec 54 tours semi-circulaires, formaient l'enceinte gallo-romaine. Elle présente deux grandes arcades pour le passage des voitures et deux plus petites pour celui des piétons, et elle est surmontée d'une galerie.

Cathédrale St-Lazare**

Prendre des jumelles pour mieux admirer les sculptures.

Afin de rivaliser avec la basilique de Vézelay, l'évêque Étienne de Bâgé décide en 1120 de créer un lieu de pèlerinage à Autun. Consacrée dix ans plus tard, en 1130, par le pape Innocent II, la cathédrale est achevée, en 1146.

Le **tympan***** du portail central, réalisé entre 1130 et 1135, compte parmi les chefs-d'œuvre de la sculpture romane. La figure humaine, privilégiée par le sujet même du tympan, est traitée avec une extrême diversité. Dieu, sa cour céleste et les personnages bibliques sont tous vêtus de draperies légères, finement plissées, qui témoignent de l'essence immatérielle des êtres qui les portent.

ŒUVRE SIGNÉE

La signature sur le rebord supérieur du linteau peut laisser penser que Gislebertus fut aussi le maître d'œuvre de l'ensemble de la cathédrale. On ne sait malheureusement rien de ce sculpteur (et peut-être architecte), bien que son art trahisse une formation dans les ateliers de Vézelay et sans doute de Cluny. Sa force créatrice, son sens de la forme et sa puissance expressive se retrouvent dans presque toute la décoration sculptée de St-Lazare.

La salle capitulaire abrite de beaux **chapiteaux**** (12e s.) qui ornaient l'église avant la restauration de Viollet-le-Duc au 19e s. : Pendaison de Judas, Fuite en Égypte, Sommeil des Mages, Adoration des Mages.

Musée Rolin*

Avr.-sept. : tlj sf mar. 9h30-12h, 13h30-18h ; oct.-mars : tlj sf mar. 10h-12h, 14h-17h, dim. 10h-12h, 14h30-17h. Fermé 1er janv. 1er mai, 14 juil., 1er et 11 nov., 25 déc. 3,05€. ☎ *03 85 52 09 76.*

La ville connut au Moyen Âge un regain de prospérité grâce au rôle joué par les Rolin. Né à Autun en 1376, Nicolas Rolin devint un des avocats les plus célèbres de

carnet pratique

Restauration

• *Valeur sûre*

Le Relais des Ursulines – *2 r. Dufraigne - 71400 Autun - ☎ 03 85 52 26 22 - 16/26€.* Entre bistrot et restaurant, cette vieille maison à deux pas de la cathédrale est un peu insolite. Bar en bois avec cuivres, vieux objets chinés dans les brocantes, tables nappées à carreaux rouges et blancs, piano mécanique... Au menu, pizzas et grillades au feu de bois.

Hostellerie du Vieux Moulin – *Rte de Saulieu - 71400 Autun - ☎ 03 85 52 10 90 - fermé janv.-fév., dim. soir et lun. hors sais. - 22,87/38,11€.* Passez la porte d'Arroux puis découvrez, au bord de la rivière, cet ancien moulin de 1878. Devancé par un coquet jardin, ce restaurant a le charme campagnard des demeures anciennes. Table traditionnelle et légumes du jardin. Terrasse. Quelques chambres surannées.

Hébergement

• *Valeur sûre*

Hôtel St-Louis et Poste – *6 r. de l'Arbalète - 71400 Autun - ☎ 03 85 52 01 01 - louisposte@aol.com - P - 33 ch. : 75/115€ - 10€ - restaurant 26/45€.* Proche de la place du Champ-de-Mars, cet ancien hôtel particulier du 18e s. a été rénové dans les règles de l'art. Les chambres sont coquettes, meublées à l'ancienne, en rotin ou fer forgé. Repas dans la salle à manger feutrée et claire ou en terrasse.

Achats

La Maison des vins de la Côte chalonnaise – *2 prom. Ste-Marie - 71100 Chalon-sur-Saône - 51 km à l'E d'Autun par D 978 - ☎ 03 85 41 64 00 - lun.-sam. 9h-19h - fermé j. fériés.* La Maison des vins se veut un lieu de sélection des meilleurs vins de la région (une centaine de crus). On vous y enseignera aussi l'art de la dégustation et du choix.

son temps. Habile négociateur attaché à Jean sans Peur, il reçut de Philippe le Bon la charge de chancelier de Bourgogne. Parvenu au faîte des honneurs et des richesses, il fonda l'hôtel-Dieu de Beaune sans toutefois oublier sa ville natale, où il mourut en 1461. Voyez en particulier la **Nativité**★★ exécutée pour le cardinal Rolin (fils de Nicolas) par le Maître de Moulins (1480) – artiste anonyme qui tire son «nom» de son œuvre majeure exposée à la cathédrale de Moulins –, et la **Vierge**★★ d'Autun.

alentours

Chalon-sur-Saône★

50 km à l'Est d'Autun par la D978. Au cœur d'un vignoble dont certains crus sont dignes de leurs grands voisins, Chalon est réputée pour ses foires et son carnaval.

Dans l'hôtel des Messageries (18e s.), le **musée Nicéphore-Niepce**★★ présente une superbe collection d'images et de matériels qui permet de suivre l'évolution de la photographie. *Juil.-août : tlj sf mar. 10h-18h ; sept.-juin : 9h30-11h30, 14h30-17h30. Fermé j. fériés. 3,10€, gratuit 1er dim. du mois. ☎ 03 85 48 41 98.*

▶▶ Temple des Mille Bouddhas *(32 km au Sud-Ouest d'Autun par la N81 et la D994)*

Ph. Gajic/MICHELIN

Le « Grand Photographe », appareil utilisé par Charles-Louis Chevalier.

Auvers-sur-Oise★★

Dans la région de L'Isle-Adam, ce bourg, qui s'étire le long de l'Oise, accueillit des peintres comme Cézanne, ou Van Gogh, qui y finit ses jours. Leur souvenir est évoqué le long du chemin à flanc de pente de Valhermeil à Cordeville. Des panneaux signalent çà et là les motifs choisis par les artistes.

La situation

6 820 Auversois – Cartes Michelin Local 305 B-C-D-E 6, 304 K6, Regional 513 – Le Guide Vert Île-de-France – Val-d'Oise (94). Le bourg s'étire sur 7 km entre l'Oise et la falaise qui termine le plateau du Vexin, à 35 km au Nord-Ouest de Paris.

Manoir des Colombières, r. de la Sansonne 95430 Auvers-sur-Oise, ☎ 01 30 36 10 06.

Pour poursuivre la visite, voir aussi : CHANTILLY, GIVERNY.

visiter

SUR LES PAS DES PEINTRES

Le docteur Paul Gachet (1828-1909), ami de Paul Cézanne, s'installe à Auvers en 1872. Peintre et graveur lui-même, à l'affût de toutes les nouveautés, il attire sur les bords de l'Oise les tenants d'une peinture nouvelle, les « impressionnistes ».

Tombe de Van Gogh

Le peintre est enterré dans le cimetière *(signalé à partir de l'église)*. Sa tombe est contre le mur gauche. À côté repose son frère Théo, qui fut son fidèle soutien et mourut peu après lui.

Maison de Van Gogh*

10h-18h. Fermé de mi-nov. à mi-mars. 5€ (enf. : gratuit). ☎ *01 30 36 60 60.*
Il s'agit de l'auberge Ravoux, où Van Gogh a passé les derniers mois de son existence. Dans ce climat paisible, il se consacra à ses thèmes de prédilection : portraits et paysages. Mais lorsque Théo lui annonça qu'il allait retourner en Hollande, Vincent se sentit abandonné. Le 27 juillet, égaré dans les champs, il se tira une balle en pleine poitrine. Il mourut le surlendemain. Sa chambre a conservé son décor.

RESTAURATION

Les Canotiers – *2 r. de Léry (au château) - 95430 Auvers-sur-Oise -* ☎ *01 34 48 05 05 - fermé janv. lun. sf j. fériés et le soir - réserv. obligatoire - 17/29€.* Ce petit restaurant se trouve dans l'ancienne orangerie du château d'Auvers-sur-Oise. Sa salle à manger est très agréable avec ses murs de pierres brutes décorés de tableaux, son plafond voûté et ses tables colorées. Cuisine inventive aux accents méridionaux.

Maison-atelier de Daubigny*

Pâques-Toussaint : jeu., ven., w.-end et j. fériés 14h-18h30. 4,50€. ☎ *01 34 48 03 03.*
Daubigny (1817-1878) s'installe à Auvers sur les conseils de son ami Corot. Ce peintre paysagiste aimait travailler sur l'Oise, sur un petit bateau spécialement conçu à cet effet. Plus tard, Monet suivit son exemple.

▶▶ Château d'Auvers (parcours spectacle « Voyage au temps des impressionnistes* »)

circuit

DU VEXIN FRANÇAIS AU VEXIN NORMAND

Environ 60 km – 1/2 journée. Quitter Pontoise par la N 14, route de Rouen.

Au Nord-Ouest de l'Île-de-France, entre l'Oise et l'Epte, rivière frontière de la Normandie, les villages du Vexin français montrent de beaux exemples de maisons rurales. Les églises elles-mêmes ont tiré parti de l'abondance des carrières, et, au temps de la Renaissance, de l'activité de deux familles d'architectes, les Lemercier et les Grappin. Cette belle région offre mille occasions de balades à pied ou à vélo.

Vigny

Construit par le cardinal d'Amboise (1460-1510), ministre de Louis XII et grand propagateur de la Renaissance italienne en France, le château est devenu au 19e s. un agréable pastiche de château de la Loire.

Théméricourt

Le château abrite la **Maison du Parc naturel régional du Vexin francais**. On y trouve tous les renseignements sur les loisirs et les hébergements. ♿ *Mai-sept. : sam. 14h-19h, dim. 10h-19h ; oct.-avr. : w.-end et j. fériés. 14h-18h, en sem. sur demande. 4€.* ☎ *01 34 66 15 10.*

Guiry-en-Vexin

Village attrayant par les silhouettes monumentales de son château et de son église.
Suivre la D 159, puis la D 142.

Domaine de Villarceaux*

De mi-juin à mi-sept. : visite guidée (2h) tlj sf lun. 14h-18h (dernière entrée 1h av. fermeture) ; de mi-sept. à mi-juin : mer. et w.-end 14h-18h. Fermé de fin oct. à fin avr. Gratuit. ☎ *01 53 85 72 10 ou 01 34 67 74 33.*
Figure presque légendaire de femme galante et savante du 17e s., Ninon de Lenclos (1616-1706) connut toutes les célébrités de son temps. Son manoir est situé dans un **parc*** qui illustre à merveille l'art des jardins au cours des siècles.
Poursuivre sur la D 142 jusqu'à Bray-et-Lû pour gagner Gisors par la D 146.

Gisors*

Capitale du Vexin normand, cette ville frontière est agréablement située sur l'Epte. Son **château fort**** présente un magnifique exemple d'architecture militaire des 11e et 12e s. *Avr.-sept. : visite guidée (1h) tlj sf mar. 10h, 11h, 14h30, 15h45, 17h ; oct.-nov. : w.-end et j. fériés 10h30, 14h30, 16h. Fermé 1er mai et 1er nov. 5€.* ☎ *02 32 55 59 36.*

Auxerre★★

La capitale de la basse Bourgogne étage avec assurance ses monuments sur une colline, au bord de l'Yonne ; cette situation privilégiée a valu la création d'un port de plaisance, point de départ du canal du Nivernais. En outre, ses boulevards ombragés aménagés sur les anciens remparts de la ville, ses rues animées et accidentées, ses maisons anciennes forment un ensemble idéal pour la promenade.

La situation

37790 Auxerrois - Cartes Michelin Local 319 E-F-G 5, Regional 513 - Le Guide Vert Bourgogne - Yonne (89). Par l'A6, Auxerre est à 166 km de Paris et à 149 km de Dijon et se situe en basse Bourgogne, et dans une région réputée pour son vignoble.

1 quai de la République, 89000 Auxerre, ☏ 03 86 52 06 19, www.ot-auxerre.fr

Pour poursuivre la visite, voir aussi : GIEN, VÉZELAY, SENS.

carnet pratique

Restauration

• *Valeur sûre*

Le Vieux Moulin – *89800 Chablis - 15 km à l'E d'Auxerre par N 65 puis D 965 - ☏ 03 86 42 47 30 - 16,50/38,50€.* Cet ancien moulin à grains du Moyen Âge a bien du charme et du caractère. Vieilles pierres et poutres massives, banquets dans la salle des machines, aujourd'hui silencieuses, outils agricoles aux murs... sans oublier la vue sur la rivière coulant sous la maison. Cuisine traditionnelle.

Chamaille – *89240 Chevannes - 8 km au SO d'Auxerre par N 151 puis D 1 - ☏ 03 86 41 24 80 - fermé 1er au 17 janv., dim. soir du 14 nov. au 14 fév., lun. et mar. - réserv. obligatoire - 23/56€.* Vous êtes comblé ! La rivière dans le jardin près de la véranda vous charmera comme les champs à perte de vue autour de cette ferme joliment rénovée.

• *Une petite folie !*

Barnabet – *14 quai de la République - 89000 Auxerre - ☏ 03 86 51 68 88 - fermé 23 déc. au 15 janv., dim. soir et lun. - 34/51€.* Un peu en retrait des quais bordant l'Yonne, cette maison de caractère est le rendez-vous des gourmands et gourmets. Élégante salle à manger aux tons pastel ou terrasse dans la cour intérieure. Cuisine au goût du jour pour cette table particulièrement soignée.

Hébergement

• *À bon compte*

Chambres d'hôte Domaine Borgnat Le Colombier – *1 r. de l'Église - 89290 Escolives-Ste-Camille - 9,5 km au S d'Auxerre par D 239 - ☏ 03 86 53 35 28 - domaineborgnat@wanadoo.fr - fermé mi-nov. à fév. - 5 ch. : 38/48€ - repas 20€.* Amateurs de vins, ne manquez pas cette magnifique ferme fortifiée du 17e s. Non seulement votre séjour en chambres d'hôte sera agréable (ou en gîte dans le pigeonnier) mais vous y dégusterez les crus du domaine viticole. Terrasse avec piscine.

S. Sauvignier/MICHELIN

Achats

Le Fin Palais – *3 pl. St-Nicolas - 89000 Auxerre - ☏ 03 86 51 14 03 - de déb. avr. à fin oct. tlj 9h30-19h30.* Des nombreux alcools de la région (dont une bière de Sens) aux fameuses nonnettes (pain d'épice fourré à la confiture). Vous trouverez dans cette boutique une sélection des meilleurs produits du terroir. Accueil charmant.

visiter

Cathédrale St-Étienne★★

Visite du trésor et de la crypte sur demande préalable auprès des Amis de la cathédrale, ☏ 03 86 52 23 29.

Ce bel édifice gothique a été construit du 13e au 16e s. En 1215, l'évêque d'Auxerre fit élever cet ensemble que forment le chœur et le déambulatoire. Tout autour du déambulatoire se déroulent de magnifiques **vitraux**★★ à médaillons, où dominent les tons bleus et rouges. Ils représentent des scènes de la Genèse, l'histoire de David, celle de Joseph, celle de l'Enfant prodigue et de nombreuses légendes de saints.

La **crypte romane★** abrite des fresques (11e au 13e s.) représentant le Christ chevauchant un cheval, et le Christ en majesté encadré par les symboles des Évangélistes et deux chandeliers à sept branches, avec un sens du modelé intéressant.

Ancienne abbaye St-Germain★★

Juin-sept. : visite guidée de la crypte (3/4h) tlj sf mar. 10h-18h30 ; oct.-mai : tlj sf mar. 10h-12h, 14h-18h. Fermé j. fériés. 4€, gratuit 1er dim. du mois. ☎ 03 86 18 05 50.
Cette célèbre abbaye bénédictine fut fondée au 6e s. par la reine Clothilde, épouse de Clovis. La **crypte★★** forme une véritable église souterraine. Ses **fresques★** du 9e s., les plus anciennes connues en France, illustrent l'histoire de saint Étienne.

alentours

Château d'Ancy-le-Franc★★

54 km à l'Est d'Auxerre, en passant par Tonnerre. Sur les quelque 120 pièces que compte le château, on en visite une vingtaine. De mi-avr. à fin oct. : visite guidée (1h) tlj sf lun. 10h30, 11h30, 14h, 15h, 16h (juin-août : visite supp. 17h). 6€ (-11 ans : 3€). ☎ 03 86 75 14 63.
Son allure extérieure simple, presque austère, ne laisse pas présumer le décor raffiné de la cour intérieure : ce superbe château reste, en dépit de maints aléas, le premier modèle de la Renaissance classique en France. La somptueuse décoration murale intérieure exécutée au milieu du 16e s. fut confiée à des artistes régionaux mais aussi à des élèves du Primatice et de Niccolò dell'Abate (seconde école de Fontainebleau).

Château de Tanlay★★

40 km à l'Est d'Auxerre, en passant par Tonnerre. 6 km au Nord d'Ancy-le-Franc. D'avr. à mi-nov. : visite guidée (1h) tlj sf mar. 9h30, 10h30, 11h30, 14h15, 15h, 15h45, 16h30, 17h15. 7€ (enf. : 3€). ☎ 03 86 75 70 61.
Également situé sur le canal de Bourgogne et entouré de larges douves, le château de Tanlay séduit autant par la richesse architecturale de son extérieur que par la qualité de la décoration et du mobilier des appartements. Voyez les fresques en grisaille de la **grande galerie★**, traitées en trompe-l'œil par des artistes italiens.

circuit

L'AUXERROIS

Circuit de 86 km – 1/2 journée. Se diriger vers St-Bris-le-Vineux, à 8 km au Sud-Est.
Cette excursion présente un intérêt tout particulier en avril, à l'époque des cerisiers en fleur. Le vignoble alterne avec les vergers, dans un paysage souvent vallonné.

St-Bris-le-Vineux

Ce joli village possède une **église** gothique du 13e s. Remarquez les vitraux Renaissance et une peinture murale immense de l'Arbre de Jessé (généalogie du Christ). *Sur demande préalable à la mairie. ☎ 03 86 53 31 79.*

Irancy

Dans un vallon couvert d'arbres fruitiers, ce village produit un vin rouge assez corpulent et riche, qui demande quelques années de garde.

Se rendre à Cravant et Vermenton, pour atteindre par la D 11 et la D 49, Noyers.

Noyers★

Resserrée entre ses remparts, cette très jolie petite ville médiévale aux maisons à pans de bois invite le promeneur à errer dans le dédale de ses ruelles et de ses places, qui portent parfois des noms évocateurs, comme la Petite-Étape-aux-Vins !

Chablis

« Porte d'or » de la Bourgogne, Chablis, baignée par le Serein, est la capitale du prestigieux vignoble de la basse Bourgogne.

Quatre appellations pour un vignoble

D'origine très ancienne (on situe sa naissance à la fin de l'Empire romain), ce vignoble fut relancé par les moines de Pontigny au Moyen Âge. De nos jours, le vin blanc de Chablis, sec et léger, est apprécié pour sa finesse et son bouquet. Or vert à l'œil, minéral au nez, il a au palais une personnalité marquée. Il accompagne volontiers fruits de mer, cuisses de grenouilles et escargots de Bourgogne, poissons ou viandes blanches à la crème. Ce vignoble de cépage chardonnay regroupe quatre appellations.
Les « chablis grands crus », les plus prestigieux, sont groupés sur les coteaux abrupts de la rive droite du Serein, divisés en *climats* : Vaudésir, Valmur, Grenouilles, les Clos, les Preuses, Bougros et Blanchots.
Les « chablis premiers crus » s'étendent sur les deux rives du Serein, sur le territoire de Chablis et des communes environnantes. Les *climats* les plus réputés sont la Montée de Tonnerre, Mont de Milieu, Forêt, Fourchaume et Vaillons.
Ensuite viennent les « chablis », dont le vignoble est le plus étendu, et les « petits chablis ».

Avesnes-sur-Helpe

À quelques kilomètres de la frontière belge, Avesnes-sur-Helpe, paisible petite ville, a plus d'un atout. Ses «relais de gueule» et sa «boulette d'Avesnes», fromage au goût accentué, en font une étape alléchante. C'est aussi un point de départ idéal pour musarder dans l'Avesnois, à travers son patchwork bocager et ses hameaux aux toits bleutés.

La situation

5003 Avesnois - Cartes Michelin Local L-M 6-7, Regional 511 - Le Guide Vert Picardie Flandres Artois - Nord (59). Le long de la frontière belge, Avesnes, qui garde une partie de ses fortifications à la Vauban, se tient sur le flanc escarpé de l'Helpe-Majeure. L'Avesnois s'inscrit dans les limites du **Parc naturel régional de l'Avesnois**.

41 pl. du Gén.-Leclerc, 59440 Avesnes-sur-Helpe, ☎ 03 27 56 57 20, www.avesnes-sur-helpe.com

S. Sauvignier/MICHELIN

La vallée de l'Helpe, paysage typique de l'Avesnois.

circuit

L'AVESNOIS★★

70 km, 1/2 journée. Quitter Avesnes par la D 133 vers Liessies. À Ramousies, suivre la D 80 vers Felleries. Pays de bocages, l'Avesnois est arrosé par l'Helpe-Majeure et la Mineure qui serpentent à travers les prés. Ces paysages ont été façonnés depuis le Moyen Âge, à l'époque où les abbayes de Maroilles, Liessies et St-Michel dominaient la région, créant moulins et forges sur chaque cours d'eau. Des industries s'y développèrent aux 18e et 19e s. Organisés aujourd'hui en écomusée, ces anciens ateliers évoquent le temps où cette région était très active.

Felleries

L'art du bois tourné et de la boissellerie s'est développé parallèlement à l'industrie textile. Le **moulin des Bois-Jolis** (16e s.) regroupe des objets en bois. ♿ *Avr.-oct. : 14h-18h, w.-end et j. fériés : 14h30-18h30. 2,5€. ☎ 03 27 59 03 46.*

Sars-Poteries

Le **musée-atelier du Verre★** rassemble une collection très originale de verreries exécutées par les ouvriers pour eux-mêmes, et des œuvres d'artistes internationaux. *Tlj sf mar. 10h-12h30, 13h30-18h. Fermé 1er janv., 1er mai et 25 déc. 3€. ☎ 03 27 61 61 44.*

Prendre à l'Est la D 952, puis la D 963 vers Liessies. De là suivre la D 133.

Parc départemental du Val-Joly★

Le barrage d'Eppe-Sauvage, sur l'Helpe-Majeure, a créé une magnifique retenue d'eau, enchâssée entre les pentes de la vallée de l'Helpe et du Voyon, son affluent. Dans le parc, nombreuses activités : VTT, pêche, voile, barque, pédalo, tennis, mini-golf, équitation, randonnée pédestre... Restauration et boutique du terroir.

Prendre la D 83 puis à droite la D 951 vers Trélon.

Trélon

Un bâtiment du 19e s. abrite l'**atelier-musée du Verre**, où l'on assiste à des démonstrations des techniques de fabrication. ♿ *Avr.-oct. : 14h-18h, w.-end et j. fériés : 14h30-18h30. 5€. ☎ 03 27 59 71 02.*

La D 951 permet de rentrer à Avesnes-sur-Helpe.

Avignon★★★

Cité des papes et du théâtre, cette ville d'art fut à l'origine d'une véritable explosion culturelle. Son étincelante beauté illumine le Rhône et la Provence : remparts, clochers et toits de tuiles roses s'y reflètent, surplombés par la cathédrale et le majestueux palais des Papes.

La situation

253 580 Avignonnais – Cartes Michelin Local B-C 9-10, Regional 524 – Le Guide Vert Provence – Vaucluse (84). Avignon est bien desservie : l'autoroute du Soleil et l'A9 passent à proximité ; le TGV met 2h30 depuis Paris, et l'aéroport est à 8 km de la ville. Il faut approcher Avignon le soir, par Villeneuve-lès-Avignon, pour admirer la ville dans toute sa splendeur. Passé le pont puis les remparts, gagner sans hésiter le parking souterrain (payant) du palais des Papes.

41 cours Jean-Jaurès, 84000 Avignon, ☎ 04 32 74 32 74, www.avignon-tourisme.com

Pour poursuivre la visite, voir aussi : ORANGE, LE LUBERON, ARLES, LES BAUX-DE-PROVENCE.

carnet pratique

Restauration

• *Valeur sûre*

La Vache à Carreaux – *14 r. de la Peyrolerie - 84000 Avignon - ☎ 04 90 80 09 05 - fermé 1 sem. en mars, dim. et lun. - 15,20/23,40€.* Près du palais des Papes, dans une rue paisible, restaurant servant une cuisine simple à base de fromages dans une salle à manger avec pierres apparentes et parquet ancien. Le jeune patron, qui connait les vins, vous les fera découvrir au verre.

Le Grand Café – *Cours Maria-Casarès, La Manutention - 84000 Avignon - ☎ 04 90 86 86 77 - fermé janv., dim. et lun. sf juil.-août - réserv. conseillée - 16€ déj. - 27€.* Cette ancienne caserne adossée aux contreforts du palais des Papes est devenue un lieu incontournable de la vie locale. Avignonnais et touristes s'y retrouvent pour découvrir une cuisine inventive aux accents provençaux. Plaisant décor mariant esprits bistrot et café viennois. Agréable terrasse.

Hébergement

• *Valeur sûre*

Hôtel Garlande – *20 r. Galante - 84000 Avignon - ☎ 04 90 80 08 85 - hotel-garlande@avignon-et-provence.com - fermé dim. de nov. à mars - 12 ch. : 56,50/90€ - ☕ 6,10€.* Petit hôtel familial bordant une rue tranquille, à deux pas de l'église St-Didier. La réunion de deux maisons anciennes rénovées a créé cette distribution intérieure sinueuse mais pittoresque. Les chambres, personnalisées dans un discret esprit provençal, sont égayées de tissus fleuris.

• *Une petite folie !*

Chambre d'hôte La Ferme Jamet - Domaine de Rhodes – *Île de la Berthelasse - 84000 Avignon - 5 km au NO d'Avignon par pont É.-Daladier puis D 228 - ☎ 04 90 86 88 35 - fermja@club-internet.fr - fermé nov. à avr. - 8 ch. : 95/175€.* Cette bâtisse du 16e s. donnant sur un joli parc, à deux pas du centre d'Avignon, respire la quiétude. L'authenticité des lieux et l'atmosphère provençale vous assurent un séjour agréable. Trois cottages pour ceux qui souhaitent s'isoler un peu.

Hôtel Cloître St-Louis – *20 r. Portail-Boquier - 84000 Avignon - ☎ 04 90 27 55 55 - hotel@cloitre-saint-louis.com - P - 77 ch. : 130/244€ - ☕ 14,50€ - restaurant 34€.* Décor contemporain de verre et d'acier dans un cloître du 16e s. et son annexe conçue par l'architecte Jean Nouvel. Chambres au design monacal. Cuisine classico-provençale servie dans les salles voûtées et les galeries. Piscine et solarium sur le toit. Messe dominicale dans la chapelle, au cœur de l'hôtel.

Calendrier

Réservations du Festival d'Avignon – *Bureau du Festival d'Avignon - 8 bis r. de Mons - ☎ 04 90 27 66 50 - réservations au 04 90 14 14 14.* Les locations, ouvertes dès la 1re quinzaine de juin, peuvent aussi être faites par Internet : www.Festival-Avignon.com, par Minitel 3615 FNAC. Programme du Festival « off » disponible par courrier (joindre une enveloppe affranchie à 2,1€) : *Avignon Public Off - BP 5 - 75521 Paris Cedex 11 - ☎ 01 48 05 01 19 - www.avignon-off.org*

comprendre

Des papes francais – Au Moyen Âge, à Rome, les querelles de partis rendent aux papes la vie impossible. Le Français Bertrand de Got, élu en 1305 sous le nom de Clément V, lassé, choisit de se fixer dans ses terres du Comtat venaissin, propriété papale depuis 1274. Mais si Clément V entre solennellement le 9 mars 1309 à Avignon, il n'y réside pas, préférant le calme d'un château près de Carpentras. C'est Jacques Duèse, élu sous le nom de Jean XXII (1316-1334), qui installe durablement la papauté en Avignon où, de 1309 à 1377, sept souverains pontifes, tous français, se succèdent. La cité devient alors un immense chantier : partout s'édifient des couvents, des églises, des chapelles, tandis que le palais pontifical s'agrandit et s'embellit sans cesse. L'université (fondée en 1303) compte des milliers d'étudiants.

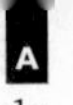

Liberté, tolérance et prospérité, rien d'étonnant à ce que la cité pontificale attire du monde : sa population passe de 5 000 à 40 000 habitants. Terre d'asile, elle accueille des proscrits politiques (comme le poète Pétrarque), mais aussi des condamnés en fuite, des aventuriers, des contrebandiers, etc.

Papes et antipapes – Plus tard, Urbain V songe à rétablir à Rome le Saint-Siège. Il part d'Avignon en 1367. Mais les troubles qui secouent l'Italie l'obligent à revenir au bout de trois ans. Les réformes d'Urbain VI, un Italien, irritent les cardinaux (en majorité languedociens) ; en représailles, ils élisent Clément VII (1378-1394) qui retourne en Avignon : c'est le Grand Schisme. La France, Naples et l'Espagne prennent parti pour Avignon contre Rome. Papes et antipapes vont s'excommunier à tour de rôle. Le Grand Schisme prend fin en 1417 avec l'élection de Martin V. Dès lors, la cité est, jusqu'à la Révolution, gouvernée par un légat puis un vice-légat du pape.

visiter

Palais des Papes***

2h. Juil.-sept. : 9h-20h (dernière entrée 1h av. fermeture) ; de mi-mars à fin juin et oct. : 9h-19h ; de déb. nov. à mi-mars : 9h30-17h45. 9,5€ (de déb. nov. à mi-mars 7,5€). ☎ 04 90 27 50 73.

Cette résidence de 15 000 m² se compose de deux édifices distincts, le Palais Vieux et le Palais Neuf, dont la construction dura au total une trentaine d'années.

En 1134, Benoît XII commande le **Palais Vieux** : les ailes de cette forteresse austère s'ordonnent autour d'un cloître et sont flanquées de tours.

Puis Clément VI, grand prince d'Église, artiste et prodigue, fait bâtir en 1342 le **Palais Neuf**. La tour de la Garde-Robe et deux nouveaux corps de bâtiments ferment la cour d'Honneur, jusqu'alors place publique. Si l'aspect extérieur ne change guère, l'intérieur est transformé par une équipe d'artistes, dirigée par les Italiens Simone Martini puis Matteo Giovanetti. Les travaux se poursuivirent jusqu'en 1363.

Après le départ des papes, le palais est affecté aux légats, mais il se dégrade. En piteux état lors de la Révolution, il est livré au pillage. Après quelques épisodes sanglants en 1791, les bâtiments sont sauvés grâce à leur transformation en prison et en caserne.

Cour d'honneur – Bordée sur la gauche par l'aile du Conclave, actuel Palais des Congrès, et sur la droite par une façade gothique percée d'ouvertures irrégulières (à l'étage, se trouve la fenêtre de l'Indulgence d'où le pape donnait sa triple bénédiction), c'est ici que se déroule le Festival de théâtre.

Imaginons

En parcourant le dédale de salles vides, il est bien difficile de se faire une idée du palais des Papes de jadis. Alors fermez les yeux un instant et imaginez, dans un cadre somptueusement décoré et richement meublé, les allées et venues feutrées des prélats et des serviteurs, les gardes en grand uniforme, le mouvement incessant de toute une cour de cardinaux, de princes et d'ambassadeurs, les intrigues et les chuchotements, les pèlerins massés dans la cour pour recevoir la bénédiction du pape ou le voir sortir, juché sur sa mule blanche…

Intérieur – Ne manquez pas : la chambre du Camérier au magnifique plafond à poutres peintes ; la salle du Consistoire où sont exposées les fresques de Simone Martini qui ornaient le tympan de N.-D.-des-Doms ; la chapelle St-Jean ornée de peintures d'une étonnante inventivité, dues à Matteo Giovanetti ; la chapelle du Tinel (ou St-Martial), dont les fresques peintes également par Matteo Giovanetti

À la fois forteresse et palais, la citadelle d'Avignon dresse sur son rocher tours et murailles.

S. Sauvignier/MICHELIN

retracent la vie de saint Martial ; et, enfin, la chambre du Cerf, cabinet de travail de Clément VI, où d'élégantes fresques illustrent des sujets profanes sur fond de verdure. Ces ensembles doivent leur attrait à la gamme pure des couleurs employées, imprégnées de luminosité, et aux mille détails des scènes pleines de vie.

Musée du Petit Palais**

Juin-sept. : tlj sf mar. 10h-13h, 14h-18h ; oct.-mai : 9h30-13h, 14h-17h30. Fermé 1er janv., 1er mai, 14 juil., 1er nov., 25 déc. 6€. ☎ 04 90 86 44 58.

Ce musée présente une section de sculptures médiévales. Remarquez le *Transi* qui formait la base du tombeau du cardinal de Lagrange (fin du 14e s.) : le réalisme du cadavre décharné anticipe sur les représentations macabres des 15e et 16e s.

Le Petit Palais est connu pour la collection Campana, bel ensemble de **peintures italiennes** du 13e au 16e s. La présentation des œuvres, par école et par période, permet au long de cette promenade d'apprécier l'évolution des styles.

Musée Calvet*

Tlj sf mar. 10h-13h, 14h-18h. Fermé 1er janv., 1er mai, 25 déc. 6€. ☎ 04 90 86 33 84.

Cet illustre musée garde notamment des peintures, françaises, italiennes ou flamandes, du 16e au 19e s. On remarquera la pathétique *Mort de Joseph Bara* par David, et les grandes marines aux harmonies colorées de Joseph Vernet (1714-1789).

Musée Angladon*

5 r. des Laboureurs. Juil.-sept. : tlj sf lun. 13h18h, j. fériés 15h-18h ; oct.-juin : tlj sf lun. et mar. 13h-18h. 5€. ☎ 04 90 82 29 03.

Cet hôtel particulier du 18e s. fut acquis en 1977 par un couple de peintres avignonnais, Jean Angladon-Dubrujeaud et Paulette Martin afin d'y exposer leurs collections. Celle, d'art moderne, qui leur fut léguée par le couturier Jacques Doucet comprend des peintures de Cézanne, Sisley, Manet, Derain, Picasso, Modigliani et Foujita. À l'étage, les œuvres sont présentées de façon que les visiteurs « aient l'impression que les habitants viennent de sortir ». Voyez surtout le salon chinois aux belles porcelaines du 17e s.

Avignon en scène

Difficile, pour le profane, d'imaginer Avignon pendant le Festival : une foule énorme envahit la cité, investissant les terrasses des cafés, les restaurants, éphémères ou non ; hôtels, pensions, chambres d'hôte, campings s'emplissent des lieues à la ronde, alors qu'au petit matin des silhouettes ébouriffées émergent de sacs de couchage sur les pelouses des squares. Dans la cité des papes, devenue un immense théâtre, chacun mène sa vie : on dîne tranquillement en attendant l'heure du « jingle » qui invite les spectateurs à prendre place, ou l'on se laisse aller à l'inspiration du moment, explorant salles de fortune, garages ou entrepôts. La clé du succès ? La nouveauté du concept (cadre grandiose de la cour d'Honneur, spectacles commençant à l'heure dite) y est pour beaucoup ; de grandes mises en scène qui ont fait date (Gérard Philipe dans le rôle de Rodrigue a marqué toutes les mémoires), de prestigieux invités, l'explosion du « off » à partir de 1968 ont peu à peu transformé le festival des pionniers en une immense foire théâtrale où quelque 500 spectacles différents sont proposés chaque année.

se promener

Depuis la place du Palais, emprunter l'étroite rue Peyrollerie qui s'amorce contre les murailles du palais, pour passer sous le contrefort étayant la chapelle Clémentine, avant de déboucher sur une place bordée par un hôtel du 17e s. Par la rue du Vice-Légat, sur la gauche, on atteint le verger d'Urbain V puis, après un passage sous voûte, la cour Trouillas. Les escaliers Ste-Anne, offrant de nouvelles vues sur le palais, conduisent au rocher des Doms.

Rocher des Doms**

Un beau jardin aux essences variées a été aménagé sur le rocher des Doms. Au gré des terrasses, belles **vues**** sur le Rhône et le pont St-Bénezet, Villeneuve-lès-Avignon avec la tour Philippe-le-Bel et le fort St-André, les Dentelles de Montmirail, le Ventoux, le plateau de Vaucluse, le Luberon, les Alpilles.

Hôtel des Monnaies

En face du palais des Papes, arrêtez-vous un instant devant cet hôtel du 17e s. à la **facade*** richement sculptée de dragons et d'aigles, emblèmes de la famille Borghèse, d'angelots, de guirlandes de fruits.

Pont St-Bénezet**

Juil.-sept. : 9h-20h (dernière entrée 1/2h av. fermeture) ; de mi-mars à fin juin et oct. : 9h-19h ; de déb. nov. à mi-mars : 9h30-17h45. 3,50€ (de nov. à mi-mars 3€) ☎ 04 90 85 60 16.

Ce célèbre pont, avec ses 900 m de long et ses 22 arches, fut emporté en partie par la crue du Rhône au 17e s. N'en déplaise à la chanson, il était bien trop étroit pour qu'on y danse tous en rond... C'était au-dessous des arches, dans l'île de la Bartelasse, que les Avignonnais entraînaient les belles dames à « faire comme ça »...

▶▶ Beaux hôtels rue de la Balance

alentours

Villeneuve-lès-Avignon★

Traverser le Rhône sur le pont Édouard-Daladier. Depuis la « ville des cardinaux », la vue sur la « ville des papes » constitue un des paysages les plus célèbres de la vallée du Rhône, surtout en fin d'après-midi.

Le **musée municipal Pierre-de-Luxembourg★** conserve des œuvres d'art exceptionnelles. En particulier une **Vierge★★** du 14e s. sculptée dans une défense d'éléphant, et le **Couronnement de la Vierge★★** d'Enguerrand Quarton (1453). Originaire de Laon, ce peintre, fasciné par la lumière du Midi, emploie des couleurs éclatantes. ♿ *De mi-juin à mi-sept. : 10h-12h30, 15h-19h ; de déb. avr. à mi-juin : tlj sf lun. 10h-12h30, 15h-19h ; oct.-mars : tlj sf lun. 10h-12h, 14h-17h30. Fermé fév., de déb. sept. à mi-sept., 1er janv., 1er mai, 1er et 11 nov., 25 déc. 3€, gratuit 1er dim. du mois (oct.-juin).* ☎ *04 90 27 49 66.*

▶▶ Chartreuse du Val de Bénédiction★

Carpentras★

24 km au Nord-Est d'Avignon par la D 942.

Cité d'art, au pied des dentelles de Montmirail, il y fait bon vivre. On y apprécie volontiers les fruits confits, les berlingots et le parfum des truffes sur l'étonnant marché qui se tient tous les vendredis matin du 27 novembre à fin mars.

Synagogue★ – *Pl. de la mairie. Sonner. Tlj sf w.-end 10h-12h, 15h-17h (ven. 16h). Fermé j. fériés et j. de fêtes juives. 4€.* ☎ *04 90 63 00 78.* Chassés de France par Philippe le Bel, les juifs se réfugièrent en terres papales où ils étaient en sécurité et bénéficiaient de la liberté de culte. À l'intérieur, une forte émotion se dégage du lieu, qui dépasse le point de vue strictement artistique. Au rez-de-chaussée, voyez les boulangeries où l'on fabriquait le pain azyme jusqu'au début du 20e s.

S. Sauvignier/MICHELIN

Cascade de couleurs et de goûts : les berlingots de Carpentras.

Cathédrale St-Siffrein★ – Elle constitue un bon exemple de style gothique méridional. Elle fut commencée en 1404 et achevée au 17e s. par un portail classique.

▶▶ Pharmacie de l'hôtel-Dieu ; Bibliothèque Inguimbertine

Bagnoles-de-l'Orne

Pour se soigner ou tout simplement se reposer en Normandie, Bagnoles-de-l'Orne, la plus importante station thermale de l'Ouest de la France, offre une gamme étendue d'hébergements et d'installations sportives. De larges avenues parcourent le quartier tracé dès 1886 dans l'écrin de la forêt des Andaines et invitent à découvrir de magnifiques villas du début du 20e siècle.

La situation

893 Bagnolais – Cartes Michelin Local 310 I3, G3, Regional 512 – Le Guide Vert Normandie Cotentin – Orne (61). À l'écart des grands axes, la station est à 2 km au Nord de la N 176 qui relie Alençon à la baie du Mont-St-Michel. Appartenant au Parc naturel régional de Normandie-Maine, son site fait communiquer les hautes terres du Bocage et l'ample bassin du Passais, dans un cadre de verdure et de calme.

ℹ *Pl. du Marché, 61140 Bagnoles-de-l'Orne,* ☎ *02 33 37 85 66. www.bagnoles-de-lorne.fr*

séjourner

Parc de l'établissement thermal★

Comme beaucoup de stations balnéaires de la côte normande, Bagnoles-de-l'Orne s'est développée avec l'arrivée du chemin de fer en 1869. Les « vacanciers » ou les « baigneurs » séjournaient dans cette petite ville qui se dota de luxueuses villas louées pour la saison et dont les tourelles, les balcons, les bow-windows et autres marquises enchantent encore notre regard. L'eau de Bagnoles soulage les troubles de la circulation veineuse, les séquelles de phlébites et, de manière préventive, les varices. L'établissement est alimenté par la Grande Source dont les eaux jaillissent à 25,8 °C. C'est la seule source chaude de l'Ouest et la moins minéralisée de France.

carnet pratique

RESTAURATION

Chez Marraine – *6 r. du Square - 61140 Bagnoles-de-l'Orne - ☎ 02 33 37 82 91 - fermé fév., 27 oct. au 11 nov., dim. soir hors sais. et mer. - 12,20/28,20€.* « Pour vivre heureux, vivons caché ! ». Telle doit être la devise de ce restaurant blotti dans une petite rue entre ville et lac. Sur l'agréable terrasse couverte, vous pourrez par exemple vous initier à la tête de veau, une spécialité de la maison...

• *Valeur sûre*

Le Jean-Anne – *2 r. de la Fée-d'Argouges - 61150 Rânes - 19 km au NE de Bagnoles par D 916 - ☎ 02 33 39 75 16 - fermé 2e quinzaine de fév., mar. soir et mer. sf j. fériés - 10€ déj. - 33€.* De la salle au décor simple, vous pourrez jeter un regard sur la petite église romane et sur le château qui lui fait face. Côté restauration, la patronne œuvre aux fourneaux tandis que son époux prend les commandes. Cuisine bourgeoise.

HÉBERGEMENT

• *À bon compte*

Albert Ier – *7 av. du Dr-Poulain - 61140 Bagnoles-de-l'Orne - ☎ 02 33 37 80 97 - fermé nov. à mars - réserv. conseillée le w.-end - 20 ch. : 28,50/46€ - ☕ 6€ - repas 13/30€.* Il règne un charme délicieusement suranné en cet établissement idéalement situé en lisière de forêt et à 400 m du lac. Chambres spacieuses et sobres. Une fresque Belle Époque décore la salle de restaurant. Carte traditionnelle et un menu du terroir.

• *Valeur sûre*

Nouvel Hôtel – *Av. du Dr-P.-Noal - 61140 Bagnoles-de-l'Orne - 0,5 km au S du centre de Bagnoles - ☎ 02 33 30 75 00 - nouvel.hotel@wanadoo.fr - fermé nov. à mars - P - 30 ch. : 42,50/59€ - ☕ 6,50€ - restaurant 14/27€.* Vous ne pourrez pas manquer cette villa 1900 proche des thermes. Sa façade entièrement restaurée met en valeur la pierre d'époque et lui donne fière allure. Chambres chaleureuses au décor plus actuel de teintes claires. Terrasse couverte.

alentours

Château de Carrouges★★

23 km à l'Est de Bagnoles, en prenant la D916 puis la D908 à La Ferté-Macé. De mi-juin à fin août : visite guidée (3/4h, dernier dép. 3/4h av. fermeture) 9h30-12h, 14h-18h30 ; de déb. avr. à mi-juin et sept. : 10h-12h, 14h-18h ; oct.-mars : 10h-12h, 14h-17h. Fermé 1er janv., 1er mai, 1er et 11 nov., 25 déc. Se renseigner sur les tarifs. ☎ 02 33 27 20 32.

Élégant édifice cantonné de quatre tourelles circulaires, le **châtelet★** (16e s.) fut certainement construit par Jean Le Veneu, évêque de Lisieux, abbé du Bec-Hellouin, puis du Mont-St-Michel, qui parraina et participa aux frais de l'expédition de Jacques Cartier au Canada.

Association de briques rouges et noires pour le châtelet d'entrée de Carrouges.

Le château, entouré de douves en eau vive, délimite une cour intérieure. À l'intérieur, les appartements présentent un décor Renaissance et classique servant de cadre à un précieux mobilier. La visite s'achève par le monumental **escalier d'honneur★**, remarquable par la hardiesse de ses arcades et de ses voûtes de briques roses, reposant sur quatre piles disposées en carré.

Haras national du Pin★

53 km au Nord-Est. Suivre la D916 jusqu'à Argentan, puis la N26. ♿ De déb. avr. à mi-oct. : visite guidée (1h) 9h30-18h ; de mi-oct. à fin mars : 14h-17h. Fermé 1er janv. et 25 déc. 4€. ☎ 02 33 36 68 68.

Pour une fois ce n'est pas le château qui attire mais ses communs. Autrefois royal, aujourd'hui national, le haras est l'un des centres les plus renommés de l'élevage du cheval en France.

Le haras du Pin dépend du village appelé Le Pin-au-Haras. Il remonte à 1665, date à laquelle Colbert, approuvé par Louis XIV, crée les haras publics afin de pourvoir à l'élevage et l'amélioration des races chevalines. Les plans de l'établissement conçus par Pierre Le Mousseux, élève de Mansart, et le domaine aménagé dans l'esprit de Le Nôtre furent réalisés entre 1715 et 1730. François Gédéon de Garsault, écuyer du roi, devint alors le premier directeur de ce « Versailles du cheval ».

Dans les ailes, les écuries, où se mêlent la pierre et la brique, reçoivent un effectif d'une quarantaine d'étalons groupés suivant leur race (pur-sang anglais, trotteurs français, selles français, anglo-arabes, arabes, cobs normands, percherons, poneys français de selle, new-forests et connemaras), par robe et par taille.
Les remises rassemblent des véhicules hippomobiles dont la série des grands breaks des haras. Ils servent lors des présentations ou des reprises attelées.

Bar-le-Duc*

Alfred Hitchcock exigeait de la confiture de Bar-le-Duc pour chacun de ses petits déjeuners. Pourquoi ? Parce qu'ici, en Lorraine, chaque groseille est épépinée à la plume d'oie. C'est une bonne raison de visiter Bar-le-Duc. La ville haute, sur son promontoire, est tout en pierre blonde. Les façades du quartier aristocratique décorées de statues, de colonnes, de trophées, de gargouilles (16e-18e s.) en sont une autre. Les chefs-d'œuvre de l'église St-Étienne, dont le fameux « Transi » de Ligier Richier, méritent, eux aussi, votre attention.

La situation

16 944 Barisiens – Cartes Michelin Local 307 B6, E5, Regional 514 – Le Guide Vert Alsace Lorraine – Meuse (55). L'ancienne capitale du duché de Bar se trouve à l'Ouest de la Lorraine, à 84 km à de Nancy, et à peu de distance du lac de Madine, qui s'étend dans un beau paysage boisé au pied de la côte de Meuse.

5 r. Jeanne-d'Arc, 55805 Bar-le-Duc, ☎ 03 29 79 11 13.

Pour poursuivre la visite, voir aussi : VERDUN, CHÂLONS-EN-CHAMPAGNE, NANCY

se promener

LA VILLE HAUTE*

Ce bel ensemble architectural des 16e, 17e et 18e s. constituait le quartier aristocratique de Bar. Derrière les façades ornées des hôtels, les demeures se prolongent souvent en logis seigneurial, cour et autre bâtiment pour les serviteurs.

Église St-Étienne

Juil.-août : visite guidée 10h-12h, 14h-18h ; sept.-juin : s'adresser à l'Office de tourisme. ☎ 03 29 79 11 13.

C'est une ancienne collégiale gothique de la fin du 14e s. dont la façade en partie Renaissance donne sur la jolie place St-Pierre. Elle renferme, dans le croisillon droit, le **Transi**** de Ligier Richier (v. 1500-av. 1567), représentant René de Chalon, prince d'Orange, tué au siège de St-Dizier en 1544. Le style naturaliste gothique macabre se mêle à l'influence italienne qui transparaît dans le traitement des draperies.

LA VILLE BASSE

La grande rue – ou rue du Bourg – fut à partir du 16e s. l'une des plus élégantes de Bar-le-Duc, comme en témoignent les riches façades que vous pouvez y admirer *(nos 42, 46, 49 et 51)*. Au coin de la rue Maginot, un monument rend hommage à Pierre Michaux et à son fils Ernest, inventeurs du vélocipède à pédales en mars 1861.

ACHATS

Ets Dutriez À la Lorraine – *35 r. de l'Étoile - 55000 Bar-le-Duc - ☎ 03 29 79 06 81 - lun.-ven. 10h-12h,14h-18h. Sur RV.* La confiture de groseilles épépinées à la plume d'oie est considérée comme un produit de grand luxe depuis 1934. Elle fut introduite à la cour de Versailles, elle connut le plus grand succès. Victor Hugo et Alfred Hitchcock apprécièrent aussi cette douceur.

alentours

St-Mihiel*

35 km au Nord-Est de Bar-le-Duc par la N35 puis la D901 après Rumont. Cette cité possède deux trésors culturels exceptionnels : l'immense bibliothèque bénédictine qui possède quelque 9 000 ouvrages, dont le premier livre imprimé en Lorraine, et le **sépulcre**** de l'église St-Étienne sculpté par Ligier Richier. Ce groupe de 13 personnages grandeur nature représentant la Mise au tombeau compose un tableau vivant, théâtral, à une époque où la sculpture se détache peu à peu de l'architecture.

Bastia★★

Grande ville d'affaires de la Corse et préfecture de la Haute-Corse depuis 1975, Bastia a su préserver au mieux son charme méditerranéen. Le soir, les illuminations de la citadelle, du vieux port et de St-Jean-Baptiste invitent à la flânerie. Les quais menant vers la place St-Nicolas accueillent cafés et restaurants, où l'on consomme les spécialités locales : tripes bastiaises, courgettes et sardines farcies au brocciu, « aziminu » (bouillabaisse) et maints produits de la mer.

La situation

54 075 Bastiais – Cartes Michelin Local 345 E4, F 2-3 – Le Guide Vert Corse – Haute-Corse (2B). Dans le centre-ville, le boulevard Paoli, artère principale, animé et commerçant, connaît les embarras de circulation d'une petite capitale. Laissez votre véhicule au parking de la place St-Nicolas ou à celui de la gare ferroviaire ; quelques minutes suffisent alors pour gagner le dédale des ruelles du vieux port, la place du Marché ou la citadelle.

Pl. St-Nicolas, 20200 Bastia, ☎ 04 95 54 20 40.

Pour poursuivre la visite, voir aussi : CALVI, CORTE.

carnet pratique

Restauration

• *À bon compte*

Ostéria di u Portu – *20248 Macinaggio - 37 km au N de Bastia par D 80 - ☎ 04 95 35 40 49 - fermé oct. à mars sf le w.-end - ☒ - 13€ déj. - 16/28€.* Un lieu fort agréable que ce restaurant joliment décoré d'objets de la ferme et de photographies de chasseurs corses, et sa terrasse située face au port. Dans l'assiette, plats traditionnels et un menu de la mer.

• *Valeur sûre*

La Table du Marché – *Pl. du Marché - 20200 Bastia - ☎ 04 95 31 64 25 - fermé dim. - 22€ déj. - 21/39€.* Après avoir parcouru les allées animées du marché, que diriez-vous d'une halte dans ce restaurant reconnaissable à sa jolie façade verte ? Sa carte varie chaque jour en fonction des arrivages de poissons ; l'assiette du marché et son aïoli ne vous décevra pas.

Lavezzi – *8 r. St-Jean - 20200 Bastia - ☎ 04 95 31 05 73 - fermé 10 fév. à fin mars et dim. hors sais. - 23/36€.* Le plus ancien restaurant de Bastia (ouvert en 1940) et, sans doute, l'une des plus belles terrasses sur le vieux port ! Le décor sans façon s'égaye çà et là de quelques bouquets de fleurs artificielles. La carte, quant à elle, propose un large choix de produits de la mer.

• *Une petite folie !*

La Ferme de Campo di Monte – *20239 Murato - 24 km au SO de Bastia par N 193, D 62 puis D 5 - ☎ 04 95 37 64 39 - ouv. jeu. soir, ven. soir, sam. soir et dim. midi - ☒ - réserv. obligatoire - 38,11€.* De cette authentique ferme de 1630, entourée de chênes verts et de châtaigniers, admirez l'église San Michele et le golfe de St-Florent. Dans ses petites pièces intimistes, les maîtres de maison servent un repas bien ancré dans le terroir. Une adresse très courue...

Hébergement

• *Valeur sûre*

Hôtel Posta Vecchia – *R. Posta-Vecchia - 20200 Bastia - ☎ 04 95 32 32 38 - 49 ch. : 41/70€ - ☕ 6,50€.* Retenez cet hôtel pour sa situation en plein cœur de la vieille ville, en face du port. Les chambres sont très modestes mais certaines sont climatisées notamment dans l'annexe.

Hôtel Les Voyageurs – *9 av. du Mar.-Sébastiani - 20200 Bastia - ☎ 04 95 34 90 80 - fermé 20 déc. au 10 janv. 48,90/90,10€ - ☕ 4,60€.* Une bonne adresse de Bastia. Sur une des grandes avenues de la ville, cet hôtel moderne accueille ses hôtes dans d'agréables chambres au goût du jour, décorées de jaune et de bleu.

Achats

Marché – *À Bastia.* Tous les matins, de nombreux vendeurs de spécialités, de fleurs et de vêtements se retrouvent place du Marché.

Brasserie Pietra – *Rte de la Marana - 20600 Furiani - 23 km au S de Bastia par N 193 et D 364 - ☎ 04 95 30 14 70 - juil.-août : lun.-ven. 9h-12h, 14h-17h30 ; reste de l'année sur demande préalable.* Fondée en 1996, c'est la première brasserie de l'île et la première au monde à brasser une bière à la farine de châtaigne. À peine nées et déjà traditionnelles, les Pietra et Colomba (aux herbes du maquis) se trouvent partout en Corse.

G. Magnin/MICHELIN

se promener

TERRA-VECCHIA★

Ruelles en escalier, linge suspendu aux cordes, passages couverts, venelles tortueuses réservent mille surprises dans la ville basse.

Place St-Nicolas

Cette vaste esplanade ouvre sur le port. Ceinturée de platanes et de palmiers, elle offre un ombrage apprécié à la belle saison. En arrière-plan, la montagne abrupte et dénudée clôt l'horizon.

Place du Marché

Ses vieilles maisons – plusieurs datent du 17e s. – aux façades hautes et percées de fenêtres souvent occultées de persiennes, donnent une bonne idée du Bastia ancien. Le tour de la place s'anime chaque matin du bagout des commerçants du marché.

Vieux port★★

Les hautes façades des vieux immeubles s'ordonnent en amphithéâtre autour de la crique qui abrite le port de pêche et de plaisance.
Du bout de la jetée du Dragon, on apprécie la **vue★★** sur le port. En arrière-plan se profile l'échine montagneuse du cap Corse, souvent coiffée de «l'os de seiche», nuage annonciateur d'un coup de vent. Au large, par temps très clair, on distingue les îles Capraja, d'Elbe et de Montecristo.

TERRA-NOVA★

Ceinturée de remparts du 15e s., la citadelle fut édifiée par les Génois, qui gouvernaient en Corse. À l'intérieur du fortin, les bâtiments accolés au donjon servirent de palais aux gouverneurs génois du 15e au 18e s.

Église Ste-Marie★

Élevée à partir de 1495, cette église fut érigée en cathédrale en 1570 et le resta jusqu'au transfert de l'évêché de Corse à Ajaccio en 1801. L'intérieur, richement décoré, est un bon exemple du goût baroque. Voyez dans le chœur les tribunes des chanteurs pratiquées dans l'épaisseur du mur. Remarquez aussi dans une niche vitrée le groupe de l'**Assomption de la Vierge★★** (18e s.).

alentours

San Michele de Murato★★

50 km au Sud de Bastia. Rejoindre la N193 ; à Casatorra, prendre à droite la D62. Tlj sf w.-end 9h-11h30, 14h-17h. ☎ 04 95 37 60 10.

La route s'élève au milieu des chênes verts et des chênes-lièges qui cèdent la place au maquis puis, dans un décor minéral avec des surplombs parfois vertigineux, s'engage dans le **défilé de Lancone★**.

L'harmonie exceptionnelle de cet édifice est rehaussée par le site où la vue s'étend jusqu'à St-Florent et au désert des Agriates. Construite aux alentours de 1280, l'église appartient à la fin de la période du roman pisan en Corse. Elle est célèbre pour son parement en serpentine vert sombre et en calcaire blanchâtre et pour sa **décoration sculptée★**, parfois gauche, souvent naïve.

G. Magnin/MICHELIN

Serpentine vert sombre et calcaire blanc, sur la façade de l'église San Michele de Murato.

circuit

LE CAP CORSE★★★

180 km. Compter 2 jours. Quitter Bastia par le Nord.

La presqu'île du cap Corse s'ordonne de part et d'autre d'une arête centrale, qui culmine à 1 307 m au Monte Stello. Une route admirablement tracée entre la mer et la montagne permet de découvrir les plages de sable ou de galets, les villages escarpés avec leurs anciennes cultures en terrasses, et les marines blotties dans les échancrures de la côte. Le versant Ouest, plus abrupt, est resté sauvage. Le cap offre à l'amateur de plongée sous-marine des fonds rocheux et des eaux claires très poissonneuses.

Monte Stello★★

La route s'élève sur un versant dominant la mer, où sont établis les villages de Poretto et Pozzo. Le campanile du couvent des capucins se dresse au sommet de la pente parmi les pins centenaires. Pour entreprendre la **randonnée au sommet★★**, compter 6h AR depuis le centre du village, non compris les haltes *(1 000 m de dénivelée)*.

Erbalunga★

Cette marine aligne ses maisons à fleur d'eau sur une pointe terminée par une tour génoise. Promenez-vous dans les ruelles ombragées de platanes, lauriers et palmiers.

À partir de Macinaggio, la route s'éloigne de la côte, s'élève dans la montagne et coupe le cap vers l'Ouest.

TOURS GÉNOISES

Pour lutter contre les invasions des pirates venus d'Afrique du Nord, les Génois, qui occupèrent l'île de Beauté pendant cinq siècles, organisent un système de surveillance et d'alerte le long des côtes en construisant des tours de vigie et de refuge. Dès que des voiles barbaresques pointent à l'horizon, des guetteurs allument au sommet de l'édifice des feux qui alertent les villages. Aujourd'hui, sur les 85 tours dénombrées au début du 18e s., 67 sont encore debout, notamment le long du cap Corse et sur la côte Ouest. D'une architecture rudimentaire, hautes de 12 à 17 m, elles donnent au paysage une note romantique.

Rogliano★

La commune étage ses tours, les façades de ses églises et ses hautes demeures anciennes dans une conque verdoyante à l'abri du Monte Poggio.

Centuri★

C'est l'un des meilleurs endroits du cap pour faire étape. Les maisons aux belles toitures de serpentine encadrent le petit port.

Pino★

Les maisons de ce charmant village, les tours génoises, l'église et les chapelles funéraires s'étagent à flanc de montagne au milieu d'une riche végétation.

Nonza★

Cette place forte médiévale est perchée sur une falaise à 100 m au-dessus de la mer.

Patrimonio

Sur les pentes du Nebbio, Patrimonio est réputé pour ses vignes qui poussent à flanc de coteau, au-dessus du golfe de St-Florent. Les viticulteurs produisent ici du muscat, des vins rouges, blancs et rosés de qualité.

Col de Teghime★★

À 536 m d'altitude, le col marque la fin de l'arête dorsale qui partage les versants Est et Ouest du cap Corse. Le **panorama★★** se développe sur le golfe de St-Florent, le Nebbio, Bastia et la plaine orientale.

La Baule⛱⛱⛱

La Baule, qui s'enorgueillit du titre de « plus belle plage d'Europe », étend au Sud de la Bretagne sa longue plage de sable parfaitement arrondie. Sports nautiques, tennis, casino, hippisme et golf font de cette station l'une des plus courues de la côte atlantique.

La situation

15 831 Baulois – Cartes Michelin Local 316 B4, Regional 521 – Le Guide Vert Bretagne – Loire-Atlantique (44). Entre Pornichet et Le Pouliguen, à l'Ouest de Nantes, la station est enserrée par l'Océan et les marais salants de Guérande. À l'Est, La Baule-les-Pins a gardé un caractère traditionnel.

ℹ 8 pl. de la Victoire, 44504 La Baule, ☎ 02 40 24 34 44, www.labaule.tm.fr

Pour poursuivre la visite, voir aussi : NANTES, LES SABLES-D'OLONNE, VANNES.

se promener

Front de mer★

Protégée des vents par les pointes de Penchâteau et de Chémoulin, cette promenade bordée d'immeubles modernes s'étire sur près de 7 km entre **Le Pouliguen**⛱ et **Pornichet**⛱. La plage attire les amateurs de baignade, de voile et d'équitation.

carnet pratique

Restauration

• À bon compte

Le Garde Côte – *1 prom. du Port - 44500 La Baule - ☎ 02 40 42 31 20 - 13/27€.* Emplacement unique à l'extrémité de la jetée du port, jouissant d'une vue imprenable sur la baie de La Baule. Architecture originale imitant les deux ponts arrière d'un paquebot, à la façon du *Titanic*... Mais, n'ayez crainte, celui-ci ne heurtera pas d'iceberg !

• Valeur sûre

Vieux Logis – *Pl. Psalette - 44500 La Baule - ☎ 02 40 62 09 73 - fermé 12 nov. au 12 déc., mar. soir et mer. sf juil.-août et j. fériés - 17,50/23,60€.* Prévôté de Guérande, étude notariale et enfin restaurant : cette belle maison en pierre située intra-muros a conservé son cadre du 17e s. Spécialités de grillades.

La Croisette – *31 pl. du Mar.-Leclerc - 44500 La Baule - ☎ 02 40 60 73 00 - 17,60/26,60€.* L'illusion cannoise est presque parfaite dans ce restaurant à l'ambiance méditerranéenne, agrémenté de belles boiseries et de meubles « bateau ». Grande carte de salades, fruits de mer, grillades, pâtes et pizzas ; bar et glacier l'après-midi. Belle terrasse.

Hébergement

• À bon compte

Les Voyageurs – *Pl. du 8-Mai-1945 (face à la porte Vannetaise) - 44500 La Baule - ☎ 02 40 24 90 13 - fermé 23 déc. au 2 janv. - 12 ch. : 40/50€ - ☕ 5,50€ - restaurant 11,30/29€.* La pimpante petite maison où est aménagé cet hôtel se dresse extra-muros, face à la porte Vannetaise. Chambres tendance rétro, bien meublées, et restaurant rustique ne comptant pas moins de quatre salles, dont une ouverte sur la terrasse.

• Valeur sûre

Hôtel Marini – *22 av. Georges-Clemenceau - 44500 La Baule - ☎ 02 40 60 23 29 - interhotelmarini@wanadoo.fr - 33 ch. : 68/81€ - ☕ 7€.* Sis dans un immeuble à colombages, près de la gare, cet hôtel a été aménagé avec soin par ses propriétaires qui lui ont peu à peu donné une âme. Ses chambres sont proprettes et sa petite piscine intérieure constitue un « plus ». Le restaurant est réservé aux résidents.

Le St-Christophe – *Pl. Notre-Dame - 44500 La Baule - ☎ 02 40 62 40 00 - desk@saintchristophe.com - P - 31 ch. : 72/93€ - ☕ 8€ - restaurant 23/30€.* Trois jolies villas 1900 dans un quartier résidentiel. Couleurs vives, tableaux et baies vitrées composent le décor du restaurant. Tentures, meubles anciens et bibelots rares créent une ambiance feutrée et raffinée dans les chambres. Prix attractifs hors saison.

Achats

Confiserie Manuel – *2-4 av. du Gén.-de-Gaulle - 44500 La Baule - ☎ 02 40 60 20 66 - de déb. fév. à juin, de sept. à mi-nov. : ven.-mer. 9h30-12h30, 14h30-19h30 ; juil.-août : tlj 8h30-13h, 14h30-0h30 - fermé 15 nov.- déb. fév. ; jeu. déb. fév à fin juin.* Institution locale fondée en 1938, ce confiseur propose la célèbre niniche qu'il décline en 21 parfums. Ne manquez pas le spectacle de la préparation de ces sucettes molles, tous les matins de 10 à 12h.

La Baule-les-Pins☆☆

La Baule est prolongée, à l'Est, par cette station, née en 1930 au milieu des bois. Près de la place des Palmiers, le **parc des Dryades★**, tracé à l'anglaise, est riche en arbres d'essences variées et présente de beaux parterres fleuris.

alentours

PRESQU'ÎLE DE GUÉRANDE★

À deux pas de l'agitation estivale de La Baule, la presqu'île doit aujourd'hui sa notoriété à son sel produit dans ses marais, où stationnent une multitude d'oiseaux migrateurs. Cette vaste étendue d'eau est propre à l'élevage des huîtres et des moules, et on peut y pêcher des palourdes et des bigorneaux.

Guérande★

Cette jolie localité, qui domine la région des marais salants, est ceinturée de remparts, baignés en partie par des douves.

▶▶ La Maison du sel à Pradel

Un paludier récolte le sel dans les marais salants de la presqu'île de Guérande.

M. Thiery/MICHELIN

Les Baux-de-Provence★★★

Un éperon dénudé – 900 m de long sur 200 m de large – qui se détache des Alpilles, à l'Est du Rhône, bordé de deux ravins à pic, un château fort détruit et des vieilles maisons constituent l'extraordinaire site★★★ minéral du village des Baux, fier héritier d'un passé glorieux.

La situation

434 Baussencs – Cartes Michelin Local 340 D3, Regional 528 – Le Guide Vert Provence – Bouches-du-Rhône (13). On pourra laisser la voiture sur l'un des parkings mais à la belle saison, il sera sûrement nécessaire de se garer au bord de la route, parfois loin, et de faire une partie de l'ascension à pied.

Îlot «Post Ténébras Lux», 13520 Les Baux-de-Provence, ☎ 04 90 54 34 39.

Pour poursuivre la visite, voir aussi : ARLES, LA CAMARGUE, AVIGNON.

comprendre

Une famille qui descend du Roi mage Balthazar – En 1426, à la mort d'Alix, dernière princesse de la puissante famille des Baux, la seigneurie, incorporée à la Provence, n'est plus que simple baronnie. Réunie à la couronne de France avec la Provence, la baronnie se révolte en 1483 : Louis XI fait alors démanteler la forteresse. À partir de 1528, le connétable Anne de Montmorency, qui en est titulaire, entreprend d'importantes restaurations, et la ville connaît de nouveau une période faste. Les Baux deviennent un foyer de protestantisme sous la famille de Manville qui administre la baronnie pour la couronne. Mais, en 1632, Richelieu, fatigué de ce fief turbulent et indocile, fait démolir le château et les remparts. C'est la fin des Baux.

visiter

Village★

Une promenade dans les ruelles constitue un véritable enchantement, du moins en dehors de la période estivale... De la **place St-Vincent★**, jolie vue sur le vallon de la Fontaine et le val d'Enfer. L'hôtel Porcelet abrite le **musée Yves-Brayer★**. C'est sans doute la lumière des paysages provençaux qui a inspiré au peintre ses œuvres les plus réussies : sa palette s'éclaircit alors dans des œuvres telles que *Les Baux*, ou *Le Champ d'amandiers. Avr.-sept. : 10h-12h30, 14h-18h30 ; de mi-fév. à fin mars et oct.-déc. : tlj sf mar. 10h-12h30, 14h-17h30. 4€. ☎ 04 90 54 31 43.*

Brayer a également décoré de scènes pastorales les murs de la chapelle des Pénitents Blancs, bâtie au 17e s.

Château★

Accès par le musée d'Histoire des Baux, au bout de la rue du Trencat. Été : 9h-20h30 ; printemps-automne : 9h-18h30 ; hiver : 9h-17h. 6,50€. ☎ 04 90 54 55 56. www.chateau-baux-provence.com

Depuis 1991, le château fait l'objet d'un vaste projet de sauvegarde et de mise en valeur. Le **musée de l'Histoire des Baux** accueille dans la belle salle basse une

Les Baux-de-Provence.

S. Sauvignier/MICHELIN

carnet pratique

Restauration

• À bon compte

Café Cinarca – *26 r. du Trencat - 13520 Les Baux-de-Provence - ☎ 04 90 54 33 94 - fermé 6 janv. au 6 fév., 12 nov. au 20 déc., le soir du 15 sept. au 30 avr. et mar. - 15/23€.* Un peu de courage, vous arrivez au but, et vous ne serez pas déçu du voyage ! Sur le chemin du château, ce café sert de revigorants plats à l'ancienne dans un décor original où s'entassent objets variés, affiches, photos et vieux outils. Terrasse sous les mûriers.

• Valeur sûre

La Maison Jaune – *15 r. Carnot - 13210 St-Rémy-de-Provence - ☎ 04 90 92 56 14 - fermé 8 janv. au 8 mars, dim. soir en hiver, mar. midi de juin à sept. et lun. - réserv. obligatoire - 19€ déj. - 28/51€.* Jaune est la façade de ce restaurant situé en plein centre-ville. Jaune aussi le carrelage à motifs de sa jolie terrasse sur deux niveaux, ombragée d'un auvent et offrant la vue sur l'église. Mobilier en teck et ferronnerie. Cuisine du marché aux senteurs provençales.

Hébergement

• Une petite folie !

Auberge de la Benvengudo – *13520 Les Baux-de-Provence - 2 km au SO des Baux sur D 27 - ☎ 04 90 54 32 54 - fermé 1er nov. au 14 mars - P - 17 ch. : 135/183€ - ☕ 12€ - restaurant 43€.* Au pied de la citadelle, charmante bastide tapissée de vigne vierge et cernée par la garrigue et les oliviers. Chambres au luxe discret, ouvertes sur un jardin fleuri. Notes décoratives provençales dans la salle à manger et la véranda. Terrasse au bord de la piscine. Menu unique composé selon le marché.

Achats

Santonnier Laurent Bourges – *Rte Maillane - 13210 St-Rémy-de-Provence - ☎ 04 90 92 20 45 - tlj 9h-19h.* Depuis 1955, Laurent Bourges se consacre avec passion à la réalisation de santons de Provence. Un atelier que l'on ne peut visiter sans une certaine nostalgie...

Le Petit Duc – *7 bd Victor-Hugo - 13210 St-Rémy-de-Provence - ☎ 04 90 92 08 31 - www.petit-duc.com - jeu.-mar. 10h-13h, 15h-19h.* Lunes, désirés, cœurs du petit Albert, folie de Paulette, walkyries... Des noms tendrement évocateurs pour ces pâtisseries, douceurs sucrées ou biscuits salés confectionés de façon artisanale et dans le plus grand respect de recettes anciennes.

exposition qui relate les grandes heures de l'histoire des Baux. Deux maquettes de la forteresse aux 13e et 16e s. permettent de suivre l'évolution du site.
On accède au château et au donjon par un escalier assez difficile *(atttention, si vous êtes sujet au vertige)*. Du rocher que couronne le donjon, la **vue**★★ embrasse le pays d'Aix et la Sainte-Victoire, le Luberon, le mont Ventoux et les Cévennes, ou, plus proches, les formes tourmentées du val d'Enfer au Nord, contrastant avec le riant vallon de la Fontaine, à l'Ouest.

alentours

Saint-Rémy-de-Provence★

10 km au Nord des Baux, par la D 27, puis la D 5. Au cœur des Alpilles, Saint-Rémy fleure bon la Provence : boulevards ombragés de platanes, terrasses de cafés caressées par le soleil, ruelles débouchant sur des places ornées de fontaines, senteurs du thym et du romarin lorsque le marché envahit la ville. Et à deux pas, les ruines romaines.

Le plateau des Antiques★★ – *Avr.-sept. : 9h-19h ; oct.-mars : 9h-12h, 14h-17h (dernière entrée 1/2h av. fermeture). Fermé 1er janv., 1er mai, 1er et 11 nov., 25 déc. 5,49€. ☎ 04 90 92 23 79.*
À 1 km au Sud de St-Rémy, parmi pinèdes et olivettes, s'élevait la riche cité de Glanum. Abandonnée à la suite des destructions barbares de la fin du 3e s., il en subsiste deux magnifiques monuments et le grand site archéologique de **Glanum**★. À l'exception de la pomme de pin qui coiffait sa coupole, ce **mausolée**★★ de 18 m de haut, un des plus beaux du monde romain, nous est parvenu intact. On sait aujourd'hui qu'il ne s'agissait pas d'un tombeau, mais d'un monument élevé à la mémoire d'un défunt, vers 30 avant J.-C. Remarquez les bas-reliefs représentant des scènes de batailles et de chasse sur les quatre faces du socle.
Sur le passage de la grande voie des Alpes, l'**arc municipal**★ marquait l'entrée de la cité. Ses proportions parfaites et la qualité exceptionnelle de son décor sculpté dénotent une influence grecque. Observez la ravissante guirlande de fruits et de feuilles, la voûte ornée de caissons hexagonaux finement ciselés, et, sur les côtés, des captifs, hommes et femmes, au pied de trophées, laissent transparaître leur abattement.

Fontvieille

10 km au Sud-Ouest des Baux par la D 78F. Fontvieille est surtout connue grâce au **moulin de Daudet**. La salle du 1er étage présente le système de meules utilisé pour moudre le grain ; remarquez, à hauteur du toit, les noms des vents locaux, inscrits en fonction de leur provenance. Au sous-sol, petit musée réunissant quelques souvenirs de l'écrivain : manuscrits, portraits, photos, éditions rares. *Avr.-sept. : 9h-19h ; fév.-mars et oct.-déc. : 10h-12h, 14h-17h. Fermé en janv. sf dim. 1,52€. ☎ 04 90 54 60 78.* Du moulin, **vue★** remarquable sur les Alpilles, les châteaux de Beaucaire et de Tarascon, la vallée du Rhône et l'abbaye toute proche de Montmajour.

Bayeux★★

Le charme nostalgique de la vieille capitale du Bessin est le reflet d'un patrimoine hors du commun et miraculeusement préservé. L'histoire de Bayeux est en effet marquée par deux conquêtes: celle, en 1066, de l'Angleterre par les Normands, et celle, en 1944, des Alliés sur les plages de Normandie qui fit de Bayeux la première ville de France libérée. La cathédrale continue à veiller sur les ruelles et les hôtels particuliers. Et la tapisserie dite «de la reine Mathilde», témoignage d'une valeur unique et sans doute la plus grande BD du monde, fait toujours l'enchantement des visiteurs.

La situation

14961 Bajocasses ou Bayeusains – Cartes Michelin Local 303 H4, Regional 512 – Le Guide Vert Normandie Cotentin – Calvados (14). À deux pas des plages du Débarquement, d'Omaha Beach et d'Arromanches, Bayeux est à mi-chemin entre Caen et Carentan. Le circuit balisé «D Day-Le choc», qui fait partie du parcours de l'Espace historique de la bataille de Normandie, commence à Bayeux, tandis que le circuit «Overlord-L'assaut» s'y termine.

Pont St-Jean, 14400 Bayeux, ☎ 02 31 51 28 28, www.bayeux-tourism.com

Pour poursuivre la visite, voir aussi : CAEN, PRESQU'ÎLE DU COTENTIN, COUTANCES.

découvrir

Tapisserie dite «de la reine Mathilde★★★»

Mai-août: 9h-19h (dernière entrée 3/4h av. fermeture) ; de mi-mars à fin avr. et oct. : 9h-18h30 ; de déb. nov. à mi-mars: 9h30-12h30, 14h-18h. Fermé 1er janv., 2 janv. (matin), 25 et 26 déc. (matin). 6,40€. ☎ 02 31 51 25 50.

La tapisserie de Bayeux, qui est en fait une broderie, est exposée au **Centre Guillaume-le-Conquérant**. Ce joyau de l'art roman bénéficie d'une présentation tout à fait exceptionnelle. La visite se fait en cinq parties. Tout d'abord, le visiteur entre dans la salle Guillaume, où des écrans en forme de voiles de drakkars proposent un document audiovisuel sur l'épopée des Vikings. Ensuite, on découvre la tapisserie exposée sous vitrine dans un long corridor.

carnet pratique

Restauration

• *Valeur sûre*

Hostellerie St-Martin – *14400 Bayeux - ☎ 02 31 80 10 11 - 12,20/35,10€.* Naguère les grandes salles voûtées du 16e s., aujourd'hui aménagées en restaurant, abritaient les halles du village. Pierre apparente, cheminée, sculptures et vue sur la cave à vins complètent ce décor insolite. Cuisine classique. Quelques chambres.

Le Petit Bistrot – *2 r. du Bienvenu - 14400 Bayeux - ☎ 02 31 51 85 40 - fermé janv., dim. et lun. - réserv. conseillée - 16/28€.* Ce chef passionné prépare une cuisine inventive dans sa petite maison, en face de la cathédrale. Ses plats inspirés sont servis avec l'accent du sud dans un décor d'ocre provençal, d'aquarelles et de dessins.

Hébergement

• *À bon compte*

Hôtel Reine Mathilde – *23 r. Larcher - 14400 Bayeux - ☎ 02 31 92 08 13 - fermé 15 déc. au 1er fév. et dim. de nov. à mars - 16 ch. : 44,21/45,73€ - ☕ 5,95€.* Ce petit hôtel familial est à deux pas de la cathédrale et de la célèbre tapisserie. Poutres apparentes et mobilier de bois clair. Chambres simples dont certaines mansardées.

Achats

Naphtaline – *16 parvis de la Cathédrale - 14400 Bayeux - ☎ 02 31 21 50 03 - oct.-avr. : 10h-19h ; nov. à mars : 14h-18h30 - fermé 15 j. en janv.-fév.* Cette belle bâtisse du 18e s. abrite deux boutiques pour amateurs de dentelles anciennes ou actuelles, de porcelaines de Bayeux et de reproductions de tapisseries traditionnelles fabriquées sur métiers Jacquard.

Tapisserie de Bayeux, 11e s. Avec autorisation spéciale de la ville de Bayeux.

Quelques scènes parmi les 58 qui ont été brodées sur la tapisserie de Bayeux.

Elle illustre, en 58 scènes aux détails piquants, l'histoire de **Guillaume le Conquérant**, duc de Normandie, et de Harold, roi d'Angleterre. Les Anglais se reconnaissent à leurs moustaches et à leurs cheveux longs, les Normands, à leur nuque rasée, les clercs, à leur tonsure, les femmes à leurs vêtements amples et voile sur la tête. La bande est «surtitrée» de longues inscriptions latines orthographiées à la saxonne. On remarque notamment l'embarquement de Harold, l'audience de Guillaume, le Mont-St-Michel, le serment de Harold, la mort et l'enterrement d'Édouard le Confesseur, l'apparition de la comète de Halley, présage de malheur pour Harold, la construction de la flotte, la marche vers Hastings, et pour finir la bataille et la mort de Harold. Les bordures sont brodées d'animaux fantastiques.

La première BD

Il est probable que la tapisserie ait été commandée en Angleterre par Odon de Conteville, comte de Kent, évêque de Bayeux et demi-frère de Guillaume, à un atelier de brodeurs saxons pour orner la cathédrale. L'œuvre figure officiellement dans un inventaire du Trésor daté de 1476. C'est au 18e s. qu'elle a été faussement attribuée à la reine Mathilde. La broderie est exécutée en laines de couleur sur une bande de toile en lin mesurant 70 m de longueur et 0,50 m de hauteur. Cet ouvrage constitue le document le plus précis et le plus vivant que nous ait légué le Moyen Âge sur les costumes, les navires, les armes, et, en général, les mœurs de l'époque.

visiter

Les rues du vieux Bayeux sont riches de demeures anciennes en pierre ou à pans de bois. Ne manquez pas celles de la rue St-Martin.

Cathédrale Notre-Dame★★

Le portail représente, au tympan, l'histoire de saint Thomas Becket, archevêque de Canterbury, assassiné dans sa cathédrale sur l'ordre d'Henri II Plantagenêt.
Le chœur, à trois étages, avec son déambulatoire et sa couronne de chapelles rayonnantes, est un magnifique exemple d'architecture gothique normande.
La crypte (11e s.) s'étend sous le chœur. Au-dessus des chapiteaux, remarquez des fresques du 15e s., représentant des anges musiciens.

Musée-mémorial de la Bataille de Normandie★

Accès par la r. St-Loup, puis à droite sur le bd du 6-Juin. ♿ De déb. mai à mi-sept. : 9h30-18h30 ; de mi-sept. à fin avr. : 10h-12h30, 14h-18h. Fermé de mi-janv. à fin janv., 1er janv. et 25 déc. 5,4€. ☎ 02 31 51 46 90.
Situé à la limite des secteurs américain et britannique de 1944, le musée-mémorial retrace les événements de l'été 1944. Nombreux souvenirs de Tommies ou de GI's.

▶▶ Balleroy★ ; Port-en-Bessin★

Le Beaujolais★★

Lyon, dit-on, est arrosé par trois fleuves : le Rhône, la Saône et... le Beaujolais. Cette boutade tiendrait à accréditer l'idée d'un Beaujolais uniquement viticole. Très alléchante, cette idée est cependant incomplète pour présenter une région dont la richesse tient beaucoup à la variété, aux contrastes de ses paysages ; au Nord, la montagne y est souvent sauvage, image renforcée par les sombres bois de sapins Douglas, tandis que dans le Sud, les lumineux villages du pays des Pierres Dorées vibrent aux premières caresses du soleil.

La situation

Cartes Michelin Local 327 H-G 2-4, Regional 523 - Le Guide Vert Lyon et la vallée du Rhône - Rhône (69). Séparé de la Dombes par la Saône qui forme frontière, le Beaujolais s'étend au Nord-Ouest de Lyon dont il est une importante «source» d'approvisionnement. La circulation Nord-Sud se fait par la vallée de la Saône car elle est difficile dans la montagne.

carnet pratique

Restauration

• ***Valeur sûre***

La Terrasse du Beaujolais – *Rte d'Avenas - 69115 Chiroubles - ☎ 04 74 69 90 79 - fermé 8 déc. au 1er mars (sf sam. midi et dim. midi) et lun. soir en juil.-août - 20,50/48€.* Salle à manger et terrasse de ce restaurant situé sur les hauteurs de Chiroubles offrent une vue exceptionnelle sur les monts du Beaujolais. Cuisine régionale (pain, terrines et pâtisseries maison) ; l'après-midi, salon de thé et en-cas.

Les Platanes de Chénas – *Aux Deschamps - 69840 Chénas - 2 km au N de Chénas par D 68 - ☎ 03 85 36 79 80 - fermé fév., mar. et mer. sf juil.-août - 20,58/48,02€.* Ah qu'il est doux de ne rien faire quand tout s'agite autour de soi ! Installé sur la terrasse ombragée, votre regard s'étend sur les vignobles de Chénas et votre palais savoure les crus d'ici accompagnés par d'une honnête cuisine.

Hébergement

• ***À bon compte***

Chambre d'hôte Gérard Lagneau – *Huire - 69430 Quincié-en-Beaujolais - par D 37, dir. Beaujeu et rte à gauche face à la station Avia - ☎ 04 74 69 20 70 - ⊠ - réserv. obligatoire - 4 ch. : 40/50€ - repas 19€.* Au cœur du vignoble, belle bâtisse en pierres du pays constituant une case départ idéale pour découvrir le Beaujolais. Chambres sobrement décorées. Le maître des lieux possède bien sûr son propre caveau où se déguste la production maison.

Achats

Dans les pays de vignobles, il est souvent possible de visiter les chais et découvrir la grande variété des crus ; les visites sont accompagnées de dégustations de la production locale. Certaines caves sont célèbres, comme celles du château de La Chaize (108 m de long), de Clochemerle et de Villié-Morgon, mais il ne faut pas hésiter à rendre visite aux vignerons de la région. Il faut parfois prendre rendez-vous ; renseignez-vous auprès de l'organisme « Pays Beaujolais » - Maison du tourisme - *96 r. de la Sous-Préfecture - 69400 Villefranche-sur-Saône - ☎ 04 74 07 27 40 - www.beaujolais.com*

circuit

LES CRUS DU BEAUJOLAIS*

Au départ de St-Amour-Bellevue au Sud de Mâcon.

Cette route traverse les vignobles et offre de belles vues sur la vallée de la Saône. Dans chaque village, un caveau ou une cave coopérative propose la dégustation des grands vins.

St-Amour-Bellevue

Située à la pointe Nord du Beaujolais, cette commune produit des vins rouges colorés et charnus et des vins blancs de qualité.

Juliénas

Les vignes donnent des vins corsés et résistants qui peuvent se déguster dans le cellier de la vieille église, décoré de scènes bachiques.

Suivre la D 266 vers le Sud.

Chénas

Cette commune est le berceau de deux grands vins : le moulin-à-vent, vin distingué, charnu et robuste, dont elle partage les vignobles avec la commune de Romanèche-Thorins, et le chénas, plus léger.

Au-delà de Romanèche, prendre à droite la D 32.

Fleurie

Cette appellation prestigieuse fournit des vins « tendres » et fruités. *Suivre la D 68.*

Villié-Morgon

Son cru a pour caractéristique de bien vieillir. Produit sur des schistes décomposés, il a un parfum très fruité.

Prendre la D 9, puis sur la droite la D 68E.

Mont Brouilly

Sur ses pentes se récolte le côtes-de-brouilly, à la fois fruité et bouqueté ; ce cru est, avec le brouilly, produit dans les communes s'étendant autour du mont Brouilly, le plus méridional du vignoble beaujolais.

De l'esplanade, **vue*** sur le vignoble, les monts du Beaujolais, la plaine de la Saône et la Dombes.

Revenir à Cercié, et suivre la D 37.

Belleville

Située au carrefour des axes de circulation Nord-Sud et Ouest-Est, cette ancienne bastide est à la fois un centre viticole et industriel.

L'**église** (12e s.) faisait partie d'une abbaye édifiée par les sires de Beaujeu. À l'intérieur, les sculptures naïves des chapiteaux représentent les péchés capitaux.

▶▶ Mâcon

UN VIN BIEN CONNU

Les vins du Beaujolais s'accordent parfaitement bien avec la cuisine du terroir. Le vignoble, implanté sur les pentes des coteaux qui dominent la Saône, s'étend sur 60 km de longueur et 12 km de largeur, prolongeant la Bourgogne au Sud de Mâcon et allant jusqu'aux coteaux du Lyonnais. L'appellation produit essentiellement des vins rouges à partir du gamay noir.

Au Nord, l'élite du Beaujolais est constituée de 10 crus: brouilly, chénas, chiroubles, côte-de-brouilly, fleurie, juliénas, morgon, moulin-à-vent, régnié et saint-amour.

Les beaujolais-villages au cœur du vignoble sont des vins charpentés et fruités de qualité. Plus au Sud, le pays des Pierres Dorées regroupe des beaujolais supérieurs.

Ces vins se boivent jeunes et frais. Chaque année, le troisième jeudi de novembre, une partie de la production est commercialisée sous le nom de «beaujolais nouveau», avec ses goûts de banane et de fruits rouges.

Beaune★★

Au cœur du vignoble bourguignon, Beaune, prestigieuse cité du vin, est aussi une incomparable ville d'art. Son hôtel-Dieu, ses musées, son église Notre-Dame, sa ceinture de remparts dont les bastions abritent les caves les plus importantes, ses jardins, ses maisons anciennes constituent un des plus beaux ensembles de Bourgogne.

La situation

21 923 Beaunois - Cartes Michelin Local 320 I-J 6-7, Regional 520 - Le Guide Vert Bourgogne - Côte-d'Or (21). Il n'y a guère de ville en Bourgogne mieux desservie que Beaune: croisement de l'A 6, de l'A 31 (Nord) et de l'A 36 (Est); N 74 pour Chagny, D 19 pour Chalon, D 973 pour Seurre...

R. de l'Hôtel-Dieu, 21200 Beaune, ☎ 03 80 26 21 30. www.ot-beaune.fr

Pour poursuivre la visite, voir aussi: DIJON, AUTUN, CLUNY, LONS-LE-SAUNIER.

visiter

Hôtel-Dieu★★★

De déb. avr. à mi-nov.: 9h-18h30; de mi-nov. à fin mars : 9h-11h30, 14h-17h30. 5,10€. ☎ 03 80 24 45 00.

Merveille de l'art burgondo-flamand, l'hôtel-Dieu de Beaune fut fondé en 1443 par le chancelier de Philippe le Bon, Nicolas Rolin *(voir Autun)*.

L'immense **grand'salle ou chambre des pauvres★★★**, de 72 m de long, 14 m de large et 16 m de haut, conserve une magnifique voûte en carène de navire renversée, dont les longues poutres transversales sont «avalées» à chaque extrémité par une gueule de monstre marin. L'ordonnance des ciels de lit, des courtines et de la literie, dans leur harmonie de tons blanc et rouge, est frappante. Au fond de la salle se dresse la statue plus grande que nature (1,76 m assis), en bois polychrome, d'un émouvant **Christ de pitié★** (15e s.).

Dans la **salle du Polyptyque** est exposé le tableau du **Jugement dernier★★★** de Roger Van der Weyden (v. 1400-1464). Ce chef-d'œuvre de l'art flamand, commandé par Nicolas Rolin, fut

Ph. Gajic/MICHELIN

Toit en tuiles vernissées de l'hôtel-Dieu, merveilleuse parure multicolore.

carnet pratique

Restauration

• À bon compte

Le Bouchon – *Pl. de l'Hôtel-de-Ville - 21900 Meursault - 8 km au SO de Beaune par N 74 - ☎ 03 80 21 29 56 - fermé 20 nov. au 28 déc., dim. soir et lun. - 10,06/25€.* Un bistrot tout simple bien connu des habitués, en centre-ville. L'intérieur est sobre avec ses petites tables carrées nappées. Cuisine classique régionale avec un bon choix de menus.

• Valeur sûre

Bénaton – *25 r. du Fg-Bretonnière - 21200 Beaune - ☎ 03 80 22 00 26 - fermé jeu. sf le soir en sais. et mer. - 20/41,50€.* Un petit restaurant à l'écart du centre-ville. La salle à manger est agréable avec ses teintes claires et ses murs de pierre. Petite terrasse intérieure pour les beaux jours. La cuisine au goût du jour est simple et légère, d'un bon rapport qualité/prix.

La Table d'Olivier Leflaive – *1 pl. du Monument - 21190 Puligny-Montrachet - 12 km au SO de Beaune par N 74 - ☎ 03 80 21 37 65 - fermé déc. à fév., le soir et dim. - 35€.* Ce viticulteur a la bonne idée de vous faire déguster ses vins autour d'un repas, volontairement simple, l'important ici étant le breuvage. Ses différentes appellations vous seront commentées par un sommelier. Une expérience mémorable dans cette petite maison de village !

Hébergement

• Une petite folie !

Hôtel Le Cep – *27 r. Maufoux - 21200 Beaune - ☎ 03 80 22 35 48 - resa@hotel-cep-beaune.com - P - 57 ch. : 153/320€ - ☕ 15€.* Jolie demeure du 16e s. dans la vieille ville. Les chambres meublées à l'ancienne portent le nom d'un grand cru de la Côte-d'Or. Prenez votre petit déjeuner dans l'ancien cellier voûté ou, aux beaux jours, dans la cour aux arcades et médaillons Renaissance.

Achats

L'Athenaeum de la vigne et du vin – *7 r. de l'Hôtel-Dieu - 21200 Beaune - ☎ 03 80 25 08 30 - tlj 10h-19h - fermé 25 déc., 1er janv.* Cette librairie a acquis une réputation internationale pour son catalogue quasi exhaustif d'ouvrages sur la Bourgogne, l'œnologie et la gastronomie. Vous y trouverez aussi nombre d'objets de cave : tire-bouchons, couteaux de sommelier, verres de dégustation... Un bel espace où il fait bon musarder.

Le Comptoir Viticole – *1 r. Samuel-Legay - 21200 Beaune - ☎ 03 80 22 15 73 - lun.-sam. 9h-12h, 14h-19h - fermé j. fériés.* Si vous avez la chance de posséder quelques arpents de vigne, ou si vous êtes tout simplement amateur de vin, cette boutique est faite pour vous intéresser. Vous y trouverez tout ce que l'ingéniosité humaine a pu inventer pour transformer les fruits de la vigne en or : machines à boucher, égouttoirs à bouteilles, tire-bouchons, jéroboams, balthazars...

Marché aux vins – *2 r. Nicolas-Rolin - 21200 Beaune - ☎ 03 80 25 08 20 - www.marcheauxvins.com - de mi-juin à mi-sept. : tlj 9h30-17h45 ; de mi-sept. à mi-juin : 9h30-12h, 14h-17h30 - fermé 25 déc. 1er janv.* Situé face aux célèbres Hospices, dans la plus ancienne église de Beaune (13e et 14e s.), ce célèbre marché aux vins propose 18 crus de 3 à 15 ans d'âge, à déguster lentement... Vous découvrirez également un caveau (ouvert sur demande) abritant de très vieux millésimes depuis 1911.

Calendrier

Glorieuses – La vente a lieu le 3e dimanche de novembre, au cours de la 2e journée des « Trois Glorieuses », après Vougeot et avant Meursault.

St-Vincent tournante – Fin janvier ont lieu chaque année dans une des villes ou villages de la Côte les cérémonies de cette fameuse fête vigneronne.

réalisé entre 1445 et 1448. Il représente le thème traditionnel du Jugement dernier, avec un grand sens de l'espace, du détail et de la préciosité de la couleur. Au centre, le Christ juge apparaît encadré par la Vierge et saint Jean-Baptiste. Saint Michel pèse les âmes. Remarquez la puissance d'expression de tous les personnages. Sur le mur latéral droit, on voit les panneaux du revers du retable. Les portraits de Nicolas Rolin et de sa femme sont accompagnés de grisailles.

Collégiale Notre-Dame★

Cette « fille de Cluny », commencée vers 1120 et inspirée de St-Lazare d'Autun, reste, malgré des adjonctions successives, un bel exemple de l'art roman bourguignon. À l'intérieur, la haute nef, voûtée en berceau brisé, est flanquée d'étroits bas-côtés voûtés d'arêtes. Derrière le maître-autel, voyez les magnifiques **tapisseries★★** aux riches couleurs, tissés en laine et soie, qui retracent l'histoire de la Vierge. Elles furent commandées en 1474, puis exécutés sur les indications du cardinal Rolin.

Musée du Vin de Bourgogne★

Avr.-déc. : tlj sf mar. 9h30-18h ; janv.-mars : tlj sf mar. 9h30-17h. Fermé 1er janv. et 25 déc. 5,10€. ☎ 03 80 22 08 19.

L'histoire du vignoble bourguignon et de la culture de la vigne est retracée dans l'hôtel des ducs de Bourgogne (15e et 16e s.). La cour évoque un décor de théâtre. La cuverie (14e s.) abrite une impressionnante collection de pressoirs et de cuves.

▶▶ Remparts★

alentours

Archéodrome de Bourgogne*

Accès par l'autoroute A 6 : aires de stationnement de Beaune-Tailly dans le sens Paris-Lyon et de Beaune-Merceuil dans le sens inverse. Accès par la route : 7 km au Sud de Beaune par la D 18 et la D 23. ♿ Juil.-août : 10h-19h ; avr.-juin et sept. : 10h-18h ; fév.-mars et oct.-nov. : tlj sf lun. et mar. 10h-17h. 6,10€ (enf. : 4,4€). ☎ 03 80 26 87 00.

L'Archéodrome offre un panorama à la fois ludique et scientifique de l'histoire de la région, du paléolithique à l'an 1000.

De nombreux moyens audiovisuels originaux concourent à l'immersion du visiteur dans le passé. Le vaste espace d'exposition convie à une promenade parmi de spectaculaires vestiges : habitat paléolithique d'Arcy-sur-Cure, tombe d'un notable du premier âge du fer, sépulture de Vix recelant le fameux cratère de bronze...

Un judicieux aménagement met en perspective la maquette des fortifications d'Alésia.

circuit

LE VIGNOBLE DE LA CÔTE**

De Dijon à Santenay, sur 65 km, suivant un axe Nord-Sud parallèle à l'A 6, la « côte » dévoile une floraison de grands crus qui en font une route célèbre dans le monde des gourmets et des connaisseurs.

La côte est constituée par le rebord oriental de la « montagne », dont le tracé rectiligne est morcelé par des combes transversales. Dans ces combes, seuls les versants Est et Sud sont plantés de vignes. Tandis que le sommet des coteaux est couvert de buis ou de boqueteaux, le vignoble occupe les pentes calcaires, bien exposées à l'insolation matinale et bien abritées des vents froids. Pour les vins rouges, le cépage est le pinot noir fin. Les grands vins blancs sont produits par le chardonnay.

Côte de Nuits

Elle s'étend de Fixin à Corgoloin et produit presque uniquement de très grands vins rouges. Riches et corsés, ils demandent huit à dix ans pour acquérir leurs incommensurables qualités de corps et de bouquet.

Nuits-St-Georges

La célébrité des vins de Nuits remonte à Louis XIV. Son médecin Fagon ayant conseillé au Roi-Soleil de prendre à chaque repas quelques verres de nuits et de romanée, à titre de remède, toute la Cour voulut en goûter.

Vosne-Romanée

Ce vignoble ne produit que des vins rouges riches, fins et délicats. Parmi les *climats* qui le constituent, ceux de romanée-conti (l'un des vins les plus chers du monde), de la tâche et de richebourg sont de réputation universelle.

Clos de Vougeot

Le Clos (50 ha), propriété de l'abbaye de Cîteaux du 12e s. à la Révolution, est un vignoble célébrissime.

Dans le **château du Clos de Vougeot***, on visite le Grand Cellier (12e s.) où ont lieu les cérémonies de l'ordre du Tastevin, la cuverie (12e s.) aux quatre pressoirs gigantesques, la cuisine (16e s.) avec son immense cheminée et sa voûte nervurée soutenue par une unique colonne centrale, et le dortoir des frères convers qui présente une spectaculaire charpente du 14e s. ♿ *Avr.-sept. : visite guidée (1h) 9h-18h30, sam. 9h-17h ; oct.-mars : 9h-11h30, 14h-17h30, sam. 9h-11h30, 14h-17h. Fermé 1er janv., 24-25 et 31 déc. 3,20€. ☎ 03 80 62 86 09.*

LES CHEVALIERS DU TASTEVIN

En 1934, un petit groupe de Bourguignons, réunis dans une cave de Nuits-St-Georges, décide, pour lutter contre la mévente des vins, de fonder une société destinée à mieux faire connaître les « vins de France en général et ceux de Bourgogne en particulier ». La confrérie est fondée et sa renommée grandit si vite qu'elle gagne bientôt l'Europe et l'Amérique.

Chaque année se tiennent dans le Grand Cellier plusieurs chapitres de l'ordre. Cinq cents convives participent à ces « disnées », à l'issue desquelles le grand maître et le grand chambellan, entourés des hauts dignitaires de la confrérie, intronisent de nouveaux chevaliers selon un rite scrupuleusement établi, réglé sur le Divertissement du *Malade imaginaire* de Molière.

Gevrey-Chambertin

Cette agglomération viticole donne, parmi les vins de la côte de Nuits, des vins puissants qui acquièrent en vieillissant tout leur corps et tout leur bouquet.

Fixin

Prononcer fissin. Producteur de vins au bouquet profond ; certains se classent parmi les meilleurs de la côte de Nuits.

Côte de Beaune

Elle s'étend du Nord d'Aloxe-Corton à Santenay et produit de grands vins blancs mais aussi d'excellents vins rouges. Ses vins «se font» plus rapidement que ceux de la côte de Nuits, et donc vieillissent plus tôt.

Aloxe-Corton

Prononcer alosse. Sur une colline isolée, Charlemagne posséda des vignes, d'où le nom de corton-charlemagne, vin blanc de grande allure. Cependant Aloxe-Corton produit surtout des vins rouges, dont le bouquet s'affine avec l'âge, tout en conservant du corps.

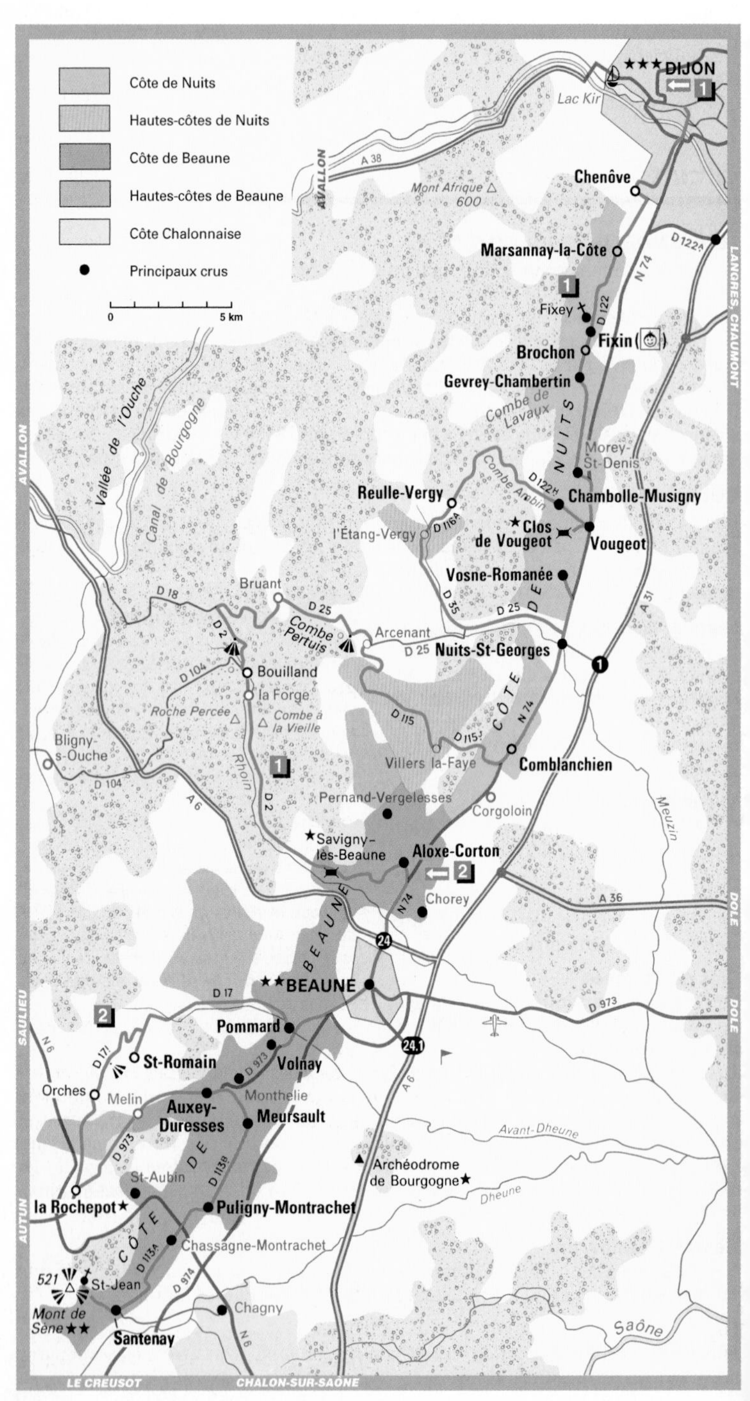

Pommard
Ce village tire son nom d'un temple antique dédié à Pomone, divinité des fruits et des jardins. Ses vins rouges «fermes, colorés, pleins de franchise et de bonne conservation» furent appréciés par les rois et les poètes: Ronsard, Victor Hugo...

Auxey-Duresses
Les hameaux sont nichés dans une combe profonde menant à **La Rochepot★** et à son château. Le vignoble produit des vins fins rouges et blancs.

Meursault
Cette petite ville devrait son nom à une coupure séparant la côte de Meursault et la côte de Beaune, appelée «saut du Rat». Les meursaults, les puligny et les chassagne-montrachet passent pour les meilleurs vins blancs du monde: ils ont un goût particulier de noisette, un arôme luxuriant de grappe mûre, qui s'allient à une franchise et une finesse exquises. Particularité fort rare, ils sont à la fois secs et moelleux.

Puligny-Montrachet
Ses vins blancs sont sublimes. Leur vigoureux bouquet est très riche, leur robe presque verte. Les vins rouges ont beaucoup de corps et de finesse.

Santenay
Dans un cirque de falaises, Santenay s'étend entre de vastes vignobles qui, avec les eaux minérales salines, font sa renommée. Les vins rouges sont très légers et fruités.

Beauvais★★

Pour découvrir un beau point de vue sur la préfecture de l'Oise, il faut arriver par le pont de Paris: la masse puissante de la cathédrale, épaulée par sa forêt d'arcs-boutants, surgit alors des toits. Ce chef-d'œuvre de l'art gothique est resté inachevé, mais son chœur (68 m) est le plus haut du monde.

La situation
59003 Beauvaisiens - Cartes Michelin Local 305 D4, Regional 511 - Le Guide Vert Picardie Flandres Artois - Oise (60).
Accès par l'A16, entre Paris et Amiens, la N31 entre Rouen et Compiègne.
1 r. Beauregard, 60000 Beauvais, ☎ 0344153030.
Pour poursuivre la visite, voir aussi: COMPIÈGNE, CHANTILLY, AUVERS-SUR-OISE.

Les tapisseries de Beauvais

Louis XIV fonde la Manufacture royale de tapisserie en 1664, sur le conseil de Colbert. On y produit, sur des métiers horizontaux, dits de basse lisse, des œuvres très fines en laine et soie. Elle devient manufacture d'État en 1804. Les ateliers, transférés à Aubusson en 1939, ne peuvent rejoindre Beauvais à cause de la destruction des bâtiments en 1940. Regroupés à Paris dans l'enclos des Gobelins, ils ont repris le chemin de Beauvais en... 1989.

visiter

Cathédrale St-Pierre★★★
De la cathédrale originelle, la Basse-Œuvre, bâtie à l'époque carolingienne, ne subsistent que trois travées de la nef. L'évêque et le chapitre décident, en 1225, d'ériger la plus vaste église de l'époque. La hauteur sous clef de voûte est de 48 m, ce qui donne aux combles une élévation de 68 m - celle des tours de N.-D. de Paris... à un mètre près. Mais les piliers sont trop espacés, les culées des contreforts trop légères. Interrompu par la guerre de Cent Ans, le chantier reprend en 1500. Le transept est achevé en 1550. Et, au lieu d'ériger la nef, on élève une tour à la croisée du transept, surmontée d'une flèche. Sa croix, posée en 1569, se trouve à 153 m au-dessus du sol. La nef fait défaut pour contrebuter les poussées, et les piliers cèdent en 1573, le jour de l'Ascension, alors qu'une procession vient de quitter l'église. Les efforts du clergé et des habitants ne permettent que la restauration du chœur et du transept.
L'**intérieur★★★** est impressionnant : le vertige gagne en pénétrant sous ces voûtes d'une hauteur prodigieuse. Les **vitraux★★** éclairent magnifiquement le transept. Le Père éternel préside le médaillon central de la rose Sud (1551). En dessous, dix prophètes et dix apôtres. En face, dix sibylles répondent aux prophètes (1537).
L'**horloge astronomique★**, réalisée entre 1865 et 1868 par Louis-Auguste Vérité, comporte 90000 pièces. 52 cadrans indiquent la longueur des jours et des nuits, les saisons, l'heure du méridien de Paris... Ses 50 automates miment cinq fois par jour la scène du Jugement dernier. *Juil.-août : son et lumière (1/2h) à 10h40, 11h40, 12h40, 14h40, 15h40, 16h40 et 17h40 ; avr.-juin et sept.-oct. : 10h40, 11h40, 14h40, 15h40 et 16h40 ; nov.-mars : 11h40, 14h40 et 15h40. Fermé 1er janv. 4€ (enf. : 1€). ☎ 0344481160.*

Musée départemental de l'Oise★

Tlj sf mar. 10h-12h, 14h-18h (été : 10h-18h). Fermé 1er janv., Pâques, 1er mai, Pentecôte et 25 déc. 2€, gratuit 1er dim. du mois. ☎ 03 44 11 43 83.

Voyez le beau guerrier gaulois de St-Maur (1er s.) et la stèle du Mercure barbu (3e s.). Dans les étages, on trouve essentiellement des peintures du 16e au 20e s., dont des paysages de Corot, un beau mobilier Art nouveau et des céramiques du Beauvaisis.

▶▶ Manufacture nationale de la Tapisserie ; Gerberoy★★ *(23 km au Nord-Ouest de Beauvais par la D 133)*

Belfort★

Aux portes du Parc naturel régional des Ballons des Vosges, ce « fier coin de terre » doit à sa position, jadis stratégique, un destin des plus mouvementés. Témoin de ces heures difficiles, la citadelle « imprenable » de Vauban domine le célèbre Lion, symbole du courage de ses défenseurs. Mais la ville ne se limite pas à ses fortifications ; elle a depuis longtemps franchi la Savoureuse et les façades colorées invitent à la promenade dans ses rues animées.

La situation

50 417 Belfortains – Cartes Michelin Local 321 K1, 314 J7, Regional 520 – Le Guide Vert Jura – Territoire de Belfort (90). Entre Montbéliard et Mulhouse, Belfort est bien desservi par l'A 36. En arrivant de Montbéliard par l'autoroute, on aperçoit le camp retranché qui domine la ville. L'ancienne place forte a conservé une bonne partie de son enceinte et il est intéressant d'arriver dans la vieille ville par la porte de Brisach. Il y a plusieurs parkings possibles.

ℹ 2 bis r. Clemenceau, 90000 Belfort, ☎ 03 84 55 90 90. www.mairie-belfort.fr

Pour poursuivre la visite, voir aussi : MULHOUSE, BESANÇON, MASSIF DES VOSGES.

carnet pratique

RESTAURATION

• *Valeur sûre*

Le Molière – *6 r. de l'Étuve - 90000 Belfort - ☎ 03 84 21 86 38 - fermé vac. de fév., 22 août au 12 sept., mar. et mer. - 15,24/38,11€.* Dans un quartier rénové de la vieille ville, ce restaurant contentera tous les goûts. La carte est longue et vous aurez du mal à choisir. Salle à manger cossue ou terrasse selon le temps.

Le Pot au Feu – *27 bis Grande-Rue - 90000 Belfort - ☎ 03 84 28 57 84 - fermé 1er au 12 janv., 1er au 18 août, sam. midi, lun. midi et dim. - 19€ déj. - 27/41€.* La cravate n'est pas de rigueur dans ce petit restaurant dans la vieille ville. Cadre bistrot et ambiance décontractée sous les voûtes de pierre de sa jolie salle à manger avec ses tables nappées de carreaux. Cuisine régionale au goût du jour.

Le St-Martin – *1 r. du Gén.-Leclerc - 25200 Montbéliard - 22 km au S de Belfort par A 36 et D 34c - ☎ 03 81 91 18 37 - fermé 23 fév. au 3 mars., 5 au 25 août, sam., dim. et j. fériés - 29/49€.* Dans cette maison ancienne aux murs de pierre, vous pourrez vous restaurer dans un cadre intime d'inspiration bistrot. À table, c'est une cuisine classique, influencée par le marché, qui vous est proposée.

HÉBERGEMENT

• *Valeur sûre*

Hôtel Vauban – *4 r. du Magasin - 90000 Belfort - ☎ 03 84 21 59 37 - hotel.vauban@wanadoo.fr - fermé vac. de fév., Noël au J. de l'an et dim. - 14 ch. : 46/56€ - ☕ 7€.* Vous aurez l'impression de pénétrer dans une maison particulière tant ce petit hôtel se fond parmi les autres. Les chambres sont proprettes, décorées de tableaux peints par le patron. Son jardinet fleuri au bord de la rivière la Savoureuse est coquet.

Grand Hôtel du Tonneau d'Or – *1 r. Reiset - 90000 Belfort - ☎ 03 84 58 57 56 - tonneaudor@tonneaudor.fr - 52 ch. : 60,67/97,72€ - : 9,45€ - restaurant 21,34/35,06€.* Au cœur de la vieille ville, cette belle bâtisse 1900 entièrement rénovée a gardé tout son charme avec son haut plafond, ses jolies moulures et ses colonnes. Chambres spacieuses meublées dans le style épuré de cette époque. Ambiance brasserie parisienne au restaurant. Piano-bar.

Hôtel de la Balance – *40 r. de Belfort - 25200 Montbéliard - 22 km au S de Belfort par A 36 et D 34c - ☎ 03 81 96 77 41 - hotelbalance@wanadoo.fr - fermé 23 au 28 déc. - P - 44 ch. : 58/80€ - ☕ 7,50€ - restaurant 18/25€.* Au pied du château, c'est une ancienne demeure qui a gardé tout son charme avec sa façade pastel. Montez dans votre chambre par le bel escalier en bois sculpté. La salle à manger du restaurant au joli parquet et boiseries est très chaleureuse.

ACHATS

Franche-Comté Salaisons – *10 r. du Port - 25200 Montbéliard - 22 km au S de Belfort par A 36 et D 34c - ☎ 03 81 98 28 02.* Vous y trouverez de véritables boitchus : bon appétit !

VIEILLE VILLE*

Les teintes, cendre bleue, vert de Colmar, bois-de-rose et ocre albigeois... et le parti pris de toujours laisser la pierre à nu autour des ouvertures sécrètent une chaleur et une atmosphère de convivialité qui invite à la découverte: place de l'Arsenal, place de la Grande-Fontaine, Grande-Rue, etc.

Porte de Brisach*

Il faut franchir la porte et se retourner pour admirer sa décoration. Édifiée en 1687, elle présente une façade à pilastres ornée d'un écusson à fleurs de lys ainsi qu'un fronton frappé aux armes de Louis XIV.

Le Lion**

Avr.-sept.: 10h-12h, 14h-18h ; oct.-mars: 10h-12h, 14h-17h. Fermé 1er janv., 1er nov. et 25 déc. 0,90€. ☎ 03 84 54 25 51.

Cette œuvre gigantesque adossée à la paroi rocheuse, en contrebas de la caserne, a été exécutée par Frédéric Auguste Bartholdi (1834-1904) de 1876 à 1880. Il est aussi l'auteur de la statue de la Liberté (New York). Le Lion, en grès rouge des Vosges, symbolise la force et la résistance de la ville en 1870.

G. Magnin/MICHELIN

Le célèbre Lion de Bartholdi, au pied de la citadelle.

Camp retranché**

Juil.-sept.: visite guidée (1h1/2) 10h-17h. ☎ 03 84 54 25 51.

Devenu français à la signature des traités de Westphalie, Belfort se voit confirmée dans son rôle de place forte avec les travaux entrepris par Vauban dès 1687: il enserre la ville dans un système de fortifications pentagonal. À partir de 1815, le camp retranché est créé permettant la surveillance de la trouée qui s'ouvre entre le Jura et les Vosges. Rendez-vous sur la terrasse du fort: le **panorama**** porte, au Sud, sur les premiers chaînons du Jura au loin, à l'Ouest sur la vieille ville, au Nord vers les Vosges méridionales, à l'Est vers les enceintes du fort et la trouée de Belfort.

UNE RÉSISTANCE ACHARNÉE

Avec une garnison de 16000 hommes courageux mais inexpérimentés, le colonel Denfert-Rochereau résiste à 40000 Allemands. Au lieu de s'enfermer dans la place, il en dispute toutes les approches. L'ennemi a mis en batterie 200 gros canons qui, pendant 83 jours consécutifs, tirent plus de 400000 obus. Mais la résistance ne fléchit pas d'une ligne. Le 18 février 1871, alors que l'armistice de Versailles est signé depuis 21 jours, le colonel consent enfin, sur l'ordre formel du gouvernement, à quitter Belfort après 103 jours de siège.

Le retentissement de cette magnifique défense est grand, ce qui permet à Thiers, luttant avec Bismarck, d'obtenir que la ville invaincue ne partage pas le sort de l'Alsace et de la Lorraine. On en fait donc le chef-lieu d'un « territoire ».

alentours

Chapelle N.-D.-du-Haut** à Ronchamp

22 km à l'Ouest de Belfort. Prendre la N 19 vers Lure. Accès par une route en forte montée à 1,5 km au Nord de la ville. Avr.-sept.: tlj sf mar. 9h30-18h30; oct.-mars: tlj sf mar. 10h-16h. Fermé 1er janv. ☎ 03 84 20 65 13.

La chapelle N.-D.-du-Haut, édifiée en 1955, est une œuvre essentielle de l'architecture religieuse moderne. Le Corbusier rompt ici avec le mouvement rationaliste et la rigidité de ses plans, au point que l'on a parlé de sculpture architecturale.
À l'intérieur, on est frappé par la douceur d'une lumière traitée en clair-obscur. Ainsi, malgré des dimensions réduites, l'édifice semble spacieux. Cette adaptation au site est amplifiée par un sol épousant la déclivité de la colline.

Montbéliard*

22 km au Sud de Belfort par l'A 36 ou la N 19. Sous le règne de Frédéric de Wurtemberg (1581-1608), tandis qu'affluent les réfugiés huguenots, la ville se mue en une cité princière: elle se métamorphose, sous la houlette de l'architecte

Henrich Schickhardt. La principauté est rattachée à la France le 10 octobre 1793. En vous promenant dans la **vieille ville**, montez au château (15e-16e s.), voyez l'**hôtel Buesnier-Rossel★** (18e s.) et les halles (16e et 17e s.) à l'imposante toiture.

Musée de l'Aventure Peugeot★★ – *À Sochaux, faubourg industriel à l'Est de Montbéliard. ♿ 10h-18h. Fermé 1er janv. et 25 déc. 7€. ☎ 03 81 99 42 03.*

Qui ne connaît l'inspecteur Colombo et sa 403 cabriolet? Sa fidélité est aujourd'hui récompensée par le constructeur qui lui a confié un rôle sympathique dans le théâtre optique; il présente l'entreprise qui s'est illustrée dans la fabrication de produits aussi différents que des outils, des moulins à café, des vélos, des motos et, bien sûr, des voitures. Remarquez la Double Phaéton Type 81B de 1906, la Bébé, créée en 1911 par Ettore Bugatti, la Phaéton Lion Type V4C3...

▶▶ Ballon d'Alsace★★

Besançon★★

Discrètement lovée dans l'harmonieuse courbe du Doubs, la capitale de la Franche-Comté ne se dévoile qu'au promeneur attentif qui découvre, au fil d'étroites rues piétonnières, de beaux hôtels particuliers, le palais Granvelle et bien d'autres témoins de son riche passé. Inébranlable sur son éperon rocheux, la citadelle érigée par Vauban garde fière allure.

La situation

117 733 Bisontins – Cartes Michelin Local 321 G3, Regional 520 – Le Guide Vert Jura – Doubs (25). Accès par l'autoroute A 36. Le TGV relie Paris à Besançon en 2h30 environ. Le cœur de la ville est en grande partie piétonnier; il est recommandé d'utiliser les parkings prévus aux différentes entrées.

2 pl. de la 1re-Armée-Française, 25000 Besançon, ☎ 03 81 80 92 55. www.besancon.com

Pour poursuivre la visite, voir aussi: PONTARLIER, LONS-LE-SAUNIER, DIJON.

carnet pratique

Restauration

• À bon compte

Au Petit Polonais – *81 r. Granges - 25000 Besançon - ☎ 03 81 81 23 67 - fermé 14 juil. au 15 août, sam. soir et dim. - 9,91/23,93€.* Restaurant fondé en 1870 par un « petit Polonais » dont l'histoire est narrée sur la carte. La simplicité du cadre est volontairement préservée. Cuisine traditionnelle et régionale. Accueil familial.

• Valeur sûre

Barthod – *22 r. Bersot - 25000 Besançon - ☎ 03 81 82 27 14 - fermé vac. de fév., dim. et lun. - 23,08/45,38€.* Parmi les plantes vertes et les arbustes de la terrasse, installé près de la paisible cascade, laissez-vous guider... Ce spécialiste en vins vous propose des menus soignés (vins compris dans les prix) à déguster en savourant au verre des crus sélectionnés pour les accompagner. N'oubliez pas de passer par la boutique...

Chaumière du Val d'Amour – *25610 Arc-et-Senans - 42 km au SO de Besançon par N 73 rte de Dole et D 31 - ☎ 03 84 37 61 40 - fermé lun., mar., mer. et jeu. - ⊭ - réserv. conseillée - 20,73/22,87€.* Grosse chaumière au cœur d'un village du val d'Amour. Salle à manger campagnarde avec vieille cheminée et poutres apparentes ; on s'y attable autour de plats fleurant bon le terroir.

Hébergement

• À bon compte

Régina – *91 Grande-Rue - 25000 Besançon - ☎ 03 81 81 50 22 - fermé 3 au 10 août et 24 déc. au 2 janv. - 20 ch. : 28,97/38,11€ - ☕ 4,88€.* Idéalement situé pour sillonner à pied la ville basse, hôtel charmant dans sa simplicité, aménagé dans une ancienne maternité. Chambres confortables et paisibles ; certaines ont un balcon, d'autres la vue sur la citadelle.

Achats

Baud – *4 Grande-Rue - 25000 Besançon - ☎ 03 81 81 20 12 - mar.-sam. 7h30-19h30, dim. 7h30-12h30 ; j. fériés 7h30-13h.* Cet établissement familial est une institution à Besançon. Son succès est à la mesure de la qualité des produits qu'il propose (pâtisseries, glaces et plats à emporter). Sa terrasse est toujours bondée mais prenez la peine d'attendre : vous ne serez pas déçu.

Loisirs-Détente

Promenades en bateau (1h1/4) – *À Besançon - de juil. à déb. sept. : dép. à 10h, 14h15 et 16h30, w.-end et j. fériés dép. supp. à 18h ; mai juin : w.-end et j. fériés dép. à 14h15 et 16h30. 8€ (enf. : 6,50€). ☎ 03 81 68 13 25.* Croisières sur le *Vauban* au départ du pont de la République. Découverte du site, franchissement de deux écluses, passage sous la citadelle en empruntant un canal souterrain.

M. Paygnard/MICHELIN

Baptisé quai Vauban, cet harmonieux alignement se reflète dans les eaux du Doubs.

comprendre

Un grand archevêque – C'est en 1031, que Hugues de Salins est nommé archevêque. Représentant d'une des plus illustres familles de la Comté, il est homme de confiance d'Henri III, empereur germanique, qui fait de Besançon une ville impériale. Hugues dispose alors de la justice et de l'administration de la monnaie. Le pouvoir de l'archevêque prend une dimension encore plus grande, lorsque son ami Brunon de Toul devient pape sous le nom de Léon IX. Hugues de Salins a déployé à Besançon une grande activité de bâtisseur jusqu'à sa mort en 1066.

Mais que serait Besançon sans la famille Granvelle ? – C'est elle qui a édifié le magnifique palais Granvelle et collectionné des chefs-d'œuvre aujourd'hui présentés dans le musée des Beaux-Arts. Cette modeste famille de paysans est devenue, en deux générations, la plus puissante de la région. Nicolas ne fut rien moins que le chancelier et l'homme de confiance de Charles Quint.

Un difficile rattachement – En 1668, Condé occupe la ville, pour peu de temps il est vrai : le traité d'Aix-la-Chapelle, signé la même année, restitue la Franche-Comté à l'Espagne. Quelques années plus tard, en 1674, Vauban organise le siège de la place qui se rend. Louis XIV élève alors Besançon au rang de capitale de la province. C'est le traité de Nimègue qui, en 1678, rattache la Franche-Comté à la France.

La capitale de la Comté francaise – Le Parlement, la Chambre des comptes, l'université, la Monnaie émigrent de Dole. À son importance stratégique s'ajoute au fil des ans un rôle de métropole ecclésiastique, puis industrielle. Besançon devient sous la Révolution la capitale de la montre française. Les industries de microtechniques de précision qui se développent aujourd'hui dans la région ont hérité de ce savoir-faire.

se promener

LA VIEILLE VILLE★★

La visite de la vieille ville se fait à pied. Garer son véhicule soit au parking de la promenade Chamars, soit sur la rive droite du Doubs. Gagner le pont Battant.

Depuis le pont, vous pourrez admirer les habitations à arcades du 17e s., aux très belles **facades**★ de pierre gris-bleu, qui bordent le Doubs à cet endroit.

Lieu incontournable de la vie bisontine, la **place de la Révolution** est surtout connue sous le nom de place du Marché ; autour des halles se tient un marché très fréquenté.

Ancienne voie romaine qui traversait Vesontio de bout en bout, la **Grande-Rue** reste, deux mille ans plus tard, l'artère principale de la ville. On remarque, au n° 44, l'hôtel d'Emskerque de la fin du 16e s. En face au n° 53, la cour intérieure possède un remarquable escalier en pierre et fer forgé. Au n° 67 s'élève l'hôtel Pourcheresse de Fraisans avec son bel escalier sur cour.

Cathédrale Saint-Jean★

Tlj sf mar. 9h-18h.

Quelle étrange cathédrale ! On ne peut manquer en effet d'être surpris par sa discrétion extérieure, par l'absence de portail principal, par la présence de deux absides opposées et dotées chacune d'un chœur.

Dans le bas-côté droit se trouve le tableau du peintre florentin Fra Bartolome (1475-1517), la ***Vierge aux saints***★, exécuté pour le chanoine Ferry Carondelet. Le prélat est représenté agenouillé, à droite de la composition où la Vierge apparaî comme le pivot autour duquel tourne la composition.

L'horloge astronomique★ *(salle basse du clocher)* est une merveille de mécanique comptant 30 000 pièces. Elle a été conçue et exécutée de 1857 à 1860 par l'ingénieur Vérité, de Beauvais. Les 62 cadrans indiquent les jours, les saisons, les heures dans 16 points du globe, les marées dans 8 ports, la durée du jour et de la nuit, les levers et couchers du Soleil et de la Lune... et, en bas de l'horloge, le mouvement des planètes autour du Soleil. Une série d'automates s'anime toutes les heures. *Avr.-sept. : visite guidée (1/4h) tlj sf mar. à 9h50, 10h50, 11h50, 14h50, 15h50 16h50 et 17h50 ; oct.-mars : tlj sf mar. et mer. à 9h50, 10h50, 11h50, 14h50, 15h50, 16h5 et 17h50. Fermé janv., 1er mai, 1er et 11 nov., 25 déc. 2,44€. ☎ 03 81 81 12 76.*

Préfecture★

C'est l'ancien palais (18e s.) des Intendants élevé sur les plans de l'architecte Loui et dont l'entrée a été dégagée par une place en demi-cercle.

L'horlogerie comtoise

L'histoire de l'horlogerie comtoise commence au 17e s. pour connaître un véritable essor à partir du 19e s. associant la fabrication des montres à celle des horloges.

En 1674, l'astronome hollandais Huygens invente le balancier à ressort spiral. Grâce à cette invention les frères Dumont, maîtres horlogers, sortent les premières montres exécutées à Besançon et, en 1767, Frédéric Japy crée sa manufacture d'ébauches de montres qui remporte un vif succès. La production atteint 3 500 montres par mois.

L'arrivée à Besançon en 1793 de l'horloger suisse, Mégevand, et de 80 compatriotes maîtres ouvriers bouleverse la donne. La Convention finance leur projet de création d'une fabrique et d'une école nationale d'horlogerie. Mégevand met au point la fabrication en série. En 1835, 80 000 montres sont fabriquées à Besançon, 240 000 en 1878.

Dans le même temps, les découvertes technologiques permettent la mise au point de l'horloge comtoise, dont la réalisation fait appel à plusieurs corps d'artisans. Le menuisier réalisait le fût des horloges en chêne animé de moulurations. À partir de 1850, le sapin l'emporte et des décors peints à sujets naïfs apparaissent. Un oculus vitré permet d'apercevoir le traditionnel mouvement du balancier de fer ou de cuivre qui régularise la descente des poids. L'émailleur stylise les cadrans qui sont ornés d'un médaillon central ou surmontés d'un fronton stylisé de cuivre ou de bronze doré.

visiter

Citadelle★★

Prendre, derrière la cathédrale, la rue des Fusillés-de-la-Résistance, sinueuse et en fort montée. De fin mars à fin juin et de déb. sept. à fin oct. : 9h-18h (juil.-août : 9h-19h) ; de déb. janv. à fin mars et de déb. nov. à fin déc. : tlj sf mar. 10h-17h ; de fin oct. à déb. nov. 10h-17h30. Fermé 1er janv. et 25 déc. 6,10€, billet valable pour tous les musées de la citadelle (enf. : 3,10€). ☎ 03 81 87 83 33. www.citadelle.com

À l'époque romaine, ce haut lieu fut couronné d'un temple païen, dont les colonnes se retrouvent dans les armes de la ville, puis d'une église. Après la conquête française, Vauban édifia la forteresse qui domine de 118 m le cours du Doubs.

Chemin de ronde – Le chemin de ronde Ouest, qui débute par la tour de la Reine à droite, sur la première esplanade, permet de découvrir une **vue**★★ impressionnante sur Besançon, la vallée du Doubs, les collines de Chaudanne et des Buis.

Musée comtois★ – *Mêmes conditions de visite que la citadelle.*
Deux bâtiments du musée rassemblent un choix considérable de mobilier, d'objet d'art populaire et de folklore, recueillis dans toute la province. Plusieurs salles abritent une importante collection de marionnettes.

Musée d'Histoire naturelle★ – *Mêmes conditions de visite que la citadelle.*
Dans l'insectarium, réalisation particulièrement originale, la gigantesque fourmilière impressionne par son incroyable organisation. Une succession d'aquarium reproduit le cours du Doubs et présente la faune aquatique des rivières. En poussant la porte du noctarium, vous entrez dans le monde mystérieux de la nuit. Après quelque temps d'adaptation, vous découvrirez mulots, souris, jusqu'aux impressionnants surmulots ou rats d'égout...

▶▶ Musée de la Résistance et de la Déportation★

Palais Granvelle★

Édifié de 1534 à 1542 pour le chancelier Nicolas Perrenot de Granvelle, il dresse su la rue une imposante façade Renaissance au grand toit percé de lucarnes surmontées d'un fronton richement sculpté. La jolie **cour**★ intérieure rectangulaire es entourée de portiques aux arcades en anse de panier.

La citadelle de Besançon (front royal).

Le palais abrite le **musée des Beaux-Arts et d'Archéologie**★★ dont la principale richesse est la très éclectique **collection de peinture**★. Le destin international de la ville et son rattachement relativement tardif à la France expliquent l'importance d'œuvres majeures des écoles étrangères. Voyez notamment l'*Ivresse de Noé* de Giovanni Bellini (1430-1516), la magnifique *Déposition de Croix* de Bronzino (1503-1572), le panneau central du *Triptyque de Notre-Dame-des-Sept-Douleurs* de Van Orley (1488-1541). La peinture flamande est illustrée par de beaux portraits. Les collections françaises recèlent des œuvres de Fragonard, Hubert Robert, David et Courbet dont le monumental *Hallali du cerf*. On peut également admirer les beaux tableaux de Bonnard, Renoir, Marquet et Signac. ♿ *Tlj sf mar. 9h30-12h, 14h-18h. Fermé 1er janv., 1er mai, 1er nov., 25 déc. 3€ (-18 ans: gratuit), gratuit sam. ap.-midi. ☎ 03 81 87 80 49. www.besancon.com*

alentours

Saline royale d'Arc-et-Senans★★

36 km au Sud-Ouest de Besançon. Suivre la N 83 en direction d'Arbois, puis la D 17 à partir de Quingey. Juil.-août: 9h-19h ; juin et sept. : 9h-18h ; avr.-mai et oct. : 9h-12h, 14h-18h; nov.-mars: 10h-12h, 14h-17h. Fermé 1er janv. et 25 déc. 6,5€. ☎ 03 81 54 45 45.

Contre toute attente, il n'y a pas de sel sur la commune d'Arc-et-Senans. Et pourtant, entre Loue et forêt de Chaux se dresse un fleuron de l'architecture industrielle du 18e s. inscrit au Patrimoine mondial de l'Unesco.

En 1773, un arrêt du Conseil du roi décide qu'une saline serait créée, à Arc-et-Senans, pour exploiter les eaux saumâtres de Salins, amenées par des conduites en bois. **Claude Nicolas Ledoux** (1736-1806) est chargé d'en dresser les plans. Cet architecte visionnaire très influencé par les idées du Siècle des lumières édifie la saline royale selon un plan semi-circulaire. Les bâtiments comprennent à la fois les ateliers de travail et les habitations du personnel. Dès le début, la saline n'assure pas le rendement escompté: 40 000 quintaux annuels au lieu de 60 000. L'essor des nouvelles techniques, en particulier les forges, et une pollution du puits d'Arc par une fuite d'eau salée provoquent la fermeture en 1895.

La **maison du directeur** se distingue par les colonnes de son péristyle, dont les tambours sont alternativement carrés et cylindriques. Tous les bâtiments situés sur le pourtour de l'hémicycle sont symboliquement orientés vers la maison du directeur, cœur de l'entreprise. L'ensemble de l'œuvre présente une profonde unité de style et l'on est frappé par la beauté, la robustesse et l'agencement grandiose des pierres. L'influence de Palladio, architecte italien du 16e s., apparaît dans les colonnes et les frontons à l'antique; celle des constructions comtoises, dans le dessin des toitures. Le **musée** renferme une soixantaine de maquettes d'architecture, révélatrices des conceptions de la vie sociale selon Ledoux.

Biarritz

Cité reine de la Côte basque, Biarritz doit son essor à l'impératrice Eugénie. Ce lieu de villégiature offre un remarquable panorama. La station doit beaucoup de son charme à ses jardins-promenades aménagés au flanc des falaises, sur les rochers et le long des plages, rendez-vous internationaux des surfeurs et hauts lieux de l'animation biarrote de jour comme de nuit.

La situation

30055 Biarrots – Cartes Michelin Local 342 C-D 2, Regional 525 – Le Guide Vert Aquitaine – Pyrénées-Atlantiques (64). Biarritz, Bayonne et Anglet font partie d'une même grande agglomération. Difficile de se garer à Biarritz, même en hiver.

Square d'Ixelles (Javalquinto), 64200 Biarritz, ☎ 0559223700. www.biarritz.tm.fr

Pour poursuivre la visite, voir aussi : PAYS BASQUE, FORÊT DES LANDES, PAU.

carnet pratique

Restauration

• *Valeur sûre*

La Pizzeria des Arceaux – *20-24 av. Édouard-VII - 64200 Biarritz - ☎ 05 59 24 11 47 - fermé 10 au 24 juin, 4 au 25 nov. et lun. - 17,53/27,44€.* Belle ambiance dans cette pizzeria à deux pas de la mairie ! Sous les fresques en faïence et les miroirs, les pizzas sont dévorées par une clientèle biarrote jeune et branchée. En entrant, jetez un petit coup d'œil à la table des desserts, histoire de vous mettre en appétit.

Chez Albert – *Au port des Pêcheurs - 64200 Biarritz - ☎ 05 59 24 43 84 - fermé 6 janv. au 10 fév., 1er au 15 déc. et mer. sf juil.-août - 27,44€.* Ambiance conviviale dans ce restaurant ouvert sur le petit port des Pêcheurs. Salle à manger rustique, égayée de nappes basques bleu et blanc, et prolongée d'une terrasse dressée sous les parasols. Cuisine simple de produits de la mer.

Itsaski – *43 quai Jauréguiberry - 64100 Bayonne - 9 km à l'E de Biarritz par N 10 - ☎ 05 59 46 13 96 - fermé dim. soir et mar. - 19,06€.* Ce restaurant installé sur les quais de la Nive est souvent bondé. Sa salle à manger aménagée façon intérieur de bateau plaît beaucoup, de même que sa cuisine résolument axée sur les produits de la mer. Sa terrasse regarde le Petit Bayonne.

Hébergement

• *Valeur sûre*

Hôtel Atalaye – *6 r. des Goëlands, plateau de l'Atalaye - 64200 Biarritz - ☎ 05 59 24 06 76 - 24 ch. : 42,69/60,22€ - ☕ 5,34€.* Cette imposante villa 1900 a emprunté son nom au superbe plateau de l'Atalaye qui surplombe l'océan Atlantique. Chambres sobres et nettes, que l'on choisira de préférence côté mer. Parking gratuit à proximité.

Hôtel Maïtagaria – *34 av. Carnot - 64200 Biarritz - ☎ 05 59 24 26 65 - 17 ch. : 53,40/56,40€ - ☕ 5,80€.* Accueil familial dans ce petit hôtel proche du jardin public et à 500 m de la plage. Les chambres de taille variée sont claires, fonctionnelles et récemment rénovées. Jardinet fleuri sur l'arrière.

Le Petit Hôtel – *11 r. Gardères - 64200 Biarritz - ☎ 05 59 24 87 00 - petit.hotel@wanadoo.fr - 12 ch. : 56,41/76,22€ - ☕ 4,57€.* Ce coquet petit hôtel est idéal pour découvrir la ville à pied ou aller prendre un bain de soleil sur la plage. Ses chambres très bien insonorisées ont été rénovées dans de jolies couleurs bleue ou jaune ; toutes disposent d'un accès Internet.

Achats

Chocolats Henriet – *Pl. Clemenceau - 64200 Biarritz - ☎ 05 59 24 24 15 - tlj 9h-19h.* Fondée après la Seconde Guerre mondiale, la boutique Henriet est une référence en matière de chocolat et de spécialités gourmandes : Calichous (caramel au beurre d'Échiré et à la crème fraîche), Rochers de Biarritz (chocolat amer, écorces d'oranges, amandes).

Maison Montauzer – *17 r. de la Salie - 64100 Bayonne - 9 km à l'E de Biarritz par N 10 - ☎ 05 59 59 07 68 - mar.-sam. 7h-12h30, 15h30-19h30, dim.-lun. 7h30-12h30 - fermé j. fériés.* Parmi les spécialités de cette charcuterie, le jambon Ibaïona provient de porcs élevés exclusivement au Pays basque et nourris aux céréales. Conformément à la tradition, ce jambon est séché de quinze à dix-huit mois à l'air vivifiant du pays et des quatre saisons.

Piments d'Espelette et charcuterie basque.

B. Kaufmann/MICHELIN

se promener

Rocher de la Vierge★

Napoléon III eut l'idée de faire creuser ce rocher, entouré d'écueils, et de le relier à la falaise par un pont de bois. Aujourd'hui, il est rattaché à la côte par une passerelle métallique sortie des ateliers d'Eiffel et qui, par gros temps, est inaccessible, les paquets de mer embarquant par-dessus la chaussée. En continuant vers la Grande Plage, belle promenade le long de rampes en pente douce ombragées de tamaris.

Pointe St-Martin

Des jardins et surtout de la lanterne du **phare**, à 73 m au-dessus du niveau de la mer, **vue★** sur la ville et les Pyrénées basques. *De mi-avr. à août : w.-end 10h-12h, 15h-19h (juil.-août : tlj sf lun.) ; vac. scol. fév. : tlj sf lun. 15h-18h. 1,55€. ☎ 05 59 22 37 10. www.biarritz.fr*

La Grande Plage de Biarritz.

Musée de la Mer★

Esplanade du Rocher-de-la-Vierge. ♿ Juil.-août : 9h30-0h ; sept.-juin : 9h30-12h30, 14h-18h ; vac. scol. Pâques, w.-end et j. fériés de mai, juin et sept. : 9h30-19h ; vac. scol. fév. et Noël : 9h30-18h. Fermé 2e et 3e sem. de janv., 1er janv. (matin), 25 déc. 7,20€ (enf. : 4,60€). ☎ 05 59 22 75 40.

☺ Ce musée, né dans les années 1930, possède une subtile décoration : mosaïques, fresques murales, fontaine. En sous-sol, aquariums présentant la faune du golfe de Gascogne. Ne manquez pas le déjeuner des phoques à 10h30 et 17h.

alentours

Bayonne★★

7 km au Nord-Ouest de Biarritz par la D 260. De hautes maisons se pressent les unes contre les autres le long de la Nive. Début août, après les courses de vaches landaises, les corridas et le corso lumineux, on danse sur les places au son des flûtes et des tambours.

Promenez-vous **rue du Port-Neuf**, bordée d'arcades basses sous lesquelles s'ouvrent des pâtisseries et des confiseries, qui fleurent bon le chocolat. Savez-vous que le cacao fut introduit à Bayonne au 17e s. par des juifs chassés d'Espagne et du Portugal ?

Musée basque et de l'Histoire de Bayonne★★★ – *Maison Dagourette. 37 quai des Corsaires. Mai-oct. : 10h-18h30 ; nov.-avr. : tlj sf lun. 10h-12h30, 14h-18h. Fermé j. fériés. 5,50€, gratuit 1er dim. du mois. ☎ 05 59 46 61 90.*

Cet ambitieux musée rassemble une étonnante collection d'objets et de documents ayant pour ambition de conserver la tradition basque. Une muséographie très moderne et dynamique permet, entre autres, de découvrir la maison basque, les activités agricoles, les différentes étapes marquantes de la vie traditionnelle basque.

Blois★★

Louis XII, François Ier et Gaston d'Orléans ont façonné ce château royal. Ses chambres et ses couloirs obscurs ont vu bien des intrigues se nouer ; un crime y fut accompli. Pourtant, avec ce témoignage de fastes évanouis, c'est un charme souriant, une véritable douceur de vivre qui se dégage lorsque sous vos pieds s'alignent les façades blanches, les toits bleutés et les cheminées en brique de la vieille ville, nonchalamment étirée en bord de Loire.

La situation

65 989 Blaisois ou Blésois – CarteS Michelin Local 318 C-D-E-F 5-6-7, Regional 519 – Le Guide Vert Châteaux de la Loire – Loir-et-Cher (41). À mi-chemin entre Orléans et Tours, Blois occupe la rive droite de la Loire. Ses ruelles escarpées et tortueuses, reliées ici et là par des volées d'escaliers, grimpent à l'assaut du coteau qui domine le fleuve.

ℹ 3 av. J.-Laigret, 41000 Blois, ☎ 02 54 90 41 41. www.ville-blois.fr

Pour poursuivre la visite, voir aussi : TOURS, ORLÉANS.

carnet pratique

Restauration

• À bon compte

Les Caves du Bois aux Moines – *14 r. Mar.-Rochambeau (D 917, rte de Montoire) - 41100 Vendôme - 33 km au NO de Blois par D 957 - ☎ 02 54 89 09 09 - fermé dim. et lun. - réserv. conseillée le w.-end - 15€ déj. - 17,50/33,45€.* Ce restaurant, aménagé dans une cave bâtie à flanc de colline, doit son nom au bois voisin. Le cadre est original : murs « naturels » en tuf blanc, tables colorées, chaises design, cheminée... Cuisine traditionnelle et une spécialité maison : le foie gras.

L'Épicerie – *46 pl. Michel-Debré - 37400 Amboise - 35 km au SO de Blois par N 152 - ☎ 02 47 57 08 94 - réserv. obligatoire en saison - 10,37€ déj. - 17,53/34,30€.* Bien situé au pied du château, ce restaurant a bonne réputation. Les couleurs chaudes du décor et le grand miroir mural donnent une belle luminosité à sa salle à manger. Cuisine traditionnelle et accueil sympathique.

• Valeur sûre

Le Bistrot du Cuisinier – *20 quai Villebois-Mareuil - 41000 Blois - ☎ 02 54 78 06 70 - fermé 23 déc. au 5 janv. - 17/23€.* Retrouvez ici l'ambiance d'un vrai bistrot. Le décor est simple et d'une des salles à manger, la vue sur Blois et son château est splendide. Le patron sympathique invente des thèmes culinaires chaque mois et vous fera goûter ses vins au verre. Menu « gastro-môme ».

Au Rendez-vous des Pêcheurs – *27 r. Foix - 41000 Blois - ☎ 02 54 74 67 48 - fermé 2 au 14 janv., 29 juil. au 20 août, lun. midi et dim. - réserv. conseillée - 23€.* Tel un bistrot de province, ce restaurant est situé dans le vieux Blois. Des vitraux tamisent la lumière dans la salle à manger au cadre sobre. Les poissons tiennent une belle place dans sa cuisine au goût du jour.

Hébergement

• Valeur sûre

Hôtel Anne de Bretagne – *31 av. J.-Laigret - 41000 Blois - ☎ 02 54 78 05 38 - fermé 5 janv. au 2 fév. - 28 ch. : 51,07/57,93€ - ☕ 5,79€.* Ce petit hôtel familial est à deux pas du château et du jardin du Roi en terrasses. Chambres aux couleurs harmonieuses et bien insonorisées, mansardées au 3e étage.

Hôtel Le Blason – *11 pl. Richelieu - 37400 Amboise - 35 km au SO de Blois par N 152 - ☎ 02 47 23 22 41 - leblason@wanadoo.fr - fermé 15 janv. au 1er fév. - 28 ch. : 44/49€ - ☕ 5,80€ - restaurant 11,50/37€.* À proximité du centre-ville, dans une maison du 15e s. qui a conservé ses vieux murs, cet hôtel vous propose des chambres avec poutres apparentes, mansardées pour certaines (douche seulement). Terrasse dans une cour intérieure.

Spectacles

Son et lumière de Blois – *De fin avr. à mi-sept. : séances tous les soirs (avr.-mai et de déb. août à mi-août : à 22h15 ; juin-juil. : à 22h30 ; de mi-août à fin août : à 22h ; sept. : à 21h30) ; Ascension-Pentecôte : w.-end uniquement - 9,15€ (enf. 4,57€) - ☎ 02 54 78 72 76 (renseignements et réservations).* Les voix des comédiens prestigieux (Pierre Arditi, Robert Hossein, Fabrice Luchini, Michaël Lonsdale, Henri Virlojeux), sur un texte d'Alain Decaux, retracent l'histoire du château : « Mille ans d'histoire en dix siècles de beauté ». D'énormes projecteurs combinant photos et éclairages, des systèmes de diffusion sonore à la technologie de pointe livrent un spectacle riche en couleur et en effets spéciaux, extrêmement vivant.

Son et lumière d'Amboise – *De fin juin à fin août : mer. et sam - durée 1h1/2 - déb. du spectacle à 22h30 en juin et juil. et 22h en août - 3,81€ à 15,24€ - Renseignements et réservations ☎ 02 47 57 14 47 (Animation Renaissance Amboise) ou à l'Office de tourisme ☎ 02 47 57 09 28.* « À la cour du Roy François » : ce spectacle, conçu et réalisé par des bénévoles, joué, certains soirs par près de 400 figurants, est servi par d'importants moyens techniques (effets pyrotechniques, jeux d'eau, images géantes sur les murs du château).
Ce divertissement est une évocation très vivante de la construction du château, de l'arrivée de Louise de Savoie, de l'enfance et de l'adolescence de François Ier, des guerres d'Italie, de la vie quotidienne et des réjouissances à Amboise en l'honneur du roi et de sa cour.

comprendre

L'âge d'or de la Renaissance – Né à Blois en 1462, Louis XII succède à Charles VIII en 1498. Blois devient résidence royale au détriment d'Amboise. Le roi et sa femme, Anne de Bretagne, font bâtir une aile et dessiner des jardins en terrasses. François Ier s'installe à son tour à Blois, qui partage sa faveur avec Amboise, et fait reconstruire l'aile qui porte son nom, la plus belle partie de l'édifice.

Assassinat au château – Au 16e s., la famille de Guise, issue de la maison de Lorraine, domine la vie politique française : ces princes, très catholiques, voient leur ascension politique confirmée sous le règne d'Henri II. En 1588, Henri de Guise, lieutenant général du royaume, chef de la Ligue, oblige Henri III à convoquer les états généraux à Blois. 500 députés y prennent part, presque tous acquis aux Guises qui comptent obtenir d'eux la déchéance du roi. Celui-ci ne voit alors plus que l'assassinat pour se débarrasser de son rival.

Il est 8 heures du matin ce 23 décembre 1588. Le roi convoque Henri de Guise pour l'attirer dans son guet-apens : face aux hommes qui l'attendent, l'épée à la main, le duc ne peut reculer, car les huit autres lui coupent la retraite. Ils se jettent sur leur victime, qu'ils neutralisent en enroulant son manteau autour de son épée. Le duc renverse quatre des agresseurs, en blesse un cinquième, mais ne peut échapper à la meute ; criblé de blessures, il tombe près du lit du roi.

Un conspirateur : Gaston d'Orléans – En 1626, Louis XIII, pour éloigner son frère Gaston d'Orléans, en lutte contre le tout-puissant cardinal de Richelieu, lui donne le comté de Blois, les duchés d'Orléans et de Chartres. Ce dernier connaît l'exil, revient en France, complote, puis repart, et ainsi de suite. Réconcilié avec le roi en 1634, il se consacre à sa résidence de Blois : il fait appel à Mansart et lui commande le plan d'un très vaste édifice. De 1635 à 1638, un nouveau corps de logis s'élève, mais, faute de subsides, les travaux doivent s'arrêter. Le conspirateur reprend alors du service : de 1650 à 1653, il prend une part active à la Fronde contre Mazarin. Définitivement exilé sur ses terres, il habite l'aile François Ier, embellit les jardins, et meurt en 1660, au milieu de sa cour.

S. Sauvignier/MICHELIN

Depuis la Loire, on aperçoit la vieille ville, les toits du château et la cathédrale.

visiter

LE CHÂTEAU★★★

Juil.-août : 9h-19h30 (dernière entrée 1/2h av. fermeture) ; de mi-mars à fin juin et sept.-oct. : 9h-18h ; de déb. nov. à mi-mars : 9h-12h30, 14h-17h30. Fermé 1er janv. et 25 déc. 6€ (enf. : 4€). ☎ 02 54 90 33 33.

Place du Château

La façade du château sur la place comporte le pignon pointu de la salle des États généraux, vestige du château féodal (13e s.), et le gracieux bâtiment construit en brique et pierre par Louis XII, avec ses galeries et ses lucarnes. Le grand portail flamboyant est surmonté d'une niche contenant la **statue équestre de Louis XII★**.

Cour intérieure

En traversant la cour, vous rejoindrez la charmante terrasse d'où l'on a une belle vue sur l'église St-Nicolas et la Loire.

L'**aile Louis XII** comporte une galerie qui desservait les différentes salles du logis, progrès notable pour l'époque car jusqu'alors dans les châteaux, les pièces se commandaient l'une l'autre.

Quatorze ans seulement se sont écoulés entre la fin de l'aile Louis XII et le commencement de l'**aile Francois Ier** où triomphe la mode italienne dans la décoration. Les fenêtres répondent encore à la disposition intérieure des pièces, sans souci de symétrie. Véritable aboutissement de l'architecture gothique et chef-d'œuvre de sculpture italianisante, l'**escalier** a une fonction d'apparat. La cage est évidée entre les contreforts et forme une série de balcons d'où la Cour assistait à l'arrivée des grands personnages. Son décor glorifie le roi et la reine : candélabres, initiales, couronne.

L'**aile Gaston d'Orléans**, de style classique, contraste avec le reste de l'édifice.

Appartements et musées

Installé dans les cuisines de François Ier, le **Musée archéologique** présente le produit des fouilles du Loir-et-Cher, des objets provenant du promontoire du château à l'époque médiévale, et un exceptionnel ensemble daté de la période carolingienne.

Cheminées, tapisseries, bustes et portraits ornent les **appartements de l'aile Francois Ier**. Le cabinet de Catherine de Médicis a gardé ses 237 panneaux de bois sculpté qui dissimulent des armoires secrètes pour abriter des bijoux et des papiers d'État ou par goût des placards muraux fréquents dans les cabinets italiens. On les manœuvre en pressant du pied une pédale, cachée dans la plinthe.
Enfin, au **musée des Beaux-Arts★** *(au rez-de-chaussée de l'aile François-Ier)*, on verra l'exceptionnelle collection de tapisseries (16e-17e s.), le cabinet des portraits et la remarquable série de médaillons en terre cuite de Jean-Baptiste Nini. Dans la salle de ferronnerie et de serrurerie, vous verrez notamment une superbe garniture de cheminée destinée au comte de Chambord. *Juil.-août: 9h-19h30 ; de mi-mars à fin juin et sept.-oct.: 9h-18h; de déb. janv. à mi-mars et nov.-déc.: 9h-12h30, 14h-17h30. Fermé 1er janv. et 25 déc. 6€ (enf.: 4€). ☎ 02 54 90 33 33.*

se promener

LE VIEUX BLOIS★

Jardin des simples et des fleurs royales

Ce jardin en terrasse est le seul vestige des vastes jardins du château. Près de la balustrade, belle **vue★** à gauche sur le pavillon Anne-de-Bretagne, sur l'église St-Vincent et le château. En contrebas apparaît le jardin (1992) créé par Gilles Clément dans l'esprit de la Renaissance.

Église St-Nicolas★

L'église est dotée d'un vaste chœur entouré d'un déambulatoire et de chapelles rayonnantes, avec de beaux chapiteaux historiés.

Maison de la magie Robert-Houdin★

♿ *Juil.-août : spectacle (1/2h) 10h-18h30 ; avr.-juin et sept. : tlj sf certains lun. en mai-juin 10h-12h, 14h-18h. 7,5€ (enf.: 4,5€). ☎ 02 54 55 26 26.*
☺ Le visiteur traverse le kaléidoscope géant et le cabinet des images avant de descendre vers le foyer des grands magiciens. Le **théâtre des Magiciens★** propose un spectacle présenté par des prestidigitateurs de haut niveau.

alentours

Amboise★★

37 km au Sud-Ouest de Blois, en suivant la Loire par la N152 ou la D751.
Château★★ – *Juil.-août: 9h-19h ; avr.-juin: 9h-18h30 ; de mi-mars à fin mars et sept.-oct.: 9h-18h; de déb. nov. à mi-nov.: 9h-17h30 ; de mi-nov. à fin janv.: 9h-12h, 14h-16h45 ; de déb. fév. à mi-mars: 9h-12h, 13h30-17h30. Fermé 1er janv. et 25 déc. 6,50€. ☎ 02 47 57 00 98.*
C'est au 15e s. qu'Amboise connaît son âge d'or. Charles VIII, qui a passé son enfance dans le vieux château bâti sur un promontoire rocheux, songe, dès 1489, à le rénover et à l'agrandir pour en faire une résidence luxueuse. En 1492, le chantier s'ouvre et, en cinq ans, deux corps de bâtiment prolongent les constructions anciennes. Entre-temps, le roi s'est rendu en Italie. Ébloui par le raffinement artistique de la péninsule, il rapporte à Amboise un butin considérable: mobilier, œuvres d'art,

Bien qu'en partie détruit, le château d'Amboise conserve encore sa splendeur passée.

B. Kaufmann/MICHELIN

étoffes, etc. En outre, il ramène à son service toute une équipe d'érudits, d'architectes, de sculpteurs, d'ornemanistes, de jardiniers, de tailleurs d'habits... Les jardins italiens l'ont émerveillé. Dès son retour, il fait tracer par Pacello un jardin d'ornement sur la terrasse.

Aujourd'hui, de la vaste terrasse qui domine le fleuve, on découvre une très belle **vue★★** sur la Loire et les toits de la ville, d'où émergent la tour de l'Horloge (15e s.) et, au Sud-Est, le manoir de brique du Clos-Lucé.

Bâtie en 1491, en porte-à-faux sur la muraille, la **chapelle St-Hubert** possède d'admirables vantaux de style gothique flamboyant. Observez le linteau de porte finement sculpté où figure la légende de saint Hubert à droite, l'histoire de saint Christophe à gauche.

Contiguë au logis du roi, l'énorme **tour des Minimes** renferme une large rampe que pouvaient gravir cavaliers et attelages, pour l'approvisionnement du château.

Clos-Lucé, la demeure de Léonard de Vinci★ – *Juil.-août: 9h-20h ; avr.-juin et sept.-oct. : 9h-19h ; fév.-mars et nov.-déc. : 9h-18h ; janv. : 10h-17h. Fermé 1er janv. et 25 déc. 6,50€ (enf. : 3,50€). ☎ 02 47 57 00 73.*

Le Clos-Lucé avait été acquis par Charles VIII pour Anne de Bretagne. En 1516, François Ier installe Léonard de Vinci au Clos-Lucé où l'artiste organise les fêtes de la Cour. Il y demeure jusqu'à sa mort, le 2 mai 1519, à l'âge de 67 ans. À l'étage, on visite la chambre, restaurée et meublée, où mourut le maître, ainsi que son cabinet de travail. Le sous-sol est consacré aux « fabuleuses machines » de Léonard de Vinci.

▶▶ Planète aquarium Touraine★ ; Le Fou de l'âne ; Pagode de Chanteloup★

Vendôme★★

30 km au Nord-Ouest de Blois par la D 957. Promenez-vous en barque ou à pied, pour découvrir les secrets du vieux Vendôme, petite Venise aux charmes secrets, qui s'ouvre sur le Loir et sa vallée. Ronsard y naquit et chanta ses paisibles beautés. Chaque heure, le carillon égrène ici aussi, comme à Beaugency, la célèbre chanson « Orléans, Beaugency, Notre-Dame-de-Cléry, Vendôme, Vendôme... »

L'étonnante façade flamboyante de l'**église★★**, de l'**ancienne abbaye de la Trinité★**, fouillée et ajourée comme une dentelle, contraste avec la sobre tour romane. La nef, commencée au milieu du 14e s., n'a été achevée qu'au début du 16e s. Le chœur est garni de belles **stalles★** de la fin du 15e s. ; les miséricordes s'agrémentent de scènes naïves racontant la vie de tous les jours à travers les métiers et les signes du zodiaque.

▶▶ Manoir de la Possonnière★, demeure du poète Pierre de Ronsard

Château de Cheverny★★★

3/4h. Juil.-août : 9h15-18h45 ; avr.-juin et sept. : 9h15-18h15; oct. et mars: 9h15-12h, 14h15-17h30 ; nov.-fév. : 9h15-12h, 14h15-17h. De déb. avr. à mi-sept. : « soupe des chiens » à 17h; de mi-sept. à fin mars: tlj sf mar., w.-end, j. fériés à 15h. 5,8€ (château et parc), 10€ (château et exposition permanente), 10,40€ (château et découverte insolite du parc et du canal). ☎ 02 54 79 96 29. www.chateau-cheverny.com

Remarquable exemple de classicisme 17e s., Cheverny frappe d'emblée par la blancheur de sa pierre et par ses proportions harmonieuses, fondées sur un jeu rigoureux de symétries, parfaitement inscrit dans un parterre de pelouses. Mais ce « palais enchanté » vous émerveillera plus encore par son intérieur.

Dans la **salle d'armes★**, la tapisserie des Gobelins (17e s.), ***L'Enlèvement d'Hélène★★***, surprend par la fraîcheur de ses coloris. Les armes et les armures datent des 15e, 16e et 17e s.

La **chambre du roi★★** au plafond divisé en caissons à l'italienne, rehaussé d'or, est meublée d'un lit à baldaquin somptueux recouvert de soieries persanes brodées de fleurs (1550).

Le **Grand Salon★★**, meublé et orné de tableaux, présente un plafond entièrement revêtu, comme les lambris des murs, d'un décor peint rehaussé de dorures.

Pour les jeunes et moins jeunes

Pour les jeunes de 7 à 77 ans, Cheverny, c'est Moulinsart bien sûr, le château du capitaine Haddock, théâtre de certaines aventures de Tintin et Milou, comme l'intrusion d'Abdallah... Mille millions de mille sabords !

La galerie contient de nombreux tableaux : arrêtez-vous devant les trois **portraits de Francois Clouet★★**.

Dans le Petit Salon, l'extraordinaire **horloge★★**, « régulateur » Louis XV, marque, invariablement, depuis plus de deux siècles, la date, le jour, l'heure, les minutes, les secondes et... les phases de la Lune.

Dans le parc, le **chenil★** est occupé par une meute de 90 chiens, issus du croisement du fox-hound britannique et du poitevin français. L'heure du repas est toujours un grand moment qui révèle l'organisation et la hiérarchie de la meute.

Bonifacio★★★

Cité la plus méridionale de l'île de Beauté, édifiée dans un site★★★ exceptionnel, Bonifacio est un lieu à ne manquer sous aucun prétexte. Enfermée dans ses fortifications, la vieille ville est juchée sur un étroit et haut promontoire de calcaire modelé par la mer et le vent. Elle est séparée du rivage par une ria longue de 1 500 m au fond de laquelle fleurit une marine. Jadis havre sûr pour les vaisseaux de guerre, le port offre aujourd'hui son mouillage aux bateaux de plaisance. De la mer, la ville haute présente un aspect encore plus saisissant avec ses vieilles maisons agglutinées à l'extrémité de la falaise.

La situation

2 658 Bonifaciens – Carte Michelin Local 345 D-E 11 – Le Guide Vert Corse – Corse-du-Sud (2A). L'approche de Bonifacio par la route de Sartène ou par celle de Porto-Vecchio fait apparaître cette cité médiévale comme un magnifique «bout du monde», isolé du reste de l'île par un vaste et aride plateau calcaire. En juillet-août, la densité des visiteurs nécessite l'application d'une réglementation stricte quant à l'accès à la ville haute en voiture. Les parking (payants) se situent à l'entrée de la marine et à l'extrémité de la ville haute.

2 r. Fred-Scamaroni, 20169 Bonifacio, ☎ 04 95 73 11 88. www.bonifacio.com

Pour poursuivre la visite, voir aussi : PORTO-VECCHIO, SARTÈNE.

carnet pratique

Restauration

• *À bon compte*

U Campanile – *7 montée Rastello - 20169 Bonifacio - ☎ 04 95 73 09 10 - fermé déc. à fév. - 14/18€.* Au pied de l'escalier qui mène à la citadelle, cette maison est face à l'église Saint-Érasme, protecteur des pêcheurs. La salle à manger bleu mer et ses bibelots lui donnent un bon air marin. Pizzas et cuisine d'ici pour requinquer les navigateurs en herbe. Terrasse.

Hébergement

• *Valeur sûre*

Le Golfe – *À Gurgazu - 20169 Bonifacio - 6 km au NE de Bonifacio par rte de Santa-Manza - ☎ 04 95 73 05 91 - golfe.hotel@wanadoo.fr - fermé 21 oct. au 19 mars - P - 12 ch. demi-pension : 60,98€ - 6,86€ - restaurant 14,48/19,82€.* Pour échapper à l'agitation de Bonifacio, rien de mieux que ce petit hôtel familial au bord du golfe de Santa-Manza. Au-dessus de la plage, ses chambres sont simples mais bien tenues. Restaurant modeste mais sérieux et bien coté.

se promener

LA MARINE★

Le quartier du port, étiré le long du quai Sud et dominé par l'imposant bastion, protégeait jadis l'entrée de la citadelle. Les hôtels, restaurants, cafés et magasins de souvenirs rassemblés dans cette basse ville entretiennent durant l'été une activité qui se prolonge tard dans la nuit.

À gauche de l'église St-Érasme, patron des navigateurs, un large chemin pavé, en escalier, permet d'accéder au col où s'élève une modeste chapelle.

Ce belvédère naturel offre une **vue**★★ très étendue sur les « bouches », jusqu'aux côtes de la Sardaigne, les hautes falaises calcaires aux strates burinées par la mer, le bastion et la marine. À gauche, le «Grain de sable», dont la base est sapée par les vagues, dresse sa silhouette familière en avant de la falaise.

LA VILLE HAUTE★★

Les piétons y accèdent par les montées Rastello et St-Roch, longues rampes qui mènent à la porte de Gênes. Les automobilistes peuvent laisser leur véhicule à l'un des parkings situé à l'entrée de la citadelle.

L'escalier du roi d'Aragon

En 1420, Alphonse V d'Aragon, fort d'un acte du pape Boniface VIII, revendiqua l'île. Il assiégea Bonifacio durant cinq mois. L'escadre aragonaise occupa le port et empêcha tout ravitaillement par terre. Malgré les privations, la colonie génoise fut animée d'un courage exceptionnel. La légende veut que les soldats espagnols, pour surprendre les assiégés, aient taillé un escalier de 187 marches au flanc de la falaise Sud. En fait, cet escalier « du roi d'Aragon » empruntait un ouvrage antérieur utilisé par les Bonifaciens pour accéder à un puits. Seule la vigilance de Marguerite Bobbia, vaillante Bonifacienne, fit échouer la manœuvre. Gênes put se porter au secours de sa colonie et Alphonse V leva le siège.

La vieille ville de Bonifacio est perchée sur un plateau calcaire qui descend en à-pic dans la mer, par de hautes falaises.

La ville haute comprend la vieille ville à l'ambiance moyenâgeuse et la citadelle. À l'extrémité du plateau s'étend le Bosco, avec le cimetière marin.

Église St-Dominique*

Ce sanctuaire, édifié dès 1270 par les dominicains, compte parmi les rares édifices gothiques de la Corse. Remarquez le campanile : il ne manque pas d'originalité avec ses étages supérieurs octogonaux et son couronnement de créneaux et merlons à double pointe.

Rue St-Dominique

Elle est bordée de maisons aux escaliers vertigineux et à marches très hautes. Sur certaines, vous pourrez observer les blasons sculptés qui ornent les portes.

Place du Marché

Elle donne accès au belvédère de la Manichella : la **vue**** se déploie à gauche sur le port et les « bouches » de Bonifacio, détroit large de 12 km, parsemé d'îles, qui sépare la Corse de la Sardaigne.

Vieilles rues

Les ruelles jouxtant l'église Ste-Marie-Majeure sont étroites, bordées de hautes demeures aux élégantes façades souvent décorées d'arcatures. Les maisons constituaient jadis de véritables forteresses dont l'accès était commandé par une échelle que l'on retirait la nuit. À l'intérieur, un pressoir à huile, un cellier, une réserve de grains et parfois une étable pour l'âne se groupaient autour de la cour intérieure. De plus, chaque maison possédait son four et sa citerne alimentée par un ingénieux système de gouttières. Hautes à l'origine d'un étage, elles ont été surélevées au 19e s.

LE BOSCO

Le plateau pelé auquel on parvient est encore désigné de nos jours par les Bonifaciens comme le Bosco. Jusqu'à la fin du 18e s., il était couvert de végétation arborescente, oliviers, genévriers, lentisques... Sur la droite, les tours ruinées sont les vestiges des moulins à vent de la ville remontant au 13e s.

Cimetière*

Le surprenant cimetière marin forme une véritable ville avec sa « rue », bordée de chapelles funéraires serrées les unes contre les autres et hautes comme des maisons.

alentours

Les grottes marines et la côte**

Promenade en mer « Grottes et Falaises » (1h, dép. fréquents) par beau temps seulement. Plusieurs compagnies proposent ces promenades ; s'adresser à elles sur le port.

Le bateau longe les falaises calcaires, hautes de 60 à 90 m, dont les stratifications tantôt horizontales, tantôt obliques témoignent des nombreux changements de direction des courants marins au cours de la sédimentation. En observant bien, vous remarquerez que ces cavités abritent une multitude d'oiseaux : faucons crécerelles, puffins cendrés, martinets et espèces plus rares comme le faucon pèlerin ou le merle bleu.

On découvre le fameux escalier du roi d'Aragon et le **site**** spectaculaire de la vieille ville à l'aplomb de la falaise.

Île Lavezzi★★

Excursions en bateau d'une durée minimale de 3h. Juin-sept. : plusieurs dép. du port de Bonifacio. Possibilité de passer 1 j. ou 1/2 j. sur l'île (prévoir en-cas et boisson). Renseignements au port de Bonifacio auprès des compagnies assurant les promenades en mer.

L'île Lavezzi et la centaine d'îlots et d'écueils qui l'entourent forment un archipel qui émerge à près de 4 km de la pointe de Sperono, au Sud-Est de Bonifacio. Ce petit paradis d'eau cristalline et de criques tapissées de sable présente un paysage presque lunaire. Les formes des chaos de granit grisâtre érodés en boules et sculptés évoquent un bestiaire fabuleux. La partie française de l'archipel est constituée en réserve naturelle, dont l'accès public est réglementé.

Conseils

Effectuez l'excursion les jours de beau temps.

Emportez masque et tuba, des boissons et un en-cas, car on ne trouve aucun ravitaillement sur l'île.

Il est interdit de cueillir les fleurs et les végétaux, et il vaut mieux éviter de sortir des sentiers tracés.

Sur l'île, on trouve des plantes endémiques, dont la présence peut constituer une énigme : si beaucoup appartiennent à des familles Sud-méditerranéennes, l'une d'elles ne se connaît de parents proches qu'en Afrique du Sud et en Australie ! L'avifaune, très présente, se compose d'espèces terrestres (merle bleu, fauvette sarde...) et d'oiseaux marins : cormoran huppé, goéland argenté et, plus inattendu, puffin cendré dont l'aire habituelle d'évolution est la haute mer.

Bordeaux★★★

Au front des maisons de Bordeaux, des silènes couronnés de pampres invitent le passant à goûter la capitale de la dive bouteille. On la dit hautaine, repliée farouchement sur ses us et ses vignes. Mais Bordeaux dans sa fierté porte beau, séduisant le nouveau venu par son visage aux élégants traits classiques. Et dans certains de ses quartiers, aux ruelles pavées, aux demeures de pierre claire, on humerait même des senteurs italiennes...

La situation

743 931 Bordelais – Cartes Michelin Local 335 G-H-I-J-K 5-6-7, Regional 525 – Le Guide Vert Aquitaine – Gironde (33). C'est bien la Garonne qui coule à Bordeaux. Elle devient Gironde au Bec d'Ambès où elle rencontre la Dordogne. La rocade est accessible depuis les quais de la Garonne. Elle rejoint plusieurs autoroutes : l'A 10 (Paris-Bordeaux), l'A 63 (Bordeaux-Bayonne-Espagne) et l'A 62 (Bordeaux-Toulouse-Marseille). À la gare St-Jean, de nombreux trains relient Bordeaux à Paris et aux villes de province. L'aéroport international assure 18 liaisons nationales et 22 liaisons internationales.

ℹ 12 cours du XXX-Juillet, 33080 Bordeaux, ☎ 05 56 00 66 00, www.bordeaux-tourisme.com ; gare St-Jean, ☎ 05 56 91 64 70 ; aéroport Bordeaux-Mérignac, ☎ 05 56 34 39 39.

Pour poursuivre la visite, voir aussi : ARCACHON, FORÊT DES LANDES.

comprendre

La dot d'Aliénor – En 1137, Louis, fils du roi de France Louis VI le Gros, épouse Aliénor d'Aquitaine, qui lui apporte en dot le duché d'Aquitaine, le Périgord, le Limousin, le Poitou, l'Angoumois, la Saintonge, la Gascogne et la suzeraineté sur l'Auvergne et le comté de Toulouse. Le mariage a lieu dans la cathédrale de Bordeaux. Le couple est mal assorti. Louis, devenu le roi Louis VII, est une sorte de moine couronné, la reine est frivole.

Après quinze années de vie conjugale, le roi, à son retour de croisade, fait prononcer son divorce (1152). Outre sa liberté, Aliénor recouvre sa dot. Son remariage, deux mois plus tard, avec Henri Plantagenêt, comte d'Anjou *(voir Angers)* et suzerain du Maine, de la Touraine et de la Normandie, est pour les Capétiens une catastrophe politique : les domaines réunis d'Henri et d'Aliénor sont déjà aussi vastes que ceux du roi de France. En 1154, le Plantagenêt devient, par héritage, roi d'Angleterre, sous le nom d'Henri II. Cette fois l'équilibre territorial est rompu, et la lutte franco-anglaise qui s'engage durera trois siècles.

La capitale du Prince Noir – Au 14e s., la capitale de la Guyenne est rattachée depuis deux siècles à la couronne anglaise. Le commerce ne se ralentit pas pendant la guerre de Cent Ans : la ville exporte ses vins en Angleterre et fournit des armes

carnet pratique

Restauration

• À bon compte

La Table du Pain – *6 pl. du Petit-Parlement - 33000 Bordeaux - ☎ 05 56 81 01 00 - fermé Noël et J. de l'an - 10,67€.* Ce concept de restaurant arrivé de Belgique connaît un grand succès. La salle à manger – murs de pierres blondes, étagères anciennes et meubles en pin cirés – est très accueillante. La carte propose une belle sélection de tartines et salades.

Le Bouchon – *1 pl. du Marché - 33330 St-Émilion - 34 km à l'E de Bordeaux par N 89 jusq. Libourne puis D 670 - ☎ 05 57 24 62 81 - fermé nov. à fév. - 14,48/28,20€.* L'une des adresses les plus agréables de la place du marché. La salle à manger nouvellement repeinte dans des tons vert et bleu est agrémentée de photos aériennes et de reproductions de Botero. Cuisine traditionnelle soignée et gouleyant choix de vins.

• Valeur sûre

Le Bistro du Musée – *37 pl. Pey-Berland - 33000 Bordeaux - ☎ 05 56 52 99 69 - fermé août, 23 déc. au 2 janv., sam. midi et dim. - 15,09/27,44€.* D'entrée, on éprouve de la sympathie pour ce bistrot à la devanture en bois vert foncé. Décor soigné avec murs en pierres apparentes, parquet en chêne, banquettes en moleskine et objets de la vigne. Cuisine du Sud-Ouest et belle carte de bordeaux.

Ferme-auberge Château Guittot-Fellonneau – *33460 Macau - 23 km au N de Bordeaux par D 2 - ☎ 05 57 88 47 81 - fermé vac. de fév. et 16 août au 5 sept. - 18/37€.* Dans cette propriété viticole du Médoc, alchimie du vin rime avec science de la bonne chère. Sur la terrasse ombragée dominant les vignes, laissez-vous aller au plaisir d'un vrai repas du Sud-Ouest avec rillettes, confits, foie gras..., préparés par la patronne.

Le Flore – *1 Petit-Champ-du-Bourg - 33540 Coirac - 40 km au SE de Bordeaux par D 936, D 671 puis D 228 - ☎ 05 56 71 57 47 - fermé mer. soir, dim. soir et lun. - 15,09€ déj. - 18,14/29,73€.* Sur la terrasse ombragée ou dans la grande salle fleurie de cette maisonnette, préparez-vous à un repas de choix, œuvre d'un jeune chef très créatif. Aimable et professionnelle, sa femme saura mieux que personne vous guider parmi les saveurs subtiles.

Hébergement

• À bon compte

Hôtel Clemenceau – *4 cours Georges-Clemenceau - 33000 Bordeaux - ☎ 05 56 52 98 98 - fermé 15 j. fin déc. - 45 ch. : 25,92/45,73€ - ☕ 3,81€.* Ceux qui souhaitent découvrir la ville à pied opteront pour cet hôtel installé dans un immeuble du 18e s. Les chambres, au confort simple, sont climatisées. Joli coup d'œil sur les toits de Bordeaux depuis la salle des petits déjeuners.

Hôtel Acanthe – *12 r. St-Rémi - 33000 Bordeaux - ☎ 05 56 81 66 58 - fermé 23 au 30 déc. - réserv. obligatoire - 20 ch. : 27,44/47,26€ - ☕ 4,88€.* La situation centrale et les prix très raisonnables sont les points forts de cet établissement récemment rénové. Les chambres, de taille correcte, sont claires et bien insonorisées, et l'accueil est agréable.

Hôtel Opéra – *35 r. de l'Esprit-des-Lois - 33000 Bordeaux - ☎ 05 56 81 41 27 - fermé 23 déc. au 3 janv. - 27 ch. : 32,10/48,80€ - ☕ 6,10€.* Près du Grand Théâtre et des allées de Tourny, voilà un petit hôtel familial modeste. Vous y serez bien accueilli. Les chambres sont fonctionnelles. Celles en façade sont bien insonorisées. Bon rapport qualité/prix.

Hôtel Notre-Dame – *36 r. Notre-Dame - 33000 Bordeaux - ☎ 05 56 52 88 24 - 21 ch. : 37,65/46,40€ - ☕ 5,34€.* Dans une maison du 18e s., un petit hôtel familial modeste, légèrement en retrait du quai des Chartrons. Les chambres sont petites mais bien tenues. Les prix sont raisonnables.

Achats

Baillardran Canelés – *Galerie des Grands-Hommes - 33000 Bordeaux - ☎ 05 56 79 05 89 - lun.-sam. 8h30-19h30.* Située dans le marché des Grands-Hommes, cette boutique confectionne de délicieux canelés : ces petits gâteaux bordelais à la robe brune, fine et caramélisée épousent la forme du moule en cuivre dans lequel ils sont cuits. Croquants à l'extérieur, ils sont mœlleux à l'intérieur.

Conseil interprofessionnel du vin de Bordeaux – *1 cours du XXX-Juillet - 33000 Bordeaux - ☎ 05 56 00 22 88 - www.vins-bordeaux.fr - de juin à mi-oct. : lun.-ven. 9h30-17h15, sam. 9h30-15h ; de mi-oct. à fin mars : lun.-ven. 9h-17h15 - fermé j. fériés.* Vous trouverez là tous les renseignements sur les vignobles et les vins bordelais : stages, dégustations...

Maison du vin de St-Émilion – *Pl. Pierre-Meyrat - 33330 St-Émilion - 34 km à l'E de Bordeaux par N 89 jusqu'à Libourne puis D 670 - ☎ 05 57 55 50 55 - tlj 9h30-12h30, 14h-18h30 - fermé Noël et Nouvel An.* Grand choix de vins présentés par millésimes (exception faite des grands crus classés) ; elle propose également des cours de dégustation.

Mme Blanchez – *R. Guadet (à côté de la poste) - 33330 St-Émilion - 34 km à l'E de Bordeaux par N 89 puis D 670 - ☎ 05 57 24 72 33 - fermé 11 nov.-déc. et de fin janv. à déb. fév.* Véritables macarons de St-Émilion, fabriqués selon une recette datant de 1620.

A. Thuillier/MICHELIN

à tous les belligérants. Le Prince Noir (fils du roi d'Angleterre Édouard III), ainsi nommé à cause de la couleur de son armure, y établit son quartier général et sa cour. Il terrifie les provinces alentour. En 1453, Bordeaux est repris par l'armée royale française avec toute la Guyenne. C'est la fin de la guerre de Cent Ans.

Le Bordeaux des intendants – D'une cité aux rues étroites et tortueuses, entourée de marais, les intendants font au 18e s. l'une des plus belles villes de France. Alors apparaissent les grandioses ensembles que forment les quais, la place de la Bourse, l'hôtel de ville, le Grand Théâtre, l'hôtel des Douanes, des plantations comme les cours et le jardin public. Bordeaux devient le premier port du royaume.

se promener

LE VIEUX BORDEAUX**

Place de la Bourse**

Cette jolie place en fer à cheval fut aménagée de 1730 à 1755, d'après les plans des architectes Gabriel père et fils. Elle est cantonnée par le palais de la Bourse au Nord et l'ancien hôtel des Fermes au Sud.

Remarquez en vous promenant les façades Louis XV : arcades au rez-de-chaussée, fenêtres hautes des deux étages surmontées de mascarons et d'agrafes, balcons ornés de ferronnerie. Les mascarons se trouvent à la clef des fenêtres ; leur nom vient de l'italien *maschera* (« masque ») : ils représentent des têtes souvent grotesques et introduisent des éléments évoquant le vin.

Grand Théâtre**

Situé place de la Comédie, il fut élevé de 1773 à 1780 par l'architecte Victor Louis. Le bâtiment se distingue par son péristyle à l'antique, surmonté d'une balustrade ornée des neuf Muses et des trois Grâces.

Église Notre-Dame*

Pl. du Chapelet. Fermé lun. matin. Juin-sept. : possibilité de visite guidée 14h30-17h30 ; oct.-mai : tlj sf dim. ap.-midi 14h30-17h30. ☎ 05 56 81 44 21.

Ancienne chapelle des Dominicains, elle fut édifiée entre 1684 et 1707. La façade de style jésuite, à l'intéressant jeu d'ombres et de lumière né de la décoration sculptée, donne un air très romain à la place. Le portail central est surmonté d'un bas-relief illustrant l'apparition de la Vierge à saint Dominique.

Cathédrale St-André*

Juil.-août : 8h-11h30, 14h30-18h, dim. 14h30-20h ; sept.-juin : tlj sf dim. ap.-midi 8h-11h30, 14h30-18h ; 1er dim. du mois 14h30-17h30.

C'est le plus majestueux des édifices religieux de Bordeaux. La **porte Royale*** (13e s.) est ornée de sculptures figurant les apôtres aux ébrasements, et au tympan le Jugement dernier, belle œuvre de style gothique. Le **chœur*** gothique est plus élevé que la nef. Son élévation est accentuée par la forme élancée des grandes arcades surmontées d'un triforium aveugle, éclairé par les fenêtres hautes flamboyantes.

A. Thuillier/MICHELIN

La porte de la Grosse Cloche.

Porte de la Grosse Cloche*

Le Bordelais sont très attachés à leur « Grosse Cloche », rescapée de la démolition d'un beffroi du 15e s. Autrefois, quand le roi voulait punir Bordeaux, il faisait enlever la cloche et les horloges.

Rue Ste-Catherine

Cette très longue rue piétonne, qui suit le tracé d'une voie romaine, est la plus commerçante de la ville. En la remontant, remarquez certaines maisons au rez-de-chaussée sous arcades et au 1er étage percé de larges baies en arc de cercle.

Place du Parlement*

Très agréable place, belle et calme, elle présente un harmonieux quadrilatère d'immeubles Louis XV, ordonnés autour d'une cour centrale au pavage ancien.

visiter

Musée d'Aquitaine**

20 cours Pasteur. ♿ Tlj sf lun. et j. fériés 11h-18h. 5,5€, gratuit 1er dim. du mois. ☎ 05 56 01 51 00.

Ce musée d'histoire retrace la vie de l'homme en Aquitaine de la préhistoire à nos jours. Voyez tout d'abord la *Vénus à la Corne* (20 000 ans avant J.-C.), le bison de

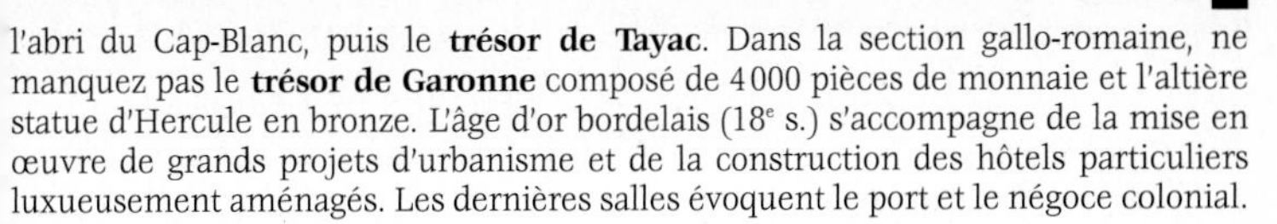

l'abri du Cap-Blanc, puis le **trésor de Tayac**. Dans la section gallo-romaine, ne manquez pas le **trésor de Garonne** composé de 4000 pièces de monnaie et l'altière statue d'Hercule en bronze. L'âge d'or bordelais (18e s.) s'accompagne de la mise en œuvre de grands projets d'urbanisme et de la construction des hôtels particuliers luxueusement aménagés. Les dernières salles évoquent le port et le négoce colonial.

Musée des Arts décoratifs★

Tlj sf mar. et j. fériés 14h-18h. 4€, gratuit 1er dim. du mois. ☎ 05 56 00 72 50.
L'hôtel de Lalande (1779), l'un des plus beaux bâtiments anciens de Bordeaux, abrite le musée dont les salles sont décorées d'élégantes boiseries, de mobilier et d'une importante collection d'objets d'arts décoratifs.

Musée des Beaux-Arts★

♿ *Tlj sf mar. et j. fériés 11h-18h. 3,81€ (expositions temporaires : 5,34€) gratuit 1er dim. du mois. ☎ 05 56 10 20 56.*
Aménagé dans les galeries du jardin de l'hôtel de ville, le musée conserve de très belles œuvres du 15e au 20e s.
L'aile Sud abrite des tableaux de la Renaissance italienne, des peintures françaises du 17e s., dont une toile de Vouet, *David tenant la tête de Goliath*. L'aile Nord est consacrée à l'art moderne et contemporain. L'école romantique est représentée par la célèbre toile de Delacroix, *La Grèce sur les ruines de Missolonghi*. La 2de moitié du 19e s. s'ouvre sur le *Rolla* d'Henri Gervex, tableau de nu refusé au Salon en 1878. Du 20e s., voyez entre autre le beau *Portrait de Bevilacqua* (1905), par Matisse.

Croiseur Colbert★★

Quai des Chartrons. Juin-août : 10h-20h ; avr.-mai, sept. et vac. scol. zone C : 10h-18h, w.-end 10h-19h ; oct.-mars : 13h-18h, w.-end, j. fériés et vac. scol. 10h-18h. Fermé de déb. déc. à mi-déc. (hors w.-end), 1er janv. et 25 déc. 7,30€. ☎ 05 56 44 96 11.
On découvre suivant les itinéraires choisis la salle de l'armement, la salle des machines, les postes de commandement, les carrés des officiers, ainsi que la cuisine et la boulangerie, le service sanitaire, etc. On visite également les cabines des membres de l'équipage et l'appartement de l'amiral. Les accès aux plages avant et arrière du bâtiment permettent de voir la plate-forme destinée aux hélicoptères.

circuits

La diversité des produits du vignoble bordelais, premier au monde pour les vins fins, est prodigieuse : 12000 châteaux, 53 appellations. Au total, la production se partage entre 75 % de vins rouges et 25 % de vins blancs. Annuellement, elle atteint près de 650 millions de bouteilles.

LES CÔTES-DE-BORDEAUX

105 km – compter la journée. Prendre la D 113 puis la D 10 qui suivent la Garonne au Sud-Est de Bordeaux.

Cadillac

Cette bastide, fondée en 1280, fait aujourd'hui commerce de vins blancs.

Ste-Croix-du-Mont★

De la terrasse ombragée de l'église, **vue**★ très étendue en direction des Pyrénées. Une des **grottes**★ a été aménagée en cave de dégustation. *De déb. avr. à mi-oct. : tlj sf mer. 14h30-19h, w.-end et j. fériés 10h-12h30, 14h30-20h. Gratuit. ☎ 05 56 62 01 54.*

St-Macaire

Cette charmante cité médiévale conserve trois portes de son enceinte du 12e s. et de jolies maisons gothiques ou Renaissance.

Loupiac

Célèbre pour ses vins blancs, la localité existait déjà du temps des Romains.
Pour revenir à Bordeaux, suivre la D 20 vers Créon puis la D 14 à gauche qui rejoint la D 113.
▶▶ Château de La Brède★, qui appartint à Montesquieu.

L'ENTRE-DEUX-MERS

55 km – compter 4h. Quitter Bordeaux à l'Est par la D 936 et suivre la D 936ES à droite.

Carignan-de-Bordeaux

La **maison Ginestet** ouvre ses installations à la visite et fait découvrir les métiers d'éleveur et de vinificateur. *Juin-sept. : visite guidée (1h1/4) tlj sf dim. à 10h, 14h et 16h ; oct.-mai : tlj sf w.-end, sur demande. Gratuit. ☎ 05 56 20 90 74. www.ginestet.fr*
Revenir sur la D 936 et prendre à droite la D 671.

Créon

Ancienne bastide, la capitale de l'Entre-Deux-Mers est un marché agricole important. Elle occupe un site très vallonné qui lui a valu le nom de « Petite Suisse ».

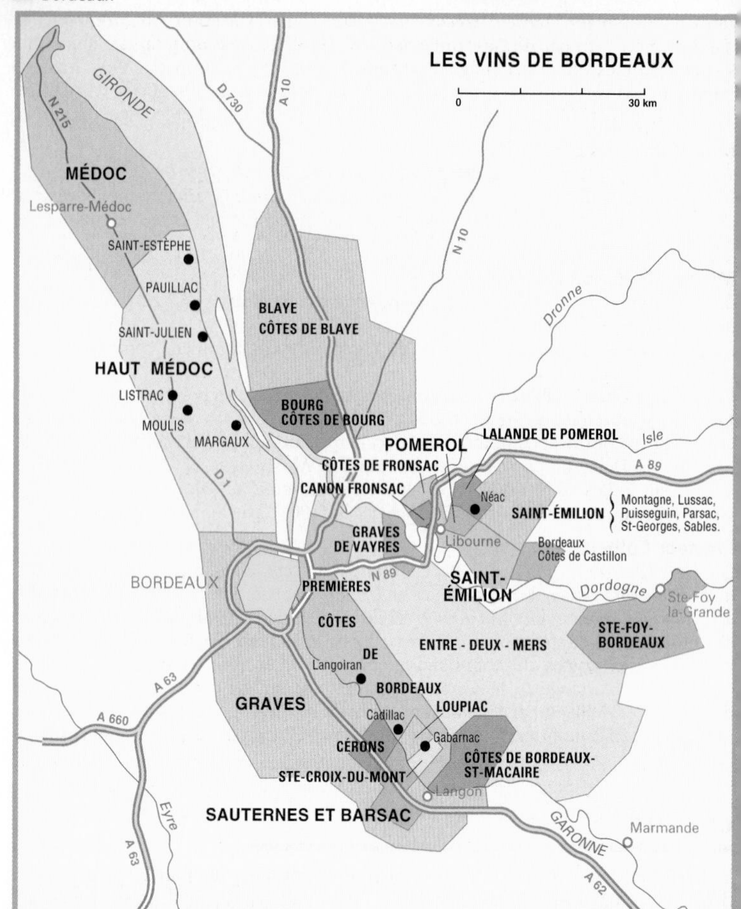

Sauveterre-de-Guyenne

Bastide crée en 1281, Sauveterre témoigne, par son nom, des privilèges qui lui avaient été octroyés.

Suivre la D 672 vers Ste-Foy-la-Grande, et prendre à gauche.

Ancienne abbaye de Blasimon

♿ *De mi-juin à mi-sept. : jeu. à 17h ; de mi-sept. à mi-juin : visite sur demande au Syndicat d'initiative. 2€. ☎ 05 56 71 59 62.*

Cette abbaye bénédictine ruinée se dissimule au fond d'un vallon.

L'église associe des éléments romans (décor sculpté, baies en plein cintre) et gothiques (arcs brisés, voûtes d'ogives). Le cloître a conservé des arcades aux beaux chapiteaux romans.

Rauzan

Gros bourg-marché, Rauzan conserve les ruines d'un **château** bâti du 12e au 15e s. Une enceinte à merlons et un logis seigneurial accompagnent le donjon, haut de 30 m, d'où l'on a une belle vue sur la campagne. *Tlj sf lun. (sf juil.-août). S'adresser au Syndicat d'initiative. ☎ 05 57 84 03 88.*

Prendre la D 128 vers Daignac, et retour à Bordeaux par la D 936.

SAUTERNES ET BARSAC

30 km au départ de Barsac.

Petit par la surface, ce vignoble est un « pays » constitué par la basse vallée du Ciron. La grande originalité du vin de Sauternes tient à la façon dont se fait la vendange. En effet, les grains de raisin, parvenus à maturité, ne sont pas cueillis aussitôt, afin qu'ils puissent subir la pourriture noble, causée par un champignon propre à la région. Ces grains « confits » sont détachés un par un et transportés avec d'infinies précautions.

Barsac

L'église, curieux monument de la fin du 16e et du début du 17e s., comprend trois nefs de même hauteur dont les voûtes constituent un exemple de la survivance du gothique en période classique.

Sauternes
Typique bourg viticole qui donne son nom à un fameux vin liquoreux, d'une robe d'or, parfait pour accompagner le foie gras.

Château d'Yquem
Le plus prestigieux des crus de sauternes était connu déjà au 16e s.

Château de Malle
Avr.-oct. : visite guidée (1/2h) 10h-12h, 14h-18h30. 7€. ☎ 05 56 62 36 86.
Le château, charmante demeure, coiffé d'un toit d'ardoises à la Mansart, rappelle par son plan les chartreuses girondines. L'intérieur, garni d'un beau mobilier ancien, abrite une collection de silhouettes en trompe-l'œil du 17e s., unique en France. Elles servaient autrefois de figuration au théâtre du jardin. Ces jardins en terrasses, à l'italienne, sont ornés de groupes sculptés du 17e s.

Par Preignac et la N 113, regagner Barsac.

▶▶ Châteaux de Roquetaillade★★ et de Cazeneuve★★

LE SAINT-ÉMILION
42 km à l'Est de Bordeaux. À Libourne, suivre la jolie D 243.

St-Émilion★★ est l'une des plus jolies cités d'Aquitaine. Face au Midi, elle essaime, sur deux collines calcaires, de petites maisons blondes aux toits de tuiles vieux rose. À la jonction des deux collines, le haut clocher de la plus vaste **église monolithe★** souterraine de France surmonte un promontoire creusé de cavités. Au pied de ce promontoire et de l'église, la place du Marché fait la liaison entre les quartiers couvrant les collines, dont l'une arbore le château du Roi, jadis siège du pouvoir civil, et l'autre la collégiale, symbole de la puissance religieuse.
Le vignoble s'étend sur huit communes, qui donnent des vins rouges d'une grande diversité, dont certains ont droit à l'appellation grand cru ; ils ont pour nom Ausone, Cheval-Blanc, Angelus, etc.

LE HAUT MÉDOC★
125 km au départ de Bordeaux - compter une journée. Quitter Bordeaux au Nord-Ouest par la N 215. Favorisé par des conditions naturelles exceptionnelles et par une tradition viticole remontant au règne de Louis XIV, le haut Médoc est le pays des châteaux et des grands crus, précieusement conservés dans les chais.

Château Margaux
Visite guidée (1h1/2h) tlj sf w.-end 10h-12h, 14h-16h, sur demande (15 j. av.) à Mme Bizard, Château Margaux, 33460 Margaux. Fermé août et pdt les vendanges. Gratuit. ☎ 05 57 88 83 93.
Premier grand cru classé, le vignoble de Château Margaux fait partie de l'aristocratie des vins de Bordeaux. Remarquez les rangées de très vieux ceps, noueux et tordus, et la majesté de la demeure du début du 19e s.

Château Mouton-Rothschild★
Avr.-oct. : visite guidée (1h1/4) 9h15-11h, 14h-16h (ven. 15h), w.-end et j. fériés : 9h30-11h, 14h-15h30 ; nov.-mars : tlj sf j. fériés 9h30-11h, 14h-16h (ven. 15h). Fermé 1er mai, 1er et 11 nov. et entre Noël et J. de l'an. 5€. Réserver (15 j. av.) auprès de Mlle Parinet, Château Mouton-Rothschild, 33250 Pauillac. ☎ 05 56 73 21 29.
Au cœur des vignobles qui dominent la ville portuaire de Pauillac se niche le Château Mouton-Rothschild, un des noms glorieux du Médoc, classé premier cru en 1973, dont se visitent les **chais★** et le **musée★★**.

Terroirs et crus du Médoc
Si les graviers déposés par la Gironde ne constituent pas en eux-mêmes un sol très fertile, ils ont la propriété d'emmagasiner la chaleur diurne et de la restituer au cours de la nuit, évitant ainsi la plupart des gelées printanières : les vignes médocaines sont donc taillées très bas pour profiter au maximum de cet avantage. Le climat bénéficie, d'un côté, de la Gironde dont la masse d'eau joue un rôle adoucissant et, de l'autre, de l'écran protecteur que forme la pinède landaise face aux vents marins.
La région du Médoc fournit environ 8 % des vins d'appellation du Bordelais. Exclusivement rouges, ils proviennent principalement du cépage cabernet ; légers, bouquetés, élégants, un tantinet astringents, ils plaisent aux palais délicats. Château lafite, château margaux, château latour, château mouton-rothschild sont les crus les plus cotés.

Château Lafite-Rothschild
Visite guidée (1h) tlj sf w.-end à 14h et 15h30. Fermé août-oct., j. fériés et ponts. Gratuit. Réservation 1 sem. av. (basse sais.) et 15 j. av. (haute sais.) auprès du Château Lafite-Rothschild, rte des Châteaux, D 2, 33250 Pauillac. ☎ 01 53 89 78 00. www.lafite.com
C'est le plus fameux des premiers grands crus classés du Médoc, dont les caves abritent une collection de bouteilles vénérables. Le château, construit sur une terrasse plantée de beaux cèdres, appartient depuis le Second Empire aux Rothschild.

Bourg-en-Bresse★★

De cette plantureuse région d'élevage de volaille de qualité, Bourg est la capitale historique. Les jours de foire aux bestiaux ou de marché, la cité de la Bresse est très animée. Vivante, on peut dire que Bourg l'est. Ce sont pourtant des tombeaux qui font l'essentiel de sa renommée: une œuvre flamboyante où se grave une belle histoire.

La situation

57 198 Burgiens - Cartes Michelin Local 328 C-D-E 3-4, Regional 523 - Le Guide Vert Bourgogne - Ain (01). Au Sud de la Bourgogne, à l'Est de Mâcon par la N79, la Bresse s'étend de la Saône au Jura. Prononcez «bourk», terme d'origine germanique signifiant «château fort» puis «gros village».

6 av. Alsace-Lorraine, 01000 Bourg-en-Bresse, ☎ 04 74 22 49 40, www.bourg-en-bresse.org

Pour poursuivre la visite, voir aussi: CLUNY, SAINT-CLAUDE, LONS-LE-SAUNIER, LYON, LE BEAUJOLAIS.

carnet pratique

Restauration

• *À bon compte*

Le Chalet de Brou – *168 bd de Brou - 01000 Bourg-en-Bresse - ☎ 04 74 22 26 28 - fermé 1er au 15 juin, 23 déc. au 23 janv., lun. soir, jeu. soir et ven. - 14/35€.* Un petit restaurant à la gentille ambiance familiale face à la célèbre église de Brou. Salle à manger très classique avec boiseries et tapisseries. Cuisine régionale à prix raisonnables.

Auberge du Coq – *R. des Rondes - 01800 Pérouges - 40 km au Sud de Bourg-en-Bresse par N 83, D 22 et D 22A - ☎ 04 74 61 05 47 - fermé fév., dim. soir, mar. midi d' avr. à nov. et dim. soir, lun., mar. de déc. à avr. - 14,50/39,50€.* Dans une ruelle pavée de galets, ce restaurant évoque les échoppes d'autrefois. Le patron, un italien gourmand natif de Pérouges, défend à sa table quelques belles spécialités comme le soufflé de quenelles, les grenouilles fraîches ou le poulet fermier... à découvrir.

Hébergement

• *Valeur sûre*

Logis de Brou – *132 bd de Brou - 01000 Bourg-en-Bresse - ☎ 04 74 22 11 55 - fermé 22 déc. au 5 janv. - P - 30 ch. : 47/61€ - ☕ 7€.* Dans le quartier de l'église de Brou, c'est un hôtel traditionnel agréable. Les chambres sont confortables et très bien entretenues avec un mobilier varié, moderne, rustique ou bambou. Jardin fleuri.

visiter

Église de Brou★★

De mi-juin à mi-sept. : possibilité de visite guidée 9h-18h ; de déb. avr. à mi-juin et de mi-sept. à fin sept. : 9h-12h30, 14h-18h; oct.-mars: 9h-12h, 14h-17h. Fermé 1er janv., 1er mai, 1er et 11 nov., 25 déc. 5,5€ (billet combiné avec le musée et le cloître). ☎ 04 74 22 83 83.

Au **portail**★, la décoration symbolique – palmes entrelacées de marguerites et initiales unies par des lacs d'amour – évoque Marguerite, fille de l'empereur Maximilien d'Autriche, veuve en 1501 à 24 ans du beau duc Philibert de Savoie. Marguerite voit en cette mort accidentelle un châtiment céleste. Aussi, pour le repos de l'âme de son mari, fait-elle transformer le prieuré en monastère.

Les travaux commencent en 1506 ; la conception est confiée à Jean Perréal, et le chantier à un maçon flamand qui réussit à élever le monument en dix-neuf ans.

Dans l'église, la lumière des fenêtres hautes illumine les piliers composés d'un faisceau de colonnettes montant d'un seul jet à la voûte. Le **jubé**★★ est d'une étonnante richesse décorative, comme l'ornementation sculptée du chœur, où le moindre détail est traité avec maîtrise. Les 74 **stalles**★★ ont été taillées dans le chêne en deux ans seulement, de 1530 à 1532. Celles du côté gauche offrent des scènes du Nouveau Testament et des personnages satiriques, tandis que celles du côté droit se rapportent à l'Ancien Testament.

De nombreux artistes ont collaboré aux **tombeaux**★★★, point culminant de l'épanouissement de la sculpture flamande en Bourgogne. La dépouille figurée du prince presque nu est particulièrement émouvante. Suivant la tradition, un chien, emblème de la fidélité, est couché aux pieds des deux princesses; un lion, symbole de la force, aux pieds du prince.

Les grandioses **verrières**★★ représentent l'Apparition du Christ ressuscité à Madeleine et la visite du Christ à Marie, scènes tirées de gravures d'Albert Dürer.

▶▶ Musée★

alentours

Pérouges**

35 km au Sud de Bourg par la D 22. À mi-chemin entre Bourg-en-Bresse et Lyon, Pérouges est un joyau d'architecture médiévale. Les demeures de la riche bourgeoisie se distinguent par l'importance de leurs dimensions et par leur luxe intérieur. Celles des artisans et des marchands sont beaucoup plus simples ; les baies cintrées du rez-de-chaussée éclairaient l'atelier ou servaient à l'étalage des marchandises. Étroites et sinueuses, les rues ont un pavage à double pente avec une rigole médiane pour l'écoulement des eaux. Les toits des maisons, débordant très largement, abritaient le « haut du pavé », réservé aux personnes de qualité. Les gens du commun devaient céder le pas et marcher au milieu de la chaussée.

circuit

LA DOMBES*

64 km. Quitter Bourg au Sud par la N 83. Entre Bourg-en-Bresse et Lyon, la Dombes a pris sa revanche sur une nature ingrate en devenant un haut lieu de la gastronomie. Elle doit son charme à la présence d'étangs, aux fermes en pisé, aux châteaux en briques rouges et aux villages fleuris qui agrémentent les vastes paysages que survolent des milliers d'oiseaux venus pêcher ou se reposer sur ses étangs.

St-Paul-de-Varax

Ce village a conservé une belle église romane et un château qui se reflète dans un étang.

Le Plantay

Environnée des eaux de l'étang du Grand-Châtel, la **tour du Plantay*** *(on ne visite pas)* est remarquable par son appareil de grosses briques rouges décoré de pierres blanches.

Villars-les-Dombes

Situé sur un des principaux axes de migration en Europe, le **parc des oiseaux*** présente plus de 2 000 oiseaux appartenant à 400 espèces des cinq continents. ♿ *Juin-août : 10h-21h30 (dernière entrée 1h av. fermeture) ; mai et sept. : 10h-19h30 ; oct.-avr. : de 10h à la tombée de la nuit. Entre 6 et 9€ (enf. : entre 5 et 7,5€). ☎ 04 74 22 83 83.*

Prendre à droite la D 2.

Châtillon-sur-Chalaronne

Les maisons à pans de bois sont égayées par des brassées de fleurs disposées dans des paniers en osier. Les bords de la Chalaronne invitent à la promenade.

Rentrer à Bourg au Nord par la D 936.

Bourges***

Centre de l'Hexagone, Bourges en est aussi le « Printemps » : par la noble parure de ses hôtels et de ses jardins, et les chanteurs et comiques qui électrisent son atmosphère chaque année au retour des beaux jours. La cité a vu naître un roi fin politique, Louis XI, et un as de la finance, Jacques Cœur.

La situation

91 434 Berruyers – Cartes Michelin Local 323 K 4-6, Regional 519 – Le Guide Vert Berry Limousin – Cher (18). La haute silhouette de sa cathédrale domine le vaste horizon de la Champagne berrichonne. Bâtie sur les pentes d'une colline qu'encerclent un lacis de rivières, Bourges se situe à mi-chemin entre Paris (245 km) et Clermont-Ferrand (190 km) par l'A 71. ℹ *21 r. Victor-Hugo (près de la cathédrale), 18000 Bourges, ☎ 02 48 23 02 60. www.ville-bourges.fr*

Pour poursuivre la visite, voir aussi : GIEN.

découvrir

CATHÉDRALE ST-ÉTIENNE***

La construction de l'édifice se déroula en deux campagnes. De 1195 à 1215, on édifia le chevet et le chœur puis, de 1225 à 1260, la nef, la façade et la décoration. Parmi les portails de la **facade occidentale**, celui du centre, considéré comme l'un des chefs-d'œuvre de la sculpture gothique du 13e s., a pour thème le Jugement dernier. Un escalier à vis *(396 marches)* conduit au sommet de la **tour Nord** (65 m),

carnet pratique

Restauration

• À bon compte

Bourbonnoux – *18000 Bourges - ☎ 02 48 24 14 76 - fermé 17 au 27 janv., 15 au 22 mars, 30 août au 20 sept., dim. soir de nov. à mars, sam. midi et ven. - 11,89/27,44€.* Colombages et coloris vifs agrémentent le plaisant intérieur de ce restaurant situé dans une rue jalonnée de boutiques d'artisans.

• Valeur sûre

La Courcillière – *R. de Babylone - 18000 Bourges - ☎ 02 48 24 41 91 - fermé mer., dim. soir et mar. soir - 16/26€.* Ici vous êtes au cœur du marais, à deux pas du centre-ville, ensemble de verdure, de faune et de flore. Gentil restaurant au cadre rustique avec terrasse au bord de l'eau face aux jardins. Table honnête à prix raisonnables. Pour le dépaysement...

Auberge de l'Abbaye de Noirlac – *18200 Noirlac - 43 km au Sud de Bourges par N 144 - ☎ 02 48 96 22 58 - fermé 16 nov. au 18 fév., mar. soir d'oct. à mars et mer. - 16/27€.* Après avoir visité l'abbaye, faites une pause déjeuner dans ce petit bar-restaurant. Votre faim sera agréablement satisfaite, sans nuire à votre trésorerie. La salle à manger est fraîche : poutres apparentes et vieux carrelage. Terrasse d'été face à l'abbaye.

Hébergement

• À bon compte

Hôtel Christina – *5 r. Halle - 18000 Bourges - ☎ 02 48 70 56 50 - christina-hotel-bourges@wanadoo.fr - 71 ch. : 39/71€ - ☕ 6,50€.* Cet hôtel est le point de départ idéal pour découvrir le centre-ville. Les chambres, bien entretenues, sont de deux catégories : cossues et soignées ou, plus petites et fonctionnelles.

• Valeur sûre

Hôtel Les Tilleuls – *7 pl. Pyrotechnie - 18000 Bourges - ☎ 02 48 20 49 04 - antoine.falleur@wanadoo.fr - P - 38 ch. : 53/58€ - ☕ 6€.* Dans un quartier assez calme, établissement aux chambres rustiques, plus petites et plus simples à l'annexe (type motel). Jeux pour les enfants dans le jardin, solarium.

Calendrier

Printemps de Bourges – Créée en avril 1977, cette importante manifestation rassemble, durant la 3e semaine du mois d'avril, les nouveaux talents, tant en matière musicale qu'humoristique, qui se produisent lors de spectacles « Découvertes » pour le plaisir des quelque 100 000 spectateurs venus place Séraucourt. ☎ 02 48 24 30 50.

d'où se révèle une **vue**★★ panoramique sur la ville. En faisant le tour de l'édifice, on admire la magnifique composition pyramidale du **chevet**.

À l'intérieur, avec 124 m de longueur, 41 m de largeur et une hauteur sous voûte de 37,15 m, St-Étienne est la plus large cathédrale gothique de France. L'originalité de l'édifice tient aux doubles bas-côtés d'une différence d'élévation telle qu'il a été possible de percer dans le premier des fenêtres s'ouvrant au-dessus du second : ainsi alternent cinq étages d'ombre et de lumière. Les fenêtres sont ornées de **vitraux**★★★ exécutés pour la plupart entre 1215 et 1225. La chapelle Jacques-Cœur abrite une splendide verrière de l'**Annonciation** (1451).

Crypte★★

Juil.-août : Visite guidée (1h) 9h-19h ; avr.-juin et sept.-oct. : tlj sf dim. matin 9h-12h, 14h-18h ; nov.-mars : tlj sf dim. matin 9h-12h, 14h-17h. Fermé 1er janv., 1er mai, 1er et 11 nov., 25 déc. 5,50€ (billet combiné crypte, tour Nord et palais Jacques-Cœur : 8€). ☎ 02 48 65 49 44.

L'église basse abrite des fragments du **jubé** qui, malgré d'importantes mutilations, détiennent encore un fort pouvoir émotionnel. Remarquez les attitudes singulières des soldats endormis, le modelé des corps.

Horloge astronomique★

Conçue par le mathématicien et astronome Jean Fusoris en 1424, cette intéressante horloge de 6,20 m de haut est logée dans un bahut carré. Le cadran central comporte les 12 signes du zodiaque. Un soleil glissant de bas en haut sur l'aiguille marque sa position par rapport à l'horizon suivant les solstices...

PALAIS JACQUES-CŒUR★★

Juil.-août : visite guidée (1h) 9h-13h, 14h-19h ; avr.-juin vet sept.-oct. : 9h-12h, 14h-18h ; nov.-mars : 9h-12h, 14h-17h. Fermé 1er janv., 1er mai, 1er et 11 nov., 25 déc. 5,5€. ☎ 02 48 24 79 42.

Commencée en 1443 pour Jacques Cœur, célèbre argentier de Charles VII, cette splendide demeure fut pratiquement achevée en moins de dix ans.

La façade séduit par la richesse de sa décoration. De part et d'autre de la loge à festons apparaissent, dans l'entrebâillement de fenêtres simulées, le maître et la maîtresse de maison. Découvrez dans la cour les galeries réservées au négoce et le grand corps de logis. La tourelle centrale est décorée d'arbres exotiques : palmiers, orangers, dattiers, qui évoquent les pays d'Orient où Jacques Cœur a voyagé. Son immense fortune lui permit de satisfaire son goût du beau et du confort : l'agencement du palais témoigne d'une réussite exceptionnelle à cet égard.

Un homme doué pour les affaires : Jacques Cœur

Ce fils de marchand de fourrures réalise en peu de temps une fortune colossale. Il arme des vaisseaux pour s'approprier les marchés de l'Orient méditerranéen, installe des comptoirs à Marseille et à Montpellier, achète des maisons, des terres et des mines. Maître de la Monnaie de Paris, Jacques Cœur gagne la confiance de Charles VII qui en fait son argentier en 1439 et son conseiller en 1442. Détesté par des courtisans jaloux, il tombe en disgrâce peu après la mort en 1450 d'Agnès Sorel, sa fidèle alliée. Et le roi se débarrasse de lui par un procès inique. Au cours de l'été 1454, comprenant qu'on ne le libérera jamais, il s'évade de sa prison de Poitiers et se réfugie à Rome auprès du pape qui lui confie le commandement d'une flotte ; c'est lors d'une croisade à Chio qu'il meurt de maladie, le 25 novembre 1456.

▶▶ Maisons à colombages★ (beaucoup datent des 15e et 16e s.) dans le quartier ancien au Nord de la cathédrale ; Promenade des remparts★ ; Musée Estève★★

alentours

Château de Meillant★★

39 km au Sud de Bourges, par la N144, puis la D37 à gauche à Jariolle. Mai-oct. : visite guidée 9h-11h45, 14h-18h30 ; fév.-avr. : 10h-11h45, 14h-18h30. 7€. ☎ 02 48 63 32 05.

Le caractère féodal de la forteresse n'apparaît plus que sur la façade Sud baignée de douves. La partie orientale s'apparente aux châteaux de la Loire par la richesse de sa décoration.

Après avoir traversé la galerie des Césars, vous arrivez dans la grande salle à manger, aux murs tapissés de cuir de Cordoue et au plafond à caissons Renaissance ; la table y est dressée avec une vaisselle somptueuse. Juste après la bibliothèque, remplie d'ouvrages rares et d'où l'on a une jolie vue sur le puits et la chapelle, on entre dans la chambre du cardinal d'Amboise au splendide mobilier flamand du 17e s.

Leveau/CDT Cher

Meillant, un château de la Loire dans le Berry.

Abbaye de Noirlac★★

39 km au Sud de Bourges, par la N144. Juil.-août : 9h45-18h30 ; avr.-juin et sept. : 9h45-12h30, 14h-18h30 ; oct.-mars : tlj sf mar. 9h45-12h30, 14h-17h. Fermé 1er janv. et 25 déc. 5,40€. ☎ 02 48 62 01 01.

Bâtie à partir de 1150, achevée seulement un siècle plus tard, l'abbaye cistercienne construite en belle pierre blanche du pays, ornée de vitraux modernes, constitue l'un des ensembles monastiques les mieux conservés de France. Ce cadre exceptionnel est mis à profit pour des messes en grégorien, des concerts et des manifestations culturelles.

Nohant★

76 km au Sud-Ouest de Bourges. Prendre la N144 vers le Sud jusqu'à Levet, suivre alors la D940 jusqu'à La Châtre ; Nohant est à 6 km au Nord par la D943. La **maison de George Sand** conserve d'innombrables souvenirs d'écrivain – de son vrai nom Aurore Dupin (1804-1876) – et de ses hôtes : Chopin, Liszt, Balzac, Flaubert, Delacroix, Fromentin... Rien n'a changé ici depuis le 19e s. ni le boudoir aux boiseries peintes, ni la chambre de la « bonne dame de Nohant » – auteur de La Mare au diable, de La Petite Fadette et de François le Champi –, ni le théâtre de marionnettes aménagé par son fils, Maurice. *Juil.-août : visite guidée (1h, dernier dép. 1h av. fermeture) 9h-19h15 ; avr.-juin et de déb. sept. à mi-oct. : ; 9h-12h15, 14h-18h30 ; de mi-oct. à fin mars : 10h-12h15, 14h-16h30. Fermé 1er janv., 1er mai, 1er et 11 nov., 25 déc. 5,50€. ☎ 02 54 31 06 04.*

Brest*

La majestueuse rade de Brest en dit long sur le mariage de la ville avec l'Atlantique: son port, consacré à la marine pendant des siècles, accueille ferries et paquebots de croisière et, tous les quatre ans, un rassemblement de navires anciens qui passionne les amateurs de voile.
Ville universitaire, Brest est aussi la capitale de l'océanographie. De quoi oublier la géométrie de ses rues, car la ville a été totalement reconstruite après la Seconde Guerre mondiale.

carnet pratique

Restauration

• À bon compte

Amour de Pomme de Terre – *Derrière la rue d'Algésiras et les halles St-Louis - 29200 Brest - ☎ 02 98 43 48 51 - 9,91/28,20€.* Amandine et samba ? Ici, ce sont deux variétés de pomme de terre qui se déclinent sur toutes les formes dans cette petite salle souvent bondée où la convivialité est de rigueur. Si on vous a attribué une serviette trouée, demandez donc au patron de vous en conter l'histoire !

Crêperie Ti A Dreuz – *À Lampaul, bas du bourg - 29242 Ouessant - ☎ 02 98 48 83 01 - ouv. vac. de Noël, de fév. et de Pâques à fin sept., fermé dim. soir en avr., mai et juin et lun. hors vacances scolaires - 12,20€.* Vieille maison à la façade inclinée, où vous dégusterez des crêpes tout en vous laissant conter l'histoire insolite des assiettes de faïence qui ornent le buffet de sa salle à manger blanc et bleu... La seconde salle ouvre sur un joli jardin fleuri.

Ferme-auberge du Seillou – *29580 Rosnœn - 33 km au SO de Brest par N 165 puis D 47 - ☎ 02 98 81 92 21 - fermé 3 sem. fin sept.-déb. oct. - réserv. obligatoire - 13,50/18€.* Vieilles pierres et bons produits de la ferme (viandes, cidre artisanal et spécialité de kig-ha-farz) entretiennent l'image de marque de cette ancienne grange nichée au milieu d'une exploitation agricole. Pimpantes chambres mansardées. Circuit pédestre à proximité.

• Valeur sûre

Ma Petite Folie – *Plage du Moulin Blanc, à côté du port de plaisance - 29200 Brest - ☎ 02 98 42 44 42 - fermé 1er au 10 janv., 18 août au 14 sept. et dim. - réserv. conseillée - 19/26€.* Manger à bord d'un langoustier sans avoir le mal de mer ? Inconcevable, sauf sur ce navire mis en cale sèche sur le sable. On y déguste des produits de la mer, bien sûr, à l'intérieur de la coque, ou sur le pont supérieur par beau temps... Quelle escale épique !

Fleur de Sel – *15 bis r. de Lyon - 29200 Brest - ☎ 02 98 44 38 65 - fermé 1er au 7 janv., 28 juil. au 23 août, sam. midi et dim. - 23€.* Ce restaurant du centre-ville connaît un franc succès. Le cadre, d'inspiration Art déco, est élégant et lumineux, la cuisine traditionnelle actualisée séduit les gourmets, et l'équipe assure un service souriant et attentif. Bon rapport qualité-prix.

Ferme de Keringar – *Lochrist - 29217 Le Conquet - 28 km de Brest par D 789 - ☎ 02 98 89 09 59 - réserv. conseillée - 15€ déj. - 16/40€.* Ce domaine de 4 ha est le lieu idéal pour un séjour en famille. Ses chambres sont spacieuses et décorées avec goût, la cuisine exalte les produits du terroir et de la pêche locale, et la ferme pédagogique fait le bonheur des enfants. Tout cela, à 500 m de la plage !

Hébergement

• À bon compte

La Châtaigneraie – *Keraveloc - 29200 Brest - à l'E de la ville, au-dessus du conservatoire botanique - ☎ 02 98 41 52 68 - ⊄ - 4 ch. : 38/44€.* Cette grande demeure des années 1970 perchée sur les hauteurs du Stang-Alar jouit, par beau temps, d'une vue étendue sur la rade de Brest. Ses chambres, spacieuses et de bon confort, profitent de la tranquillité du parc. Salon-bibliothèque, salle de jeux et piscine couverte (chauffée de mai à septembre).

• Valeur sûre

Hôtel Kyriad – *157 r. Jean-Jaurès - 29200 Brest - ☎ 02 98 43 58 58 - kyriadbrest@wanadoo.fr - 50 ch. : 48/54€ - ☕ 6€.* « Tonnerre de Brest ! » hurle le capitaine Haddock... Vite, entrons au Kyriad pour nous mettre à l'abri du bruit et des intempéries. Bien calfeutré à l'intérieur de votre chambre, de préférence au calme côté cour, vous dormirez sur vos deux oreilles. Décor moderne et sobre.

Roc'h-Ar-Mor – *Au bourg de Lampaul - 29242 Ouessant - ☎ 02 98 48 80 19 - roch.armor@wanadoo.fr - fermé 5 janv. au 15 fév. - 15 ch. : 48,50/75€ - ☕ 8€ - restaurant 20,80/26€.* À la lisière du village de Lampaul, face à la baie, grande bâtisse rénovée offrant désormais un confort de qualité. La véranda et la majorité des chambres, lumineuses et modernes, jouissent d'une vue sur la mer.

Hostellerie de la Pointe St-Mathieu – *29217 La-Pointe-St-Mathieu - ☎ 02 98 89 00 19 - hotel.saintmathieu@wanadoo.fr - fermé fév. - 23 ch. : 49/121€ - ☕ 8€ - restaurant 15/64€.* Cet hôtel-restaurant voisin des grands phares et des ruines de l'abbaye occupe une maison ancienne agrandie d'une aile récente où sont installées les chambres. Attablez-vous dans sa jolie salle à manger voûtée avec cheminée ou, si vous optez pour un repas rapide, dans sa brasserie.

La situation

221 600 Brestois - Cartes Michelin Local 308 A 4, E 4-5, Regional 517 - Le Guide Vert Bretagne - Finistère (29). Idéalement située face à sa rade, véritable mer intérieure, Brest n'a que faire de sa réputation de ville pluvieuse, car elle jouit d'une lumière hors du commun. *1 pl. de la Liberté, 29200 Brest, ☎ 02 98 44 24 96, www.leguide-brest.fr*
Pour poursuivre la visite, voir aussi : MORLAIX, QUIMPER.

visiter

Océanopolis***

Depuis le centre-ville : suivre la direction du port de plaisance ; en bus : ligne 7. Visite libre, compter au moins 1/2 journée. ♿ De mi-juil. à fin août : 9h-19h (dernière entrée 1h av. fermeture) ; de déb. avr. à mi-juil. : 9h-18h ; sept.-mars : tlj sf lun. 10h-17h ; vac. scol. : 10h-17h. Fermé 1er janv. et 25 déc. 13,50€ (enf. : 10€). ☎ 02 98 34 40 40. www.oceanopolis.com
Vaste bâtiment aux allures de crabe, Océanopolis est une superbe vitrine de la vie dans les océans. Dans ce lieu qui abrite 10 000 animaux, des aquariums géants reconstituent, de façon spectaculaire, la diversité propre à chaque milieu naturel. À la beauté de ces décors sous-marins, où une machinerie complexe permet de recréer houles et marées, s'ajoute la richesse de l'information dispensée.

OT Erquy

Le rendez-vous des vieux gréements

Depuis la fin des années 1970, des passionnés de la mer remettent en valeur des voiliers traditionnels, en bois, à voilure souvent colorée que l'on appelle les vieux gréements, le gréement étant l'ensemble des cordages et poulies nécessaires à la manœuvre des navires à voile. Une passion que traduisent les grands rassemblements, tels que « Brest 2000 » où se sont rendus 1,2 million de visiteurs. Près de 2 000 bateaux ont paradé dans la rade, offrant un spectacle inoubliable. Parmi les grands voiliers aux impressionnantes mâtures semblant se perdre dans le ciel, on pouvait reconnaître le *Belém*.

Pont de Recouvrance

Inauguré en 1954, c'est le plus important pont-levant d'Europe (87 m de portée). Il enjambe la rivière Penfeld et atteint sa position haute en 2mn 30s. Sur la rive Est se trouve un canon de 380 mm, provenant du cuirassé *Richelieu*.

Cours Dajot

Depuis la table d'orientation, la **vue sur la rade**** se déploie sur le port de commerce, l'École navale, l'île Longue, la presqu'île de Crozon, le fort du Portzic et la rade-abri qui sert de mouillage à la flotte de guerre.

Musée des Beaux-Arts*

Tlj sf mar. 10h-11h45, 14h-18h, dim. 14h-18h. Fermé j. fériés. 4€, gratuit dim. ap.-midi. ☎ 02 98 00 87 96.
Ses collections recèlent un grand nombre de toiles illustrant le courant symboliste, surtout l'école de Pont-Aven. À voir : les *Deux Perroquets* de Manet, *Bord de mer en Bretagne* d'Émile Bernard, *Les Blés verts au Pouldu* de Paul Sérusier.

Musée de la Marine*

De déb. avr. à mi-sept. : 10h-18h30 ; de mi-sept. à mi-déc. et fév.-mars : tlj sf mar. 10h-12h, 14h-18h. Fermé de mi-déc. à fin janv. et 1er mai. 4,60€. ☎ 02 98 22 12 39.
Précieux modèles réduits de navires, instruments de navigation, tableaux, maquettes... nous font revenir au temps de la marine à voile. Au pied de la terrasse sont exposés un sous-marin de poche S622 et une embarcation de *boat people* recueillie en mer de Chine. La visite est jalonnée de majestueuses figures de proue.
▶▶ Base navale et arsenal*

Conservatoire botanique du vallon du Stang-Alar**

À l'Est de la ville par la r. Jean-Jaurès, puis par la rte de Quimper. ♿ Jardin : 9h-18h (été : 9h-20h). Pavillon d'accueil : tlj sf ven. et sam. 14h-17h. De déb. juil. à mi-sept. : visite audioguidée des serres tlj sf ven. et sam. 14h-17h30 ; de mi-sept. à fin juin : dim. 16h30. Gratuit ; visite des serres : 3,50€. ☎ 02 98 41 88 95.
Ce prestigieux conservatoire botanique assure la conservation des plantes menacées d'extinction et tente de les réintroduire dans leur milieu naturel. Les serres permettent de voyager dans les différentes zones tropicales de la planète. Quelques espèces rares y sont visibles, comme le géranium de Madère.

alentours

Île d'Ouessant★★

*Accès à l'île : au dép. de Brest (ligne régulière) à bord de l'*Enez Eussa *à 8h30 pour Ouessant ou Molène via Le Conquet ; du Conquet (ligne régulière) à 9h45 ; d'Ouessant à 16h30. Juil.-août : dép. supp. de Brest à bord de l'*André Colin *à 8h, de Camaret à 8h45, d'Ouessant tlj sf dim. à 18h ; avr.-juin : dép. supp. mer. Renseignements : Compagnie maritime Penn Ar Bed. ☎ 02 98 80 80 80. Accès en avion au dép. de Brest-Guipavas. ☎ 02 98 84 64 87.*

Pour mériter cette île longue de 7 km et large de 4 km, il faut traverser une mer souvent houleuse. L'excursion en bateau permet de voir la pointe de St-Mathieu, le chenal du Four et le fameux écueil des Pierres-Noires. **Lampaul** se distingue par ses maisons bien entretenues, aux volets peints en bleu ou vert. Le **phare de Créac'h** indique, quant à lui, avec le phare britannique de Lands End, l'entrée de la Manche. En le contournant, on découvre la côte déchiquetée et battue par les flots ; les **rochers★★★** offrent un spectacle extraordinaire. Ouessant est le refuge de goélands argentés, cormorans huppés, huîtriers pie, macareux... et d'une colonie de phoques.

Ménez-Hom★★★

64 km au Sud-Est par la N 165 jusqu'à Châteaulin, puis par une petite route qui s'embranche sur la D 887 reliant Châteaulin à Crozon, 1,5 km après la chapelle Ste-Marie.

Sommet des Montagnes Noires, le Ménez-Hom est l'un des plus hauts reliefs bretons, avec ses 330 m. Il occupe une position clef à l'entrée de la presqu'île de Crozon, sur laquelle il offre un **panorama★★★** exceptionnel.

circuits

Les Abers★★

80 km – compter une journée. Quitter Brest au Nord par la D 13 jusqu'à Lannilis.

La côte Nord-Ouest du Finistère, basse et rocheuse, offre le spectacle magnifique d'un littoral sauvage, entaillé par les abers. Les amoureux de panoramas romantiques et de sentiers côtiers solitaires apprécieront cette région.

L'**Aber-Wrach**, peut-être le plus connu avec son important centre de voile, est un port de plaisance très fréquenté et un lieu de séjour balnéaire. La route en corniche suit la baie des Anges. Après avoir franchi l'**Aber-Benoît**, en venant de Lannilis, la route le longe pendant quelques kilomètres et permet d'en apprécier la belle situation : un vrai petit coin de paradis. Des chemins escaladent à l'extrémité de l'Aber-Benoît les **dunes de Corn-ar-Gazel** et conduisent aux immenses plages de sable blanc, comme celle des Trois-Moutons et sa base de chars à voile. *Rentrer à Brest par la D 26 via Ploudalmézeau.*

Presqu'île de Crozon★★★

160 km – compter une journée. Quitter Brest par la N165 jusqu'au Faou. Suivre la corniche par la D 791 jusqu'à Crozon, puis la D8 vers Camaret. La plus belle des quatre pointes de la presqu'île de Crozon, avec son à-pic de 70 m et son panorama, est certainement celle de **Penhir★★★**. Gagnez ensuite la **pointe des Espagnols★★**. Elle porte ce nom depuis qu'au printemps 1594, une garnison d'Espagnols alliés de la Ligue y entreprit la construction d'un fort. Mais, six mois après leur arrivée, les troupes d'Henri IV les passèrent tous par les armes.

Un petit coin de paradis : l'Aber-Benoît.

R. Mattes/MICHELIN

Briançon★★

Idéalement situé au carrefour des quatre vallées du Briançonnais et sous le col de Montgenèvre qui mène en Italie, Briançon est dotée aujourd'hui d'équipements modernes qui permettent aux skieurs de gagner facilement les pistes de Serre-Chevalier. Mais cela n'empêche pas la ville haute, fortifiée par Vauban, de garder une délicieuse allure de village médiéval, avec son dédale de ruelles étroites et ses jardinets pimpants.

carnet pratique

Restauration

• *À bon compte*

La Boîte à Fromages – *R. St-Eldrade - 05520 Le Monêtier-les-Bains - 15 km au NO de Briançon par N 91 - ☎ 04 92 24 50 08 - fermé oct.-nov. - réserv. conseillée - 12,46/45,73€.* Descendez quelques marches pour accéder à cette maison ancienne cachée dans une ruelle. Ici, le fromage est roi ! Les mordus de fondues, raclettes, tartiflettes et autres spécialités savoyardes apprécieront cette discrète adresse.

La Cordée – *38520 St-Christophe-en-Oisans - 80 km à l'E de Briançon par N 91 rte de Bourg-d'Oisans puis D 530 - ☎ 04 76 79 52 37 - 13,57€.* À la fois bar-tabac, épicerie, hôtel et restaurant, ce lieu de vie fondé en 1907 a reçu des générations de guides de haute montagne, randonneurs et touristes. Dans un décor paraissant immuable, la propriétaire met des livres à disposition, organise des rencontres avec leurs auteurs, sert une cuisine du cru et propose quelques chambres modestes.

• *Valeur sûre*

Le Rustique – *36 r. du Pont-d'Asfeld - 05100 Briançon - ☎ 04 92 21 00 10 - fermé 20 juin au 3 juil., 20 nov. au 10 déc., sam. et mar. - 17/25€.* Cette jolie maison à la façade colorée porte bien son nom : vénérable plancher, objets paysans traditionnels et traîneau ancien personnalisent la salle à manger voûtée. Spécialités savoyardes, fondue aux morilles et truites.

Le Péché Gourmand – *2 rte de Gap - 05100 Briançon - ☎ 04 92 21 33 21 - fermé lun. - 12,20€ déj. - 21,04/38,87€.* Un péché, la gourmandise ? À chacun ses convictions... Mais aurez-vous le temps d'y penser... Car dans cette ancienne maison au bord de la Guisane, la cuisine, moderne aux présentations raffinées, est élaborée avec de bons produits.

La Maison d'Elisa – *Le Raux - 05350 St-Véran - 50 km au SE de Briançon par D 902, D 444 puis D 5 - ☎ 04 92 45 82 48 - fermé Pâques au 15 juin et 10 sept. au 23 déc. - ⊭ - réserv. conseillée - 15,25€ déj. - 24,39€.* Simplicité et bonne humeur règnent à la ferme d'Elisa. Rénovée après un incendie en 1880, rien n'a été modifié depuis : plancher en rondins de mélèzes, murs et plafond bas sont d'époque... Choisissez la terrasse pour la vue magnifique.

Hébergement

• *Valeur sûre*

Hôtel Vauban – *13 av. du Gén.-de-Gaulle - 05100 Briançon - ☎ 04 92 21 12 11 - vauban.hotel@wanadoo.fr - fermé 1er nov. au 20 déc. - P - 38 ch. : 62/72€ - ☕ 5,50€ - restaurant 19/26€.* Cet hôtel des années 1960 constituera une étape pratique à Briançon. La plupart des chambres et la salle de restaurant ont conservé leur cadre « sixties » un peu désuet, mais l'ensemble reste fonctionnel et bien tenu. Cuisine traditionnelle copieusement servie.

Chambre d'hôte La Girandole – *À Brunissard - 05350 Arvieux-en-Queyras - 30 km au SE de Briançon par D 902 - ☎ 04 92 46 84 12 - fermé 15 oct. au 20 déc. - 5 ch. : 46/55€.* Meubles et objets anciens, tissus aux couleurs chaudes, canapés mœlleux et piano, font de cette maison de caractère un endroit chaleureux et douillet. Dans ses chambres (non-fumeurs) aux murs blancs, c'est la sobriété qui prévaut. Deux gîtes disponibles.

• *Une petite folie !*

Hôtel Boule de Neige – *05330 Chantemerle - 6 km au NO de Briançon par N 91 - ☎ 04 92 24 00 16 - fermé 21 avr. au 28 juin et 2 sept. au 13 déc. - 10 ch. : 80/119€ - ☕ 7,60€ - restaurant 24,50€.* Ce chalet du 17e s. a les allures d'une maison bourgeoise. La salle à manger voûtée a du charme avec ses quelques meubles asiatiques ouvragés et ses sculptures de terre cuite posées çà et là. Vous retiendrez peut-être l'appartement, pour son raffinement et sa belle vue sur les pistes.

Achats

La Vitrine des Hautes-Alpes – *3 pl. du Marché - 05520 Le Monêtier-les-Bains - 15 km au N de Briançon par N 91 - ☎ 04 92 24 51 11 - mar.-dim. 10h-12h, 16h-18h30, fermeture saisonnière mi-sept.* Au sein de cette coopérative, vous trouverez du miel, des confitures, des céramiques, des objets en bois tourné, des bijoux originaux, de curieuses lampes à huile, etc. Le renouvellement est assuré par les créateurs locaux qui apportent régulièrement leurs dernières productions.

Maison de l'artisanat – *05350 Ville-Vieille (au niveau du carrefour de la D 947) - ☎ 04 92 46 80 29 ou 04 92 46 75 06 - de mi-juin à fin sept. et vac. scol. : 10h-12h, 15h-19h ; hors vac. scol. : 15h-19h - fermé 25 déc. et 1er janv.* Exposition-vente de meubles et objets en mélèze ou en pin cembro.

La situation

10 737 Briançonnais – Cartes Michelin Local 334 H3, Regional 528 – Le Guide Vert Alpes du Sud – Hautes-Alpes (05). La N 91 arrive du col du Lautaret, et la N 94 de Gap. Suivre les panneaux « Briançon-Vauban » pour parvenir la plus haute ville d'Europe dans laquelle on entre par les portes Dauphine et de Pignerol (parking sur le Champ-de-Mars). *1 pl. du Temple, 05100 Briançon, 04 92 21 08 50, www.ot-briançon.fr*
Pour poursuivre la visite, voir aussi : GAP.

se promener

LA VILLE HAUTE★★

Deux rues forment les axes principaux de la ville haute : les Grande et Petite Gargouilles, qui doivent leur nom à l'eau qui dévale une rigole centrale, autrefois réservée à la lutte contre l'incendie. Avant de découvrir l'intérieur de la ville, faire un tour sur le **chemin de ronde supérieur★**. Il domine les toits de la ville haute. De la terrasse de la porte de la Durance, belle **vue★** sur la rivière en contrebas. À 56 m de hauteur, ce ravin est franchi par une arche de 40 m, le **pont d'Asfeld★**, qui relie Briançon aux forts des Têtes et du Randouillet.

Grande Gargouille★ (ou Grand-Rue)

En remontant sur la droite, sous une voûte, se trouve la fontaine des Soupirs. En face, au n° 37, la maison Jean Prat présente une belle façade Renaissance. Au n° 13, la curieuse maison des Têtes : au début du siècle, le propriétaire avait fait mouler les portraits des membres de sa famille.

Place d'Armes

Ses façades récemment repeintes dans de chauds coloris, ses terrasses de cafés, que surplombent deux cadrans solaires, lui donnent déjà un petit air de Provence.

découvrir

L'OISANS★★★

À l'Ouest de Briançon par la N 91.

Détrôné par le Mont-Blanc lorsque la Savoie devint française, l'Oisans est par l'altitude – plus de 4 000 m à la barre des Écrins – le deuxième massif de France. Il attire les amoureux de la haute montagne. Avec ses 10 km² de glaciers et des sommets aussi mythiques que celui de la Meije (alt. 3 983 m), c'est toujours le théâtre d'opérations favori des alpinistes.

Entre Gap, Briançon et Bourg-d'Oisans, le haut massif des Écrins, délimité par les vallées de la Romanche, de la Durance et du Drac, compose la majeure partie de l'Oisans. On peut faire connaissance avec ses paysages les plus grandioses en suivant les **vallées de la Romanche★★★** et du **Vénéon★★★**, qui font partie du **Parc national des Écrins★★★**. Parmi toutes ces vallées, il en est une plus profonde qui, le long d'un violent torrent aux eaux claires, s'enfonce jusqu'au cœur même du massif : c'est la **vallée de la Séveraisse★★**. De l'edelweiss à la lavande, de la renoncule des glaciers à la pivoine voyageuse, beautés venues du froid et belles méditerranéennes se partagent alpages et rocailles, versants de l'ombre et versants du soleil. La faune sauvage nous offre elle aussi un modèle de cohabitation : des milliers de chamois, des aigles royaux et même des gypaètes barbus voient 50 000 moutons arriver chaque été.

M. Janvier/MICHELIN

La marmotte, un des habitants les plus sympathiques de l'Oisans.

Serre-Chevalier❄❄❄

Au centre d'un bassin entouré de montagnes qui font écran aux perturbations, la station jouit d'un microclimat exceptionnel. « Serre-che », c'est tout un petit pays qui a su se développer, en répartissant les hébergements dans la vallée, pour devenir la plus grande station des Alpes du Sud. Elle compte aujourd'hui plus de 70 remontées mécaniques desservant 250 km de pistes. Plusieurs sont illuminées la nuit.

Le Monêtier-les-Bains (Serre-Chevalier 1500) – Son nom vient d'un prieuré bénédictin (monêtier signifie monastère) et de ses eaux thermales, déjà connues des Romains. Ici, on veille à préserver l'architecture traditionnelle.

Villeneuve (Serre-Chevalier 1400) et St-Chaffrey Chantemerle (Serre-Chevalier 1350) – Ce sont des stations modernes offrant un accès direct aux pistes et un après-ski varié (piscine, patinoire, centre de remise en forme, centre équestre, conduite automobile sur glace). La saison estivale est aussi très animée, avec une gamme inépuisable d'activités: VTT, hydrospeed, kayak et rafting, randonnée à cheval, parapente et deltaplane, roller et skating, tir à l'arc, trampoline et même trottinerbe, promesse de grandes émotions sportives, sans parler des randonnées dans les massifs des Écrins et de l'Oisans.

LE QUEYRAS***

Au Sud-Est de Briançon, par la D 902.

Bastion isolé, véritable entité géographique, historique et humaine, le Queyras est accessible toute l'année par la combe du Queyras et la D902, depuis Guillestre, et, en été, par le col de l'Izoard et le col Agnel (vers l'Italie). Avec ses villages parmi les plus hauts d'Europe et son altitude moyenne de 2200 m, le Parc naturel régional séduit, qu'on soit en quête de grands espaces ou d'un mode de vie ancestral. Grandiose dans son cirque supérieur dominé par le mont Viso à 3841 m, le Queyras baigne dans une lumière déjà méridionale. L'hiver, ses stations de ski jouissent d'un enneigement excellent.

UN ART ORIGINAL

Le Queyras a son propre art populaire, œuvre des paysans bloqués lors de longues soirées d'hiver dans leurs maisons à l'architecture originale. Lits clos, coffres de mariage, rouets ou berceaux, rosaces, étoiles sculptées au couteau, leurs meubles et objets en mélèze ou en pin cembro ont fait le tour du monde, à commencer par le Musée dauphinois de Grenoble et le musée de Gap. Cette tradition reste vivante. Une exposition-vente est installée à la Maison de l'artisanat à Ville-Vieille.

La flore comprend près de 2000 espèces qui s'étagent du pied des pentes aux sommets. La faune, tout aussi diversifiée, a des ambassadeurs de prestige comme le chamois, l'aigle royal et le tétras-lyre. Douze mouflons de Corse furent introduits en 1973. Ils sont aujourd'hui plus de 300.

Saint-Véran**

Ce vieux village se découvre à pied. Intégralement construit en bois et en pierre, c'est l'un des plus beaux de France et la plus haute commune à 2040 m. Les chalets, exposés plein Sud, présentent en avant de leur grenier à fourrage de longues galeries où les céréales finissent de mûrir.
Visitez le **musée du Soum****, établi dans une maison qui fut construite en 1641: vous y découvrirez tous les aspects de la vie paysanne au fil d'une extraordinaire suite de pièces dont les meubles sont plus beaux les uns que les autres. *Juil.-août: 10h-13h, 14h-18h30 ; de sept.-juin: tlj sf lun. 14h-18h. 3,50€.* ☎ *0492458642.*

Brive-la-Gaillarde

Au carrefour du Bas-Limousin, du Périgord et des causses du Quercy, Brrrrive-la-Gaillarrrrde... L'accent qui fleure bon la générosité du terroir dit bien l'ambiance qui règne dans la ville... Son cœur bat vite et fort, au rythme des clameurs du stade de rugby qui résonnent longtemps dans les mémoires après le coup de sifflet final, autour d'un verre de vin et d'une tranche de foie gras. Difficile de ne pas succomber au charme de cette «troisième mi-temps» animée par la faconde de chantres de l'équipe locale!

La situation

49141 Brivistes – Cartes Michelin Local 329 K 5, M 6, Regional 521 – Le Guide Vert Berry Limousin – Corrèze (19). Le plan de Brive offre un exemple privilégié de l'extension concentrique d'une ville à partir d'un noyau ancien, dont le cœur est l'église St-Martin. *Pl. du 14-Juillet, 19100 Brive-la-Gaillarde,* ☎ *0555240880.*
Pour poursuivre la visite, voir aussi: SARLAT-LA-CANÉDAT, ROCAMADOUR, LES EYZIES-DE-TAYAC.

se promener

LA VIEILLE VILLE

Elle a fait l'objet d'une importante rénovation mariant bâtiments anciens et modernes uniformisés par la chaude couleur du grès beige et la teinte bleutée des toitures.

Hôtel de Labenche*

Bâti vers 1540, ce magnifique spécimen de la Renaissance toulousaine est le plus remarquable édifice de la ville. L'hôtel abrite un **musée**, dont on remarque la réussite des reconstitutions de séquences de fouilles. La salle des comtes de Cosnac est décorée d'un superbe ensemble de tapisseries. ♿ *Avr.-oct.: tlj sf mar. 10h-18h30; nov.-mars: tlj sf mar. 13h30-18h. Fermé 1er janv., 1er mai, 1er nov., 25 déc. 4,50€, gratuit dernier dim. du mois.* ☎ *0555241905. www.madianet.fr/labenche*

carnet pratique

Restauration

• À bon compte

La Toupine – *11 r. Jean-Labrunie - 19100 Brive-la-Gaillarde - ☎ 05 55 23 71 58 - fermé vac. de fév., 3 au 19 août, mer. soir et dim. - réserv. obligatoire - 15/22,50€.* Situé dans la vieille ville, ce petit restaurant fait l'unanimité dans son quartier. Les menus sympathiques s'accompagnent de prix raisonnables. Il ne vous reste plus qu'à passer à table !

• Valeur sûre

Auberge Le Cantou – *19500 Collonges-la-Rouge - 20 km au SE de Brive par D 38 - ☎ 05 55 25 41 05 - fermé 24 au 30 juin, 16 déc. au 31 janv., dim. soir, lun. et mar. sf juil.-août - 15€ déj. - 19/45€.* Cette petite auberge du 15e s., en pierre de grès pourpre, a gardé son authenticité. Les poutres apparentes, les bibelots, les antiquités et autres nappages à l'ancienne recréent joliment l'atmosphère campagnarde. Cuisine familiale régionale. Sous la treille, agréable terrasse.

Hébergement

• Valeur sûre

Central Hôtel Fournié – *4 pl. du Champs-de-Mars - 19120 Beaulieu-sur-Dordogne - 45 km au SE de Brive par D 38 puis D 940 - ☎ 05 55 91 01 34 - fermé 12 nov. au 31 mars et mar. sf de juil. à sept. - P - 23 ch. : 42,70/53,40€ - ☕ 6,10€ - restaurant 15,25/40€.* Cette grosse bâtisse régionale est tout à fait centrale. Demandez une chambre rénovée, les autres sont plus ordinaires. Dégustez les bonnes recettes locales servies en salle à manger devant la grande cheminée ou en terrasse l'été.

Achats

Distillerie Denoix – *9 bd du Mar.-Lyautey - 19100 Brive-la-Gaillarde - ☎ 05 55 74 34 27 - www.denoix.com - mar.-sam. 8h45-12h, 14h30-19h - fermé lun. sf juil.-août et dim.* Depuis 1839 où l'on distille avec passion quatorze liqueurs différentes, dont le célèbre suprême de noix, six apéritifs et la moutarde violette de Brive. Ne manquez pas la visite des ateliers aménagés dans les bâtiments d'origine.

Calendrier

Foire du livre – L'objectif est la rencontre entre les auteurs et leurs lecteurs dans un cadre unique, la halle Brassens. Y sont remis de nombreux prix : de la Langue française, de la Bande dessinée, etc. Elle a lieu début novembre. www.foire-du-livre.com

alentours

Beaulieu-sur-Dordogne★★

46 km au Sud-Est de Brive, par la D38, puis la D940. Une belle église romane, les rives de la Dordogne, un dédale d'étroites ruelles bordées de demeures anciennes : tout concourt à faire de Beaulieu la « Riviera limousine ».

Imprégnée d'influences architecturales venant du Limousin comme du Sud-Ouest de la France, l'**église abbatiale St-Pierre**★★, du 12e s., fut un lieu de pèlerinage important. Édifié en 1125, le **portail méridional**★★ est l'un des premiers chefs-d'œuvre de la sculpture romane. Il fut exécuté par les tailleurs d'images toulousains qui travaillèrent à Moissac, Collonges, Souillac et Carennac. Précédé d'un porche ouvert, il présente un ensemble sculpté d'une composition et d'une exécution remarquables, figurant les préliminaires du Jugement dernier. *Juil.-août : visite guidée 10h-12h, 14h30-18h. Consulter sur place les affiches Casa précisant les jours de fermeture. Gratuit. ☎ 01 46 51 39 30. www.guidecasa.com*

Collonges-la-Rouge★★

20 km au Sud-Est de Brive par la D38. Bâtis en grès pourpre, les gentilhommières, les vieux logis et l'église romane ont été édifiés sur un sol de calcaire... blanc ! Cette cité s'est développée au 8e s. Elle devint au 16e s. le lieu de villégiature privilégié des grands fonctionnaires de la vicomté de Turenne qui firent construire les charmants manoirs et logis, flanqués de tours et de tourelles.

L'**église St-Pierre**★ date des 11e et 12e s., mais elle a été fortifiée au cours des guerres de Religion au 16e s. Le grand donjon carré fut alors pourvu d'une salle de défense. Le **tympan**★ illustre l'Ascension (ou peut-être la parousie, le retour du Christ à la fin des temps).

L'église de Collonges-la-Rouge.

Caen★★★

Capitale culturelle de la Basse-Normandie, Caen est une ville à la personnalité très affirmée. Les bombardements de juin 1944 auraient pu la laisser sans vie tant ils furent violents.
Mais Caen a su réussir sa reconstruction. C'est aujourd'hui une ville résolument moderne d'esprit, intellectuellement riche et sachant faire part de tous ses charmes à ceux qui viennent à sa rencontre.

La situation

199490 Caennais – Cartes Michelin Local 303 E-J 3-4, Regional 512 – Le Guide Vert Normandie Cotentin – Calvados (14). Au confluent de l'Orne et de l'Odon, Caen s'aborde par le Sud. Caen est à 225 km de Paris par l'A 13.
Hôtel d'Escoville, pl. St-Pierre, 14000 Caen, ☎ 02 31 27 14 14. www.ville-caen.fr
Pour poursuivre la visite, voir aussi : BAYEUX, HONFLEUR, LISIEUX.

carnet pratique

Restauration

• À bon compte

Alcide – *1 pl. Courtonne - 14000 Caen - ☎ 02 31 44 18 06 - fermé 20 au 31 déc., ven. soir hors sais. et sam. - 13,15/21,50€.* Ce restaurant en bordure de canal vous permet de vous sustenter pour un prix modeste. Vous choisirez entre le bar et la salle à manger au mobilier style bistrot. Un espace éclairé grâce au jeu des miroirs.

La Muscade – *21 pl. St-Martin - 14000 Caen - ☎ 02 31 85 61 84 - fermé 28 juil. au 26 août et dim. - 11,50€ déj. - 14/22€.* À mi-chemin entre le palais de justice et l'Abbaye-aux-Hommes, cette maison abrite deux salles : l'une à tendance brasserie parisienne, avec photos d'acteurs aux murs, l'autre plus sobre, dans les tons jaunes. Cuisine traditionnelle remise au goût du jour.

Le Bouchon du Vaugueux – *12 r. Graindorge - 14000 Caen - ☎ 02 31 44 26 26 - fermé 3 sem. en août, dim. et lun. - réserv. obligatoire - 12€ déj. - 15/20€.* Ce bouchon est situé à proximité du château et du vieux Caen. Tables serrées propices à une ambiance chaleureuse. Les deux menus sont à découvrir sur l'ardoise du jour.

L'Insolite – *16 r. du Vaugueux - 14000 Caen - au pied du château - ☎ 02 31 43 83 87 - fermé dim. et lun. sf juil.-août - réserv. conseillée - 15/38€.* Cette maison à colombages du 16e s. vaut le coup d'œil car, comme l'indique l'enseigne, son décor est un rien insolite : plaisant mélange des styles rustique et rétro avec fresques, miroirs, fleurs séchées... Dans l'assiette, poissons et fruits de mer. Belle cave à cigares.

Hébergement

• À bon compte

Hôtel St-Étienne – *2 r. de l'Académie - 14000 Caen - ☎ 02 31 86 35 82 - 11 ch. : 25/37€ - ☕ 4,60€.* Cette maison qui date de la Révolution est dans un quartier calme, proche de l'Abbaye-aux-Hommes. Vous remarquerez son bel escalier et ses boiseries patinées avant d'apprécier ses chambres coquettes, avec cheminées pour certaines. Petit déjeuner en table d'hôte.

Hôtel Central – *23 pl. J.-Letellier - 14000 Caen - ☎ 02 31 86 18 52 - 25 ch. : 25,95/40€ - ☕ 5€.* Comme son nom l'indique, cet hôtel est en plein centre-ville. Vous pourrez ainsi concilier visite du château et shopping dans ce quartier très commerçant. Chambres au confort simple à des prix très raisonnables.

Hôtel Bernières – *50 r. de Bernières - 14000 Caen - ☎ 02 31 86 01 26 - hotelbernieres@wanadoo.fr - 17 ch. : 32,01/39,64€ - ☕ 5,34€.* Ne loupez pas l'entrée discrète de cet hôtel car vous le regretteriez. L'accueil est convivial, la salle du petit déjeuner et le salon sont charmants et les chambres mignonnettes à souhait. Appréciez aussi les bouquets de fleurs séchées de la patronne...

• Valeur sûre

Le Bristol – *31 r. du 11-Novembre - 14000 Caen - ☎ 02 31 84 59 76 - 24 ch. : 45/55€ - ☕ 6€.* Ceux qui appréhendent l'animation du centre-ville opteront pour cet hôtel situé à deux pas de l'Orne et de l'hippodrome. Les chambres, récemment relookées, sont identiques : tons jaunes, mobilier contemporain, bonne literie et double vitrage efficace.

Achats

Spécialités – Tripes à la mode de Caen ; «teurgoule», recette traditionnelle à base de riz au lait et de cannelle.

Loisirs-Détente

Hippodrome de Caen – *La Prairie - ☎ 02 31 85 42 61 - mars-juin, sept.-nov.* Un hippodrome de presque 2 km de long en plein cœur de Caen. Au 1er étage, la brasserie panoramique offre une jolie vue sur la ville. Des visites sont organisées le matin des jours de course (30 par an). Une curiosité à ne pas manquer.

Bateau l'Hastings – *Quai Vendeuvre - ☎ 02 31 34 00 00 - sais. : dép. 9h, 12h15, 15h15, 19h ou 19h30 - fermé déc.-fév.* Petite croisière commentée de 2h1/2 sur le canal qui relie Caen à la mer (Ouistreham). Aller-simple ou aller-retour au choix. Une agréable balade à partir du port de plaisance St-Pierre situé en centre-ville.

comprendre

Guillaume et Mathilde – La ville prend de l'importance au 11e s., lorsqu'elle devient la résidence préférée du duc Guillaume. Après sa victoire sur les barons du Cotentin et du Bessin, Guillaume, assuré de la possession de son duché, demande la main de Mathilde de Flandre. Lorsqu'il part pour la conquête de l'Angleterre, la fidèle Mathilde assume la régence. Couronnée reine d'Angleterre en 1068, elle est inhumée dans l'Abbaye-aux-Dames en 1083. Guillaume meurt en 1087 et, selon son désir, est inhumé dans l'abbatiale Saint-Étienne de l'Abbaye-aux-Hommes.

Été 1944 – La bataille de Caen a duré plus de deux mois. Les bombes pleuvent le 6 juin 1944. La ville prend feu, et l'incendie dure onze jours. Il ne reste rien des quartiers centraux. Le 9 juillet, les Canadiens entrent dans la ville par l'Ouest ; mais les Allemands, repliés sur la rive droite de l'Orne dans Vaucelles, la pilonnent à leur tour. Un mois s'écoule encore avant que le dernier obus allemand ne tombe sur Caen.

visiter

Le secteur piétonnier qui s'étend de la place St-Pierre à la place de la République, entre le boulevard du Mar.-Leclerc et la rue St-Pierre, incite à la flânerie. Très animé le soir, le boulevard du Mar.-Leclerc est le lieu de rendez-vous de la jeunesse caennaise.

Abbaye-aux-Hommes**

L'**église St-Étienne**** est celle de l'abbaye fondée par Guillaume le Conquérant, qui y fut inhumé. Commencée vers 1066 dans le style roman, elle est achevée au 13e s. dans le style gothique. L'art roman a produit peu d'œuvres plus saisissantes que la façade. Austérité cependant corrigée par le magnifique envol de deux tours, coiffées de flèches de style gothique. Au 13e s. un chœur gothique fut substitué au chœur roman. Remarquez les belles stalles et la chaire du 17e s. Après avoir contourné le **chevet****, gagnez les jardins à la française de l'esplanade Louvel.

Les **bâtiments conventuels** (18e s.) conservent de belles **boiseries****. *Visite guidée (1h1/4) 9h30, 11h, 14h30, 16h. Fermé 1er janv., 1er mai, 25 déc. 2€, gratuit dim. ☎ 02 31 30 42 81.*

Abbaye-aux-Dames*

Fondée en 1062 par la reine Mathilde, cette abbaye constitue le pendant « féminin » de l'Abbaye-aux-Hommes. L'**église de la Trinité**** élevée au 11e s. est un édifice de style roman qui conserve, au centre, le tombeau de la reine Mathilde. ♿ *Visite guidée (1h1/4) 14h30 et 16h. Fermé 1er janv., 1er mai, 25 déc. Gratuit. ☎ 02 31 06 98 98.*

Château*

1h1/2, musée compris. Cette vaste citadelle élevée sur une butte fut créée par Guillaume le Conquérant en 1060, puis agrandie aux siècles suivants. De la terrasse située à droite et du chemin de ronde établi sur les remparts, de belles vues se dégagent sur l'église St-Pierre et la partie Ouest de la ville jusqu'à l'Abbaye-aux-Hommes.

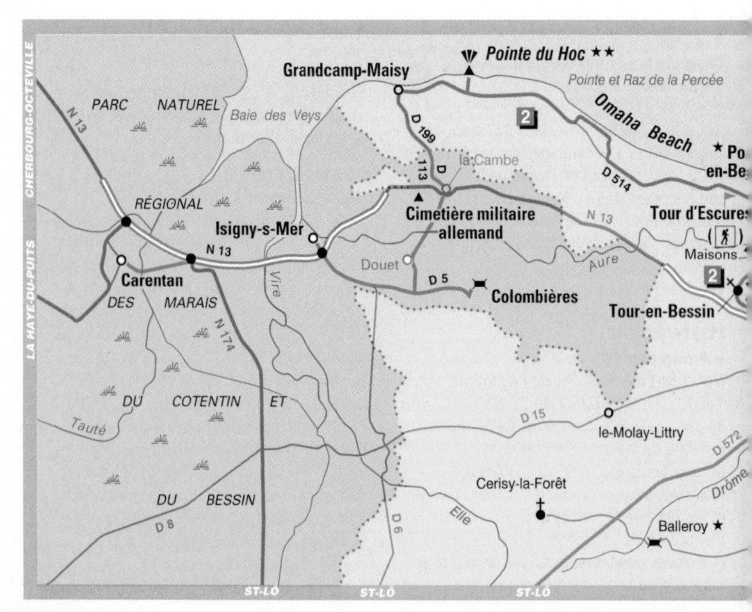

Musée des Beaux-Arts★★ – ♿ *Tlj sf mar. 9h30-18h (dernière entrée 1/4h av. fermeture). Fermé 1er janv., 1er mai, Ascension, 1er nov., 25 déc. 3€ (-18 ans : gratuit ; pdt expo : 3,80€), gratuit mer. ☎ 02 31 30 47 70.*

Intégré dans l'enceinte du château, le musée accueille des peintures italiennes, françaises et flamandes du 15e au 20e s. Parmi les œuvres majeures, voyez le *Mariage de la Vierge* du Pérugin, *Judith et Holopherne* de Véronèse, *Le Vœu de Louis XIII* de Philippe de Champaigne, la *Plage de Deauville* de Boudin, les peintures de Vuillard, Bonnard, Dufy, Van Dongen... et celles des artistes de la région, Lépine, Lebourg.

Le Mémorial★★

Visite : compter 3h. ♿ De déb. juil. à mi-août : 9h-20h (dernière entrée 1h1/4 av. fermeture) ; de mi-août à fin déc. et de mi-janv. à fin juin : 9h-19h. Fermé 25 déc. 16€ (avr.-déc.), 12€ (de mi-janv. à fin mars). ☎ 02 31 06 06 44. www.memorial-caen.fr

Ce musée pour la paix convie à effectuer un voyage dans la mémoire collective, de 1918 à nos jours, grâce à une scénographie réussie, aux documents – dont la projection sur un écran panoramique de la « bataille de Normandie ». Un espace est consacré à la guerre froide. La présentation des moments clefs de cette période conduit au hall de la Paix qui, dans un souci de réflexion, rappelle les conflits dans le monde.

À l'aube du Jour J : « D Day »

4 266 péniches et navires de débarquement, sans compter les centaines de navires de guerre et d'accompagnement, quittèrent les ports du Sud de l'Angleterre dans la soirée du 5 juin, précédés par les flottilles de dragueurs chargées d'ouvrir les chenaux de passage dans les champs de mines de la Manche. Pendant que la traversée s'accomplissait, les troupes aéroportées étaient lâchées aux deux flancs du front d'invasion. La 6e division britannique, chargée de garder l'aile gauche du dispositif, s'assurait du pont de Bénouville-Ranville, baptisé depuis Pegasus Bridge, et jetait le trouble dans les défenses ennemies entre l'Orne et la Dives, interdisant l'arrivée de renforts venus de l'Est ou du Sud. À l'Ouest de la Vire, les 101e et 82e divisions américaines montaient à l'assaut de points importants comme Ste-Mère-Église ou s'employaient à dégager les « sorties » de la plage d'« Utah ».

circuit

PLAGES DU DÉBARQUEMENT★★

Itinéraire de 140 km. Quitter Caen au Nord-Est par la D 515.

Pegasus Bridge

Les ponts de Ranville-Bénouville furent pris dans la nuit du 5 au 6 juin 1944, par la 5e brigade parachutiste britannique.

Mémorial Pegasus★ – ♿ *Mai-sept : 9h30-18h30 ; fév.-avr. et oct.-nov. : 10h-13h, 14h-17h. 5€. ☎ 02 31 78 19 44.*

Pegasus Bridge, démonté et remplacé sur l'Orne par une réplique plus grande, se trouve près du musée qui présente, la vie des hommes sous l'Occupation et pendant le Débarquement.

Sword Beach

Les commandos franco-britanniques débarquèrent à Colleville-Plage, Lion-sur-Mer et St-Aubin. Ils établirent la liaison avec les troupes de Pegasus Bridge.

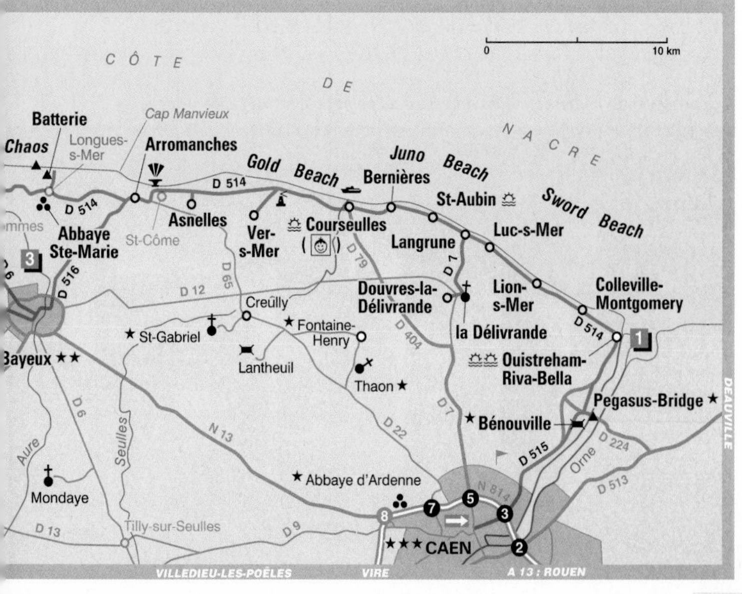

Juno Beach
Les Canadiens de la 3e division prirent pied dans Bernières et Courseulles. Ces troupes entrèrent les premières à Caen, le 9 juillet 1944.

Courseulles-sur-Mer
C'est sur la plage Ouest de la localité que prirent pied, le 12 juin 1944, Churchill, le 14, de Gaulle se rendant à Bayeux, et, le 16, George VI.

Gold Beach
Les Britanniques de la 50e division débarquent à Ver-sur-Mer et à Asnelles. Par un mouvement tournant, ils se rendirent maîtres d'Arromanches. Le 47e commando enlève Port-en-Bessin le 7 juin. La jonction entre le secteur anglais et « Omaha Beach » est effective dès le 9.

Arromanches-les-Bains
Les Alliés mirent en place en huit jours un port artificiel dans la rade. Ce qui reste de ce « Mulberry B » témoigne de la prouesse industrielle et maritime la plus extraordinaire de la guerre : il permit de débarquer jusqu'à 9 000 t de matériel par jour.

Omaha Beach*
Le nom d'Omaha Beach fut appliqué aux plages de St-Laurent-sur-Mer, Colleville-sur-Mer et Vierville-sur-Mer, en hommage aux soldats américains de la 1re division tombés aux cours de la bataille la plus coûteuse du « D Day ».

Pointe du Hoc** – Puissamment fortifiée par les Allemands, elle formait un poste d'observation sur le littoral où apparurent, à l'aube du 6 juin 1944, la flotte et les troupes de débarquement américaines.

Cimetière militaire allemand de la Cambe – Cette impressionnante nécropole rassemble les corps de 21 500 soldats allemands tombés lors des combats de 1944.

Sainte-Mère-Église – La ville, immortalisée par le film *Le Jour le plus long*, s'est vue portée au 1er rang de l'actualité mondiale dans la nuit du 5 au 6 juin 1944 lorsque les parachutistes américains de la 82e division sont tombés sur la commune et ses environs.

Cahors**

Cité en forme de presqu'île, lieu de « source divine » et d'un vin réputé depuis le Moyen Âge, Cahors se raconte au fil de ses monuments. Tout est ici réuni pour un séjour heureux : un peu d'histoire et de culture, le calme des bords du Lot, le cadre de collines boisées et des vignobles.

La situation
20 003 Cadurciens – Cartes Michelin Local 337 E-F 4-5, Regional 526 – Le Guide Vert Périgord Quercy – Lot (46). Au Sud-Ouest du Massif central, Cahors est traversée par un grand axe Nord-Sud, le boulevard Gambetta, cours typiquement méridional avec ses platanes, ses cafés et ses commerces.

Pl. F.-Mitterrand, 46000 Cahors, ☎ 05 65 53 20 65. www.officedetourismecahors.org

Pour poursuivre la visite, voir aussi : FIGEAC, ROCAMADOUR, MOISSAC.

Le pont Valentré impressionna les Anglais, à tel point qu'il ne fut jamais attaqué...

J. Damase/MICHELIN

carnet pratique

Restauration

• À bon compte

La Terrasse Romantique – *Haut Bourg - 46160 Calvignac - 40 km à l'E de Cahors par D 662 direction Cajarc - ☎ 05 65 30 24 37 - fermé oct. à avr. - ⊭ - 9,85€ déj. - 10,35/12€.* Maison du 14e s. au cadre rustique soigné, égayé de tableaux peints par le patron. Par beau temps, la vue sur le Lot depuis la terrasse est saisissante. Au menu : appétissantes salades, spécialités régionales et crêpes garnies.

Ferme-auberge Les 4 Saisons – *47500 St-Front-sur-Lémance - 3,5 km au N du château de Bonaguil dir. St-Front - ☎ 05 53 40 69 88 - fermé dim. soir et mer. - ⊭ - 13,72/27,44€.* Une halte s'impose dans cette auberge perdue en pleine campagne. Vous vous y régalerez de volailles fermières, foie gras, terrines... fabriqués dans la conserverie maison, tandis que vos enfants feront connaissance avec les animaux de la ferme réunis dans un enclos.

• Valeur sûre

Le Rendez-Vous – *49 r. C.-Marot - 46000 Cahors - ☎ 05 65 22 65 10 - fermé 29 avr. au 14 mai, 28 oct. au 12 nov., dim. et lun. - 21,50/24€.* Proche de la cathédrale, le mariage des vieilles pierres d'une maison cadurcienne et d'un décor contemporain. Un restaurant bien placé et bien connu dans les environs. Cuisine classique à prix raisonnables.

Hébergement

• À bon compte

Hôtel À l'Escargot – *5 bd Gambetta - 46000 Cahors - ☎ 05 65 35 07 66 - fermé vac. de fév., déc. et dim. soir hors sais. - 9 ch. : 36,50/45,50€ - ☕ 5,50€.* À proximité de la tour de Jean XXII, dans les murs de l'ancien palais de Pierre Duèze, ce petit hôtel a l'air banal mais en levant la tête, vous apercevrez les anciennes pierres restaurées. Chambres bien équipées. Deux salles à manger et bar. Cuisine classique.

Chambre d'hôte Les Poujades – *Flaynac - 46090 Pradines - 5 km au N de Cahors par D 8 - ☎ 05 65 35 33 36 - ⊭ - 2 ch. : 36/42€.* Cette demeure quercynoise entourée d'un jardin fleuri et arboré jouit d'un panorama exceptionnel sur le château de Mercuès, le vignoble et les faubourgs de Cahors. Le décor intérieur est sobre mais l'accueil est chaleureux. Un gîte en location.

Achats

Union interprofessionnelle du vin de Cahors – *430 av. Jean-Jaurès - 46000 Cahors - ☎ 05 65 23 22 24.* Elle édite un livret comportant les adresses des producteurs (également disponible dans les offices de tourisme de la région).

se promener

Pont Valentré**

Cet ouvrage constitue une remarquable manifestation de l'art militaire du Moyen Âge. L'aspect initial du pont commencé en 1308 a été sensiblement modifié au cours des travaux de restauration entrepris en 1879 par Viollet-le-Duc : la barbacane, qui renforçait encore sa défense du côté de la ville, a été remplacée par la porte actuelle. Tel qu'il se présentait alors, il formait une sorte de forteresse isolée commandant le passage du fleuve ; tandis que la tour centrale servait de poste d'observation, les tours extrêmes étaient fermées de portes et de herses ; sur la rive gauche du Lot, un corps de garde et une demi-lune assuraient vers le Sud une protection supplémentaire. C'est de la rive droite du Lot, en amont de l'ouvrage, que l'on a la meilleure vue sur le pont Valentré, dont les tours s'élèvent à 40 m au-dessus de la rivière.

De l'or chez les Cadurciens

Au 13e s., Cahors est l'une des plus grandes villes de France et connaît une période de prospérité économique, due en grande partie à l'arrivée de marchands et de banquiers lombards. Ces derniers ont le génie du négoce et de la banque, mais ils se livrent souvent à des opérations de « prêt à usure » assez peu recommandables. Les templiers s'établissent à leur tour à Cahors ; la fièvre de l'or s'empare des Cadurciens eux-mêmes, et la cité devient l'une des grandes places bancaires d'Europe.

Rue Nationale

C'était l'artère principale du quartier des Badernes (ou bas quartier), partie commerçante de la ville. Au n° 116, une belle porte du 17e s. présente des panneaux décorés de fruits et de feuillages. Un peu plus loin, la rue St-Priest a gardé l'aspect d'une venelle médiévale avec ses maisons en brique, à colombages et à encorbellement. Elle débouche sur la place du même nom où l'on remarque, au n° 18, un très bel escalier extérieur en bois d'époque Louis XIII.

Cathédrale St-Étienne*

Elle doit à ses évêques son allure de forteresse qui, tout en assurant leur sécurité, renforçait leur prestige. L'édifice entrepris à la fin du 11e s. fut consacré en 1119 par le pape Calixte II. Au **portail Nord****, le tympan, qui a pour sujet l'Ascension, s'apparente par son style et sa technique à l'école languedocienne.

Pénétrant dans la cathédrale par le portail occidental, on traverse le narthex surélevé par rapport à la nef coiffée de deux vastes coupoles sur pendentifs. En 1872, les fresques de la première coupole ont été découvertes: elles représentent, dans le médaillon central, la lapidation de saint Étienne, sur la couronne, les bourreaux du saint, et, dans les compartiments inférieurs, huit figures géantes de prophètes.

alentours

Grotte du Pech-Merle***

29 km à l'Est de Cahors. Remonter la vallée du Lot par les D653, D662 et D41 jusqu'à Cabrerets. Avr.-oct. : visite guidée (1h) 9h30-12h, 13h30-17h. Visite limitée à 700 visiteurs par jour (il est conseillé de réserver 3 j. av. en haute sais.). 7€ (enf. : 4,50€). ☎ 05 65 31 27 05.

Les curieuses concrétions de calcite forment des colonnes aux dimensions impressionnantes, et les rarissimes perles des cavernes retiennent l'attention. Ce sont surtout les dessins de bisons, les silhouettes de mammouths et de chevaux qui se succèdent le long d'un kilomètre de galeries qui font l'émerveillement des visiteurs.

Château de Bonaguil**

52 km à l'Ouest de Cahors par la D911. À Condat, prendre à droite la D673 puis à gauche la D158. Juin-août: 10h-18h (de mi-juil. à mi-août hors période festival : mer., ven. et dim. visite supp. 20h); avr., mai et sept. : 10h-13h, 14h30-17h; fév.-mars et oct.-nov. : 11h-13h, 14h30-17h (nov. : dim. et j. fériés) ; vac. scol. Noël: 14h30-16h30. Fermé déc. (sf vac. scol.) et janv. 4,50€. ☎ 05 53 49 59 76.

Aux confins du Périgord noir et du Quercy, cette forteresse se dresse au milieu des bois sur une éminence rocheuse: une aiguille. D'où son nom. Il fallut quarante ans pour édifier ce nid d'aigle, qui offre une remarquable adaptation aux techniques nouvelles des armes à feu (canonnières et mousqueteries). Jamais attaqué, c'est l'un des plus parfaits spécimens de l'architecture militaire de la fin du 15e et du 16e s.

Calvi*

La capitale de la Balagne, fièrement campée en vigie sur sa rade lumineuse dans un cadre de montagnes souvent enneigées, compte parmi les plus beaux sites marins de Corse. L'arrivée par mer est mémorable: la citadelle plantée sur le promontoire qui s'avance entre le golfe de Calvi et celui de la Revellata contraste avec le paysage environnant d'une grande sérénité.

La situation

5 177 Calvais – Carte Michelin Local 345 B-C 4-5 – Le Guide Vert Corse – Haute-Corse (2B). Ville la plus proche des côtes de Provence (176 km de Nice), Calvi entretient des relations maritimes avec Nice, Toulon et Marseille et des liaisons aériennes quotidiennes avec le continent. Elle comprend une ville haute ou citadelle, et une ville basse, la marine, au port fréquenté où se concentre l'animation estivale et nocturne. Sa plage, longue de 6 km, s'allonge au fond d'une vaste baie. Parking (gratuit) au port de plaisance.

Port de Plaisance, 20260 Calvi, ☎ 04 95 65 16 67. www.villedecalvi.fr

Pour poursuivre la visite, voir aussi: PORTO, BASTIA.

L'église Ste-Marie-Majeur, édifice baroque.

se promener

LA CITADELLE**

Sur son promontoire rocheux, la citadelle témoigne de six siècles de présence génoise. Elle dresse les murailles ocre de son enceinte bastionnée au-dessus de la ville basse et du port.

Fortifications*

Édifiés sur des assises de granit, les remparts envahis de figuiers de Barbarie enserrent la haute ville dans un quadrilatère dont trois côtés donnent sur la mer. Ils ont été élevés par les Génois à la fin du 15e s.

Église Ste Marie-Majeur

Sa façade ocre et rose se repère facilement. Elle fut reconstruite à plusieurs reprises avant de devenir le bel édifice baroque que l'on voit aujourd'hui. À l'intérieur, un beau buffet d'orgue de facture italienne (18e s.) donne lieu en saison à des récitals par des organistes de renom.

Église St-Jean-Baptiste

Dominant la place d'Armes, elle s'élève au sommet du rocher. L'**intérieur**★ est éclairé par des petites fenêtres hautes et un lanternon. Dans le pan coupé gauche, on remarque des **fonts baptismaux**★ Renaissance, décorés de têtes d'anges et de sirènes.Dans l'abside se trouve un grand **triptyque**★ (1458), représentant l'Annonciation et les saints patrons de la ville.

Avec ses cafés et ses restaurants, ses quais plantés de palmiers, ses yachts et ses barques de pêche, la **ville basse** offre un contraste saisissant avec les vieilles rues silencieuses de la ville haute. La rue Clemenceau est l'artère principale ; pavée de grosses pierres, elle est bordée de boutiques et de maisons aux couleurs pastel. Avis aux amateurs : à Calvi, on pratique encore la pêche à la langouste.

carnet pratique

Restauration

• À bon compte

Le Cyrnéa « Chez Françoise » – *20124 Montemaggiore - 14 km à l'E de Calvi par N 197 puis D 151 et D 451 - ☎ 04 95 62 81 02 - ⌧ - 13€.* Françoise vous accueille au café-bar-tabac du village, entre l'église et la maison de Don Juan. Le menu, servi en toute simplicité dans la salle voûtée ou sur la petite terrasse, est généralement composé de charcuteries corses et du plat du jour.

• Valeur sûre

Aux Bons Amis – *R. Clemenceau - 20260 Calvi - ☎ 04 95 65 05 01 - fermé 1er nov. au 28 fév., jeu. hors sais. et dim. midi en sais. - 15,24/44,97€.* Dans une rue piétonne, petite salle à manger agrémentée de filets et d'ustensiles de pêche ; vivier à langoustes et homards. Spécialités de produits de la mer.

Calellu – *Quai Landry - 20260 Calvi - ☎ 04 95 65 22 18 - fermé nov. à fév. et lun. hors sais. - 18,29€.* Une envie de poisson vous titille en longeant le port ? Installez-vous à la terrasse de ce petit restaurant tout simple, vous ne serez pas déçu : sa cuisine du jour, plutôt bien tournée, met à l'honneur les produits de la mer. Saveurs méditerranéennes et accueil sympathique.

Ferme-auberge L'Aghjalle – *Hameau de Toro - 20220 Santa-Reparata-Di-Balagna - 30 km au NE de Calvi - 2 km au S de Santa-Reparata par D 13 dir. Muro - ☎ 04 95 60 31 77 - fermé fin sept. à fin mars et le midi - ⌧ - réserv. conseillée - 20€.* Elle nous plaît bien cette ancienne bergerie avec sa salle voûtée et colorée et sa terrasse sous les canisses en pleine campagne. Le patron parle avec ferveur de ses veaux, de son huile d'olive et de ses légumes préparés avec amour par son épouse.

Hébergement

• À bon compte

Camping Paduella – *20260 Calvi - 2 km au SE de Calvi par N 197 puis rte de L'Île-Rousse - ☎ 04 95 65 06 16 - ouv. 10 mai au 20 oct. - ⌧ - réserv. conseillée - 130 empl. : 18,45€.* Situé sur un agréable terrain très boisé de pins, eucalyptus et chênes, ce camping bénéficie d'emplacements vraiment bien ombragés.

• Valeur sûre

L'Onda – *Av. Christophe-Colomb - 20260 Calvi - ☎ 04 95 65 35 00 - fermé 16 nov. au 31 mars - P - 24 ch. : 73,18/105,19€ - ☕ 6,86€.* À proximité de la plage et de la pinède créée à la fin du 19e s., petit immeuble récent aux chambres fonctionnelles, bien insonorisées. Tenue méticuleuse.

A Spelunca – *20226 Speloncato - 35 km à l'E de Calvi par N 197 puis D 71 - ☎ 04 95 61 50 38 - fermé nov. à mars - 18 ch. : 54/61€ - ☕ 5€.* Dressé au cœur de ce village perché, cet ancien palais du cardinal Savelli, ministre de la police de Pie IX, offre un panorama splendide sur toute la haute Balagne. De vastes chambres au luxe discret y voisinent avec de riches salons au décor d'origine.

• Une petite folie !

La Caravelle – *À la plage - 20260 Calvi - 0,5 km au S de Calvi par N 197 - ☎ 04 95 65 95 50 - hotel-la-caravelle-calvi @wanadoo.fr - fermé 4 nov. au 27 mars - 34 ch. : 81/93€ - restaurant 20/30€.* En bordure d'une plage de sable fin, à l'entrée de la ville, un joli jardin vous accueille... et vous êtes déjà sous le charme. De votre chambre avec terrasse, admirez la vue panoramique sur la mer et la citadelle.

Achats

U Fragnu – *D 151 - 20214 Lunghignano - 20 km à l'E de Calvi par N 197 puis D 71 - ☎ 04 95 62 75 51 - www.ufragnu.com - avr.-juin, sept.-oct. : 9h-12h, 14h-18h ; juil.-août : 9h-19h - fermé nov.-mars.* Si vous cherchez une huile traditionnelle, demandez Georges ! Georges, c'est l'âne qui, tous les deux ans, à la récolte des olives, fait tourner ce moulin de 1850. Outre une huile douce et fruitée, vous trouverez ici une sélection de produits corses.

circuit

LA BALAGNE★★★

64 km. Quitter Calvi par la N197, et prendre la D151.

La Balagne est délimitée au Nord-Est par le **désert des Agriates**★ et au Sud-Ouest par la vallée du Fango. Ses deux villes principales, Calvi et L'Île-Rousse, permettent de concilier plaisir balnéaire, activités culturelles et visites des villages perchés.
Ces magnifiques petites cités, entourées de vergers et de vignes, témoignent de la douceur du climat. Elles se sont associées pour mettre en valeur leur patrimoine et faire connaître leurs traditions. Ainsi est née la **route des Artisans de Balagne**, qui passe à travers les plus beaux villages à la découverte des métiers ancestraux : coutelier, apiculteur, relieur, céramiste, luthier, etc.
Ainsi vous visiterez entre autres : **Montemaggiore**★ – bâti sur un promontoire –, **Sant'Antonino**★★ – à l'harmonieux dédale de ruelles pavées, et **Pigna**★ – le symbole des traditions artisanales et musicales.

La Camargue★★★

Vastes étendues où le ciel célèbre chaque jour ses noces avec la mer, manades de taureaux noirs dressant fièrement leurs cornes en lyre, gracile silhouette des flamants roses prenant soudain leur envol, chevaux blancs au galop, gerbes d'écume : unique au monde, la Camargue forme un univers à elle seule dans le delta du Rhône.

La situation

Cartes Michelin Local 340 A-E 4-5 et 339 J-M 7-8, Regional 528 – Le Guide Vert Provence – Bouches-du-Rhône (13). Au Sud d'Arles, on y accède par la D570, ou depuis Aigues-Mortes et le pont de Sylveréal, par le bac du Sauvage (gratuit). Au centre de la Camargue s'étend le vaste étang du Vaccarès, séparé de la mer par un étroit cordon littoral que protège la Digue, interdite aux véhicules motorisés.
Pour poursuivre la visite, voir aussi : ARLES, NÎMES, MARSEILLE, AVIGNON.

circuit

160 km. Quitter Arles au Sud-Ouest et prendre la D570 vers Les Saintes-Maries.

Musée camarguais★

♿ *Juil.-août : 9h-19h (dernière entrée 1h av. fermeture) ; avr.-juin et sept. : 9h-18h ; oct.-mars : tlj sf mar. 10h-17h. Fermé 1er janv., 1er mai, 25 déc. 4,60€. ☎ 04 90 97 10 82.*
Dans la bergerie d'un mas, ce musée passionnant présente le cadre naturel, l'histoire et la vie quotidienne traditionnelle au 19e s.

Les Stes-Maries-de-la-Mer★

Entre mer et étangs, cabanes de gardians et maisons blanches se serrent autour de l'**église-forteresse**★. Connue pour son pèlerinage des gitans, la cité constitue une excellente base de départ pour découvrir la Camargue. Quant aux amateurs de farniente, ils apprécieront les immenses plages et le port de plaisance.

UNE FAUNE EXCEPTIONNELLE

Avec les ragondins, des loutres et des castors, les oiseaux règnent sur ce domaine marécageux. On en dénombre plus de 400 espèces différentes dont environ 160 migratrices. Incontestable vedette, le **flamant rose** est reconnaissable à son plumage blanc rosé et à son long cou terminé par un gros bec coudé ; il vit en colonies de milliers d'individus et se nourrit de crustacés et de coquillages.
Héros des courses camarguaises, les taureaux, aux cornes en lyre, sont rassemblés au printemps ; des jeunes gens leur imposent sur la cuisse gauche le fer rouge à la marque de l'éleveur tout en pratiquant la découpe de l'oreille caractéristique de la manade, tout cela dans une ambiance de fête.
Le cheval camargue est, quant à lui, remarquable par son endurance, sa sûreté de pied et sa maniabilité.

R. Corbel/MICHELIN

carnet pratique

Restauration

• Valeur sûre

L'Hippocampe – *R. Camille-Pelletan - 13460 Les Stes-Maries-de-la-Mer - ☎ 04 90 97 80 91 - fermé 2 nov. au 21 mars et mar. sf du 16 juil. au 17 sept. - 20,50/32,50€.* Ce restaurant qui occupe une maisonnette à l'écart de l'animation sert une cuisine bien tournée dans deux salles à manger ouvertes sur un patio. En été, la terrasse sous les arcades vous permettra de profiter de la douceur des soirées méditerranéennes. Quatre chambres bien tenues.

Le Café de Bouzigues – *7 r. Pasteur - 30220 Aigues-Mortes - ☎ 04 66 53 93 95 - fermé mi-janv. à mi-mars, mar. soir et mer. d'oct. à Pâques - 17€ déj. - 22/31€.* Eh non ! Vous ne mangerez pas de moules de Bouzigues dans ce café, mais une cuisine locale parfumée, dans une salle à manger colorée... À moins que vous ne préfériez la cour-terrasse, très originale avec sa collection de brocs et de cages à oiseaux.

Domaine de la Tour de Cazeau – *13200 Le Sambuc - 24 km au SE d'Arles par D 570 puis D 36 - ☎ 04 90 97 21 69 - fermé 1er au 15 fév. - ⌧ - réserv. obligatoire - 24,39/43€.* Cette ferme camarguaise du 18e s. se niche au milieu des rizières, des taureaux et des chevaux... De sa tour, on surveillait autrefois les bateaux sur le Grand Rhône. Allez y jeter un coup d'œil avant de vous attabler autour de plats typiquement régionaux, dans l'ancienne écurie. Deux chambres.

Hébergement

• À bon compte

Méditerranée – *4 r. Frédéric-Mistral - 13460 Les Stes-Maries-de-la-Mer - ☎ 04 90 97 82 09 - fermé 3 sem. en janv. - 14 ch. : 38,50/46€ - ☕ 5€.* Hôtel familial simple ne manquant pas d'atouts : façade fleurie, terrasse ombragée où l'on sert le petit déjeuner aux beaux jours, chambres rajeunies, prix raisonnables et nombreux restaurants à proximité.

• Valeur sûre

St-Louis – *10 r. Amiral-Courbet - 30220 Aigues-Mortes - ☎ 04 66 53 72 68 - hotel.saint-louis@wanadoo.fr - fermé 1er nov. au 31 mars - 22 ch. : 53/91€ - ☕ 9€ - restaurant 24/30€.* Intra-muros, à deux pas de la tour de Constance, cette charmante demeure du 17e s. abrite des chambres actuelles et colorées. En hiver, restaurant au décor provençal contemporain avec cheminée. En été, jolie cour intérieure ombragée. Plats traditionnels ; courte sélection de vins locaux.

• Une petite folie !

Hôtel Le Mas de Peint – *13200 Le Sambuc - 24 km au SE d'Arles par D 570 puis D 36 - ☎ 04 90 97 20 62 - hotel@masdepeint.net - fermé 7 janv. au 8 mars et 18 nov. au 19 déc. - P - 11 ch. : 206/358€ - ☕ 17€ - restaurant 43€.* Taureaux, chevaux blancs et gardians parcourent le domaine de 500 ha où se niche cette exceptionnelle demeure du 17e s. à l'ambiance *guesthouse*. Dans la cuisine-salle à manger, le chef prépare devant vous son menu unique composé selon la cueillette du potager. Petite restauration autour de la piscine.

Achats

La Bandido – *12 r. Pasteur - 30220 Aigues-Mortes - ☎ 04 66 53 72 31 - été : tlj 9h30-12h, 15h-20h ; reste de l'année : 9h30-12h, 15h-17h - fermé nov.-fév., Noël et Nouvel An.* Chemises imprimées, vestes de velours noir, pantalons en peau de taupe, chapeaux, bottes et *seden* (lasso) pour jouer au gardian. Malheureusement, la Bandido ne commercialise plus de selle depuis cette année, mais vous pourrez trouver pour les dames des jupes cavalières en peau de taupe.

Loisirs-Détente

Promenade en bateau sur le Petit Rhône – *13460 Les Stes-Maries-de-la-Mer - ☎ 04 90 97 81 68 - tlj de mi-mars à mi-nov.* Parcourez la Camargue typique, sa faune et sa flore, à bord du *Tiki III*, bateau à aubes remontant le Petit Rhône jusqu'au bac du Sauvage. Lors d'une escale à mi-parcours, vous découvrirez également une manade de chevaux et taureaux.

Promenades à cheval – Attention aux nombreuses promenades à cheval qui consistent à faire le tour d'un étang asséché sur une monture désabusée promise à l'abattoir... Pour ne pas vous laisser piéger, adressez-vous à l'**Association camargaise de tourisme équestre** - ☎ 04 90 97 86 32.

alentours

Aigues-Mortes★★

En 1240, les moines cèdent un lopin de terre à Louis IX qui y fait aussitôt aménager un port, bâtir la ville sur le modèle des bastides, selon un plan régulier quadrillé par des rues rectilignes, bâtir l'**église Notre-Dame-des-Sablons★** et la **tour de Constance★★**. C'est de là que le roi embarque pour la croisade en 1270, mais victime du typhus, il meurt à Tunis. Son fils Philippe le Hardi commanda l'édification des **remparts★★** qui nous sont parvenus intacts, ce qui en fait un excellent exemple d'architecture militaire du 13e s. Ils forment un grand quadrilatère dont les murs, surmontés de chemins de ronde, sont flanqués de tours. *De mi-mai à mi-sept. : tlj sf lun. 10h-19h ; de déb. avr. à mi-mai : 10h-12h30, 14h-18h ; de mi-sept. à fin mars : 9h30-12h30, 14h-17h30. Fermé 1er janv., 1er mai, 1er et 11 nov., 25 déc. 4€, gratuit 1er dim. du mois (de déb. oct. à mi-mai).* ☎ 04 67 37 01 23.

Le Canigou★★★

Emblématique des Pyrénées orientales, on le donna longtemps pour le point culminant de la chaîne. Que l'on soit sur les sommets des Corbières, du Conflent, de Cerdagne, dans la plaine perpignanaise et même sur les plages du Roussillon, on ne voit que lui.

La situation

Cartes Michelin Local 344 F-G 7, Regional 526 – Le Guide Vert Languedoc Roussillon – Pyrénées-Orientales (66). Le sommet du Canigou à 2784 m ne peut être atteint qu'à pied ou en voiture tout-terrain car il n'y a pas de route goudronnée. Le Canigou est la montagne sacrée des Catalans qui viennent y allumer le premier des feux de la St-Jean et y cueillir, à l'aube du 24 juin, les herbes «de bonne aventure»; placées sur la porte des maisons, ces croix fleuries assurent bonheur et protection.

Pour poursuivre la visite, voir aussi: PERPIGNAN, FONT-ROMEU.

carnet pratique

Conseils

Au début de l'été, quelques pans de neige subsistent sur le flanc Nord et les rhododendrons fleurissent sur les hauteurs. L'automne est agréable pour la douceur des températures et pour la parfaite visibilité que l'on a en haut du pic. L'été est à éviter pour tous ceux qui redoutent la chaleur et la foule.

Transports

L'accès au Canigou à partir du col de Jou et de Vernet ou de Prades est déconseillé aux voitures « de ville » : il s'agit de pistes où le croisement est difficile. On peut néanmoins les emprunter à bord de véhicules tout-terrain. Sachez toutefois que la route des Cortalets est interdite à la montée de 13h à 18h, à la descente de 8h à 15h. Le stationnement est interdit en dehors des parkings aménagés et signalés.
La circulation hors des pistes ouvertes est également interdite.
La solution ? Des sociétés se chargent d'amener les randonneurs et les touristes au Canigou au départ de Vernet, Corneilla-de-Conflent et Prades :
Au départ de Vernet-les-Bains : Garage Villacèque - ☎ *04 68 05 51 14.* **Taxi de la gare** - ☎ *04 68 05 62 28.* **Tourisme Excursions** - ☎ *04 68 05 54 39.*
S'adresser à l'Office municipal de tourisme pour les autres possibilités - ☎ 04 68 05 55 35.
Au départ de Corneilla-de-Conflent : Transports Circuits Touristiques – *M. Cullell - ☎ 04 68 05 64 61 - De mi-juin à mi-sept. : dép. en 4 x 4 à 8h et 11h - 15,24€.*
Au départ de Prades : Excursions La Castellane – *M. Colas - La Riberette - rte nationale - 66500 Ria-Sirach - ☎ 06 14 35 70 65 - de juil. à mi-sept. : dép. à 8h15 et 11h30; mai-juin et de mi-sept. à mi-oct. : dép. à 9h30. 23€/pers. pour 1 à 3 pers. (tarifs dégressifs suivant nombre de pers.).*
Se renseigner à l'Office de tourisme pour les autres possibilités.

Restauration

• *Valeur sûre*

Jardin d'Aymeric – *3 av. du Gén.-de-Gaulle - 66500 Prades - ☎ 04 68 96 53 38 - fermé vac. de fév., 25 juin au 8 juil., mer. soir du 15 oct. au 15 avr., dim. soir et lun. - 16,01/21,50€.* Quel bonheur de trouver ce petit restaurant ici ! Aux fourneaux, le jeune chef concocte une cuisine soignée, très nettement inspirée des saveurs de la région... Voilà de quoi séduire les gourmands qui prendront la peine de s'asseoir à sa table.

Hébergement

• *À bon compte*

Hôtel Les Glycines – *129 av. du Gén.-de-Gaulle - 66500 Prades - ☎ 04 68 96 51 65 - fermé 3 au 20 janv. - 19 ch. : 39,64/51,83€ - ☕ 5,34€ - restaurant 11,43/24,39€.* Une maison au cœur de Prades qui dépannera utilement les petits budgets. Tenue par des Alsaciens, elle est proprette et simple, comme une pension de famille. Pas de faste, donc, mais des chambres nickel et quelques menus au restaurant.

• *Valeur sûre*

Hexagone – *Rd-pt de Molitg, sur la rocade - 66500 Prades - ☎ 04 68 05 31 31 - P - 30 ch. : 60/65€ - ☕ 6,20€.* Chambres simples, aménagées dans l'esprit des chaînes hôtelières, et petits déjeuners préparés avec des produits maison : une adresse pratique pour l'étape dans la cité courue pour son festival de musique.

Achats

Relais de Serrabone – *Au pied de la rte conduisant au prieuré - ☎ 04 68 84 26 24 - avr.-oct.* Géré par un groupement de producteurs locaux, il propose des produits du terroir qui vous feront venir l'eau à la bouche : miel, herbes aromatiques, charcuteries, canards gras...

Calendrier

Festival Pablo Casals – Vingt-cinq concerts sont donnés à St-Michel-de-Cuxa, à St-Pierre de Prades ainsi que dans les plus belles églises de la région, de mi-juillet à mi-août. ☎ 04 68 96 33 07.

découvrir

PIC DU CANIGOU***

20 km – environ 2h en voiture et 3h1/2 à pied AR. Quitter Prades en direction de Perpignan par la N116, et suivre à droite la D24[B].

Ras del Prat Cabrera**

Alt. 1739 m. Beau lieu de halte. Panorama sur la plaine du Roussillon, les Albères et la Méditerranée. La route se déploie dans le cirque supérieur de la vallée du Llech boisée de pins de montagne. Elle procure des **vues***** immenses : au Nord, on reconnaît la barrière des Corbières, coupée par l'entaille des gorges de Galamus.

Gagner à l'Ouest le chalet des Cortalets par la route dite «balcon du Canigou».

3h1/2 à pied AR pour tout marcheur. Au chalet des Cortalets, à 2150 m d'altitude, suivre à pied à l'Ouest du chalet le GR10, longeant un étang puis s'élevant sur le versant Est du pic Joffre. Abandonner ce sentier à la fontaine de la Perdrix lorsqu'il redescend vers Vernet et continuer la montée à gauche sous la crête.

Pic du Canigou***

Une croix et les décombres d'une cabane en pierre utilisée aux 18e et 19e s. pour les observations scientifiques couronnent le sommet.

Au Sud, les sonnailles des troupeaux montent du vallon du Cady. Le panorama est immense, au Nord-Est, à l'Est et au Sud-Est, vers la plaine du Roussillon et la côte méditerranéenne. Le faible écran des Albères, largement dominé, n'empêche pas la vue de porter très loin en Catalogne, le long de la Costa Brava.

Au Nord-Ouest et à l'Ouest se succèdent sur plusieurs plans les chaînons du socle cristallin des Pyrénées orientales (Madrès, Carlit, etc.), contrastant avec les crêtes calcaires plus tourmentées des Corbières (Bugarach).

alentours

Abbaye Saint-Martin-du-Canigou**

2,5 km au Sud de Vernet-les-Bains par la D116. À partir de Casteil, on laisse la voiture ; 1h à pied AR, très forte montée. Pour un transport en jeep, s'adresser à l'Office du tourisme de Vernet, ☎ 04 68 05 55 35.

De mi-juin à mi-sept. : visite guidée (1h) 10h, 12h (12h30 dim. et j. fériés), 14h, 15h, 16h, 17h ; de mi-sept. à mi-juin : 10h, 12h (12h30 dim. et j. fériés), 14h30, 15h30, 16h30. Fermé janv. et mar. (de Toussaint à Pâques). 3,81€. ☎ 04 68 05 50 03.

Elle n'est accessible qu'à pied. Posée à 1094 m d'altitude sur un rocher à pic, l'abbaye se détache d'un cadre sauvage et magnifique.

Ce monastère fut fondé par le comte de Cerdagne en 1001. L'église inférieure (10e s.) dédiée à N.-D.-sous-Terre forme crypte par rapport à l'église haute (11e s.).

Prieuré de Serrabone**

27 km à l'Est de Prades. Prendre la N116 vers Perpignan, puis la D618 à droite. 10h-18h (dernière entrée 1/2h av. fermeture). Fermé 1er janv., 1er mai, 1er nov., 25 déc. 3€. ☎ 04 68 84 09 30.

Ce prieuré solitaire et perché est l'une des merveilles de l'art roman en Roussillon, posé dans un jardin botanique aux essences subtilement mêlées. Ouvrant sur le ravin, la **galerie Sud*** du 12e s. est ornée de chapiteaux dont les sculptures rappellent les thèmes d'influence orientale, habituels aux sculpteurs romans du Roussillon.

L'église possède une **tribune**** de marbre rose qui frappe par la richesse de sa décoration.

Les colonnes et les piliers sont ornés de chapiteaux qui représentent, de façon stylisée, des animaux affrontés, des motifs floraux et des anges.

▶▶ Abbaye St-Michel de Cuxa** *(3 km au Sud de Prades)*

La tribune du prieuré de Serrabone est une véritable broderie effectuée dans la pierre.

B. Kaufmann / MICHELIN

Cannes★★★

Star de la Côte d'Azur, la Croisette place Cannes en haut de l'affiche. À l'Ouest, l'Esterel découpe ses roches rouges ; en face, les îles de Lérins invitent à prendre le large. Depuis 1834 se succèdent dans ce site★★ enchanteur les noms prestigieux qui firent sa renommée : hier, ceux de l'aristocratie qui en firent une douce villégiature d'hiver, aujourd'hui, des célébrités du cinéma dont Cannes est une des capitales.

La situation

67 304 Cannois – Cartes Michelin Local 341 B-D 5 et P-Q 5, Regional 528 – Le Guide Vert Côte d'Azur – Alpes-Maritimes (06). Depuis la colline du Cannet, la ville s'étend en terrasses jusqu'à la mer. De l'A 8, la N 285 vous y mène par le boulevard Carnot, interrompu par la voie rapide. Aux extrémités de la Croisette, vous trouverez les ports de plaisance parmi les plus animés de la côte et de nombreux parkings pour vous garer.

Palais des Festivals, 06400 Cannes, ☎ 04 93 39 24 53. www.cannes-on-line.com

Pour poursuivre la visite, voir aussi : NICE.

Dans la cité des stars, rendez-vous dans les palaces pour boire un verre sur la terrasse du Carlton ou sur la plage du Majestic, ou écouter le pianiste du Martinez...

S. Sauvignier/MICHELIN

se promener

LE FRONT DE MER★★

Boulevard de la Croisette★★

Qu'il fait bon flâner entre les architectures élégantes, les palmiers et les plages de sable fin, bigarrées de parasols. Vous y croisez des retraités dans leurs quartiers d'hiver, ou des stars, plus ou moins avérées. Entre le palais des Festivals et la pointe de la Croisette, vous êtes transporté dans un monde de restaurants et de boutiques de luxe, de belles voitures garées au pied d'hôtels au nom prestigieux. Jusqu'à la rue d'Antibes, parallèle, vous êtes dans le « ghetto » de la jet-set internationale, à fréquenter pour ses bonnes boîtes de nuit, ses bars branchés et sa cuisine gastronomique.

Depuis le palais, les 200 dalles de l'allée des Stars, moulées des empreintes de main des vedettes, et bordées de magnifiques palmiers, vous conduisent jusqu'à la Pointe, contemplant d'un côté la « grande bleue », de l'autre les témoins grandioses de l'essor de la station aux 19e et 20e s. : le Majestic, la Malmaison, le Noga-Hilton, ex-palais des Festivals de 1949 à 1983, le Carlton, Belle Époque, et le Martinez, de style Art déco.

LE FESTIVAL INTERNATIONAL DU FILM

Créé à la veille de la guerre par Jean Zay, ministre des Beaux-Arts du Front Populaire, le Festival international du film est véritablement lancé en 1946. Sa notoriété se confirme au fil des ans par le prestige de son jury que président J. Romains, M. Pagnol, J. Cocteau, J. Giono ou R. Clair, et qui a su couronner (non sans polémique, parfois) la plupart des talents du 7e art, de Bergman à Nani Moretti, en passant par Antonioni, Coppola et Almodovar.

Pointe de la Croisette★

Elle doit son nom à une petite croix qui s'y dressait autrefois. Jusqu'au casino Palm Beach construit en 1929, voilà un panorama idéal sur Cannes, le golfe de la Napoule et l'Esterel. De l'autre côté de la Pointe, d'où l'île Ste-Marguerite semble si proche, vous découvrez une **vue★** sur le golfe Juan, le cap d'Antibes et les Préalpes.

Quartier de la Californie

À l'Est de la ville, de luxueuses villas enchâssées dans des magnifiques jardins témoignent du Cannes noble et exotique du 19e s. Les aristocrates étrangers ou les voyageurs affichaient sur leurs façades leur goût pour le style « néo » ou oriental.

carnet pratique

Restauration

• *Valeur sûre*

Au Poisson Grillé – *8 quai St-Pierre - 06400 Cannes - au vieux port - ☎ 04 93 39 44 68 - 18,75€.* Bien placée sur le vieux port, cette petite adresse régale, depuis 1949, ses hôtes de poissons grillés et autres plats méditerranéens. Chaleureux décor de bois verni, façon intérieur de bateau. Service diligent et prix raisonnables.

Le Comptoir des Vins – *13 bd de la République - 06400 Cannes - ☎ 04 93 68 13 26 - fermé fév., lun. soir, mar. soir, mer. soir, dim. et j. fériés - 15€ déj. - 22,50/30€.* À première vue, juste une cave à vins richement achalandée. Mais avancez jusqu'au fond de la boutique et vous découvrirez un joli endroit tout en couleur, propice à la dégustation de produits du terroir et plats du jour, accompagnés d'un beau choix de vins au verre et à la bouteille.

La Main à la Pâte – *5 r. de la Fontaine - 04120 Castellane - 79 km au NO de Cannes par N 85 - ☎ 04 92 83 61 16 - fermé déc.-janv. et mer. - 18/23€.* Salades et pizzas sont au programme de cette maison située dans une ruelle de la vieille ville. L'ambiance est plutôt décontractée dans ses deux salles aux couleurs chaudes et provençales.

Le Gazan – *3 r. Gazan - 06130 Grasse - 16 km au NO de Cannes par N 85 - ☎ 04 93 36 22 88 - fermé 15 déc. au 5 janv., lun. soir, mar. soir, mer. soir, jeu. soir hors sais. et dim. - 14,48€ déj. - 18,29/44,21€.* Cette petite adresse du vieux Grasse vous accueille dans deux ravissantes salles de style rustique reliées par un escalier en colimaçon. Accueil convivial, service efficace et cuisine embaumant l'huile d'olive et les herbes, avec notamment un original menu « parfums ».

Le Marco Polo – *Av. de Lérins - 06590 Théoule-sur-Mer - 10 km au SO de Cannes par N 98 - ☎ 04 93 49 96 59 - fermé mi-nov. à mi-déc. et le midi de mi-déc. à mi-avr. - 25,50€.* Restaurant idéalement situé au bord de la plage. La salle à manger est meublée en rotin. De la terrasse, la vue s'étend jusqu'à la baie de Cannes. Salades à midi et menu plus consistant en soirée.

Hébergement

• *À bon compte*

Hôtel Lutetia – *6 r. Michel-Ange - 06400 Cannes - ☎ 04 93 39 35 74 - 8 ch. : 38/61€ - ☕ 5,40€.* Cette maison accueillante et sans prétention située dans une ruelle bien calme la nuit est vite adoptée. Les chambres y sont meublées avec simplicité.

Hôtel Appia – *6 r. Marceau - 06400 Cannes - ☎ 04 93 06 59 59 - fermé 25 nov. au 25 déc. - 31 ch. : 39/79€ - ☕ 6€.* Niché dans une impasse du centre-ville, établissement avant tout fonctionnel dont les chambres, peut-être un peu exiguës, sont bien aménagées, climatisées et insonorisées ; salles de bains impeccables.

Chambre d'hôte de Chasteuil – *Hameau de Chasteuil - 04120 Castellane - 8 km au SO de Castellane par D 952, rte de Moustier et 2 km à droite rte de Chasteuil - ☎ 04 92 83 72 45 - fermé 15 nov. au 15 mars - ⌧ - réserv. obligatoire - 4 ch. : 39/48€ - repas 16€.* Cette maison en pierre nichée au cœur d'un hameau interdit à la circulation abritait jadis l'école communale. Les chambres, d'un calme absolu, possèdent de belles salles de bains décorées de faïence. La salle à manger offre une superbe vue sur la montagne.

• *Valeur sûre*

Les Charmettes – *47 av. de Grasse - 06400 Cannes - ☎ 04 93 39 17 13 - 11 ch. : 54,88/64,03€ - ☕ 5,79€.* Cet établissement situé sur les hauteurs de la ville possède un atout majeur : toutes ses chambres disposent d'un balcon ou d'une terrasse, très apprécié l'été pour prendre les petits déjeuners. Décor simple : tons pastel et mobilier en rotin blanc.

Villa L'Églantier – *14 r. Campestra - 06400 Cannes - ☎ 04 93 68 22 43 - ⌧ - 4 ch. : 75/100€.* Sur les hauts de Cannes, grande villa blanche de 1920 paressant au milieu d'un jardin planté de palmiers et autres essences exotiques. Les chambres, spacieuses et calmes, sont toutes prolongées par un balcon ou une terrasse.

Visite

Fragonard – *20 bd Fragonard - 06130 Grasse - 16 km au NO de Cannes par N 85 - ☎ 04 93 36 44 65 - fév.-oct. : visite guidée (1/2h) 9h-18h30 ; nov.-janv. : 9h-12h, 14h-18h - gratuit.* Après une visite guidée de cette parfumerie fondée en 1926, laissez-vous tenter par les parfums, objets provençaux, linge et bijoux en vente à la boutique.

Parfumerie Molinard – *60 bd Victor-Hugo - 06130 Grasse - 16 km au NO de Cannes par N 85 - ☎ 04 92 42 33 11 - mai-sept. : visite guidée 9h-18h ; oct.-avr. : tlj sf dim. 9h-12h30, 14h-18h - gratuit.* Cette parfumerie provençale fondée en 1849 propose, en plus de la traditionnelle visite, divers ateliers de découverte (payants et sur réservation) : « tarinologie », « de la fleur au parfum », « ambiance parfumée », « parfums et œnologie »...

Usine Galimard – *73 rte de Cannes - 06130 Grasse - 16 km au NO de Cannes par N 85 - ☎ 04 93 09 20 00 - www.galimard.com - avr.-oct. : visite guidée (1h) 9h-18h30 ; nov.-mars : 9h-12h, 14h-18h - gratuit.* Musée, laboratoire, atelier de conditionnement et boutique sont au programme de la visite de cette parfumerie créée en 1747.

Calendrier

Festival international du film – Mai. Pendant les dix jours de la manifestation, plusieurs sélections répartissent les œuvres en compétition : la sélection officielle (concourant pour la Palme d'or), les hors compétition, la catégorie « Un certain regard » et les sections parallèles (« Semaine de la critique » et « Quinzaine des réalisateurs »). Ces trois dernières sont accessibles aux cinéphiles. Les autres projections sont exclusivement réservées aux professionnels, sur invitation.

LE VIEUX CANNES ET LE PORT

Le port

Les bateaux de pêche vendent leurs loups et leurs rougets aux restaurants du quai St-Pierre ou de la rue Félix-Faure. En rangs serrés, les deux-mâts anciens ou les yachts les plus sophistiqués attendent le touriste fortuné qui les fera voguer. Si tel n'est pas votre cas, les vedettes de la gare maritime, située près du Palais et décorée d'une large bande de lave émaillée, vous emmèneront pour la journée aux **îles de Lérins**★★.

Allées de la Liberté

Ombragée par de beaux platanes, cette place très provençale accueille des boulistes soutenus dans leur concentration par des spectateurs attentifs et un kiosque à musique. Le marché aux fleurs qui s'y tient le matin est un bonheur, notamment en février, époque des mimosas.

Rue Meynadier

Extrêmement populaire et sympathique, ce trait d'union entre la ville moderne et le Suquet était déjà au 18e s. l'artère principale de la cité, comme le prouvent quelques demeures aux vieilles portes.

visiter

Musée de la Castre★

Juin-août : 10h-13h, 15h-19h ; avr.-mai et sept. : 10h-13h, 15h-18h ; oct.-mars : 10h-13h, 14h-17h. Fermé janv., lun. et j. fériés. 3€, gratuit 1er dim. du mois. ☎ 04 93 38 55 26.

Le château de Cannes au Suquet abrite d'importantes collections d'archéologie et d'ethnographie. Dès l'entrée, vous serez saisi par la fabuleuse collection d'instruments de musique du monde entier. Avec ses salles d'art du Proche-Orient, d'Océanie et de l'Amérique précolombienne, ce musée de l'homme, fruit des expéditions d'érudits du 19e s., s'enrichit par la suite d'arts africain et asiatique. Ce voyage inattendu dans les cinq continents est distrait par d'amusantes peintures orientalistes et un bel ensemble de marines et de paysages méditerranéens.

▶▶ Juan-les-Pins⌂⌂⌂ ; Biot★

circuits

MASSIF DE L'ESTEREL★★★

40 km au départ de Cannes jusqu'à St-Raphaël. Quitter Cannes à l'Ouest par la N98.

Mandelieu-la-Napoule⌂

La commune célèbre pour ses mimosas plonge dans la mer. Le golf, les plages de sable et les espaces verts en font une station agréable toute l'année.

Pointe de l'Esquillon★★

1/4h à pied AR par un sentier balisé. Dans un virage à hauteur de l'hôtel Tour de l'Esquillon à Miramar, quitter la route et laisser la voiture au parking. Très belle **vue**★★ sur l'Esterel, sur la côte, du cap Roux au cap d'Antibes, et sur les îles de Lérins *(table d'orientation)*.

Pointe de l'Observatoire★

Des vestiges d'un blockhaus formant belvédère, belle **vue**★ sur les rochers rouges et la mer bleue. On distingue Anthéor, la pointe du Cap-Roux, la pointe de l'Esquillon et le golfe de La Napoule.

La route atteint les stations d'**Anthéor**⌂ et d'**Agay**⌂ et longe la belle plage de Camp-Long, la plage du Dramont. Puis elle atteint **Boulouris**⌂, aux villas dispersées dans les pins, et **Saint-Raphaël**★ au pied des dernières pentes du massif de l'Esterel.

UN DÉCOR DE ROCHES ROUGES

L'Esterel est un massif bas (618 m au mont Vinaigre), raboté par l'érosion mais profondément raviné, si bien qu'on a parfois l'impression d'être en haute montagne. Sa physionomie caractéristique – relief heurté, déchiqueté, de couleur rouge feu – apparaît dans toute sa beauté au massif du Cap-Roux, en contraste saisissant avec le bleu indigo de la mer. Dans la région d'Agay pointent les porphyres bleus dont les Romains ont tiré les colonnes de leurs monuments de Provence. Par endroits, la couleur devient verte, jaune, violette ou grise.

Le massif et la mer s'interpénètrent : promontoires et pointes escarpées alternent avec des baies minuscules, d'étroites grèves, de petites plages ombragées, des calanques aux murailles verticales. En avant de la côte émergent des milliers de rochers et d'îlots colorés en vert par les lichens, tandis que les récifs transparaissent sous l'eau.

ROUTE NAPOLÉON★★

177 km de Cannes à Sisteron, par la N 85, dite Route Napoléon. La section de Sisteron à Grenoble est décrite à Sisteron.

L'Empereur, exilé à l'île d'Elbe depuis 1814, veut reconquérir la France. La route Napoléon est la reconstitution du trajet qu'il suivit de son débarquement à Golfe-Juan, le 1er mars 1815, jusqu'à Grenoble. Sur les plaques commémoratives et les monuments du parcours figurent les aigles aux ailes déployées dont le symbole est inspiré de ses paroles: «L'Aigle, avec les couleurs nationales, volera de clocher en clocher jusqu'aux tours de Notre-Dame.» Cette marche triomphale dura vingt jours.

Golfe-Juan

À son arrivée à Golfe-Juan, l'Empereur se repose dans l'unique auberge qui existait alors. De là, Napoléon et sa petite troupe, précédés d'une avant-garde, gagnent Cannes où ils arrivent tard et d'où ils repartent tôt le lendemain. Voulant éviter la voie du Rhône qu'il sait hostile, il fait prendre la route de Grasse pour gagner, par les Alpes, la vallée de la Durance. Au-delà de Grasse, la colonne s'engage dans de mauvais chemins muletiers: St-Vallier, Escragnolles, Séranon d'où, après une nuit de repos, elle gagne Castellane (3 mars), puis Barrême et Sisteron.

D. Pazery/MICHELIN

Aujourd'hui, Golfe-Juan est une station très fréquentée dont la plage de sable s'étend sur 1 km.

Grasse★

«Là l'Empereur comptait trouver une route qu'il avait ordonnée sous l'Empire; elle n'avait jamais été exécutée. Il fallut se résoudre à suivre des défilés difficiles et pleins de neige, ce qui lui fit laisser à Grasse, à la garde de la municipalité, sa voiture et deux pièces de canon...» (*Mémorial de Ste-Hélène*, propos de l'Empereur recueillis par Las Cases).

Capitale du parfum, la cité est adossée au plateau qui lui ménage une vue imprenable sur la côte cannoise. Elle ravit les promeneurs qui grimpent au sommet de la ville pour profiter des jardins et chercher les champs de fleurs du regard, avant de parcourir, d'une parfumerie à l'autre, les ruelles de la **vieille ville**★ dont les maisons ont la couleur du soleil couchant.

On longe le «plateau Napoléon» où l'Empereur fit halte le 2 mars. La route franchit successivement trois cols: col du Pilon (782 m), pas de la Faye (981 m), col de Valferrière (1 169 m), offrant des **vues**★★ admirables.

Castellane★

Ici, on est subjugué par le **site**★: la différence d'échelle est saisissante entre la petite ville et son «Roc», la falaise cyclopéenne qui la domine de ses 184 m. Franchissez les portes de la cité et flânez dans ses ruelles étroites ponctuées de placettes et de fontaines.

Digne-les-Bains

Cette station thermale s'est rénovée tout en préservant le charme de ses ruelles piétonnes, de ses portes anciennes et de ses passages voûtés. Capitale des «Alpes de la lavande», elle vit au cœur de montagnes bleutées, parfumées par cette fleur, dont un corso fleuri en août et une foire en septembre rappellent toute l'importance.

Sisteron★★ (voir ce nom)

Carcassonne★★★

Lorsqu'on parvient aux abords de Carcassonne, on ne peut s'empêcher d'admirer cette cité qui s'impose dans la plaine viticole derrière laquelle se profilent les montagnes de garrigue des Corbières. Tant pis pour les détracteurs qui pensent que Viollet-le-Duc n'a pas été fidèle à l'histoire lorsqu'il a reconstruit Carcassonne; cette ville reste dans la mémoire de tous ceux qui ont arpenté ses petites rues, longé ses remparts et pénétré dans son château.

La situation

43950 Carcassonnais – Cartes Michelin Local 344 E-H 3-6, Regional 527 – Le Guide Vert Languedoc Rousssillon – Aude (11). La cité médiévale se trouve sur la rive droite de l'Aude, au sommet d'une colline tandis que la ville basse est située sur la rive gauche, dans la plaine. Laisser la voiture sur l'un des parkings aménagés aux abords de la Cité.

15 bd Camille-Pelletan, 11000 Carcassonne, ☎ 04 68 10 24 30. Tour narbonnaise (cité médiévale), ☎ 04 68 10 24 36. www.tourisme.fr/carcassonne

Pour poursuivre la visite, voir aussi : NARBONNE, PERPIGNAN, FOIX, TOULOUSE.

carnet pratique

Restauration

• *À bon compte*

Auberge de Dame Carcas – *3 pl. du Château - 11000 Carcassonne - ☎ 04 68 71 23 23 - fermé janv., mar. midi et lun. - 13,42/68,60€.* Une adresse vraiment sympathique dans la Cité. Ambiance bon enfant et carte copieuse contribuent à son succès et ses salles, installées sur quatre niveaux, sont régulièrement bondées... Grill-rôtisserie au rez-de-chaussée.

• *Valeur sûre*

L'Écurie – *43 bd Barbès - 11000 Carcassonne - ☎ 04 68 72 04 04 - fermé dim. soir - 20,58/25,92€.* Une table gourmande lotie dans de superbes anciennes écuries : son cadre original, où les stalles des chevaux séparent les convives, et sa cour-jardin très agréable en été sont appréciés des habitants de la ville qui la comptent parmi leurs bonnes adresses.

Auberge de Peyrepertuse – *12 r. Blanche-de-Castille - 11350 Rouffiac-des-Corbières - 77 km au SE de Carcassonne par D 118, D 613 dir. Coustaussa et à droite par D 14 - ☎ 04 68 45 40 40 - fermé vac. de Noël et mer. d'oct. à avr. - 15,24/22,87€.* Ce petit restaurant, niché dans une vieille maison de pays, vous accueille dans sa minuscule cour, à l'ombre d'un beau cerisier en été. À l'image du décor, la cuisine concoctée par la patronne est simple et rustique.

Le Merle Bleu – *Pl. de l'Église - 11350 Paziols - 117 km au SE de Carcassonne par D 118 dir. Quillan, D 117 dir. Perpignan puis à gauche par D 611 - ☎ 04 68 45 02 48 - ▭ - réserv. obligatoire - 25€.* Niché en haut du village, ce petit restaurant aux murs blancs et meubles bleus offre une belle vue sur la plaine et le château d'Aguilar, depuis sa terrasse. Claude Nougaro, qui connaît l'endroit, lui a dédié un poème, à lire sur la carte. Cuisine familiale méditerranéenne.

Hébergement

• *À bon compte*

Auberge du Vieux Moulin – *11350 Duilhac-sous-Peyrepertuse - 81 km au SE de Carcassonne par D 118 dir. Coustaussa et à droite par D 14 - ☎ 04 68 45 02 17 - fermé 20 déc. au 5 fév. 33,54€.* Installé dans un ancien moulin à huile du village, cet hôtel fonctionne comme une pension de famille : ses chambres simples et son petit restaurant sont en accord avec ses prix raisonnables... Boutique avec livres et produits locaux.

• *Valeur sûre*

Montségur – *27 allée d'Iéna - 11000 Carcassonne - ☎ 04 68 25 31 41 - fermé 22 déc. au 28 janv. - P - 21 ch. : 53/84€ - ☕ 8€.* Cette maison de maître de la fin du 19e s. rénove peu à peu ses chambres personnalisées par de beaux meubles anciens. Salon de style ou patio pour les petits déjeuners. À 150 m, le restaurant Le Languedoc, géré par la même famille.

Chambre d'hôte La Maison sur la Colline – *Lieu-dit Ste-Croix - 11000 Carcassonne - 1 km au S de la Cité par rte de Ste-Croix - ☎ 04 68 47 57 94 - fermé nov. au 15 mars - ▭ - réserv. conseillée en saison - 5 ch. : 53,40/76,23€ - repas 23€.* Perché en haut d'une colline, le jardin de cette vieille ferme restaurée offre un point de vue enchanteur sur la cité... Ses chambres spacieuses, meublées d'objets chinés, ont chacune leur couleur : bleu, jaune, beige, blanc... Petit déjeuner au bord de la piscine en été.

Hôtel Donjon et les Remparts – *2 r. du Comte-Roger - 11000 Carcassonne - ☎ 04 68 11 23 00 - P - 62 ch. : 60/168€ - ☕ 9€.* En partie installé dans un orphelinat du 15e s. au cœur de la Cité, cet hôtel qui marie vieilles pierres et décor rénové propose deux types de chambres avec meubles cérusés ou rustiques, au choix.

Spectacles

Démonstations de fauconnerie (3/4h) – *Colline Pech Mary - 11000 Carcassonne - ☎ 04 68 47 88 99 - juil.-août : 15h-19h ; avr.-juin et sept.-nov. : 14h30, dim. et j. fériés : 15h et 16h30 - 6,86€ (-12 ans : 4,57€).*

comprendre

Un cœur fier - Pendant quatre cents ans, Carcassonne est la capitale d'un comté sous la suzeraineté des comtes de Toulouse. Elle connaît une époque de grande prospérité, interrompue au 13e s. par la croisade contre les albigeois. Les croisés du Nord, descendus par la vallée du Rhône, pénètrent en Languedoc en juillet 1209, pour châtier l'hérétique. Le comte Raimond VI de Toulouse ayant été obligé de se convertir, l'attaque retombe sur son neveu Trencavel. Après le sac de Béziers, l'armée des croisés investit Carcassonne le 1er août. Malgré l'ardeur de Trencavel - il n'a que 24 ans -, la place est réduite au bout de quinze jours à cause du manque d'eau.
En 1240, Saint Louis fait raser les bourgs formés au pied des remparts pour construire une ville sur l'autre rive de l'Aude. La cité est remise en état et renforcée. L'œuvre est continuée par Philippe le Hardi. La place est désormais si bien défendue qu'elle passe pour imprenable. Cinq forteresses royales sont disposées le long de la frontière aragonaise avec mission de protéger la cité ; il s'agit des « cinq fils de Carcassonne » : Puilaurens, Peyrepertuse, Quéribus, Termes et Aguilar.

Décadence et résurrection - Après l'annexion du Roussillon suite au traité des Pyrénées, le rôle militaire de Carcassonne se trouve amenuisé. Perpignan prend la garde à sa place, et la cité tombe en ruine. Mais le romantisme remet le Moyen Âge à la mode. Et Viollet-le-Duc décide la commission des Monuments historiques à entreprendre, en 1844, la restauration de Carcassonne.

découvrir

LA CITÉ★★★

Bâtie sur la rive droite de l'Aude, la plus grande forteresse d'Europe se compose d'un noyau fortifié, le Château comtal, et d'une double enceinte ; l'enceinte extérieure séparée de l'enceinte intérieure par les lices - partie comprise entre les deux enceintes.

Porte Narbonnaise

C'est l'entrée principale, la seule où passaient les chars. Un châtelet à créneaux, édifié sur le pont franchissant le fossé, et une barbacane percée de meurtrières précèdent les deux tours Narbonnaises.

Rue Cros-Mayrevieille

Elle permet d'accéder directement au château. On peut cependant préférer flâner dans le bourg médiéval en empruntant ses ruelles tortueuses, bordées de boutiques d'artisanat et de souvenirs.

Château comtal

Juin-sept. : visite guidée (3/4h) 9h30-19h30 ; avr.-mai et oct. : 9h30-18h ; nov.-mars : 9h30-17h. Fermé 1er janv., 1er mai, 1er et 11 nov., 25 déc. 5,50€. ☎ 04 68 11 70 77.
Érigé au 12e s., le château était à l'origine le palais des vicomtes de Trencavel. Il fut transformé en citadelle après le rattachement de Carcassonne au domaine royal en 1226. Depuis le règne de Saint Louis, un immense fossé et une grande barbacane semi-circulaire le protègent et en font une véritable forteresse intérieure.

A. Thuillier/MICHELIN

Les remparts de Carcassonne, cité médiévale par excellence.

Porte d'Aude

C'est l'élément majeur des lices. Un chemin fortifié qui part du pied de la colline y donne accès depuis la ville basse. De tous côtés, elle est puissamment défendue : grand châtelet, petit châtelet, place d'armes et portes.

Basilique St-Nazaire★

De l'église consacrée en 1006 ne subsiste que la nef. En pénétrant à l'intérieur, on est saisi par le contraste entre la nef centrale, de style roman méridional, et le chevet gothique, illuminé par les baies dont les **vitraux**★★ (13e et 14e s.) sont considérés comme les plus intéressants du Midi. De remarquables **statues**★★ - rappelant celles de Reims et d'Amiens - ornent le pourtour du chœur.

circuit

LES CORBIÈRES CATHARES**

220 km. Quitter Carcassonne par la D 118 vers Limoux. Poursuivre jusqu'à Quillan. Prendre alors la D 117 jusqu'à Lapradelle.

Les Corbières, région montagneuse de l'Aude mordant sur les Pyrénées-Orientales, dominent de leurs hautes barres le sillon du Fenouillèdes. C'est là que se dressent les « citadelles du vertige », théâtres du drame cathare. Prenez le temps d'emprunter les petites routes qui s'enfoncent dans la garrigue. Mais attention, ça tourne et ça monte.

QUELQUES CONSEILS

Prudence : le vent peut souffler très fort, en particulier le « cers », vent du Sud-Ouest. En été, il est impératif de se protéger du soleil (chapeau et crème solaire) et d'emporter de l'eau à boire car l'accès aux châteaux est parfois rude. Il va de soi qu'une paire de bonnes chaussures est recommandée (chemin pierreux, souvent glissant à cause des pierres patinées).

Château de Puilaurens*

30mn à pied AR. Juil.-août : 9h-20h ; avr.-juin et sept. : 10h-18h ; oct. : 10h-17h ; fév.-mars et de déb. nov. à mi-nov. : w.-end et vac. scol. 10h-17h. 3,50€. ☎ 04 68 20 65 26.

Accroché sur la vallée de la Boulzane à 697 m d'altitude, le château a gardé sa silhouette à peu près intacte. Il a servi de refuge aux cathares vers 1245. On remarque de loin l'enceinte crénelée à tours défendant les approches du donjon.

Reprendre la D 117 vers l'Est jusqu'à Maury. Prendre à gauche la D 19.

Château de Quéribus**

20mn à pied AR. Juil.-août : 9h-20h ; mai-juin et sept. : 10h-19h ; avr. et oct. : 10h-18h ; nov.-mars : w.-end et vac. scol. 10h-17h. Fermé janv. 4€. ☎ 04 68 45 03 69.

Trois enceintes successives protègent le donjon placé au point culminant du piton rocheux à 729 m d'altitude. Le donjon comporte à l'étage une **salle gothique*** voûtée d'ogives retombant sur un pilier excentré.

À Cucugnan, prendre à gauche la D 14, et traverser Duilhac-sous-Peyrepertuse.

Château de Peyrepertuse***

Juin-sept. : 8h30-20h30 ; avr.-mai et oct. : 9h-19h ; nov.-mars : 10h-17h. Fermé janv. Visite interdite par temps d'orage. 4€. ☎ 04 68 45 40 55.

Perché sur son promontoire, ce château inspire les visiteurs en quête de romantisme. Il comprend deux ouvrages distincts séparés par une esplanade. Le **château bas** occupe le promontoire effilé en proue. Au Sud, près du donjon du château bas, un poste de guet isolé offre, par un trou béant, une vue sur Quéribus.

À 796 m d'altitude, le **château St-Georges** fut construit en une seule campagne au point culminant de la montagne après la réunion du Languedoc au domaine royal.

D. Pazery/MICHELIN

Le château de Peyrepertuse.

Revenir à Duilhac et continuer jusqu'à Cucugnan. Poursuivre sur la D 14, puis la D 39. À gauche, un chemin de vignes (AOC fitou) goudronné mène au château d'Aguilar.

Château d'Aguilar

10mn à pied AR. Aguilar, qui appartenait à la famille de Termes, devint forteresse royale en 1257. Construite sur un modeste pog (éminence) émergeant d'un océan de vignes, elle fut renforcée au 13e s., sur l'ordre de Louis IX, par une seconde enceinte hexagonale flanquée de tours.

Revenir à Tuchan et prendre au Nord la D 39. Prendre à gauche la D 613, puis à droite la D 40.

Château de Termes

Juil.-août : 10h30-19h30 ; mai-juin : 10h-18h ; avr. et de déb. oct. à mi-nov. : 10h-17h ; de mi-nov. à fin mars : w.-end, j. fériés et vac. scol. 10h-17h. Fermé janv. 3,50€. ☎ 04 68 70 09 20.

Tenu par Raymond de Termes, le château ne tomba entre les mains de Simon de Montfort qu'à l'issue d'un siège de quatre mois, en 1210. Il fut cédé au roi de France en 1228. Défendu par le formidable fossé naturel du Sou, le site du promontoire a plus d'intérêt que les ruines qui couvraient 16 000 m².

Rentrer à Carcassonne par la D 40 jusqu'à Limoux, puis la D 118 à droite.

Castres★

Construite sur les rives de l'Agout, Castres abrite un remarquable musée consacré à Goya. À la fois étape sur le chemin de St-Jacques et place forte du calvinisme en Languedoc, cette cité est un bon point de départ pour des excursions dans le Sidobre, les monts de Lacaune et la Montagne noire. Paysages à couper le souffle garantis aux alentours de la ville, où gorges, rivières et rochers se côtoient dans une nature sauvage.

La situation

43 496 Castrais – Cartes Michelin Local 338 E-F 9-10, Regional 526 – Le Guide Vert Midi-Pyrénées – Tarn (81). Pour visiter le vieux Castres, il est conseillé de garer la voiture sur la rive gauche de l'Agout, au parking de la place St-Claire.

3 r. Milhau-Ducommun, 81100 Castres, ☎ 05 63 62 63 62. www.ville-castres.fr

Pour poursuivre la visite, voir aussi : CARCASSONNE, TOULOUSE, ALBI.

carnet pratique

Restauration

• *À bon compte*

Le Mandragore – *1 r. Malpas - 81100 Castres - ☎ 05 63 59 51 27 - fermé 1er au 30 janv., dim. et lun. - 11,54/42,31€.* Voilà un petit restaurant de cuisine traditionnelle dans le vieux Castres. Le décor contemporain de la salle à manger, volontairement dépouillé, est plaisant. Menus à prix raisonnables et accueil familial.

Hébergement

• *Valeur sûre*

Hôtel La Renaissance – *17 r. Victor-Hugo - 81100 Castres - ☎ 05 63 59 30 42 - fermé 21 déc. au 3 janv. - 20 ch. : 58/100€ - ☕ 9€.* Typique avec ses briques et ses colombages, cette maison du 17e s. est au calme d'une ruelle piétonnière de la vieille ville. Les chambres sont originales avec leur décoration et leurs meubles de différents styles.

Hôtel Le Pavillon des Hôtes – *81100 Castres - 6 km à l'E de Revel par D 85 - ☎ 05 63 74 44 80 - fermé mars à fin mai - P - 18 ch. : 45€ - ☕ 7€ - restaurant 22/29€.* Dans l'ancienne abbaye-école fondée au 17e s. par les bénédictins, les chambres de cet hôtel sont sobres et calmes. Les prix sont très raisonnables et comprennent une contribution à l'entretien du monument.

Hôtel de l'Europe – *5 r. Victor-Hugo - 81100 Castres - ☎ 05 63 59 00 33 - 36 ch. : 49/54€ - ☕ 6€ - restaurant 10€.* Voilà un hôtel de caractère qui ne vous ruinera pas pour autant... Ces trois maisons du 17e s. sont reliées par un agréable patio avec escalier, bibelots et antiquités chinées. Briques, colombages et meubles modernes se marient judicieusement dans les chambres. Cuisine simple.

visiter

Quai des Jacobins

Jolie vue sur les anciennes demeures de tisserands et de teinturiers. Leurs couleurs vives se reflétant sur l'eau forment un ensemble harmonieux, qu'on apprécie particulièrement à bord du coche d'eau.

Musée Goya★

Au 1er étage de l'hôtel de ville. Juil.-août : 10h-12h30, 13h30-18h ; sept.-juin : tlj sf lun. 9h-12h, 14h-18h, dim. et j. fériés 10h-12h, 14h-18h (oct.-mars : 17h). Fermé 1er janv., 1er mai, 1er nov., 25 déc. 3€, gratuit 1er dim. du mois. ☎ 05 63 71 59 30.

Spécialisé dans la peinture espagnole, ce musée est surtout célèbre pour sa collection exceptionnelle d'**œuvres de Goya★★**. La première salle est dominée par *La Junte des Philippines présidée par Ferdinand VII*, où le peintre, en soulignant l'ovale des dossiers des fauteuils, a figé le roi et ses conseillers dans des attitudes dépourvues d'humanité. On est saisi par *Les Désastres de la guerre*, ensemble que lui avait inspiré la guerre d'Indépendance (1808-1814) contre la soldatesque napoléonienne. Sur les murs, *Les Caprices* (gravures) expriment la solitude et l'amertume dans lesquelles la surdité avait plongé Goya à partir de 1792.

circuit

LA MONTAGNE NOIRE★

122 km. Quitter Castres par la D 612 pour aller à Mazamet. Puis prendre la D 118 et enfin la D 103 vers Saissac, d'où l'on gagne la prise d'Alzeau.

La Montagne noire constitue l'extrême Sud-Ouest du Massif central. On la dit « noire » car son versant Nord, le plus arrosé, est couvert de sombres forêts (hêtres,

chênes, sapins, épicéas). Le versant Sud, quant à lui, étonne par son aspect méditerranéen, sec et dénudé, où se mêlent genêts, garrigues, vignes et oliviers.
La Montagne noire représentant un formidable château d'eau, Pierre Paul de Riquet, au 17e s., eut l'idée de rassembler les eaux de ses ruisseaux et de les conduire par un canal jusqu'à Naurouze pour alimenter le fameux canal du Midi.
À la **prise d'Alzeau**, un monument élevé à la mémoire de Riquet retrace les étapes de la construction du canal du Midi. Après avoir recueilli les eaux de l'Alzeau, la rigole de la Montagne court rejoindre le **bassin du Lampy**.
À l'entrée du village des **Cammazes** se trouve la voûte de Vauban sous laquelle passe la rigole de la Montagne avant de se déverser dans le bassin de St-Ferréol. Cette galerie souterraine de 122 m de long permet à la rigole de changer de bassin-versant.
De magnifiques hêtraies, sillonnées de sentiers ombragés, font du bassin du Lampy un but de promenade apprécié.
À Revel, bastide fondée en 1342, regagner Castres par la D622, puis la N 126.

Les Cévennes★★

Au Sud-Est du Massif central, les Cévennes se drapent d'étendues forestières, naguère refuges des bêtes sauvages, mais aussi des camisards pourchassés. Perché sur ses sommets, on embrasse un merveilleux panorama. Les hautes vallées ont une allure alpestre: eaux bondissantes riches en truites et pentes gazonnées parsemées de pommiers. Entre les pays cévenol et méditerranéen, les prairies des vallées côtoient des cultures en terrasses: vignes, oliviers et mûriers. C'est là que les anciennes magnaneries et filatures sont les plus nombreuses.

La situation

Cartes Michelin Local 339 G4, 330 J-K 8-9, Regional 527 - Le Guide Vert Languedoc Rousssillon - Lozère (48) et Gard (30). Les Cévennes forment un massif au Sud-Est du Massif central, espace protégé depuis la création du Parc national des Cévennes.
Parc national des Cévennes, le Château, 6 bis pl. du Palais, 48400 Florac, ☎ 0466 49 53 01. www.cevennes-parcnational.fr

circuits

MASSIF DE L'AIGOUAL★★★

32 km au départ de Meyrueis.

L'Aigoual est l'un des nœuds hydrographiques les plus importants du Massif central: son sommet condense à la fois les nuages venus de l'Atlantique et les vapeurs méditerranéennes qui s'y combattent; de là, son nom *Aiqualis*, devenu Aigoal en occitan (l'aqueux, le pluvieux). Les précipitations, en année moyenne, atteignent 2,25 m.
Depuis Meyrueis, on monte au **col de la Sereyrède★** (alt. 1 300 m), sur la ligne de partage des eaux. C'était un des passages empruntés par la grande draille du Languedoc, l'une de ces larges pistes de transhumance foulées naguère chaque année, au mois de juin, par les moutons des garrigues languedociennes montant aux pâturages de l'Aubrac, du mont Lozère et de la Margeride. Aujourd'hui, c'est en

La corniche des Cévennes : vue spendide sur les serres cévenoles.

RESTAURATION

• À bon compte

Auberge Cévenole – *La Pénarié - 30570 Valleraugue - 4 km à l'O de Valleraugue dir. mont-Aigoual - ☎ 04 67 82 25 17 - fermé 9 au 21 déc., lun. soir et mar. sf juil.-août - 13/23€.* Cette modeste auberge au bord de l'Hérault nous plaît bien. Pour sa simplicité, pour son restaurant aux allures montagnardes, ses tables en bois, sa cheminée et sa cuisine ménagère sans prétention. Petite terrasse au calme. Six chambres blanches bien rénovées.

Auberge Cévenole - Chez Annie – *48400 La Salle-Prunet - 2 km au S de Florac dir. Alès - ☎ 04 66 45 11 80 - fermé mi-nov. à déb. fév., dim. soir et lun. hors sais. - 13,42/20,43€.* Cette vieille maison cévenole cache en son cœur une jolie salle campagnarde avec cheminée. La cuisine est bien ancrée dans le terroir, une bonne occasion de découvrir le fameux aligot. Agréable terrasse et quelques chambres simples et proprettes.

La Ferme de Cornadel – *30140 Anduze - 1,5 km au N d'Anduze, dir. la Bambouseraie - ☎ 04 66 61 79 44 - fermé 12 nov. au 7 déc., 14 janv. au 2 fév. le soir d'oct. à mars (sf w.-end) et mar. soir d'avr. à sept. sf juil.-août - 15/40€.* Entre Anduze et la Bambouseraie, cette ancienne ferme cévenole revit grâce au restaurant qui s'y est installé. En surplomb de la route, sa terrasse est néanmoins agréable avec son mobilier coloré... Carte traditionnelle égayée de quelques plats d'ici (truffes, cèpes, aïoli).

HÉBERGEMENT

• Valeur sûre

Lozerette – *48400 Cocurès - 5,5 km au NE de Florac par N 106 et D 998 - ☎ 04 66 45 06 04 - lalozerette@wanadoo.fr - fermé 2 nov. à Pâques - P - 21 ch. : 45/66,30€ - ☕ 6,71€ - restaurant 19,51/21,04€.* Dans un petit village au cœur du Parc des Cévennes, cette grande maison a bien du charme. Au bord de la route, elle jouit pourtant du calme environnant et ses chambres proprettes sont agréablement meublées. Menu d'un bon rapport qualité/prix.

ACHATS

Terres d'Aigoual – *Col de la Sereyède - rte du mont Aigoual - 30570 L'Espérou - ☎ 04 67 82 65 39 - fermé lun. hors sais.* Vente de produits du terroir.

Terroir Cévennes – *Rte de Nîmes - 30270 St-Jean-du-Gard - ☎ 04 66 85 15 26 - haute sais. : 9h30-19h30, w.-end 9h30-13h, 15h-19h ; moyenne sais. : lun.-ven. 9h30-13h, 14h-18h ; basse sais. : 14h-18h.* Produits cévenols et artisanat (vente directe par les producteurs).

Poterie d'Anduze - Les Enfants de Boisset – *Rte de St-Jean-du-Gard - 30140 Anduze - ☎ 04 66 61 80 86 - tlj sf dim. matin 9h-12h, 14h-18h - fermé du 24 déc. à mi-janv.* Cette poterie fabrique depuis le 17e s. le vase d'Anduze. Les potiers utilisent une argile extraite sur place pour façonner leurs grands vases vernissés. Visite possible des ateliers.

Atelier du sucre et de la châtaigne – *64 av. Jean-Monestier - 48400 Florac - ☎ 04 66 45 28 41 - 9h-12h, 15h-19h - fermé de mi-janv. à fin fév. et lun. hors sais.* Fabrication artisanale de produits cévenols à base de châtaignes, miel, fruits rouges... Ne manquez pas le pain à la châtaigne.

LOISIRS-DÉTENTE

Tramontâne – *La Rouvière - 48110 St-Martin-de-Lansuscle - ☎ 04 66 45 92 44 - location : 40€ la journée, 70€ le w.-end, 210€ la sem.* Louer un âne : la solution idéale pour vos randonnées pédestres, en particulier avec vos enfants. Formules très souples avec itinéraires adaptés à la demande.

camion que la plupart des bêtes sont transportées jusqu'à leurs pâturages d'été. Quelques troupeaux montent encore à pied, faisant l'objet de la Fête de la transhumance, au passage de l'Espérou, à la mi-juin.

L'observatoire météorologique, construit au sommet du **mont Aigoual**★★★ (alt. 1567 m), est occupé par les services de Météo France. Dominant les bassins du Gard, de l'Hérault et du Tarn, il permet, en utilisant des moyens de plus en plus sophistiqués, d'enregistrer la direction et la vitesse des vents qui amèneront les pluies méditerranéennes torrentielles, ou des pluies océaniques favorables à la végétation. Du sommet de la tour de l'observatoire du mont Aigoual, assez souvent enneigé, immense **panorama**★★★ sur les Causses et les Cévennes et, lorsque le temps est clair, sur les monts du Cantal, le mont Ventoux, les Alpes, la plaine du Languedoc, la Méditerranée et les Pyrénées.

MONT LOZÈRE★★

100 km au départ de Mende. Quitter Mende par la D25 au Sud-Est en direction de l'aérodrome. À Langlade, prendre à gauche la D41.

Entre Florac, Mende, Génolhac et Villefort, ce puissant massif granitique dresse sa masse majestueuse dans le paysage cévenol. C'est en quelque sorte le symbole de la Lozère, à laquelle il a d'ailleurs donné son nom. Dès le mois d'août, il se couvre de bruyères formant un tapis mauve à perte de vue. Profitant de l'aubaine, les abeilles viennent butiner. La physionomie, les paysages du mont Lozère se prêtent merveilleusement aux promenades à pied.

Bagnols-les-Bains

Cette station hydrominérale, indiquée pour les rhumatismes et les affections ORL, est bâtie en amphithéâtre sur les pentes de la montagne de la Pervenche et descend jusqu'au Lot.

Prendre à droite la D20 qui traverse le village du Bleymard et passe par le col de Finiels (alt. 1 548 m).

L'ARBRE ROI DES CÉVENNES

Le surnom d'« arbre à pain » vient de l'emploi intensif que les Cévenols faisaient autrefois du châtaignier. Son bois était réservé au bâtiment et au mobilier, ses feuilles à l'alimentation du bétail, les éclisses à la vannerie, enfin ses fruits entraient dans la composition des repas. Les châtaignes séchaient dans une petite bâtisse, la clède. Au rez-de-chaussée, le feu provoquait la déshydratation des fruits entreposés à l'étage du dessus. Leur peau était ensuite brisée à l'aide des solas, curieuses chaussures à pointes de fer, ou dans un sac que l'on battait sur un billot de bois puis, plus tard, dans des machines. Les châtaignes blanches nourrissaient la famille toute l'année, quelques-unes étaient vendues, les brises étaient destinées au bétail.

Le Pont-de-Montvert

La **Maison du mont Lozère** abrite une exposition relatant l'histoire naturelle et humaine du mont Lozère. ♿ *Avr.-sept. : 10h30-12h30, 14h30-18h30. 3,50€. ☎ 0466458073.*

Prendre à droite la D 998.

Florac

Cette jolie petite ville s'élève au pied des falaises dolomitiques de Rochefort. Elle est à la fois au contact du causse Méjean, des Cévennes et du mont Lozère, à l'entrée des **gorges du Tarn★★★** *(voir ce nom)*. Florac est aujourd'hui une bourgade renommée pour sa table et son animation estivale.

Prendre au Nord la N106 en direction de Mende.

LA CORNICHE DES CÉVENNES★

76 km. Quitter Florac au Sud par la D907.

Partez de préférence par temps clair et en fin d'après-midi, à l'heure où l'éclairage oblique fait le mieux ressortir les découpures des crêtes, la profondeur des vallées. La route remonte la vallée du Tarnon, au pied des escarpements du causse Méjean.

St-Laurent-de-Trèves

☺ Sur le promontoire qui domine le village ont été découvertes des traces de dinosaures datant de 190 millions d'années. De ce site s'offre une très belle **vue★** sur le causse Méjean, les monts Aigoual et Lozère.

Au col du Rey commence la corniche des Cévennes, et la route s'engage sur le plateau calcaire, souvent balayé par les vents. Au col des Faïsses, belle vue sur les Cévennes. Après l'Hospitalet, plateau dénudé où la roche affleure, vue magnifique sur le mont Lozère, Barre-des-Cévennes, la vallée Française et le massif de l'Aigoual.

Avant St-Roman-de-Tousque, prendre à gauche la D140 puis à droite la D983.

Voici la vallée Française qu'empruntèrent Robert Louis Stevenson et Modestine, son ânesse ; il faut lire le récit qu'il en fit dans son *Voyage avec un âne à travers les Cévennes.*

St-Jean-du-Gard

Au milieu des vergers, St-Jean s'élève sur la rive gauche du Gardon qu'elle franchit par un vieux pont en dos d'âne. Le mardi, jour du marché, voit affluer les habitants des vallées et des montagnes avoisinnantes. Installé dans une ancienne auberge du 17e s., le **musée des Vallées cévenoles★** évoque la vie quotidienne des Cévenols. *Juil.-août : 10h-19h ; avr.-juin et sept.-oct. : 10h-12h30, 14h-19h ; nov.-mars : mar. et jeu. 9h-12h, 14h-18h, dim. 14h-18h. Fermé 1er janv. et 25 déc. 3,80€. ☎ 04 66 85 10 48.*

Anduze

Anduze se niche dans un écrin de verdure, au débouché de l'étroite porte des Cévennes (cluse du portail du Pas). Ses ruelles étroites mènent à la place Couverte où s'élève une fontaine-pagode aux tuiles vernissées, spécialement réalisées par les céramistes d'Anduze, en 1649.

Bambouseraie de Prafrance★ – *2 km par la D 129.* ♿ *De déb. avr. à mi-sept. : 9h30-19h ; mars et de mi-sept. à mi-nov. : 9h30-18h. 6€. ☎ 04 66 61 70 47.*

Ce parc exotique d'une quarantaine hectares, inattendu dans la région, fut créé en 1855 par le Cévenol Eugène Mazel. La forêt de bambous, qui comprend plus de cent variétés, constitue une halte rafraîchissante appréciable pendant les chauds mois d'été.

▶▶ Musée du Désert★ *(7 km au Nord d'Anduze par la route de Mialet)* ; Grotte de Trabuc *(11 km au Nord d'Anduze)*

Châlons-en-Champagne★★

Longtemps connue sous le nom de Châlons-sur-Marne, la ville a retrouvé le nom qu'elle portait jusqu'au 18e s., à savoir Châlons-en-Champagne. Centre administratif et militaire, la cité a gardé son aspect bourgeois avec des hôtels des 17e et 18e s., le charme de quelques maisons à pans de bois et de vieux ponts enjambant le Mau et le Nau. Châlons mérite une étape et surprendra plus d'un visiteur.

La situation

60 013 Châlonnais - Cartes Michelin Local 306 I 9, Regional 514 - Le Guide Vert Champagne Ardenne - Marne (51). Aucune difficulté pour accéder à Châlons située en pleine Champagne crayeuse. La ville est sillonnée par le Mau et le Nau, canaux formés par de petits bras de la Marne.

3 quai des Arts, 51000 Châlons-en-Champagne, ☎ 03 26 65 17 89.

Pour poursuivre la visite, voir aussi : REIMS, PROVINS, VERDUN, BAR-LE-DUC.

visiter

Cathédrale St-Étienne★★

Juil.-sept. : 14h-18h. Gratuit.

Les fastes de deux mariages princiers s'y déroulèrent au 17e s. : celui de Philippe d'Orléans, frère de Louis XIV, avec la princesse Palatine et celui du Grand Dauphin avec Marie-Christine de Bavière.

La face Nord est d'un gothique très pur. L'intérieur atteint près de 100 m de long et offre un aspect imposant bien que le chœur manque un peu de profondeur. La nef haute de 27 m, inondée de lumière, donne une sensation d'élégante légèreté avec son triforium élancé que surmontent les vastes baies. Parmi les œuvres d'art réparties dans le transept et le chœur, un majestueux maître-autel à baldaquin du 17e s. et de superbes dalles funéraires gothiques.

Ph. Gajic/MICHELIN

Ce vitrail de la cathédrale St-Étienne illustre la Fuite en Égypte.

La cathédrale conserve un intéressant ensemble de **vitraux★** permettant de suivre l'évolution de l'art des maîtres verriers du 12e au 16e s.

carnet pratique

Restauration

• Valeur sûre

Le Pré St-Alpin – *2 bis r. de l'Abbé-Lambert - 51000 Châlons-en-Champagne - ☎ 03 26 70 20 26 - fermé dim. soir - 20,60/38,83€.* Une cuisine agréable à savourer dans une superbe maison de maître 1900 qui a conservé son charme bourgeois raffiné. Deux belles salles sous verrière décorée, inondées de lumière ; une autre avec de jolies boiseries.

Auberge du Cloître – *9 pl. Notre-Dame-en-Vaux - 51000 Châlons-en-Champagne - ☎ 03 26 65 68 08 - fermé lun. soir et mar. - 12€ déj. - 22/31€.* Les châlonnais connaisseurs apprécient ce restaurant central dont les larges baies vitrées donnent sur une jolie placette pavée. Agréable salle à manger aux teintes pastel et aux tables joliment mises. Cuisine traditionnelle soignée.

Hébergement

• À bon compte

Pasteur – *46 r. Pasteur - 51000 Châlons-en-Champagne - ☎ 03 26 68 10 00 - fermé 27 déc. au 4 janv. - P - 28 ch. : 28/53€ - ☕ 5€.* Il règne une atmosphère bourgeoise un brin désuète dans cet établissement situé tout près du centre-ville. Un bel escalier du 17e s. dessert les chambres, hautes sous plafond, spacieuses et confortables. Agréable cour intérieure arborée.

• Valeur sûre

Hôtel Le Pot d'Étain – *18 pl. de la République - 51000 Châlons-en-Champagne - ☎ 03 26 68 09 09 - 27 ch. : 43/60€ - ☕ 8€.* L'hôtel borde une place animée située au cœur de la ville. Les chambres bénéficient d'une isolation phonique efficace, d'un sobre décor, de mobilier rustique ou moderne et d'une literie de bonne qualité. Le patron, ancien boulanger, met un point d'honneur à proposer un petit déjeuner soigné.

Église Notre-Dame-en-Vaux★

Juil.-août : 10h-12h, 14h-16h ; sept.-juin : fermé dim. ☎ 03 26 65 63 17.

Cette ancienne collégiale a été commencée vers 1150 dans le style roman, mais les voûtes, le chœur et le chevet construits dans le style gothique primitif datent de la fin du 12e s. et du début du 13e s.

L'**intérieur**★★ impressionne par ses proportions harmonieuses et la sobriété de son ordonnance. Dans la nef, observez la différence de style entre les piliers à chapiteaux romans, soutenant de vastes tribunes, et les voûtes d'ogives gothiques. La nef est éclairée par une harmonieuse série de **vitraux**★ champenois. Les plus beaux, du 16e s., ornent le bas-côté gauche.

Musée du Cloître de Notre-Dame-en-Vaux★

Avr.-sept. : 10h-12h, 14h-18h ; oct.-mars : 10h-12h, 14h-17h, w.-end 10h-12h, 14h-18h. Fermé mar., 1er janv., 1er mai, 1er et 11 nov., 25 déc. 3,96€. ☎ 03 26 64 03 87.

Il abrite de remarquables sculptures provenant d'un cloître roman. Une grande salle abrite des colonnes sculptées ou baguées et une série de **55 statues-colonnes**★★ : les plus belles représentent des prophètes, de grandes figures bibliques ou des saints (Moïse, Daniel, saint Paul au visage d'une intense spiritualité).

alentours

Basilique Notre-Dame de l'Épine★★

8 km à l'Est par la N3. Cette basilique, aux dimensions de cathédrale, est le but de grands pèlerinages depuis la découverte au Moyen Âge, par des bergers, d'une statue de la Vierge dans un buisson d'épines enflammé. Des pèlerins illustres sont venus ici : Charles VII, Louis XI et ce bon roi René d'Anjou que le prodige inspira sans doute lorsqu'il fit exécuter au 15e s., par Nicolas Froment, le triptyque du Buisson ardent, aujourd'hui à la cathédrale d'Aix-en-Provence *(voir ce nom)*.

S'élevant sur une légère éminence, la basilique s'aperçoit de fort loin. Du début 15e s. et progressivement agrandie, elle présente une façade de style gothique flamboyant ; les chapelles rayonnantes remontent au début du 16e s. À l'intérieur, le chœur est clos par un élégant jubé dont l'arcade droite abrite la statue vénérée de Notre-Dame.

Chambéry★★

Commandant l'entrée de plusieurs grandes vallées transalpines, Chambéry fut la capitale du comté de Savoie. Prise par François Ier, elle revint aux ducs de Savoie qui lui préférèrent cependant Turin. Elle fut alors ballottée entre les deux pays au gré des fluctuations de l'histoire... Meurtrie par les bombardements anglo-américains, Chambéry est aujourd'hui une vieille ville qui a retrouvé sa beauté passée et mis en valeur son riche patrimoine.

La situation

55 786 Chambériens – Cartes Michelin Local 333 I 3-4, Regional 523 – Le Guide Vert Alpes du Nord – Savoie (73). La ville s'est développée entre les massifs des Bauges et de la Grande-Chartreuse aux portes des trois principaux parcs alpins : Vanoise, Chartreuse et Bauges. Chambéry est traversée par l'autoroute A 43 qui relie Lyon à Modane.

24 bd de la Colonne, 73000 Chambéry, ☎ 04 79 33 42 47. www.chambery-tourisme.com

Pour poursuivre la visite, voir aussi : ANNECY, GRENOBLE.

Portiques de la rue de Boigne.

Fr. Isler/MICHELIN

se promener

VIEILLE VILLE★★

Rue Croix-d'Or

Bordée de vieux hôtels, c'était l'artère la plus aristocratique de Chambéry. Voyez au n° 18 l'hôtel de Châteauneuf, au plan italien, qui fut construit au 17e s.

carnet pratique

RESTAURATION

• À bon compte

Restaurant-Traiteur Jean Pinget – *4 r. de Lans - 73000 Chambéry - ☎ 04 79 33 36 50 - fermé 15 j. en août et dim. - 13,72/19,82€.* L'endroit est flambant neuf. D'un côté, l'espace traiteur, d'une netteté irréprochable. De l'autre, le salon de restauration, peint dans des couleurs chaudes et pourvu de quelques tables et chaises bistrot. Cuisine de qualité.

• Valeur sûre

Le Tonneau – *2 r. St-Antoine - 73000 Chambéry - ☎ 04 79 33 78 26 - fermé dim. soir et lun. - 19,90/36,50€.* On se presse pour venir savourer la cuisine de cette brasserie animée. Les clés du succès ? Cadre rétro rehaussé de boiseries, murs agrémentés de caricatures, service aimable, ambiance chaleureuse et prix raisonnables. Un menu pour les petits est également prévu.

Atmosphères – *618 rte des Tournelles - 73370 Les Catons - 8 km au NE de Chambéry par N 504 et D 42 - ☎ 04 79 25 01 29 - fermé 1er au 8 janv., 25 oct. au 15 nov., mar. soir et mer. sf juil.-août - 17/32€.* Tranquille petit chalet entouré de verdure et dominant le lac ; vue remarquable sur la montagne. La salle à manger vient d'être rénovée et modernisée. Aux beaux jours, terrasse panoramique très prisée. Les préparations, soignées, varient en fonction du marché. Chambres simples.

• Une petite folie !

La Grange à Sel – *La Croix Verte - 73370 Le Bourget-du-Lac - 6 km au NE de Chambéry par N 504 - ☎ 04 79 25 02 66 - fermé janv., dim. soir et mer. - 24,50€ déj. - 32/66€.* C'est une ancienne grange à sel avec sa façade couverte de vigne vierge, agrémentée d'une terrasse arborée et d'un jardin fleuri. Vieilles pierres et poutres apparentes, petits salons et cheminée. Gourmets et gourmands, le chef vous régalera de ses spécialités.

HÉBERGEMENT

• À bon compte

Hôtel City Maeva – *371 r. de la République - 73000 Chambéry - ☎ 04 79 60 26 00 - citychambery@aol.com - P - 149 ch. : 35,06/44,21€ - ☕ 4,57€.* Cet hôtel de chaîne est très pratique pour résider en ville, près du quartier Curial. Ses chambres de taille variable (pour une à six personnes), meublées en hêtre, sont toutes équipées d'une baignoire et d'un balcon. Kitchenette à disposition.

Chambre d'hôte La Montagnole – *516 chemin de Boissy - 73420 Viviers-du-Lac - 11 km au N de Chambéry par D 991 - ☎ 04 79 35 31 26 - ⊭ - 3 ch. : 24,85/42,10€.* Cette villa contemporaine installée dans un lotissement propose des chambres simples, mais confortables et bien équipées ; deux possèdent une cuisine. Les petits plus : un jardinet à disposition et une belle vue sur les falaises du Revard.

• Valeur sûre

Art Hôtel – *154 r. du Sommeiller - 73000 Chambéry - ☎ 04 79 62 37 26 - P - 36 ch. : 40,40/46,50€ - ☕ 5,70€.* Proche de la gare, à deux pas de la vieille ville et de ses quartiers commerçants, cet hôtel au confort actuel dispose d'une insonorisation parfaite. Petit déjeuner buffet pour bien commencer la journée.

Hôtel des Princes – *4 r. Boigne - 73000 Chambéry - ☎ 04 79 33 45 36 - hoteldesprinces@wanadoo.fr - 45 ch. : 53,40/61€ - ☕ 6,10€.* Voilà un endroit où il fait bon séjourner : très bien situé, juste à l'entrée de la vieille ville, ce petit hôtel entièrement rénové vous séduira avec son ambiance chaleureuse, son décor pimpant et la qualité de son accueil. Bon rapport qualité/prix.

ACHATS

Artisanat – L'Opinel, référence mondiale en matière de coutellerie, est produit dans les environs de Chambéry par une dynastie de taillandiers savoyards. Le savoir-faire des artisans savoyards se retrouve également dans un bijou typique, la croix-grille : cette croix latine, ornée sur chaque face d'une représentation de la Vierge et du Christ, est fleuronnée de larmes.

Rue Basse-du-Château★

Pittoresque avec sa galerie-passerelle et les ogives de ses anciennes échoppes, elle mène à la place du château. À l'instar des traboules lyonnaises, plusieurs passages sous voûte permettent de communiquer entre les rues *(nos 42 et 45)*.

Château★

Juil.-août : visite guidée (1h) 10h30, 14h30, 15h30, 16h30, dim. et 15 août 14h30, 15h30, 16h30 ; mai-juin et sept. : 14h30. Fermé 1er janv. et 25 déc. 4€. ☎ 04 79 33 42 47. www.chateau-tourisme.com

Demeure des seigneurs de Chambéry, puis des comtes et ducs de Savoie, le château remonte aux 14e et 15e s. La **Sainte-Chapelle**★, de style gothique flamboyant, reçut cette appellation en 1502 lorsque y fut déposé le saint Suaire. Dans cet édifice, témoin du mariage de Louis XI et de Charlotte de Savoie, on admire l'élégante ordonnance des voûtes et les verrières du 16e s. Un carillon de 70 cloches, réalisé par la fonderie Paccard, y a été installé en 1993.

circuit

LAC DU BOURGET**

Entre les chaînons du mont du Chat et de la Chambotte, le plus grand lac naturel de France se trouve à 13 km au Sud de Chambéry. Il change de ton au gré de ses humeurs, passant du bleu profond à l'azur éclatant. Les romantiques s'y arrêteront pour rêver de clairs de lune ou pour se nourrir des vers de Lamartine... « Ô temps, suspends ton vol ! et vous, heures propices, suspendez votre cours ! Laissez-nous savourer les rapides délices des plus beaux de nos jours. »

Abbaye royale de Hautecombe**

L'abbaye, où les souverains de la maison de Savoie sont inhumés, est située sur un promontoire s'avançant dans le lac du Bourget. Restaurée au 19e s. dans le style gothique troubadour par des artistes piémontais, l'**église** se signale par l'exubérance de sa décoration. *Visite audioguidée (1/2h) tlj sf mar. 10h-11h30, 14h-17h. ☎ 04 79 54 58 80.*

Aix-les-Bains‡‡‡

Sur la rive Est du lac, la station thermale savoyarde a pris son essor au 19e s. Aujourd'hui, l'animation se concentre autour des constructions des thermes, du parc municipal et du casino. Pendant la saison estivale, les bords du lac, où sont aménagés deux ports et une plage, constituent l'autre pôle d'attraction de la ville.

Chamonix-Mont-Blanc***

Entre Chamonix et le Mont Blanc, c'est une passionnante histoire d'amour, qui dure au moins depuis 1786. À chacun son domaine : la station reçoit les alpinistes du monde entier et s'occupe de l'organisation des randonnées grâce à sa célèbre Compagnie des guides. Au-dessus, face au ciel, la montagne vous invite à un voyage unique, des hauteurs vertigineuses de ses sommets à l'immense spectacle de ses étendues glacées.

La situation

9 830 Chamoniards – Cartes Michelin Local 328 M-O 5, Regional 523 – Le Guide Vert Alpes du Nord – Haute-Savoie (74). Accès par l'autoroute Blanche et le tunnel du Mont-Blanc. Depuis 1965, l'essor de la station a été favorisé par l'ouverture du tunnel du Mont-Blanc qui relie Chamonix au val d'Aoste et la met à 20 km à peine de la grande station italienne de Courmayeur. Et si vous voulez donner l'impression de parler savoyard couramment, prononcez « chamouni ». **i** *Pl. du Triangle de l'Amitié, 74400 Chamonix-Mont-Blanc, ☎ 04 50 53 00 24. www.chamonix.com*

séjourner

Domaine skiable

Avec quelques-unes des plus belles descentes qui soient, du fait de leur longueur, leur dénivelée et leur cadre grandiose de haute montagne, le domaine skiable de la vallée de Chamonix est sans conteste le plus remarquable de Haute-Savoie. Il est

Le massif du Mont-Blanc dévoile souvent des panoramas grandioses.

Fr. Isler/MICHELIN

Restauration

• À bon compte

Le Dru – *R. Paccard - 74400 Chamonix-Mont-Blanc - ☎ 04 50 53 33 06 - fermé dim. en oct.-nov. - 12,04/28,97€.* La façade peinte de ce chalet du centre-ville attire l'œil. À l'intérieur, décor chaleureux marqué par la présence de bois, vieux outils du monde paysan et collection de lampes à huile. Parmi les spécialités proposées, laissez-vous tenter par la fondue savoyarde...

• Valeur sûre

La Bergerie – *232 av. Michel-Croz - 74400 Chamonix-Mont-Blanc - ☎ 04 50 53 45 04 - fermé 15 j. en mai, 15 j. en nov. et mar. hors sais. - réserv. conseillée - 14,48€ déj. - 15,09/25,92€.* Sympathique décor savoyard réalisé avec des matériaux glanés dans d'anciennes fermes. Au menu : viandes grillées au feu de bois et recettes régionales. L'été, vous apprécierez le calme de la terrasse dressée sous une pergola.

Le 3842 – *Au sommet de l'aiguille du Midi - 74400 Chamonix-Mont-Blanc - par téléphérique - ☎ 04 50 55 82 23 - fermé 1er nov. au 15 déc. et le soir - 22,87/32,01€.* Après une montée en téléphérique et la traversée d'une série de galeries et de passerelles, vous vous attablerez à 3 842 m d'altitude... Conditions extrêmes obligent, vous déjeunerez à l'intérieur d'une salle aux fenêtres étroites, mais quel plaisir de côtoyer le toit de l'Europe !

Auberge du Grenand – *74120 Megève - 4 km au S de Megève sur la rte du Leutaz - ☎ 04 50 21 30 30 - fermé 22 avr. au 9 juin et 23 sept. au 8 déc. - 10,98€ déj. - 15,55/38,11€.* Au pied du mont Véry, cette ferme tout en bois s'ouvre sur la vallée de Megève. Vous y dégusterez des spécialités du cru autour des bouquets de fleurs séchées. Ne manquez pas d'admirer la collection de cloches savoyardes.

Hébergement

• À bon compte

Hôtel Arveyron – *Rte du Bouchet - 74400 Chamonix-Mont-Blanc - 2 km au NE de Chamonix par N 506 - ☎ 04 50 53 18 29 - fermé 7 avr. au 31 mai et 21 sept. au 20 déc. - P - 31 ch. : 32,80/53,40€ - ☕ 7,70€ - restaurant 12,50/19,10€.* Profitez du jardin à l'ombre des cerisiers et respirez l'air pur face à la chaîne du Mont-Blanc. Vous serez bichonné, calfeutré dans des chambres lambrissées ou à table, autour de petits plats du terroir d'une cuisine familiale. Bon rapport qualité/prix.

• Valeur sûre

Chambre d'hôte Chalet Beauregard – *182 r. Mollard - 74400 Chamonix-Mont-Blanc - ☎ 04 50 55 86 30 - reservation@chalet-beauregard.com - fermé 15 j. en mai et 15 oct. au 15 déc. - ⊠ - 7 ch. : 45,73/91,47€.* Ce chalet savoyard entouré d'un joli petit jardin mérite son nom : la vue sur le Mont-Blanc et l'aiguille du Midi est magnifique. Les chambres, d'une grande sobriété, sont souvent dotées d'un balcon. Salle des petits déjeuners aménagée avec goût.

Hôtel Le Cantou – *9 chemin Pierre-Belle - 74400 Les Bossons - 5 km au SO de Chamonix par N 205 - ☎ 04 50 55 85 77 - P - 17 ch. : 70,13/106,71€ - ☕ 7,62€.* Charmant chalet fleuri où l'on choisira de préférence les chambres du second étage, plus spacieuses et plus récentes ; quelques-unes sont agrandies d'une mezzanine offrant deux couchages supplémentaires. Terrasse au bord de la piscine.

Achats

Au Crochon – *2748 rte Nationale - 74120 Megève - 35 km au SO de Chamonix par N 205, D 909 et N 212- ☎ 04 50 21 03 26 - lun.-sam. 7h30-19h30.* Pour les amoureux d'objets en bois faits main, le choix risque d'être cornélien ! Du bac à fleurs ou du moule à beurre, de la paire de sabots (pour grand-mère) ou du tonnelet (pour grand-père), de la luge ou des raquettes, qu'emporterez-vous dans vos valises ?

Le Refuge Payot – *255 r. du Dr-Paccard et 166 r. Joseph-Vallot - 74400 Chamonix-Mont-Blanc - ☎ 04 50 53 16 86 - www.refugepayot.com.* Boutique bien approvisionnée en produits régionaux de toutes sortes : charcuterie (saucisson aux myrtilles), fromages (Abondance), confitures (confiture de lait), vins de Savoie, confiseries et plats cuisinés savoyards à emporter.

réparti sur plusieurs massifs, reliés entre eux par navette : le Brévent et l'aiguille du Midi à Chamonix, la Flégère au Praz, les Grands-Montets à Argentière et la Balme au Tour. L'enneigement est en général excellent au-dessus de 1900 m (sur les deuxièmes tronçons de chaque massif) mais souvent insuffisant pour redescendre skis aux pieds en bas de vallée (retour assuré en téléphérique).

Pour les bons skieurs, les grands classiques sont la piste Charles Bozon, la combe de la Charlanon et le col Cornu (secteur Brévent), l'Index et la Combe Lachenal (secteur Flégère), et surtout le deuxième tronçon des **Grands-Montets★★★**. Les itinéraires hors-piste, à effectuer avec un guide, sont exceptionnels, notamment la **vallée Blanche★★★** (20 km de descente sur 2800 m de dénivelée à partir de l'aiguille du Midi).

Les skieurs peu expérimentés apprécieront le secteur de Balme, aux pentes modérées et bien enneigées. Ils trouveront aussi quelques pistes à leur niveau à Planpraz et à la Flégère.

découvrir

Aiguille du Midi★★★

2h AR au minimum par le téléphérique. Juil.-août: 6h-16h45 ; sept.-juin : 8h-15h45. Trajet en deux tronçons: Chamonix-Plan de l'Aiguille et Plan de l'Aiguille-Aiguille du Midi. (dép. toutes les 1/2h). 33€ AR (enf.: 23,10€). ☎ 0450533080 (juil.-août : réservation possible: ☎ 0836680067).

Plan de l'Aiguille★★ – *Alt. 2317 m.* Ce point d'arrêt intermédiaire, base de promenades faciles, est situé au pied même des arêtes déchiquetées des aiguilles.

Piton Nord – *Alt. 3800 m.* De la terrasse panoramique, la vue plonge sur la vallée de Chamonix que l'on surplombe de 2800 m. Les dentelures des aiguilles se profilent légèrement en contrebas. L'aiguille Verte, les Grandes Jorasses, l'aiguille du Géant dominant le seuil neigeux du col du Géant sont les cimes que vous remarquerez en premier.

Piton central *(accessible par ascenseur) – Alt. 3842 m. Juil.-août: 7h-17h ; sept.-juin : 8h-15h45. Fermé de mi-nov. à mi-déc. Gratuit (été: 3€). ☎ 0450 533080.*
Avant de regagner la gare du téléphérique, parcourez les galeries forées à la base du piton Nord: l'une aboutit à une terrasse aménagée face au Mont-Blanc; l'autre, servant aux skieurs partant pour la descente de la vallée Blanche, à la gare de la télécabine de la vallée Blanche reliant l'aiguille du Midi à la pointe Helbronner.

Quelques conseils

Même pour les randonnées faciles, prenez de quoi vous couvrir si le temps changeait, équipez-vous de chaussures de montagne et portez des lunettes de soleil.
Pour les excursions à l'aiguille du Midi et à la vallée Blanche en période d'affluence, les départs sont réglementés par la délivrance de cartes numérotées d'embarquement; à l'arrivée au piton Nord, traversez d'abord la passerelle pour accéder à droite au piton central et à la terrasse du Mont-Blanc, à voir en priorité.

Mer de Glace★★★

1h1/2 AR dont 3/4h de chemin de fer à crémaillère du Montenvers. De déb. juin à mi-nov. : 7h-18h (dép. toutes les 1/2h) ; de mi-nov. à fin mai : 9h-16h. 3€ (télécabine seule), 19,60€ AR (billet combiné train et télécabine). ☎ 0450531254.
Vue de la station supérieure, sur le sommet du Montenvers, **site**★★★ fameux composé par le glacier et les formidables obélisques du Dru et de la Verte, et en toile de fond, les Grandes Jorasses.

Le chemin de fer du Montenvers

Ce train pittoresque, qui rend accessible aux non-alpinistes la haute montagne et les glaciers, tire son nom du belvédère d'arrivée. En savoyard, le Montenvers « regarde vers le Nord », à l'envers (par rapport à la Savoie).
Son parcours sinueux, long de 5 km, affiche une dénivellation de 870 m entre ses têtes de ligne. En 1908, il fonctionnait l'été grâce à une locomotive à vapeur suisse et franchissait des pentes de 20 % à l'aide d'une crémaillère; l'ascension durait environ 1h, à la vitesse moyenne de 6 km/h.
Depuis l'hiver 1993, un nouvel aménagement de la ligne (galerie de protection contre les avalanches) et un matériel plus puissant assurent un service toute l'année. Aujourd'hui, sa vitesse peut atteindre 20 km/h !

alentours

Argentière★★★

8 km au Nord de Chamonix. La plus élevée des stations de la vallée de Chamonix est connue pour son centre d'alpinisme et pour ses agréables promenades à pied ou à ski. Les champs de ski des Grands-Montets, comptant parmi les plus beaux d'Europe, ont acquis une notoriété internationale auprès des sportifs de haut niveau.

Aiguille des Grands-Montets★★★ – *Alt. 3295 m. Accès par le téléphérique d'Argentière-Lognan, puis le téléphérique Lognan-les Grands-Montets. Compter 2h1/2 minimum AR. Juil.-août: 7h15-17h15; sept.-juin: 8h30-12h30, 13h30-16h30. 23€ AR, 17€ A. ☎ 0450540071.*
Le **panorama**★★★ est grandiose. Le regard est attiré au Sud par l'impressionnante masse de l'aiguille Verte et les Drus. Plus à l'Ouest, on admire l'aiguille Blanche, le Mont-Blanc et le dôme du Goûter, le mont Maudit et l'aiguille du Midi.

Réserve naturelle des Aiguilles-Rouges★★★ – *3 km au Nord d'Argentière par la N506. Chalet d'accueil ouvert de déb. juin à mi-sept.: 9h-12h30, 13h30-18h30. Gratuit. ☎ 0450540806.*
Le sentier écologique permet de découvrir quelque 500 espèces de plantes, et de voir ou apercevoir bouquetins, chamois, lièvres. Des panneaux expliquent les ensembles naturels observés: tourbières, aulnaies, couloirs d'avalanches, etc.

Megève***
32 km à l'Ouest de Chamonix. Lancée au début du 20e s. par la baronne de Rothschild, Megève reste l'une des plus brillantes stations de montagne française, tant par l'importance de ses équipements touristiques, notamment hôteliers, que par son ambiance mondaine. Un autre atout de Megève en toute saison: l'accueil des enfants en cure climatique, vacances ou classes de neige.
Des alpages ensoleillés à la zone minérale des grands espaces en passant par les sapinières, le relief harmonieux très diversifié privilégie le ski plaisir et découverte. De chaleureux chalets restaurants d'altitude sont des lieux de halte appréciés.

Château de Chantilly***

Le nom de Chantilly évoque à la fois un château, une forêt, un champ de courses et, en général, le monde du cheval. Le château auquel le duc d'Aumale, fils de Louis Philippe d'Orléans, attacha son nom mérite de figurer parmi les grandes curiosités françaises pour son site et ses collections.

La situation

10 902 Cantiliens - Cartes Michelin Local 305 F-G 6, Regional 513 - Le Guide Vert Île-de-France - Oise (60). Liaison SNCF depuis la gare du Nord. En venant de Paris par la N16 (52 km), au lieu de traverser l'agglomération, tourner à droite, après le passage inférieur, dans la route ombragée de l'Aigle qui longe l'hippodrome.
60 av. du Mar.-Joffre, 60500 Chantilly, ☎ 03 44 57 08 58. www.ville-chantilly.fr
Pour poursuivre la visite, voir aussi: COMPIÈGNE, AUVERS-SUR-OISE, BEAUVAIS.

D. Pazery/MICHELIN

La vocation militaire de Chantilly semble bien lointaine quand on admire cette belle demeure de plaisance posée sur l'eau.

comprendre

De Cantilius aux Montmorency - Cinq châteaux se sont succédé, depuis 2000 ans, en ce point de la vallée de la Nonette. En 1528, le château féodal est démoli. Pierre Chambiges élève à sa place un palais dans le style de la Renaissance française. Sur l'île voisine du château, Jean Bullant bâtit le charmant Petit Château qui est encore debout. Charles Quint ne peut cacher son admiration lorsqu'il le visite.

Les Condés - Le Grand Condé (1621-1686) se consacre à l'embellissement du château. En 1662, Le Nôtre est chargé de la transformation du parc et de la forêt. Les jeux d'eau de Chantilly sont les plus admirés de France, et Louis XIV à Versailles se fait un point d'honneur d'en posséder de plus beaux.
Artiste, ayant le goût du faste, Louis-Henri de Bourbon, arrière-petit-fils du Grand Condé, donne à Chantilly un vif éclat. Il fait construire par Jean Aubert les Grandes Écuries, chef-d'œuvre du 18e s. Il crée une manufacture de porcelaine.
Le château d'Enghien est construit en 1769 par Louis-Joseph de Condé. Son premier occupant est son petit-fils, le duc d'Enghien, qui périt tragiquement en 1804 : fusillé dans les fossés de Vincennes sur l'ordre de Bonaparte.
À son retour d'exil, Louis-Joseph a 78 ans. Il remet le domaine en état, réaménage les jardins. Le prince meurt en 1818. Le duc de Bourbon poursuit les travaux.

carnet pratique

Restauration

• À bon compte

La Capitainerie « Les Cuisines de Vatel » – *Au château - 60500 Chantilly - ☏ 03 44 57 15 89 - fermé mar. et le soir - réserv. conseillée - 14/31€.* Difficile de trouver lieu plus prestigieux que ce restaurant installé sous les voûtes ancestrales des cuisines de Vatel. Le cadre est plaisant : cuivres, porcelaines, vieux fourneaux, cheminée en brique d'origine, chaises en cuir... Les menus changent à chaque saison.

• Valeur sûre

La Belle Bio – *22 r. du Connétable - 60500 Chantilly - ☏ 03 44 57 02 25 - fermé dim. soir et lun. - 22,87/27,44€.* Non, vous ne venez pas de pousser la porte d'une épicerie, mais bel et bien celle d'un restaurant cent pour cent bio. Le décor panaché ne manque pas de charme et la carte fourmille de petits plats plein d'imagination. Une adresse qu'on aimerait confidentielle...

Le Bourgeois Gentilhomme – *3 pl. de la Halle - 60300 Senlis - 10 km à l'E de Chantilly par D 924 - ☏ 03 44 53 13 22 - fermé 6 au 20 août, sam. midi, dim. soir et lun. - 25/62,25€.* Si les rois de France n'avaient pas si vite abandonné Senlis, Molière y aurait sans doute joué la comédie... En tous cas, ici, dans un décor qui lui est dédié, tout est fait pour vous plaire, jusqu'à la cuisine très personnalisée. Belle cave du 12e s. où le patron vous convie à boire l'apéritif.

Hébergement

• Valeur sûre

Pavillon St-Hubert – *À Toutevoie, bord de l'Oise - 60270 Gouvieux - 3,5 km à l' O de Chantilly par D 909 - ☏ 03 44 57 07 04 - fermé fév. - P - 18 ch. : 45/65€ - ☕ 6,50€ - restaurant 24/30€.* Ancien pavillon de chasse et son plaisant jardin au bord de l'Oise. Les petites chambres évoquent l'atmosphère des auberges traditionnelles. Salle à manger meublée dans le style Louis XIII et ornée de massacres. Terrasse à l'ombre des platanes, avec l'Oise en toile de fond.

• Une petite folie !

Château de la Tour – *60270 Gouvieux - 3,5 km à l'O de Chantilly par D 909 - ☏ 03 44 62 38 38 - le.chateau.de.la.tour @wanadoo.fr - fermé 21 au 28 déc. - P - 41 ch. : 110/175€ - ☕ 13€ - restaurant 35/50€.* Cette demeure du début du 20e s. qui a appartenu à un banquier célèbre domine un grand parc que vous pouvez contempler de la terrasse. Chambres anciennes ou actuelles, à choisir selon votre humeur, et élégantes salles à manger meublées en style Louis XIII.

Le duc d'Aumale – Le duc de Bourbon a légué Chantilly à son petit-neveu et filleul, le duc d'Aumale, cinquième fils de Louis-Philippe. Ce prince s'est illustré en Afrique par la prise de la smala d'Abd el-Kader. La révolution de 1848 le fait partir en exil. Il ne rentre qu'en 1870. De 1875 à 1881, il fait édifier dans le style Renaissance, le Grand Château actuel, le cinquième. Un nouvel exil l'éloigne de 1886 à 1889. Il meurt en 1897, léguant à l'Institut son domaine de Chantilly avec les magnifiques collections qui forment le musée Condé.

visiter

Château★★★

Juil.-août : visite guidée (3/4h) 10h-18h (mars-juin et sept.-oct. : tlj sf mar.) ; nov.-fév. : tlj sf mar. 10h30-12h45, 14h-17h, w.-end et j. fériés 10h30-17h. 7€ (musée et parc). ☏ 03 44 62 62 62.

Traverser la terrasse du Connétable où se dresse la statue équestre d'Anne de Montmorency et pénétrer dans la cour d'honneur par la grille flanquée de copies des *Esclaves* de Michel-Ange.

Au cours de la visite, voyez le **Cabinet des Livres★** où est conservée une splendide collection de manuscrits dont les célèbres et magnifiques **Très Riches Heures du duc de Berry**. On admire le salon des Singes (début du 18e s.), chef-d'œuvre d'un peintre ornemaniste inconnu.

La variété des **peintures** révèle les goûts éclectiques du duc d'Aumale : sujets militaires, orientalistes, portraits par Ph. de Champaigne, tableaux d'artistes italiens – **Raphaël**, Piero di Cosimo, Filippino Lippi –, toiles du 19e s. de Delacroix, Géricault et Ingres. La peinture du 18e s. est aussi à l'honneur avec des tableaux de Largillière, Greuze, Van Loo, Watteau. Ne manquez pas non plus la précieuse collection de **tableaux★★ des Clouet**, ni les miniatures de **Jean Fouquet**, découpées dans le *Livre d'heures d'Estienne Chevalier*, œuvre capitale de l'école française du 15e s.

Dans les vitrines sont exposées des pièces ravissantes en porcelaine tendre de Chantilly, sorties de la manufacture fondée par le duc de Bourbon en 1725. Les vitraux (16e s.) illustrant l'histoire de Psyché et de Cupidon proviennent, quant à eux, du château d'Écouen. Le cabinet des Gemmes contient des joyaux, tels que le diamant rose, dit le *Grand Condé*.

Grandes Écuries★★

Chef-d'œuvre de Jean Aubert (18e s.), les Grandes Écuries, de style Régence, ont leur plus belle façade sur la pelouse. Le portail est surmonté d'un groupe de chevaux sculptés. Du temps des princes de Condé, ces bâtiments réunissaient 240 chevaux, 500 chiens et un personnel de près de 100 palefreniers, cochers, piqueurs...

Musée vivant du Cheval et du Poney★★

Dans les Grandes écuries. Mai-oct.: tlj sf mar. 10h30-17h30, w.-end et j. fériés 10h30-18h; avr. et sept.-oct.: tlj sf mar. 10h30-17h30, w.-end et j. fériés 10h30-18h ; nov.-mars : tlj sf mar. 14h-17h, w.-end et j. fériés 10h30-17h30. Fermé 24. et 31 déc. 8€ (enf.: 5,50€). ☎ 03 44 57 40 40.

Le musée du Cheval «vit» d'abord par la présentation dans les stalles, datant du duc d'Aumale, de 18 chevaux et 10 poneys de selle ou de trait français et ibériques. Dans la galerie, l'exposition est consacrée à l'hippologie et aux métiers du cheval.

☺ La visite se termine par une **démonstration★** de dressage *(1/2h environ)*. L'excellente acoustique du lieu, le strict costume de l'écuyer ou de l'écuyère, ses commentaires sur l'exercice rendent les spectateurs amoureux des chevaux.

▶▶ Parc★★

LE CHEVAL À L'HONNEUR

La première réunion de courses officielle eut lieu à Chantilly le 15 mai 1834, à l'initiative des membres de la Société d'encouragement fondée l'année précédente. Le patronage des ducs de Nemours et d'Orléans, la mode, lancée par les dandys du Jockey-Club qui apprécient la souplesse de la pelouse (avant l'ouverture de Longchamp en 1857, les courses avaient lieu à Paris sur le dur terrain du Champ-de-Mars), donnent bientôt aux réunions (prix du Jockey-Club – 1836, prix de Diane – 1843) un éclat mondain. Des chasses à courre, concerts, fêtes sur l'eau et feux d'artifice enchantent les turfistes et les élégantes.

Aujourd'hui, plus de 3 000 chevaux à l'entraînement sur les pistes de Chantilly et des communes environnantes font de la cité des Condés la capitale française du pur-sang.

alentours

Senlis★★

10 km à l'Est de Chantilly. On se promène volontiers dans les vieilles rues du centre-ville à l'atmosphère médiévale et la visite terminée, on n'a qu'une hâte... revenir à Senlis.

Sur la première enceinte gallo-romaine, les conquérants bâtissent un château fort où les rois des deux premières dynasties franques résident volontiers, attirés par le gibier des forêts voisines. En 987, l'archevêque de Reims propose aux barons assemblés dans le château de choisir pour roi le «duc de France», Hugues Capet. Mais les monarques abandonnent peu à peu la ville au profit de Compiègne et de Fontainebleau; le dernier souverain qui ait séjourné à Senlis est Henri IV.

Cathédrale Notre-Dame★★ – Sa construction commence en 1153 et se poursuit lentement, faute de fonds. Le **grand portail★★** (vers 1170-1180) est consacré à la Vierge. Dans le tympan, le Christ bénit la Vierge couronnée. Les sculptures en bas-relief du linteau présentent une vérité et une liberté d'attitude nouvelle au Moyen Âge: remarquez l'empressement des anges pour soulever et emporter leur souveraine. Les personnages de l'Ancien Testament qui garnissent les ébrasements ont beaucoup de vie; les corps prennent de l'épaisseur. La façade du **croisillon★★**, œuvre de Pierre Chambiges (16e s.), contraste avec la façade principale: la décoration flamboyante est maintenant influencée par l'art de la Renaissance que les guerres d'Italie viennent de révéler.

La nef et le chœur, étroits pour leur hauteur, donnent une impression d'envolée. Les tribunes qui surmontent les bas-côtés comptent parmi les plus belles de France. La 1re chapelle à droite de la porte Sud possède une jolie voûte à clefs pendantes et des vitraux du 16e s.

Le Triomphe de la Vierge est illustré sur le portail central de la cathédrale de Senlis.

Ph. Gajic/MICHELIN

Parc Astérix★★

12 km au Sud-Est de Chantilly par la D 924A, puis la D 607. Avr.-mai: tlj sf les 29 avr., 3, 6, 13, 17, 24, 27 et 31 mai et 3, 7, 10 et 14 juin; de sept. à déb. oct.: mer. et w.-end. Fermé de mi-oct. à fin mars. Horaires variables selon la période de l'année: 10h-18h ou 9h30-19h (période estivale).

J. et h. d'ouv. susceptibles de modifications, se renseigner. 30€ (enf.: 22€, - 3 ans: gratuit). ☎ 0892683010. www.parcasterix.fr

Descente aux enfers au Parc Asterix.

Le rusé Gaulois Astérix, héros de la bande dessinée de Goscinny et Uderzo, est le personnage éponyme de ce parc de 50 ha, royaume de fantaisie qui invite petits et grands à un voyage plein d'humour dans le passé. Les espaces «historiques» aux décors soignés, les attractions et les spectacles contribuent à rendre la journée mémorable.

Rendez-vous dans le village sur pilotis, où un système de livraison ingénieux, **Menhir Express**★★, emmène les audacieux sur un réseau de canaux qui réserve bien des surprises! Ceux qui ne veulent pas se mouiller préféreront la **Trace du Hourra**★★, petit train lancé à 60 km/h sur une piste de bobsleigh. Et les téméraires iront encourir les foudres divines en empruntant les impressionnantes montagnes russes du **Tonnerre de Zeus**★★ (pointes de vitesse à 80 km/h) ou braveront les enfers en tentant la **Descente du Styx**★. Mais nous ne dévoilerons pas ici toutes les attractions. Cependant, apprenez que le voyage dans le temps se termine, vers 1930, par un époustouflant spectacle historico-policier.

Abbaye de Royaumont★★

10 km au Sud-Ouest de Chantilly par la D909. ♿ 10h-18h (nov.-fév.: 10h-17h30), dernière entrée 1/2h av. fermeture. 4,50€ (enf.: 3€). ☎ 0130355900.

Fondée en 1228 par Saint Louis, l'abbaye a largement bénéficié des largesses royales avant d'être vendue comme bien national en 1793. Aujourd'hui, elle a encore fière allure malgré la disparition de l'église et le morcellement du domaine. Depuis 1978, elle a trouvé une nouvelle destination en abritant le Centre culturel de rencontre, qui y organise, entre autre, des concerts.

Les ruines de l'église laissent voir le chœur à chapelles rayonnantes qui s'écarte de la formule cistercienne classique à chevet plat.

Le cloître enserre un beau jardin. Remarquez, de loin, que la galerie Ouest *(face à l'arrivant)* se double en arrière d'un étroit passage à l'air libre, pour laisser circuler les frères convers. Admirez le beau réfectoire, vaisseau à deux nefs, chef-d'œuvre de construction gothique.

Château d'Écouen★★

22 km au Sud de Chantilly par la N16. ♿ Tlj sf mar. 9h30-12h45, 14h-17h45 (de déb. oct. à mi-avr. : 17h15). Fermé 1er janv., 1er mai et 25 déc. 4€, gratuit 1er dim. du mois. ☎ 0134383851.

Entouré d'un parc, le château fut bâti de 1538 à 1555 pour le connétable Anne de Montmorency et son épouse Madeleine de Savoie. Il est établi sur une butte qui domine la plaine de France. On y accède à pied à travers bois.

Le **musée national de la Renaissance**★★ conserve des pièces remarquables du 16e s. et du début du 17e s.: mobilier, tapisseries, céramiques, émaux. Sélectionnés en petit nombre, les objets donnent aux salles un cachet en accord avec le cadre, encore austère, de la vie seigneuriale à la Renaissance.

Écouen est le château des **cheminées peintes**★: exécutées sous Henri II, elles s'apparentent aux travaux de la première école de Fontainebleau.

Au rez-de-chaussée, un certain nombre de salles consacrées aux métiers ou aux techniques présentent la vie à la Renaissance.

Au 1er étage, voyez sans faute la **tenture de l'Histoire de David et Bethsabée**★★★ (1510-1520). Longue de 75 m, elle raconte l'histoire des amours du roi David. Réalisée dans les ateliers bruxellois, elle est tissée avec des fils de laine, de soie et d'argent.

Au 2e étage sont exposées de belles céramiques d'Isnik, des majoliques italiennes et de remarquables faïences françaises, ainsi qu'une intéressante collection de coffres italiens qui étaient offerts aux jeunes mariés *(cassoni)*.

Charleville-Mézières★

Dans les Ardennes, Charleville, commerçante et bourgeoise, impose la parfaite ordonnance de ses rues rectilignes tandis qu'en bordure de ses quais flotte comme un bateau ivre le souvenir de Rimbaud.
Mézières, administrative et militaire, resserre ses maisons de schiste dans l'étranglement d'un méandre de la Meuse. Charleville et Mézières sont réunis depuis 1966.

La situation

65 727 Carolomacériens – Cartes Michelin Local 306 K 3-4, Regional 514 – Le Guide Vert Champagne Ardenne – Ardennes (08). Charleville et Mézières sont toutes deux nichées dans une boucle de la Meuse.
4 pl. Ducale, 08102 Charleville-Mézières, ☎ 03 24 55 69 90.
Pour poursuivre la visite, voir aussi : AVESNES-SUR-HELPE, REIMS, VERDUN.

carnet pratique

Restauration

• *À bon compte*

Le Balard – *10 r. Tivoli - 08000 Charleville-Mézières - ☎ 03 24 32 76 53 - fermé août, lun. midi, dim. et j. fériés - 7€ déj. - 15/26€.* Poussez la porte de ce restaurant et découvrez un authentique décor de l'ancien métropolitain, avec banquettes, carrelages blancs, porte-bagages et plaques publicitaires en émail. Il ne manque que les vibrations des rames...

• *Valeur sûre*

Le Moulin Labotte – *52 r. Edmond-Dromard - 08170 Haybes - 37 km au N de Charleville par N 43 puis D 988 - ☎ 03 24 41 13 44 - fermé dim. soir et lun. - 16/38€.* Au bord d'une petite rivière, entouré de forêts, il fait bon s'attabler dans la salle à manger de cet ancien moulin pour contempler sa belle machinerie restaurée.
À la carte, le gibier tient bonne place. Quelques chambres au calme sont également disponibles.

Hébergement

• *À bon compte*

Hôtel de Paris – *24 av. G.-Corneau - 08000 Charleville-Mézières - ☎ 03 24 33 34 38 - fermé 23 déc. au 5 janv. - 27 ch. : 38/67€ -* ☕ 6€. Cet hôtel, à la façade classique du début du 20e s., est situé près de la gare, en bordure d'une avenue passante. Bien insonorisées, les chambres sont claires et simples. Accueil sympathique et attentionné.

Calendrier

Festival mondial des théâtres de marionnettes – Il a lieu tous les trois ans (le prochain en 2006) à Charleville-Mézières, vers la 2e quinzaine de septembre.
Les spectacles sont présentés dans des salles d'une centaine de places, aux quatre coins de la ville. L'Institut international de la marionnette, fondé en 1981, organise des stages de technique sur la confection des marionnettes.

se promener

Place Ducale★★

Conçue par Clément Métezeau (1581-1652), architecte des Bâtiments du duc Charles de Gonzague, elle présente de nombreuses analogies avec la place des Vosges à Paris, réalisée à la même époque. Cette place constitue un exemple type de l'architecture du début du 17e s. Son aspect reste spectaculaire malgré la construction, en 1843, de l'hôtel de ville à l'emplacement du palais ducal. Une galerie d'arcades en anse de panier fait le tour de la place dont les pavillons, bâtis en brique rose et pierre ocre, sont coiffés de hauts combles d'ardoise mauve.

Horloge du Grand Marionnettiste

L'horloge a été intégrée dans la façade de l'Institut international de la marionnette. Un mouvement permanent en anime la tête et les yeux. À chaque heure, de 10h à 21h, un court spectacle de marionnettes retrace un épisode de la légende ardennaise des Quatre Fils Aymon. Tous les samedis à 21h a lieu la représentation en 12 tableaux.

L'homme aux semelles de vent

Le poète Arthur Rimbaud (1854-1891) naît à Charleville, d'un père capitaine d'infanterie souvent absent et d'une mère autoritaire qui fera de son fils un révolté. Au collège local, le jeune Arthur accomplit de brillantes études. De 1869 à 1875, il habite au no 7 du quai qui aujourd'hui porte son nom ; il y compose *Le Bateau ivre*, face au port, non loin du vieux moulin. C'est l'époque des fugues à Charleroi, à Paris où il rencontre Verlaine qu'il accompagne en Belgique et à Londres, à Roche enfin près de Vouziers où il écrit *Une saison en enfer* (1873).
Rompant alors avec la littérature, Rimbaud commence une vie d'errance qui le mène jusqu'en Orient, sur les bords de la mer Rouge et en Indonésie. Rapatrié, il meurt à l'hôpital de Marseille, âgé de 37 ans. Son corps repose dans le vieux cimetière de Charleville.

circuit

MÉANDRES DE LA MEUSE**

40 km jusqu'à Revin – environ 4h. Quitter Charleville par la D1 qui rejoint rapidement la Meuse. Des excursions en bateau sont organisées sur la Meuse au départ de Charleville, Monthermé et Revin. Longue de 950 km, la Meuse prend sa source au pied du plateau de Langres et se jette dans la mer du Nord. En aval de Charleville, ce fleuve de faible débit poursuit son cours au travers d'un défilé profond et sinueux, de sombres forêts où abondent le gros gibier, comme le sanglier. Pas étonnant que ce lieu chargé de mystères ait engendré des légendes d'êtres étranges.

Église de Braux

Cette ancienne collégiale, de plan basilical, conserve de riches autels de marbre du 17e s. et une belle cuve baptismale du 12e s. ornée de grotesques.

Franchir la Meuse. Du pont, voyez la perspective sur le **rocher des Quatre-Fils-Aymon**; sa silhouette évoque le légendaire cheval Bayard emportant les chevaliers qui fuyaient la haine de Charlemagne dont Renaud avait tué le neveu.

Monthermé*

Les maisons de la vieille ville épousent harmonieusement le méandre de la Meuse.

Roches de Laifour*

À 270 m au-dessus de la Meuse, les roches de Laifour dessinent un promontoire aigu dont les pentes de schiste tombent à pic vers le fleuve.

Les Dames de Meuse*

Cette ligne de crêtes aux pentes abruptes forme une masse noire, ravinée et déchiquetée, s'infléchissant en une courbe parallèle au fleuve, qui atteint 393 m d'altitude et domine le cours du fleuve de près de 250 m. Le nom des Dames de Meuse viendrait de trois épouses infidèles, changées en pierre par la colère divine.

Un chemin se détache de la D1 au Sud de Laifour, monte au refuge et atteint le rebord de la crête *(2h à pied AR)*: la promenade procure une belle **vue***.

Mont Malgré Tout**

1h à pied AR. Le chemin en forte montée mène à un poste de relais TV. De là, on gagne à travers le taillis de bouleaux et de chênes un second belvédère.

▶▶ Sedan

Chartres***

Chartres est la capitale de ce «grenier de la France» qu'est la Beauce. C'est aussi un symbole : sa cathédrale tient une place importante dans l'histoire religieuse de la France, par son architecture, ses vitraux, ses pèlerinages. Mais la ville ne manque pas d'intérêt avec ses vieilles rues et ses musées.

La situation

40361 Chartrains – Cartes Michelin Local 311 E 5, Regional 513 – Le Guide Vert Île-de-France – Eure-et-Loir (28). Liaison SNCF depuis la gare Montparnasse à Paris. La ville est desservie par l'A11. Elle est située sur une butte, sur la rive gauche de l'Eure, en plein cœur de la Beauce.

Pl. de la Cathédrale, 28000 Chartres, ☎ 0237182626. www.ville-chartres.fr

découvrir

CATHÉDRALE***

De la construction romane due à l'évêque Fulbert (11e et 12e s.) subsistent la crypte, les tours, la base de la façade Ouest avec son portail Royal et une partie du vitrail de Notre-Dame-de-la-Belle-Verrière. Le reste de la cathédrale a été bâti au lendemain de l'incendie de 1194: princes et bourgeois firent alors assaut de largesses; les moines prêtèrent leurs forces. Cet élan permit à la cathédrale d'être achevée en vingt-cinq ans et d'ajouter les porches Nord et Sud vingt ans plus tard, ce qui assure une homogénéité presque unique dans le style gothique.

Extérieur

Les deux hautes flèches et le portail Royal de la façade principale composent l'un des plus beaux ensembles de l'art religieux français.

Le **portail Royal*****, l'une des merveilles de l'art roman (1145-1170), présente la vie et le triomphe du Sauveur. Rois et reines de la Bible, prêtres, prophètes et patriarches, aux longues et minces figures, s'alignent dans l'embrasure des portes Contrastant avec les corps roides, les visages vivent intensément.

Les personnages du **portail Nord**, traités avec plus de liberté que dans le portail Royal, sont plus vivants et montrent un réel progrès du réalisme ; observez l'élégance des drapés à plis fluides.

La hardiesse des arcs-boutants à double volée du **chevet** – ils passent au-dessus des chapelles et nécessitent un contrefort intermédiaire –, l'étagement des absidioles, du chœur, des bras du transept sont d'un superbe effet.

Le Christ se dresse au trumeau du **portail Sud** encadré par les apôtres aux traits d'ascètes, drapés dans leurs longues robes aux plis souples. Le programme sculpté du porche touche à la fantaisie la plus gracieuse dans les médaillons de part et d'autre des baies.

La **montée aux parties hautes**★ *(195 marches)* donne accès à la galerie inférieure du clocher Neuf, 70 m au-dessus du sol du parvis. *Mai-août : 9h-18h, dim. 13h-18h30 ; sept.-oct. et mars-avr. : 9h30-11h30, 14h-17h, dim. 14h-17h ; nov.-fév. : 10h-11h30, 14h-16h, dim. 14h-16h30. Fermé 1er janv., 1er mai, lun. Pentecôte (ap.-midi), 25 déc. 4€. ☎ 02 37 21 22 07.*

H. Champollion/MICHELIN

Détail du vitrail central de la façade Ouest.

Intérieur

Dans cette église de pèlerinage, le chœur et le transept ont plus d'importance que la nef. Dès les premiers pas, on est saisi par la semi-obscurité régnant dans le vaisseau : cet effet de mystère tient à l'obscurcissement des verrières au cours des siècles.

La parure de **vitraux**★★★ des 12e et 13e s. constitue la plus importante collection de France, avec celle de Bourges *(voir ce nom)*. **Notre-Dame-de-la-Belle-Verrière**★, très célèbre vitrail épargné par l'incendie de 1194, fut réinséré dans un vitrail du 13e s. Admirez la gamme des bleus. Le fameux « bleu de Chartres » du 12e s., limpide et profond, transmet des radiations situées dans la gamme des rouges, et la lumière du soleil couchant l'exalte. Il avait longtemps été considéré comme un secret de fabrication perdu. Les examens en laboratoire ont établi que ces verres, riches en composés sodiques et en silice, ont mieux résisté à la corrosion que les verres d'autres compositions et d'autres époques.

▶▶ Clôture du chœur★ ; crypte★ *(la plus vaste crypte de France : environ 220 m de long)* ; Vieux Chartres★ *(dont la maison du Saumon)*

Cherbourg-Octeville

Sur la côte Nord de la presqu'île du Cotentin, Cherbourg est une ville maritime, dotée de la plus grande rade artificielle du monde et de plusieurs ports dans la ville : port de plaisance, port militaire, port de commerce, port de pêche. En dépit de ses malheurs à travers les siècles, Cherbourg garde un patrimoine monumental très riche, dominé par l'ensemble remarquable de sa grande digue.

La situation

89 704 Cherbourgeois – Cartes Michelin Local 303 A-C 1-2, Regional 512 – Le Guide Vert Normandie Cotentin – Manche (50). Malgré une réputation d'endroit pluvieux, Cherbourg a des moyennes de température proches des pays subtropicaux. L'ensoleillement est même légèrement supérieur à celui de la région parisienne.

ℹ 2 quai Alexandre-III, 50100 Cherbourg-Octeville, ☎ 02 33 93 52 02. www.cherbourg-cotentin.fr

Pour poursuivre la visite, voir aussi : BAYEUX, COUTANCES.

se promener

Ce qui a fait Cherbourg, c'est la digue conçue, dans ses grandes lignes, par le capitaine de vaisseau de La Bretonnière. Les travaux commencèrent en 1783. Au large, à l'alignement de l'île Pelée et de la pointe de Querqueville, le marin prévoyait l'immersion de gigantesques cônes de charpente. Mais la mer détruisait au fur et à

carnet pratique

RESTAURATION

• *À bon compte*

Ferme-auberge La Huberdière – *Le Pommier - 50480 Liesville-sur-Douve - 55 km au SE de Cherbourg par N 13 dir. Carentan et à droite par D 270 - ☎ 02 33 71 01 60 - fermé dim. soir et lun. - réserv. obligatoire - 13/22€.* Après la visite de cet élevage de laitières et chevrettes, traite et fabrication de fromages n'auront plus de secret pour vous. À moins que vous ne préfériez passer directement à table pour déguster les spécialités maison.

L'Estaminet – *Pl. de l'Église - 50480 Ste-Marie-du-Mont-Village - 58 km au SE de Cherbourg par N 13 dir. Carentan et à gauche par D 913 - ☎ 02 33 71 57 01 - fermé janv., mar. soir et mer. de fin sept. à fin juin - 10,40€ déj. - 14,48/25,61€.* Arrêtez-vous sur cette charmante placette à côté de l'église, là où un certain jour de 1944, des milliers d'engins alliés déboulèrent d'Utah Beach. Pour vous remettre de vos émotions, cette jolie auberge normande est tout indiquée, avec ses repas aux senteurs marines.

• *Valeur sûre*

Café de Paris – *40 quai Caligny - 50100 Cherbourg-Octeville - ☎ 02 33 43 12 36 - fermé 11 au 24 mars, 4 au 17 nov., dim. soir et lun. du 1er oct. au 31 mars sf j. fériés - 16,50/32,50€.* Dégustez des fruits de mer en admirant la vue sur le port dans l'une des deux salles à manger. Ce restaurant au décor style bistrot est lumineux et chaleureux avec ses tons pastels et son jeu de miroirs.

Le Faitout – *25 r. Tour-Carrée - 50100 Cherbourg-Octeville - ☎ 02 33 04 25 04 - réserv. obligatoire - 9,50€ déj. - 18/27€.* Avenante devanture de style rétro et bel intérieur lambrissé ressemblant à celui d'un bateau. Dans l'assiette, cuisine traditionnelle et spécialités normandes.

HÉBERGEMENT

• *À bon compte*

La Croix de Malte – *5 r. des Halles - 50100 Cherbourg-Octeville - ☎ 02 33 43 19 16 - fermé 15 j. à Noël - réserv. conseillée - 24 ch. : 25/46€ - ☕ 5€.* Ses chambres, garnies de meubles en pin, sont claires et bien insonorisées. Certaines sont plus spacieuses : réservez-les en priorité. Situation intéressante à deux pas du théâtre et du casino.

Chambre d'hôte Le Fort du Cap Lévi – *7 le Cap Lévi - 50840 Fermanville - 16 km au NE de Cherbourg par D 116 - ☎ 02 33 23 68 68- fermé janv. - 6 ch. : 28/42€ - ☕ 4,60€.* Une adresse pour les amateurs de lieux pittoresques et de grand air marin. Ses chambres confortables sont installées dans les bâtiments d'un fortin construit sous les ordres de Napoléon. Le petit déjeuner est servi dans une véranda avec vue sur la mer.

Hôtel Angleterre – *8 r. P.-Talluau - 50100 Cherbourg-Octeville - ☎ 02 33 53 70 06 - fermé 26 déc. au 10 janv. - 23 ch. : 32,01/45,73€ - ☕ 6,10€.* Dans un quartier calme du centre-ville, c'est un hôtel simple à la façade de crépis blanc. Chambres un peu exiguës, mais en majorité rénovées et égayées de tons pastel. Prix très honnêtes.

mesure ce que la main de l'homme construisait. Pourtant, à force d'engloutir des matériaux, une sorte d'île artificielle se constitua, dont la mer façonna elle-même la courbe. En respectant ce tracé, on put édifier une digue capable de résister aux éléments déchaînés. Les travaux ne se terminèrent qu'en 1853. Le port militaire, commencé sur l'ordre de Napoléon Ier, fut inauguré en 1858 par Napoléon III.

Goûter au charme de la ville peut se faire en se laissant guider par les bornes mises en place au pied des sites les plus intéressants. Il y a six chemins historiques jalonnés de bornes explicatives de 1,5 à 5 km. *Départs : en face de la gare SNCF, en face de la basilique de la Sainte-Trinité et devant l'ancienne gare Transatlantique.*

circuit

PRESQU'ÎLE DU COTENTIN★★

61 km. Quitter Cherbourg à l'Ouest par la D 901. Les marais du Cotentin et du Bessin sont riches en espèces végétales et animales originales. Les sentiers aménagés par le **Parc naturel régional des marais du Cotentin et du Bessin** offrent une découverte ludique de la faune et de la flore à travers les différents milieux des marais, du bocage, des landes, de la forêt et du littoral. *Le Manoir de Cantepie, 17 r. de Cantepie, 50500 Les Veys, ☎ 02 33 71 61 90. www.parc-cotentin-bessin.fr*

Ludiver - Observatoire - Planétarium de La Hague

6 km Ouest de Cherbourg. ♿ Haute sais. : 10h-19h ; basse sais. : tlj sf lun. 13h30-19h (w.-end : 18h). 6,10€ selon les prestations. ☎ 02 33 78 13 80. http://ludiver.lahague.org

Sur le plateau de Flottemanville-Hague et Tonneville, espace météo, espace satellitaire, coronographe et autres appareils d'observation sont accessibles à tous pour lire la féerie du ciel et des galaxies. Le site d'observation bénéficie de conditions idéales, car la pollution lumineuse et atmosphérique est ici minimale.

Goury★

Le petit port comporte une très importante station de sauvetage. Dans son abri, le canot de sauvetage pivote sur une plaque tournante qui permet le lancement à partir de deux voies rayonnantes différentes: l'une dirigée vers l'intérieur du port à marée haute, l'autre vers l'extérieur à marée basse. Au raz Blanchard, les courants de marée sont parmi les plus forts du monde: ils peuvent atteindre 12 nœuds. Au-delà du raz Blanchard se profilent les silhouettes des îles Anglo-Normandes. L'échine granitique de La Hague devient de plus en plus sauvage à mesure que l'on se rapproche d'Auderville et de Jobourg. Le paysage est magnifique.

Baie d'Écalgrain★★

Cette grève solitaire, encadrée de landes tapissées de bruyères, occupe un site d'une grande beauté. À gauche de l'île d'Aurigny (Alderney), apparaissent les îles de Guernesey et de Sercq: au fond se développe la côte Ouest du Cotentin.

Nez de Jobourg★★

Le long promontoire escarpé et décharné, environné d'écueils, est le «finistère» le plus imposant de La Hague. La promenade sur le nez de Voidries permet de le voir sous son aspect le plus impressionnant. Le site est grandiose, notamment quand la mer est turbulente et que les vagues viennent s'écraser avec fracas sur les rochers.

Revenir à Cherbourg par la D 901. De Cherbourg à Barfleur, la route de corniche qui suit la **côte Nord★★** offre entre Bretteville et Fermanville des **points de vue★** intéressants à la pointe du Brulay.

Clermont-Ferrand★★

Une ville ouverte sur les volcans, c'est certainement ce qui fait son charme. Les traditions historiques, le développement industriel, la présence de deux universités: tout désigne Clermont-Ferrand comme la capitale de l'Auvergne. Avec le succès croissant remporté par le Festival du court métrage, Clermont s'impose comme un haut lieu culturel de la région.

La situation

137140 Clermontois - Cartes Michelin Local 326 E-G 7-10, Regional 522 - Le Guide Vert Auvergne - Puy-de-Dôme (63). La métropole régionale est placée au carrefour des principales routes et autoroutes (A71, A72 et A75). L'avenue Thermale, tracée en corniche au Nord de Royat, révèle des **vues★** superbes sur le site.

i Pl. de la Victoire, 63000 Clermont-Ferrand, ☎ 0473986500, www.clermont-fd.com

Pour poursuivre la visite, voir aussi: LE MONT-DORE.

se promener

QUARTIER ANCIEN★★

Flâner dans le vieux Clermont permet de découvrir, dans les ruelles qui gravitent autour de la cathédrale et de la place de la Victoire, les cours des hôtels particuliers et des fontaines au charme baroque.

Fontaine d'Amboise★

Érigée en 1515 par Jacques d'Amboise, évêque de Clermont, cette belle œuvre Renaissance, décorée de rinceaux, a été taillée dans la lave de Volvic.

Basilique N.-D.-du-Port★★

Cette église romane est classée au Patrimoine mondial de l'Unesco. À l'intérieur, le **chœur★★★** est entouré d'un déambulatoire sur lequel s'ouvrent des chapelles rayonnantes. La riche décoration est mise en valeur par l'éclairage des **chapiteaux★**.

Cathédrale N.-D.-de-l'Assomption★★

C'est une belle église gothique inspirée des cathédrales de l'Île-de-France, qui fut commencée en 1248. Au 19e s., Viollet-le-Duc éleva les flèches de lave. Le transept est éclairé par deux magnifiques rosaces, à l'intense coloration rouge *(Sud)* ou violine *(Nord)*. Dans la tribune du croisillon Nord, une horloge à jacquemarts du 16e s. (mécanisme des 17e et 18e s.) frappe les heures. Le **chœur★★** est fermé par de grandes arcades très légères.

LA CITÉ DU PNEU

Vers 1830, un notaire, Aristide Barbier, aux trois quarts ruiné par les vicissitudes financières de cette époque, s'associe avec son cousin Édouard Daubrée pour fonder à Clermont une usine de machines agricoles. Après avoir connu un bel essor, l'usine décline. En 1886, les frères André puis Édouard Michelin, petits-fils de Barbier, la prennent en main. Ils appliquent, les premiers, la méthode scientifique à l'industrie. La satisfaction des besoins réels du client, l'observation scrupuleuse de la réalité, la révision incessante des acquis antérieurs leur permettent de créer le pneu vélo démontable en 1891, le pneu pour auto en 1895, le pneu «Confort» à basse pression en 1923... jusqu'au récent pneu réalisé pour le Concorde.

carnet pratique

Restauration

• À bon compte

Le Bougnat – *29 r. des Chaussetiers - 63000 Clermont-Ferrand - ☎ 04 73 36 36 98 - fermé juil., mar. midi, mer. midi, jeu. midi, ven. midi, sam. midi et Noël - 12€.* Dans la vieille ville, à proximité de la cathédrale, voilà un petit restaurant sympathique dans un cadre campagnard. De bonnes spécialités auvergnates au menu dans une ambiance décontractée. Prix doux.

L'Odevie – *1 r. Eugène-Gilbert - 63000 Clermont-Ferrand - ☎ 04 73 93 90 00 - réserv. conseillée - 10€ déj. - 13/25€.* Une toute nouvelle adresse, à deux pas de la place de Jaude. L'intérieur est flambant neuf : portes automatiques à l'entrée, pont de bois franchissant une petite rivière artificielle, grandes baies vitrées, décor design… Cuisine de style brasserie.

La Fourniale – *63210 Riom - 10 km au N de Clermont-Ferrand par A 71 - ☎ 04 73 87 16 63 - fermé lun.-mar. de sept. à juin, 3 sem. en sept. et 15 j. déb. janv. - réserv. obligatoire hors sais. - 10/17€.* Les amateurs de cuisine auvergnate connaissent cette auberge sise dans une ancienne bergerie. Le cadre est rustique à souhait : tables en bois, auge en pierre scellée dans le mur, saucissons pendus au plafond… Produits frais et une spécialité maison : la truffade.

• Valeur sûre

La Ferme des Trois Canards – *63920 Pont-de-Dore - 39 km au NE de Clermont-Ferrand par A 711, D 769 puis N 89 dir. Thiers - ☎ 04 73 51 06 70 - fermé dim. soir, mar. soir et mer. - 20,60/49€.* Assez isolée, cette ancienne ferme transformée en restaurant est située juste à côté d'un manoir. Ses salles sont plutôt agréablement aménagées, dans un style campagnard qui leur va bien.

La Cour Carrée – *63500 Perrier – 35 km au SE de Clermont-Ferrand par A 75, D 678 dir. Champeix et D 996 dir. Issoire - ☎ 04 73 55 15 55 - fermé vac. de fév., 25 août au 6 sept., lun. midi en juil.-août, dim. soir, mer. soir, lun. et soirs fériés de sept. à juin - 23/32€.* Entrez dans cette ancienne maison de vigneron par la petite cour carrée. L'été, une terrasse y est dressée sous le grand marronnier. L'hiver, installez-vous dans la salle à manger voûtée. Cuisine traditionnelle.

Hébergement

• À bon compte

Lune Étoile La Pardieu – *89 bd Gustave-Flaubert - 63000 Clermont-Ferrand - ☎ 04 73 98 68 68 - P - 45 ch. : 31,50€ - ☕ 4,50€.* Près du parc technologique La Pardieu, architecture cubique composée de deux petits bâtiments : l'un regroupe l'accueil et le restaurant, l'autre les chambres, modernes et fonctionnelles, à l'image de l'ensemble de l'établissement.

L'Aigle d'Or – *8 r. de Lyon - 63300 Thiers - 34 km au NE de Clermont-Ferrand par A 711 et A 72 - ☎ 04 73 80 00 50 - 20 ch. : 39/45€ - ☕ 6€ - restaurant 15/29€.* Cet établissement, fondé en 1836, vient de subir une cure de jouvence. Les chambres sont bien insonorisées. Salle à manger rafraîchie ; cuisine traditionnelle.

• Valeur sûre

Dav'Hôtel Jaude – *10 r. des Minimes - 63000 Clermont-Ferrand - ☎ 04 73 93 31 49 - contact@davhotel.fr - 28 ch. : 41,16/48,78€ - ☕ 6,10€* Vous irez à pied à la cathédrale. Cet hôtel moderne dans une petite rue calme est à deux pas du vieux quartier. Les chambres sont confortables et fonctionnelles. Salle des petits déjeuners coquette avec ses couleurs et motifs provençaux.

• Une petite folie !

Coubertin – *63000 Clermont-Ferrand - ☎ 04 73 93 22 22 - 81 ch. : 81,50/90€ - ☕ 10,50€ - restaurant 18,50€.* Chambres au mobilier coloré dans un immeuble récent. Côté rue, elles bénéficient de la vue sur les volcans. Bistrot d'inspiration Art déco.

Achats

Espace Michelin – *2 pl. de la Victoire - 63000 Clermont-Ferrand - ☎ 04 73 90 20 50.* Mondialement connu et particulièrement représenté à Clermont, Bibendum se devait d'avoir une boutique où sont présentés ses nombreux produits touristiques.

Le vieux Montferrand★★

Montferrand doit son origine aux comtes d'Auvergne, qui élevèrent un château fort afin de concurrencer l'autorité de l'évêque, seigneur de Clermont. Les demeures des anciens vignerons et maraîchers sont modestes, celles des commerçants sont à pans de bois, avec un rez-de-chaussée en pierre où s'ouvraient les arcades des étals et les hôtels particuliers des négociants et officiers sont en pierre de Volvic.

Musée d'Art Roger-Quilliot★★

♿ *Tlj sf lun. 10h-18h. Fermé 1er janv., 1er mai, 1er nov. et 25 déc. 4€, gratuit 1er dim. du mois. ☎ 04 73 16 11 30.*

Les collections sont présentées de façon chronologique, tous genres confondus. C'est donc de façon très agréable que vous pourrez admirer, au fil des salles, émaux du Limousin, Vierges romanes auvergnates, peintures françaises, italiennes et flamandes du 17e s. Le 20e s. est présent avec des bustes (*Mme de Massary* par Camille Claudel) et des toiles de Bernard Buffet, Othon Friesz, Édouard Goerg, etc.

alentours

Issoire★★

35 km au Sud-Sud-Est de Clermont-Ferrand. **L'abbatiale St-Austremoine★★** fut bâtie au 12e s. Son **chevet★★** est un exemple accompli de l'art roman auvergnat par l'harmonie des proportions, la pureté des lignes et la sobriété de la décoration. Remarquez les sculptures figurant les signes du zodiaque.
Composée de deux étages, la nef frappe par ses proportions ; la décoration peinte, du 19e s., lui donne une tonalité chaleureuse. En vous avançant dans l'allée centrale et dans le chœur, levez les yeux pour admirer les **chapiteaux★** historiés.

Riom★★

15 km au Nord de Clermont-Ferrand. Sur une butte dominant une grande plaine, l'ancienne sénéchaussée d'Auvergne garde, à l'intérieur des boulevards tracés à l'emplacement de ses remparts, de nombreux témoignages de sa splendeur passée. Cette ville très festive mêle musique, patrimoine, gastronomie et savoir-faire en un été animé qui se termine en beauté par un Festival de jazz.

Musée régional d'Auvergne★ – *Juin-sept. : tlj sf mar. 10h-12h, 14h30-18h ; oct.-mai : tlj sf mar. 10h-12h, 14h-17h30. Fermé 1er janv., Foire des Cendres (fév. ou mars), Pâques, 1er mai, Foire St-Amable (juin), 14 juil., 15 août, 19 oct., 1er et 11 nov., 25 déc. 4,10€, gratuit mer. ☎ 04 73 38 17 31.*
Ce musée d'arts et traditions populaires conserve une remarquable collection d'outils ruraux ou artisanaux, de meubles, de jeux, de costumes et d'intérieurs auvergnats.

Sainte-Chapelle★ – *Juil.-août : visite guidée (1/2h, dernière entrée 1/2h av. fermeture) tlj sf w.-end 10h-12h, 14h30-17h30 ; juin et sept. : tlj sf w.-end 15h-17h ; avr.-mai : mer. 15h-17h. Visite adaptée aux non-voyants et déficients visuels. Fermé 1er janv., 1er et 8 mai, 14 juil., 15 août et 25 déc. 0,25€. ☎ 04 73 38 99 94.*
En 1360, le duc Jean de Berry, fils de Jean le Bon, reçoit en apanage la terre d'Auvergne. Personnage fastueux et dispendieux, il a autour de lui une brillante

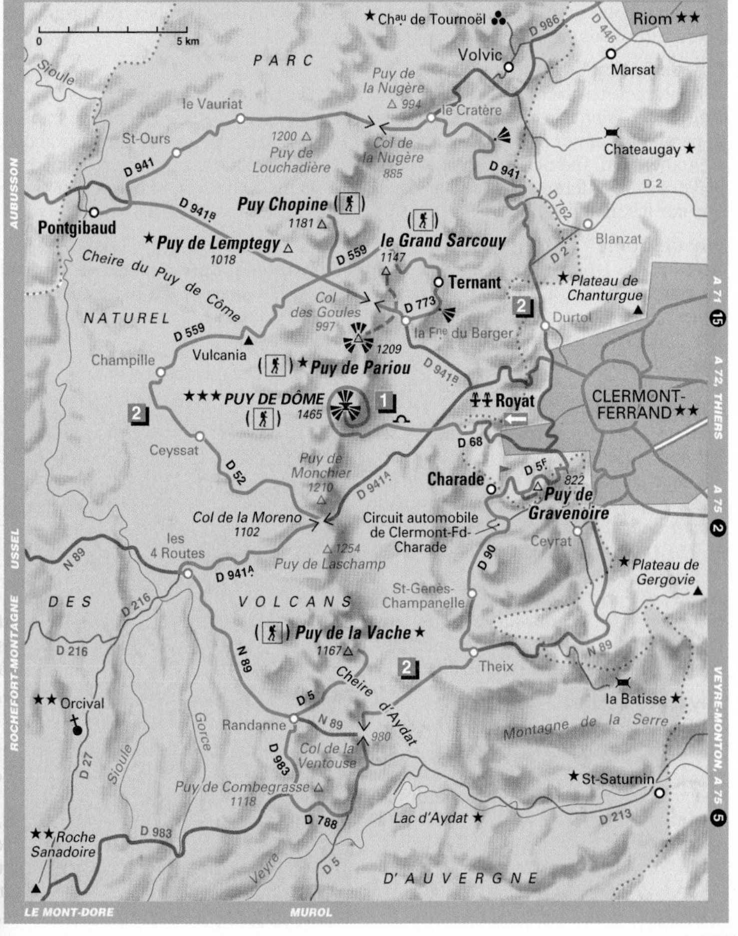

cour d'artistes et choisit Riom comme une de ses résidences favorites. Il ordonne d'importants travaux dans le vieux château, dont il ne subsiste que la chapelle. Le chœur est éclairé par des **vitraux★** remarquables de la fin du 15e s.

Thiers★★

Ce sont les eaux de la Durolle qui ont fait sa fortune. Les industries du papier et des couteaux y sont pratiquées depuis le 15e s., et si la première a presque disparu, la seconde maintient le renom de la cité.

Maison des couteliers – *Juil.-août: 10h-18h30; dim. 10h-12h, 14h-18h30 ; juin et sept. : 10h-12h, 14h-18h30; oct.-mai: tlj sf lun. 10h-12h, 14h-18h. Visite guidée des ateliers (20mn). Fermé janv., 1er mai, 1er nov. et 25 déc. 3,90€. ☎ 04 73 80 58 86.*

L'histoire des métiers de la coutellerie est expliquée et se termine par la démonstration du travail d'un émouleur. Au n° 58, la visite se poursuit dans les ateliers où polisseurs, façonneurs, monteurs et sculpteurs exécutent des couteaux haut de gamme en petite série. Au sous-sol, le montage son et lumière évoque l'univers assourdissant des forges. Au 1er étage: admirez la superbe donation Frédéric-Albert Peter.

circuit

LA CHAÎNE DES PUYS★★★

Quitter Clermont au Nord-Ouest par la D 941B.

Une multitude de volcans, cônes à cratères simples ou emboîtés et dômes de lave durcie qui ont conservé leur forme originelle: ils sont là, juste à l'Ouest de Clermont, entre les gorges de la Sioule et la grande Limagne. Sur une longueur de 40 km environ, quelque 80 volcans éteints forment un long alignement.

Volcan à ciel ouvert★

Juil.-août: 9h30-18h, mar. et jeu. nocturne à pzartir de 22h ; avr.-juin et sept.-oct. : 9h30-17h ; de mi-fév. à fin mars : 14h-16h. Visite guidée (2h) w.-end et j. fériés. Fermé 1er janv., 24-25 et 31 déc. 6,50€. ☎ 04 73 62 23 25.

Alt. 1 018 m. Le sentier de découverte du **puy de Lemptégy**, agrémenté d'un parcours botanique, permet d'observer cendres, lapilli, bombes remarquables, laves, qui se sont accumulés.

Puy de Pariou★

Laisser la voiture sur la D 941B à 500 m de la fontaine du Berger, en direction de Pontgibaud, et prendre (1h1/2 à pied AR) un chemin à gauche. Alt. 1 209 m. On franchit la paroi du premier cratère d'où est sortie la coulée, qui traverse la route aux abords d'Orcines. On atteint ensuite le second et superbe cratère, entonnoir régulier de 950 m de circonférence et d'une profondeur de 96 m. Du bord de ce cratère, très belle vue sur les monts Dôme.

Puy de Dôme★★★

Accès par la D 68, qui rejoint après La Font-de-l'Arbre la **route à péage** du sommet du puy de Dôme. *De mi-juin à fin août : 7h-22h (en fonction des conditions climatiques) ; mai et sept. : 7h-21h30 ; avr. : 8h-20h ; mars : 8h-19h ; oct. : 8h-19h30 ; nov : 8h-18h ; w.-end déc. et vac. scol. Noël : 9h-17h. 4,5€/voiture, 3€/moto. Juil.-août : navettes 10h-18h ; mai, juin et sept. : w.-end et j. fériés 12h30-18h. 3,5€ AR (enf. : 1,40€). Mai-sept. : route réservée aux cyclistes mer. et dim. 7h-8h30. Accès interdit aux piétons et deux-roues dont le cylindrée est inférieure à 125 cm3. ☎ 04 73 62 12 18 (péage) ou 04 73 62 21 46 (centre d'accueil d'avr. à oct.).*

Alt. 1 465 m. La montée au puy de Dôme et son **panorama★★★**, qu'il est préférable de voir en fin de journée, laissent des souvenirs inoubliables.

Vue aérienne du puy de Dôme, le volcan le plus élevé de la chaîne.

Puy de la Vache★

Le chemin d'accès au cratère (1h à pied AR) part sur la gauche de la D 5. Alt. 1 167 m. Ce volcan offre un des spectacles les plus évocateurs de la chaîne des Puys.

Cluny★★

Le nom de Cluny évoque l'épopée spirituelle du Moyen Âge. Depuis la Bourgogne, l'ordre clunisien exerça une influence considérable sur la vie religieuse, intellectuelle, politique et artistique de l'Occident. Il a donné des papes français à l'Église et constitué une sorte de monarchie universelle. Saccagé après la Révolution, ce haut lieu de la civilisation n'a gardé de la basilique que de maigres fragments.

La situation

4376 Clunisois – Cartes Michelin Local 320 E-J 10-11, Regional 520 – Le Guide Vert Bourgogne – Saône-et-Loire (71). Sur la D980, à 26 km au Nord-Ouest de Mâcon. Pour avoir une vue d'ensemble de la cité, restée dans ses dimensions médiévales, monter à la tour des Fromages. *6 r. Mercière, 71250 Cluny, ☎ 03 85 59 05 34.*

Pour poursuivre la visite, voir aussi : BOURG-EN-BRESSE, AUTUN, BEAUNE.

carnet pratique

Restauration

• *Valeur sûre*

La Poste et Hôtel La Reconce – *71600 Poisson - 8 km au S de Paray-le-Monial par D 34 - ☎ 03 85 81 10 72 - fermé fév., 30 sept. au 17 oct., lun. et mar. sf le soir en juil.-août - 19,90/72€.* D'un côté, le restaurant dans une maison en pierre : salle à manger prolongée d'une véranda et d'une terrasse d'été. Premier menu intéressant. De l'autre, une maison 1900 rénovée, des chambres confortables avec leurs meubles en merisier et parquets cirés.

Aux Terrasses – *18 av. du 23-Janvier - 71700 Tournus - 35 km au NE de Cluny par D 15 et D 85 - ☎ 03 85 51 01 74 - fermé 6 janv. au 3 fév., 17 au 24 juin, 11 au 18 nov., dim. soir sf juil.-août, mar. midi et lun. - 16€ déj. - 22,50/45,50€.* Faites un détour par ce restaurant réputé, à l'écart du centre-ville, vous ne le regretterez pas. La cuisine est soignée et goûteuse avec un bon choix de menus, certains à prix raisonnables. Quelques chambres au mobilier en bois cérusé.

Hébergement

• *Valeur sûre*

Hôtel Bourgogne – *Pl. de l'Abbaye - 71250 Cluny - ☎ 03 85 59 00 58 - fermé déc.-janv., mar. et mer. en fév. - 13 ch. : 75/115€ - ☕ 9,50€ - restaurant 20,50/39€.* Cet hôtel de caractère, tout en longueur, où Lamartine venait se reposer, fait face à l'ancienne abbaye. Les chambres sont sobres mais confortables et bien tenues. Salle à manger cossue avec cheminée. Terrasse dans la cour fleurie.

visiter

Ancienne abbaye★★

Juil.-août : 9h-19h ; sept. : 9h-18h ; avr.-juin : 9h30-12h, 14h-18h ; oct. : 9h30-12h, 14h-17h ; de déb. nov. à mi-fév. : 10h-12h, 14h-16h ; de mi-fév. à fin mars : 10h-12h, 14h-17h. Fermé 1er janv., 1er mai, 1er et 11 nov., 25 déc. 5,50€ billet jumelé avec le musée d'Art et d'Archéologie (18-25 ans : 3,50€). ☎ 03 85 59 12 79 ou 03 85 59 89 97.

L'abbaye bénédictine connaît peu après sa fondation par Guillaume d'Aquitaine un développement très rapide. Lorsque la gigantesque abbatiale est achevée sous Pierre le Vénérable, la communauté compte alors 460 moines.

Trois édifices se sont succédé. La première église – Cluny I – fut construite dans la tradition carolingienne au début du 10e s. Cluny II, exemple précoce du premier art roman, fut édifiée au début du 11e s. Cluny III, élevée en grande partie de 1088 à 1130, était la plus vaste église de la chrétienté (longueur intérieure de 177 m) jusqu'à la reconstruction de St-Pierre de Rome au 16e s. (186 m).

En 1790, l'abbaye est fermée. Commencent alors les profanations. Les bâtiments sont achetés en 1798 par un marchand de biens qui entreprend consciencieusement la démolition de la nef. Si bien qu'en 1823 ne restent debout que les parties encore visibles de nos jours : les croisillons droits des deux transepts.

Les dimensions du croisillon droit (32 m sous la coupole) sont exceptionnelles dans l'art roman dont il est un pur spécimen. La travée centrale, couverte d'une coupole octogonale sur trompes, porte le beau **clocher de l'Eau-Bénite★★**.

Tour des Fromages

Juil.-août : 10h-19h ; sept. : 10h-12h45, 14h-19h ; avr.-juin : 10h-12h30, 14h30-19h ; oct. : tlj sf dim. 10h-12h30, 14h30-18h ; nov.-mars : tlj sf dim. 10h-12h30, 14h30-17h. Fermé 1er janv., 1er mai, 1er et 11 nov., 25 déc. 1,25€. ☎ 03 85 59 05 34.

Du haut de la tour du 11e s. *(120 marches)*, vue sur l'abbaye et le clocher de l'Eau-Bénite, le Farinier et la tour du Moulin, le clocher de St-Marcel, la place et l'église Notre-Dame.

Musée d'Art et et d'Archéologie★

Mêmes conditions de visite que pour l'ancienne abbaye.
Installé dans l'ancien palais abbatial, gracieux logis du 15e s., il abrite les vestiges de l'abbaye découverts lors des fouilles. Des maquettes dans la salle d'entrée et, à l'étage, un audiovisuel *(16mn)* reconstituant Cluny III en images de synthèse permettent de mieux appréhender la grandeur de l'abbatiale.

alentours

Paray-le-Monial★★

53 km à l'Ouest de Cluny. Bel exemple d'architecture clunisienne, la **basilique du Sacré-Cœur★★** est un lieu de pèlerinage qui, en tant que berceau de la dévotion au Sacré-Cœur de Jésus, attire les foules. Construite d'un jet entre 1092 et 1109, sous la direction de saint Hugues, abbé de Cluny, l'église peut être considérée comme un modèle réduit de Cluny III.
À l'intérieur, à la hauteur de l'édifice (22 m dans la nef) et à la sobriété du décor s'ajoutent les caractéristiques de l'art clunisien : voûte en berceau brisé, au-dessus des grandes arcades court un faux triforium où alternent baies et pilastres, des fenêtres hautes surmontent l'ensemble, créant une ordonnance à trois niveaux.

Tournus★

33 km au Nord-Est de Cluny par la D15 puis la D56. Un cadre agreste, la navigation touristique sur la Saône, une ville riche de vieilles pierres et les vins renommés du Mâconnais, que de bonnes raisons pour faire une halte à Tournus !
Abbaye★★ – La façade de l'église St-Philibert se présente comme une sorte de donjon percé d'archères. Et le parapet crénelé avec mâchicoulis reliant les tours accuse l'aspect militaire de l'édifice (10e-11e s.). Observez aussi la disposition originale de la voûte de la nef composée d'une suite de berceaux transversaux juxtaposés qui reposent sur des arcs doubleaux, aux claveaux alternativement blancs et roses. Édifiés au début du 12e s., le transept et le chœur tranchent avec le reste de la construction par la blancheur de la pierre et montrent l'évolution rapide de l'art roman. Après l'ampleur de la nef, le chœur surprend par son étroitesse, l'architecte ayant dû suivre les contours de la crypte existante.
Cette **crypte★** aux murs épais est une construction de la fin du 10e s. dont la hauteur sous clef de voûte (3,50 m) est exceptionnelle.
Hôtel-Dieu★ – ♿ *Avr.-oct. : tlj sf mar. 11h-18h. 4,60€. ☎ 03 85 51 23 50.*
Les salles ont été restaurées pour témoigner des conditions de soins et de vie hospitalière depuis le 17e s. : lits clos en chêne et une très belle **apothicairerie★** qui conserve pas moins de 300 pots en faïence de Nevers. L'hôtel-Dieu abrite le **musée Greuze**.

Château de Cormatin★★

13 km au Nord de Cluny par la D981 au long de la Grosne. De mi-juil. à mi-août : visite guidée (3/4h) 10h-18h30 ; de déb. juin à mi-juil. et de mi-août à fin sept. : 10h-12h, 14h-18h30 ; avr-mai : 10h-12h, 14h-17h30. Visite libre du parc. 6,50€. ☎ 03 85 50 16 55.
Élevé au lendemain des guerres de Religion de 1605 à 1616 par le gouverneur de Chalon, Antoine Du Blé d'Huxelles, Cormatin revêt une architecture sobre aux lignes rigoureuses, caractéristiques de l'époque. Les façades illustrent le style « rustique français » : refus des ordres antiques (sauf pour les portes de la cour), haut soubassement de pierre, chaînages des angles et des encadrements de fenêtres… Les larges fossés en eau et les pavillons d'angle à échauguettes et canonnières lui donnent une apparence défensive.

Cormatin. Voici un château que l'on peut qualifier de royal : conçu vraisemblablement par un architecte des Bâtiments d'Henri IV, Jacques II Androuet du Cerceau.

À l'intérieur, l'aile Nord possède un rare **escalier★★** monumental à cage unique (1610) dont les trois volées droites tournent autour d'un vide central. C'est le plus ancien et le plus vaste spécimen de ce type, succédant aux escaliers Renaissance à deux volées séparées par un mur médian.
La somptueuse décoration Louis XIII de l'aile Nord est l'œuvre du marquis Jacques Du Blé et surtout de son épouse Claude Phélipeaux. Intimes de Marie de Médicis, habitués du salon littéraire des Précieuses, ils voulurent recréer dans leur résidence d'été la sophistication de la mode parisienne.
Les ors, peintures et sculptures qui couvrent murs et plafonds témoignent d'un maniérisme érudit où tableaux, décor et couleurs sont chargés d'un sens allégorique. L'**antichambre de la marquise★** est un hommage au roi Louis XIII, représenté en jeune cavalier au-dessus de la cheminée. La **chambre de la marquise★★** possède un magnifique plafond à la française or et bleu. Au boudoir et à la garde-robe succède le **cabinet des Curiosités★★**, qui abrite un des plus anciens plafonds « à ciels ». Dans le **cabinet de Ste-Cécile★★★**, pièce réservée à la lecture et à la méditation, l'opulente décoration baroque est dominée par un intense bleu de lapis-lazuli et de riches dorures.

▶▶ Roche de Solutré★★

Cognac★

Venez mener l'enquête à Cognac pour découvrir d'où viennent les étranges champignons microscopiques qui noircissent les maisons. Pensez aux vapeurs d'alcool, et plongez dans la noirceur, tous les ans au printemps, lors du Festival international du film policier. Dans cette localité mondialement connue grâce à l'eau-de-vie qui porte son nom, on perce le secret du cognac en visitant les chais où se produit l'alchimie liquoreuse.

La situation

19 534 Cognaçais – Cartes Michelin Local 324 I 5-6, Regional 521 – Le Guide Vert Poitou Vendée Charentes – Charente (16). Cognac est sur la N 141 entre Saintes et Angoulême. La place François-Ier, ornée d'une fontaine, est le centre animé de la ville.
ℹ 16 r. du 14-Juillet, 16100 Cognac, ☎ 05 45 82 10 71. www.tourisme-cognac.com
Pour poursuivre la visite, voir aussi : ANGOULÊME, ROYAN, SAINTES, ROCHEFORT.

découvrir

LE COGNAC PAR LES CHAIS★

Les chais sont répartis sur les quais, près du port et dans les faubourgs.

Camus

Mai-oct. : visite guidée (1h1/4) tlj sf w.-end 9h15-18h30 ; nov.-avr. : sur demande tlj sf dim. et j. fériés 8h30-12h, 14h-18h. Fermé j. fériés. Gratuit. ☎ 05 45 32 72 96. www.camus.fr
La visite de cette maison de négoce du cognac, fondée en 1863, permet de se familiariser avec l'histoire du cognac, sa distillation, son vieillissement et son assemblage. On entre ensuite dans la tonnellerie et dans les chais avant d'assister à l'embouteillage.

carnet pratique

RESTAURATION

● ***Valeur sûre***

La Boîte à Sel – *68 av. Victor-Hugo - 16100 Cognac - sur rte d'Angoulême - ☎ 05 45 32 07 68 - fermé 23 déc. au 8 janv. et lun. - 20/53€.* Cette ancienne épicerie, dans une rue commerçante tout près de la place François-Ier a gardé quelques détails pittoresques, comme ses étagères garnies de bouteilles, son petit comptoir et son plancher en bois couvert de tapis... Cuisine de terroir.

HÉBERGEMENT

● ***À bon compte***

Hôtel Résidence – *25 av. Victor-Hugo - 16100 Cognac - ☎ 05 45 36 62 40 - la residence@free.fr - 20 ch. : 38,10/49,60€ - ☕ 6,10€.* La façade sobre aux pierres apparentes contraste avec les couleurs qui habillent l'intérieur de cet hôtel. Salon à dominantes verte et rouge grenat, salle des petits déjeuners moderne aux tons rose et fuchsia et chambres fonctionnelles aux tissus très colorés.

Hennessy

♿ *Juin-sept.: visite guidée (1h1/4) 10h-18h ; mars-mai et oct.-déc.: 10h-17h. Fermé 1er mai et 25 déc. 5€. ☎ 05 45 35 72 68. www.hennessy.com*

Après douze ans de service dans la brigade irlandaise des régiments de Louis XV, le capitaine Richard Hennessy, lassé de la vie des camps, découvre la Charente en 1760, et s'installe à Cognac. Conquis par l'élixir, il en expédie quelques fûts à ses proches restés en Irlande. En 1765, il fonde une société de négoce qui connaîtra une grande prospérité. Ce sont ses descendants qui dirigent la maison.

Les chais s'étendent de part et d'autre de la Charente que l'on traverse en bateau. Appuyés par des scénographies (sons, odeurs), ils dévoilent les étapes nécessaires à l'élaboration du cognac: double distillation, fabrication des fûts de chêne, vieillissement et assemblage des eaux-de-vie. Un film et la visite d'exposition précèdent la dégustation du cognac.

Le bâtiment Hennessy, conçu par l'architecte **Wilmotte**, reprend les trois symboles du cognac: le cuivre (alambic), le chêne (tonnellerie), le verre (bouteille).

Martell

Juin-sept: visite guidée (1h) 9h30-18h, w.-end et j. fériés 12h-18h; oct.-mai: tlj sf w.-end 9h30-12h, 14h-18h, ven. 9h30-12h. Fermé de fin déc. à déb. janv. et Pâques. 4€. ☎ 05 45 36 34 98.

Voici la plus ancienne des grandes maisons de cognac. Jean Martell, natif de l'île de Jersey, s'installa dans le pays en 1715. On visite la chaîne d'embouteillage, puis des chais de stockage et de vieillissement où le cognac se bonifie pendant six à huit ans en fûts de chêne. On utilise ce bois pour son léger tanin qui donne au cognac sa couleur, et ses fibres serrées qui limitent l'évaporation de l'alcool. Dans la maison du fondateur, trois pièces restituent l'atmosphère de vie et de travail d'un entrepreneur du début du 18e s. Avant de rejoindre le hall pour une dégustation, vous êtes invités à jeter un coup d'œil aux chais les plus prestigieux: le «purgatoire» et le «paradis» où séjournent des eaux-de-vie parfois plus que centenaires.

Rémy Martin

4 km au Sud-Ouest par la D 732. Prendre la direction de Pons, puis tourner à gauche sur la D 47 vers Merpins. Juil.-août: visite guidée (1h1/2) 10h-17h30; avr-juin et sept.-oct. : 10h-11h, 13h30-16h30. Fermé 1er mai. 5€. Réservation recommandée. ☎ 05 45 35 76 66. www.remy.com

Cette entreprise fondée en 1724 élabore exclusivement ses cognacs à partir des deux premiers crus de la région: la Grande et la Petite Champagne. La visite s'effectue à bord d'un train. On traverse la tonnellerie, puis une parcelle de vigne et des chais de vieillissement. Deux spectacles audiovisuels clôturent le parcours.

▶▶ Musée du Cognac

Colmar★★★

Ses fontaines, ses cigognes, ses maisons à colombages, ses géraniums aux balcons disent tout de son appartenance à l'Alsace... Si le patrimoine culturel est inépuisable, les plaisirs de la table le sont tout autant. En plus, c'est un excellent point de départ pour découvrir la route des Vins.

La situation

86 832 Colmariens – Cartes Michelin Local 315 I 8 – Le Guide Vert Alsace-Lorraine – Haut-Rhin (68). Est-il besoin de situer cette jolie ville, l'une des plus visitées d'Alsace? Elle se trouve à mi-chemin entre Strasbourg et Bâle, reliée aux deux grandes cités par l'A 35. Nombreux parkings, au long des avenues conduisant au centre-ville. Notez bien: celui-ci est en grande partie piétonnier...

ℹ 4 r. Unterlinden, 68000 Colmar, ☎ 03 89 20 68 92.

Pour poursuivre la visite, voir aussi: MULHOUSE, RIQUEWHIR, MASSIF DES VOSGES, BELFORT, STRASBOURG.

se promener

LA VILLE ANCIENNE★★

Place de l'Ancienne-Douane

C'est l'une des plus pittoresques de Colmar avec ses constructions à pans de bois, dont la maison au Fer rouge.

L'**ancienne Douane**★ (ou Koifhus) se distingue par son toit de tuiles vernissées. Au rez-de-chaussée du corps de logis principal (1480), on entreposait les marchandises soumises à l'impôt communal.

Restauration

• *À bon compte*

Le Caveau St-Pierre – *24 r. de la Herse (Petite Venise) - 68000 Colmar - ☎ 03 89 41 99 33 - fermé 1 sem. fin juin-déb. juil. - réserv. conseillée - 13/25€.* Un petit coin de paradis que cette maison du 17e s. à laquelle on accède par une jolie passerelle en bois enjambant la Lauch. Décor rustique fidèle à la tradition alsacienne et terrasse les pieds dans l'eau. Plats du terroir.

L'Auguste – *20 pl. de la Cathédrale - 68000 Colmar - ☎ 03 89 24 93 88 - fermé 15 j. en juil., 3 sem. en nov., mar. soir et mer. - 15/30€.* Soyez attentif, faites le tour de la collégiale St-Martin et découvrez ce restaurant avec ses arcades de granit rose. Dedans, c'est le blanc qui domine, à moins que vous ne préfériez la petite terrasse intime... Plats classiques et de saison.

R. Mattes/MICHELIN

Hébergement

• *Valeur sûre*

Hôtel Turenne – *10 rte de Bâle - 68000 Colmar - ☎ 03 89 21 58 58 - helmlinger@turenne.com - 83 ch. : 51/63€ - ☕ 7,30€.* En périphérie de la vieille ville, cet hôtel est loti dans une grande maison avenante, à la façade rose et jaune. Ses chambres rénovées sont bien insonorisées et agréablement aménagées. Quelques singles, petites mais proprettes et peu chères.

Hôtel Le Colombier – *7 r. de Turenne - 68000 Colmar - ☎ 03 89 23 96 00 - info@hotel-le-colombier.com - fermé vac. de Noël - 24 ch. : 70/180€ - ☕ 10€.* Dans le vieux Colmar, cette belle maison du 15e s. marie vieilles pierres et décor contemporain : ses installations laissent apparaître des vestiges de son passé, comme le superbe escalier Renaissance. Mobilier design, tableaux modernes et chambres soignées.

Achats

Maison des vins d'Alsace - Civa – *12 av. de la Foire-aux-Vins - 68000 Colmar - ☎ 03 89 20 16 20 - www.vinsalsace.com - lun.-ven. 9h-12h, 14h-17h - fermé Noël au J. de l'an.* Ce centre regroupe cinq importants organismes viticoles régionaux. Carte en relief de 6 m de long indiquant villages et grands crus, écrans interactifs présentant le travail du vigneron et les vins d'Alsace, jeu olfactif, audiovisuel sur le vignoble, centre de documentation, brochures, affiches et accessoires publicitaires : tout, tout, tout, vous saurez tout sur les vins alsaciens !

Maison Pfister**

Petit bijou de l'architecture locale, elle a été construite en 1537 pour un chapelier de Besançon. Remarquez la façade peinte, l'oriel d'angle vitré et la galerie du second étage sculptée et soutenue par de belles consoles ouvragées.

Dans la même rue, voir la **maison Schongauer** ou **de la Viole**, qui appartint à la famille du peintre (15e s.) et la **maison au Cygne**, où il aurait vécu.

Église des Dominicains

Avr.-déc. : 10h-13h, 15h-18h.

Dans cet édifice au remarquable et surprenant vaisseau élancé, éclairé par des **vitraux*** des 14e et 15e s., voyez la **Vierge au buisson de roses****, œuvre majeure de Schongauer (1473) où la Vierge et l'Enfant se détachent sur un fond d'or couvert de rosiers, habité d'oiseaux. Ce tableau admirablement conservé est d'une rare élégance. Le visage laisse transparaître une paix intérieure qui irradie la composition.

LA PETITE VENISE*

Quartier des Tanneurs

Bien que restauré, il témoigne de l'activité qui y régna jusqu'au 19e s. Les maisons à pans de bois y sont étroites et hautes, car elles comportaient un grenier pour le séchage des peaux.

En franchissant le pont sur la Lauch, on entre dans le **quartier de la Krutenau***, jadis bourg fortifié peuplé de maraîchers qui circulaient sur les cours d'eau en barques à fond plat.

La **rue de la Poissonnerie*** et ses maisons de pêcheurs colorées aboutissent à la rue de Turenne, où se tenait autrefois le marché aux légumes.

Loisirs-Détente

Promenade en bateau – *☎ 03 89 41 01 94 - avr.-sept. : promenade (1/2h) 10h-19h ; oct. et mars : w.-end 10h-12h, 13h-18h - 5,50€ (-10 ans : gratuit).* Des canaux, des barques pour se promener dans la Petite Venise. Si la saison s'y prête, n'hésitez pas à tenter cette promenade sur le canal. Embarquement au bas du pont St-Pierre.

La promenade aménagée le long de la berge mène au pont St-Pierre, d'où l'on a un remarquable **point de vue★** sur la Petite Venise et le vieux Colmar.
La place du Marché-aux-Fruits est bordée par la **maison Kern**, Renaissance, et par la jolie façade classique en grès rose du **tribunal civil★**, sur la gauche.

La Petite Venise, arrosée par la Lauch.

visiter

Musée d'Unterlinden★★★

Avr.-oct.: 9h-18h; nov.-mars: tlj sf mar. 10h-17h (horaires susceptibles d'être modifiés : se renseigner). Fermé 1er janv., 1er mai, 1er nov. et 25 déc. 5,50€ (enf.: 4€), audioguide 7€. ☎ 03 89 20 15 50.

Le bâtiment du musée occupe un couvent de moniales fondé au 13e s.
Les salles autour du **cloître★** sont consacrées à l'art rhénan: peintures et sculptures, bronzes, vitraux, ivoires, tapisseries, datant de la fin du Moyen Âge ou de la Renaissance. Les primitifs rhénans sont représentés par Holbein l'Ancien, Cranach l'Ancien, Gaspard Isenmann et les gravures sur cuivre de **Martin Schongauer** (1445-1491). Cet artiste est né à Colmar et y a exécuté presque toute son œuvre peinte. Ses gravures ont été admirées autant par Dürer que par les artistes vénitiens de la Renaissance.
Conservé dans la chapelle, avec des œuvres de Schongauer et de son entourage (**retable de la Passion★★** en 24 panneaux), le **retable d'Issenheim★★★** a été exécuté vers 1500-1515 par Grünewald pour l'église du couvent des Antonites d'Issenheim. Cet ordre était spécialisé dans le traitement du «mal des ardents» ou «feu de saint Antoine» (empoisonnement au seigle ergoté). Le réalisme des détails (carafe en verre, poignée de coffre, baquet) le dispute à l'invention, à la poésie (ange aux plumes vertes) et même à l'humour des décors et des personnages (soldat renversé, son casque sur le nez). Dans la Crucifixion, la douleur physique qui émane des mains clouées sur la croix, du corps raidi et déchiré de plaies est difficilement supportable.
Voyez à l'étage les intérieurs reconstitués, et dans le sous-sol, des œuvres de peintres du 20e s.: Rouault, Picasso, Viera da Silva, Nicolas de Staël, Poliakoff...

Musée Bartholdi

Mars-déc.: tlj sf mar. 10h-12h, 14h-18h (dernière entrée 20mn av. fermeture). Fermé 1er mai, 1er nov. et 25 déc. 4€. ☎ 03 89 41 90 60.

Les appartements de la maison natale du sculpteur Auguste Bartholdi (1834-1904), au 1er étage, sont meublés comme au temps de l'artiste; y sont évoqués sa vie et ses œuvres, du *Lion de Belfort* au *Vercingétorix* de Clermont-Ferrand. Le 2e étage est tout entier consacré à la statue de la Liberté du port de New York.

Musée animé du Jouet et des Petits Trains

♿ *Juil.-sept.: 9h-18h (dernière entrée 1/2h av. fermeture); oct.-juin: tlj sf mar. 10h-12h, 14h-18h. Fermé 10 j. en janv. (se renseigner), 1er janv., 1er mai, 1er nov. et 25 déc. 4€. ☎ 03 89 41 93 10.*

☺ Installé dans un ancien cinéma, ce coin de paradis s'adresse à tous, petits et grands enfants: poupées, chevaux, avions, machines à coudre, sans oublier wagons et locomotives de la collection Trincot (circuit de 800 m où circulent une vingtaine de trains de marques et d'écartements variés). Amusantes vitrines animées sur le thème de la fête foraine et du cirque.

Compiègne★★★

Compiègne a été résidence royale avant d'être le témoin des réceptions fastueuses du Second Empire. Les uns aimeront revivre ce passé en visitant le château, tandis que les amoureux de la nature suivront l'un des nombreux itinéraires de sa célèbre forêt où a été signé l'armistice du 11 novembre 1918.

La situation

69 903 Compiégnois – Cartes Michelin Local 305 H 4, Regional 513 – Oise (60). À 81 km au Nord de Paris, accès par l'autoroute A1. La forêt domaniale, peuplée de hardes de cervidés, est le paradis des randonneurs. Trois équipages de chasse à courre animent encore l'ancienne terre giboyeuse des rois francs.

Pl. de l'Hôtel-de-Ville, 60200 Compiègne, ☎ 03 44 40 01 00. wwwmairie.compiegne.fr

Pour poursuivre la visite, voir aussi : CHÂTEAU DE CHANTILLY, LAON, AUVERS-SUR-OISE.

carnet pratique

RESTAURATION

• ***Valeur sûre***

Le Bistrot des Arts – *35 cours Guynemer - 60200 Compiègne - ☎ 03 44 20 10 10 - fermé sam. midi et dim. - 17,53/21,34€.* Au rez-de-chaussée de l'hôtel des Beaux-Arts, le charme d'un vrai bistrot décoré d'objets variés et de gravures. Aux fourneaux, le chef concocte une bonne petite cuisine du marché.

HÉBERGEMENT

• ***Valeur sûre***

Hôtel Les Beaux Arts – *33 cours Guynemer - 60200 Compiègne - ☎ 03 44 92 26 26 - 37 ch. : 54,80/85,37€ - ☕ 7,62€.* Sur les quais de l'Oise, hôtel de construction récente dont les chambres, modernes, sont meublées en teck ou en bois stratifié et bien insonorisées. Quelques-unes, plus spacieuses, disposent d'une cuisinette.

comprendre

Le château de Louis XV – Tous les rois se plaisent à Compiègne. Lorsque Louis XV ordonne, en 1738, la reconstruction du palais, il veut disposer d'un logis pour résider avec sa cour et ses ministres. Son « grand plan », établi en 1751, est arrêté par la guerre de Sept Ans. Louis XVI le reprend et fait exécuter de grands travaux. En 1785, il occupe l'appartement royal qui reviendra à Napoléon Ier.

Le Second Empire – Compiègne est la résidence préférée de Napoléon III et de l'impératrice Eugénie. Ils y viennent pour les chasses d'automne et y reçoivent les rois et princes d'Europe et les célébrités de l'époque. Chasses, bals, soirées théâtrales se succèdent. Un luxe et une légèreté sans limite grisent les courtisans. 1870 interrompt cette vie joyeuse et les travaux du nouveau théâtre.

LA DICTÉE DE MÉRIMÉE

Un après-midi pluvieux, pour distraire le couple impérial et ses invités, Mérimée compose sa fameuse dictée où il accumule les difficultés. L'impératrice commet le maximum de fautes, soixante-deux, Pauline Sandoz, belle-fille de Metternich, n'en fait que trois.

Les deux guerres mondiales – En 1917-1918, le palais abrite le QG de Nivelle, puis de Pétain. Les armistices du 11 novembre 1918 et du 22 juin 1940 sont signés dans la forêt. Au cours de la Seconde Guerre mondiale, Compiègne est particulièrement éprouvé par les bombardements. Royallieu, faubourg Sud, servit entre 1941 et 1944 de centre de triage vers les camps de concentration nazis.

visiter

LE PALAIS★★★

Appartements historiques★★

Mars-oct. : visite guidée (1h, dernière entrée 3/4h av. fermeture) tlj sf mar. 10h-18h ; nov.-fév. : tlj sf mar. 10h-16h30. Fermé 1er janv., 1er mai, 1er nov. et 25 déc. 4,50€, gratuit 1er dim. du mois. ☎ 03 44 38 47 00 ou 03 44 38 47 02.

Le palais, qui couvre un vaste triangle de plus de 2 ha, est d'une sévérité classique. Mais la décoration intérieure (collection de tapisseries, ameublement du 18e s. et du Premier Empire) mérite une visite approfondie.

Musée du Second Empire★★

Tlj sf mar. 10h-18h (dernière entrée 3/4h av. fermeture). Fermé 1er janv., 1er mai, 1er nov. et 25 déc. 4,50€, gratuit 1er dim. du mois. ☎ 03 44 38 47 00.

Dans l'ambiance feutrée d'une suite de petits salons, le musée donne de nombreuses images de la Cour, de la vie mondaine et des arts sous le Second Empire.

Musée de la Voiture et du Tourisme**

Visite guidée (1h, dernière entrée 3/4h av. fermeture) tlj sf mar. 10h-18h. Fermé 1er janv., 1er mai, 1er nov. et 25 déc. 4€, gratuit 1er dim. du mois. ☎ 03 44 38 47 00 ou 03 44 38 47 02.
La collection de voitures anciennes comprend des berlines d'apparat et des coupés de voyage (18e-19e s.), l'omnibus Madeleine-Bastille... L'évolution des « deux-roues » est exposée dans les cuisines et dépendances : depuis les pesantes draisiennes (1817) lancées à force de coups de pied jusqu'à la bicyclette (1890).

se promener

FORÊT DE COMPIÈGNE**

Le massif occupe une sorte de cuvette ouverte sur les vallées de l'Oise et de l'Aisne. Au Nord, à l'Est et au Sud, une série de buttes dessine un croissant aux pentes abruptes. Ces hauteurs dominent de 80 m en moyenne les fonds où courent de nombreux rus. Le ru de Berne, le plus important, traverse un chapelet d'étangs. 1 500 km de routes et de chemins, carrossables ou non, sillonnent la forêt. François Ier, qui fit ouvrir les premières grandes percées, Louis XIV et Louis XV ont contribué à la création de ce réseau permettant de suivre les chasses. Le hêtre dresse des futaies sur le plateau Sud et son glacis, ainsi qu'au voisinage immédiat de Compiègne. Le chêne prospère sur les sols argileux bien drainés. Le pin sylvestre, à partir de 1830, et d'autres résineux s'accommodent des zones de sables pauvres.

Clairière de l'Armistice**

Elle a été aménagée sur l'épi de voies (construit pour l'évolution de pièces d'artillerie de gros calibre) qu'avait emprunté le train du maréchal Foch, commandant en chef des forces alliées, et celui des plénipotentiaires allemands. Les voies étaient greffées sur la ligne Compiègne-Soissons à partir de la gare de Rethondes. À l'intérieur du **wagon du maréchal Foch** est indiqué l'emplacement des plénipotentiaires. Des objets, utilisés par les délégués en 1918, sont exposés. Une salle présente les deux armistices : journaux et documents d'époque, vestiges du wagon. *De mi-fév. à fin nov. : tlj sf mar. 9h-12h, 14h-18h ; de déb. déc. à mi-fév. : tlj sf mar. 14h-18h. 2€. ☎ 03 44 85 14 18.*

alentours

Château de Pierrefonds**

15 km au Sud-Est de Compiègne par la D973. Mai-août : 10h-18h ; mars-avr. et sept.-oct. : 10h-12h30, 14h-18h, dim. 10h-18h ; nov.-fév. : 10h-12h30, 14h-17h, dim. 10h-17h30. Ces horaires sont susceptibles d'être modifiés. Fermé 1er janv., 1er mai, 1er et 11 nov., 25 déc. 5,50€ (-18 ans : gratuit), gratuit 1er dim. du mois (oct.-mars). ☎ 03 44 42 72 72.
En 1857, Napoléon III, féru d'archéologie, confie la restauration du château médiéval à Viollet-le-Duc. Il ne prévoit qu'une réfection de la partie habitable, les « ruines pittoresques » des courtines et des tours, consolidées, subsistant pour le décor. Cependant, fin 1861, le chantier prend une ampleur nouvelle : Pierrefonds doit devenir résidence impériale. Passionné de civilisation médiévale et d'art gothique, Viollet-le-Duc entreprend une réfection complète. Les travaux durent jusqu'en 1884.

Pierrefonds, un château médiéval totalement reconstruit au 19e s.

S. Sauvignier/MICHELIN

À l'extérieur, huit statues de preux ornent les tours, qui portent leur nom : Arthus, Alexandre, Godefroy, Josué, Hector, Judas Maccabée, Charlemagne et César.
La façade principale de la **cour d'honneur** présente des arcades en anse de panier formant un préau, surmonté d'une galerie. L'un et l'autre furent imaginés par Viollet-le-Duc, qui s'inspirait du château de Blois.
Au 1er étage du **donjon**, on parcourt les salles du couple impérial : salle des Blasons, ou Grande Salle, dont les boiseries et les meubles furent dessinés par Viollet-le-Duc. La **salle des Preuses** est un long vaisseau (52 m sur 9) couvert d'un plafond en carène renversée. Sur le manteau de la cheminée, remarquez les statues de neuf preuses, héroïnes des romans de chevalerie. Sémiramis *(au centre)* est représentée sous les traits de l'impératrice ; les autres sont les portraits des dames de la Cour.
Viollet-le-Duc a utilisé, le long du **chemin de ronde** Nord, les derniers progrès des systèmes de défense avant l'ère du canon : les cheminements à niveau, sans marches ni portes étroites, permettaient aux défenseurs d'affluer aux points critiques, sans se heurter à des chicanes.

Corte★

Veillée par le nid d'aigle de sa citadelle, Corte masse ses demeures de schiste coiffées de toits rouges sur un piton dressé au cœur d'un cirque montagneux. Cet agréable lieu de séjour, point de départ de nombreuses excursions, offre une palette représentative des paysages de l'île : silhouettes déchiquetées des aiguilles de porphyre rouge de Popolasca, gorges et ravins de la haute vallée de la Restonica, moutonnement des croupes du Bozio noyées sous une mer de châtaigniers, beauté sereine des nombreux lacs du Monte Rotondo.

La situation

6 329 Cortenais – Carte Michelin Local 345 D 6 – Le Guide Vert Corse – Haute-Corse (2B). Corte, juchée sur son piton, à l'abri de ses gorges et de ses montagnes, était déjà un verrou fortifié au 11e s. Elle occupe une position stratégique au carrefour des vallées. Le sillon cortenais au paysage de hauts plateaux (altitude moyenne de 600 m) constitue le couloir central de l'île qui court de Ponte-Leccia à Venaco, et sépare le massif ancien granitique à l'Ouest, de la Corse alpine schisteuse à l'Est.
i Pl. des Quatre-Canons, 20250 Corte, ☎ 04 95 46 26 70, ou à la citadelle, ☎ 04 95 46 26 70. www.corte-tourisme.com
Pour poursuivre la visite, voir aussi : PORTO, BASTIA.

découvrir

LA VILLE HAUTE★

Chapelle Ste-Croix★

Depuis le cours Paoli, suivre le fléchage. Derrière la sobre façade de cette chapelle de confrérie se cache un intérieur raffiné. Le sol est dallé du marbre gris de la Restonica. La nef unique est voûtée d'un berceau à lunettes peint de nombreux trompe-l'œil. Le retable baroque, avec sa crucifixion en haut-relief et sa polychromie naïve, étonne par son fort expressionnisme. Et le petit orgue à l'italienne et sa tribune en arbalète porte de beaux panneaux peints.

Belvédère★

À plus de 100 m au-dessus du Tavignano, on découvre un vaste **panorama★★** sur le confluent du Tavignano et de la Restonica. Au loin se profilent les crêtes de la chaîne centrale. Du belvédère, un escalier, puis un sentier très raide mènent au bord du Tavignano *(déconseillé par temps de pluie)*. La passerelle offre une vue en contre-plongée sur la vieille forteresse soutenue par trois grandes arcades, à l'extrémité du rocher. C'est de ce côté que se sont quelquefois évadés des prisonniers.

Citadelle★

♿ De mi-juin à mi-sept. : 10h-20h ; de déb. avr à mi-juin et de mi-sept. à fin oct. : tlj sf lun. 10h-18h ; nov.-mars : tlj sf lun. et dim. 10h-18h. Juil.-août : visite guidée tlj sf lun. et j. fériés à 10h et 15h30, sur demande à Mme Ruggeri (15 j. av.), ☎ 04 95 45 26 06. Fermé de déb. janv. à mi-janv., 1er mai, 24 et 31 déc. 5,30€ (visite guidée : 6,80€). ☎ 04 95 45 25 45.
Elle s'étage sur deux niveaux. À l'intérieur d'une enceinte bastionnée du 19e s., un premier plateau a été aménagé sous Louis XVI, puis sous Louis-Philippe. En entrant, sur la gauche, on peut apercevoir à travers une grille un curieux escalier de 166 marches en marbre vert de la Restonica, couvert d'une voûte et aménagé en monte-charge pour les canons grâce aux rampes de roulement.
Le niveau supérieur occupe toute la pointe Sud et présente l'aspect d'un véritable nid d'aigle sur son éperon rocheux. Cette partie, dénommée le château, fut édifiée

carnet pratique

Restauration

• À bon compte

U Paglia Orba – *1 av. Xavier-Luciani - 20250 Corte - ☎ 04 95 61 07 89 - fermé 1er au 8 avr., 30 août au 5 sept., vac. de Noël et dim. - 13/22,87€.* La carte de ce petit restaurant cultive l'éclectisme avec des salades, pizzas, pâtes, mais surtout des plats du terroir à la châtaigne et brocciu. Vous avez le choix entre la salle au décor sobre ou la terrasse surplombant l'avenue.

Au Plat d'Or – *1 pl. Paoli - 20250 Corte - ☎ 04 95 46 27 16 - fermé vac. de fév. et dim. - 14€.* Après avoir parcouru les ruelles de la ville haute, arrêtez-vous dans ce restaurant. Sa façade colorée et sa petite terrasse précèdent deux salles aux tons pastel. Cuisine traditionnelle doucement épicée, plat du jour et un menu à prix sage.

Hébergement

• Valeur sûre

Paesotel-E-Caselle – *Lieu-dit Polveroso - 20231 Venaco - 15 km au S de Corte par N 193 et à l'E de Venaco par D 43 et D 143 - ☎ 04 95 47 39 00 - fermé 15 oct. à mi-avr. - P - 32 ch. : 55/88€- ☕ 9,15€- restaurant 17,50/27,50€.* Nichée dans le maquis, architecture inspirée des bergeries traditionnelles abritant des chambres bien aménagées et tranquilles. Pour un long séjour, choisissez la résidence et ses studios équipés de cuisinettes. Plats du terroir servis dans la chaleureuse salle à manger rustique ou sur la terrasse ombragée. Une adresse très nature.

Achats

U Granaghju – *Pl. Paoli - 20250 Corte - ☎ 04 95 46 20 28 - tlj 9h-21h ; juil.-août : 9h-00h - fermé nov.-Pâques.* Des eaux-de-vie de cédrat aux charcuteries, tout ce que vous trouverez dans cette boutique est exclusivement corse et artisanal.

en 1420 par Vincentello d'Istria, vice-roi de Corse pour le compte du roi d'Aragon. Du nid d'aigle, la **vue**★ embrasse la vieille ville, le départ des vallées du Tavignano et de la Restonica et les villages accrochés au flanc de la montagne.

Occupée par la Légion étrangère de 1962 à 1983, la citadelle abrite aujourd'hui l'Office de tourisme, la délégation régionale du FRAC qui anime des expositions, le musée d'Art et d'Histoire et le musée de la Corse.

Musée de la Corse★★

Mêmes conditions de visite que la citadelle.

Le premier niveau de ce musée d'anthropologie consacré à l'ethnologie rurale présente une exceptionnelle **collection**★★ d'objets qui témoignent de la vocation agricole et pastorale de certaines régions de l'île. Le niveau supérieur propose une approche thématique de la Corse contemporaine : l'industrialisation, le tourisme et la permanence des confréries religieuses. Pour finir la visite, arrêtez-vous pour écouter les archives de musique corse.

▶▶ Gorges de la Restonica★★ ; Monte d'Oro★★★

Courchevel★★★

Courchevel est l'une des plus prestigieuses et des plus importantes stations de sports d'hiver qui soient au monde. Expositions, concerts, boutiques de luxe, centres sportifs et de remise en forme, night-clubs branchés... Courchevel doit aussi son prestige à la qualité de ses hôtels et de ses restaurants gastronomiques. En été, la station change de visage et constitue une excellente base de randonnées.

La situation

Cartes Michelin Local 333 M 5, Regional 523 – Le Guide Vert Alpes du Nord – Savoie (73).

Quatre stations s'étagent entre 1 300 et 1 850 m sur le versant du Doron de Bozel.

i La Croisette, 73120 Courchevel, ☎ 04 79 08 00 29. www.courchevel.com

Pour poursuivre la visite, voir aussi : VAL D'ISÈRE.

séjourner

Domaine skiable des Trois-Vallées★★★

S'étendant sur plus de 400 km², il doit son succès à l'efficacité des liaisons interstations, à la qualité de l'enneigement de fin novembre à mi-mai et aux possibilités de découvrir la montagne dans toute sa diversité.

Si Les Ménuires et Val-Thorens ont une architecture moderne et fonctionnelle, St-Martin et Méribel sont restées plus authentiques.

On passe aussi du luxe de Courchevel à l'ambiance plus jeune et plus sportive des Menuires. 210 remontées mécaniques, dont 37 télécabines et téléphériques, desservent près de 300 pistes et itinéraires, totalisant une longueur de 700 km.

Courchevel 1850

C'est de loin la station la plus animée et la plus prisée. Profitez de son **panorama★** sur le mont Jovet, le sommet de Bellecôte, le Grand Bec, encadrant les vallées du Doron de Bozel et du Doron de Champagny.
Et rendez-vous sans hésiter par la **télécabine des Verdons** et le **téléphérique à la Saulire★★★** *(alt. 2690 m)*. Vue sur les glaciers de la Vanoise et le massif du Mont-Blanc. *Juil.-août: matin et ap.-midi en alternance. 5,13€. ☎ 04 79 08 04 09.*

carnet pratique

RESTAURATION

● ***Valeur sûre***

La Saulire – *Pl. du Rocher - 73120 Courchevel 1850 - ☎ 04 79 08 07 52 - fermé mai, juin et mar. de sept. à nov. - 27€ déj. - 30/38€.* Très central, ce restaurant de cuisine classique est aussi renommé que son patron qui l'a créé il y a plus de vingt-cinq ans. Les salles sur deux niveaux sont toutes boisées et ornées d'affiches anciennes sur le thème de la montagne. Déjeuner en terrasse.

HÉBERGEMENT

● ***Une petite folie !***

Les Peupliers – *73120 Le Praz - 8,5 km à l'E de Courchevel par D 91 - ☎ 04 79 08 41 47 - lespeuplie@aol.com - fermé 1er mai au 20 juin et 1er nov. au 10 déc. - P - 34 ch. : demi-pension 105€ - restaurant 26/31€.* La tradition, cela a du bon... Ici on est hôtelier de père en fils depuis 1938. Face à un petit lac et au tremplin olympique de saut, la bâtisse est avenante. Cheminée, chaleureuses boiseries, fitness, chambres souvent avec balcon en font une étape familiale qui plaît aux habitués.

Fr. Isler/MICHELIN

Coutances★★

Ville de bocage, capitale religieuse et judiciaire de la Manche jusqu'à la Révolution, Coutances est aujourd'hui la capitale du dynamique et sympathique festival de «Jazz sous les pommiers», qui a lieu chaque année, en mai.

La situation

9522 Coutançais – Cartes Michelin Local 303D-E 5-6, Regional 512 – Le Guide Vert Normandie Cotentin – Manche (50). Lorsqu'on arrive à Coutances par le Sud, on est d'emblée frappé par la pureté des proportions et la sobriété du style normand de la cathédrale gothique, merveille architecturale miraculeusement épargnée par les bombardements.
ℹ Pl. Georges-Leclerc, 50200 Coutances, ☎ 02 33 19 08 10.
Pour poursuivre la visite, voir aussi: CHERBOURG-OCTEVILLE, LE MONT-ST-MICHEL, BAYEUX.

visiter

Cathédrale★★★

Par l'heureux équilibre de ses proportions et la pureté de ses lignes, cet édifice constitue un fleuron de l'art gothique en Normandie. La façade porte, au-dessus de la grande fenêtre, un couronnement qui s'achève par une admirable galerie. Cette profusion de lignes ascendantes, admirable dans les détails, mène à l'envolée finale des flèches en écailles (78 m). L'audacieuse tour-lanterne de la croisée du transept, encadrée de tourelles en poivrière, est remarquable par la finesse de ses nervures et l'étroitesse de ses ouvertures.
Arrêtez-vous au fond de la nef d'où la vue sur l'ensemble de l'édifice est exceptionnelle: l'élégance des lignes montantes lui confère une rare distinction.

Remarquez les grandes arcades au-dessus desquelles se déroule la file des tribunes dont les baies, surmontées de rosaces aveugles, ont été bouchées.
L'exceptionnelle **tour-lanterne**★★★ octogonale, haute de 41 m sous voûte, domine la croisée. Au pied du gros pilier droit de la croisée du transept, belle statue de Notre-Dame de Coutances (14e s.).

POUR LES ENFANTS
De début juillet à fin août, les lundis, mercredis et vendredis à 14h30, des guides se consacrent aux enfants (6-12 ans) : visite de la cathédrale, construction d'une maquette, visite des greniers de la cathédrale. *4€. ☎ 02 33 19 08 10.*

La visite guidée des **parties hautes**★★ fait découvrir les éléments de la partie romane de l'édifice primitif. Cette promenade se termine par les galeries du 3e étage et le sommet de la tour-lanterne. Le panorama, immense, englobe Granville, les îles Chausey et Jersey. *Juil.-août : visite guidée (1h1/2) tlj sf sam. et dim. matin 10h30, 14h30, 16h ; juin et sept. : tlj sf sam. 14h30. 5,35€. ☎ 02 33 19 08 10.*

alentours

Abbaye de Hambye★★

26 km au Sud-Est de Coutances par la D 7, puis la D 13 et la D 51. D'avr. à fin oct. : 10h-12h, 14h-18h. 4€. ☎ 02 33 61 76 92.
Cet édifice construit au début de la période gothique n'a rien perdu de sa beauté : ses ruines inspirent le recueillement, sentiment que le paysage environnant ne peut que renforcer. L'aspect sévère du monument est atténué par la finesse des baies à lancettes qui apportent au décor une note romantique. Au-dessus de la croisée du transept s'élève un clocher carré percé de baies en plein cintre. Le chœur, gothique, avec ses arcades aiguës, son déambulatoire et ses chapelles rayonnantes, est de dimensions exceptionnelles.

A. de Valroger/MICHELIN

Abbaye de Hambye, des ruines qui ne manquent pas de majesté.

Villedieu-les-Poêles★

35 km au Sud-Est de Coutances par la D 7 puis la D 9. Universellement connue pour sa production artisanale d'objets en cuivre – poêles, cloches, chaudrons, batteries de cuisine, coqs de clochers –, Villedieu mérite que l'on s'y promène : en poussant les portes, vous découvrirez des cours intérieures charmantes, comme celle des Trois-Rois.
La **fonderie de cloches Cornille-Havard**★ est unique. On y fabrique comme autrefois des cloches destinées aux églises, aux navires, aux édifices publics du monde entier. Guidé par les compagnons fondeurs, vous verrez les fours, les moules, les fosses où sont coulées les cloches. ♿ *Juil.-août : 9h30-18h30 ; de mi-fév. à fin juin et sept.-nov. : tlj sf lun. et dim. 10h-12h, 13h30-17h30. Fermé j. fériés (sf Pâques). 3,90€. ☎ 02 33 61 00 56.*

▶▶ Abbatiale de Lessay★

Dieppe★★

« À Dieppe, la lumière est comme un écrin », disait Matisse. La plage la plus proche de Paris, encadrée de hautes falaises, est la doyenne des stations balnéaires françaises. Son port, où voisinent installations modernes en plein rendement et vieux quartiers de pêcheurs, est l'un des plus insolites de Normandie. Dès la fin du 14e s., c'est par les pérégrinations de ses marins que Dieppe forge sa réputation. Ils débarquent en Afrique noire et installent des comptoirs le long du golfe de Guinée d'où ils ramènent ivoire et épices. Ils s'établissent aussi au Cap-Vert et foulent le Nouveau Monde... quatre ans avant Colomb, prétend-on.

La situation

34 653 Dieppois – Cartes Michelin Local 304 G 2, Regional 512 – Le Guide Vert Normandie Vallée de la Seine – Seine-Maritime (76). Le boulevard Foch, aménagé en promenade maritime, longe la plage de galets dont l'animation s'accroît à mesure que l'on se rapproche de la falaise où se dresse le château. Du vieux quartier des pêcheurs, le Pollet, rive droite, on peut accéder par un escalier au sommet de la falaise de l'Est où se profilent la chapelle N.-D.-de-Bon-Secours et le sémaphore militaire.

Quai du Carénage, 76200 Dieppe, ☎ 02 32 14 40 60. www.dieppetourisme.com

Pour poursuivre la visite, voir aussi : BAIE DE SOMME, ROUEN, ÉTRETAT.

carnet pratique

Restauration

• Valeur sûre

Le Bistrot du Pollet – *23 r. de Tête-de-Bœuf - 76200 Dieppe - ☎ 02 35 84 68 57 - fermé août, dim. et lun. - réserv. conseillée - 27,44€.* Un petit bistrot comme on est heureux d'en trouver. Jolie façade marine à petits carreaux, murs jaunes tapissés d'affiches anciennes, tables rapprochées favorisant la convivialité et goûteuse cuisine entre terre et mer. Pas étonnant que l'endroit soit souvent bondé !

Hébergement

• À bon compte

Chambre d'hôte La Villa Florida – *24 chemin du Golf - 76200 Dieppe - ☎ 02 35 84 40 37 - ⊄ - 3 ch. : 55/59€.* En ardoise, cette maison contemporaine est étonnante : inondée de lumière, ses volumes intérieurs sont superbes. Toutes les chambres, d'une élégante sobriété, ont une petite terrasse. Le joli jardin donne sur le golf de Dieppe. Calme assuré et accueil très agréable.

se promener

LE CENTRE ET LA PLAGE

Environ 1h1/2. Possibilité de stationner place Nationale.

Église St-Jacques★

Commencée au 13e s., elle sera souvent remaniée. Le portail central, surmonté d'une belle rose, est du 14e s. La nef (13e s.) est de proportions harmonieuses, et le chœur a de jolies voûtes en étoile et un triforium ajouré.

Grand-Rue

Cet axe piéton se déploie sur l'emplacement d'une voie gauloise qui permettait de passer à gué d'une falaise à l'autre lorsque la ville n'était qu'un vaste marécage envahi par la mer à marée haute. De nombreuses maisons en briques blanches aux balcons en fer forgé datent de l'époque de la reconstruction de Dieppe après le bombardement naval anglais de 1694. Le corsaire Balidar, terreur des équipages anglais sillonnant la Manche, habita au n° 21. Au n° 77, une jolie fontaine orne la cour. Aux nos 137-139 se trouvait un magasin d'articles pour peintres, où Pissarro, Monet, Renoir, Boudin, Sisley, Van Dongen, Dufy et Braque se sont approvisionnés.

Place du Puits-Salé

Au carrefour de six rues, c'est le centre le plus animé de Dieppe. La place doit son nom à un puits d'eau saumâtre, remplacé au 16e s. par une fontaine, terminal de l'un des plus anciens systèmes d'adduction d'eau du pays.

Les bains de Dieppe

La mode des bains de mer se développe au début du 19e s. En 1813, la reine Hortense de Hollande, belle-sœur de Napoléon Ier, choisit Dieppe pour se refaire une santé. Le lancement de la station est attribué à la duchesse de Berry, qui y passe ses étés de 1824 à 1830, entraînant à sa suite mondains et aristocrates. Tout au long du 19e s., Dieppe accueille aux bains et au casino extravagantes et célébrités : Louis-Philippe, Napoléon III, Eugène Delacroix, Camille Saint-Saëns, Alexandre Dumas fils, Oscar Wilde...

Dans le **square du Canada**, au pied de la falaise de l'Ouest, se dresse une stèle dont les faces rappellent les 350 ans d'histoire commune unissant Dieppe et le Canada, depuis le départ des colons dieppois au Québec (17e s.), jusqu'au raid du 19 août 1942.

Gagnez la **plage** par le boulevard de Verdun et parcourez-la jusqu'au bout de la jetée qui dévoile un beau panorama sur les falaises et le château.

Le quartier de pêcheurs, face au chenal, se compose de quelques ruelles autour de la place du Moulin-à-Vent. Côté Nord, il abrite l'Estran, la Cité de la mer *(voir description dans «visiter»)*. Juste avant l'angle de la rue de la Rade et du quai du Hâble, on distingue les vestiges de la tour aux Crabes (14e s.) qui surveillait l'entrée du port.

visiter

Château-musée★

Perché sur un flanc de la falaise. Accès en voiture : suivre la signalisation par la D 75 qui monte au boulevard de la Mer (parking). À pied : chemin de la Citadelle ou square du Canada en été. Juin-sept. : 10h-12h, 14h-18h (dernière entrée 1/2h av. fermeture) ; oct.-mai : tlj sf mar. 10h-12h, 14h-17h, dim. et j. fériés 10h-12h, 14h-18h. Fermé 1er janv., 1er mai, 1er nov. et 25 déc. 2,40€. ☎ 02 35 84 19 76.

Le château de Dieppe est appareillé en silex et grès alternés et en briques rouges et blanches. Il prend appui sur une grosse tour cylindrique, vestige des fortifications qui défendaient la ville au 14e s.

La visite débute par un rappel du passé maritime de Dieppe : cartes, instruments de navigation, figures de proues, modèles de navires, etc. Le trésor du musée est son incomparable collection d'**ivoires**★, religieux ou profanes. Une reconstitution d'atelier montre l'outillage des ivoiriers locaux. Ceux-ci – ils sont 350 au 17e s. – s'étaient établis à Dieppe pour profiter des arrivages d'ivoire d'éléphant importé d'Afrique ou d'Asie. Voyez aussi les toiles d'Isabey, Noël, Boudin, Renoir, Pissarro, Lebourg, Sisley, W. Sickert, Von Thoren, etc. Une salle est dédiée au musicien Camille Saint-Saëns. Enfin, autour d'un fonds d'une centaine d'estampes de Georges Braque s'agence une collection d'art du 20e s. (Dufy, Lurçat, Aillaud).

Estran-Cité de la mer

♿ 10h-12h, 14h-18h. 4,50€ (enf. : 2,50€). ☎ 02 35 06 93 20.

Dans ce musée sont abordés les thèmes de la construction navale et de la technologie embarquée, depuis la navigation à la rame au chalutier contemporain, et l'évolution des techniques, de la pêche côtière à la pêche hauturière et industrielle. Signalons que Dieppe est le 1er port français pour la coquille Saint-Jacques ; les principales autres espèces nobles débarquées sont la sole, le merlan et le cabillaud.

Dijon★★★

Malgré l'absence d'une vraie voie fluviale, la capitale de la Bourgogne est au centre d'un réseau de communication qui relie l'Europe du Nord aux régions méditerranéennes. Les grands ducs en ont fait une ville-musée dont l'élégance s'est encore accrue aux 17e et 18e s. Héritière d'un passé prestigieux et d'un patrimoine préservé, ses richesses vous passionneront. De plus, les amateurs de vin de Bourgogne trouveront ici un point de départ idéal pour parcourir la route des Grands Crus.

La situation

236 953 Dijonnais – Cartes Michelin Local 320 G 4, K 6, Regional 520 – Le Guide Vert Bourgogne – Côte-d'Or (21). Venant du Nord (Paris), accès par l'A 6-A 38 ; de l'Est, par l'A 36 ; du Sud, par l'A 6-A 31. *ℹ 34 r. des Forges, 21022 Dijon, ☎ 03 80 44 11 44. www.ot-dijon.fr*

Pour poursuivre la visite, voir aussi : BEAUNE, AUTUN, LANGRES, BESANÇON.

Ph. Gajic/MICHELIN

carnet pratique

Restauration

• À bon compte

Café du Vieux Marché – *2 r. Claude-Ramey - 21000 Dijon - ☎ 03 80 30 73 61 - fermé dim. - 6/15€.* Face aux halles, ce café devancé d'une plaisante terrasse en bleu et blanc attire les clients friands de convivialité et de simplicité. La décoration intérieure, sans recherche particulière, est néanmoins agréable. Restauration de type snack.

• Valeur sûre

La Dame d'Aquitaine – *23 pl. Bossuet - 21000 Dijon - ☎ 03 80 30 45 65 - fermé 1er au 6 janv., lun. midi et dim. - 21,10€ déj. - 25,70/35,90€.* Au cœur de la ville, un porche, une cour pavée et des longs escaliers qui descendent dans une superbe salle voûtée du 13e s. Ici, le Moyen ge vous accueille avec colonnes à chapiteaux, tapisseries, vitrail coloré et chandeliers imposants. Pour une cuisine régionale.

Hébergement

• À bon compte

Hôtel Victor Hugo – *23 r. des Fleurs - 21000 Dijon - ☎ 03 80 43 63 45 - 23 ch. : 28/43€ - ☕ 5€.* Dans ce petit hôtel traditionnel, vous serez accueilli par un personnel attentionné. Les chambres aux murs de crépi blanc sont simples et calmes. À apprécier d'autant plus que le centre-ville est tout proche.

• Valeur sûre

Hôtel Wilson – *Pl. Wilson - 21000 Dijon - ☎ 03 80 66 82 50 - 27 ch. : 64/81€ - ☕ 9€.* Dans cet ancien relais de poste où le caractère traditionnel a été conservé, vous serez charmé par les chambres sobrement meublées en bois clair. Partout, belles poutres et jolie lumière forment un cadre intime et douillet.

Achats

Mulot et Petitjean – *13 pl. Bossuet - 21000 Dijon - ☎ 03 80 30 07 10 - lun. 14h-19h, mar.-sam. 9h-12h, 14h-19h.* Installé dans une maison à colombages, cet établissement (dont l'origine remonte à 1796) est spécialisé dans le pain d'épice décliné de multiples manières : tendres mignonnettes, croquantes gimblettes, en forme d'escargot ou de poisson... À l'intérieur, le décor et le somptueux mobilier de marbre et de bois sculpté datent de 1901.

comprendre

Le berceau des «grands ducs d'Occident» – Philippe le Hardi (1363-1404) reçoit le duché de Bourgogne en apanage des mains de son père le roi Jean le Bon. Puis par son mariage avec Marguerite de Mâle, il hérite du Nivernais, de la Franche-Comté, de l'Artois et de la Flandre, qui fait de lui le plus puissant prince de la chrétienté. Il fait venir à Dijon peintres et sculpteurs de son domaine des Flandres. Soucieux d'assurer à sa dynastie une nécropole, il fonde la chartreuse de Champmol.

Succédant à son père, **Jean sans Peur** (1404-1419), né à Dijon en 1371, quant à lui, espère régner sur la France. Le «renard de Bourgogne» finit sa vie au pont de Montereau où il reçoit un coup de hache d'un proche du futur Charles VII.

Philippe le Bon (1419-1467), fils unique de Jean sans Peur, fonde l'ordre souverain de la Toison d'or dans le but de s'allier la noblesse. En 1435, il se réconcilie avec Charles VII. Dijon devient la capitale d'un puissant État qui comprend une grande part de la Hollande, de la Belgique, le Luxembourg, la Flandre, l'Artois, le Hainaut, la Picardie et le territoire compris entre la Loire et le Jura.

Le dernier des ducs Valois de Bourgogne s'appelle **Charles le Téméraire** (1467-1477). Son rêve de conquête est de rattacher les moitiés Nord et Sud de ses États afin de créer un royaume. Pour cela, et pour lutter contre les rébellions que suscite son très habile rival Louis XI, il soutient des guerres continuelles. Il est proche de la réussite lorsqu'en 1475 il conquiert la Lorraine, mais il meurt en assiégeant Nancy. Son corps est retrouvé dans un étang glacé, à moitié dévoré par les loups.

En un siècle, les ducs ont fait de Dijon une ville d'art: le palais sert de cadre prestigieux à des réceptions fastueuses; la Sainte-Chapelle qui le jouxte est le siège de l'ordre de la Toison d'or. L'activité manufacturière n'est pas négligeable, et le négoce prospère permet aux grands bourgeois de construire d'opulentes demeures encore visibles rue des Forges, rue Vauban, rue Verrerie...

Les Pleurants du tombeau de Philippe le Hardi (musée des Beaux-Arts).

se promener

Le quartier ancien qui entoure le **palais des Ducs et des États de Bourgogne**★★ a gardé beaucoup de cachet. En flânant dans ses rues, souvent piétonnes, on découvre de nobles hôtels en pierre de taille ou encore des maisons à pans de bois des 15e et 16e s. La **rue des Forges**★ est l'une des rues les plus caractéristiques et les plus fréquentées de la ville. **Rue Verrerie**, parmi les nombreuses maisons à colombages, les nos 8-10-12 constituent un beau groupe présentant des poutres sculptées ; des antiquaires y ont élu domicile.
Rue de la Chouette, n'oubliez pas d'aller caresser, de la main gauche comme le veut la tradition, la petite chouette sculptée sur un contrefort de l'église Notre-Dame, cela vous portera bonheur !

Église St-Michel★

De style gothique flamboyant, cette église a vu sa façade terminée en pleine Renaissance, ce dont témoignent les deux tours qui l'encadrent : leurs quatre étages aux fenêtres ornées de colonnes se terminent par une balustrade surmontée d'une lanterne coiffée d'une boule de bronze. Cette façade, où se superposent les trois ordres classiques, est très majestueuse. Le porche, en forte saillie, s'ouvre par trois portails : une frise de rinceaux et de grotesque se développe à la partie supérieure du porche sur toute sa longueur. Le portail central est surmonté d'un lanternon dont la base évidée crée un curieux puits de lumière. Au-dessous, dans les caissons, se détachent les bustes des prophètes Daniel, Baruch, Isaïe et Ézéchiel, ceux de David avec sa harpe et de Moïse portant les tables de la Loi.

visiter

Musée des Beaux-Arts★★

♿ *Tlj sf mar. et j. fériés 10h-18h. Fermeture des salles donation Granville, cuisines ducales, salle égyptienne et des armes 12h-14h. 3,40€, gratuit dim. ☎ 03 80 74 52 70.*
Le **palais des Ducs et des États**★★ abrite, à gauche, l'ensemble des services de l'hôtel de ville, à droite le musée des Beaux-Arts.
Les **cuisines ducales**, édifiées vers 1435, possèdent six vastes cheminées qui suffisaient à peine à la préparation des festins de la cour bourguignonne.
On découvre à l'étage la peinture italienne et l'art français. Remarquez, dans la salle 10, le *Portrait d'un peintre* de Mignard et le *Repos de la sainte Famille* par Sébastien Bourdon.
Avec sa célèbre **Nativité**★★ (1420), la salle dite du Maître de Flémalle, qui contient par ailleurs plusieurs pièces issues de la chartreuse de Champmol, constitue une excellente introduction à la **salle des gardes**★★★ – ou ancienne salle des Festins – qui fut construite par Philippe le Bon et qui fut le cadre de ripailles...
Au tombeau de **Philippe le Hardi**★★★ travaillèrent successivement, de 1385 à 1410, les Flamands Jean de Marville (conception générale), Claus Sluter (dessin des statuettes) et Claus de Werwe, son neveu (réalisation de la statuaire). Le gisant repose sur une dalle de marbre noir soutenue par des arcatures d'albâtre sous lesquelles veille une assemblée de 41 statuettes de «pleurants», prodigieuses de réalisme: membres du clergé, chartreux, parents, amis et officiers du prince, tous en costume de deuil et la tête recouverte du chaperon, composent le cortège funèbre.
Le **tombeau de Jean sans Peur et de Marguerite de Bavière**★★★, exécuté de 1443 à 1470 par Jean de la Huerta puis Le Moiturier, reproduit l'ordonnance du tombeau précédent avec une touche plus flamboyante. Deux retables en bois commandés par Philippe le Hardi pour la chartreuse éblouissent par la richesse de leur décoration sculptée: seul le **retable de la Crucifixion**★★★ a conservé au revers de ses volets les peintures de Broederlam: l'Annonciation, la Visitation, la Présentation au Temple et la Fuite en Égypte.
La section d'art moderne et contemporain se répartit entre les 2e et 3e étages. De l'art contemporain, on relève, autour de l'école de Paris et du paysagisme abstrait des années 1950 à 1970, les noms de Arpad Szenes et de son épouse Vieira da Silva, Nicolas de Staël.

Musée de la Vie bourguignonne★

♿ *Tlj sf mar. 9h-12h, 14h-18h. Fermé 1er janv., 1er et 8 mai, 14 juil., 1er et 11 nov., 25 déc. 2,80€ , gratuit dim. ☎ 03 80 44 12 69.*
Dans le cloître du monastère des Bernardines, édifié vers 1680, ce musée retrace l'histoire locale grâce à des pièces d'ethnographie régionale et urbaine rassemblées par le collectionneur Perrin de Puycousin (1856-1949). Mobilier, équipement domestique, costumes, souvenirs divers évoquent, dans une mise en scène très vivante, la vie quotidienne, les cérémonies et les traditions bourguignonnes à la fin du siècle dernier.

▶▶ Musée Magnin★ ; Musée archéologique★

alentours

Abbaye de Fontenay***

78 km au Nord-Ouest de Dijon, par l'A 38, puis la D 905 jusqu'à Marmagne près de Montbard. ♿ *De déb. avr. à mi-nov. : 10h-12h, 14h-17h30 ; de mi-nov. à fin mars : 10h-12h, 14h-17h. 7,50€.* ☎ *03 80 92 15 00.* Fondée par saint Bernard, abbé de Clairvaux, Fontenay connut une grande prospérité jusqu'au 16e s., comptant plus de 300 moines et frères convers. Tapie dans un vallon solitaire et verdoyant, Fontenay donne une vision exacte de ce qu'était un monastère cistercien au 12e s. La règle et le plan cisterciens sont scrupuleusement observés, et l'effet est d'une saisissante grandeur.

D. Delacroix/MICHELIN

Une incroyable harmonie se dégage du cloître de l'abbaye de Fontenay.

Disneyland Resort Paris***

De la bonne humeur, du rêve, des spectacles, des animations, Mickey vous invite à Disneyland Resort Paris. Retrouvez votre âme d'enfant l'espace d'une visite. À proximité du complexe hôtelier, le centre de divertissement Disney Village recrée la vie américaine avec ses boutiques, ses restaurants et ses animations variées.

La situation

Cartes Michelin Local 312 F 2, Regional 513 – Le Guide Vert Île-de-France – Seine-et-Marne (77). Autoroute A 4, direction Metz-Nancy, sortie 14 Parc Disneyland. RER ligne A, gare de Marne-la-Vallée-Chessy. TGV au départ de Lille, Lyon, Avignon, Marseille, Bordeaux, Nantes et Toulouse. Navettes depuis les aéroports d'Orly et de Roissy-Charles-de-Gaulle. Dans la plaine briarde, sur le territoire de Marne-la-Vallée, à une trentaine de kilomètres à l'Est de Paris.

carnet pratique

Informations générales

Réservations de séjours - ☎ 01 60 30 60 30 - 3615 Disneyland - www.disney.fr

Astuce - Certaines attractions ont des temps d'attente très longs : allez-y pendant la parade ou en fin de journée.

Handicapés - Un guide des services spéciaux est disponible à City Hall.

Locations - Appareils photo et caméras vidéo à Town Square Photograhy, poussettes et fauteuils roulants à Town Square Terrace.

Restauration

• ***Valeur sûre***

Walt's Restaurant – *À Disneyland , Main Street - 77777 Disneyland Paris - fermé mer. et jeu. - 25,76€.* Après avoir gravi le grand escalier de cette belle maison victorienne de Main Street et admiré les photos de Monsieur Disney qui tapissent les murs, installez-vous dans l'un des salons cosy de ce confortable restaurant. Nos préférés sont le Discoveryland et la bibliothèque.

Auberge de Cendrillon – *À Disneyland, Fantasyland - 77777 Disneyland Paris - 26,68€.* Il était une fois une charmante auberge blottie au pied d'un joli château... Une ravissante jeune fille aux pantoufles de vair aimait – paraît-il – y venir en carrosse pour savourer ses petits plats mitonnés, servis devant la grande cheminée ou sur la terrasse fleurie, l'été venu...

Hébergement

• ***Une petite folie !***

Hôtel Santa Fé – *À Disneyland - 77777 Disneyland Paris -* ☎ *01 60 45 78 00 -* 🅿 *- 1 000 ch. : 174€.* Vous voici transporté au Nouveau-Mexique : accueil par l'acteur Clint Eastwood échappé du film *Le Bon, la Brute et le Truand*, chambres rafraîchies par des ventilateurs de plafond et, bien sûr, restaurant tex-mex animé par des orchestres de mariachis.

Newport Bay Club – *À Disneyland - 77777 Disneyland Paris -* ☎ *01 60 45 55 00 -* 🅿 *- 1 082 ch. : 260€.* Sur la rive du lac Disney, vous tomberez sous le charme d'une station balnéaire de la Nouvelle-Angleterre au début du 20e s., et de ses rocking-chairs sous la véranda ! Deux restaurants : le Cap Cod propose des repas servis sous forme de buffets et le Yacht Club, des produits de la mer.

visiter

De déb.-juil. à fin août: 9h-23h(21h pour Walt Disney Studios) ; de sept. à mi-janv.: 10h-20h, w.-end et j. fériés 9h-20h; basse sais.: 10h-20h, sam. 9h-20h. ☏ 01 60 30 60 30. Parking: voitures 6,86€, motos 3,81€. Passeport Disneyland Paris (validité 3 ans) en haute sais.: 1 j. 36€ (enf. 3-11 ans: 29€); 3 j. 99€ (enf.: 80€). Le passeport 3 j. permet une totale liberté de mouvement entre les deux parcs à thème et peut être utilisé de façon non consécutive. Pour toute sortie provisoire du parc, il faut une contremarque (tamponnée sur la main); conserver le passeport et le billet de parking.

Disneyland Paris★★★

Le parc comprend cinq «lands» illustrant chacun un thème: Main Street USA, Frontierland, Adventureland, Fantasyland, Discoveryland. Outre de spectaculaires attractions – **Phantom Manor★★★**, **Indiana Jones et le Temple du Péril... à l'envers★★★**, **Peter Pan's Flight★★**, **Space Mountain★★★**, **Star Tours★★★**, **«Chérie, j'ai rétréci le public»★★** – dont certaines mettent en scène d'étonnants automates dans des décors particulièrement soignés, chaque pays dispose de boutiques, de «chariots gourmands», de restaurants.
Tous les jours, la **parade Disney★★** rappelle avec ses chars les grands dessins animés. Certains soirs et en été, la **parade électrique de Main Street★★** ajoute à la féerie du site resplendissant de lumière. De même, le feu d'artifice, les **Feux de la fée Clochette★**, termine avec brio une journée bien remplie.

Walt Disney Studios★★★

À l'image de son grand frère Américain, ce parc, qui a ouvert ses portes au public le 16 mars 2002, est entièrement voué à la magie du cinéma. Il permet de découvrir « en coulisse», les techniques du 7e art, de l'animation et de la télévision... de passer l'espace d'une journée de l'autre côté de l'écran.
Conçu sur le modèle d'un véritable studio de cinéma, le parc compte quatre zones de production, de nombreux spectacles et attractions à couper le souffle: **Animagique★★★**, **Catastrophe canyon★★★** ou **Rock'n Roller Coaster★★★**.

Étretat★★

«Ce petit nom d'Étretat, nerveux et sautillant, sonore et gai, ne semble-t-il pas né de ce bruit de galets roulés par les vagues? La plage, dont la beauté célèbre a été si souvent illustrée par les peintres, semble un décor de féerie avec ses deux merveilleuses déchirures de falaise qu'on nomme les « portes» (Maupassant).

La situation

1 615 Étretatais – Cartes Michelin Local 304 B-C 3, Regional 512 – Le Guide Vert Normandie Vallée de la Seine – Seine-Maritime (76). Cette charmante station balnéaire doit sa fréquentation à l'originalité de son cadre. Le paysage grandiose des falaises est inoubliable, quelle que soit la saison. Depuis Caen, l'A 12, le pont de Normandie et la D 90 mènent à Étretat; de Dieppe ou Fécamp, prendre la D 940.
ℹ Pl. Maurice-Guillard, 76790 Étretat, ☏ 02 35 27 05 21. www.etretat.net
Pour poursuivre la visite, voir aussi: HONFLEUR, DIEPPE, ROUEN.

Les falaises d'Aval, à Étretat.

S. Sauvignier/MICHELIN

carnet pratique

Restauration

• À bon compte

Le Vicomté – *4 r. Prés.-R.-Coty - 76790 Étretat - ☎ 02 35 28 47 63 - ✉ - 13,87€.* Proche de l'étonnant palais Bénédictine dû au créateur de la célèbre liqueur, agréable petite salle de restaurant où l'on déguste une cuisine de marché.

• Valeur sûre

Le Galion – *Bd René-Coty - 76790 Étretat - ☎ 02 35 29 48 74 - fermé 15 déc. au 15 janv., mar. soir et mer. - 19,10/35,90€.* En plein centre, cette maison construite avec les éléments d'une vieille demeure de Lisieux a notamment un plafond de poutres sculptées qui date du 14e s. Sa cuisine et ses prix serrés en font une bonne adresse du coin.

Hébergement

• À bon compte

Hôtel La Résidence – *4 bd René-Coty - 76790 Étretat - ☎ 02 35 27 02 87 - 15 ch. : 26/90€ - ☕ 5€.* Ce manoir du centre-ville date du 14e s. Ses chambres, plutôt agréables, sont assez amusantes avec leurs meubles disparates. Attention aux marches : le superbe escalier d'époque qui mène à la réception est de guingois, grand âge oblige ! Accueil plaisant. Location de vélos.

• Valeur sûre

Hôtel de la Plage – *87 r. de la Plage - 76790 Étretat - ☎ 02 35 29 76 51 - 22 ch. : 48/61€ - ☕ 6€.* Pas très loin du front de mer, cet hôtel familial tout simple est une halte sans prétention.
Ses chambres sont proprettes et la salle où l'on prend le petit déjeuner est assez pittoresque, avec son comptoir en forme de coque de bateau et son décor marin...

découvrir

LES FALAISES D'ÉTRETAT

Bordée d'une digue-promenade, la plage de galets est encadrée par les célèbres falaises : à droite, la falaise d'Amont avec la chapelle N.-D.-de-la-Garde, le musée et le monument Nungesser-et-Coli ; à gauche, la falaise d'Aval avec son arche monumentale, la porte d'Aval. L'Aiguille, haute de 70 m, se dresse un peu plus loin, solitaire.

Falaise d'Aval★★★

1h à pied AR. Empruntez l'escalier *(180 marches, main courante)* à l'extrémité de la digue-promenade. Taillé dans la falaise crayeuse, il permet d'atteindre le sommet de la falaise. Longez le bord de la falaise jusqu'à la crête de la porte d'Aval, arcade rocheuse étonnamment découpée. La vue est magnifique sur l'arche de la Manneporte à l'architecture monumentale façonnée par la nature, en face sur l'Aiguille et de l'autre côté sur la falaise d'Amont.

Falaise d'Amont★★

1h à pied AR ou 10mn en voiture : prendre la D 11 « Fécamp par la côte ». Juste avant le panneau marquant la fin de l'agglomération, tourner à angle aigu à gauche dans une route étroite en forte montée. Au terme de cette route, laisser la voiture sur le parking.
De la chapelle des marins, **vue★** sur Étretat et son site. La longue plage de galets s'étend en dessous, fermée par la falaise d'Aval et l'Aiguille.
Derrière la chapelle, une immense flèche se dresse vers le ciel. Ce monument à la mémoire de Nungesser et Coli rappelle le départ de l'*Oiseau blanc*, première et malheureuse tentative de la traversée sans escale de l'Atlantique (8 mai 1927). C'est d'ici que l'appareil fut aperçu pour la dernière fois.
▶▶ Le Clos Lupin★

alentours

Fécamp★★

20 km au Nord-Est d'Étretat par la D 11. Depuis son origine, la ville est étroitement liée à la mer et au commerce de ses produits. À la Renaissance, les premiers vaisseaux fécampois pêchent la morue sur les bancs de Terre-Neuve. Aujourd'hui, le port accueille les bateaux de plaisance tandis qu'une belle plage de galet attire les baigneurs.
La belle **abbatiale de la Trinité★** fait revivre le passé monastique de la ville. Trois musées intéressants, dont le **palais Bénédictine★★**, étonnant bâtiment baroque, sont d'autres bonnes raisons de s'y arrêter. *Juil.-août : visite guidée (1h, dernière entrée 1h av. fermeture) 10h-19h30 ; avr.-juin et sept. : 10h-13h, 14h-18h30 ; fév.-mars et oct.-déc. : 10h30-12h45, 14h-18h. Fermé 25 déc. 5€. ☎ 02 35 10 26 10.*
▶▶ Musée des Terre-Neuvas et de la Pêche★ ; Musée des Arts et de l'Enfance★

Évian-les-Bains ♆♆♆

Baptisée poétiquement « la perle du Léman », Évian est une ville d'eaux très réputée, où le temps semble s'être arrêté. On vient du monde entier goûter à la douceur de son climat et aux promenades le long des rives si agréables du lac. Pendant la saison, on y apprécie aussi ses activités mondaines... Ses immeubles cossus comme ses palaces noyés dans la verdure témoignent du luxe, né de ses cures de bains d'eau froide depuis déjà plus de deux siècles.

La situation

7273 Évianais - Cartes Michelin Local 328 M 2, REgional 523 - Le Guide Vert Alpes du Nord - Haute-Savoie (74). Évian est merveilleusement située entre le lac et les contreforts des Préalpes du Chablais. Lausanne, Vevey, Ouchy... sont en face, côté Suisse. Et les « paquebots » de la CGN vous attendent pour une croisière.

Pl. d'Allinges, 74500 Évian-les-Bains, ☎ 04 50 75 04 26. www.eviantourism.com

Pour poursuivre la visite, voir aussi : ANNECY, SAINT-CLAUDE.

carnet pratique

Restauration

• *À bon compte*

Les Jardins du Léman – *Gde-Rue - 74140 Yvoire - 26 km au SO d'Évian-les-Bains par N 5 puis D 5 - ☎ 04 50 72 80 32 - fermé déc. et janv. - réserv. conseillée en saison - 14,48/29,73€.* Ce restaurant vous offre le choix de plusieurs salles à manger coquettement décorées. À la belle saison, deux terrasses les complètent : l'une dressée en bordure de la rue piétonne et l'autre plus agréable, bénéficiant d'une vue imprenable sur le château et le lac Léman. Copieuse cuisine traditionnelle.

• *Valeur sûre*

La Bernolande – *1 pl. du Port - 74500 Évian-les-Bains - ☎ 04 50 70 72 60 - fermé vac. scol. de fév., de Toussaint, jeu. de sept. à avr. et mer. sf juil.-août - 18,29/27,44€.* La terrasse de ce petit restaurant est un véritable observatoire d'où vous pourrez, par beau temps, admirer le lac et les bateaux-navettes qui assurent la liaison Lausanne-Évian. Copieuse cuisine familiale. Accueil souriant.

Hébergement

• *À bon compte*

Terminus – *32 av. de la Gare - 74500 Évian-les-Bains - ☎ 04 50 75 15 07 - fermé 15 déc. au 5 janv. - 14 ch. : 38/54€ - ☕ 5,50€ - restaurant 11/20€.* Descendez du train et posez votre sac dans cet hôtel aux chambres rénovées. Celles côté lac ont un balcon... Mais il n'y en aura pas pour tout le monde ! Sinon la petite salle à manger bénéficie aussi de la vue. Une gentille maison sans prétention.

• *Valeur sûre*

Hôtel de France – *59 r. Nationale - 74500 Évian-les-Bains - ☎ 04 50 75 00 36 - fermé 15 nov. au 15 déc. - P - 45 ch. : 58/70€ - ☕ 6€.* Dans la principale rue piétonne de la ville, le joli jardin de cet hôtel qui fleurit en lieu et place de l'ancien château des ducs de Savoie est enchanteur aux beaux jours. Ses chambres claires sont coquettes, meublées de façon moderne.

Hôtel de la Plage – *74500 Amphion-les-Bains - 3,5 km au SO d'Évian-les-Bains par N 5 - ☎ 04 50 70 00 06 - fermé 16 oct. à déb. mai - P - 39 ch. : 51,83/83,85€ - ☕ 6,86€ - restaurant 22,86/29,72€.* Difficile de trouver hébergement plus proche des eaux bleutées du lac Léman. Les chambres, claires et calmes, ont presque toutes été rénovées ; quelques-unes profitent de la vue. Déjeuner ou dîner dans la salle à manger sur pilotis procure une grande félicité.

Loisirs-Détente

Promenades en bateau★★★ – *« Tour Grand-Lac » (4h) : de fin mai à mi-sept. dép. à 13h15. « Tour du Haut-Lac » (4h) : de fin mai à mi-sept. dép. à 14h57 - 28,87€ (2e cl.) - ☎ 04 50 75 27 53 (Office des baigneurs).*

découvrir

LE « FRONT DE LAC★ »

C'est la plus jolie promenade d'Évian : en effet, le lac est bordé d'arbres d'essences rares, de pelouses et de fleurs. C'est ici que se trouvent les bâtiments de l'**Établissement thermal**, la villa Lumière, actuel hôtel de ville, et le casino, tous datant de la fin du 19e et du début du 20e s. Les nouveaux établissements thermaux se trouvent dans le **parc thermal**.

Plus à l'Est, un port de plaisance a été créé. Mais c'est au centre nautique, à l'entrée opposée de la ville, que vous trouverez les aménagements les plus modernes. Le **Jardin anglais** a élu domicile au-delà du port, où accostent les bateaux du Léman. En arrière, les grands hôtels s'étagent sur les premières pentes du pays Gavot, à travers les châtaigneraies de Neuvecelle. Un ensemble de fontaines musicales avec jeux d'eau rythmés par de la musique agrémente la promenade le long du lac.

La forme avec l'eau d'Évian

Ignorées des Romains, les vertus des eaux d'Évian ne furent découvertes qu'en 1789 lorsqu'un gentilhomme auvergnat, le marquis de Lessert, réalisa que l'eau de la fontaine Ste-Catherine, jaillissant dans le jardin d'un certain Cachat, «faisait passer ses graviers». C'est-à-dire qu'elle soulageait ses calculs rénaux.

Les eaux froides (11,6 °C) provenant du plateau de Vinzier sont filtrées par les sables glaciaires du pays Gavot et contiennent une très faible minéralisation. Cette eau minérale naturelle est devenue une référence grâce à son action reconnue sur les rhumatismes et les affections rénales. Elle a bien d'autres vertus que les thermes vous proposent de découvrir grâce aux nombreux forfaits: maman et bébé, forme, anti-stress...

LE LAC LÉMAN***

Avec ses 310 m de profondeur et ses 58000 ha, ce lac est 13 fois plus étendu que celui du Bourget, le plus vaste de la France intérieure. Sa forme est celle d'un croissant long de 72 km, large au maximum - entre Morges et Amphion - de 13 km. On distingue le Petit Lac - entre Genève et Yvoire - du Grand Lac, secteur le plus épanoui, dont une partie au large de Vevey, Montreux et St-Gingolph est encore appelée le Haut Lac.

Depuis des siècles, le Léman constitue un sujet d'études exceptionnel. Les échanges de chaleur entre l'atmosphère et les eaux du lac se traduisent par un bilan climatique très favorable aux riverains, surtout en avant et en arrière-saison. L'automne chablaisien est magnifique, avec des brumes fréquentes.

Yvoire**

25 km à l'Ouest d'Évian. Suivre la N5 jusqu'à Bonnafait, puis prendre à droite la D25. Reconstruit au début du 14e s. à l'emplacement d'une place forte, Yvoire a conservé de cette époque une partie de ses remparts, son château et quelques maisons anciennes. Il est bon de se laisser vivre à Yvoire, de flâner dans son quartier médiéval au hasard des rues bordées d'échoppes d'artisans, de rêver devant l'immensité du lac Léman et le vaste spectacle des montagnes. Il est bon d'y sentir les fleurs, d'y goûter ses délicieux filets de perche, d'y entendre le clapotis des vagues ou la musique des gréements dans le port... Tout invite à se laisser porter par l'aimable poésie qui se dégage de cette jolie station.

▶▶ Jardin des Cinq Sens*, un jardin clos planté dans l'esprit de ceux du Moyen Âge.

Fr. Isler/MICHELIN

Le donjon massif d'Yvoire, vestige du château-fort, se reflète dans les eaux du lac Léman, où les barques attendent les touristes.

Les Eyzies-de-Tayac**

La situation géographique des Eyzies est superbe: un cadre de falaises couronnées de chênes verts et de genévriers pour un village tout en hauteur. Mais il y a plus: les parois rocheuses des falaises ont livré leur secret, celui de millénaires d'occupation humaine. Les Eyzies sont une des portes de la préhistoire: alors, parmi les grottes, les dessins, les outils et les ossements, c'est une véritable quête de nos ancêtres qui commence...

La situation

909 Eyzicois, ou Tayaciens - Cartes Michelin Local 329 H-J 3-6, Regional 526 - Le Guide Vert Périgord Quercy- Dordogne (24). Le bourg des Eyzies est un village-carrefour à la croisée de la route qui mène du Bugue à Montignac, et surtout, de l'axe Périgueux-Sarlat, la D47.

Pl. de la Mairie, 24620 Les Eyzies-de-Tayac, ☎ 05 53 06 97 05. www.leseyzies.fr

Pour poursuivre la visite, voir aussi: SARLAT-LA-CANÉDA, ROCAMADOUR.

carnet pratique

Restauration

• À bon compte

Auberge de Castel Merle – *24290 Sergeac - 18,5 km au NE des Eyzies-de-Tayac par D 706, D 6 puis D 65 - ☎ 05 53 50 70 08 - fermé fin sept. à fin mars, mar. midi et lun. - réserv. obligatoire en été - 14/25€.* Cette paisible et charmante auberge juchée sur les falaises surplombant la Vézère offre une vue magnifique sur la vallée. Grande terrasse ombragée où sont disposées des tables nappées de rouge et de blanc. Quelques douillettes chambres de style rustique.

• Valeur sûre

Métairie – *Sur D 47 - 24620 Les Eyzies-de-Tayac - 7 km à l'E des Eyzies-de-Tayac - ☎ 05 53 29 65 32 - fermé 11 nov. à déb. fév., dim. soir hors sais. et lun. - 10€ déj. - 18,50/30,50€.* Au pied du château de Beyssac dont elle dépendait, ancienne ferme bâtie autour d'une cour-terrasse. Les mangeoires ornant la salle à manger rappellent le passé des lieux.

Hébergement

• Valeur sûre

Hôtel Le Moulin de la Beune – *24620 Les Eyzies-de-Tayac - ☎ 05 53 06 94 33 - fermé 2 nov. au 31 mars - P - 20 ch. : 45,73/59,46€ - ☕ 6,40€.* Cet ancien moulin borde la Beune, en contrebas de la route. Les chambres sont classiques mais sympathiques. Dans la salle à manger aux murs de pierres apparentes et boiseries, vous pourrez admirer l'ancien mécanisme de la roue à aubes. Terrasse au bord de l'eau.

comprendre

La « capitale de la préhistoire » – Des abris creusés à la base des masses calcaires ont tenu lieu d'habitations aux hommes de la préhistoire, tandis que des grottes s'ouvrant à mi-hauteur des falaises leur servaient de sanctuaires. La découverte de ces abris, depuis le 19e s., dans un rayon restreint autour des Eyzies, leur exploration méthodique et l'étude des gisements qu'ils recèlent ont permis à la préhistoire de s'ériger en science et ont fait des Eyzies la «capitale de la préhistoire».

Au paléolithique – La basse Vézère offrait une multitude de cavités que pendant plusieurs dizaines de milliers d'années, les hommes ont fréquentées, y laissant des traces de leur passage et de leurs activités: ossements, cendres de foyers, outils, armes, ustensiles, représentations figuratives et abstraites. Différentes espèces humaines (Neandertal et homme moderne), différentes cultures s'y sont succédé, souvent en raison des changements climatiques qui affectaient leur milieu naturel. La faune s'est elle aussi adaptée: les chevaux, mammouths et rennes, qui couraient dans la vallée, ont été remplacés par les cerfs et les sangliers; la forêt a gagné du terrain et le climat se réchauffant, les hommes ont commencé à défricher, et à se sédentariser...

Le domaine des chercheurs – L'étude méthodique des gisements de la région des Eyzies a permis aux archéologues de mieux connaître la préhistoire. Le département de la Dordogne offre en effet une fabuleuse richesse de vestiges: près de 200 gisements sont dénombrés, dont plus de la moitié se situe dans la basse vallée de la Vézère!

découvrir

Musée national de Préhistoire*

Juil.-août: tlj sf mar. 9h30-19h ; de mi-mars à juin et de déb. sept. à mi-nov.: tlj sf mar. 9h30-12h, 14h-18h; de mi-nov. à mi-mars: tlj sf mar. 9h30-12h, 14h-17h. Fermé 1er janv. et 25 déc. 4,50€ (enf.: gratuit). ☎ 05 53 06 45 45.

Le musée est installé dans une forteresse qui surplombe le village des Eyzies. De la terrasse, où se dresse la statue de l'homme de Neandertal, on découvre une belle vue sur le bourg et sur les vallées de la Vézère et de la Beune.

Il retrace les grandes étapes de l'évolution des cultures humaines par la présentation d'outils des grandes périodes du paléolithique. La première salle du niveau II présente une impressionnante collection des premières œuvres d'art de l'homme moderne, tel ce bloc sculpté en bas-relief du **Fourneau du Diable** (du solutréen, autour de -20 000 ans). La salle II présente un catalogue de l'art mobilier, les statuettes féminines du gravettien.

Grotte de Font-de-Gaume*

Suivre la D47 vers l'Est, et laisser la voiture au débouché du vallon de St-Cyprien, face à une falaise en forme d'éperon. De mi-mai à fin sept.: visite guidée sur demande (3/4h, dernière entrée 1h av. fermeture) tlj sf sam. 9h30-17h30; de déb. oct. à mi-mai: tlj sf sam. 9h30-12h30, 14h-17h30. Fermé 1er janv., 1er mai, 1er et 11 nov., 25 déc. 5,49€. ☎ 05 53 06 86 00.

Il s'agit du dernier site à figures polychromes ouvert au public. La grotte se présente sous la forme d'un couloir d'environ 120 m orné de peintures pariétales – très belles. On découvre ainsi une frise de bisons polychrome (dont deux particulièrement, peints sur un fond de calcite blanche, sont remarquables), de chevaux et de mammouths. Notez aussi la présence de signes en forme de toit.

Suivre la Vézère par la D 706, et franchir le pont vers l'Espinasse. Le paysage est alors façonné par le méandre le plus étroit de la rivière.

Site de la Madeleine*

Au pied de la falaise s'étend le gisement paléolithique qui permit de définir la culture du magdalénien. À mi-pente, incrusté dans la falaise et protégé par des abris-sous-roche, le splendide **village troglodytique** comporte une vingtaine d'habitations qui furent occupées de la fin du 9e s. au 19e s. *Juil.-sept. : visite guidée (1h) 9h30-19h30 ; oct.-juin : 10h-18h. 5€ (enf. : 3€). ☎ 05 53 06 92 49.*

Continuer à longer la Vézère en direction de Montignac, en restant sur la rive gauche.

Lascaux II**

Juil.-août : visite guidée (3/4h) 9h-20h ; avr.-juin et sept. : 9h30-18h30 ; fév.-mars et de déb. oct. à mi-nov. : 10h-12h30, 14h-18h ; demi-nov. à fin déc. : tlj sf lun. 10h-12h, 14h-17h30. Fermé 25 déc. Attention ! en avr.-sept., la billetterie se trouve à Montignac, sous les arcades à côté de l'Office de tourisme. La vente des billets commence à 9h et se termine aussitôt la barre des 2 000 entrées atteinte (ce qui, en haute sais., se produit rapidement). 7,70€ (enf. : 4,50€). ☎ 05 53 35 50 10.

À 200 m de la grotte originale, ce fac-similé reconstitue la Rotonde et le Diverticule axial de manière très fidèle. Des « sas » muséographiques présentent l'archéologie de la grotte (sagaies, silex des graveurs, poudres colorées ayant servi aux peintures, lampe à suif pour l'éclairage, reconstitution d'un échafaudage...), expliquent les techniques utilisées par l'artiste magdalénien et retracent l'histoire de la découverte. Une véritable prouesse technologique doublée d'une grande rigueur scientifique ont permis de recréer l'atmosphère incomparable de la cavité originale. Dès 1966, l'Institut géographique national avait effectué des relevés stéréophotogrammétriques au millimètre près de la grotte de Lascaux afin de reconstituer son relief de façon précise. Ce travail permit de réaliser une coque en ferrociment bâtie à l'image des constructions navales. Sur la paroi artificielle, Monique Peytral a recopié les peintures murales en s'aidant des relevés qu'elle avait effectués et de diapositives. Elle a utilisé les mêmes pigments et les mêmes procédés que les artistes magdaléniens.

On peut donc admirer, comme dans l'original, les cinq grands taureaux noirs de la Rotonde, dont le quatrième, long de 5,50 m, demeure la plus grande figure paléolithique connue, ainsi que, harmonieusement placés, des vaches rouges, des chevaux noirs, rouges, jaunes et bruns, et deux petits bouquetins jaune et rouge, affrontés dans le Diverticule axial. L'ensemble, apparemment désordonné, présente cependant de nombreuses compositions, dont certaines sont en rapport avec le relief des parois. Ces œuvres sont traditionnellement attribuées au magdalénien ancien (-17 000 ans environ).

Cheval bichrome, une des peintures rupestres de la grotte de Lascaux.

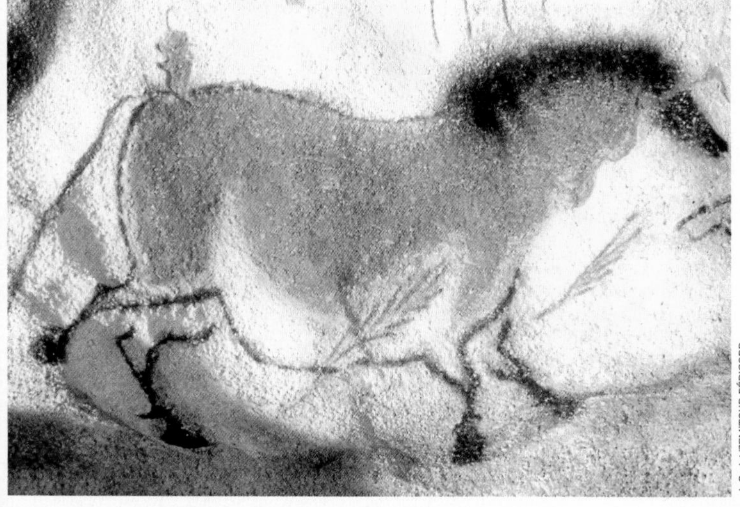

J. Grelet/SEMITOUR PÉRIGORD

Figeac★★

Pas de pyramides ni d'obélisques à Figeac, mais vous trouverez une momie et quelques sarcophages au musée Champollion : enclave égyptienne dans une ville bâtie le long du Célé, qui invite à un voyage au cœur d'un Moyen Âge prestigieux en Quercy.

La situation

9 606 Figeacois – Cartes Michelin Local 337 I 4, Regional 526 – Le Guide Vert Périgord Quercy – Lot (46). D'où que l'on vienne, les accès de Figeac peinent à ventiler une circultaion importante. Sur les boulevards, avenues et quais qui enserrent le vieux bourg sont cependant aménagés de nombreux parkings.

Hôtel de la Monnaie, pl. Vival, 46100 Figeac, ☎ 05 65 34 06 25.

Pour poursuivre la visite, voir aussi : CAHORS, ROCAMADOUR, RODEZ.

carnet pratique

RESTAURATION

• ***Valeur sûre***

La Dînée du Viguier – *R. Boutaric - 46100 Figeac - ☎ 05 65 50 08 08 - fermé 22 janv. au 11 fév., 20 au 26 nov., lun. hors sais., sam. midi et dim. soir - 23/57€.* Dans le château du Viguier du Roy, avec entrée indépendante, ce restaurant est en harmonie avec son décor médiéval : haut plafond de poutres peintes et cheminée de pierre. Cuisine au goût du jour.

HÉBERGEMENT

• ***À bon compte***

Champollion – *3 pl. Champollion - 46100 Figeac - ☎ 05 65 34 04 37 - 10 ch. : 39/45€ - ☕ 6€.* Maison natale, place des Écritures... et hôtel à l'enseigne de « l'Égyptien » : le souvenir de Champollion est aussi présent dans ce logis médiéval aux chambres actuelles.

se promener

LE VIEUX FIGEAC★★

Figeac a conservé de nombreux bâtiments des 13e, 14e et 15e s. construits dans un beau grès beige. Ces derniers s'ouvrent au rez-de-chaussée par de grandes ogives surmontées au 1er étage d'une galerie ajourée. Sous le toit plat, le « soleilho », grenier ouvert, servait à faire sécher le linge, ranger le bois, cultiver les fleurs. **Rues de Colomb, Émile-Zola** et **Baduel**, découvrez tailleur de pierre, mosaïste, tapissier, faïencier, luthier et ferronnier d'art.

Hôtel de la Monnaie★

Cet édifice a été construit au 13e s. Caractéristique de l'architecture civile figeacoise, il déploie ses arcades en ogive, ses fenêtres en tiers-point, et une belle cheminée en pierre.

Place des Écritures★

Son sol est couvert d'une immense reproduction de la pierre de Rosette, sculptée dans du granit.

Une place qui se lit : c'est celle vouée aux Écritures qui se découvre depuis le jardin suspendu qui la domine.

Musée Champollion★

Juil.-août : 10h-12h, 14h30-18h30 ; mars-juin et sept.-oct. : tlj sf lun. (hors j. fériés) 10h-12h, 14h30-18h30 ; nov.-fév. : tlj sf lun. 14h-18h. Fermé 1er janv., 1er mai et 25 déc. 3,09€ (enf. : 1,86€). ☎ 05 65 50 31 08.

Dans la maison natale de Champollion (1790-1831), des documents retracent la vie de celui qui perça le secret des hiéroglyphes. Des objets évoquent les utilisations de l'écriture dans l'Égypte ancienne, et des sarcophages les rites funéraires.

Foix★

Au débouché de l'ancienne vallée glaciaire de l'Ariège, Foix apparaît soudain dans un site★ tourmenté hérissé de sommets aigus. Les tours de son château semblent surveiller, de leur roc austère, le dernier défilé de la rivière à travers les plis du Plantaurel.
Un vieux quartier, sympathique avec ses rues étroites... Un autre construit au 19e s. autour de vastes esplanades.

La situation

9 109 Fuxéens – Cartes Michelin Local 343 G-I 6-8, Regional 526 – Le Guide Vert Midi-Pyrénées – Ariège (09). La ville ancienne, aux rues étroites, a pour centre, à l'angle des rues de Labistour et des Marchands, le carrefour où coule la fontaine en bronze de l'Oie. Elle contraste avec le quartier administratif bâti au 19e s. autour de vastes esplanades sans grâce, les allées de la Villote et le Champ-de-Mars.
29 r. Delcassé, 09000 Foix, ☎ 05 61 65 12 12. www.mairie-foix.fr
Pour poursuivre la visite, voir aussi : TOULOUSE, CARCASSONNE, PERPIGNAN.

carnet pratique

RESTAURATION

• Valeur sûre

Phœbus – *3 cours Irénée-Cros - 09000 Foix - ☎ 05 61 65 10 42 - fermé 15 juil.-15 août, sam. midi et lun. - 18,30/35,83€.* La salle de restaurant domine l'Ariège et offre un joli panorama sur le château de Gaston Phœbus. Cuisine traditionnelle. Carte en braille pour les non-voyants.

HÉBERGEMENT

• À bon compte

Parc – *09400 Ussat - 12 km au S de Foix par N 20 - ☎ 05 61 02 20 20 - thermes.ussat@wanadoo.fr - fermé 25 nov. au 5 janv. - P - 49 ch. : 39,70/49,60€ - ☕ 6,10€ - restaurant 10,90€.* Hôtel récent s'élevant face à un beau parc boisé. Sobres chambres fonctionnelles. Thermes au 1er étage, piscine couverte et terrasse-solarium sur le toit. Cuisine de type pension de famille servie dans une salle à manger au décor actuel.

• Valeur sûre

Hôtel Costes – *09300 Montségur - 27 km au SE de Foix par N 20, D 117 dir. Lavelanet et à droite par D 9 - ☎ 05 61 01 10 24 - fermé 12 nov. au 31 mars, dim. soir et lun. - 9 ch. : 45€ - ☕ 6,60€ - restaurant 15,25/25,95€.* Pour vous donner du courage avant de grimper au château, faites donc une halte dans cette petite maison de village. Ce restaurant est modeste et l'accueil sympathique. La salle à manger fait aussi office de bar local. Cuisine simple traditionnelle.

visiter

Château

Juil.-août : 9h45-18h30 ; mai-juin et sept. : 9h45-12h, 14h-18h ; avr. : 10h30-12h, 14h-17h30 ; nov.-mars : tlj sf lun. et mar. (hors vac. scol.) 10h30-12h, 14h-17h30. Fermé janv., 1er lun. de sept. et 25 déc. 4€. ☎ 05 34 09 83 83.
Le château, dont les premières bases datent du 10e s., est une solide place forte. En 1272, le comte de Foix refusant de reconnaître la souveraineté du roi de France, Philippe le Hardi prend en personne la direction d'une expédition contre la ville. À bout de vivres et devant l'attaque du rocher à pic, le comte capitule. Après la réunion du Béarn et du comté de Foix en 1290, la ville est abandonnée par les comtes. Gaston Phœbus est le dernier à avoir vécu au château.
L'intérêt du bâtiment tient avant tout à son site, en aplomb au-dessus de la ville. Des trois tours qui subsistent, la tour centrale et la tour ronde ont conservé des salles voûtées des 14e et 15e s. Ces tours étaient entourées de deux enceintes qui rendaient la position du château fort redoutable. Du sommet de la tour ronde, **panorama★** sur Foix, la vallée de l'Ariège et le Pain de Sucre de Montgaillard.
Le château abrite le Musée départemental de l'Ariège.
Du pont de Vernajoul, vue saisissante sur le château.

IL ÉTAIT UNE FOIS DANS LA VILLE DE FOIX

Le plus célèbre des comtes de Foix Gaston III (1331-1391) était surnommé Phœbus (le brillant, le chasseur).
Ce politique avisé, personnage cultivé, lettré et poète, qui aimait s'entourer d'écrivains et de troubadours, n'était cependant pas un tendre ! Après avoir fait assassiner son frère, il tua son fils unique. Passionné de chasse, auteur d'un traité sur l'art de la vénerie, il entretient 600 chiens et, à l'âge de 60 ans, il découd encore l'ours... C'est au retour d'une de ces rudes expéditions qu'il tombe foudroyé par une hémorragie cérébrale.

A. Thuillier/MICHELIN

Dominant la cité du comte-soleil, la formidable forteresse de Foix.

découvrir

LA PRÉHISTOIRE EN ARIÈGE

Les Pyrénées demeurent un des sites les plus riches du globe pour l'étude des premiers âges de l'humanité. Pas moins de douze grottes préhistoriques ornées font de la région de Tarascon-sur-Ariège une véritable capitale de la préhistoire, incontournable pour les passionnés qui s'intéressent à la vie de nos lointains ancêtres.

Grotte de Niaux**

21 km au Sud de Foix. Prendre la N 20 jusqu'à Tarascon-sur-Ariège, puis la D 8. Juil.-août : visite guidée (tous les 3/4h) 9h15-11h30, 13h-17h30 ; sept. : 10h-11h30, 13h-17h30 ; oct.-juin et oct. : 11h, 14h30, 16h ; mars et nov. : tlj sf lun. (hors vac. scol.) 11h, 14h30, 16h. Fermé 1er janv. et 25 déc. 9€ (enf. : 5,50€). Parcours long et accidenté, se munir de bonnes chaussures ou de bottes en période très pluvieuse. Réservation indispensable. ☎ 05 61 05 88 37.

Les remarquables dessins qui ornent les parois de cette grotte de la vallée de Vicdessos en font un des hauts lieux de l'art préhistorique. Des salles très vastes et très hautes et de longs couloirs conduisent à une sorte de rotonde naturelle, le **Salon noir**, dont les parois sont décorées de dessins de bisons, de chevaux, de bouquetins et d'un cerf vus de profil. Leur facture, leur finesse et leur réalisme témoignent d'une maîtrise exceptionnelle.

Grotte du Mas-d'Azil**

33 km au Nord-Ouest de Foix, par la D 117 jusqu'à Vic, puis la D 15 qui rejoint la D 119. Juil.-août : visite guidée (1h) 10h-18h ; juin et sept. : 10h-12h, 14h-18h ; avr.-mai : 14h-18h, dim., j. fériés et vac. scol. Pâques 10h-12h, 14h-18h ; mars et oct.-nov. : dim. et j. fériés 14h-18h. 6,10€ (enf. : 3,05€), billet incluant la visite du musée. ☎ 05 61 69 97 71.

Station préhistorique célèbre dans le monde scientifique, le Mas-d'Azil est aussi l'une des curiosités naturelles les plus spectaculaires de l'Ariège. Les 4 étages de galeries fouillées se développent sur 2 km, dans un calcaire dont l'homogénéité empêche les infiltrations et la propagation de l'humidité. On visite entre autres la **salle du Temple**, lieu de refuge protestant lors du siège de 1625. Des vitrines présentent des pièces des époques magdalénienne dont le moulage de la célèbre tête de cheval hennissant, et azilienne. Plus loin apparaissent, enrobés dans les déblais, des vestiges de faune (mammouth et ours) amoncelés sans doute par des crues souterraines.

Parc de la Préhistoire**

16 km au Sud de Foix par la N 20. Prendre à droite la D 618 avant d'arriver à Tarascon. Juil.-août : 10h-20h ; avr-juin : 10h-18h, w.-end et j. fériés 10h-19h ; sept.-oct. : tlj sf lun. 10h-18h, w.-end et j. fériés 10h-19h. 9€ (enf. : 5,50€). ☎ 05 61 05 10 10.

Dans un beau cadre de montagne sur la route de Banat, le parc est consacré à l'art pariétal. Le bâtiment d'architecture contemporaine abrite le Grand Atelier, où le visiteur muni d'un casque à infrarouges effectue, dans la pénombre, un parcours initiatique. On découvre d'émouvantes empreintes de pas d'enfants inscrites dans le sol depuis des milliers d'années. Dans l'espace cinématographique, la présentation des méthodes de fouilles et de datation est complétée par un panorama de l'art pariétal dans le monde. Le fac-similé du Salon noir de la grotte de Niaux déploie sur ses parois des chevaux, des bouquetins et des bisons. La visite se poursuit à l'extérieur dans un environnement aménagé autour des thèmes de l'eau et de la roche.

alentours

Château de Montségur**

33 km au Sud-Est de Foix, par la D117, puis la D9 à droite avant Lavelanet. *Du parking, 1h à pied AR par un sentier escarpé et rocailleux. Mai-août: 9h-19h30; avr. et sept.-oct.: 9h30-18h; mars.: 10h-17h; nov.: 9h-17h30; déc.: 10h-16h30 (si météo favorable). Fermé janv. 3,50€.* ☎ *05 61 03 03 03.*

Beaucoup d'émotion dans ce lieu où l'épopée cathare a pris fin. Perché sur son « pog » (rocher) à 1216 m d'altitude, le château occupe un **site**** dominant des à-pic de plusieurs centaines de mètres. Il offre un panorama remarquable sur les rides du Plantaurel, la coupure de la vallée de l'Aude et le massif du St-Barthélemy. Du haut de ce pic, on embrasse un paysage extraordinaire.

On accède à la forteresse, dont le plan épouse le contour de la plate-forme du sommet, par une porte au Sud. Autour de la cour intérieure, divers bâtiments (logis, annexes) étaient adossés au rempart. Autrefois, une porte au 1er étage du donjon permettait d'y accéder à partir du rempart. On pénètre dans la salle basse après avoir contourné l'enceinte par la porte Nord, par une brèche qui donne sur l'ancienne citerne. Deux meurtrières de la salle basse reçoivent le soleil du solstice d'été de telle sorte que la lumière ressort par les deux meurtrières qui leur font face.

UN LIEU DE MÉMOIRE ET D'ÉMOTION

Au 13e s., le château de Montségur abrite une centaine d'hommes sous le commandement de Pierre-Roger de Mirepoix. À l'extérieur vit une communauté de réfugiés cathares. Le prestige du lieu, sa fière indépendance portent ombrage à l'Église et à la royauté. Le massacre des membres du tribunal de l'Inquisition à Avignonet, par une troupe venue de Montségur le 28 mai 1242, met le feu aux poudres, et la décision est prise de réduire ce foyer de résistance. Le siège, dirigé par le sénéchal de Carcassonne, Hugues des Arcis, à la tête d'une armée de 10000 hommes, commence en juillet 1243. Entrecoupé de combats, il dure dix mois et s'achève une nuit de janvier 1244 lorsqu'une escouade de montagnards basques, escaladant à la faveur de la nuit la falaise abrupte, prend pied sur le plateau supérieur où elle installe un trébuchet monté par pièces détachées avec lequel les murailles sont criblées de boulets.
Pierre de Mirepoix offre alors de rendre la place et obtient la vie sauve pour la garnison. Une trêve est conclue pour la période du 1er au 15 mars 1244. Les cathares, restés en dehors de la convention, ne tentent pas d'échapper au bourreau par le reniement ou la fuite. Le matin du 16 mars, au nombre de 207, ils descendent de la montagne et montent sur le gigantesque bûcher.

Fontainebleau***

Fontainebleau ne s'est développé qu'au 19e s. avec le goût de la villégiature et du pittoresque « sauvage » de sa forêt. Le château, quant à lui, séduit dès la première visite. Souvenir de la Renaissance avec son célèbre escalier en fer à cheval ou imagerie d'Épinal avec la scène des Adieux de Napoléon à ses grognards? De plus, la ville, même si elle reste un peu guindée, est une étape tout à fait agréable en Île-de-France d'où l'on rayonnera jusqu'à Vaux-le-Vicomte, Nemours, Barbizon ou Courances.

La situation

15942 Bellifontains - Cartes Michelin Local 312 D-F 5, Regional 513 - Le Guide Vert Île-de-France - Seine-et-Marne (77). Liaison SNCF depuis la gare de Lyon ou en voiture par autoroute A6 (1h de trajet).

4 r. Royale, 77300 Fontainebleau, ☎ *01 60 74 99 99.*

Pour poursuivre la visite, voir aussi: VAUX-LE-VICOMTE, SENS, PROVINS.

découvrir

LE PALAIS***

Une résidence de chasse – On ne sait exactement à quelle époque elle fut édifiée, mais avant 1137 en tout cas puisqu'une charte du roi Louis VII est datée cette année-là de Fontainebleau. Philippe Auguste, Saint Louis et Philippe le Bel (né et mort dans ce palais) s'y plurent particulièrement.

Le souffle de la Renaissance – Avec François Ier, presque toutes les constructions médiévales disparaissent. Sous le contrôle de Gilles Le Breton, deux groupes de bâtiments sont édifiés. L'un, sur les fondations anciennes, dessine la cour Ovale à l'Est, l'autre la Basse Cour à l'Ouest. Une galerie les relie. Une pléiade d'artistes travaille à la décoration. François Ier veut l'embellir avec des œuvres à l'antique et en faire « une nouvelle Rome ». Les équipes de peintres et stucateurs travaillent

carnet pratique

Restauration

• *À bon compte*

Le Wooden Horse – *10 r. de Montebello - 77300 Fontainebleau - ☎ 01 60 72 04 05 - fermé mar. midi et lun. - réserv. conseillée - 15/22€.* La faim vous tenaille ? Ce restaurant du centre-ville rassasie les affamés et étanche les grandes soifs. Attablez-vous dans l'élégante salle ou dans la petite cour coiffée d'une verrière, très agréable au déjeuner... Et prévoyez un crochet par le pub, doté de confortables fauteuils club.

• *Valeur sûre*

Croquembouche – *43 r. de France - 77300 Fontainebleau - ☎ 01 64 22 01 57 - fermé août, vac. de Noël, dim. soir, jeu. midi et mer. - 20/32€.* Un restaurant tout simple en centre-ville, fréquenté par des habitués séduits par l'accueil sympathique, le cadre chaleureux de la salle à manger aux douces tonalités et la cuisine traditionnelle préparée avec des produits frais.

L'Ermitage St-Antoine – *51 Grande-Rue - 77630 Barbizon - 7 km au NO de Fontainebleau par N 7 et N 37 - ☎ 01 64 81 96 96 - fermé 3 sem. en août., lun. et mar. - 21,34/27,44€.* Lambris peints, tomettes, poutres apparentes : cette ferme du 19e s. devenue bistrot n'a rien perdu de son cachet. Les appétits carnassiers apprécieront sa belle entrecôte, les autres trouveront à coup sûr leur bonheur en consultant l'ardoise de suggestions du jour.

Hébergement

• *À bon compte*

Hôtel Victoria – *112 r. de France - 77300 Fontainebleau - ☎ 01 60 74 90 00 - resa@hotelvictoria.com - P - 20 ch. : 38/58€ - ☕ 7€.* Ce bâtiment du 19e s. offre sur trois étages un cadre frais et reposant. La plupart des chambres ont été rénovées dans des tonalités jaune et bleu ; cinq possèdent une cheminée en marbre. Petits déjeuners servis dans la véranda ou sur la terrasse tournée vers le jardin.

• *Une petite folie !*

Hôtel de Londres – *1 pl. du Gén.-de-Gaulle - 77300 Fontainebleau - ☎ 01 64 22 20 21 - fermé 13 au 18 août et 23 déc. au 8 janv. - P - 12 ch. : 105/135€ - ☕ 10€.* En face du château, charmant hôtel fondé en 1850, où vous attendent de pimpantes chambres garnies de meubles anciens et décorées de gravures de chasse. Celles situées en façade bénéficient de la vue sur l'ancienne résidence royale.

sous la direction d'un Florentin, le Rosso, élève de Michel-Ange, et d'un Bolonais, le Primatice. Ils développent un art décoratif inspiré d'allégories. Ces artistes forment la première école de Fontainebleau.

Le palais du Vert Galant – Henri IV, qui aime beaucoup Fontainebleau, l'agrandit considérablement. Le tracé irrégulier de la cour Ovale est redressé, la cour des Offices, le Jeu de paume sont construits. Une nouvelle école, échappant à l'influence italienne, mais souvent d'inspiration flamande, travaille à la décoration des appartements neufs: la peinture à l'huile sur plâtre ou sur toile remplace la fresque. Les lambris en bois naturel rehaussés de filets d'or cèdent la place aux boiseries peintes: c'est la seconde école de Fontainebleau, dont les artistes appartiennent plutôt au milieu parisien.

La maison des Siècles – Louis XIV, Louis XV, puis Louis XVI font effectuer des transformations, surtout dans la décoration des appartements. La Révolution épargne le château et se borne à le vider de ses meubles. Devenu consul, puis empereur, Napoléon aime à s'y rendre. Il préfère Fontainebleau à Versailles parce qu'il n'y rencontre pas l'ombre écrasante d'un rival en gloire. C'est « la maison des Siècles», dit-il, et il y laisse son empreinte en faisant effectuer de nouveaux aménagements.

Tour extérieur

Cour du Cheval-Blanc ou des Adieux★★ – Ce n'était qu'une cour de service, mais son ampleur la désigna très tôt pour les parades et les tournois. Elle acquit le nom de cour du Cheval-Blanc quand Charles IX y plaça un moulage en plâtre de la statue équestre de Marc Aurèle au Capitole. Les aigles dorées rappellent que l'Empereur fit de cet endroit sa cour d'honneur.

Les Adieux

Le 20 avril 1814, l'Empereur paraît en haut du Fer-à-Cheval. Il est 1h de l'après-midi. Les voitures des commissaires des armées étrangères chargés de l'escorter l'attendent. Il descend lentement la branche droite de l'escalier, la main sur la balustrade de pierre. Blême d'émotion contenue, il s'arrête un instant, contemplant sa garde alignée, puis s'avance vers le carré des officiers qui entourent l'Aigle et leur chef, le général Petit. Sa harangue étreint les cœurs. Elle est un plaidoyer: « Continuez à servir la France, son bonheur était mon unique pensée ! » et un ultime remerciement: « Depuis vingt ans... vous vous êtes toujours conduits avec bravoure et fidélité ! » Il serre le général dans ses bras, baise le drapeau et monte rapidement dans la voiture qui l'attend tandis que les grognards mêlent les larmes à leurs acclamations.

Cour de la Fontaine★ – La fontaine située au bord de l'**étang des Carpes★** donnait une eau très pure qui était jadis réservée à l'usage du roi et gardée à ce titre par deux sentinelles. La fontaine est surmontée par une statue d'Ulysse.

Porte Dorée★ – Cette porte, datée de 1528, est percée dans un imposant pavillon. Ce fut l'entrée d'honneur du palais jusqu'à ce qu'Henri IV ouvrît la porte du Baptistère. Au tympan flamboie la salamandre, emblème de François Ier.

Cour Ovale★ – Elle occupe l'emplacement de la cour du château fort primitif, dont il ne reste que le donjon. François Ier l'engloba dans les bâtiments qu'il édifia sur les fondations de l'ancien château et qui dessinaient alors un ovale. Sous Henri IV, la cour perdit sa forme : on l'agrandit à l'Est.

Jardin de Diane★ – Créé par Catherine de Médicis, le jardin à la française fut aménagé par Henri IV. Le 19e s. transforma le jardin dans le goût anglais. Au centre, voyez l'élégante fontaine de Diane (1603).

Grands Appartements★★★

♿ *Tlj sf mar. 9h30-17h (juin-sept. : 18h), dernière entrée 3/4h av. fermeture. Fermé 1er janv., 1er mai, 25 déc. 5,50€ (enf. : gratuit), gratuit 1er dim. du mois. ☎ 01 60 71 50 60.*

Galerie Francois Ier★★★ – Bâtie entre 1528 et 1530, elle formait, à l'origine, une sorte de pont couvert. La décoration, mêlant les fresques et les stucs, en revint en premier lieu aux équipes du Rosso, les travaux de boiserie étant exécutés par un menuisier italien, Scibec de Carpi. Partout apparaissent le F de François Ier et l'emblème de la salamandre. Les scènes représentées sont d'une interprétation difficile.

Escalier du Roi★★ – Construit en 1749, sous Louis XV, dans l'ancienne chambre de la duchesse d'Étampes, favorite de François Ier. Le thème décoratif est l'histoire d'Alexandre : voir en se retournant, au-dessus de la porte, Alexandre domptant Bucéphale. Remarquez l'originalité des stucs du Primatice : la haute bordure est rythmée par des cariatides au corps anormalement étiré.

Ph. Gajic/MICHELIN

Dans le palais de François Ier, la salle de Bal.

Salle de bal★★★ – Longue de 30 m, large de 10 m, c'était la salle des festins et des fêtes. Construite sous François Ier, elle fut achevée sous Henri II, par Philibert Delorme. Une minutieuse restauration a rendu leur éclat aux splendides fresques et peintures pleines de mouvement du Primatice et de son élève Niccolò dell'Abate. La marqueterie du parquet exécutée sous Louis-Philippe reproduit les caissons du plafond richement décorés d'or et d'argent.

Appartements royaux★★ – Le château de François Ier ne disposait, autour de la cour Ovale, que d'une enfilade d'appartements, dont les pièces se commandaient. Vers 1565, Catherine de Médicis, régente, fait doubler le corps de bâtiment tournant, entre la cour Ovale et le jardin de Diane. Les souverains installent peu à peu leur chambre, leurs cabinets et leurs salons privés du côté du jardin de Diane ; l'ancien appartement aligne désormais des antichambres, salles des gardes ou salons animés par la circulation des courtisans, le « grand couvert » et la vie publique du roi.

Musée Napoléon Ier★

♿ *Visite guidée (1h) lun., jeu. et sam. matin. Se renseigner le matin par téléphone. 3€. ☎ 01 60 71 50 60.*

Consacré à l'Empereur et à sa famille, le musée expose des portraits (peintures et sculptures), de l'orfèvrerie, des armes, des décorations, de la céramique (services de l'Empereur), des habits (habits du sacre, uniformes) et des souvenirs personnels.

Jardins*

Grotte du jardin des Pins* – Rare ouvrage caractéristique du goût pour les nymphées et les architectures «rustiques» encore en vogue à la fin du règne de François Ier, sous l'influence de l'Italie. Les arcades à bossages soutenues par des atlantes monstrueux ouvrent sur une grotte autrefois décorée de fresques.

Jardin anglais* – Après une longue période d'abandon pendant la Révolution, le jardin actuel a été recréé en 1812 sous le Premier Empire. Henri IV lui a apporté une originalité à l'époque en plantant un platane qui était une essence très rare. Ils sont nombreux aujourd'hui, accompagnés des étranges cyprès chauves.

alentours

Forêt de Fontainebleau***

Cette splendide forêt s'étend sur 25000 ha qui furent de tout temps un magnifique terrain de chasse, à courre notamment. La forêt s'étend autour de Fontainebleau, avec Melun au Nord, Milly-la-Forêt à l'Ouest, Moret-sur-Loing à l'Ouest et Nemours au Sud et offre des paysages variés, composés de futaies de chênes rouvres et des pins sylvestres, de landes de bruyères et d'imposants rochers de grès. Ces derniers sont un lieu tout désigné pour les grimpeurs parisiens. Plus d'une centaine de circuits d'escalade sont jalonnés de flèches peintes sur les rochers, faisant alterner montées, descentes, sauts parfois.

LOISIRS-DÉTENTE

Les circuits de randonnées pédestres offrent de nombreuses possibilités; les balisages se superposent parfois, rendant leur lecture difficile. Grande Randonnée: blanc et rouge. Petite Randonnée: jaune. Tour du massif de Fontainebleau: vert et blanc. L'Office national des forêts propose de très intéressantes randonnées d'observation le dimanche sur réservation: ☎ 01 64 22 72 59.

Barbizon**

10 km au Nord-Ouest de Fontainebleau. par la N 7. Barbizon, longue rue bordée d'hôtels, de restaurants et de villas, fut un lieu de prédilection des peintres paysagistes au 19e s. Le village garde le souvenir de peintres paysagistes travaillant « sur le motif» suivant l'exemple de deux grands aînés: Théodore Rousseau (1812-1867) et Jean-François Millet (1814-1875). Les paysans accueillent volontiers ces artistes dont le génie facétieux égaie leurs noces et leurs fêtes. Conquis aussi par les beautés de la forêt et l'enjouement de cette petite société, les écrivains suivent: George Sand, Henri Murger, les Goncourt, Taine, etc. Barbizon sera désormais un endroit à la mode.

Lieu de rendez-vous des artistes qui y prenaient pension, l'**auberge du Père Ganne*** est devenue le **musée de l'École de Barbizon**. Au rez-de-chaussée, la salle à manger est représentative de leur habitude d'orner les panneaux de l'auberge en échange du gîte et du couvert: toutes les surfaces sont bonnes pour laisser une trace de leur talent. Au premier étage, de nombreux tableaux révèlent l'influence de Barbizon sur les impressionnistes. *Tlj sf mar. 10h-12h30, 14h-17h30. 4,50€. ☎ 01 60 66 22 27.*

Milly-la-Forêt*

19 km à l'Ouest de Fontainebleau par la D 409. C'est l'un des berceaux de la culture des plantes médicinales (ou simples) en France, dont une spécialité est toujours renommée, la menthe poivrée. Milly produit aujourd'hui surtout les herbes aromatiques pour la cuisine, le muguet et quelques plantes pour l'industrie pharmaceutique.

Conservatoire national des plantes à parfum, médicinales et aromatiques – ♿ *De mai à mi-sept.: 9h-17h30, w.-end et j. fériés 14h-18h ; de mi-avr. à fin avr. et de mi-sept. à mi-oct.: tlj sf w.-end 9h-17h30. 3,50€ (sem.), 4,50€ (w.-end). ☎ 01 64 98 83 77.*

Il rassemble plus de 1200 espèces et variétés différentes: plantes tinctoriales (pastel, garance...), plantes aromatiques classiques (sauge, thym, basilic...) ou exotiques (nepeta, calaments...), plantes médicinales et « simples». On visite le jardin thématique, le séchoir et une serre tropicale.

Chapelle St-Blaise-des-Simples – ♿ *Tlj sf mar. 10h-12h, 14h30-18h (Toussaint-Pâques: w.-end et j. fériés 10h15-12h, 14h30-17h). Fermé 2 derniers w.-ends de nov. et 3 w.-ends à compter de mi-janv. 2€. ☎ 01 64 98 84 94.*

À la sortie de la localité, sur la route de la Chapelle-la-Reine, l'édifice a été décoré en 1959 par Jean Cocteau (1889-1963) de grands dessins au trait représentant, au-dessus de l'autel, un très beau Christ aux épines et une grande fresque illustrant la Résurrection du Christ. Établi à Milly en 1946, le poète, écrivain, dessinateur, peintre et cinéaste, repose dans la chapelle depuis 1964. Autour du bâtiment, un petit jardin rassemble les « simples» les plus courants.

▶▶ Château de Courances**

Font-Romeu**

La station occupe un site admirable en Cerdagne, protégé des vents du Nord, à la lisière d'une forêt de pins. Son altitude, son ensoleillement, la qualité exceptionnelle de son air, tout a concouru à ce qu'elle soit choisie dès l'origine pour des séjours climatiques. Ses installations sportives (piscine, patinoire, centre équestre, etc.) permettent aux athlètes du monde entier de s'y entraîner. Font-Romeu est un bel exemple de création touristique artificielle.

La situation

2003 Romeufontains – Cartes Michelin Local 344 C-D 7-8, Regional 526 – Le Guide Vert Languedoc Roussillon – Pyrénées-Orientales (66). À 20 km au Nord-Est de Bourg-Madame et de l'Espagne.

Av. Emmanuel-Brousse, 66122 Font-Romeu, ☎ 0468306830. www.font-romeu-station.com

Pour poursuivre la visite, voir aussi : LE CANIGOU.

carnet pratique

RESTAURATION

• ***À bon compte***

La Brasserie – *66800 Saillagouse - 20 km au S de Font-Romeu par D 618 et N 116 - ☎ 04 68 04 72 08 - fermé 15 oct. au 20 déc. - 11€.* À l'Hôtel Planes, installé dans un ancien relais de diligence au centre du village de Saillagouse, La Brasserie propose une formule plus simple que son restaurant, qui a par ailleurs grand succès. Cuisine familiale.

• ***Valeur sûre***

Chalet à Fondue – *66120 Font-Romeu - ☎ 04 68 30 26 63 - 11,89€ déj. - 19,82€.* Le restaurant de l'hôtel La Montagne sert une cuisine qui navigue entre spécialités catalanes, fondues et raclettes. À savourer dans un chalet au décor montagnard, comme il se doit... Menu enfant. Prix raisonnables.

HÉBERGEMENT

• ***À bon compte***

Marty – *66760 Dorres - ☎ 04 68 30 07 52 - fermé 25 oct. au 20 déc. - P - 21 ch. : 39,65/44,20€ - 5,80€ - restaurant 14,50/28,20€.* Dans ce village perché, l'ambiance de cette pension de famille est appréciée des habitués. La grande salle à manger marie objets agraires, fresque murale et poutres. Terrasse. Chambres sobres, certaines avec véranda et celles du troisième étage ont une vue dégagée.

• ***Valeur sûre***

Hôtel La Montagne – *Av. du Mar.-Joffre - 66120 Font-Romeu - ☎ 04 68 30 36 44 - 23 ch. : 61/70,13€ - 7€.* Sports et loisirs sont au rendez-vous de cet hôtel du centre de la station. Fitness, piscine couverte, half-court et sauna : voilà un programme chargé en perspective ! Ceux qui préfèrent le farniente se reposeront dans leurs chambres, fonctionnelles et bien tenues. Duplex avec cuisine.

LOISIRS - DÉTENTE

Les Sources de la vallée de Llo – *Rte des Gorges de Llo - 66800 Llo - 22 km de Font-Romeu par D 618 et N 116 jusqu'à Saillagouse puis D 33 - ☎ 04 68 04 74 55 - juil.-août : tlj 9h30-20h ; sept.-juin : tlj 10h-19h30 - fermé de déb. nov. à mi-déc. - 3,81€, enf. : 2,29€, -4 ans : gratuit.* Vous vous baignerez ici dans des sources d'eau sulfureuse à 37 et 35 °C. Snack avec fruits pressés, crêpes et gaufres.

Source chaude – *66760 Dorres - 10 km à l'O de Font-Romeu par D 618 et D 10 - ☎ 04 68 04 68 87 - 8h-19h (20h ven.) - 3,05€.* En descendant le chemin cimenté, en contrebas de l'hôtel Marty à Dorres, on atteint (1/2h à pied AR) une source sulfureuse (41 °C) où les Cerdanais et les estivants viennent pratiquer le thermalisme de plein-air.

Le Train Jaune* – *☎ 0836353535.* Le Conflent et la Cerdagne peuvent se visiter en train : une ligne SNCF à voie métrique rejoint les gares de Villefranche-de-Conflent et de Latour-de-Carol (21 stations dont 13 arrêts facultatifs), sur un parcours de 62 km. La section de Mont-Louis à Olette est la plus pittoresque, empruntant le pont Giscard et le viaduc Séjourné. Ce train aux couleurs catalanes (le jaune et le rouge), surnommé le « canari », existe depuis 1910. Services réguliers assurés. Dépliants disponibles dans les gares SNCF de la région.

ACHATS

Charcuterie Bonzom – *N 116 - 66800 Saillagouse - 12km au S de Font-Romeu par D 18, D 29 et N 116 - ☎ 04 68 04 71 53.* Voici, au cœur du centre de production de charcuteries catalanes, une boutique où vous trouverez de quoi remplir votre besace : saucissons secs, boles de picolat, fluets...

A. Thuillier/MICHELIN

visiter

Ermitage★

Sur les hauteurs de la ville. Lieu de pèlerinage, cet ermitage consacré à la Vierge de l'Invention présente une charmante **chapelle★** des 17e et 18e s. La fontaine miraculeuse encastrée dans le mur, à gauche, alimente un bassin dans lequel se baignaient les pèlerins, situé à l'intérieur du bâtiment au pignon dirigé vers la montagne. À l'intérieur, on voit un magnifique **retable★★** de Joseph Sunyer, datant de 1707. *De déb. juil. à déb. sept. : 10h-12h, 15h-18h. ☎ 04 68 30 68 30.*

À gauche du maître-autel, l'escalier conduit au **camaril★★★**, le petit « salon de réception » de la Vierge, aménagement typiquement espagnol, d'une inspiration touchante. C'est le chef-d'œuvre de Sunyer. L'autel, aux panneaux peints, est surmonté d'un Christ encadré par la Vierge et saint Jean. Deux délicats médaillons, la Présentation au temple et la Fuite en Égypte, ornent le dessus de la porte.

circuit

LA CERDAGNE★

104 km.

La Cerdagne, berceau de l'État catalan, assure la transition entre la France et l'Espagne: la N116 qui la traverse relie Perpignan à la frontière espagnole en 1h. La région bénéficie d'un ensoleillement optimal... et sait en profiter puisqu'elle s'est montrée pionnière dans l'utilisation de l'énergie solaire. Sa plaine déploie un damier de moissons et de prairies, tamisé par une lumière dorée, craquelé de ruisseaux bordés d'aulnes et de saules. De majestueuses montagnes encadrent avec vigueur ce bassin: au Nord, le massif du Carlit, au Sud le chaînon de Puigmal. L'air y est pur et transparent. Du haut des ravins, le regard suit l'ombre infinie des forêts de sapins.

Mont-Louis★

Au sommet d'un tertre, Mont-Louis est à la fois une superbe porte d'accès à la Cerdagne et la plus haute place forte de France. Créée en 1679 par Vauban pour défendre la frontière du traité des Pyrénées signé entre la France et l'Espagne (1659), la ville devait faire office de verrou mais n'eut jamais à tenir de rôle militaire. Le long des remparts intacts, le village présente un visage adouci, chauffé par le soleil et irradié par les mille miroirs d'un grand four solaire, installé en 1953.

La N 116 atteint le large seuil herbeux du col de la Perche faisant communiquer, à 1 579 m d'altitude, les bassins de la Têt (Conflent) et du Sègre (Cerdagne). Au Sud s'élève le Cambras d'Azé, évidé d'un cirque glaciaire très régulier. En progressant dans la haute lande le long de la route d'Eyne, le **panorama★** d'ensemble sur la Cerdagne prend de l'ampleur : de gauche à droite, on identifie la Sierra del Cadi, Puigcerdà sur sa butte morainique surgissant du fond du bassin, le massif frontière de l'Andorre et le massif du Carlit.

Bourg-Madame

Avant de devenir Bourg-Madame, le hameau des Guinguettes d'Hix avait su tirer parti de sa situation au bord du ruisseau frontière de la Rahur pour développer ses activités: industrie, colportage et contrebande. Le nom de Bourg-Madame lui fut donné en 1815 par le duc d'Angoulême, époux de Madame Royale, rentré en France par cette route après le séjour qu'il fit en Espagne, à la chute de l'Empire.

À Ur, prenez à gauche la N20 qui suit la **vallée du Carol★★**. Le parcours devient encaissé au-delà d'Enveitg. Au-delà du joli hameau de Carol, la route pénètre dans le défilé de la Faou.

Col de Puymorens★

Alt. 1 920 m. Le col constitue le seuil de partage des eaux: celles de l'Ariège, tributaires de la Garonne, vont vers l'Atlantique, celles du Sègre, affluent de l'Èbre, coulent vers l'Espagne et la Méditerranée.

Revenir à Ur et poursuivre par la D 618 en direction de Font-Romeu.

Odeillo

Le **four solaire** a été mis en service en 1969. Étagés à flanc de pente, 63 héliostats (miroirs plans orientables) dirigent les rayons solaires sur le miroir parabolique (près de 2 000 m²) fait de 9130 petites glaces concaves. L'énergie solaire est ainsi concentrée sur un foyer où la température peut dépasser 3 200 °C. L'installation permet de mener des études sur la mise au point de matériaux résistant à des chocs thermiques élevés: matériaux pour l'espace et de haute performance. ♿ *Juil.-août: 10h-19h30; sept.-juin: 10h-12h30, 14h-18h. Fermé 1er janv. et 25 déc. 5€ (enf.: 3,20€). ☎ 04 68 30 77 86.*

▶▶ Principauté d'Andorre★★

Gap★

Si la neige brille longtemps sur les hauts sommets alentour, les horizons bleutés s'éloignent presque à l'infini vers la Provence. Au cœur de ce bel univers, la ville la plus animée des Alpes du Sud est imprégnée d'une atmosphère déjà méridionale avec ses rues tortueuses, ses places et ses maisons colorées. Si l'on en sort, c'est pour d'autres bonheurs, l'immense lac de Serre-Ponçon et les nombreuses stations de ski.

La situation

36262 Gapençais - Cartes Michelin Local 334 H-I 6-7, Regional 528 - Le Guide Vert Alpes du Sud - Hautes-Alpes (05). Gap est une étape importante au croisement de la route Napoléon (Grasse-Grenoble) et de la D994 (Valence-Briançon). Toutes les rues mènent place Jean-Marcellin, lieu de rencontre où l'on cède volontiers à l'appel des terrasses de cafés installées autour d'une fontaine.

12 r. Faure-du-Serre, 05002 Gap, ☎ 04 92 52 56 56. www.tourisme.fr/gap

Pour poursuivre la visite, voir aussi : SISTERON, BRIANÇON.

carnet pratique

Restauration

• À bon compte

Le Tourton des Alpes – *1 r. des Cordiers - 05000 Gap - ☎ 04 92 53 90 91 - 13,57/18,45€.* Un passage obligé pour découvrir cette spécialité locale ! Le tourton, sorte de beignet fourré de divers ingrédients, est à l'honneur dans cette maison. Alors, n'hésitez pas à descendre les quelques marches pour vous installer dans cette ancienne cave voûtée.

• Valeur sûre

La Grangette – *1 av. Foch - 05000 Gap - ☎ 04 92 52 39 82 - fermé 14 au 31 janv., 16 au 31 juil., dim. soir et lun. - 16,50/27,50€.* La visite des riches collections du Musée départemental vous a ouvert l'appétit ? Rendez-vous dans ce restaurant voisin pour y savourer des petits plats traditionnels. Pierres apparentes et cuivres accrochés aux murs apportent une touche rustique au décor simple et frais.

Hébergement

• À bon compte

Hôtel Porte Colombe – *4 pl. F.-Euzières - 05000 Gap - ☎ 04 92 51 04 13 - 27 ch. : 38/60€ - ☕ 6€ - restaurant 20/37€.* Immeuble récent proche des rues piétonnes du centre-ville. Fer forgé, rotin, rustique... toutes les chambres, confortables et insonorisées, possèdent leur petite touche personnalisée. Terrasse-solarium panoramique au dernier étage, avec vue sur les toits et les montagnes alentour.

• Valeur sûre

Chambre d'hôte Le Parlement – *À Charance - 05000 Gap - 4 km au NO de Gap par D 994 et chemin à droite - ☎ 04 92 53 94 20 - 5 ch. : 55/77€.* Qu'elle est mignonne cette maison dans son écrin de verdure ! Elle occupe les dépendances du château voisin. Grandes chambres raffinées, sauna, billard, piscine et salle de jeux pour enfants en font une étape de charme.

visiter

La vieille ville★

D'abord, il faut se perdre dans le réseau de ruelles piétonnes dont la structure est restée moyenâgeuse. Peu importe que les maisons ne soient pas si anciennes, l'harmonie de leurs teintes pastel agit.

L'ambiance est encore plus méditerranéenne le samedi, jour de marché.

Musée départemental★

Juil.-août : 10h-12h, 14h-18h ; sept.-juin : tlj sf mar. 14h-17h30, w.-end 14h-18h. Fermé j. fériés. 3€. ☎ 04 92 51 01 58 ou 04 92 52 05 44.

Ce musée possède de belles pièces d'archéologie avec le **double buste de Jupiter Ammon★**, la **stèle★ dite de Briancon** et les exceptionnelles **parures★** en bronze (1200 à 700 avant J.-C.). Voyez aussi le **mausolée★** de François de Bonne, duc de Lesdiguières, sculpté par Jacob Richier (1585-1640), une intéressante collection de faïences de Nevers et de Moustiers. Enfin, la vie quotidienne en Queyras est évoquée grâce à de superbes **meubles sculptés★★**.

Musée départemental, Gap.

Ce double buste témoigne du culte porté à Jupiter au IIe s.

alentours

Lac de Serre-Ponçon★★★

28 km à l'Est par la N 94. La beauté de la plus grande retenue d'Europe vous laissera sans voix. Des routes superbes contournent le lac. Leurs lacets semblent s'éloigner de ses rives et s'enfoncer dans les collines. Et soudain le tournant suivant offre un belvédère enchanteur: une branche inconnue de l'immense étendue d'eau, une crique secrète, des voiles qui voguent au loin, en vue des plus hauts sommets.

B. Kaufmann/MICHELIN

Le lac de Serre-Ponçon, grand réservoir d'eau de la Provence.

Le barrage★★ – Cet étrange titan mérite d'être vu. C'est une digue en terre à noyau central d'argile étanche, premier exemple en France, à cette échelle, d'une technique très répandue aux États-Unis: 14 millions de m^3 de matériaux alluvionnaires extraits du lit de la Durance, 600 m de pente, 123 m de haut et une épaisseur à la base de 650 m!

Le lac★★ – Mis en eau en 1960, Serre-Ponçon couvre 3000 ha, plus que le lac d'Annecy. Il mesure au plus 3 km de large, mais atteint 20 km d'Embrun à Espinasses, pour une capacité de 1 270 millions de m^3 d'eau.

circuit

L'UBAYE★★

114 km. Il n'y a pas si longtemps, cette vallée reculée était coupée du reste de la France: la D900 n'atteignit Barcelonnette qu'en 1883. Jusque-là, c'était par de périlleux chemins muletiers qu'on franchissait, entre des sommets à la silhouette étrange, les cols de Vars, de Larche et d'Allos, tardivement enneigés. Ce rude passé a légué une nature intacte, paradis de la randonnée, du ski et des sports d'eaux vives.

Quitter Gap au Sud par la D 900 qui mène à Barcelonnette puis Gleizonne.

Depuis Gleizolles, la D902 remonte la vallée de l'Ubaye vers Briançon. Le torrent et la route s'enfoncent dans le défilé du pas de la Reyssole.

St-Paul

Son **église**★ est un bel exemple de l'art roman tardif des vallées alpines: portail sculpté, rosace trilobée, clocher carré et ses quatre pyramidions à gargouilles.

Une foire de l'artisanat s'y tient le troisième dimanche d'août, permettant de goûter les confitures de baies sauvages, génépi, et de découvrir peintures sur lauzes et ateliers du bois. On s'engage par la D 25 dans la vallée du Maurin. Des hameaux se succèdent, que des artisans animent toute l'année.

Pont du Châtelet★★

Cet audacieux ouvrage, lancé 100 m au-dessus de la gorge, a été réalisé en 1880. Prendre à droite la route en lacet. Superbes échappées sur le bassin de St-Paul.

Fouillouse★

À l'entrée d'un cirque désolé dominé par le Brec de Chambeyron (alt. 3389 m), 24 maisons constituent le hameau.

Revenir à la vallée de l'Ubaye. La route passe un défilé et, parvenue au sommet de la montée, découvre soudain une magnifique perspective sur la vallée encadrée de pentes rocheuses. Dans des solitudes alpines dont la lumière du Midi avive l'extraordinaire désolation, elle traverse les hameaux de La Barge et Maljasset, d'où les randonneurs peuvent accéder en 3h au **col de Girardin★★**. Les maisons se signalent par leurs hautes cheminées et leurs couvertures en lauzes, schistes plats et gris reposant sur de fortes charpentes en mélèze.

Gien★

D'aspect volontiers sévère, le doyen des châteaux de la Loire, avec ses jeux subtils de brique rouge et noire, n'en exerce pas moins une séduction indéniable. Et son musée de la Chasse, surtout, devrait enchanter jusqu'aux plus farouches récalcitrants. Quant à la fameuse faïence bleue de Gien, toute de jaune rehaussée, vous en trouverez de superbes exemples dans son musée.

La situation

15332 Giennois - Cartes Michelin Local 318 M 5, Regional 519 - Le Guide Vert Châteaux de la Loire - Loiret (45). Premier château de la Loire par sa position géographique, très en aval d'Orléans, en lisière de Sologne. Abordez Gien par la rive gauche et le vieux pont : vous aurez alors une excellente vue sur la ville.

Pl Jean-Jaurès, 45500 Gien, ☎ 0238672528.

Pour poursuivre la visite, voir aussi : ORLÉANS, BOURGES, SENS, VÉZELAY.

carnet pratique

Restauration

• À bon compte

Le Régency – *6 quai Lenoir - 45500 Gien - ☎ 02 38 67 04 96 - fermé vac. scol. de fév., 1er au 15 juil., dim. soir et mer. - 14,50/26€.* En centre-ville, face au vieux pont de pierre qui enjambe la Loire, ce petit restaurant vous réservera un accueil sympathique. Cuisine simple et savoureuse.

• Valeur sûre

Auberge du Pont Canal – *19 r. du Pont-Canal - 45250 Briare – 11 km au SE de Gien par D 952 - ☎ 02 38 31 24 24 - fermé dim. soir et lun. - 12,96€ déj. - 17,53/28,97€.* Avec sa façade des années 1960, ce petit restaurant sur le canal regarde le va-et-vient tranquille des bateaux. C'est reposant. Cuisine traditionnelle de produits frais. Chambres dans un bâtiment attenant plus récent.

Hébergement

• À bon compte

Chambre d'hôte Le Domaine de Ste-Barbe – *45500 Nevoy - 4 km au NO de Gien dir. Lorris, prendre 2e rte à gauche après le passage à niveau, suivre le fléchage - ☎ 02 38 67 59 53 - fermé 20 déc. au 6 janv. - 4 ch. : 34/58€.* Cette agréable demeure aurait pu être celle de votre grand-mère. Tomettes, tissus fleuris, bibelots, meubles anciens et autres baldaquins ornent ses chambres coquettes ouvrant sur le jardin. Petite maison solognote pour prolonger le séjour, en gîte.

visiter

Musée international de la Chasse★★

Juin-sept. : 9h-18h ; oct.-mai : 9h-12h, 14h-18h. Fermé 1er janv., 25 déc. 5,35€. ☎ 0238 676969.

Le château accueille dans des pièces ornées de plafonds à poutres un passionnant musée dédié à la chasse. Il présente un immense panorama des arts et techniques cynégétiques : tapisseries, faïences, tableaux, mais aussi armes de chasse luxueusement ciselées. Le symbolisme de la fauconnerie est dévoilé. Enfin, la grande salle est consacrée aux deux grands peintres animaliers attachés à Louis XIV, **Francois Desportes** (1661-1743) et **Jean-Baptiste Oudry** (1668-1755). Ne manquez pas la collection de boutons de vénerie, de trompes de chasse, ni les sculptures animalières de Brigaud et Fath.

alentours

Pont-canal de Briare★★

10 km au Sud-Est de Gien, en suivant la Loire par la D952. Stupéfiant spectacle que ce pont... rempli d'eau. La gouttière métallique contenant le canal est formée de plaques assemblées par des millions de rivets. Longue de 662 m, large de 11 m (avec les chemins de halage, parfaits pour une promenade), elle repose sur 15 piles en maçonnerie réalisées par la société Eiffel. Le tirant d'eau est de 2,20 m. Commencé en 1890 et inauguré en 1896, cet ouvrage d'art permet au canal latéral à la Loire de franchir le fleuve pour s'unir au canal de Briare.

Château de Saint-Fargeau**

41 km à l'Est de Gien. Prendre la D952 jusqu'à Briare, puis la D47 en direction de Bléneau, et de là la D90 vers le Sud. ♿ *De déb. avr. à mi-nov.: 10h-12h, 14h-18h. 7€ (enf.: 4€).* ☎ *03 86 74 05 67.*

La tendre couleur rose de la brique enlève à cette imposante construction, cernée de fossés, l'aspect trapu que pourraient lui conférer ses tours massives, dont la plus grosse fut bâtie par Jacques Cœur *(voir Bourges)*, banquier du roi Charles VII. À l'intérieur de ce corset féodal, la vaste cour d'honneur, entourée de cinq corps de logis (le plus récent à droite de l'entrée datant de 1735), forme un ensemble d'une élégance inattendue, où plane le souvenir d'Anne-Marie-Louise d'Orléans, cousine de Louis XIV, plus connue sous le nom de Mlle de Montpensier ou de Grande Mademoiselle, incorrigible frondeuse et touchante amoureuse. En 1681, elle fit don de St-Fargeau au duc de Lauzun, courtisan en disgrâce auquel elle s'unit en secret.

SPECTACLE

Le spectacle historique de St-Fargeau est un des plus importants de France. En une quinzaine de tableaux, 600 acteurs et 60 cavaliers se chargent de vous faire vivre près de mille ans d'histoire en Puisaye.

Grâce aux efforts de l'actuel propriétaire, les appartements de famille du Conventionnel, Louis-Michel Le Peletier de St-Fargeau, salle de billard, grand salon et salle à manger ont retrouvé du mobilier et des éléments décoratifs d'époque. Dans la belle bibliothèque de bois clair (19e s.), vous pourrez repérer des ouvrages originaux de Voltaire. La visite des combles permet de faire le tour des toitures et dévoile de fortes charpentes, dont certaines ont près de quatre siècles.

Château de Guédelon*

De St-Fargeau, prendre la D185 qui longe le lac de Bourdon, puis la D955 à gauche vers St-Sauveur-en-Puisaye. Juil.-août: 10h-19h; avr.-juin: tlj sf mer. 10h-18h, w.-end et j. fériés 10h-19h; sept.: tlj sf mer. 10h-17h30, w.-end et j. fériés 10h-18h; oct.: 10h-17h30. 8€. ☎ *03 86 74 19 45.*

Au cœur de la Puisaye, pays de la romancière Sidonie Gabrielle Colette, née à St-Sauveur en 1873, l'Association des compagnons bâtisseurs de Puisaye et le propriétaire de St-Fargeau ont entrepris la construction d'un château fort avec les moyens techniques du 13e s.! Charrois tirés par des animaux de trait, ingénieux systèmes de levage du Moyen Âge, œuvriers en cagoule et chausses... tout ceci vous ramène à l'époque des anciens bâtisseurs.

Guédelon, le chantier de construction du château sera terminé... dans vingt ans !

Giverny*

Giverny entretient la mémoire de Claude Monet qui résida ici de 1883 à sa mort en 1926. Sa maison rose aux volets verts et son délicieux jardin vous transportent dans les plus belles de ses œuvres. C'est autour de cette propriété qu'il exécute ses séries de peupliers, de meules de foin et ses grands formats des « Nymphéas » visibles à Paris au musée de l'Orangerie. Entre 1887 et 1914, il provoque dans le village et toute la région une véritable colonisation artistique, surtout américaine, à laquelle se consacre un musée.

La situation

524 Givernois – Cartes Michelin Local 304 I-J 6-7, Regional 512 – Le Guide Vert Normandie Vallée de la Seine – Eure (27). Le petit village, à 2 km au Sud-Est de Vernon par la D313/D5, campe sur les rives droites de la Seine et de l'Epte qui se rejoignent ici (cette dernière matérialise la frontière avec le département du Val-d'Oise). La rue principale (piétonne) se trouve derrière la maison de Monet. Le musée d'Art américain est situé à quelques pas, de l'autre côté de la D5.

Pour poursuivre la visite, voir aussi: ROUEN, AUVERS-SUR-OISE.

carnet pratique

RESTAURATION

• *Valeur sûre*

Restaurant-Musée Baudy – *81 r. Claude-Monet - 27620 Giverny - ☎ 02 32 21 10 03 - fermé nov. à mars, dim. soir et lun. sf j. fériés - 18€.* L'ancien hôtel Baudy accueillait autrefois les peintres impressionnistes. Vous vous attablerez au milieu de leurs tableaux pour savourer plat du jour et salades avant de pousser la porte du délicieux jardin de roses anciennes qui sert d'écrin à un atelier, juste derrière... Immanquable !

La Chaîne d'Or – *27 r. Grande - 27700 Les Andelys - 24 km au NO de Giverny par D 5 et D 313 - ☎ 02 32 54 00 31 - fermé 24 déc. au 1er fév., du dim. soir au mar. midi - 25,92/54,89€.* Cette belle maison au bord de la Seine ponctuera agréablement votre visite de la région. Choisissez une des tables le long des fenêtres : elles donnent sur le fleuve... Mais où que vous soyez, vous apprécierez à sa juste valeur la cuisine soignée et renommée. Quelques chambres pour prolonger le plaisir...

HÉBERGEMENT

• ***À bon compte***

Chambre d'hôte Le Bon Maréchal – *1 r. du Colombier - 27620 Giverny - ☎ 02 32 51 39 70 - ⊄ - 3 ch. : 39/62€.* À l'origine, cette maison était une buvette où se retrouvaient Monet et ses amis peintres. Très bien située, entre les célèbres jardins et le musée d'Art américain, elle abrite aujourd'hui des chambres douillettes et confortables. Prix tout en douceur !

visiter

Maison de Claude Monet*

Avr.-oct. : tlj sf lun. 9h30-18h. 5,5€. ☎ 02 32 51 28 21.

Entrez par l'atelier des Nymphéas qui est l'ancien « grand atelier » et poursuivez la visite en vous rendant dans la maison « rose et vert » qui surplombe le jardin. Le salon de lecture « bleu », la chambre, le salon atelier, la salle à manger « jaune » au mobilier de bois peint et la ravissante cuisine aux murs carrelés de faïence bleue évoquent agréablement les lieux où vécut le peintre.

Le jardin, en évolution constante au fil des saisons, comprend le « Clos normand » qui restitue celui, très fleuri, que Monet avait dessiné, et de l'autre côté de la route, le jardin d'eau artificiel, d'inspiration japonaise, où des ponts japonais franchissent l'étang des Nymphéas tapissé de nénuphars, avec son grand saule pleureur, ses rives bordées de bambous et de rhododendrons.

Musée d'Art américain Giverny*

♿ *Avr.-oct. : tlj sf lun. 10h-18h (dernière entrée 1/2h av. fermeture) ; nov. : jeu., ven. et w.-end 10h-18h. 5€, gratuit 1er dim. du mois. ☎ 02 32 51 94 65.*

Il célèbre les relations étroites entre l'art français et l'art américain. Sont exposées des vues de Giverny réalisées dès 1880 par la première génération de peintres venus au village (Louis Ritter, Theodore Wendel, Willard Metcalf...), puis des œuvres d'artistes de transition (Lilla Cabot Perry, Richard Miller, Theodore Butler...), peintes à Giverny entre 1895 et 1920, et des tableaux exécutés à travers la France entre 1840 et 1920 (John Singer Sargent, Mary Cassatt, Henry O. Tanner...).

alentours

Les Andelys**

22 km au Nord en suivant la rive droite de la Seine par la D313. Défendus par les ruines imposantes de Château-Gaillard d'où l'on a un panorama grandiose, Les Andelys se partagent l'un des plus beaux sites de la vallée de la Seine.

Château-Gaillard** – *De mi-mars à mi-nov. : tlj sf mar. 8h30-12h, 14h-18h (dernière entrée 1h av. la fermeture). Fermé 1er mai. 3€. ☎ 02 32 54 04 16.*

Un fossé très profond séparait le châtelet du fort principal. Un sentier étroit le contourne. Gagnez l'esplanade dite basse cour, entre le châtelet et le fort principal, puis longez le mur d'enceinte à gauche. On passe devant les soubassements du donjon. Poursuivez jusqu'à l'extrémité des murailles où l'on a un joli point de vue à pic. Revenez sur vos pas en longeant le fond

UNE REDOUTABLE FORTERESSE

Pour barrer au roi de France la route de Rouen par la vallée de la Seine, Richard Cœur de Lion, duc de Normandie et roi d'Angleterre, fait construire en 1196 une solide forteresse sur la falaise qui domine le fleuve près d'Andely. Les travaux sont vivement menés. L'année suivante, Château-Gaillard est debout.

Malgré son audace, Philippe Auguste n'ose d'abord s'attaquer à la place, tant elle lui paraît redoutable. La mort de Richard Cœur de Lion, à qui succède l'hésitant Jean sans Terre, le décide à tenter sa chance. Enfin, le 6 mars 1204, quelques assaillants pénètrent par les latrines dans l'enceinte du château : ils abaissent le pont-levis. Une partie des troupes s'y précipite. Sous les coups répétés des machines, l'enceinte se lézarde, les attaquants s'engouffrent dans une brèche et forcent la garnison à se rendre.

du fossé. On passe devant les casemates creusées dans le roc et destinées à abriter les réserves de vivres. Pénétrez alors dans l'enceinte du fort par la passerelle qui a remplacé le pont-levis. On peut alors admirer le donjon de 8 m de diamètre intérieur avec des murailles de 5 m d'épaisseur. Il comptait trois étages reliés par des escaliers de bois mobiles. En ressortant de l'enceinte, prolongez la promenade jusqu'au bord de l'escarpement rocheux : **vue**★★ très étendue sur la vallée de la Seine.

Grenoble★★

Dans son cadre de montagnes enneigées en hiver, aux versants débordant de végétation en été, la métropole des Alpes contredit, par sa créativité, l'idée reçue qu'en France tout devrait passer par Paris. Très tôt, on y a pris le goût de la liberté au point de préparer la Révolution française avant la capitale. La ville de Stendhal participe depuis aux aventures de son temps. Pionnière, elle a vécu les débuts de l'électricité ou du ciment moderne. Le dynamisme de ses centres de recherche et la richesse de ses musées montrent que la ville des JO de 1968 n'a rien perdu de son goût remarquable pour le progrès.

carnet pratique

Restauration

• *À bon compte*

Le Petit Paris – *2 cours Jean-Jaurès - 38000 Grenoble - ☎ 04 76 46 00 51 - réserv. conseillée le soir - 13,72/42,69€.* Accueil agréable, service attentionné, plaisante décoration de style Art déco et menus à prix raisonnables : ce restaurant du centre-ville ne manque pas d'atouts pour séduire. Côté table, la cuisine met en valeur les produits régionaux.

• *Valeur sûre*

À l'Huile d'Olives – *2 r. St-Hugues - 38000 Grenoble - ☎ 04 76 63 12 02 - fermé dim. du 15 au 31 déc., mar. midi et lun. - réserv. conseillée - 19,82/36,59€.* Autrefois installée à quelques kilomètres de Grenoble, la maîtresse de maison, Harika, est désormais au centre-ville. Sa cuisine est toujours ensoleillée. Ici, ni carte ni menu, vous y serez un ami à qui elle annonce les plats du jour, selon les produits du marché.

Le Pudding – *Pl. de l'Église - 38700 Le Sappey-en-Chartreuse - 13 km au N de Grenoble par D 512 - ☎ 04 76 88 80 26 - fermé 2 au 12 janv., 3 au 28 sept., dim. soir, mar. midi et lun. - 22,50/60€.* Contrairement aux apparences, ce petit restaurant à la façade avenante ne sert pas de cuisine anglo-saxonne... mais bien française, ce qui ne l'empêche pas d'être original et gourmand ! La salle coquette s'ouvre en été sur une cour fleurie qui fait office de terrasse.

Hébergement

• *À bon compte*

Auberge Au Pas de l'Alpette – *À Bellecombe - 38000 Grenoble - 5 km à l'E du col du Granier - ☎ 04 76 45 22 65 - fermé 10 oct. au 10 nov., mar. soir, dim. soir et mer. sf sais. - P - 13 ch. : 32,01€ - ☕ 5,34€ - restaurant 14,48/32,01€.* Cette auberge de montagne grande ouverte sur la nature offre une vue exceptionnelle sur le Mont Blanc. Ses chambres mansardées sont simples et nettes. Plats régionaux à déguster dans la salle à manger lambrissée ou sur la terrasse au bord de la piscine.

Hôtel Gambetta – *59 bd Gambetta - 38000 Grenoble - ☎ 04 76 87 22 25 - 44 ch. : 36/55€ - ☕ 7€ - restaurant 14/24,50€.* Malgré l'animation incessante du quartier, vous serez au calme ici. Chambres bien insonorisées et... climatisées. Grande salle à manger au décor de bois clair cérusé.

Hôtel Patinoires – *12 r. Marie-Chamoux - 38000 Grenoble - ☎ 04 76 44 43 65 - info@hotel-patinoire.com - P - 35 ch. : 39,64/53,35€ - ☕ 5,34€.* Proche du palais des sports, sa façade moderne contraste avec le décor intérieur : plafonds de croisillons de bois sombre, murs lambrissés ornés d'œuvres picturales du patron et de trophées de chasse. Grasse matinée possible : les petits déjeuners sont servis jusqu'à midi !

• *Valeur sûre*

Chambre d'hôte La Chantournelle – *6 chemin des Tilleuls - 38000 Grenoble - au centre du village, chemin derrière l'immeuble de bureaux et 1re à droite - ☎ 04 76 88 06 25 - ⊭ - 6 ch. : 45,73€ - ☕ 3,81€.* Le panorama sur le massif de Belledonne et, à ses pieds, la ville de Grenoble, vaut à lui seul le détour. Les chambres, bien équipées, sont parées de couleurs chaudes et de tissus choisis ; trois profitent de la vue. Petits déjeuners servis à l'extérieur en été.

Hôtel Trianon – *3 r. P.-Arthaud - 38000 Grenoble - ☎ 04 76 46 21 62 - fermé 29 juil. au 26 août et 23 déc. au 6 janv. - 38 ch. : 47,26/74,70€ - ☕ 5,80€.* Si vous aimez les hôtels aseptisés, passez votre chemin... Dans cet hôtel plutôt calme, certaines chambres ont vraiment du caractère : Bergerie, Romantique, Butterfly, Louis XV. D'autres sont plus classiques, à vous de choisir...

Achats

La Noix de Grenoble-Desany Chocolatier/Glacier – *6 bis pl. Grenette - 38000 Grenoble - ☎ 04 76 03 12 20 - lun. 14h-19h, mar.-sam. 9h-19h - fermé le matin hors saison.* Ce confiseur-chocolatier du centre-ville propose différentes spécialités locales : noix de Grenoble, gâteaux aux noix et galets du Drac.

La situation

419334 Grenoblois – Cartes Michelin Local 333 H 5-6, Regional 523 – Le Guide Vert Alpes du Nord – Isère (38). Encadré par les flots tumultueux de l'Isère et les hauteurs enneigées de Belledonne, Grenoble respire la montagne. La place Grenette est un des lieux de rencontre favoris des Grenoblois. *14 r. de la République, 38000 Grenoble, ☎ 04 76 42 41 41. www.grenoble-isère-tourisme.com*

Pour poursuivre la visite, voir aussi : CHAMBÉRY, BRIANÇON, GAP.

se promener

LE SITE***

Exceptionnel : au Nord, les falaises abruptes du Néron et du St-Eynard, sentinelles avancées de la Chartreuse. À l'Ouest, les escarpements du Vercors dominés par la crête majestueuse du Moucherotte. Vers l'Est, la silhouette de la chaîne de Belledonne dessine avec ses pics sombres une ligne longtemps couverte de neige.

Panorama du fort de la Bastille**

Juin-sept. : 9h15-23h45, lun. 11h-23h45, dim. 9h15-19h25 (juil.-août : 0h15) ; mars-mai et oct. : 9h15-23h45, lun. 11h-19h25, dim. 9h15-19h25 ; nov.-mars : 10h45-18h30, lun. 11h-18h30. Fermé 2e sem. de janv. 5,5€ AR, 3,8€ A. ☎ 04 76 44 33 65.

D'un éperon rocheux, à gauche en sortant de la station supérieure, **vue**** sur la ville, le confluent de l'Isère et du Drac, la cluse de l'Isère encadrée par le Casque de Néron, à droite, et les dernières crêtes du Vercors (Moucherotte), à gauche.

Monter ensuite à la terrasse aménagée au-dessus du restaurant. Grâce à des panneaux d'orientation, on détaille le **panorama**** : Belledonne, Taillefer, Obiou, Vercors (Grand Veymont et Moucherotte). Par la trouée du Grésivaudan apparaît, par temps clair, le massif du Mont-Blanc.

Les immeubles de l'île Verte dominent de leurs 28 étages l'agglomération tout entière. Au premier plan, la vieille ville semble encore contenue dans le périmètre de l'enceinte romaine et contraste avec les grandes trouées ouvertes au Sud et à l'Ouest au Second Empire.

Fr. Isler/MICHELIN

Ces « bulles » de verre grimpent vers le fort de la Bastille en dévoilant le théâtre des Alpes.

VIEILLE VILLE*

Grande-Rue

Nombre de célébrités naquirent ou vécurent dans les demeures bordant l'ancienne voie romaine. Tout de suite à gauche, au n° 20, face à l'hôtel Renaissance, se trouve la **maison** où Stendhal passa une partie de son enfance. *De mi-juil. à mi-sept. : tlj sf lun. 10h-12h, 14h-18h ; de mi-sept. à mi-juil. : tlj sf lun. 10h-12h. Fermé j. fériés. Gratuit. ☎ 04 76 42 02 62.*

Au n° 13 de la Grande-Rue naquit le philosophe Condillac ; le peintre Hébert habitait au n° 9 et l'homme politique Casimir-Perier au n° 4. Par un passage à gauche, on accède à la place St-André, où trône le chevalier Bayard. Vous trouverez ici l'un des plus vieux cafés de France, La Table Ronde, ouvert en 1739. Stendhal aimait y ébaucher ses livres.

visiter

Musée de Grenoble***

♿ Juil.-sept. : tlj sf mar. 10h-18h, mer. 10h-21h ; oct.-juin : tlj sf mar. 11h19h, mer. 11h-22h. Fermé 1er janv., 1er mai, 25 déc. 4€, gratuit 1er dim. du mois. ☎ 04 76 63 44 44.

Modèle de sobriété, l'espace intérieur de ce musée concentre sur un seul niveau l'essentiel du parcours de visite : de part et d'autre d'une galerie de communication, les travées abritent les œuvres du 16e au 19e s.

La section de peinture ancienne comprend des œuvres italiennes des 16e et 17e s., françaises et espagnoles du 17e s. : Philippe de Champaigne, Georges de La Tour, Claude Gellée dit le Lorrain et un grand ensemble de toiles de Zurbarán. Viennent ensuite les peintures d'Ingres, Boudin, Monet, Sisley, Corot, Gauguin. Une place est réservée aux artistes grenoblois : Henri Fantin-Latour, Ernest Hébert…

On admire les tableaux fauves de Signac, Vlaminck, Van Dongen, Braque, qui témoignent de l'importance du mouvement cubiste, tandis que l'influence du dadaïsme se manifeste chez Georges Grosz ou Max Ernst. Chagall, Modigliani, Picasso, Léger se signalent par des œuvres fortes. Les étapes du cheminement vers l'abstraction sont jalonnées par des compositions de Magnelli, Klee, Miró, Kandinsky... Toutes les grandes tendances contemporaines, après 1945, sont évoquées, de l'abstraction lyrique au nouveau réalisme en passant par le Pop Art et l'art minimal, par une pléiade d'artistes: Dubuffet, Vasarely, Hartung, Atlan, Brauner, Sol LeWitt, Christian Boltanski, Donald Judd, etc.
Ne manquez pas au sous-sol la section d'égyptologie, d'une étonnante richesse, qui conserve stèles royales, cercueils anthropomorphes et masques funéraires.

▶▶ Musée de l'Ancien Évêché – Patrimoines de l'Isère★★ ; Musée dauphinois★ ; église-musée St-Laurent★★ ; Musée des Automates de Grenoble

circuit

MASSIF DE LA CHARTREUSE★★

De gorges en forêts profondes, on découvre d'étranges et élégants sommets taillés dans le calcaire. Assez isolé par un relief difficile, le massif de la Chartreuse est contourné par deux grands axes routiers alpins, la N90 à l'Est et la D520 prolongée par la N6 de Voiron à Chambéry sur le flanc Ouest. On a une vue particulièrement belle sur le massif en y accédant depuis Grenoble vers St-Pierre-de-Chartreuse.

77 km. Quitter Grenoble au Nord par La Tronche et la D 512.

De La Tronche au col de Vence, la route permet d'admirer Grenoble et le sillon du Grésivaudan avec des **vues★★** lointaines sur – d'Est en Ouest – la chaîne de Belledonne, le Taillefer, le Thabor, l'Obiou et le rempart Est du Vercors. Après le passage du col des Portes, c'est le parcours de la **«route du Désert»** (attention aux transports de bois). Cette «route» délimitait, au 16e s., le domaine du monastère des chartreux. Chateaubriand, Lamartine et Alexandre Dumas père l'empruntèrent et restituèrent dans leurs œuvres les fortes impressions que procure ce paysage.

St-Pierre-de-Chartreuse★

Ce charmant village est enchâssé au creux des élégantes silhouettes du massif de la Chartreuse. En été, de cette station climatique, vous pouvez rayonner sur l'ensemble du massif grâce aux sentiers balisés dans un cadre reposant. En hiver, St-Pierre offre 35 km de pistes de ski alpin et 50 km de pistes de ski de fond.

Tourner à gauche dans la D 520B vers St-Laurent-du-Pont.

Belvédère des Sangles★★

4 km à pied du pont de Valombré. La route forestière permet de découvrir le site du monastère de la Grande-Chartreuse sous son plus bel aspect. Les corniches du Grand Som et les croupes boisées de l'Aliénard encadrent le couvent.

On s'engage dans les **gorges du Guiers Mort★★**, magnifiquement boisées et dominées par de grandes barres calcaires auxquelles les sapins s'accrochent dans les positions les plus excentriques.

Au pont St-Pierre, prendre à droite la route vers la Correrie (sens unique).

Couvent de la Grande-Chartreuse★

Le monastère ne se visite pas, car les moines sont voués au silence et à la solitude pour mieux prier. Mais vous pouvez voir le **Musée cartusien★** aménagé dans la Correrie, où un spectacle audiovisuel retrace les grandes étapes de l'ordre à travers les siècles. Une maquette de la Grande-Chartreuse permet d'apprécier l'organisation des bâtiments. *Juil.-août: 9h30-18h30; mai-juin et sept.: 9h30-12h, 14h-18h30; avril et oct.: 10h-12h, 14h-18h. 3€. ☎ 04 76 88 60 45.*

À St-Laurent-du-Pont, prendre la D520 en direction de Voiron.

Voiron

C'est dans cette cité que sont fabriqués les skis de compétition Rossignol, du matériel de haute technologie électronique, et un fameux élixir, qui titre à 71 °!
Suivez la visite des **caves de la chartreuse★** où la célèbre liqueur vieillit dans des fûts de chênes. De courts films retracent les différentes étapes de fabrication, ainsi qu'un film en 3D sur la fondation de la Grande-Chartreuse. *Bd Edgar-Kofler. Avr.-oct.: visite guidée (1h) 9h-11h30, 14h-18h30; nov.-mars: 9h-11h30, 14h-17h30. Gratuit. ☎ 04 76 05 81 77. www.chartreuse.fr*

De Voiron à Grenoble, la N75 remonte le cours de l'Isère.

Honfleur★★

Sur l'estuaire de la Seine qu'enjambe l'impressionnant pont de Normandie, aux portes du pays d'Auge et de la Côte de Grâce si bien nommée, Honfleur distille toute l'année le parfum des vacances. On flânerait des heures durant le long du Vieux Bassin et autour du clocher Ste-Catherine, à travers les vieilles rues pleines de charme. Côté port, une flottille de bateaux de pêche débarque chaque jour poissons et crustacés. La double vocation de port fluvial et maritime de Honfleur s'affirme lors des escales de navires de croisière, de plus en plus fréquentes.

La situation

8 178 Honfleurais – Cartes Michelin Local 303 L-N 3-4, Regional 512 – Le Guide Vert Normandie Vallée de la Seine – Calvados (14). La ville s'étend sur la rive gauche de l'embouchure de la Seine, à 3 km du pont de Normandie. L'animation se concentre autour de l'avant-port et du Vieux Bassin. Il n'est pas rare de voir de luxueux navires de 220 m, pouvant transporter jusqu'à 1 200 passagers, s'arrêter le long des quais en eau profonde.

Pl. Arthur-Boudin, 14600 Honfleur, ☎ 02 31 89 23 30. www-ot-honfleur.fr

Pour poursuivre la visite, voir aussi : CAEN, LISIEUX, ÉTRETAT.

carnet pratique

RESTAURATION

• À bon compte

Au Gai Luron – *20 pl. Ste-Catherine - 14600 Honfleur - ☎ 02 31 89 99 90 - fermé 3 sem. en janv., 1 sem. fin juin, oct., mer. soir, jeu. - 14,94/22,11€.* Cette petite adresse jouxtant l'église Ste-Catherine vaut pour son plaisant cadre rustique (la maison date du 14e s.), sa jolie terrasse fleurie et sa bonne humeur ambiante. Dans l'assiette, cuisine du marché et beaux plateaux de fruits de mer.

Crêperie Le Vieux Normand – *124 quai Fernand-Moureaux - 14360 Trouville-sur-Mer - 15 km au SE d'Honfleur par D 513 - ☎ 02 31 88 38 79 - fermé 15 nov. au 15 déc., jeu. - réserv. conseillée - 10,67/21,34€.* Une petite incontournable, toutes générations confondues. Les raisons de ce succès ? Une situation idéale face au port et à deux pas du marché aux poissons, un cadre rustique plaisant et une carte offrant le choix entre fondues, raclettes, salades et crêpes.

• Valeur sûre

La Tortue – *36 r. de l'Homme-de-Bois - 14600 Honfleur - ☎ 02 31 89 04 93 - fermé janv. - 15,50/29€.* Cette vénérable maison à colombages abrite deux élégantes salles à manger aux tons pastel agrémentées de tableaux réalisés par une artiste de la région. Cuisine traditionnelle soignée, goûteuses pâtisseries maison et un menu végétarien.

Guillaume le Conquérant – *2 r. Hastings - 14160 Dives-sur-Mer - 35 km au SO d'Honfleur par D 513 - ☎ 02 31 91 07 26 - fermé 25 juin au 2 juil., 26 nov. au 25 déc., dim. soir et lun. sf du 15 juil. au 30 août et j. fériés - 15,55/50,31€.* Pour finir la balade dans le village, un repas au fond de la cour de cet ancien relais de poste du 16e s. s'impose. Avec sa belle salle meublée à l'ancienne, ce restaurant vous transportera dans un autre temps... En été, vous profiterez agréablement de sa terrasse.

HÉBERGEMENT

• Valeur sûre

Le Belvédère – *36 r. Émile-Renouf - 14600 Honfleur - ☎ 02 31 89 08 13 - 9 ch. : 44,21/54,88€ - ☕ 5,79€ - restaurant 9/22,56€.* Cette ancienne maison de maître doit son nom au belvédère planté sur son toit. Les chambres, rénovées, profitent du calme environnant. Pour les repas, restaurant sous verrière et petite terrasse offrant une vue imprenable sur le pont de Normandie.

Hôtel Otelinn – *62 cours A.-Manuel - 14600 Honfleur - ☎ 02 31 89 41 77 - P - 50 ch. : 51,07€ - ☕ 5,95€ - restaurant 14,17/20,58€.* Éloigné du centre, cet hôtel présente le bel avantage de pratiquer des prix raisonnables. Les chambres, petites et fonctionnelles, vous dépanneront donc agréablement. En plus, un jardin et une terrasse vous permettront de goûter à la caresse du doux soleil normand.

Le Fer à Cheval – *11 r. Victor-Hugo - 14600 Honfleur - ☎ 02 31 98 30 20 - 32 ch. : 72€ - ☕ 7€.* Au cœur de la station et proche des plages, ces deux anciennes villas ouvrent leurs chambres fonctionnelles pour un séjour à l'atmosphère familiale. Le patron, ancien boulanger, propose des viennoiseries maison au petit déjeuner et un salon de thé l'après-midi.

R. Holzbachova, Ph. Benet/MICHELIN

À Honfleur, régalez-vous de grevettes grises, pêchées du matin !

se promener

LE VIEUX HONFLEUR★★

Déambulez le long des quais, foulez les rues et ruelles pavées du quartier Ste-Catherine ; arrêtez-vous devant la façade d'une demeure ancienne, devant le chevalet d'un peintre ou à la terrasse d'un café autour du Vieux Bassin et... d'une bolée de cidre. Voilà comment s'apprécie Honfleur. Et le samedi matin, la place Arthur-Boudin déborde d'animation et de couleurs grâce à son marché aux fleurs.

Le Vieux Bassin★★

Créé sur ordre de Colbert, il est entouré de riches demeures de pierre le long du quai St-Étienne, à deux étages et mansardées, qui contrastent avec celles du quai Ste-Catherine dont les maisons étroites et hautes, comptant jusqu'à 7 étages, élancent leurs façades de bois protégées d'ardoises.

Vestige de la demeure (16e s.) du lieutenant du roi, la **lieutenance** domine le pont levant. Sur la façade tournée vers le port, une plaque commémore les départs de Champlain pour le Canada, et devant l'édifice, on découvre les vieux gréements.

L'INVITATION DES ARTS

Honfleur est un lieu béni des Muses. Baudelaire, résidant chez sa mère retirée ici, déclare : « Mon installation à Honfleur a toujours été le plus cher de mes rêves. » Il y compose *L'Invitation au voyage*.

Depuis le 19e s., l'atmosphère et le charme de la ville ont inspiré une foule d'artistes : peintres, écrivains et musiciens. Lorsque la côte normande est à la mode parmi les romantiques, Musset séjourne à St-Gatien chez son ami Ulrich Guttinger.

Les peintres affluent bientôt : de purs Normands (Boudin, Hamelin, Lebourg), mais aussi des Parisiens (Paul Huet, Daubigny, Corot) et des étrangers (Bonington, Jongkind, etc.). L'auberge de St-Siméon, « Chez la Mère Toutain », sert de point de ralliement à ces artistes de l'école de Honfleur, dont certains formeront le groupe des impressionnistes.

Église Ste-Catherine★

Après la guerre de Cent Ans, impatients de remercier Dieu du départ des Anglais, les « maîtres de hache » de Honfleur, autrefois centre de chantiers navals, décident de construire eux-mêmes l'église, à leur manière. À l'intérieur, chaque nef est recouverte d'une voûte de bois à charpente apparente soutenue par des piliers de chêne, en forme de carène renversée.

Clocher Ste-Catherine★

Avr.-sept. : tlj sf mar. 10h-12h, 14h-18h. Fermé 1er mai et 14 juil. 1,50€. ☎ 02 31 89 54 00.
Cette robuste construction de chêne, isolée de l'église et recouverte d'essences de châtaignier, repose sur un large soubassement qui abritait la maison du sonneur. Ce type de construction est un exemple rare en Europe occidentale.

▶▶ Musée Eugène-Boudin ; maisons Satie★

circuits

LA CÔTE FLEURIE★★

19 km de Deauville à Cabourg.

Deauville⌂⌂⌂

Deauville doit sa réputation mondiale autant au luxe et au raffinement de ses installations qu'à l'élégance de ses manifestations qui ponctuent son calendrier des festivités : courses hippiques, championnats de polo, régates, tournois de golf et tennis, galas, marché international du yearling. Tous les ans, début septembre, le Festival du cinéma américain transforme Deauville en une proche banlieue de Hollywood.

La station s'étend le long d'une plage de 2 km, entre Trouville-sur-Mer et le **mont Canisy★**, point culminant de la Côte Fleurie. Un chemin de planches en azobé, bois d'Afrique tropicale, d'un brun violacé assez soutenu, est l'aspect le plus caractéristique de la vie de plage à Deauville.

S. Sauvignier/MICHELIN

Deauville, la plage des Parisiens.

Villers-sur-Mer
Le charme de cette station balnéaire tient autant à son animation estivale qu'à son immense plage et à l'agrément de son arrière-pays, accidenté et boisé, sillonné de sentiers qui descendent au cœur de la ville. La plage, qui court de Blonville à la falaise des Vaches Noires, est bordée, à l'aplomb de la localité, par une longue digue-promenade où une borne signale le passage du méridien de Greenwich.

Houlgate
Type parfait de ces villes normandes où littoral et campagne environnante rivalisent de charme, Houlgate conserve un grand nombre de villas et chalets, témoins de l'architecture de villégiature à la fin du 19e s. Un patrimoine original à découvrir au hasard de promenades.

LA CORNICHE NORMANDE★★
21 km de Trouville à Honfleur. Au milieu d'une végétation magnifique, ce trajet réserve, à travers les haies et les vergers, des échappées sur l'estuaire de la Seine. De belles propriétés s'égrènent tout au long du parcours. Peu avant Villerville, la vue s'élargit sur l'estuaire du fleuve et ses installations pétrolières. Au fond à gauche, Le Havre est reconnaissable à sa centrale thermique et au clocher de l'église St-Joseph.

Trouville-sur-Mer
«Je réserve le mois d'août pour voir un petit pays appelé Trouville, qui fourmille de motifs charmants», écrit Corot en 1828. Dans les années 1860-1870, Boudin et Courbet plantent aussi leur chevalet sur la plage, le long des planches ou des quais. Vers 1890, Marcel Proust y séjourne également. Aujourd'hui, comme à Deauville, les «planches» sont un rendez-vous prisé des estivants.

Villerville
Cette station balnéaire garde son charme grâce à son cadre de prairies et de bois. L'église se signale par son clocher roman. De la terrasse qui domine la plage, vue sur Le Havre.

alentours

Pont de Normandie★★
3 km à l'Est par la D580. Péage pour les voitures; piétons, cyclistes et motards peuvent passer gratuitement, mais... attention: ça souffle fort à cette hauteur!
Œuvre d'art et prouesse technique, le pont de Normandie a pris place dans l'histoire du génie civil en pulvérisant, en son temps, le record de longueur des ponts à haubans (2141 m). Ce monstre de béton et d'acier, véritable défi à la pesanteur, est pourtant d'une extrême légèreté et d'une grande sécurité. Il est prévu pour résister aux vents les plus violents (440 km/h). Outre l'éclairage normal pour la circulation, le breton Yann Kersalé a conçu une « Rhapsodie en bleu et blanc » sur les pylônes et le long du tablier: des lumières verticales rasant les branches des pylônes (bleues sous les enjambements, blanches sur les faces extérieures) répondent au scintillement bleu des spots du tablier.

▶▶ Le Havre★

Laguiole

Laguioles? Vous savez, ce sont ces beaux couteaux à cran forcé, connus pour leurs manches de corne, de bois, d'aluminium et, plus rarement, d'ivoire... Ils font le renom de cette cité aveyronnaise qu'autrefois, seules ses foires aux bestiaux animaient. On fabrique ici du bon fromage que l'on incorpore à la purée de pommes de terre à l'ail pour faire l'aligot !

La situation
1248 Laguiolais - Cartes Michelin Local 338 J 2-3, Regional 526 - Le Guide Vert Midi-Pyrénées - Aveyron (12). Au Nord de l'Aveyron, dans la région des gorges de la Truyère et du Lot, les toits d'ardoise de la petite cité recouvrent une colline de l'Aubrac, dans un paysage verdoyant et reposant.
Pl. du Foirail, 12210 Laguiole, ☎ 0565443594. www.laguiole-online.com
Pour poursuivre la visite, voir aussi: RODEZ, ST-FLOUR.

UN CAPUCHADOU LABELLISÉ
Créé en 1829, le couteau de Laguiole était à l'origine un capuchadou, c'est-à-dire un outil à tout faire, qui fut progressivement doté d'un poinçon puis d'un tire-bouchon. Sa production a été relancée au début des années 1980 pour devenir aujourd'hui la première industrie du bourg. Ces dernières années ont vu se multiplier les couteliers locaux, aussi afin de clarifier une situation devenue confuse, un label «Laguiole Origine Garantie» a vu le jour.

carnet pratique

HÉBERGEMENT

• ***Valeur sûre***

La Dômerie – *12470 Aubrac - 19 km au SE de Laguiole par D 15 - ☎ 05 65 44 28 42 - fermé nov. au 27 avr. - P - 23 ch. : 50/70€ - ☕ 8€ - restaurant 16,70/35€.* Les chambres sont classiques et confortables dans cette hostellerie de 1870. Madame est aux fourneaux et vous mitonne des recettes du pays. Monsieur est à l'accueil et vous reçoit dans une salle à manger boisée. Il conseille aussi balades et excursions dans la région.

LOISIRS

Rallye – Participez aux « Traces du fromage » organisées à Laguiole tous les ans en mars : il s'agit d'un rallye gastronomique à ski de fond dont les étapes s'accompagnent de dégustations de spécialités de l'Aubrac et de l'Aveyron. *Renseignements : Fromagerie Jeune Montagne, rte de St-Flour - 12210 Laguiole - ☎ 05 65 44 35 54.*

circuit

L'AUBRAC*

90 km.

L'Aubrac a donné son nom à une race de vaches à la robe couleur fauve. Impossible de ne pas rencontrer ces sympathiques ruminants lors de la visite de la région, ou encore lors de la Fête de la transhumance, fin mai, au moment où les troupeaux montent aux pâturages.

À l'Est de Laguiole, la route D15, une des plus élevées de l'Aubrac, traverse de vastes pâturages et quelques bois de hêtres.

Aubrac*

À 1 300 m d'altitude, cette petite station estivale est envahie de troupeaux de bovins durant l'été, qui laissent la place aux skieurs de fond en hiver.

Prades-d'Aubrac

L'église du 16e s. est surmontée d'un puissant clocher octogonal.

Outre des vues étendues sur les causses et les ségalas du Rouergue, la route qui rejoint le Lot offre l'attrait d'une transformation rapide du paysage.

St-Côme-d'Olt*

Dans cette petite ville fortifiée, les ruelles sont bordées de maisons des 15e et 16e s. Surmontée d'un curieux clocher en vrille de style flamboyant, l'église possède aussi un intéressant portail aux vantaux Renaissance.

Espalion*

Une charmante ville où les eaux du Lot reflètent de vieilles tanneries aux balcons de bois et un petit pont du 11e s. Juché sur un piton basaltique, le **château de Calmont-d'Olt** offre une belle vue sur la vallée du Lot, l'Aubrac et le causse du Comtal. *Juil.-août : 9h-19h ; mai-juin et sept. : 10h-12h, 14h-18h; vac. scol. fév., Pâques et Toussaint : 14h-18h. 4,50€ (juil.-août : 6€) ☎ 05 65 44 15 89.*

La D921 s'élève vers Laguiole, révélant de très jolies vues sur les monts d'Aubrac.

Forêt des Landes*

Ici, en Aquitaine, face à l'Atlantique, la nature est reine : refuges pour la faune et la flore, forêt de pins plantée au 19e s. piquée de-ci de-là d'un petit village ou un airial, souvenirs d'un passé rural original... Des richesses et des paysages à découvrir à pied, à cheval, sur l'eau, à vélo.

La situation

Cartes Michelin Local 335 G-H 9-10, Regional 525 - Le Guide Vert Aquitaine - Landes (40) et Gironde (33). La forêt fait partie du Parc naturel régional des Landes de Gascogne qui s'étend sur près de 301 500 ha et comprend 40 communes, dont Audenge à l'extrémité Nord du Parc, Moustey, et Solférino, à l'extrémité Sud.

Parc naturel régional des Landes de Gascogne, 33 rte de Bayonne, 33830 Belin-Béliet, ☎ 05 57 71 99 99.

Pour poursuivre la visite, voir aussi : BORDEAUX, ARCACHON, BIARRITZ.

A. Thuillier/MICHELIN

La maison de maître, à Marquèze, date de 1824: larges poutres, murs de torchis et toit à trois pentes.

circuit

AU CŒUR DES LANDES DE GASCOGNE

127 km – compter une journée. Pour partir à la découverte de la grande forêt landaise, gagnez Belin-Béliet, au croisement de la N 10 et de la D 110, au Sud de Bordeaux. Et, au cours de votre pérégrination, rendez-vous dans les unités de l'**écomusée de la Grande Lande★**, qui évoquent la vie quotidienne et les activités traditionnelles propres à la campagne landaise aux 18e et 19e s. Plusieurs manifestations sont organisées, au cours de l'année, qui font revivre les traditions landaises.

AUTREFOIS LES MARAIS

Au milieu du 19e s., la zone intérieure de la région était une lande insalubre que les pluies transformaient en marécage. Là, vivait une population de bergers, se déplaçant sur des échasses pour surveiller les moutons qu'ils élevaient pour l'engrais de leur fumier, leur viande ou leur laine. Sous le Second Empire, un plan de drainage, de défrichement et d'ensemencement forestier est établi : les résultats obtenus justifient la plantation massive de pins maritimes, arbres à la croissance rapide.

Marquèze

Accès par chemin de fer au départ de Sabres. ♿ De déb. juin à mi-sept. : 10h-12h, 14h-17h20 ; avr.-mai et de mi-sept. à fin oct. : 14h-16h40, dim. et j. fériés 10h-12h, 14h-16h40. Dép. toutes les 40mn. 7,50€. ☎ 05 58 08 31 31.

Cette partie de l'**écomusée** regroupe un ensemble de bâtiments d'origine ou remontés sur place : maison de maître et à proximité, maison des domestiques, au poutrage plus grêle et aux dimensions plus modestes ; plus loin, maison des métayers et son cortège de granges, loges à porcs, ruches et poulaillers ; maison du meunier, etc. La maison landaise typique, crépie de couleur claire et s'élevant le plus souvent dans une clairière, fait partie du paysage. Elle est dépourvue d'étage et ne comporte qu'un grenier avec lucarne sous le toit de tuiles. La façade est protégée par un large auvent soutenu par des poutres de bois.

carnet pratique

RESTAURATION

• *Valeur sûre*

Café de Pissos – *Au bourg - 40410 Pissos - ☎ 05 58 08 90 16 - fermé 20 au 27 janv., 12 nov. au 5 déc., mar. soir et mer. sf juil.-août - 12€ déj. - 16/36€.* Au centre du village, cette auberge familiale propose une authentique cuisine régionale dans un cadre campagnard ou sur la terrasse ombragée de platanes centenaires. Le bar est fréquenté par les villageois. Chambres modestes.

Ferme-auberge du Jardin de Violette – *Manoir des Jourets - 40120 Lencouacq - ☎ 05 58 93 03 90 - fermé dim. soir, lun. et mar. - ; - réserv. obligatoire - 18,50€.* Au cœur de la forêt landaise, dans ces anciennes écuries rénovées, découvrez la saveur de légumes oubliés du potager : crosnes, pourpier doré ou panais... La mère de Violette les mitonne avec talent pour accompagner les volailles de la ferme. Armagnac et apéritif maison. Un gîte disponible.

LOISIRS-DÉTENTE

Maison de l'échasse – *44 chemin des Meuniers - Moulin de Jamine - 33830 Belin-Béliet - ☎ 05 56 88 80 58 - tlj 9h-12h30, 14h-18h - fermé déc.-fév.* Elle propose des initiations et des sorties sur des échasses. Vente.

Luxey

L'**atelier de produits résineux Jacques et Louis Vidal** a fonctionné entre 1859 et 1954. Aujourd'hui partie intégrante de l'écomusée, il illustre le fonctionnement d'une structure économique au début de la révolution industrielle dans la Grande Lande. Depuis la réception des gemmes (sucs résineux) jusqu'au stockage de l'essence de térébenthine, toutes les étapes du traitement de la résine sont abordées. *De déb. juin à mi-sept. : 10h-12h, 14h-19h; avr.-mai et de mi-sept. à fin nov. : 14h-18h. 4€. ☎ 05 58 08 31 31.*

Moustey

Sur la place centrale, deux églises construites en « garluche » (pierre ferrugineuse locale). Dans l'église Notre-Dame, se trouve le **musée du Patrimoine religieux et des Croyances populaires**. *Juil.-août : 10h-12h, 14h-19h ; juin et sept. : w.-end et j. fériés 14h-19h. 4€. ☎ 05 58 08 31 31.*

▶▶ Dax‡‡‡

Langres★★

À l'école primaire, on a tous appris le nom de Langres, lié à un plateau où naissent la Seine et la Marne. Quelques années plus tard, on apprend que Diderot est né dans cette ville. Aujourd'hui, on retient le site★★ admirable et une ville que l'on n'est pas prêt d'oublier.

La situation

9 586 Langrois – Cartes Michelin Local 313 L 6 et O 6, Regional 514 – Le Guide Vert Champagne Ardenne – Haute-Marne (52). C'est l'une des portes de la Bourgogne, étape touristique sur l'axe Nord-Sud européen (A 5, A 31). Un ascenseur incliné relie le parking Sous-Bie, situé à l'extérieur des remparts au centre-ville. Rien que pour le panorama sur la ville, le lac de la Liez et les Vosges, prenez-le.

Pl. Bel-Air, 52200 Langres, ☎ 03 25 87 67 67. www.paysdelangres.com

Pour poursuivre la visite, voir aussi : DIJON, TROYES, NANCY.

carnet pratique

Restauration

• Valeur sûre

Auberge des Voiliers – *Au Lac de la Liez - 52200 Langres - 4 km à l'E de Langres par N 19 et D 284 - ☎ 03 25 87 05 74 - fermé 15 nov. au 15 janv. et lun. - 13€ déj. - 16/38€.* En bordure du lac de la Liez, bien connu des amateurs de voiliers et de planches à voile, voici une auberge pour les week-ends et les petites vacances. Les chambres sont simples et la cuisine variée et appétissante.

Hébergement

• Valeur sûre

Le Cheval Blanc – *4 r. Estres - 52200 Langres - ☎ 03 25 87 07 00 - fermé 15 au 30 nov. - 22 ch. : 47,25/76,50€ - ☕ 8,40€ - restaurant 23/61€.* Quelques chambres voûtées dans cette église-abbaye du 9e s., transformée en hôtel en 1793. Derrière la maison, face aux fortifications de la ville, les vestiges des anciens bâtiments agrémentent une jolie terrasse d'été. Carte traditionnelle et tables bien présentées.

se promener

SUR LES REMPARTS★★

Le chemin de ronde constitue une agréable promenade qui permet de découvrir une jolie vue, à l'Est de la vallée de la Marne, sur le lac de la Liez et les Vosges, au Nord, sur la colline des Fourches avec sa chapelle, à l'Ouest, sur les coteaux de la vallée de la Bonnelle et plus loin le plateau de Langres et ses coteaux boisés.

Les remparts conservent 7 portes et 12 tours montrant l'évolution de la fortification depuis la guerre de Cent Ans jusqu'au 19e s.

LA VILLE ANCIENNE

À l'intérieur des remparts, dans l'enchevêtrement des rues héritées du Moyen Âge, on découvre des maisons anciennes, notamment le long de la principale artère de la ville, la rue Diderot. N'hésitez pas à emprunter les passages couverts qui permettent de passer d'une rue à l'autre.

Cathédrale St-Mammès★

Longue de 94 m et haute de 23 m, la cathédrale fut édifiée dans la 2de moitié du 12e s. La façade d'origine, détruite par un incendie, a été remplacée au 18e s. par une façade de style classique à trois étages, d'ordonnance régulière. L'intérieur, aux proportions majestueuses est de style roman-bourguignon.

alentours

Châtillon-sur-Seine*

74 km à l'Ouest de Langres par les D428 et D928. Cette coquette petite ville, baignée par la Seine encore chétive, reçoit les eaux abondantes de la Douix, source vauclusienne émergeant au cœur de la cité.

Musée du Châtillonnais* – *Juil.-août : 10h-18h ; sept.-juin : tlj sf mar. 9h30-12h, 14h-17h. Fermé 1er janv., 1er mai et 25 déc. 4,30€. ☎ 03 80 91 24 67.*

Des fouilles, pratiquées depuis plus de cent ans dans la région, avaient déjà révélé les vestiges d'une agglomération gallo-romaine, lorsqu'en janvier 1953 eut lieu une extraordinaire découverte archéologique : celle du **trésor de Vix****.

C'est au pied de l'oppidum du mont Lassois que fut dégagée sous un tumulus une tombe princière du 1er âge du fer (vers 500 avant J.-C.). Près des restes d'une jeune Celte d'environ 30 ans furent mis au jour un char d'apparat, des pièces de vaisselle en bronze, en céramique ou en argent, un splendide torque (collier) de 480 g en or, et surtout un **cratère** à volutes en bronze, le plus grand vase métallique de l'Antiquité qui nous soit parvenu, qui prouve la vitalité des échanges avec le monde méditerranéen. Haut de 1,64 m, large de 1,27 m, d'un poids de 208 kg, il peut contenir 1 100 l. La richesse de sa décoration – appliques en haut relief figurant une suite de guerriers sculptés et de chars, têtes de Gorgone sur les anses – permet de le rattacher aux œuvres les plus abouties des bronziers de la Grande Grèce au VIe s. avant J.-C.

Bourbonne-les-Bains♆♆

40 km au Nord-Est de Langres par les D74, D35 et D417. À en croire les panneaux à l'entrée et à la sortie de la ville, celui qui arrive avec des béquilles repart sautillant comme la gazelle, grâce à la vertu des eaux chaudes de Bourbonne. Trois sources chaudes alimentent donc le quartier thermal où l'on soigne les pathologies liées à l'ORL et surtout à la rhumatologie.

À l'entrée et à la sortie de ville...

Laon**

Aux confins de la Picardie, de l'Île-de-France et de la Champagne, perché sur son rocher, Laon surplombe la plaine de plus de 100 m. La vieille cité carolingienne a tout pour plaire : sa splendide cathédrale gothique, ses maintes demeures anciennes, ses remparts médiévaux, et son festival de musique française. C'est aussi le pays des artichauts.

La situation

26 265 Laonnois – Cartes Michelin Local 306 D 5, Regional 511 – Le Guide Vert Picardie Flandres Artois – Aisne (02). Accès par l'A 26 depuis St-Quentin ou Reims. La ville haute comprend deux quartiers : la Cité, noyau primitif autour de la cathédrale, et le Bourg.

Pl. du Parvis-de-la-Cathédrale, 02000 Laon, ☎ 03 23 20 28 62. www.ville-laon.fr

Pour poursuivre la visite, voir aussi : REIMS, COMPIÈGNE, AVESNES-SUR-HELPE.

se promener

Cathédrale Notre-Dame**

Commencée dans la seconde moitié du 12e s., achevée vers 1230, c'est l'une des plus anciennes cathédrales gothiques du pays. Elle comptait sept tours : deux en façade, une sur la croisée du transept et quatre sur les croisillons. Deux de ces dernières ont perdu leur flèche en 1789. Très homogène, la façade comporte trois porches profonds ornés d'une majestueuse statuaire (refaite au 19e s.) et surtout

carnet pratique

RESTAURATION

• *À bon compte*

Bistrot St-Amour – *45 bd Brossolette - 02000 Laon - ☎ 03 23 23 31 01 - fermé vac. de fév., vac. de printemps, 3 au 19 août, sam. midi, lun. soir et dim. sf j. fériés - 12,50/21,95€.* Un petit bistrot d'amour, tout simple et qui vous séduira si vous n'avez pas peur de jouer des coudes. Formule express et cuisine « bistrotière » dans l'air du temps.

HÉBERGEMENT

• *À bon compte*

Hôtel Les Chevaliers – *3 r. Sérurier - 02000 Laon - ☎ 03 23 27 17 50 - fermé 15 janv. au 15 mars, lun. et mar. sf de juil. à sept. - 14 ch. : 30/60€.* Cette maison d'origine médiévale, habilement restaurée, a retrouvé un second souffle en devenant hôtel. Ses pierres, ses briques, ses poutres apparentes, son décor intime et l'accueil convivial évoquent l'atmosphère des chambres d'hôte dont il a gardé le charme et l'esprit.

d'illustres tours (56 m) attribuées à Villard de Honnecourt. Imposantes mais légères, elles portent aux angles de grands bœufs. À l'intérieur, la **nef★★★** offre une magnifique élévation à quatre étages: grandes arcades, tribunes, triforium aveugle, fenêtres hautes. Elle se prolonge par un chœur, très développé, que termine un chevet plat comme dans les églises cisterciennes. À la croisée du transept, admirez la perspective sur la nef, le chœur, les croisillons et la tour-lanterne d'influence normande haute de 40 m. Voyez aussi la grille du chœur et les orgues du 17e s.

Chapelle des Templiers★

Juin-sept. : tlj sf lun. 11h-18h ; oct.-mai : tlj sf lun. 9h-18h. Fermé 1er janv., 1er mai, 14 juil. et 25 déc. ☎ 03 23 20 19 87.

La commanderie du Temple fondée ici au 12e s. passa aux chevaliers de St-Jean de Jérusalem après la suppression de l'ordre au début du 14e s. Un jardin remplace le cimetière des templiers mais la chapelle romane a été conservée, avec son clocher-pignon et son chœur qui s'achève par une abside en cul-de-four. À l'intérieur, voyez le transi de Guillaume de Harcigny (14e s.), médecin de Charles VI, initié par des médecins arabes en Syrie, qui fut le précurseur de la psychanalyse en France.

Rempart du Midi et porte d'Ardon★

En bordure du rempart du Midi, la porte d'Ardon (13e s.) est flanquée d'échauguettes en poivrière. Elle surplombe un vieux lavoir-abreuvoir. Du rempart du Midi qui mène à la citadelle édifiée sur ordre d'Henri IV, vue agréable. On contourne la citadelle à pied par la promenade qui mène au rempart du Nord.

Musée de Laon★

Juin-sept. : tlj sf lun. 11h-18h ; oct.-mai : tlj sf lun. 14h-18h. Fermé 1er janv., 1er mai, 14 juil. et 25 déc. 3,10€, gratuit dim. (oct.-mars). ☎ 03 23 20 19 87. Il conserve une riche collection d'art grec qui comprend quelque 1 700 vases, figurines de terre cuite et sculptures, de belles pièces provenant de l'archéologie régionale – outils, bijoux, armes, figurines et vaisselle gallo-romains et mérovingiens; et, parmi les peintures du 15e au 19e s., des œuvres du Maître des Heures de Rohan et des frères Le Nain.

Villard de Honnecourt vantait son œuvre en ces termes : « J'ai été en beaucoup de terres, nulle part, n'ai vu plus belles tours qu'à Laon. »

B. Kaufmann/MICHELIN

Lille★★

Capitale de la Flandre française, Lille s'affirme comme une métropole culturelle tant régionale qu'européenne. Réputée pour l'architecture baroque d'un vieux centre qu'elle a su mettre en valeur, Lille est également connue pour la convivialité de ses habitants, son goût de la fête et ses nuits très longues...

La situation

502 260 Lillois – Cartes Michelin Local 302 G-H 3-4, Regional 511 – Le Guide Vert Picardie Flandres Artois – Nord (59). Lille n'est qu'à 1h de la capitale en TGV. Les D 700 (Est), N 356 et une section de l'A 25/E 42 (Sud) servent de périphérique et donnent accès aux boulevards qui enserrent le centre. La ville s'est modernisée avec la reconstruction du quartier St-Sauveur et du Forum, la création de Villeneuve-d'Ascq et d'Euralille. Elle possède le métro le plus moderne du monde, le VAL, dont certaines stations sont ornées d'œuvres d'art, et son tramway a été dessiné par Sergio Pininfarina, le designer de Ferrari...

Palais Rihour, pl. Rihour, 59000 Lille, ☎ 03 20 21 94 21. www.lilletourism.com

Pour poursuivre la visite, voir aussi: AVESNES-SUR-HELPE, ARRAS, AMIENS, LE TOUQUET-PARIS-PLAGE

carnet pratique

Restauration

• À bon compte

Domaine de Lintillac – *43 r. de Gand - 59000 Lille - ☎ 03 02 06 53 51 - fermé 2 sem. en août et dim. - 8/18€.* Difficile de manquer cette adresse du vieux Lille tant le rouge de la façade se voit de loin. Décor rustique avec paniers en osier suspendus aux poutres du plafond et étagères remplies de conserves artisanales du Sud-Ouest. Copieuse cuisine périgourdine.

L'Impératrice Eugénie – *22 pl. de la Liberté - 59100 Roubaix - 9 km au NE de Lille par N 356 et N 536 - ☎ 03 28 33 75 95 - fermé dim. soir et lun. soir - 12,50€ déj. - 8/14,50€.* Boiseries, cuivres et laitons, banquettes moelleuses, cristal de Bohême... Le décor de cette jolie brasserie rend hommage au raffinement cher au Second Empire et à l'impératrice Eugénie venue en 1853 à Roubaix. Copieuse cuisine d'inspiration régionale.

• Valeur sûre

La Tête de l'Art – *10 r. de l'Arc - 59000 Lille - ☎ 03 20 54 68 89 - fermé 29 juil. au 25 août, dim. et le soir sf ven. et sam. - réserv. le w.-end - 19/24€.* Derrière la façade rose de cette maison bourgeoise de 1890 se cache un restaurant animé et sympa. Au bout d'un couloir, la salle est chaleureuse et les Lillois aiment bien s'y retrouver pour déguster les différentes formules qui ont fait son succès.

Le Bistrot de Pierrot – *6 pl. de Béthune - 59000 Lille - ☎ 03 20 57 14 09 - fermé dim. et j. fériés - 25/32€.* Pierrot, c'est le truculent patron de ce sympathique bistrot, mais aussi une vraie gloire locale qui donne régulièrement ses petits secrets de cuisine via la télévision régionale. Carte bien garnie proposant quelques spécialités flamandes, et bon choix de vins.

Hébergement

• À bon compte

Nord Hôtel – *48 r. du Fg-d'Arras - 59000 Lille - ☎ 03 20 53 53 40 - P - 80 ch. : 35/55€ - ☕ 6€.* Étape pratique que cet hôtel situé sur un grand boulevard proche du centre-ville et facilement accessible par autoroute. Les chambres, progressivement rénovées, sont fonctionnelles et équipées de salles de bains modernes.

• Valeur sûre

Hôtel Flandre Angleterre – *13 pl. de la Gare - 59000 Lille - ☎ 03 20 06 04 12 - 45 ch. : 53/70€ - ☕ 6€.* Face à la gare, à proximité des rues piétonnes, cet hôtel familial met à votre disposition des chambres modernes, confortables et douillettes. Son emplacement et ses prix abordables en font une adresse recommandable.

Hôtel Brueghel – *5 parvis St-Maurice - 59000 Lille - ☎ 03 20 06 06 69 - 66 ch. : 62/96€ - ☕ 7€.* Cette jolie maison flamande occupe une excellente situation dans le secteur piétonnier et à deux pas de la gare. Chambres au charme d'antan, dotées de salles de bains neuves. Ascenseur, boiseries et objets chinés chez les antiquaires valent le coup d'œil.

La Viennale – *31 r. Jean-Jacques-Rousseau - 59000 Lille - ☎ 03 20 51 08 02 - 12 ch. : 68/85€ - ☕ 5€.* Boiseries sculptées, plafonds à moulures dorées, meubles d'époque, vases chinois... Cette demeure du 18e s., kitsch à souhait, renferme de luxueux trésors. Chambres spacieuses et personnalisées. Délicieux jardin intérieur.

Achats

Pâtisserie Meert – *27 r. Esquermoise - 59000 Lille - ☎ 03 20 57 07 44.* On y trouve de succulentes pâtisseries dans un décor Art nouveau très réussi.

L'usine – *228 av. Alfred-Motte - 59100 Roubaix - fermé 14 juil., 15 août et Noël.* Dans une usine où étaient fabriqués des velours sont réunis les magasins d'usine de la région. Plus de 200 marques sont proposées dans une soixantaine de boutiques.

comprendre

Les comtes de Flandre – Au 11e s., Lille se développe autour du château du comte Baudouin V et du port situé à l'emplacement de l'avenue du Peuple-Belge. Le comte de Flandre Baudoin IX devient empereur de Constantinople en 1204, à l'issue de la 4e croisade. À sa mort, il laisse deux héritières, Jeanne et Marguerite. Jeanne a 5 ans lorsqu'elle épouse, sur ordre de Philippe Auguste, le fils du roi du Portugal, Ferrand. Le couple s'installe à Lille.

La bataille de Bouvines – Vassale du roi de France, la Flandre est économiquement liée à l'Angleterre et au Saint Empire romain germanique. Aussi, devant les prétentions de Philippe Auguste sur les régions du Nord, une coalition se forme qui groupe le roi d'Angleterre Jean sans Terre, l'empereur germanique Otton IV, les comtes de Boulogne, du Hainaut et de Flandre. Le 27 juillet 1214, Bouvines est la première grande victoire française. Fait prisonnier, « Ferrand le bien enferré » est enfermé au Louvre tandis que Jeanne gouverne la ville. Lille devient une grande cité drapière.

Des Bourguignons aux Espagnols – En 1369, par le mariage de Marguerite de Flandre et de Philippe le Hardi, le comté devient possession des ducs de Bourgogne. Une belle résidence est bâtie pour Philippe le Bon (1419-1467).
Le mariage de Marie de Bourgogne, fille de Charles le Téméraire, avec Maximilien d'Autriche fait passer le duché de Bourgogne à la maison de Habsbourg, puis à l'Espagne lorsque Charles Quint devient empereur.

La conquête de Louis XIV – Faisant valoir les droits de son épouse Marie-Thérèse à une part de l'héritage d'Espagne, le Roi-Soleil réclame les Pays-Bas. En 1667, il dirige le siège de Lille et y entre au bout de neuf jours. La ville devient capitale des Provinces du Nord. Louis XIV s'empresse de faire construire une citadelle par Vauban, agrandit la ville et réglemente alignements et modèles de maisons.

De 1914 à 1940 – En 1914 (début octobre), attaquée par six régiments bavarois, la ville se rend après trois jours de résistance acharnée. Le prince de Bavière, qui reçoit la reddition, refuse l'épée du colonel de Pardieu « en témoignage de l'héroïsme des troupes françaises ». En mai 1940, sept divisions allemandes et les blindés de Rommel attaquent Lille. Les 40 000 soldats français tiennent trois jours et capitulent avec les honneurs militaires, au matin du 1er juin.

se promener

LE VIEUX LILLE★★

Place Rihour

9h30-18h30, dim. et j. fériés 10h-12h, 14h-17h. Fermé 1er mai. Gratuit. ☎ 03 20 21 94 21. www.lilletourism.com

Le palais Rihour, de style gothique, qui abrite aujourd'hui l'Office de tourisme, fut construit entre 1454 et 1473 pour Philippe le Bon. La façade est ornée de fenêtres à meneaux et d'une tourelle de brique. On rejoint la **place du Gén.-de-Gaulle★** par une allée piétonne le long de laquelle s'alignent les cafés. Sur la gauche, les façades sont caractéristiques de l'architecture du 17e s. où se mêlent les influences flamande et française.

Vieille Bourse★★

Construite en 1653 à la demande des commerçants, elle devait rivaliser avec celles des grandes villes des Pays-Bas. Vingt-quatre maisons à mansardes encadrent une cour rectangulaire qui servait de cadre aux transactions. Julien Destrée, qui a décoré les façades, était sculpteur sur bois : aussi n'est-il pas étonnant que les guirlandes, mascarons, grappes de fruits et chutes de fleurs qui ornent la façade évoquent un bahut flamand. Sous les arcades, bustes en bronze, médaillons, angelots et cartouches honorent les sciences et leurs applications.

La Grand'Place de Lille, un lieu de rendez-vous au cœur de la vieille ville.

S. Sauvignier/MICHELIN

Rue de la Monnaie★
Au n° 3, le mortier et l'alambic servaient d'enseigne à un apothicaire. Les maisons suivantes *(nos 5 à 9)* sont décorées de dauphins, de gerbes de blé, de palmes... Remarquez les pignons à pas de moineaux aux nos 12 et 14. Les maisons suivantes encadrent le portail à bossages de l'hospice Comtesse.

Hospice Comtesse★
Mer.-ven. 10h-12h30, 14h-18h, lun. 14h-18h, w.-end et j. fériés 10h-18h. Fermé 1er janv., 1er mai, 14 juil., 1er w.-end de sept., 1er nov. et 25 déc. 2,30€, gratuit 1er dim. du mois. ☎ 03 28 36 84 00.
Sa fondatrice, Jeanne de Constanti-nople, comtesse de Flandre, fit édifier un hôpital en 1237 pour le salut de son mari, Ferrand de Portugal, fait prisonnier à Bouvines. Le bâtiment incendié en 1468 est reconstruit puis agrandi aux 17e-18e s. Il devint un hospice en 1789, puis un orphelinat. C'est à présent un musée régional d'Histoire et d'Ethnographie et un lieu d'expositions et de concerts.

Cathédrale N.-D.-de-la-Treille
Cet imposant édifice de style néogothique est orné sur sa façade d'une rosace de Ladislas Kijno, illustrant la Résurrection. Le portail en bronze est l'œuvre ultime de Georges Jeanclos, mort en 1997.

▶▶ Citadelle★

visiter

Palais des Beaux-Arts★★★
♿ *Tlj sf mar. 10h-18h, lun. 14h-18h, ven. 10h-19h. Fermé 1er janv., 1er mai, 14 juil., 1er w.-end de sept., 1er nov. et 25 déc. 4,60€. ☎ 03 20 06 78 00.*
Au sous-sol, le département du **Moyen Âge** et de la **Renaissance** conserve un fameux encensoir en laiton finement ciselé et doré (art mosan du 12e s.). À côté, remarquez les ivoires provenant d'abbayes du Nord de la France. Plus loin, voyez le superbe *Festin d'Hérode*, bas-relief en marbre de Donatello. La grande salle expose 15 **plans-reliefs**★ de villes situées à la frontière du Nord du « Pré carré » à l'époque de Louis XIV.
Au rez-de-chaussée, une importante collection de **céramiques** comprend des majoliques italiennes, des faïences de Nevers, Rouen, Lille, Strasbourg, et du Midi de la France, de Delft, des grès allemands et wallons, des porcelaines de Chine et du Japon. La galerie de **sculpture** expose un panorama de la sculpture française, avec des artistes tels que David d'Angers, Préault, Frémiet, Camille Claudel, Bourdelle.
Au 1er étage, les peintures sont accrochées par école. De l'école flamande, on admire plusieurs toiles de Jordaens, et un Christ en Croix de Van Dyck. Parmi les œuvres françaises, ne manquez pas les tableaux de Philippe de Champaigne, Largillière, Chardin, les Watteau, David, Delacroix... jusqu'aux impressionnistes: Sisley, Monet et Vuillard. L'école espagnole est d'une grande qualité: Saint François en prière du Greco; Les Jeunes et Les Vieilles, remarquables toiles de Goya. Parmi les peintres figuratifs ou abstraits : Léger, Gromaire, Poliakoff, Sonia Delaunay et Picasso.

alentours

Roubaix
Depuis 1980, l'ancienne cité textile s'affirme comme ville pilote de la communication. Eurotéléport abrite un centre international de télécommunications. Connecté à tous les réseaux de la planète, co-utilisateur du satellite Eutelsat, il est équipé de paraboles et d'une station terrienne.
Depuis 1896, les Roubaisiens sont nombreux à venir applaudir, tous les ans à la mi-avril, l'arrivée de la fameuse course cycliste Paris-Roubaix. Au départ de Compiègne, l'itinéraire de 268 km compte 22 secteurs pavés. Ces pavés, qui viennent des carrières arrageoises et bretonnes, couvraient déjà les routes du Nord-Pas-de-Calais aux 18e et 19e s. Il en reste environ 80 km dans le Nord.

Lille Métropole City Pass
Ce forfait permet d'accéder gratuitement au réseau de transports en commun de la métropole de Lille (Transpole) et à 25 sites et prestations touristiques à Lille, Roubaix, Tourcoing, Villeneuve-d'Ascq et Wattrelos. Trois forfaits existent: 1 jour (15€), 2 jours (25€) ou 3 jours (30€). Information et vente dans les offices du tourisme des villes concernées, au Comité départemental du tourisme du Nord et sur www.cdt-nord.fr

La Piscine - Musée d'Art et d'Industrie★★ – *Tlj sf lun. et j. fériés 11h-18h, ven. 11h-20h, w.-end 13h-18h. 5€, gratuit 1er dim. du mois. ☎ 03 20 69 23 60.*
Hier « temple de l'hygiène », ce splendide complexe Art déco de bains-douches (1927-1932) édifié par Albert Baert sert aujourd'hui de cadre au patrimoine artistique et

industriel de la ville. Il conserve encore deux salles de bains, et surtout sa piscine qui charme par l'harmonie de son volume et de sa décoration. Les sculptures et peintures des 19e et 20e s. – pour la plupart œuvres d'artistes locaux – sont à (re)découvrir : la *Petite Châtelaine* de Camille Claudel, *Marat assassiné* de Weerts, *Combat de coqs* de Cogghe, peintures de Dufy, Lempicka, Gromaire, etc. Les cabines qui ouvrent sur le grand bassin servent d'écrin aux riches collections de textiles : dessins, pièces d'habillement et d'ameublement.

Pour que les enfants s'amusent, le musée met à leur disposition dans les salles de la section Beaux-Arts des malles à jeux pour découvrir les œuvres.

La piscine de Roubaix accueille désormais des collections d'art et d'industrie : le temple de l'hygiène est devenu temple de l'art.

Villeneuve-d'Ascq★

Cette technopole, où l'on contemple une architecture postmoderne de brique, de bois et de verre, est le « poumon vert » de l'agglomération lilloise, avec ses parcs et sa chaîne de cinq lacs. On redécouvre aussi des fermes, avec leurs murs en « rouges-barres » : une tradition picarde.

Musée d'Art moderne★★ – ♿ *Tlj sf mar. 10h-18h. Fermé 1er janv., 1er mai et 25 déc. 6,50€, gratuit 1er dim. du mois 10h-14h. ☎ 03 20 19 68 68.*

Cet édifice (1983), dessiné par Roland Simounet, surplombe le lac du Héron. Il ressemble à une sorte de Lego en brique et en verre. Dans le parc de sculptures, on découvre des œuvres contemporaines.

Issue de la donation Geneviève et Jean Masurel, cette collection comprend plus de 230 œuvres du début du 20e s., surtout des toiles fauves (Rouault, Derain, Van Dongen), surréalistes (Miró, Masson) ; l'art cubiste et l'art abstrait sont bien représentés. Remarquez les toiles de Braque *(Les Usines de Rio Tinto à l'Estaque)*, de Picasso, les œuvres de Fernand Léger. Une salle est dédiée à Modigliani. Parmi les peintres abstraits, citons Kandinsky, Klee, Nicolas de Staël, Charchoune, Buffet...

Tourcoing

Tourcoing, ville fleurie, embellit de jour en jour. Sur le parvis St-Christophe, on foule un pavage où le porphyre du Trentin voisine avec le marbre de Carrare et de Vérone et la pierre de Soignies. Les berges du canal, la mairie et bien d'autres édifices ont profité du même bain de jouvence. De surcroît, la vie culturelle est riche.

Église St-Christophe – Édifiée au 16e s. à l'emplacement d'un sanctuaire du 11e s., l'église a été agrandie au 19e s. dans le style néogothique. Avec son parvis, elle forme un bel ensemble. L'intérieur est lumineux, grâce aux fenêtres et aux verrières du chœur, dues à Lorin.

Le clocher (16e s.) englobé dans le clocher actuel (85 m) abrite un **Musée campanaire** et un carillon de 62 cloches. *Mai-oct. : 1er et 3e dim. du mois 14h-18h. Gratuit. ☎ 03 20 27 55 24.*

Du sommet *(200 marches)*, panorama sur la ville et les environs.

Les carillons

Enclos dans les clochers des églises ou au sommet des beffrois, les carillons rythment la vie de nombreuses villes du Nord. Ils possèdent à leur répertoire différentes mélodies, selon qu'ils annoncent l'heure, le quart, la demie ou les trois quarts. Le mot carillon viendrait de quadrillon, jeu de quatre petites cloches. Les premières horloges mécaniques du Moyen Âge s'équipent de cet instrument. Un bateleur frappait les cloches à l'aide d'un maillet ou d'un marton. Les ajoutes, au cours des siècles, d'un mécanisme, du clavier manuel ou du pédalier ont permis d'augmenter le nombre de cloches et d'enrichir les sonorités.

Des concerts de carillons sont régulièrement organisés dans les villes de Douai, Seclin, St-Amand-les-Eaux, Maubeuge ou encore Avesnes-sur-Helpe.

Limoges★

La capitale de la porcelaine possède deux visages: celui de la «Cité épiscopale», groupée autour de sa cathédrale, et celui du «Château», ville active et commerçante construite sur le versant voisin autour de l'abbaye St-Martial. La porcelaine, dont les usines sont à la pointe du progrès de l'industrie porcelainière mondiale, les émaux, les fabriques de chaussures, qui ont contribué à son essor industriel, ont ouvert leurs portes à la visite.

La situation

173 299 Limougeauds - Cartes Michelin Local 325 D-E 5-6, Regional 522 - Le Guide Vert Berry Limousin- Haute-Vienne (87). La construction de l'A 20 dans le paysage limougeaud a désenclavé Limoges, qui se trouve à mi-distance entre Paris, via Châteauroux (120 km) et Toulouse, via Brive (95 km). D'Est en Ouest, elle est traversée par la N 141 qui relie Clermont-Ferrand (180 km) à Bordeaux (220 km).

Bd de Fleurus (au Sud de la pl. Jourdan), 87000 Limoges, ☎ 05 55 34 46 87.

Pour poursuivre la visite, voir aussi: BRIVE-LA-GAILLARDE, PÉRIGUEUX, POITIERS.

carnet pratique

Restauration

• À bon compte

Chez François – *Pl. de la Motte, halles centrales - 87000 Limoges - ☎ 05 55 32 32 79 - fermé 5 au 25 août, dim. et j. fériés - 8,40/13€.* Installé dans les halles de Limoges classées Monument historique, ce bistrot sympathique adapte sa carte selon les arrivages du marché. De la salle à manger décorée d'une fresque en bois sculpté, vous verrez le chef s'affairer aux fourneaux. Bon rapport qualité/prix. Casse-croûte dès 5h30 du matin...

• Valeur sûre

Les Petits Ventres – *20 r. de la Boucherie - 87000 Limoges - ☎ 05 55 34 22 90 - fermé 1er au 15 mai, 10 au 26 sept., dim. et lun. - 16,77/30,49€.* Dans cette maison typique du 15e s., la tradition de la bonne ripaille est perpétuée par de jeunes passionnés. Leur mot d'ordre : la qualité, pour décliner fraise, foie, langue, pieds de porc, tripes... et autres charcutailles dans des menus dignes d'un Grangousier.

Hébergement

• À bon compte

Chambre d'hôte M. et Mme Brulat – *Imp. du Vieux-Crezin - 87220 Feytiat - 5 km à l'E de Limoges - par A 20, sortie 35, dir. Feytiat, à Crézin dir. le Vieux Crézin - ☎ 05 55 06 34 41 - ⊭ - 3 ch. : 40/52€.* Vous apprécierez le calme de cette grande maison en pierre nichée dans un parc en pleine campagne, à dix minutes du centre-ville. Chaleureux accueil familial, chambres confortables, salon de détente, billard et jeu de fléchettes en font une bonne adresse.

• Valeur sûre

Hôtel Jeanne-d'Arc – *17 av. du Gén.-de-Gaulle - 87000 Limoges - ☎ 05 55 77 67 77 - hoteljeanned'arc.limoges@wanadoo.fr - fermé 21 déc. au 7 janv. - P - 50 ch. : 48,02/73,18€ - ☕ 6,86€.* Pratique et agréable, cet hôtel est situé en centre-ville, non loin de la gare ferroviaire. Les chambres, personnalisées, sont soignées et bien insonorisées en façade.

Achats

Les commerces se localisent surtout dans le secteur du Château. Les principales boutiques de vente de porcelaine bordent le boulevardd Louis-Blanc ou s'éparpillent à l'Ouest du centre-ville. À noter, pour les amateurs d'affaires, les boutiques de porcelaines déclassées de **Morel Michel** *(bd Louis-Blanc)* et du **Cygne Bleu** *(pl. des Jacobins)*. **Art et feu** *(r. de la Boucherie)* présente d'originales créations en émail.

comprendre

La porcelaine – Longtemps, l'Occident ne connaît que les porcelaines importées d'Extrême-Orient. La pâte de porcelaine est un mélange de kaolin, feldspath, et quartz. Le kaolin est une argile blanche, fine et pure, dont le nom vient de la colline chinoise de Kao-ling où elle fut découverte. Le feldspath est un «fondant» qui permet à la pâte de se vitrifier dans le four. Le kaolin donne la blancheur et le feldspath la translucidité. En 1752, à Maupertuis, près d'Alençon, on découvre un premier gisement de kaolin, mais c'est à St-Yrieix en 1768 que l'on trouve un kaolin d'une admirable pureté. Après des essais encourageants effectués à la Manufacture royale de Sèvres, Turgot crée, en 1771, une fabrique de porcelaine dure, sous le patronage du comte d'Artois: une ère de prospérité commence pour la céramique limousine. Après le Premier Empire, l'industrie porcelainière se concentre autour de Limoges qui, par la Vienne, reçoit les trains de bois indispensables à l'alimentation des fours. La porcelaine de Limoges jouit d'une renommée mondiale; elle représente plus de la moitié de la production française. Tous les articles produits, d'une grande qualité, sont le résultat d'une tradition maintenue avec le plus grand soin.

se promener

LA CITÉ

Cathédrale St-Étienne★

La construction se déroula sur six siècles, du 13e au 19e s. Le **portail St-Jean★** a été édifié entre 1516 et 1530 dans le style flamboyant. Tout le tympan est garni d'un remplage à arcatures dans lesquelles sont sertis des verres aux riches coloris.
À l'intérieur, la hardiesse et l'élégance des voûtes sont remarquables. Sous le buffet d'orgue se trouve le **jubé★** construit en 1533, qui séparait autrefois le chœur du transept. Ce monument de pierre calcaire est surmonté d'une galerie aux clefs pendantes ornées des statues des six Vertus. Tout l'ensemble est paré d'une riche décoration à l'italienne, où l'on remarque dans les bas-reliefs du soubassement des scènes mythologiques, comme les Travaux d'Hercule. Autour du chœur, les trois **tombeaux★** sont d'un grand intérêt décoratif, le plus remarquable étant celui de Jean de Langeac, exemple gracieux de la Renaissance (1544).

QUARTIER DU CHÂTEAU

Le quartier du «Château», né jadis autour de l'abbaye St-Martial, puis du château des vicomtes, constitue le centre-ville aux vieilles rues commerçantes.

Rue de la Boucherie★

Cette singulière rue étroite abrite de typiques maisons à pans de bois dont certaines conservent quelques-uns des 80 étals de boucher dénombrés au 13e s. Aujourd'hui désertée par la corporation, cette rue retrouve son animation d'antan lors de la pittoresque frairie des petits ventres, soit les plats à base de tripes.

Gare des Bénédictins★

Symbole de la prospérité et du développement de Limoges entre les deux guerres, c'est l'un des monuments les plus connus de la ville. Construite de 1923 à 1926, elle déploie les formes distendues de son dôme vert-de-gris sur une plate-forme au-dessus des voies. L'originalité de son architecture est mise en valeur par l'esplanade.

visiter

Musée municipal de l'Évêché – Musée de l'Émail★

Juil.-sept. : 10h-11h45, 14h-18h ; oct.-juin : tlj sf mar. 10h-11h45, 14h-17h (juin : fermeture à 18h). Fermé 1er janv., 1er mai, 1er et 11 nov. et 25 déc. Gratuit. ☎ 05 55 45 98 90.
Plus de 300 émaux limousins du 12e s. à la fin du 18e s. combleront les amateurs d'art précieux. Le Moyen Âge vit s'épanouir l'art de l'émaillerie dont les vitrines présentent ici les diverses techniques : cloisonné (soudure sur une plaque de minces lames en métal), champlevé (consiste à creuser une plaque de cuivre à l'aide d'un burin, puis d'incruster de la pâte dans les parties ainsi évidées) et les émaux peints (dessin tracé au pinceau sur l'émail recouvrant la feuille de cuivre).

Musée Adrien-Dubouché★★

Tlj sf mar. 10h-12h30, 14h-17h45 (juil.-août : ouv. en continu). Fermé 1er janv., 1er mai et 25 déc. 4€ (enf. : gratuit), gratuit 1er dim. du mois. ☎ 05 55 33 08 50. www.musee-adrien-dubouche.fr
Fondé en 1845 et devenu musée national en 1881, il porte le nom de son principal bienfaiteur, auquel il doit une part importante de ses fonds. Les collections retracent l'évolution de la céramique et du verre et les caractéristiques de la plupart des grandes manufactures mondiales. Les porcelaines occupent une place de choix dans cette extraordinaire rétrospective. 1 200 pièces de Limoges permettent de comprendre la renommée acquise par cette ville depuis les débuts de la production, en 1771.

alentours

Église abbatiale de Solignac★★

13 km au Sud de Limoges, par la D 704, puis la D 32 à droite. Possibilité de visite guidée, s'adresser à l'Office de tourisme, ☎ 05 55 00 42 31.
De la célèbre abbaye fondée en 632 par saint Éloi subsiste une belle église romane où sont visibles des influences aussi bien périgourdines que mozarabes...
Né en 588 à Chaptelat, ce saint homme apprend le métier d'orfèvre à l'atelier de Limoges, puis travaille à Paris sous les ordres du trésorier du roi. Son talent et sa probité le font remarquer par Clotaire II qui en fait son trésorier ; mais c'est surtout la confiance du bon roi Dagobert qui permet à saint Éloi de déployer toutes ses capacités de ministre. Titulaire de l'évêché de Noyon, saint Éloi a la nostalgie du sol natal : c'est alors qu'il demande au roi la terre de Solignac pour y fonder le monastère où il compte mourir en paix. Le roi répond favorablement à cette sollicitation. L'abbaye prend aussitôt une grande importance mais, en dépit de ses fortifications, elle ne peut se soustraire aux sévices des Normands, des Sarrasins, des Anglais et des huguenots qui, au cours de sa longue histoire, la ravagent périodiquement.

L'actuelle église abbatiale date de la première moitié du 12e s. Entrez par le portail placé sous le porche. Le vaisseau est couvert de vastes coupoles hémisphériques et les murs ornés d'arcatures aveugles en plein cintre. Ces dernières sont décorées de chapiteaux et de culs-de-lampe archaïques dont la sculpture apparaît de plus en plus recherchée au fur et à mesure que l'on s'avance vers le chœur. Les stalles datent pour l'essentiel du 15e s. : leurs miséricordes et leurs accoudoirs sont sculptés de feuillages, d'animaux et de masques grimaçants.

Oradour-sur-Glane**

23 km au Nord-Ouest de Limoges, en suivant la N141 puis la D9 sur la droite. Le 10 juin 1944, quatre jours après l'annonce du débarquement allié en Normandie, un village entier, hommes, femmes, vieillards, enfants – soit 642 personnes –, est anéanti par la division d'élite « Das Reich ». Des pans de murs calcinés, un mémorial, un cimetière où ont été rassemblées les dépouilles de victimes du nazisme composent le « village martyr ». Ils appellent au recueillement.

L'accès aux ruines se fait par le **Centre de la Mémoire**, qui propose une exposition permanente sur la montée du nazisme et cette journée du 10 juin 1944. *De mi-mai à mi-sept. : 9h-19h ; de déb. mars à mi-mai et de mi-sept. à fin oct. : 9h-18h ; fév., nov. et de déb. déc. à mi-déc. : 9h-17h. Fermé de mi-déc. à fin janv. 6€. ☏ 05 55 43 04 30.*

À proximité des ruines, un nouveau village a été construit. Le modernisme de l'église avec ses verrières lumineuses et son clocher carré peut surprendre ; pourtant l'ensemble est en parfaite harmonie avec les constructions voisines.

▶▶ Lac de Vassivière** ; Châlus**

Lisieux**

Agréablement situé dans la vallée de la Touques, Lisieux est devenu le premier centre commercial et industriel du riche pays d'Auge. La notoriété de cette ville, à la fois tranquille et dynamique, se concentre aujourd'hui sur le « Lisieux de sainte Thérèse ».

La situation

23166 Lexoviens - Cartes Michelin Local 303 L-N 4-5, Regional 512 - Le Guide Vert Normandie Vallée de la Seine - Calvados (14). Venant d'Évreux, on est accueilli par l'imposante basilique de style néobyzantin, placée sous le patronage de sainte Thérèse. Le centre, presque totalement reconstruit, s'organise autour de la place Thiers.

ℹ 11 r. d'Alençon, 14100 Lisieux, ☏ 02 31 48 18 10.

Pour poursuivre la visite, voir aussi : CAEN, HONFLEUR, ROUEN.

se promener

Les Buissonnets

Avr.-sept. : visite audioguidée (1/2h) 9h-12h, 14h-18h ; fév.-mars et oct. : 10h-12h, 14h-17h ; nov.-déc. : 10h-12h, 14h-16h ; janv. : sur demande. Gratuit. ☏ 02 31 48 55 08.

On visite la maison où Thérèse vécut de l'âge de 4 à 15 ans : la salle à manger, sa chambre où elle guérit miraculeusement à 10 ans, la chambre de son père. Souvenirs de l'enfant : robe de première communion, jouets, etc.

Paysage typiquement normand, en pays d'Auge.

carnet pratique

Restauration

• À bon compte

Aux Acacias – *13 r. de la Résistance - 14100 Lisieux - ☎ 02 31 62 10 95 - fermé dim. soir et lun. sf j. fériés, jeu. soir de nov. à mars - 14,94/44,21€.* Vous serez content de trouver ce restaurant dans le centre : la cuisine du terroir soignée a du goût, la vaisselle est belle et la verrerie fine, les couleurs du décor sont douces et les prix restent abordables. Menu très bon marché pour les enfants.

Auberge de la Route du Cidre – *14340 Montreuil-en-Auge - 14 km au NO de Lisieux par N 13 puis D 59 - ☎ 02 31 63 12 27 - fermé 15 déc. au 15 fév., mer. et jeu. sf juil.-août - réserv. obligatoire - 15/24€.* Amateurs de cidre, cet endroit est pour vous ! Dans cette auberge de campagne, on choisit son cidre à la carte et on le marie avec les spécialités régionales proposées en accompagnement. Que ceux qui n'aiment pas le jus de pomme se rassurent, il y a aussi du vin !

Hébergement

• Valeur sûre

Grand Hôtel de l'Espérance – *16 bd Ste-Anne - 14100 Lisieux - ☎ 02 31 62 17 53 - fermé 16 oct. au 14 avr. - 100 ch. : 68,60/90€ - ☕ 6,85€.* Grand hôtel, en effet, que cet imposant bâtiment du centre-ville dans le pur style normand avec ses traditionnels colombages et balcons ! Ses chambres, sobrement meublées et bien tenues, bénéficient d'une bonne insonorisation.

Au Repos des Chineurs – *Chemin de l'Église - 14340 Notre-Dame-d'Estrées - 15 km à l'O de Lisieux par N 13 puis D 50 - ☎ 02 31 63 72 51 - fermé janv., fév., lun. et mar. hors sais. - P - réserv. conseillée le w.-end - 10 ch. : 55/101€ - ☕ 9,15€ - salon de thé.* Relais de poste du 17e s. transformé en un petit hôtel de charme. Chambres confortables et joliment décorées ; certaines sont équipées de baignoires à remous. Petit déjeuner servi dans une élégante salle, faisant office de salon de thé l'après-midi (préparations maison), où vous pourrez chiner meubles, bibelots et objets insolites.

Achats

Le Père Jules – *Rte de Dives-sur-Mer - 14100 St-Désir-de-Lisieux - 2,5 km à l'O de Lisieux par D 913 - ☎ 02 31 61 14 57 - tlj 8h-12h30, 13h30-20h.* Sise dans une ravissante maison normande du 19e s., cette entreprise familiale créée en 1919 doit son nom au grand-père fondateur. Vous pouvez visiter la cave de ce producteur de calvados et, bien sûr, déguster une petite goutte.

Basilique Ste-Thérèse

L'imposante basilique, consacrée le 11 juillet 1954, est l'une des plus grandes églises du 20e s. (4 500 m²; dôme de 95 m). Le campanile, dont la construction a été interrompue en 1975, s'élance à 45 m. Il renferme le bourdon, trois autres cloches et un carillon de 44 pièces. L'immense nef, très colorée, se pare de marbres, vitraux et mosaïques. Un reliquaire *(croisillon droit)* contient les os du bras droit de la sainte.

Une exposition, **«Le carmel de sainte Thérèse»**, est présentée sous le cloître Nord de la basilique. ♿ *7h-18h. Gratuit. ☎ 02 31 48 55 08.*

Sainte Thérèse de Lisieux

Née le 2 janvier 1873 à Alençon, Thérèse Martin, enfant ardente et sensible, fait preuve d'une volonté et d'une intelligence précoces. Le dimanche de Pentecôte 1887, son père l'autorise à entrer au carmel, mais les autorités ecclésiastiques la jugent trop jeune. Participant au pèlerinage diocésain à Rome, elle adresse elle-même sa requête au saint-père. Le 9 avril 1888, âgée de 15 ans, Thérèse entre au couvent.

Retirée dans le cloître où elle est venue « pour sauver les âmes et surtout afin de prier pour les prêtres », sœur Thérèse de l'Enfant-Jésus gravit les degrés de la perfection. Elle rédige alors *Histoire d'une âme*. Elle meurt le 30 septembre 1897, à l'âge de 24 ans. Béatifiée en 1923, canonisée en 1925, sainte Thérèse de l'Enfant-Jésus-et-de-la-Sainte-Face a été proclamée docteur de l'Église par Jean Paul II le 19 octobre 1997.

circuit

PAYS D'AUGE*

Tout en herbages, parsemé de chaumières et de manoirs à colombages, jalonné de saules et de pommiers, quadrillé de haies vives et sillonné de routes sinueuses – dont celle du cidre –, le pays d'Auge forme une transition admirable avec les plages de la Côte Fleurie *(voir Honfleur)*. Par son aspect bucolique et la renommée de ses produits, cet arrière-pays reste l'un des meilleurs symboles de la plantureuse Normandie.

Parmi les fortes personnalités augeronnes, remarquons sur le plateau de fromages, le camembert, le pont-l'évêque, le puissant livarot et le pavé d'auge.

87 km. Quitter Lisieux par la D 913 vers l'Ouest, suivre la D 50 jusqu'au carrefour St-Jean où l'on prend à droite.

Beuvron-en-Auge★

L'un des « cent plus beaux villages de France », Beuvron conserve autour de sa place centrale de très belles maisons à colombages. Il est agréable de se promener dans les venelles, le temps de déguster une teurgoule accompagnée de falues.

Clermont-en-Auge★

Du chevet de la chapelle de Clermont, beau **panorama★** sur les vallées de la Dives et de la Vie.

Poursuivre vers le Nord, jusqu'à Dives-sur-Mer, d'où l'on suit la Côte Fleurie jusqu'à Deauville, puis la N177.

Pont-l'Évêque

Cette ville, dont le fromage est apprécié depuis le 13e s., reste un beau petit coin du pays d'Auge, où un charmant marché campagnard se tient chaque dimanche en juillet et août de 10h à 13h.

Revenir à Lisieux par la vallée de la Touques.

▶▶ Château de St-Germain-du-Livet★

Flâneries sur la place de Beuvron-en-Auge...

G. Targat/MICHELIN

Loches★★

Puissante forteresse militaire, puis séjour royal et palais Renaissance, Loches est d'abord le château d'une femme : Agnès Sorel, favorite de Charles VII, la « Dame de Beauté », dont vous retrouverez les traits gravés dans l'albâtre de son gracieux gisant. Loches peut également prendre une teinte plus sombre, avec ses cachots et la « cage » du cardinal La Balue, ou des couleurs éclatantes, avec le sublime triptyque de l'école de Jean Fouquet. La cité authentiquement médiévale, serrée autour de ses remparts, commande la charmante vallée de l'Indre, toute de calme et de verdure.

La situation

6 328 Lochois – Cartes Michelin Local 317 O 6, Regional 519 – Le Guide Vert Châteaux de la Loire – Indre-et-Loire (37). Sur la rive gauche de l'Indre, très au Sud d'Amboise et de Chenonceaux, Loches s'étage au long d'une colline abrupte. Une vaste forêt, très vallonnée, entoure encore la ville. C'est du jardin public, en bordure de l'Indre, que vous pourrez mieux détailler l'ensemble que forment l'église St-Ours, la façade Sud de l'édifice, son logis neuf et son logis vieux.

Pl. de la Marne, 37600 Loches, ☎ 02 47 91 82 82. www.lochesentouraine.com

Pour poursuivre la visite, voir aussi : TOURS, BLOIS, POITIERS.

carnet pratique

Restauration

• *À bon compte*

L'Estaminet – *14 r. de l'Abbaye - 37600 Beaulieu-lès-Loches - 1 km à l'E de Loches - ☎ 02 47 59 35 47 - fermé une sem. vac. de fév., dim. et lun. - 8/15€.* Sur une jolie place arborée, au pied d'une abbaye du 11e s., ce vrai troquet de campagne a bien un petit air du Nord. Tandis que des habitués jouent aux cartes près du comptoir, vous goûterez la cuisine familiale dans la petite salle ou en terrasse.

Le Lion d'Or – *14 pl. de la Halle - 36600 Valençay - 48 km à l'E de Loches par D 760 puis D 960 - ☎ 02 54 00 00 87 - fermé lun. ; janv.-fév. - 10,50/30€.* Il règne une ambiance délicieusement surannée en cet ancien relais de poste, idéalement situé face à la halle couverte. La salle à manger, habillée de boiseries et de meubles dans les style des années 1930, a du charme ; l'été, on appréciera de se sustenter sur la terrasse ombragée.

Spectacles

Féérie nocturne – *37000 Loches - ☎ 02 47 59 01 76 - du 2e ven. de juil. à fin août : ven. et sam. (juil. : à 22h30 ; août : à 22h) - 12€ (enf. : 7€).* Ce spectacle (mi-théâtre, mi-son et lumière) entraîne le spectateur dans le monde merveilleux des enchanteurs et des fées. Le cadre du château, les musiques, les lumières et les costumes ne font qu'accentuer la magie et la poésie de l'histoire de Merlin l'enchanteur.

se promener

LA CITÉ MÉDIÉVALE★★

La forte position naturelle de Loches a été utilisée depuis au moins le 6e s. Du 10e au 13e s., Loches appartient aux comtes d'Anjou. Henri II Plantagenêt en renforce encore les défenses. Enfin, en 1249, Saint Louis l'acquiert, et Loches devient résidence royale.

Porte Royale★

La porte Royale (11e s.), puissamment fortifiée, a été flanquée de deux tours au 13e s. On y voit encore les saignées servant au pont-levis et les mâchicoulis.

Église St-Ours★

La collégiale possède un porche de type angevin au portail roman richement orné. La nef est couverte par les étonnants **dubes**, édifiés au 12e s. Les «dubes» sont l'appellation ancienne des couvercles de fonts baptismaux de forme de conique. Les deux pyramides octogonales, dressées entre les tours, sont d'un Louis XIVtype habituellement employé pour les clochers, les cuisines ou les lavabos monastiques.

Château★★

Avr.-sept.: 9h-19h; oct.-mars: 9h30-17h. Fermé 1er janv. et 25 déc. 3,80€. ☎ 02 47 59 01 32.

Le vieux logis (14e s.) a été prolongé sous Charles VIII et Louis XII par une demeure de plaisance. On y pénètre par la chambre de retrait de Charles VII, où, en 1429, Jeanne d'Arc pressa Charles VII de se rendre à Reims.

Le **gisant d'Agnès Sorel★** est soutenu par deux anges qu'un demi-sourire illumine, tandis que deux agneaux – rappel de son prénom et symbole de douceur – couchent à ses pieds. Agnès Sorel (1422-1450), célèbre pour ses charmes, fut la favorite du roi Charles VII (à qui elle donna quatre filles).

Arrêtez-vous aussi devant le **triptyque★** attribué à l'école de Jean Fouquet (15e s.): Crucifixion, Portement de Croix et Déposition font éclater une symphonie de verts, de rouges et de bleus, où la Vierge évanouie et le Christ stupéfient par leur réalisme tragique.

Donjon★★

Avr.-sept.: 9h-19h; oct.-mars: 9h30-17h. Fermé 1er janv. et 25 déc. 3,80€. ☎ 02 47 59 07 86.

Élevé au 11e s. par Foulques Nerra, le donjon est une puissante construction carrée. À l'intérieur, les planchers ont disparu, mais on distingue encore sur les murailles les cheminées et les baies. L'escalier *(160 marches)* qui conduit au sommet permet de découvrir une belle vue sur la ville, la vallée de l'Indre et la forêt de Loches.

Dans le pavillon d'entrée de la **tour Ronde**, le cachot de Philippe de Commines renferme un carcan de 16 kg, ainsi qu'une reconstitution de la «cage de Louis XI». Ces cages étaient constituées d'un treillis de bois couvert de fer. D'après la légende, le prisonnier n'en sortait jamais; il semble cependant qu'elles étaient utilisées surtout la nuit, ou pour le transport des prisonniers. Le **Martelet**, constitué par plusieurs étages de souterrains, renferme des cachots impressionnants, dont celui du duc de Milan, dit le More, fait prisonnier par Louis XII.

LA VIEILLE VILLE★

À l'intérieur de la seconde enceinte, les rues se faufilent entre les maisons de tuffeau. On passe devant la chancellerie, d'époque Henri II, décorée de colonnes cannelées, de pilastres et de jolies grilles de balcon en fer forgé. Accolée à l'**hôtel de ville★**, gracieux édifice Renaissance aux balcons fleuris, la porte Picois, du 15e s., est couronnée de mâchicoulis. Au bout de la Grande-Rue, la **porte des Cordeliers★** date de la fin du 15e s.

alentours

Château de Valençay★★★

49 km à l'Est de Loches, par la D 760, puis la D 960. Juil.-août : 9h30-19h30 ; avr.-juin et sept.-oct.: 9h30-18h. Château et spectacle 8,50€ (enf.: 4,50€). ☎ 02 54 00 10 66. www.chateau-valencay.com

Au Sud de la vallée du Cher, Valençay, bâti sur un coteau, est entouré d'un beau jardin à la française où se promènent en liberté cygnes noirs, canards, paons… Le cadre exceptionnel du château est mis en valeur par un spectacle son et lumière qui met en scène pas moins de 900 personnages costumés.

Valençay fut construit vers 1540 par Jacques d'Estampes. Ce seigneur, ayant épousé la fille bien dotée d'un financier, voulut avoir une demeure digne de sa nouvelle fortune. Parmi les propriétaires successifs, on compte le fameux John Law, dont l'étourdissante aventure bancaire fut un premier et magistral exemple d'inflation.

Charles Maurice de Talleyrand-Périgord, qui avait commencé sa carrière sous Louis XVI comme évêque d'Autun, est ministre des Relations extérieures lorsqu'il achète Valençay en 1803 à la demande de Bonaparte, pour y organiser de somptueuses réceptions en l'honneur des étrangers de marque.
Remarquez ici les premières touches du style classique : des pilastres superposés, aux chapiteaux doriques, ioniques et corinthiens, et des dômes prennent la place des toits en poivrière.
Vous visiterez la galerie consacrée à la famille Talleyrand-Périgord, le Grand Salon et le salon Bleu qui contiennent de nombreux objets d'art et un somptueux mobilier Empire, dont la célèbre table dite du congrès de Vienne, l'appartement de la duchesse de Dino. La salle à manger et les cuisines permettent d'imaginer le faste des réceptions données par Talleyrand avec la participation de son chef de bouche, Marie-Antoine Carême.

Lons-le-Saunier★

Saviez-vous que Lons est la capitale du Jura, la ville natale de Rouget de Lisle, une ville thermale dotée d'un important patrimoine artistique, historique et même archéologique ? Le nouvel accès de l'A 39 et de réels efforts pour la mise en valeur de son patrimoine ouvrent de nouvelles perspectives pour son avenir touristique.

La situation

18 483 Lédoniens - Cartes Michelin Local 321 D-E 5-6, Regional 520 - Le Guide Vert Jura - Jura (39). Au creux d'une cuvette entourée de collines, Lons-le-Saunier se découvre grâce à plusieurs belvédères. Celui de Montaigu, un peu avant le village, dévoile une belle vue sur la ville.

Pl. du 11-Novembre, 39000 Lons-le-Saunier, ☎ 03 84 24 65 01. www.ville-lons-le-saunier.fr

Pour poursuivre la visite, voir aussi : BEAUNE, BOURG-EN-BRESSE, BESANÇON, PONTARLIER.

se promener

Place de la Liberté

Véritable cœur de la ville, la place concentre une bonne part de l'animation lédonienne. À l'une des extrémités, une statue d'Étex représente le général Lecourbe. À l'opposé, la place est fermée par l'imposante façade rococo du **théâtre★** dont l'horloge égrène deux mesures de *La Marseillaise* avant de sonner les heures.

Rue du Commerce★

Ses 146 arcades sur rue et sous couvert lui donnent un aspect très pittoresque. Elles ont été établies dans la seconde moitié du 17e s. Les Lédoniens ont le goût du beau et l'esprit indépendant, comme tout bon Comtois : ils se sont appliqués à varier les dimensions, la courbure, la décoration des arcs, même dans cette construction réglementée. Remarquez au n° 24, la maison natale de **Rouget de Lisle.**

alentours

Cascades du Hérisson★★★

35 km à l'Est de Lons-le-Saunier, par la D 39. La réputation de la région des Lacs n'est plus à faire et, pourtant, on y trouve un des plus beaux ensembles de chutes du massif jurassien. Né à 805 m d'altitude, le Hérisson est un véritable acrobate qui commence son parcours de manière éblouissante. C'est à l'automne, après une forte période de

L'impressionnante cascade de l'Éventail.

carnet pratique

Restauration

• À bon compte

Comédie – *39000 Lons-le-Saunier - ☎ 03 84 24 20 66 - fermé vac. de Pâques, 28 juil. au 20 août, dim. et lun. - 15/25€.* À deux pas de la maison de Rouget de Lisle, cette façade ancienne joliment rénovée abrite une salle à manger contemporaine. Terrasse tranquille.

• Valeur sûre

La Balance Mets et Vins – *R. de Courcelles - 39600 Arbois - ☎ 03 84 37 45 00 - fermé 9 déc. au 30 janv., dim. soir et lun. (sf du 14 juil. au 25 août et j. fériés) - 17/34€.* Si vous vous arrêtez ici en hiver, vous aurez la chance de goûter la cuisine en cocotte du patron, mijotée devant vous sur un ancien fourneau. Quelle que soit la saison, elle se compose toujours de produits frais et de recettes inventives associées avec des vins à découvrir.

Auberge de Chavannes – *39570 Courlans - 6 km au SO de Lons-le-Saunier par N 78 - ☎ 03 84 47 05 52 - fermé janv., 25 juin au 5 juil., dim. soir, mar. midi et lun. - réserv. obligatoire - 29/46€.* Vous oublierez bien vite le petit inconvénient du passage de la route. Cette auberge en sortie de village a de quoi vous régaler avec sa table soignée et réputée. Les poissons viennent directement de Bretagne, les viandes de la Bresse... Terrasse pour les repas dehors.

Hébergement

• À bon compte

Nouvel Hôtel – *50 r. Lecourbe - 39000 Lons-le-Saunier - ☎ 03 84 47 20 67 - fermé 20 déc. au 6 janv. - P - 26 ch. : 35/49€ - ☕ 7€.* Les bateaux de guerre de la Marine française sont la passion du patron de cet hôtel en centre-ville. Il a décoré l'intérieur de superbes maquettes confectionnées à ses heures perdues. Les chambres du 3e étage sont moins spacieuses.

• Valeur sûre

Annexe Le Prieuré – *39600 Arbois - 35 km au N de Lons-le-Saunier par N 83 - ✉̸ - 6 ch. : 69/79€ - ☕ 12,50€.* C'est l'annexe de l'hôtel Jean-Paul Jeunet. À 200 m de ce dernier, elle est installée dans la maison familiale et vous y entrerez par une petite cour fleurie. Ses coquettes chambres, plus au calme, sont meublées à l'ancienne.

Parenthèse – *39570 Chille - 3 km au N de Lons-le-Saunier par D 157 - ☎ 03 84 47 55 44 - P - 29 ch. : 73/135€ - ☕ 8,50€ - restaurant 15,25/42,70€.* Sur la route du vignoble jurassien, hôtellerie contemporaine dont les chambres offrent deux niveaux de confort ; la plupart possèdent un balcon avec vue sur le parc boisé. Au restaurant : des recettes mariant produits d'ici et saveurs d'ailleurs.

Achats

La Maison du vigneron – *23 r. du Commerce - 39000 Lons-le-Saunier - ☎ 03 84 24 44 60 - mar.-sam. 9h-12h, 14h-19h - fermé j. fériés.* Ce caveau de dégustation vous propose une découverte de la production viticole régionale : côtes-du-jura, vin d'Arbois, château-chalon, crémant, macvin... Vente à emporter.

Henri-Maire, Les Deux Tonneaux – *Pl. de la Liberté - 39600 Arbois - ☎ 03 84 66 15 27 - tlj 9h-19h mais variable selon les saisons - fermé Nouvel An.* Impossible de le manquer car les publicités et les immenses et alléchantes vitrines sont à la mesure de son implantation dans le pays. Films, dégustations et possibilités de visite de caves.

Pâtissier-chocolatier Hirsinger – *38 Grande-Rue - 39600 Arbois - ☎ 03 84 66 06 97 - www.chocolat-hirsinger.com - été : 8h-19h30 ; hiver : mer.-dim. 8h-19h30.* Meilleur ouvrier de France. Il serait impardonnable de traverser Arbois sans rendre une petite visite à ce virtuose qui décline avec brio une succulente gamme de chocolats : à la menthe, au gingembre, aux épices... Parmi les spécialités : galets d'Arbois, bouchons...

G. Magnin/MICHELIN

pluie, que le spectacle prend toute son ampleur. La vue des masses liquides se précipitant, soit en jet rectiligne puissant, soit en forme de château d'eau monumental, vaut bien le petit désagrément de se promener en imperméable et de glisser un peu sur l'herbe ou la terre mouillées.

Il vaut mieux alors éviter de passer sous le Grand Saut car le passage y est des plus étroits et particulièrement glissant. Après une longue période de beau temps, la rivière peut être presque à sec et, si les chutes perdent alors une grande partie de leur attrait, le lit du torrent, surtout entre le Gour Bleu et le Grand Saut, présente des affouillements intéressants : dallages naturels, marmites de géants, étagements de cavernes.

Plusieurs points de départ de randonnée existent, notamment depuis le parking de Doucier, qui permet de gagner le pied de la **cascade de l'Éventail★★★**. C'est de là que l'on a la meilleure vue : l'eau tombe par rebonds successifs, d'une hauteur de 65 m.

circuit

LE VIGNOBLE DU JURA*

Quitter Lons-le-Saunier par la D471.

Baume-les-Messieurs***

Grandiose, spectaculaire, impressionnant, les qualificatifs semblent faibles pour décrire ce site naturel exceptionnel formé par la rencontre de trois vallées, dont la magnifique reculée du **cirque de Baume***.** Il est occupé depuis le 9e s. par une illustre **abbaye*** dont le principal trésor est le magnifique **retable**** anversois du début du 16e s. *(accessible lors des visites guidées). De mi-juin à mi-sept. : 10h-12h, 14h-18h. 3€. ☎ 03 84 44 61 41.*

En contrebas le village se développe le long de la Seille au creux d'un imposant relief rocheux.

Château-Chalon*

Ancienne place forte solidement ancrée sur son escarpement rocheux, Château-Chalon règne sur un territoire de 50 ha au renom prestigieux, le mystérieux royaume du vin jaune. Issu du cépage savagnin, le vin jaune se distingue par sa belle couleur ambrée, son parfum développé qui peut se maintenir pendant plus d'un siècle ; on le sert notamment avec une poularde aux morilles...

Poligny

Pour le plus grand bonheur des gastronomes avertis, Poligny associe la production de ses vins réputés à la fabrication du comté, dont la ville est devenue la capitale. La **collégiale St-Hippolyte*** renferme un remarquable calvaire en bois et de belles **statues*** de l'école bourguignonne du 15e s.

Passer par Buvilly et Pupillin pour découvrir dans la descente Arbois dominée par l'impressionnant clocher de son église St-Just.

Arbois*

Ville phare du vignoble jurassien, Arbois recèle nombre de caves, plus ou moins prestigieuses. La cité doit également beaucoup à Pasteur qui a largement contribué à la renaissance des vignes dévastées par le phylloxéra. Ces atouts feraient presque oublier la beauté du site au seuil d'une magnifique reculée.

Lourdes***

La notoriété de Lourdes n'est plus à faire. Tout le monde connaît cette ville religieuse où Bernadette Soubirous eut des apparitions de la Vierge. Située au bord du gave de Pau, Lourdes prend toute sa dimension à la saison des pèlerinages, de Pâques à la Toussaint. Amples cérémonies, processions, malades en quête de miracle donnent à la cité un climat spirituel auquel on ne peut rester insensible.

La situation

15 203 Lourdais – Cartes Michelin Local 342 L-N 3-6, Regional 525 – Le Guide Vert Midi-Pyrénées – Hautes-Pyrénées (65). 700 trains spéciaux et 400 avions (par l'aéroport international Tarbes-Ossun-Lourdes) arrivent à Lourdes chaque année. Le TGV Atlantique s'y arrête. Une rocade reliée aux D 940 et D 937 (Pau-Lourdes) et à la N 21 (Tarbes-Argelès-Gazost) désengorge le centre-ville. Une fois en ville, inutile d'espérer circuler en voiture et encore moins se garer, à moins d'utiliser les parkings publics (payants). Le plus simple est de laisser sa voiture en bordure du gave.

Pl. Peyramale, 65100 Lourdes, ☎ 05 62 42 77 40. www.lourdes-france.com

Pour poursuivre la visite, voir aussi : PAU, ST-BERTRAND-DE-COMMINGES.

Bernadette Soubirous

Le 11 février 1858, Bernadette, qui a alors 14 ans, ramasse du bois le long du gave près du rocher de Massabielle, en compagnie de l'une de ses sœurs et d'une voisine, lorsque soudain... c'est la première apparition de l'Immaculée Conception dans la grotte. Dix-huit fois, la « belle dame » lui apparaît.

À cette époque, le rocher de Massabielle est d'un accès peu facile, mais une foule chaque jour plus nombreuse se presse autour de la grotte. Au cours de la neuvième apparition, Bernadette, devant les spectateurs stupéfiés, gratte le sol de ses doigts : une source inconnue jusque-là jaillit alors.

En 1862, l'évêché décide d'édifier un sanctuaire au-dessus de la grotte. La première procession se déroule en 1864, à l'occasion de la bénédiction de la statue de Notre-Dame de Lourdes qui est placée dans la niche des apparitions. En 1866, Bernadette entre comme novice au couvent de St-Gildard, à Nevers, maison mère de la congrégation des Sœurs de la Charité. L'année suivante, elle prend le voile sous le nom de sœur Marie-Bernard. Elle meurt le 16 avril 1879. Elle a été béatifiée en 1925 et canonisée en 1933.

carnet pratique

RESTAURATION

• À bon compte

Magret – *10 r. 4-Frères-Soulas - 65100 Lourdes - ☎ 05 62 94 20 55 - fermé 6 au 27 janv. et lun. - 12,96/38,11€.* Ce petit restaurant vous recevra dans une salle à manger d'esprit campagnard, avec poutres apparentes et chaises paillées. Pèlerins et Lourdais y apprécient une cuisine du Sud-Ouest sans prétention.

HÉBERGEMENT

• À bon compte

Cazaux – *2 chemin Rochers - 65100 Lourdes - ☎ 05 62 94 22 65 - fermé fin oct. à Pâques - 20 ch. : 25,20/42,69€ - ☕ 5,34€.* Tenue rigoureuse, accueil sympathique et prix doux sont les atouts principaux de ce petit hôtel familial proche des halles, où vous séjournerez dans des chambres simples et fraîches.

Hôtel du Lion d'Or – *12 r. Richelieu - 65110 Cauterets - 30 km au S de Lourdes par N 21, D 921 puis D 920 - ☎ 05 62 92 52 87 - fermé 1er oct. au 20 déc. - 28 ch. : 38/68€ - ☕ 6,50€ - restaurant pour résidents.* Plaisant hôtel familial situé au cœur de Cauterets, à 100 m du téléphérique du Lys. Les chambres sont petites, mais « cosy » et personnalisées. Aux beaux jours, il fait bon s'attarder dans le joli patio fleuri. Accueil charmant.

• Valeur sûre

Hôtel Impérial – *3 av. du Paradis - 65100 Lourdes - ☎ 05 62 94 06 30 - hotelimperial.lourdes.fr@gofornet.com - fermé nov. au 14 mars - 93 ch. : 63/78€ - ☕ 9,50€ - restaurant 14,50€.* Proche de la grotte, cet hôtel de 1935, entièrement rénové, a gardé un style Art déco. Les chambres sont agréables et feutrées avec leur mobilier aux couleurs acajou. Grande salle à manger classique et salon ouvrant sur un petit jardin.

Hôtel Solitude – *3 passage St-Louis - 65100 Lourdes - ☎ 05 62 42 71 71 - contact@hotelsolitude.com - fermé 6 nov. au 31 mars - 281 ch. : 67/114€ - ☕ 10€ - restaurant 15€.* Au bord du gave de Pau, ce grand hôtel moderne en impose avec sa petite piscine sur le toit. La salle à manger en rotonde se prolonge d'une terrasse sur la rivière. Les chambres actuelles avec leurs petits fauteuils rouges sont confortables. Préférez celles au bord de l'eau.

Hôtel Marboré – *65120 Gavarnie - 52 km au S de Lourdes par N 21 et D 921 - ☎ 05 62 92 40 40 - hotel@lemarbore.com - fermé 4 nov. au 20 déc. - P - 24 ch. : 52,50€ - ☕ 6€ - restaurant 13,50/24,50€.* De cet hôtel au cœur du Parc national des Pyrénées, vous partirez à pied pour le cirque ou pour toute autre randonnée pédestre. Les chambres sont simples mais bien tenues. La salle à manger, style bistrot d'un côté, est meublée de rotin sous la véranda.

CALENDRIER

Pèlerinage – Avant 5h du matin, seul l'accès au chemin du Calvaire est ouvert (entrée des Lacets). 9h : les fidèles se rassemblent sur l'esplanade du Rosaire pour la célébration de la Vierge couronnée (de Pâques au 31 oct.). On peut alors se rendre à la grotte, où se déroule l'adoration des malades ; des milliers de cierges sont brûlés le long de l'allée et sur le grand candélabre devant la grotte. À quelques pas de celle-ci, vingt robinets permettent de puiser l'eau de la source miraculeuse de Lourdes. Les piscines de marbre bleu sont également là pour les bains des malades. 16h30 : la procession du St-Sacrement démarre de la chapelle de l'Adoration du St-Sacrement pour se rendre à l'esplanade du Rosaire ; les malades et les fidèles sont suivis par le dais abritant le prélat portant l'ostensoir. Lorsque la procession atteint l'esplanade, la bénédiction des malades peut débuter. 20h45 : toujours près de la grotte, début de la procession aux flambeaux jusqu'à l'esplanade et au parvis du Rosaire.

découvrir

Domaine de la grotte

À l'extrémité de l'esplanade du Rosaire, la **basilique du Rosaire**, inaugurée et bénie en 1889, de style néobyzantin, occupe, entre les deux rampes de l'hémicycle, le niveau inférieur. Svelte et blanche, la **basilique supérieure** néogothique, dédiée à l'Immaculée Conception, a été inaugurée en 1871. Le long du gave, sous la basilique supérieure, se trouve la **grotte** miraculeuse où eurent lieu les apparitions : une Vierge en marbre de Carrare en marque l'emplacement. À côté, les robinets d'eau et, en aval, se trouvent les piscines où se baignent les pèlerins.

Deux ponts enjambent le torrent et permettent d'accéder à la prairie de la rive droite, où s'élèvent l'**espace Ste-Bernadette** et la **basilique souterraine St-Pie-X**, consacrée à l'occasion du centenaire des apparitions, en 1958. Cet immense vaisseau en amande peut abriter 20 000 pèlerins. La technique du béton précontraint a permis de lancer des voûtes aussi surbaissées sans appui intermédiaire.

Château fort*

Accès par l'ascenseur, par l'escalier des Sarrasins (131 marches) ou par la rampe du Fort (que l'on prend par la rue du Bourg). Avr.-sept. : 9h-12h, 13h30-18h30 ; oct.-mars : tlj sf mar. et j. fériés 9h-12h, 14h-18h (ven. 17h, dernière entrée 1h av. fermeture). Fermé 1er janv. et 25 déc. 5€ (enf. : 2,5€). ☎ 05 62 42 37 37.

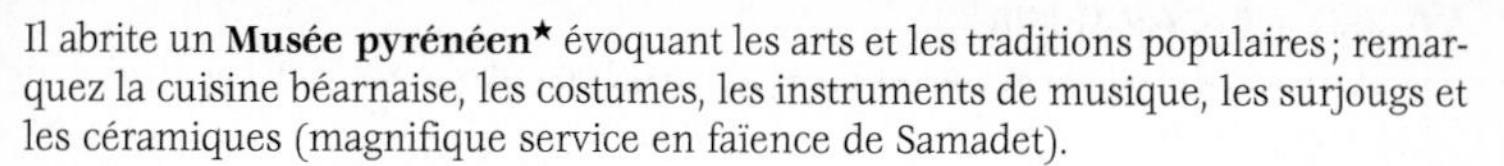

Il abrite un **Musée pyrénéen**★ évoquant les arts et les traditions populaires ; remarquez la cuisine béarnaise, les costumes, les instruments de musique, les surjougs et les céramiques (magnifique service en faïence de Samadet).

Musée Grévin de Lourdes★

♿ *Avr.-oct. : 9h-11h40, 13h30-18h30, dim. et j. fériés 10h-11h40, 13h30-18h30 (juil.-août : nocturne 20h30-22h). 5,50€. ☎ 05 62 94 33 74.*
Aménagé sur cinq niveaux, il retrace les principaux épisodes de la vie de Bernadette Soubirous, d'une part, et de celle du Christ, d'autre part.

circuits

Au cœur des Grandes Pyrénées, la **Bigorre** est une région authentique et rude où vallées et montagnes ne manquent pas de captiver ses visiteurs : cirques, torrents, hauts sommets sont protégés par la Parc national des Pyrénées. Pour vous familiariser avec elle, voici quatre circuits.

VALLÉE DE CAUTERETS★★

38 km. Quitter Lourdes vers le Sud par la N21, puis la D920.

Cauterets

Enserrée par de hautes montagnes boisées, au confluent de deux gaves, c'est l'une des grandes stations thermales et climatiques pyrénéennes.
C'est aussi une villégiature estivale très animée, un grand centre d'excursions et d'ascensions (Vignemale), en même temps qu'une importante station de sports d'hiver.
▶▶ Cirque du Lys★★

Val de Jéret★★

Gagner la passerelle lancée au pied de la **cascade de Lutour**★★, chute à quatre jets. La route remonte le val de Jéret, très encaissé et boisé, encombré d'énormes rochers, mais embelli par les chutes du gave. On admire successivement les effets variés des **cascades**★★ de Cerisey, du Pas de l'Ours et de Boussès.

Pont d'Espagne★★★

Laisser sa voiture au parking du Puntas. 4€ la journée, 2€ à partir de 16h. Prendre la télécabine du Puntas jusqu'au plateau du Clot ou monter à pied jusqu'au pont (1/4h). Mai-sept. : 9h-17h30 (juil.-août : 8h30-19h). 2€ AR. ☎ 05 62 92 52 19.
Ce pont doit son nom au fait qu'il se trouvait, il y a quelques siècles, sur le passage d'un chemin muletier vers l'Espagne dans un site d'une très grande beauté, au confluent du gave de Gaube et du gave de Marcadau.
Du haut des passerelles et des belvédères, on voit les eaux tumultueuses des gaves se rencontrer en cascades écumantes. Les proches abords sont plantés de sapins et de pins sylvestres.
Pour les plus courageux, il existe une belle randonnée à faire jusqu'au **lac de Gaube**★★ *(1h1/2 AR par la GR 10 ; départ immédiatement en aval du Pont d'Espagne ; accès possible par le télésiège de Gaube depuis le plateau des Clots).*

Au départ de Bagnères-de-Bigorre, une belle randonnée qui conduit au site grandiose du lac Bleu.

A. Thuillier/MICHELIN

VALLÉE DE GAVARNIE**

42 km. Au départ de Lourdes suivre la N21, puis la D921 vers le Sud en passant par Luz-St-Sauveur.

Tout au long de cette vallée, les glaciers ont «surcreusé» les bassins de Pragnères, de Gèdre, de Gavarnie; les eaux ont scié les «verrous» rocheux qui les séparent et créé des «étroits» dont le plus caractéristique est la gorge de St-Sauveur. Du haut des vallées affluentes, les torrents dévalent en cascades. Au bout de la vallée de Luz-St-Sauveur, les paysages de la vallée de Gavarnie et du cirque qui la ferme sont grandioses... Ancienne étape sur le chemin de St-Jacques-de-Compostelle, le village de Gavarnie connaît en été un extraordinaire afflux de visiteurs.

Cirque de Gavarnie***

2h à pied AR. À l'extrémité du village, prendre le chemin de terre puis suivre le gave. Tout à coup, le cirque apparaît. La vue est superbe! Elle s'ouvre sur l'ensemble du cirque, avec ses trois paliers de neige, ses majestueuses murailles à pic, curieusement teintées, et ses innombrables cascades argentées. La plus importante, la Grande Cascade, alimentée par une résurgence des eaux de l'étang Glacé du mont Perdu (alt. 2592 m) sur le versant espagnol, fait un bond de 422 m dans le vide...

▶▶ Cirque de Troumouse**

TRANSPORTS AU CIRQUE DE GAVARNIE

Parkings – Gavarnie, le village le plus haut des Pyrénées avec son cirque, qui se fait à pieds ou à cheval. Plusieurs parkings ont été aménagés à l'entrée et au bout du village; qu'ils soient municipaux ou privés, ils pratiquent tous le même tarif: environ 3,05€ la journée.

Montures – La montée au cirque de Gavarnie peut se faire, au départ de Gavarnie, à dos d'âne ou de cheval. Les loueurs sont réunis sur le parking situé à proximité du chemin d'accès au cirque. 15,24€ AR.

ROUTE DU TOURMALET**

112 km. Au départ de Lourdes suivre la N21, puis la D921 jusqu'à Luz-St-Sauveur, et enfin la D918 vers Barèges.

La route s'engage dans le vallon désolé d'Escoubous. Après le pont de la Gaubie apparaît le pic de Néouvielle, puis se profilent les crêtes du pic du Midi de Bigorre.

Col du Tourmalet**

Alt. 2115 m. Du col, le panorama est remarquable par l'âpreté des sommets qu'il laisse découvrir. La descente du col laisse apercevoir le tracé de l'ancien chemin que suivaient les chaises à porteurs...

La Mongie*

Blottie dans un cirque au pied du pic du Midi de Bigorre, cette station de sports d'hiver se trouve favorisée par un enneigement prolongé. 33 remontées mécaniques, 39 pistes accessibles à toutes les glisses et à tous les niveaux occupent un vaste espace de haute montagne. La proximité du massif de Néouvielle favorise le ski de randonnée.

Pic du Midi de Bigorre***

De mi-juin à mi-sept.: dép. depuis La Mongie 9h-16-h30, dernier retour depuis le pic à 19h; de mi-sept. à mi-juin: dép. de La Mongie 10h-15h30, dernier retour depuis le pic à 17h30. Fermé nov. 19,05/22,10€ (-18 ans : 11,40€). ☎ 0562 56 71 11. www.picdumidi.com.fr

Sa silhouette, nettement détachée de la chaîne, son panorama exceptionnel et ses installations scientifiques ont contribué à sa renommée. L'accès au sommet se fait uniquement par téléphérique. Dès l'arrivée, une galerie vitrée et plusieurs terrasses livrent le spectacle du panorama le plus extraordinaire que l'on puisse avoir sur la chaîne pyrénéenne. *Poursuivre par Campan pour regagner Lourdes.*

▶▶ Le Vaisseau des Étoiles

MASSIF DE NÉOUVIELLE***

130 km. Au départ de Lourdes, prendre les D937, D935, D918 et D929 qui mènent à St-Lary-Soulan.

Une centaine de lacs, dans lesquels se reflète un ciel d'une rare pureté! C'est une bonne raison pour découvrir ce massif granitique qui culmine à 3192 m au pic Long, où se dévoilent de nombreux exemples de relief glaciaire.

Domaine skiable de Piau-Engaly

Alt. 1420-2500 m. C'est l'un des plus beaux domaines des Pyrénées. Il s'étire dans un impressionnant cirque glaciaire dont l'ampleur accorde aux skieurs une très grande liberté. Son enneigement et son ensoleillement exceptionnels, ses 37 pistes de ski alpin combinées au très bon rendement de ses remontées mécaniques font de Piau-Engaly un centre de qualité adapté aux skieurs de niveau moyen à confirmé.

Vallée du Rioumajou*

Une vallée très boisée, animée de nombreuses cascades. L'ancien hospice de Rioumajou (alt. 1560 m), transformé en auberge d'altitude, se dresse dans un beau cirque aux pentes gazonnées ou forestières très inclinées.

▶▶ Col d'Aubert**

Le Luberon★★★

À mi-chemin entre les Alpes et la Méditerranée s'étend la barrière montagneuse du Luberon. Parsemant ces paysages lumineux et accidentés, villages perchés et mystérieuses bories confèrent à la région une forte personnalité.

La situation

Cartes Michelin Local 332 E-G 11, Regional 528 – Le Guide Vert Provence - Vaucluse (84). La combe de Lourmarin divise le Luberon : à l'Ouest, le Petit Luberon, plateau échancré de gorges et de ravins dont l'altitude ne dépasse guère 700 m ; à l'Est, le Grand Luberon aligne ses croupes massives qui s'élèvent jusqu'à 1125 m au Mourre Nègre. Le versant Nord, aux pentes abruptes et ravinées, plus frais et humide, porte une belle forêt de chênes pubescents, tandis que le versant Sud, tourné vers le pays d'Aix, est plus méditerranéen par sa végétation (garrigues à romarin).

Maison du Parc naturel régional du Luberon, 60 pl. Jean-Jaurès, 84400 Apt, ☎ 04 90 04 42 00. www.parcduluberon.com

Pour poursuivre la visite, voir aussi : AVIGNON, ORANGE, ARLES, AIX-EN-PROVENCE.

carnet pratique

Restauration

• *Valeur sûre*

Bar-restaurant Philip – *Au pied des Cascades - 84800 Fontaine-de-Vaucluse - ☎ 04 90 20 31 81 - fermé 30 sept. au 29 mars et le soir sf juil.-août - 21/29€.* La cuisine est simple et fraîche et l'établissement, qui date des années 1920, fonctionne dans une ambiance familiale, mais surtout, quel site ! Sur le chemin de la fontaine, au pied des cascades, parmi les rochers, au cœur d'une végétation luxuriante... Bar-glacier sur l'avant, pour simplement prendre un verre.

Le Bistrot – *Pl. de la Mairie - 84220 Roussillon - ☎ 04 90 05 74 45 - fermé 15 nov. au 15 mars et mer. sf juil.-août - 21,34€.* Un petit bonheur, cette terrasse derrière la maison, offrant la vue sur les toits du village et le Val des Fées : cadre idéal pour savourer le menu à l'accent provençal mitonné par la patronne, et déguster un vin du coin gouleyant à souhait. Salle aux tons ocre et seconde terrasse sur la place animée.

Le Carré d'Herbes – *13 av. des Quatre-Otages - 84800 L'Isle-sur-la-Sorgue - ☎ 04 90 38 62 95 - fermé janv., mar. et mer. sf juil.-août - 19,50€ déj. - 21,50/26,50€.* Vous trouverez ce petit restaurant dans une cour, parmi les boutiques d'antiquaires. Décor moderne assez insolite, avec murs rouges, plafond en tôle oxydée, banquettes en bois et terrasse dans une volière. Au menu : spécialités provençales.

L'Oustau de l'Isle – *21 av. des Quatre-Otages - 84800 L'Isle-sur-la-Sorgue - ☎ 04 90 38 54 84 - fermé 6 janv. au 7 fév., 21 au 25 oct., jeu. sf le soir de Pâques à oct., mar. midi et mer. - 21,96/31,82€.* À quelques pas de la vieille ville, une adresse aux couleurs et saveurs de la Provence : meubles peints, nappes aux tons ensoleillés et plats à l'accent occitan.

• *Une petite folie !*

L'Estellan – *Rte de Cavaillon - 84220 Gordes - 1 km de Gordes - ☎ 04 90 72 04 90 - fermé janv., jeu. sf le soir en juil.-août et mer. - 25€ déj. - 34€.* Ce petit restaurant a planté son décor de bistrot provençal en dehors du pittoresque village perché. Sa terrasse face à la campagne invite à la paresse : la plupart des hôtes s'y abondonnent sans résistance.

Hébergement

• *À bon compte*

Hôtel L'Aiguebelle – *Pl. de la République - 04280 Céreste - ☎ 04 92 79 00 91 - fermé 16 nov. au 14 fév. - 17 ch. : 34/48€ - ☕ 7€ - restaurant 15/32€.* Avant ou après la visite des vestiges médiévaux, faites une pause dans cet hôtel-restaurant sans prétention situé au cœur du village. Les chambres, bien équipées, sont sobres et claires. La cuisine, régionale, est simple, copieuse et appétissante, et les prix sont raisonnables.

• *Valeur sûre*

Relais de Roquefure – *84400 Apt - ☎ 04 90 04 88 88 - fermé du 15 déc. au 2 fév. - P - 16 ch. : 58/76€ - ☕ 8€.* Beau mas offrant l'ambiance et le confort d'une maison de famille : on s'y sent comme chez soi. Chambres accueillantes. Centre équestre à deux pas.

Chambre d'hôte Domaine de Layaude Basse – *Chemin de St-Jean - 84480 Lacoste - 1,5 km au N de Lacoste dir. Roussillon et rte secondaire - ☎ 04 90 75 90 06 - domainedelayaude@wanadoo.fr - fermé 1er déc. au 1er mars - ⊭ - 6 ch. : 69/92€.* Au cœur d'une grande propriété viticole, face au mont Ventoux, vos hôtes vous reçoivent dans les jolies chambres de leur mas familial du 18e s. Découverte des vins du domaine lors du pot de bienvenue, tandis que miels et confitures maison garnissent les tartines du matin.

Achats

Le Village des Antiquaires – *2 bis av. de l'Égalité - 84800 L'Isle-sur-la-Sorgue - ☎ 04 90 38 04 57 - www.villagegare.com - w.-end et j. fériés 10h-19h.* Les amateurs d'antiquités peuvent se rendre à L'Isle-sur-la-Sorgue où pas moins de 160 antiquaires dans 5 villages dont le plus étendu est le village des Antiquaires.

comprendre

Le milieu naturel – Outre les forêts de chênes se développent de nombreuses autres essences: cèdre de l'Atlas sur les sommets du Petit Luberon, hêtre, pin sylvestre... Les landes à genêt et à buis, les garrigues, l'extraordinaire palette de plantes odorantes s'agrippent sur les pentes rocailleuses. Le mistral se mêle de la partie et provoque des inversions locales, transportant le chêne vert sur les ubacs (versants exposés au Nord) et les chênes blancs sur les adrets (versants exposés au Sud). En hiver, les contrastes sont frappants entre les feuillages persistants et caducs. La faune est également très riche: couleuvres, psammodrome d'Edwards (lézard), fauvettes, merle bleu, hibou grand duc, aigle de Bonelli, circaète jean-le-blanc, etc.

circuits

LE GRAND LUBERON★★

119 km. Au départ d'Apt. Une demi-journée, ascension au Mourre Nègre non comprise.

Apt

Capitale de l'ocre et du fruit confit, Apt se trouve à l'écart des chemins trop fréquentés. Le charme paisible de ses ruelles, son grand marché du samedi matin où les étals débordent de fruits et légumes, de tissus provençaux, d'infinies variétés de miel, d'objets d'artisanat, vous retiendront certainement plus longtemps que prévu.

Quitter Apt par la D 22 en direction de Banon.

Colorado de Rustrel★★

Guides et plans sont disponibles à la Maison du colorado, ☎ 04 90 04 96 07 et à la mairie de Rustrel; ☎ 04 90 04 97 43 ou 04 90 04 98 49.

Plusieurs promenades permettent de découvrir ce gigantesque colorado et sa majestueuse procession de carrières d'ocre, les cheminées de fée, le Sahara, le cirque de Barries, la rivière de sable... Tous ces sites sont l'incroyable résultat des œuvres communes de l'activité humaine et de l'érosion.

G. Magnin/MICHELIN

D'étranges cheminées: quand l'homme et la nature s'unissent pour créer un paysage fantastique.

Suivre la D 22 vers l'Est, prendre à droite la D 33 qui permet de gagner la N 100 que l'on suit à droite. Après la Bégude, prendre à gauche la D 48.

La route traverse le hameau de **Castellet** qui possède des distilleries de lavande.

Laisser la voiture à Auribeau.

Le Mourre Nègre★★★

1/2 journée à pied AR. Alt. 1 125 m. Le Mourre Nègre (ou Visage Noir) est le point culminant de la montagne du Luberon; du sommet, immense **panorama★★★** sur la montagne de Lure et les Préalpes de Digne au Nord-Est, la vallée de la Durance, avec en arrière-plan la montagne Ste-Victoire au Sud-Est, l'étang de Berre et les Alpilles au Sud-Ouest, le bassin d'Apt, le plateau de Vaucluse et le mont Ventoux au Nord-Ouest.

Revenir à Apt par Saignon.

▶▶ Lourmarin★; Ménerbes

LE PETIT LUBERON★★

60 km. Quitter Apt par la N100 vers Cavaillon, puis prendre à droite la D108.

Roussillon★★

Rouge comme la terre qui l'entoure, rouge comme son nom, Roussillon entremêle ses maisons aux façades badigeonnées d'ocre. Lors d'un séjour à dans ce merveilleux **village★**, aux ruelles étroites, suivez l'étonnant **sentier des ocres★**. Il permet de découvrir la flore des collines d'ocres (yeuses, genévriers, etc.) et les incroyables paysages, tels que les aiguilles de fées au-dessus de la **chaussée des géants★★**. *Du 1er w.-end de mars au 11 nov. 2€ (-10 ans : gratuit). Dans le site, il est interdit de prélever de l'ocre, de fumer et de pique-niquer. Fermé en cas de pluie.*

Prendre la D102 vers le Nord, puis tourner à gauche dans la D2.

Gordes★★

Planté sur sa falaise à l'extrémité du plateau de Vaucluse qui domine les vallées de l'Imergue et du Coulon face au Luberon, Gordes offre au soleil ses pierres dorées par le temps, ses ruelles pavées où il fait bon se perdre, ses hautes maisons et son château mêlés à une végétation méditerranéenne.

À 2 km du centre, le **village des Bories★★** regroupe une vingtaine de bâtiments, habitations, bergeries ou granges de formes variées. *De 9h au coucher du soleil. Fermé 1er janv. et 25 déc. 5,50€. ☎ 04 90 72 03 48.*

Prendre la D 177 au Nord.

Les bories

Sur les pentes du Luberon et du plateau de Vaucluse se dressent de curieuses cabanes de pierres sèches, les « bories ». Certains d'entre eux n'étaient que des remises à outils ou des bergeries, mais beaucoup ont été habités, depuis l'âge du fer jusqu'au 19e s.

Les bories étaient bâtis avec des feuilles de calcaire, les « lauzes », assemblées sans mortier ni eau. À l'intérieur, la voûte se présente souvent comme une coupole. Les plus simples ne comportent qu'une seule pièce et une seule ouverture. La température de la cabane reste constante en toute saison.

Des bâtiments de plus grandes dimensions sont couverts d'une toiture à double ou quadruple pente utilisent la technique des fausses voûtes en plein cintre, en berceau brisé ou en « carène ». Leur organisation est celle d'une ferme traditionnelle : à l'intérieur d'une cour ceinte d'un haut mur, on trouve l'habitation, le four à pain et les bâtiments d'exploitation.

Abbaye de Sénanque★★

Fév.-oct. : 10h-12h, 14h-18h (dernière entrée 1/2h av. fermeture), dim. et j. fériés 14h-18h ; nov.-janv. : 14h-17h. Fermé Ven. saint, j. fériés religieux (matin) et 25 déc. 5€. ☎ 04 90 72 05 72. www.senanque.fr

Magnifique illustration de l'art cistercien, le monastère a conservé sa forme primitive, à l'exception de l'aile des convers (18e s.). Les parties médiévales sont construites en bel appareil de pierres du pays aux joints finement taillés. L'**église★** fut édifiée entre 1150 et le début du 13e s. La pureté de ses lignes, que rehausse l'absence de toute décoration, incite au recueillement. Les voûtes en berceau des galeries du **cloître★** (fin 12e s.) reposent sur des consoles sculptées.

Revenir à Gordes, prendre vers le Sud la D 2, puis à droite la N100, et enfin la D24.

Fontaine-de-Vaucluse

Gagnez les bords de la Sorgue et suivez le chemin qui s'élève. Au fond d'un cirque rocheux aux parois impressionnantes, la **fontaine de Vaucluse★★** apparaît soudain : bassin d'eau verte qui est le débouché d'un fleuve souterrain alimenté par les pluies tombées sur le plateau de Vaucluse. Mais à ce jour, les mystères demeurent : quel est le parcours de la Sorgue souterraine ? quelle est la profondeur exacte de la résurgence ? Il faut venir ici en hiver ou au printemps, lorsque le niveau de l'eau atteint les figuiers accrochés à la paroi rocheuse ; la Sorgue se déverse alors en une masse tumultueuse et bondissante.

L'Isle-sur-la-Sorgue

L'Isle est une ville de flâneries : les quais ombragés de la Sorgue qu'enjambent de petits ponts, les ruelles de la Juiverie, les agréables cafés, les antiquaires en font un lieu privilégié pour les promeneurs.

On ne manquera ni les roues à eau qui étaient indispensables à l'époque où la ville était un grand centre de tisserands, teinturiers, tanneurs, ni la collégiale N.-D.-des-Anges à la riche décoration (17e s.). La nef unique est ornée d'une immense gloire en boir doré. Les chapelles latérales sont décorées de tableaux de Mignard, Vouet et Parrocel.

▶▶ Abbaye de Silvacane★★

Lyon★★★

Lyon cultive à la perfection ses traditions de savoir-vivre qui font le bonheur de ses hôtes. Fourvière, la « colline qui prie », et la Croix-Rousse, « la colline qui travaille », dominent un site de confluence exceptionnel qui a mérité son inscription au Patrimoine mondial de l'Unesco. Sa richesse est à la mesure de ses vingt siècles d'histoire, immense et variée. Parfois qualifiée de discrète, voire de réservée, Lyon est en fait une ville généreuse et accueillante qui ne manquera pas de séduire ceux qui lui consacreront un peu de leur temps.

La situation

1 348 832 Lyonnais – Cartes Michelin Local 327 I 5-6, Regional 524 – Le Guide Vert Lyon et la Vallée du Rhône – Rhône (69). La Saône et le Rhône offrent le magnifique spectacle de leurs cours contrastés, au pied des collines de Fourvière et de la Croix-Rousse. Lyon est située au milieu d'un réseau autoroutier la reliant dans le sens Nord-Sud à l'Europe du Nord et méditerranéenne et dans le sens Ouest-Est au Massif central, à la Suisse et à l'Italie via St-Étienne, Clermont-Ferrand, Genève, Annecy, Chambéry et Grenoble. En complément de nombreuses liaisons ferroviaires rapides avec l'ensemble de la France, Lyon bénéficie d'une desserte accélérée par le TGV. L'aéroport international de St-Exupéry, desservi par une ligne TGV, connaît un trafic important qui le place au 4e rang français.

Pl. Bellecour, 69002 Lyon, ☎ 04 72 77 69 69. www.lyon-france.com

Pour poursuivre la visite, voir aussi : LE BEAUJOLAIS, BOURG-EN-BRESSE, ST-ÉTIENNE.

carnet pratique

Restauration

• À bon compte

100 Tabac – *23 r. de l'Arbre-Sec - 69001 Lyon - ☎ 04 78 27 29 14 - fermé 24 déc. au 2 janv. - 8,50€ déj. - 10€.* Avis aux non-fumeurs : ce restaurant est un endroit affranchi de toute volute de fumée. Côté décor, on retrouve les mêmes éléments : bois blond, laiton et tons rouges. Côté assiette, petits plats du marché, pâtes et gaufres à prix serrés.

Le Casse-Museau – *2 r. Chavanne - 69001 Lyon - ☎ 04 72 00 20 52 - fermé août, dim., lun. et j. fériés - réserv. obligatoire - 9€ déj. - 11,43/12€.* Le « bistrot sans chiqué » de Tante Paulette date de 1947... Certes, les pâtes fraîches, salades composées et casse-croûtes ont remplacé son célèbre poulet à l'ail, mais le vin coule toujours à flots et l'ambiance est restée conviviale. Pas cher et bien connu des Lyonnais.

Brunet – *23 r. Claudia - 69002 Lyon - ☎ 04 78 37 44 31 - fermé dim. et lun. - réserv. conseillée - 12/21€.* Un vrai bouchon lyonnais avec sa façade en bois, ses tables au coude à coude, ses goûteux petits plats arrosés d'une gouleyante sélection de vins servis au pichet et ses serveurs en tablier noir. Belle vaisselle à l'effigie de Guignol et agréable terrasse d'hiver.

Le Vieux Lyon – *44 r. St-Jean - 69005 Lyon - ☎ 04 78 42 48 89 - 13,50/20€.* Tous les gourmands lyonnais connaissent ce chaleureux bouchon qui depuis 1947 entretient le bonheur de la convivialité. Salle à manger tout en longueur décorée de photos de Brassens, Brel... ou Herriot. Dans l'assiette, « lyonnaiseries » maison.

L'Estancot – *4 r. de la Table-Ronde - 38200 Vienne - 30 km au S de Lyon par N 7 - ☎ 04 74 85 12 09 - fermé 15 au 31 août, 25 déc. au 15 janv., dim. et lun. sf j. fériés - 11€ déj. - 14/19€.* Vous voulez goûter des criques, ces fameuses galettes de pommes de terre ardéchoises ? C'est ici, dans ce restaurant derrière l'église St-André-le-Bas, qu'il faut aller. À la carte tous les soirs, elles sont accompagnées de légumes, de foie gras ou de gambas...

• Valeur sûre

Le Caro de Lyon – *25 r. du Bât-d'Argent - 69001 Lyon - ☎ 04 78 39 58 58 - fermé dim. - 22€ déj. - 24/38€.* Derrière l'Opéra, restaurant conçu comme une bibliothèque. Ambiance intime soignée où se mêlent bois blond, lustres de Murano, objets anciens et chaises de couleurs. Sa cuisine inspirée des saveurs du Sud et asiatiques a conquis le Tout-Lyon, chic et décontracté.

Hébergement

• À bon compte

St-Pierre-des-Terreaux – *8 r. Paul-Chenavard - 69001 Lyon - ☎ 04 78 28 24 61 - fermé 15 j. en août, 15 j. Noël au J. de l'an - 16 ch. : 30/44€ - ☕ 5,50€.* Cet hôtel est fort pratique pour résider en ville, face au musée St-Pierre et à deux pas de l'Opéra. Ses chambres, fonctionnelles et bien tenues, sont très bien insonorisées. L'accueil est plaisant et les prix modérés.

Villages Hôtel – *93 cours Gambetta - 69003 Lyon - M° Garibaldi - ☎ 04 78 62 77 72 - garfer@wanadoo.fr - P - 114 ch. : 37€ - ☕ 4€.* Cet hôtel de chaîne offre de nombreuses commodités – situation centrale, proximité de la gare et du métro – et des chambres confortables et spacieuses, toutes équipées de lits king size. Une bonne adresse pour les budgets limités.

• Valeur sûre

Élysée Hôtel – *92 r. du Prés.-É.-Herriot - 69002 Lyon - ☎ 04 78 42 03 15 - elyseehotel@lyon-france.com - 29 ch. : 44,21/64,02€ - ☕ 7,16€.* Un petit hôtel familial pour s'offrir les trépidations de la Presqu'île à moindre coût... À deux pas de la place des Jacobins, dans une rue animée, ses petites chambres rouge et jaune sont modestes mais plutôt gaies et bien tenues. Adresse sympathique.

Achats

L'Atelier de Soierie – *33 r. Romarin - 69001 Lyon - ☎ 04 72 07 97 83 - lun.-sam. 9h-12h, 14h-19h - fermé j. fériés.* Lyon fut la capitale française de la soie à partir du 16e s. Aujourd'hui, l'Atelier de Soierie perpétue ce savoir-faire, mêlant l'utilisation de métiers traditionnels et la peinture à la main. Entre autres spécialités, la panne de velours, exclusivement réalisée à Lyon, est une mousseline de soie et de velours façonnée en relief puis peinte à la main. Superbe !

Les Quenelles Giraudet – *2 r. du Col.-Chambonnet - 69002 Lyon - ☎ 04 72 77 98 58 - lun. 14h30-19h, mar.-jeu. 8h30-12h30, 14h30-19h, ven., sam. 8h30-12h30, 14h-19h30 - fermé 3 sem. août.* La maison Giraudet fabrique ses fameuses quenelles depuis 1910 dans le plus pur respect de la tradition bressane. Dans la boutique, vous pourrez également apprécier plus de 20 sauces garanties sans arôme ajouté ni conservateur.

Spectacles

Fête des lumières – Le 8 décembre, à Lyon, la fête de l'Immaculée Conception est célébrée à Lyon avec un état particulier. Le soir, des milliers de lampions multicolores éclairent les fenêtres de la ville. Cette fête a pour origine l'inauguration de la Vierge dorée de Fourvière en 1852. Des inondations retardèrent le travail du sculpteur Fabish, qui ne put livrer la statue le 8 septembre. La cérémonie fut reportée au 8 décembre, fête de l'Immaculée Conception. Ce jour-là, de très fortes pluies firent annuler la fête nocturne ; contre toute attente, elles cessèrent « miraculeusement » à l'heure prévue. Les Lyonnais illuminèrent spontanément leurs balcons avec des milliers de lumignons. Cette tradition religieuse est devenue une fête populaire, avec la participation de la municipalité et des commerçants qui inaugurent leurs étalages de Noël.

Guignol de Lyon - *Compagnie des Zonzons - 2 r. Louis-Carrand - 69002 Lyon - ☎ 04 78 28 92 57 - mar.-ven. 9h30-12h, 14h-18h, sam.-dim. 14h-18h - fermé janv. et août.* Pour les enfants, la compagnie des Zonzons propose des pièces mêlant le burlesque et le fantastique, un peu dans la tradition des cartoons de Tex Avery, histoire de donner au personnage de Guignol un petit coup de jeune… Pour les adultes, les spectacles sont plus mordants et s'inspirent des évènements de la vie lyonnaise. Festival moisson d'avril des arts de la marionnette.

S. Sauvignier/MICHELIN

Opéra national de Lyon – *1 pl. de la Comédie - 69001 Lyon - ☎ 04 72 00 45 45 - www.opera-lyon.org - billetterie : lun.-sam. 11h-19h.* Idéalement situé, c'est l'un des plus beaux monuments de la ville grâce à son immense et splendide verrière réalisée par Jean Nouvel. D'une capacité de 1 100 places, l'Opéra réunit un orchestre (60 musiciens), un ballet (30 danseurs), un chœur (26 chanteurs), une troupe et une maîtrise… Avec Ivan Fischer à la baguette, l'Opéra national de Lyon possède une stature internationale. Un amphithéâtre de 200 places propose une programmation plus variée (classique, jazz, musiques du monde).

comprendre

La capitale des Gaules – Agrippa, qui a reçu d'Auguste la mission d'organiser la Gaule, choisit Lugdunum pour capitale. Le réseau des routes impériales s'établit au départ de Lyon : cinq grandes voies rayonnent vers l'Aquitaine, l'Océan, le Rhin, Arles et l'Italie. Auguste séjourne dans la cité. L'empereur Claude y naît.

Sur les pentes de la Croix-Rousse s'étend la ville gauloise, Condate. L'amphithéâtre des Trois Gaules et le temple de Rome et d'Auguste voient se réunir chaque année la bruyante Assemblée des Gaules.

La ville, gouvernée par sa curie, a le monopole du commerce du vin dans toute la Gaule. Les nautes de son port sont de puissants armateurs, ses potiers, de véritables industriels. Les riches négociants occupent un quartier à part, à l'emplacement actuel d'Ainay.

Le christianisme à Lyon – Lyon est devenue le rendez-vous d'affaires de tous les pays. Soldats, marchands ou missionnaires arrivant d'Asie Mineure se font les propagateurs du nouvel Évangile et bientôt grandit dans la ville une petite communauté chrétienne. En 177 éclate une émeute populaire qui aboutit aux martyres de saint Pothin, de sainte Blandine et de leurs compagnons. Vingt ans plus tard, lorsque

Septime Sévère, après avoir triomphé de son compétiteur Albin que Lyon avait soutenu, décide de livrer la ville aux flammes, il trouve encore 18000 chrétiens qu'il fait massacrer; parmi eux figure saint Irénée, successeur de saint Pothin.

Le triomphe des lettres et des arts au 16e s. – À la fin du 15e s., la création des foires et le développement de la banque attirent les commerçants de l'Europe entière. La vie mondaine, intellectuelle et artistique s'épanouit, stimulée par la venue de François Ier et de sa sœur, la reine Marguerite. L'imprimerie lyonnaise compte 100 ateliers en 1515, puis plus de 400 en 1548. Peintres, sculpteurs, céramistes, imprégnés de culture italienne, préparent la Renaissance française. À Lyon brillent des poètes comme Clément Marot, des conteurs comme Rabelais; médecin à l'hôtel-Dieu, ce dernier publie, en 1532 et 1534, *Gargantua* et *Pantagruel*.

L'essor des sciences au 18e s. – Les frères Jussieu comptent parmi les illustres botanistes; Bourgelat fonde à Lyon la première école vétérinaire d'Europe; Jouffroy expérimente sur la Saône la navigation à vapeur. En 1784, Joseph de Montgolfier et Pilâtre de Rozier réussissent, aux Brotteaux, une des premières ascensions en aérostat. Quelques années plus tard, Ampère le grand physicien et Jacquard avec son métier à tisser révèlent à leur tour un génie inventif.

L'industrie de la soie – En 1536, le Piémontais Étienne Turquet propose d'amener à Lyon des tisseurs génois et d'y établir une manufacture. Soucieux de combattre l'exportation d'argent provoquée par l'achat de soieries étrangères, François Ier accepte.

Près de trois siècles plus tard, en 1804, Jacquard invente un métier qui, utilisant un système de cartes perforées, permet à un seul ouvrier de faire le travail de six. Le quartier de la Croix-Rousse se couvre alors de maisons-ateliers où les «canuts» tissent la soie fournie par le fabricant. Aujourd'hui, importée d'Italie ou du Japon, la soie naturelle ne représente plus qu'un infime pourcentage des quantités traitées mais le tissage, dit «de soierie» utilisant des fibres de toutes origines (verre, carbone, bore, aramide), reste un art lyonnais. Le savoir-faire traditionnel des soyeux trouve des applications dans l'élaboration de pièces servant à l'industrie aéronautique, spatiale et même électronique.

Naissance de Guignol

Laurent Mourguet (1769-1844), un ouvrier de la soie se reconvertit en forain et arracheur public de dents. La tradition de cette époque voulait que l'on attirât les clients en improvisant des saynètes avec des poupées animées. Mourguet utilisa donc ce moyen «publicitaire» avec la marionnette vedette en ce début du 19e s.: Polichinelle. Il innove rapidement avec l'apparition de Gnafron, et, vers 1808, de Guignol. Devant le succès remporté, il se consacre uniquement à ces spectacles. Les représentations se déroulent dans un «castelet» mobile en plein air ou dans un café, pour distraire un public populaire. Celui-ci se sent en harmonie avec ce nouveau personnage qui vient lui parler de lui-même dans une langue qui est la sienne et qui joue un rôle de gazette en commentant les faits de la journée, les événements de la ville et des quartiers. Bientôt l'audience s'élargit, et Mourguet joue un peu partout à Lyon.

découvrir

LES PLACES DE LA PRESQU'ÎLE

Véritable cœur de la ville, la Presqu'île regroupe autour de la place Bellecour les grands quartiers centraux de Lyon. Sa fonction commerçante y est définie depuis longtemps. Deux grands axes piétonniers la traversent entre la place des Terreaux et la gare de Perrache: la rue de la République au Nord et la rue Victor-Hugo au Sud.

Place Bellecour

Véritable symbole de la ville, l'immense place avec ses arbres plus que centenaires (150 ans environ) est un lieu incontournable pour les Lyonnais. Elle est dominée à l'Ouest par la basilique de Fourvière et entourée des immenses façades symétriques, de style Louis XVI, qui datent de 1800. Deux bronzes des frères Coustou, le Rhône et la Saône, ornent le piédestal qui porte la statue de Louis XIV (1828).

Place Louis-Pradel

Face à l'hôtel de ville, le nouvel **Opéra** est l'aboutissement d'une ambitieuse modernisation. La façade de l'ancien théâtre a été conservée et les muses du fronton semblent soutenir l'immense verrière semi-cylindrique, œuvre de l'architecte Jean Nouvel. L'édifice prend une dimension particulière lorsque les éclairages nocturnes, à dominante rouge, mettent en valeur les contrastes de son architecture.

Place des Terreaux

Pour la voir selon sa plus belle perspective, placez-vous du côté Nord, près des terrasses de café. La **fontaine★** monumentale en plomb est due à Bartholdi. Et le réaménagement, confié à Buren, a conduit à la mise en place d'un dallage en granit assorti de piliers et de jets d'eau; un éclairage nocturne élaboré complète cet ensemble.

LE VIEUX LYON★★★

Entre la Saône et Fourvière, le Vieux Lyon se compose des quartiers St-Jean, St-Paul et St-Georges. C'était autrefois le centre de la cité, où se regroupaient toutes les corporations, notamment les ouvriers de la soie – on comptait 18000 métiers à tisser à la fin du règne de François Ier.

Négociants, banquiers, clercs, officiers royaux y habitaient de magnifiques demeures. Près de 300 d'entre elles ont été conservées, formant un exceptionnel ensemble urbain de l'époque Renaissance. On remarque la variété de la décoration, le soin apporté à la construction et la hauteur de ces maisons.

> **ACCÈS AUX TRABOULES**
> Les traboules sont des passages privés habituellement fermés par les riverains. Des conventions permettent d'assurer le libre accès à un certain nombre d'entre elles; il est conseillé de faire le circuit le matin en n'hésitant pas à utiliser les boutons d'ouverture des portes.

Une des caractéristiques du Vieux Lyon sont ses **traboules** (du latin *trans ambulare*, circuler à travers), notamment entre la rue St-Jean, la rue des Trois-Marie et le quai Romain-Rolland, la rue St-Georges et le quai Fulchiron. Faute de place pour aménager un réseau de rues, ces passages perpendiculaires à la Saône relient les immeubles par des couloirs voûtés d'ogives ou de plafonds à la française et des cours intérieures à galeries Renaissance.

Primatiale St-Jean★

Visite guidée uniquement. S'adresser à l'Office de tourisme.

Commencée au 12e s., la cathédrale ou «primatiale» (siège du primat) St-Jean est un édifice gothique qui se signale par ses quatre tours. Les piédroits des portails de la façade ont conservé leur remarquable **décoration★**, du début du 14e s. Plus de 300 médaillons forment une suite de scènes historiées: au portail central, on reconnaît les Travaux des mois, le Zodiaque, l'histoire de saint Jean-Baptiste, la Genèse. La construction du **chœur★★** remonte au 12e s. La **chapelle des Bourbons★**, de la fin du 15e s., présente une parure flamboyante d'une remarquable finesse. Dans le croisillon gauche, une **horloge astronomique★** (14e s.) donne une curieuse sonnerie, avec chant du coq et jeu d'automates représentant l'Annonciation. *Jeux d'automates à 12h, 14h, 15h et 16h.*

Rue St-Jean★★

C'était l'artère principale du Vieux Lyon. Au croisement avec la rue de la Bombarde, prenez sur la gauche pour admirer la **maison des Avocats★**. Avec ses galeries à arcades et ses dépendances revêtues de crépi rose, elle forme un bel ensemble du 16e s., d'inspiration italienne.

Le no 54 ouvre sur la plus longue traboule du Vieux Lyon qui traverse cinq cours avant d'aboutir au 27 rue du Bœuf. Du côté impair s'ouvrent des traboules qui descendent vers la Saône; le no 9, par exemple, donne sur le quai Romain-Rolland. Le no 28 cache une magnifique **cour★★**.

Rue Juiverie★

Au no 8, voyez dans la 2e cour de l'hôtel Bullioud la **galerie★★** de Philibert Delorme, joyau de l'architecture de la Renaissance française à Lyon, qu'il édifia en 1536, à son retour de Rome.

Hôtel de Gadagne★

Il constitue le plus vaste ensemble Renaissance du Vieux Lyon. En 1545, il fut acheté par les frères Gadagne, banquiers d'origine italienne à la fortune colossale. Remarquez, côté rue, sur la façade en retrait, la tour à pans coupés avec, à sa gauche, la grille du soupirail, chef-d'œuvre de serrurerie.

L'hôtel abrite le **musée historique de Lyon★** et le **musée international de la Marionnette★**.

LA COLLINE DE FOURVIÈRE

Le nom «Fourvière» viendrait de *Forum vetus*, situé au cœur de la colonie romaine établie en 43 avant J.-C. et dont subsistent théâtre, odéon, aqueducs... Aujourd'hui, Fourvière avec sa basilique, ses monuments romains, son musée, attire les visiteurs.

La montée des Chazeaux escalade la colline de Fourvière.

J. Damase/MICHELIN

Sanctuaire de Fourvière

L'histoire des édifices religieux élevés à l'emplacement du forum romain en l'honneur de la Vierge couvre une période de près de huit siècles. L'actuelle basilique, couronnant de sa silhouette massive la colline de Fourvière, fait partie intégrante du paysage lyonnais.

Basilique Notre-Dame*

Lieu de pèlerinage célèbre, la basilique a été élevée après la guerre de 1870 à la suite du vœu de Mgr de Genouilhac: l'archevêque de Lyon s'était engagé à construire une église si l'ennemi n'approchait pas de la ville. Ses murailles crénelées pourvues de mâchicoulis et flanquées de tours octogonales constituent un mélange curieux d'éléments byzantins et moyenâgeux; l'abondance de la décoration intérieure n'est pas moins insolite. Dans la nef couverte de coupoles, des mosaïques relatent l'histoire de la Vierge, à droite l'histoire de France, à gauche l'histoire de l'Église.

Points de vue

L'esplanade située à gauche de la basilique offre une **vue*** célèbre sur la presqu'île et la rive gauche du Rhône dominée par la tour du Crédit Lyonnais; à l'arrière-plan vers l'Est se profile un horizon montagneux: Bugey, Alpes, Chartreuse et Vercors. Pour avoir un **panorama**** circulaire, on peut monter à pied à l'**observatoire de la basilique** *(287 marches)*; on découvre alors les monts du Lyonnais, le mont Pilat et le Mont-d'Or; par beau temps, on distingue à l'Ouest la chaîne des Alpes avec le Mont Blanc et à l'Est, le puy de Dôme. *Avr.-oct. : tlj sf lun. et mar. 10h-12h, 14h-18h30 ; nov.-mars : w.-end et j. fériés 13h30-17h30 ; vac. scol. : tlj sf lun. et mar. 13h30-17h. 2€. ☎ 04 78 25 13 01.*

Musée de la Civilisation gallo-romaine**

♿ *Mars-oct. : tlj sf lun. 10h-18h (dernière entrée 1/2h av. fermeture) ; nov.-fév. : tlj sf lun. 10h-17h. Fermé 1er janv., 1er mai, 1er nov. et 25 déc. 3,80€, gratuit jeu. ☎ 04 72 38 81 90.*
Sur la colline de Fourvière, au cœur du quartier du plateau de l'antique Lugdunum, l'architecte B. Zehrfuss a conçu un musée à l'originale architecture de béton, adossé à la colline et presque entièrement enterré.
Il présente par thèmes des collections essentiellement gallo-romaines trouvées en grande partie à Lyon et dans la région. Quelques pièces sont remarquables: la **table claudienne*****, belle inscription sur bronze du discours de l'empereur Claude prononcé en faveur des Gaulois au Sénat romain en 48; le calendrier gaulois de Coligny gravé dans le bronze à l'époque romaine; le buste de l'empereur Caracalla; le gobelet d'argent aux dieux gaulois, la mosaïque des Jeux du cirque.

LA CROIX-ROUSSE

Tirant son nom d'une croix de pierre colorée qui se dressait, avant la Révolution, à l'un de ses carrefours, le quartier de la Croix-Rousse conserve un caractère villageois. C'est la colline qui travaille. L'invention de nouveaux métiers à tisser par Jacquard (1752-1834) entraîna l'abandon des maisons basses du quartier St-Jean et l'installation des canuts, ouvriers de la soie, dans de grands immeubles sévères aux larges fenêtres laissant passer la lumière.

Ateliers de Soierie Vivante*

21 r. Richan. Tlj sf lun. et dim. 9h-12h, 14h-18h30, mar. 14h-18h30. Fermé en août, 1er et 8 mai. 3€. ☎ 04 78 27 17 13.
Cette association propose, à partir de l'Atelier municipal de passementerie, plusieurs circuits de visite d'ateliers familiaux authentiques.

visiter

Musée de l'Imprimerie**

13 r. de la Poulaillerie (métro Cordeliers). Tlj sf lun. et mar. 9h30-12h, 14h-18h. Fermé j. fériés. 3,80€ (enf. : gratuit). ☎ 04 78 37 65 98.
Il retrace l'histoire admirable de l'imprimerie, des premières gravures sur bois à la découverte de la typographie, à l'évolution de l'art de la mise en pages, aux réalisations contemporaines de la photocomposition. Au cours de la visite, remarquez un admirable incunable placé sur un lutrin de fer forgé du 15e s., le «placard contre la messe» de 1534, le plan de la ville de Lyon gravé sur deux plaques de cuivre, et des presses anciennes, le prototype de la première photocomposeuse (1944).

Musée des Beaux-Arts***

Pl. des Terreaux (métro Hôtel-de-Ville). ♿ *Tlj sf mar. 10h30-18h. Fermé j. fériés. 3,80€. ☎ 04 72 10 17 40.*
Le musée des Beaux-Arts de Lyon figure parmi les plus beaux musées de France. Ses collections se sont enrichies grâce la donation de 35 toiles impressionnistes et modernes de la collection Jacqueline-Delubac. Les salles de peintures exposent un choix d'œuvres des grandes périodes de l'art européen, à commencer par la Renaissance italienne, avec l'*Ascension du Christ* du Pérugin et de l'âge d'or vénitien: *Bethsabée* de Véronèse, *Danaé* du Tintoret.

Tandis que le Greco et Zurbaràn illuminent de leurs œuvres la peinture espagnole, à côté de l'école de Cologne et de Cranach l'Ancien pour la peinture allemande, les artistes flamands et hollandais sont représentés par Gérard David, de Metsys et plusieurs œuvres de Rubens.
La section de peinture française comprend un ensemble important d'œuvres des maîtres du 17e s., dont Simon Vouet, Philippe de Champaigne et Charles Le Brun, cependant que le 18e s. est représenté notamment par Greuze et Boucher.
De ce 19e s. florissant, le musée peut encore s'enorgueillir de toiles de David, Delacroix, Géricault ou Corot. La peinture impressionniste comprend des toiles de Degas, Sisley, Renoir et Gauguin. Après les Nabis, Bonnard et Vuillard préludent à un panorama de la peinture du 20e s., illustrée, au début, par des compositions de Dufy, Villon, Braque, Jawlensky, Chagall, Severini, Foujita. Parmi les artistes contemporains, on relève les noms de Masson, Atlan, Ernst, Dubuffet et N. de Staël.
Le département des sculptures s'étend de la période romane au début du 20e s. On prête une attention particulière aux bustes de Coysevox et Lemoyne, aux *Trois Grâces* de Canova, aux œuvres de Daumier jusqu'aux superbes marbres de Bourdelle, Maillot et Rodin.
Le département des Antiquités est doté notamment d'une belle section égyptienne.
La section des objets d'art présente des collections très variées qui traversent les époques et les continents.

Musée des Tissus★★★

34 r. de la Charité (métro Ampère-Victor-Hugo). Tlj sf lun. 10h-17h30. Fermé j. fériés. 4,60€ billet combiné avec le musée des Arts décoratifs. ☎ 04 78 38 42 00.

Ce musée, qui abrite aussi le Centre international d'études des textiles anciens, constitue un «conservatoire» du tissu d'art et fait la fierté des Lyonnais. Les prestigieuses collections sont organisées autour de deux grands pôles: l'Occident et l'Orient.
La première salle initie le visiteur aux techniques utilisées dans le travail de la soie: le satin, le sergé, le taffetas, le velours... Les tissus français sont présentés à travers un ensemble de magnifiques étoffes exécutées surtout à Lyon depuis le début du 17e s. On appréciera le **Meuble Gaudin**★, célèbre tenture pour la chambre à coucher de Joséphine à Fontainebleau. Admirez le somptueux **Nou-Rouz**★ dont le décor est inspiré de la Perse.

Basset/Musée des Tissus, Lyon.

Le musée des Tissus expose des merveilles comme ce lampas broché.

La section réservée à l'Extrême-Orient offre des pièces raffinées: panneaux brodés et peints, kimonos du Japon, robes impériales en K'o-sseu (tapisserie au petit point) de Chine. De magnifiques **tapis**★, provenant de Perse, Turquie, Chine et Espagne, complètent cet ensemble remarquable. Parmi les costumes civils, l'exceptionnel **pourpoint**★ de Charles de Blois, du 14e s., constitue l'une des plus belles pièces.

▶▶ Musée des Arts décoratifs★★ ; Musée d'Art contemporain★

Musée urbain Tony-Garnier

Bd des États-Unis. De part et d'autre du boulevard, entre la rue Paul-Cazeneuve et la rue Jean-Sarrazin. Cet ensemble immobilier collectif a été construit dans les années 1930 par l'architecte urbaniste lyonnais Tony Garnier (1869-1948). À compter de 1991, les façades aveugles de ces grandes bâtisses ont bénéficié d'une mise en valeur originale par le groupe d'artistes «La Cité de la Création». Ayant fait le choix d'un musée de plein air, ce groupe a réalisé une importante série de peintures murales monumentales suivant les thèmes de l'œuvre de Garnier.

Halle Tony-Garnier

Dans le cadre de son projet de «Cité industrielle», Tony Garnier crée en 1914 la Grande Halle des abattoirs de La Mouche. Sa structure métallique représente le symbole même de l'architecture de fer avec une surface de près de 18 000 m² d'un seul tenant sans piliers de soutènement, sous une hauteur de 24 m. Après un long abandon, cette «cathédrale» de fer a bénéficié d'une heureuse restauration, avec la mise en valeur de la charpente par un important ensemble de vitrages permettant une transparence maximale de la toiture et des façades latérales.

alentours

Vienne★★

32 km au Sud de Lyon. Vienne, baignée par la lumière rhodanienne qui lui donne une touche déjà méditerranéenne, ne peut laisser indifférent. La magie naît de l'alliance réussie d'une cathédrale gothique, d'un temple et d'un théâtre romains, d'un cloître roman et de hautes façades colorées. Une ville où flâner à sa guise, en empruntant les ruelles pentues et les passages couverts du centre médiéval pour grimper jusqu'au mont Pipet et jouir d'une vue bien méritée.

Cathédrale St-Maurice★★ – Construite du 12e au 16e s., elle apparaît comme une œuvre majeure réunissant des éléments romans et gothiques. La façade, avec ses trois portails flamboyants, conserve une décoration ravissante aux voussures.

À l'intérieur, les chapiteaux romans constituent un ensemble décoratif inspiré de l'Antiquité. Ils figurent des scènes historiées ou des décors végétaux très denses.

Temple d'Auguste et de Livie★★ – Cet édifice rectangulaire de proportions harmonieuses ressemble à la Maison carrée de Nîmes. Une rangée de six colonnes corinthiennes supporte l'entablement. Le fronton triangulaire portait une inscription de bronze à la gloire d'Auguste et de Livie, son épouse, qui accède ici au rang de déesse.

Cité gallo-romaine de St-Romain-en-Gal★★ – Sur la rive droite du Rhône, les fouilles pratiquées sur ce site ont mis au jour un quartier urbain, comprenant des villas somptueuses, des commerces, des ateliers d'artisans et des thermes. Les plus belles découvertes sont présentées dans le **musée★**.

C'est la célèbre **mosaïque des Dieux Océans★** qui accueille le visiteur. La principale richesse du site consiste en ces superbes mosaïques de sol. Les décors, souvent inspirés de la mythologie, mettaient en évidence les goûts du propriétaire des lieux ; ainsi, la mosaïque d'Orphée illustre la prédominance de la culture sur la nature.

J. Damase/MICHELIN

Mosaïque d'une des villas du quartier résidentiel de St-Romain-en-Gal.

L'exceptionnelle **peinture des Échassiers★** révèle le goût et le degré de finesse de la décoration intérieure. Enfin, la **mosaïque du Châtiment de Lycurgue★★** clôt en beauté ce voyage parmi les fastes de l'époque gallo-romaine. ♿ *Mars-oct. : tlj sf lun. 10h-18h, nov.-fév. : tlj sf lun. 10h-17h. Fermé 1er janv., 1er mai, 1er nov. et 25 déc. 3,80€.* ☎ *04 74 53 74 01.*

▶▶ Musée de l'Automobile Henri-Malartre à Rochetaillée-sur-Saône★★

Le Mans★★

Le Mans, capitale du Maine, satisfait tous les appétits : pour les gourmets, ses « rilles, rillons et rillettes mancelles », ses reinettes parfumées, ses poulets (de Loué) et ses gélines ; pour les amateurs d'art, sa cathédrale grandiose, chevet, portails, vitraux, voûtes et tombeaux ; pour les promeneurs, sa vieille ville, ses ruelles et ses quais en bordure de Sarthe ; enfin, pour les fous de vitesse, son célèbre circuit et sa mythique ligne droite des Hunaudières.

La situation

194 825 Manceaux – Cartes Michelin Local 310 K 6, Regional 518 – Le Guide Vert Châteaux de la Loire – Sarthe (72). Autoroute et TGV relient cette première grande ville de l'Ouest à ses (presque) voisines Paris et Rennes. Le vieux Mans borde la rive gauche de la Sarthe, au cœur de la ville, adossé à la colline.

Hôtel des Ursulines, r. de l'Étoile, 72000 Le Mans, ☎ *02 43 28 17 22. www.ville-lemans.fr*

Pour poursuivre la visite, voir aussi : ANGERS, SAUMUR, TOURS, BLOIS.

carnet pratique

RESTAURATION

- ***À bon compte***

Fontainebleau – *72000 Le Mans - ☎ 02 43 14 25 74 - fermé du 25 fév. au 5 mars, 20 sept. au 8 oct. et le mar. - 14,48/35,06€.* Maison à pans de bois et hôtels particuliers sont à deux pas de ce restaurant sis dans de vieux murs (1720). Intérieur rustique et terrasse fleurie.

HÉBERGEMENT

- ***Valeur sûre***

Hôtel Emeraude – *18 r. Gastelier - 72000 Le Mans - ☎ 02 43 24 87 46 - fermé 4 au 26 août et 24 déc. au 2 janv. - 33 ch. : 53,35/62,50€ - ☕ 7,62€.* Cet hôtel proche de la gare abrite des chambres rénovées, égayées de tons pastel. Aux beaux jours, petit déjeuner proposé dans la cour intérieure fleurie. Accueil chaleureux.

visiter

LE VIEUX MANS★★

L'**enceinte gallo-romaine★** est un monument d'une rare élégance. Cet ouvrage militaire, long de 1 300 m et jalonné de onze tours, compte pour être l'un des plus grands qui subsistent en France. Sur la colline à l'intérieur du rempart, le vieux Mans est sillonné de ruelles coupées d'escaliers, bordées de maisons à pans de bois du 15e s., de logis Renaissance et d'hôtels du 18e s. aux gracieux balcons de fer forgé. La cité, aux nombreux restaurants et boutiques d'artisans, a conservé tout son cachet.

Maison des Deux-Amis

Nos 18-20 r. de la Reine-Bérengère. Ce vaste bâtiment construit vers 1425 fut habité au 17e s. par Nicolas Denizot, poète et peintre, ami de Ronsard et de Du Bellay. On voit sur la façade deux personnages se tenant la main et supportant un écu, d'où le nom de la maison.

Église N.-D.-de-la-Couture★

La nef, très large, élevée à la fin du 12e s. en style Plantagenêt, est éclairée par d'élégantes baies géminées. Face à la chaire, ravissante **Vierge★★** en marbre blanc (1571) de Germain Pilon.

Cathédrale St-Julien★★

Dédié au premier évêque du Mans, St-Julien dresse au-dessus de la place des Jacobins son **chevet★★★** gothique, admirable par son système enveloppant d'arcs-boutants à double volée. Sur la charmante place St-Michel, le porche Sud abrite un superbe **portail★★** du 12e s.

À l'intérieur, la simplicité de la nef romane contraste avec l'audace du chœur gothique. Dans la chapelle des fonts se font face deux remarquables **tombeaux★★** Renaissance. Celui de gauche, œuvre du sculpteur Francesco Laurana, fut élevé pour Charles IV d'Anjou, frère du roi René; le gisant repose, à la mode italienne, sur un sarcophage antique; réaliste, le visage est dessiné avec une extrême finesse. À droite, le monument à la mémoire de Guillaume Du Bellay, cousin du poète, le représente tenant son épée et un livre, accoudé à la manière antique sur un sarcophage qu'orne une ravissante frise de divinités nautiques.

Entouré d'un double déambulatoire à chapelles rayonnantes, le **chœur** déploie une ampleur qui le place parmi les plus beaux de France. D'une magnifique envolée, il s'élève sur deux étages séparés par une galerie de circulation et terminés par des arcs brisés très pointus, d'influence normande. Les fenêtres sont ornées de superbes **vitraux★★** du 13e s. à dominantes rouges et bleues. La célèbre suite de **tapisseries** du 16e s., consacrée à l'histoire des saints Gervais et Protais, est tendue au-dessus des stalles de la même époque. Un **ensemble pictural★** (14e s.) couvre les voûtes de la 1re chapelle: d'une élégance et d'une finesse rares, il représente le concert céleste.

PAUL SCARRON EN SCÈNE

Chanoine au Mans, abbé à petit collet (qui n'avait du clerc que l'habit), rimailleur, Scarron (1610-1660) est en 1636 un joyeux luron pourvu d'une excellente santé, d'une prébende et d'une maison canoniale. Mais notre chanoine doit acquitter la « rigoureuse », c'est-à-dire séjourner au Mans de temps à autre. Quel ennui pour un coureur de « ruelles », même s'il raffole de poulardes et de vin d'Yvré ! En 1638, une paralysie le rend impotent, victime d'une drogue de charlatan. Deux consolatrices adoucissent son mal: l'une, Marie de Hautefort, jadis aimée de Louis XIII et exilée au Mans, lui offre son amitié; l'autre, sa muse, lui inspire *Le Roman comique*, œuvre burlesque contant les aventures d'une troupe de comédiens ambulants dans la ville du Mans et ses environs. En 1652, Scarron épouse Françoise d'Aubigné. Devenue veuve, elle fut élevée au rang de marquise de Maintenon avant d'épouser secrètement Louis XIV (1683).

Musée de Tessé*

♿ Tlj sf lun. 9h-12h, 14h-18h, dim. et j. fériés 10h-12h, 14-18h (juil.-août: 10h-12h30, 14h-18h30). 4€. ☎ 02 43 47 38 51.

Ce musée conserve notamment une plaque de cuivre en émail champlevé, dite **émail Plantagenêt*** (12e s.), qui provient de la cathédrale où elle ornait son tombeau aujourd'hui disparu. Cette pièce exceptionnelle représente Geoffroy Plantagenêt, comte d'Anjou et du Maine de 1129 à 1151, duc de Normandie en 1144, et père du futur roi d'Angleterre Henri II.

La peinture italienne occupe une place privilégiée: belle série de retables à fond d'or des 14e et 15e s. La peinture classique est aussi superbement représentée avec Philippe de Champaigne, Georges de La Tour et Nicolas Tournier.

Une salle entière est consacrée au *Roman comique* de Scarron: outre un portrait de l'auteur, des tableaux de Coulom, des gravures d'Oudry et de Pater illustrent les aventures burlesques créées par cet esprit brillant et plein de verve.

découvrir

Circuit des 24 Heures

Au Sud du Mans, entre la N 138 et la D 139. Long de 13,600 km, il s'amorce au virage du Tertre-Rouge. Les courbes en S de la route privée, les virages en épingle à cheveux de Mulsanne et d'Arnage constituent les points les plus marquants du parcours.

Gustave Singher et Georges Durand lancèrent en 1923 la première épreuve d'endurance du Mans qui allait devenir un événement sportif de retentissement mondial, et un banc d'essai formidable pour l'automobile de série. Le circuit a été considérablement amélioré depuis le tragique accident survenu en 1955 à la Mercedes de Levegh (83 morts et 100 blessés).

Le spectacle des courses est inoubliable, vu des tribunes ou des prés et des bois de pins qui jalonnent le circuit; le vrombissement des moteurs, le sifflement des bolides lancés à plus de 350 km/h sur les Hunaudières, les odeurs de gaz brûlés se mêlant aux senteurs des résineux, et, la nuit, les faisceaux des phares, attirent chaque année des milliers d'amateurs.

Circuit permanent Bugatti

Mars-oct. : 7h30-19h ; nov.-fév. : 9h-17h. Fermé j. de compétition. ☎ 02 43 40 24 04.

Outre son école de pilotage, ce circuit (4,430 km) constitue un banc d'essais permanent utilisé par les écuries auto et moto de compétition dans le cadre de séances d'essais privés.

Musée automobile de la Sarthe**

Accès par l'entrée principale du circuit (D 139 au Nord de la D 921). ♿ Juin-sept.: 10h-19h (dernière entrée 1h av. fermeture); oct.-mai: 10h-18h (janv.: w.-end 10h-18h). Fermé 1er janv. et 25 déc. 6€ (-11ans: 2€). ☎ 02 43 72 72 24. www.sarthe.com/auto/museint.htm

Faisant appel à la vidéo, aux jeux interactifs, des maquettes animées et des vitrines retracent la saga de l'automobile depuis plus d'un siècle. Plusieurs voitures victorieuses: la Bentley de 1924, la Ferrari de 1949, la Matra de 1974, la Rondeau de 1983, la Jaguar de 1988, la Mazda de 1991, la Peugeot de 1992 constituent une partie de cette collection exceptionnelle.

Les 24 Heures du Mans, une course d'endurance terrible pour les voitures et les pilotes.

DPPI/MICHELIN

alentours

Château du Lude**

45 km au Sud du Mans par la D307. ♿ Avr.-sept. : visite guidée de l'intérieur (3/4h) 14h30-18h ; visite libre des extérieurs 9h30-12h, 14h-18h. Fermé oct.-mars et mer. sf juil.-août. 6€. ☎ 02 43 94 60 09. www.lelude.com

Magnifique château campé en bordure du Loir, Le Lude offre plusieurs visages : médiéval et gothique avec ses grosses tours rondes, Renaissance italienne par son aménagement, ses lucarnes et ses médaillons, Louis XVI avec son harmonieuse façade côté rivière. Tapisseries, boiseries, peintures exceptionnelles et mobilier de somptueuse facture éblouissent le visiteur, au moins autant que le superbe parc qui domine et borde le Loir.

Marseille***

On l'aime ou on la déteste. Pleine de vie et contradictoire, rivée à un port qui accueillit ses premiers habitants, fière de ses 2600 ans d'histoire, elle perpétue une tradition d'intégration qui ne l'empêche pas d'être parfois intolérante... Quoi qu'il arrive, son exubérance méridionale, qui s'exerce en particulier dans la surenchère « pagnolesque », ne vous laissera pas indifférent. Marseille, c'est avant tout un art de vivre dont il vous faudra sans doute quelques années pour en apprendre les règles.

La situation

1 349 772 Marseillais – Cartes Michelin Local 340 H-I 6, Regional 528 – Le Guide Vert Provence-- Bouches-du-Rhône (13). Avant de vous immerger dans cette ville, prenez donc le temps d'admirer son site exceptionnel. N.-D.-de-la-Garde offre le meilleur observatoire. Du parvis, on découvre un extraordinaire **panorama***** sur les toits, le port et les montagnes environnantes. À gauche, les îles du Frioul et, au loin, le massif de Marseilleveyre ; en face, le port, avec, au premier plan, le fort St-Jean et le parc du Pharo, plus à droite, la ville, et au fond, la chaîne de l'Estaque ; en arrière, le sommet pelé de la chaîne de l'Étoile.

ℹ 2 r. Beauvau, 13001 Marseille, ☎ 04 91 13 89 00.; www.marseille-tourisme.com

Pour poursuivre la visite, voir aussi : AIX-EN-PROVENCE, ARLES, LA CAMARGUE, LUBERON, TOULON.

comprendre

Une antique cité – Vers 600 avant J.-C., quelques galères, pilotées par des Phocéens (Grecs d'Asie Mineure), abordent dans la calanque de l'actuel Vieux Port. Les Grecs créent des comptoirs le long de la côte (Agde, Arles, Hyères, Antibes, Nice) et dans l'arrière-pays (Glanum, Cavaillon, Avignon). Maîtres des mers entre le détroit de Messine et les côtes ibères, dominateurs dans la vallée du Rhône, les Massaliotes règnent sur le commerce de l'ambre et des métaux bruts. Le littoral est mis en valeur, planté d'arbres fruitiers, d'oliviers, de vignes.

Marius et César – Les Romains arrivent en Provence en 125 et entreprennent la conquête du pays. Massalia demeure une république indépendante alliée de Rome. Alors que la rivalité de César et de Pompée est à son point culminant, Marseille prend le parti de ce dernier. Assiégée pendant six mois, la ville est prise en 49 avant J.-C. par César qui lui enlève sa flotte, ses trésors, ses comptoirs. Arles, Narbonne, Fréjus s'enrichissent de ses dépouilles. Toutefois, elle reste ville libre et entretient une université brillante, dernier refuge de l'esprit grec en Occident.

La grande peste de 1720 – Grand port bénéficiant d'un édit de franchise depuis 1669, Marseille jouit du monopole du commerce levantin. Mais en 1720, un navire venant de Syrie a au cours de sa traversée plusieurs cas de peste. Bien que mis en quarantaine, l'épidémie se déclare en ville. Le fléau se répand dans toute la Provence. Au total, entre 1720 et 1722, 100 000 personnes périssent.

L'euphorie commerciale – Marseille se relève. Le commerce trouve de nouveaux débouchés en direction des Amériques et surtout des Antilles. De grandes fortunes s'édifient : armateurs et négociants affichent leur opulence au milieu d'un petit peuple d'artisans et de salariés vivant au rythme de l'arrivée des cargaisons au port. La ville accueille la Révolution avec enthousiasme. En 1792, les volontaires Marseillais popularisent le *Chant de guerre de l'Armée du Rhin* composé par Rouget de Lisle et bientôt rebaptisé *La Marseillaise*.

Aujourd'hui et demain – Touchée par les bombardements et surtout par la destruction en 1943, Marseille s'est lancée dès la Libération dans la reconstruction. La réalisation la plus marquante est la Cité radieuse ou « maison du fada » : première « unité d'habitation » de Le Corbusier, elle rassemble en un seul volume les composantes d'une petite ville avec ses services de proximité et ses espaces de loisirs et de convivialité.

carnet pratique

Restauration

• *À bon compte*

Dégustation Toinou – *3 cours St-Louis - 13001 Marseille - ☎ 04 91 33 14 94 - fermé août - 9,91/18,29€.* Une véritable institution à deux pas du vieux port. Les Marseillais ne s'y trompent pas, ils viennent en foule déguster huîtres et crustacés dans ce décor contemporain de bois et de métal poli : les plateaux défilent à tous les étages, mais les prix restent doux... Sacré Toinou !

Salon de thé Couleur des Thés – *24 r. Paradis - 13001 Marseille - ☎ 04 91 55 65 57 - fermé 27 juil. au 1er sept. - 11/13,50€.* Salon de thé agréablement décoré, installé dans l'intimité d'un appartement cossu, au 1er étage d'un immeuble du centre-ville. Au programme : buffet de salades, charcuteries, tartes salées et pâtisseries maison. Cinquante variétés de thés, vendues en vrac, à emporter.

• *Valeur sûre*

Shabu Shabu – *30 r. de la Paix-Marcel-Paul - 13001 Marseille - ☎ 04 91 54 15 00 - fermé 28 juil. au 1er sept., lun. midi et dim. - réserv. conseillée le w.-end - 22€ déj. - 28€.* Tous les poissons de la Méditerranée préparés en sushis sous vos yeux ! Le décor est japonais et le chef, français, se passionne pour la cuisine du Soleil-Levant : une table à la personnalité affirmée, dans une ville où les restaurants nippons ne se bousculent pas au portillon !

Chez Vincent – *23 r. de Glandeves - 13001 Marseille - ☎ 04 91 33 96 78 - fermé lun. - ⊭ - 30€.* Façade modeste, décor simple de style bistrot et Rose, la patronne, aux fourneaux depuis les années 1940 : une institution prisée des Marseillais. Copieuse cuisine régionale.

Hébergement

• *À bon compte*

Chambre d'hôte Villa Marie-Jeanne – *4 r. Chicot - 13012 Marseille - ☎ 04 91 85 51 31 - ⊭ - 3 ch. : 29/55€.* Adresse rare à Marseille que cette bastide du 19e s. désormais englobée dans un quartier résidentiel : aménagée avec goût, elle mêle élégamment couleurs provençales traditionnelles, meubles anciens, fer forgé et toiles contemporaines. Jardin ombragé de platanes et d'un micocoulier.

• *Valeur sûre*

Hôtel St-Ferréol's – *19 r. Pisançon - 13001 Marseille - ☎ 04 91 33 12 21 - hotelstferreol@hotmail.com - 19 ch. : 61/94,50€ - ☕ 6,55€.* Maison ancienne au cœur du quartier piétonnier, le plus commerçant et le plus vivant de la cité phocéenne. Chacune des petites chambres, habillées de tissus anglais et dotées de salles de bains en marbre, porte le nom d'un peintre impressionniste.

New Hôtel Vieux Port – *3 bis r. de la Reine-Élisabeth - 13001 Marseille - ☎ 04 91 99 23 23 - marseillevieux-port@new-hotel.com - 47 ch. : 75/81€ - ☕ 10€.* L'immeuble est ancien, mais l'intérieur est partiellement rénové, et surtout l'emplacement, sur le Vieux Port, est idéal. Sous les fenêtres de quelques chambres : les « pointus » au mouillage, et les battements de cœur de la cité. Aménagement fonctionnel, bonne insonorisation.

Clos des Arômes – *10 r. Paul-Mouton - 13260 Cassis - 22 km au SE de Marseille par D 559 - ☎ 04 42 01 71 84 - fermé Toussaint à mars - 14 ch. : 45/70€ - ☕ 7€ - restaurant 19/25€.* Au centre du village, bâtisse ancienne possédant le charme d'une maison de maître. Vous y apprécierez sa cuisine aux accents provençaux, servie sur la terrasse fleurie en été. Ses chambres, plutôt petites, sont colorées et intimes. Ambiance méditerranéenne.

Achats

Four des Navettes – *136 r. Sainte - 13007 Marseille - ☎ 04 91 33 32 12 - www.fourdesnavettes.com - tlj 7h-20h - fermé 1er mai, Nouvel An.* La boulangerie la plus ancienne et la plus célèbre de Marseille, et le spécialiste incontesté des navettes, biscuits parfumé à la fleur d'oranger. Parmi les autres gourmandises provençales : le gibassié, les croquants aux amandes et une gamme de pains spéciaux.

Loisirs-Détente

Le bateau est un moyen astucieux de découvrir les calanques en été. Il permet d'approcher les îles de l'archipel de Riou : île Maire à laquelle les chèvres n'ont pas laissé un poil sur le caillou, îles de Jarre et Jarron, sites de relégation des navires pestiférés d'où partit la terrible épidémie de peste de 1720, et île de Riou, la plus escarpée, où nichent toujours d'importantes colonies d'oiseaux.

Au départ de Marseille : Groupement des Armateurs Côtiers Marseillais – *Quai des Belges - Vieux-Port de Marseille - ☎ 04 91 55 50 09 - Juil.-août : promenade commentée (4h) tlj à 14h ; le reste de l'année : mer., sam. et dim. à 14h. 20€.* La plupart des calanques sont visitées, mais sans arrêt baignade.

Au départ de Cassis : Les bateliers de Cassis – *☎ 04 42 01 90 83 ou 04 42 01 71 17 (Office municipal de tourisme).* Visite en bateau à vision sous-marine des 3 calanques (45mn) de Port-Miou, Port-Pin et En-Vau sans escale ; 10€. Autres excursions : 5 calanques (1h) ou 8 calanques (1h30).

Calendrier

Pétanque – Mondial de *La Marseillaise* à la pétanque en juillet : éliminatoires au parc Borély, finales sur le Vieux Port. Une manifestation de masse avec beaucoup de célébrités du show-biz qui, après les premiers tours, abandonnent le terrain aux vedettes de la discipline.

Foire aux santons – De fin novembre à fin décembre, sur la Canebière.

LE VIEUX MARSEILLE

Le Vieux Port★★

C'est ici que toute l'activité maritime se concentra pendant vingt-cinq siècles. Et il reste le vrai cœur de Marseille, là où toutes les voies convergent, là où les grands événements rassemblent la foule, où les promeneurs déambulent autour des cafés et des restaurants vantant leur bouillabaisse, tandis que plus loin on furète parmi les étals du marché aux poissons du quai des Belges. Point de départ des vedettes proposant des excursions aux îles ou vers les calanques, le Vieux Port, dont le plan d'eau disparaît sous une forêt de mâts, est toujours traversé par le pittoresque ferry-boat *Le César*, popularisé par Pagnol.

PASTAGA AU PAYS DES CIGALES

Le pastis est l'apéritif provençal par excellence depuis les Années folles. Des marques renommées, telles Ricard, Casanis ou Janot ont fait de cette boisson la reine incontestée des terrasses de café. Produit de la macération de plantes (anis vert, anis étoilé, réglisse, etc.) dans l'alcool, le « pastaga » peut être plus ou moins coupé d'eau fraîche suivant le goût de chacun. Certains préfèrent la « momie » servie dans un petit verre, d'autres le dégustent avec du sirop : orgeat pour la « mauresque », grenadine pour la « tomate » ou menthe pour le « perroquet ».

G. Magnin/MICHELIN

Le Vieux Port, né d'une rive marécageuse que dominait un rocher abrupt, aujourd'hui dominé par N.-D.-de-la-Garde.

Musée des Docks romains★

Juin-sept. : tlj sf lun. 11h-18h ; oct.-mai : tlj sf lun. 10h-17h. Fermé j. fériés. 2€. ☎ *04 91 91 24 62.*

Des entrepôts commerciaux romains datant des 1er-3e s. furent découverts ici. Ils abritent aujourd'hui les objets trouvés sur les lieux, tandis qu'une maquette aide à imaginer le site et ses abords à l'époque romaine.

Le Panier★

Bâti sur la butte des Moulins à l'emplacement de l'antique Massalia, c'est le dernier vestige du vieux Marseille. Ses habitants ont construit des maisons tout en hauteur dans ce lacis de ruelles qui, avec son animation, son linge séchant en aplomb des rues, ses volées d'escalier et ses façades colorées n'est pas sans évoquer Naples... Empruntez la montée des Accoules, symbole du quartier, mais n'hésitez pas non plus à vous fier au hasard. Toutes les rues méritent d'être parcourues. Il suffit de monter pour atteindre la Vieille Charité.

Vieille Charité★★

Juin-sept. : 11h-18h ; oct.-mai : tlj sf lun. 10h-17h. Fermé j. fériés. Musée d'Archéologie méditerranéenne : 2€ ; musée des Arts Africains, Océaniens et Amérindiens : 2€ ; expos. temporaires : 3€ ; billet combiné (2 musées et expos. temporaires) 5€. ☎ *04 91 14 58 80.*

Cet hospice édifié pour accueillir les pauvres constitue un bel ensemble architectural. Il fut conçu de 1671 à 1749 sur les plans des frères Puget. Les bâtiments s'ordonnent autour d'une **chapelle★** centrale au dôme ovoïde, belle œuvre baroque due à Pierre Puget (1620-1694). Donnant sur cour, trois niveaux de galeries à arcades construits en pierre de la Couronne aux reflets roses et jaunes abritent différentes galeries de musées.

Musée d'Archéologie méditerranéenne★★ – Il présente notamment des pièces provenant des palais de Sargon II et d'Assurbanipal à Ninive.

Musée d'Arts africains, océaniens, amérindiens (MAAOA)★★ – Musée de province le plus riche en objets d'arts provenant d'Afrique, d'Océanie et des Amériques. Sa présentation privilégie la contemplation.

Cathédrale de la Major

Cet édifice colossal a été construit à partir de 1852 dans le style romano-byzantin par l'architecte Espérandieu, à l'initiative du futur Napoléon III qui voulait se concilier du même coup l'Église et les Marseillais.

LA RIVE NEUVE

Bordée d'un bel ensemble d'immeubles de style néoclassique, elle fut ainsi nommée car les hauts-fonds encombrant cette partie du port ne furent que tardivement supprimés et la rive aménagée.

Le **carré Thiars** abrite au carrefour de la rue St-Saëns et de la rue Fortia, de nombreux restaurants, véritable tour du monde gastronomique, qui entretiennent une animation que les boîtes de nuit prolongent jusqu'au petit matin.

Tout ce qu'il faut pour faire une bonne bouillabaisse.

Basilique St-Victor★

Fondée au début du 5e s. par saint Cassien, détruite par les Sarrasins, l'église fut reconstruite vers 1040 et puissamment fortifiée. À l'intérieur, près de la **crypte**★★, se trouvent la grotte de saint Victor et l'entrée des catacombes où, depuis le Moyen Âge, on vénère saint Lazare et sainte Marie-Madeleine. Dans les cryptes voisines, voyez la remarquable série de sarcophages antiques.

Basilique N.-D.-de-la-Garde

En arrivant sur le parvis, vous pourrez admirer le **panorama**★★★. N.-D.-de-la-Garde fut construite par Espérandieu, au milieu du 19e s., dans le style romano-byzantin. Elle s'élève sur un piton calcaire à 162 m d'altitude, et son clocher de 60 m de haut est surmonté d'une statue dorée de la Vierge, la « Bonne Mère ». L'intérieur de l'église est revêtu de marbres de couleur, de mosaïques et de peintures murales.

LA CANEBIÈRE

Cette voie, percée au 17e s., tire son nom d'une corderie de chanvre (*canèbe*, en provençal) implantée autrefois à cet endroit. Grâce aux marins qui ont porté son renom aux quatre coins du monde, elle est devenue la plus fameuse artère de la ville extraordinaire. Jusqu'à l'Occupation, elle regroupait cafés prestigieux, commerces de luxe, grands hôtels, cinémas et théâtres. Elle a aujourd'hui beaucoup perdu de son lustre.

Cours Julien

Rénové et investi de restaurants, magasins d'antiquités ou de vêtements, de librairies et de galeries, de lieux de spectacle, il constitue un agréable lieu de détente, grâce à un aménagement paysager que ponctuent les terrasses des cafés.

Musée Cantini★

Juin-sept. : tlj sf lun. 11h-18h ; oct.-mai : 10h-17h. Fermé j. fériés. 1,83€, gratuit dim. 10h-12h (hors expo. temporaires). ☎ *04 91 54 77 75.*

Ce musée s'est spécialisé dans l'art du 20e s. et, en particulier, dans les domaines du fauvisme, du premier cubisme, de l'expressionnisme et de l'abstraction : œuvres de Matisse, Derain, Dufy, Alberto Magnelli, Dubuffet, Kandinsky, Chagall, Jean Hélion et Picasso...

Le séjour à Marseille de nombre d'artistes surréalistes justifie un traitement de choix du mouvement ; ainsi se trouvent rassemblés des tableaux d'André Masson, Max Ernst, Victor Brauner, Jacques Hérold, Joan Miro, avec 7 (rares) dessins du Marseillais Antonin Artaud. Le port de Marseille est illustré par des toiles de Marquet, Signac et du spécialiste marseillais Verdilhan (1875-1928).

▶▶ Musée d'Histoire de Marseille★ *(étonnante épave d'un navire marchand romain du 3e s.)*

LA CORNICHE

Cette longue promenade peut s'effectuer en voiture.

Le Pharo

Il occupe un promontoire qui domine l'entrée du Vieux Port: très jolie vue de la terrasse située près du palais du Pharo, construit pour Napoléon III.

Après les populaires quartiers d'Endoume et des Catalans, depuis le monument aux morts de l'Armée d'Orient, vues sur la côte et les îles.

Vallon des Auffes

Accès par le boulevard des Dardanelles, juste avant le viaduc. Ce minuscule port de pêche encombré de «pointus», barques traditionnelles, et cerné de cabanons qui s'étagent sur ses rives, constitue un bon endroit pour dîner en terrasse.

Château et parc Borély

Le château fut édifié au 18e s. par de riches négociants, les Borély. Le parc, prolongé par un beau **jardin botanique**, est un but de promenade très prisé le dimanche, quand il n'accueille pas les grands concours de pétanque, événements de la vie marseillaise. ♿ *Mai-sept. : 13h-16h45, w.-end 15h-18h45 ; oct.-mai : 13h-16h45, w.-end 14h-16h45. Fermé 1er mai. 1,52€. ☎ 04 91 55 25 06.*

QUARTIER LONGCHAMP

Musée Grobet-Labadié★★

Juin-sept. : tlj sf lun. 11h-18h; oct.-mai: 10h-17h. Fermé j. fériés. 1,83€. ☎ 04 91 62 21 82. Dans un cadre bourgeois, bel ensemble de tapisseries flamandes et françaises (du 16e au 18e s.), meubles, faïences de Marseille et de Moustiers (18e s.), orfèvrerie religieuse, ferronnerie, instruments de musique anciens. Aux murs, des primitifs flamands, allemands et italiens, école française des 17e, 18e et 19e s.

Musée des Beaux-Arts★

Juin-sept. : tlj sf lun. 11h-18h; oct.-mai: tlj sf lun. 10h-17h. Fermé j. fériés. 1,83€, gratuit dim. 10h-12h (hors expo. temporaires). ☎ 04 91 14 59 30.

Ce musée occupe l'aile gauche du palais Longchamp, imposante construction mêlant tous les styles architecturaux répertoriés, véritable hymne à l'eau bienfaisante élevé par Espérandieu de 1862 à 1869. Il expose un bel ensemble de peintures des écoles française, italienne et flamande, ainsi que des œuvres provençales de Michel Serre, Jean Daret, Finson et Meiffren Comte. Pierre Puget, natif de Marseille, est bien représenté avec des peintures d'une grande variété, des sculptures et des bas-reliefs.

▶▶ Muséum d'histoire naturelle★; Musée des Faïences★

découvrir

LES CALANQUES★★

Le massif des Calanques, qui culmine à 565 m au mont Puget, s'étend sur près de 20 km entre Marseille et Cassis. Paysage calcaire d'une blancheur éclatante, hérissé de roches ruiniformes, le massif attire les amateurs de nature par sa beauté sauvage. Son originalité, son charme exceptionnel tiennent avant tout aux étroites et profondes échancrures qui ciselent ses côtes, les calanques, majestueuses unions du ciel, de la mer et des rochers. Certaines d'entre elles, proches de Marseille et de Cassis, sont facilement accessibles, d'autres ne peuvent être atteintes que par des sentiers, parfois escarpés.

Quitter Marseille par la promenade de la Plage.

Morgiou★★

Descente à pied par la route goudronnée (3/4h, retour 1h). Cadre sauvage et présence humaine discrète à Morgiou : minuscules criques pour la baignade, cabanons regroupés au fond du vallon, restaurant, petit port...

UNE JOURNÉE AU « CABANON », UN ART DE VIVRE !

C'est au retour de la pêche ou tout bonnement du marché que la maisonnée s'assemble sous les ombrages de la terrasse pour « siroter » un pastis glacé ; ce moment s'avère idéal pour faire fuser blagues et galéjades. Le somptueux aïoli servi au repas de midi possède l'inégalable vertu de faire sombrer tout un chacun dans une sieste réparatrice bercée par le chant des cigales. Mais il faudra être sur pied avant l'angélus, pour ne pas manquer la rituelle partie de pétanque, qui connaîtra inévitablement quelques débordements passionnels ponctués de « té peuchère ! » et de « oh coquin de sort ! ». Au dîner, on aura sagement décidé de « manger léger », autrement dit de renoncer à une seconde assiette de délicieux pistou, afin de disputer dans sa meilleure forme, « à la fresche », le tournoi de belote, ultime occasion de truculentes controverses.

Sugiton★★

Rejoindre Luminy par le boulevard Michelet : parking à proximité de l'école d'art et d'architecture. Continuer à pied sur la route forestière (1h, retour 1h1/2). Petite calanque aux eaux turquoise, très abritée grâce à son encadrement de hautes murailles ; les naturistes l'ont adoptée.

En-Vau★★

Accès par le col de la Gardiole (route Gaston-Rebuffat). Laisser la voiture au parking de la Gardiole. 2h1/2 AR. Avec ses parois verticales et ses eaux couleur d'émeraude, c'est la plus pittoresque et la plus célèbre des calanques, cernée d'une forêt de pinacles que commande le « Doigt de Dieu ».

Eaux vertes et bleues à Port-Miou, une des calanques de Cassis.

Cassis

30 km à l'Est de Marseille. Bâti en amphithéâtre entre le cap Canaille et les Calanques, baigné d'une lumière qui inspira Derain, Vlaminck, Matisse et Dufy, ce port de pêche animé est une agréable station estivale où baigneurs et plongeurs se retrouvent à la belle saison. Un séjour ici ne se conçoit pas sans promenades en bateau permettant de découvrir les calanques ou d'explorer les fonds marins.

Le Mercantour★★

C'est tout au fond de la vallée du haut Verdon, dans les Alpes du Sud, que se niche le village d'Allos aux portes du royaume des randonneurs : le Parc national du Mercantour. C'est le seul massif européen à accueillir les trois ongulés montagnards : chamois, mouflons et bouquetins. La réintroduction du gypaète barbu (vautour) s'y est opérée avec succès, et pour la première fois en France depuis 1942, des loups ont effectué un retour naturel dans le massif, depuis l'Italie où ils sont protégés et en expansion.

La situation

Cartes Michelin Local 341 F 3-4, Regional 528 – Le Guide Vert Alpes du Sud et Le Guide Vert Côte d'Azur – Alpes-Maritimes (06). Une route escarpée relie le val d'Allos à Barcelonnette au Nord. L'accès est plus facile de Castellane ou Digne, par la N 202, puis la D 955, via St-André et Colmars. La découverte pédestre du parc est facilitée par ses 600 km de sentiers aménagés, dont le GR 5, le GR 52A qui constitue le sentier panoramique du Mercantour et traverse la vallée des Merveilles, ainsi que par des sentiers de découverte à l'Authion, le Boréon et à la Madone de Fenestre.

Parc national du Mercantour, 23 r. d'Italie, 06000 Nice, ☎ 04 93 16 78 88. www.parc-mercantour.fr

se promener

Tende★

Sévère avec ses hautes maisons sombres étagées de toits de lauzes, dont certaines datent du 15e s., Tende compose un **site★** surprenant. Commandant le principal col avec l'Italie, elle ne devint française qu'en 1947.

Le **musée des Merveilles** forme un complément précieux de la randonnée au mont Bégo. Trois thèmes y sont développés : le contexte géologique régional, l'archéologie qui évoque les croyances et explique la vie quotidienne des populations des Alpes à l'âge du cuivre et à l'âge du bronze, et les arts et traditions populaires de la vallée de la Roya depuis 5 000 ans. *De déb. mai à mi-oct. : tlj sf mar. 10h-18h30 ; de mi-oct. à fin avr. : tlj sf mar. 10h-17h. Fermé de mi-mars à fin mars et de mi-nov. à fin nov; 1er janv., 1er mai et 25 déc. 4,55€, gratuit 1er dim. du mois. ☎ 04 93 04 32 50.*

Vallée des Merveilles★★

À l'Ouest de Tende, dans un spectacle grandiose, cirques, vallées, lacs glaciaires et moraines cernent le mont Bégo (alt. 2872 m) de leur atmosphère minérale façonnée par les glaciations du quaternaire. Ce site du Parc national du Mercantour est réputé pour ses gravures rupestres – plus de 30000 y ont été recensées –, dont la plupart remontent à l'âge du bronze ancien, entre 2800 et 1300 ans avant J.-C.

carnet pratique

Restauration

• À bon compte

Auberge Tendasque – *65 av. du 16-Septembre-1947 - 06430 Tende - ☎ 04 93 04 62 26 - fermé mar. soir de juin à oct. et le soir de nov. à mai sf sam. - 13/20€.* Ce petit restaurant est proche du musée des Merveilles où est retracée l'histoire archéologique et géologique de la région. La cuisine, régionale, est de qualité. Bon rapport qualité/prix.

• Valeur sûre

Le Bellevue – *5 r. L.-Périssol - 06540 Saorge - ☎ 04 93 04 51 37 - fermé 1er au 15 juin, 1er au 8 sept., 18 nov. au 8 déc., mar. soir et mer. sf juil.-août - 16/22€.* Venez vous restaurer en toute confiance dans sa salle à manger jaune, au plafond lambrissé, sans perdre la vue panoramique sur les gorges de la Roya et le village.

Hébergement

• À bon compte

Le Pra-Réound – *Chemin St-Jean - 06430 La Brigue - sur D 43 sortie du village après la maison Adapeï - ☎ 04 93 04 65 67 - fermé 20 nov. au 1er mars - ⊠ - 6 ch. : 26,50/34€ - ☕ 4,50€.* Les randonneurs apprécient cette petite adresse postée aux portes d'un charmant village montagnard. Chambres de style motel, bénéficiant toutes d'une terrasse avec vue sur les cimes enneigées. Cuisine équipée à disposition, pour préparer les petits déjeuners et en-cas.

Ces gravures témoignent des croyances des peuplades ligures des basses vallées qui auraient divinisé le mont Bégo et en auraient fait un lieu de pèlerinage. Ce dernier serait une puissance à la fois tutélaire en raison des eaux qui en descendent et redoutable par ses orages fréquents et violents.
Le thème le plus important est le culte du taureau, associé à celui de la montagne. La présence d'araires ou de herses attelées aux animaux atteste la pratique de l'agriculture ; des dessins réticulés évoquent des enclos ou des parcelles de champs. Par ailleurs, les armes (poignards, haches et sagaies) sont proches de celles de sites archéologiques contemporains.
Peu nombreuses, les figures anthropomorphes ont été baptisées, pour les plus connues : le Sorcier, le Christ, le Chef de tribu, la Danseuse...
On atteint le site de la vallée des Merveilles par la vallée affluente de la Roya. Les gravures se voient de juin à septembre et se méritent après deux heures de marche guidée dans un paysage magique. Il est important de garder à l'esprit que les visites et randonnées s'effectuent en haute montagne (entre 1 600 et 2 500 m). Un minimum de précautions est donc nécessaire : bonne condition physique, chaussures de montagne et surtout vêtements chauds et imperméables. Les orages étant fréquents et parfois d'une violence redoutable, il est prudent de s'informer des conditions météorologiques.

Visite guidée des gravures

Pour la vallée des Merveilles – Dép. du refuge CAF des Merveilles. Juil.-août : dép. à 8h, 11h, 13h et 15h ; sept. : lun., ven. et w.-end à 8h et 13h.
Pour la vallée de Fontanalbe – Dép. du refuge de Fontanalbe. Juil.-août : dép. à 8h, 11h et 14h ; sept. : ven. et w.-end à 8h, 11h et 14h ; juin : w.-end à 8h, 11h et 14h. 8€ (enf. : 4€). S'adresser au point d'information du Parc national à Castérino.

alentours

Saorge★★

15 km au Sud de Tende par la N 204. À l'entrée de ses gorges, la perle de la région apparaît entre deux falaises rocheuses, dans un **site**★★ extraordinaire. Bâti en amphithéâtre comme les autres villes de la haute vallée de la Roya, ce **vieux village**★ a conservé son architecture médiévale intacte. Ses ruelles en dédale, presque toujours en escalier, souvent voûtées, sont amusantes à parcourir. On y découvre des maisons du 15e s. abritées de lauzes et de portes aux linteaux sculptés. En prenant en avant et à droite à l'extrémité de la place, puis encore à droite, on atteint une terrasse offrant une belle **vue**★ sur le fond des gorges de la Roya.
Dans l'**église St-Sauveur** (16e s.), on remarque un beau tabernacle Renaissance, une Vierge en bois doré avec baldaquin (1708), des fonts baptismaux du 15e s.

Chapelle Notre-Dame-des-Fontaines★★

10,5 km au Sud-Est de Tende par la N204, puis par la D43 qui passe par La Brigue.
Ce haut lieu de l'art primitif niçois est isolé dans le vallon du Mont-Noir. La chapelle (14e s.) matérialise la réalisation du vœu des Brigasques de voir les sources, alors taries, couler de nouveau. Elle fut agrandie au 15e s. pour recevoir en 1492 une extraordinaire **décoration picturale**★★★.
Jean Baleison, artiste représentatif du style gothique, a peint le chœur consacré à la gloire de la Vierge. Sa manière se reconnaît à la délicatesse, la légèreté et la grâce

de ses personnages. À travers la Passion dans la nef et le Jugement dernier au revers de la façade, Jean Canavesio, primitif renaissant, s'exprime d'une façon tout autre : dramatique, sombre et réaliste. Son art exubérant s'affirme dans un dessin nerveux et un sens de l'espace. Les images devaient raviver la foi dans ces contrées excentrées, d'où le style burlesque, macabre ou poétique de ces scènes pleines de vie et d'anecdotes précieuses sur l'époque.

Metz***

Metz, la ville lumière... Plus de 13000 points lumineux habitent la ville dès la tombée de la nuit. Romaine, médiévale, classique, allemande, Metz garde de manière bien visible les traces de ses trois mille ans d'histoire et surtout sa cathédrale gothique, aérienne avec ses magnifiques vitraux dont plusieurs sont signés de Chagall.

La situation

198 750 Messins – Cartes Michelin Local 307 I 4, Regional 515 – Le Guide Vert Alsace Lorraine – Moselle (57). Metz est un nœud très important de routes, autoroutes, voies ferrées et de navigation sur la Moselle, canalisée vers l'Allemagne, dont la frontière est à moins de 50 km. Plusieurs parkings facilitent le stationnement au cœur de la ville, dont certaines voies sont piétonnes dans le centre historique.
Pl. d'Armes, 57000 Metz, ☎ 03 87 55 53 76.
Pour poursuivre la visite, voir aussi : VERDUN, BAR-LE-DUC, NANCY.

visiter

Cathédrale st-étienne***

L'entrée se fait par la place d'Armes. Visite : 1h1/2. Possibilité de visite guidée en s'adressant à l'Association de l'Œuvre de la cathédrale, 2 pl. de Chambre ou au bureau à l'intérieur de la cathédrale. ☎ 03 87 75 54 61.

carnet pratique

Restauration

• À bon compte

Restaurant du Pont-St-Marcel – *1 r. du Pont-St-Marcel - 57000 Metz - ☎ 03 87 30 12 29 - 15/28€.* Non loin de la cathédrale St-Étienne, cette maison du 17e s. sur pilotis est au bord d'un bras de la Moselle. À l'intérieur, une amusante fresque récente représente une scène de jour de foire au 17e s., avec ses saltimbanques et son théâtre. Service en costume et cuisine du cru.

• Une petite folie !

Maire – *1 r. du Pont-des-Morts - 57000 Metz - ☎ 03 87 32 43 12 - fermé mer. midi et mar. - 22,87€ déj. - 42,69/57,93€.* Au cœur de Metz, ce restaurant offre une superbe vue sur la Moselle... Attablé dans son agréable salle à manger aux murs saumon et au mobilier de bois clair ou sur sa belle terrasse, vous en profiterez en goûtant une cuisine classique.

Hébergement

• Valeur sûre

Grand Hôtel de Metz – *3 r. Clercs - 57000 Metz - ☎ 03 87 36 16 33 - grandhoteldemetz@wanadoo.fr - 62 ch. : 52/76€ - 6€.* Cet hôtel traditionnel récemment remis à neuf est situé au cœur du secteur semi-piétonnier messin. Chambres à la page et salle des petits déjeuners ornée d'une agréable fresque en font une adresse appréciée.

Hôtel de la Cathédrale – *25 pl. de la Chambre - 57000 Metz - ☎ 03 87 75 00 02 - hotelcathedrale-metz@wanadoo.fr - fermé 1er au 15 août - 20 ch. : 61/80€ - 10€.* Un charmant hôtel loti dans une jolie maison du 17e s. Entièrement rénové en 1997, ses chambres avec leur lit en fer forgé ou canné, leur parquet ancien et leurs vieux meubles, parfois orientaux, sont très agréables. La plupart donnent sur la cathédrale, juste en face.

Hôtel Bleu Marine – *23 av. Foch - 57000 Metz - ☎ 03 87 66 81 11 - bleumarine-metz@bplorraine.fr - 62 ch. : 72/90€ - 10€ - restaurant 23,63/29,27€.* Sis dans un bel immeuble (1906) du quartier de la gare, hôtel entièrement rénové abritant des chambres spacieuses et bien insonorisées ; certaines sont meublées en style Louis-Philippe. Repas servis sous forme de buffets.

Le temps d'un verre

Le Jehanne-d'Arc – *Pl. Jeanne-d'Arc - 57000 Metz - ☎ 03 87 37 39 94 - lun.-jeu. 11h-2h, ven. 11h-3h, sam. 15h-3h - fermé dim.* L'un des cafés les plus illustres de Metz en raison de son cadre qui a conservé quelques pierres gallo-romaines, des fresques du 13e s. et des pochoirs du 17e s. Terrasse sur la jolie place Jeanne-d'Arc où sont organisés des concerts de jazz en été. Clientèle tranquille d'habitués, d'étudiants et d'intellos.

La cathédrale s'impose par l'harmonie de ses élévations. Ce qui frappe le plus à l'intérieur, c'est la hauteur de la nef (41,77 m). Elle est rendue plus saisissante encore par la lumière qui y pénètre et l'abaissement des collatéraux.
les **verrières★★★** forment un ensemble somptueux qui a valu à la cathédrale le surnom de «lanterne du Bon Dieu».
Œuvres de maîtres verriers illustres ou anonymes, elles sont de types très variés. La façade est percée d'une magnifique rose du 14e s. Dans le transept, la verrière de droite est due au Strasbourgeois Valentin Bousch (16e s.) qui a également réalisé les splendides vitraux du chœur.
Dans le déambulatoire et le transept gauche, les vitraux de **Chagall**, réalisés en 1963, illustrent le Songe de Jacob, le Sacrifice d'Abraham, Moïse, David et des scènes du Paradis terrestre.

B. Kaufmann/MICHELIN

Sculptures du grand portail gothique de la Cathédrale de Metz.

Musée de la Cour d'Or★★

Tlj sf mar. 10h-17h. Fermé 1er janv., 1er et 8 mai, 14 juil., 15 août, 1er et 11 nov. et 25 déc. 4,60€, gratuit mer. 10h-14h et dim. 11h-14h. ☎ 03 87 68 25 00.

Le musée fait l'objet d'une savante muséographie qui fait de la visite une inoubliable promenade dans le passé. Les objets d'**archéologie★★★** témoignent de l'importance de la ville gauloise, grand carrefour de routes gallo-romaines et foyer de renouveau culturel sous les Carolingiens. Charlemagne, lui-même, se plaisait à Metz. La vie sociale est évoquée par les vestiges des thermes et du collecteur d'égout. La vie quotidienne à l'époque gallo-romaine est très évocatrice. L'époque mérovingienne occupe une place importante : tombes, bijoux, vaisselle. Un ensemble de l'époque paléochrétienne s'articule autour du **chancel de St-Pierre-aux-Nonnains**. Cette balustrade liturgique en pierre, exceptionnelle, est composée de 34 panneaux sculptés offrant une décoration admirable.

Place St-Louis★

Cette très belle place au plan irrégulier est bordée sur un côté de maisons à contreforts et arcades des 14e, 15e et 16e s. Leur alignement suit l'ancien rempart qui leur sert de fondations. Au Moyen Âge, une soixantaine de changeurs y avaient leur boutique.

Église St-Pierre-aux-Nonnains★

Sur l'Esplanade. ♿ Juin-sept. : tlj sf lun. 14h30-18h ; oct.-avr. : w.-end 14h30-18h. Fermé j. fériés. Gratuit. ☎ 03 87 39 92 00.

C'est sous le règne de Constantin, vers 390, que fut bâtie à cet emplacement une basilique civile, endommagée lors du pillage des Huns au 5e s. Mais les murs construits d'un solide appareil de petits moellons renforcé de chaînages en brique rouge ont été remployés dans la chapelle édifiée vers 615. C'est de cette période que date le splendide chancel conservé au musée de la Cour d'Or. St-Pierre-aux-Nonnains serait la plus ancienne église de France.

Millau★

Au carrefour des routes stratégiques d'Albi, de Clermont-Ferrand et de Montpellier, Millau est un lieu de séjour très agréable où culture (musées, fêtes, expositions) et détente (sports de plein air) sont au rendez-vous. La renommée des gorges du Tarn, à quelques kilomètres, suffit à en faire un point de ralliement pour les amateurs de randonnées et de sports d'eau vive. Millau est aussi un centre réputé de vol libre : sa situation géographique, au pied des causses et du pic d'Andan et de Brunas, l'a favorisé dans ce domaine.

La situation

21 339 Millavois – Cartes Michelin Local 338 H-M 4-9, Regional 527 – Le Guide Vert Languedoc Roussillon – Aveyron (12). Millau est d'un accès facile. Le parking couvert de la place Emma-Calvé est très pratique car en plein centre-ville.
Av. Alfred-Merle, 12100 Millau, ☎ 05 65 60 02 42. www.ot-millau.fr
Pour poursuivre la visite, voir aussi : GORGES DU TARN, RODEZ, LES CÉVENNES, ALBI.

carnet pratique

RESTAURATION

• À bon compte

Ferme-auberge de Jassenove – *12100 Millau - 16 km au SE de Millau par N 9 puis à gauche par rte secondaire dir. Jassenove - ☎ 05 65 60 71 80 - fermé 15 j. en sept. et mer. en juil.-août - ⊄ - réserv. obligatoire - 14,50€.* Dans un coin boisé du causse de Larzac, cette belle ferme-auberge a le charme des lieux qui ont gardé leur authenticité. On s'y attable dans une ambiance chaleureuse pour savourer, entre autres, le soufflé au roquefort.

La Braconne – *7 pl. du Mar.-Foch - 12100 Millau - ☎ 05 65 60 30 93 - fermé mar. soir en hiver, dim. soir et lun. - 15/30€.* Cette maison ancienne du centre de Millau accueille ses convives dans une belle salle voûtée du 13e s. Ici, préférez les grillades cuites dans la cheminée du fond et les spécialités du terroir concoctées par la patronne aux plats plus compliqués...

Auberge du Chanet – *Hameau de Nivoliers - 48150 Hures-la-Parade - 58 km au NO de Millau par N 9, D 907 et D 996 jusqu'à Meyruis puis D 986 et D 63 - ☎ 04 66 45 65 12 - fermé 15 janv. au 15 mars - 13,72/16,77€.* Cette ancienne bergerie est une véritable oasis de fraîcheur... Bien à l'abri dans sa salle voûtée ou au soleil sur la terrasse, vous vous restaurerez d'une cuisine plutôt traditionnelle. Plusieurs formules d'hébergement, de la chambre au dortoir.

• Valeur sûre

Sénéchal – *12800 Sauveterre-de-Rouergue - 90 km à l'E de Millau par D 911, N 88 et D 997 - ☎ 05 65 71 29 00 - 23/92€.* Au cœur d'une bastide royale, charmante auberge parfaitement reconstruite de le style du pays. Décor contemporain et, çà et là quelques meubles anciens.

HÉBERGEMENT

• À bon compte

La Capelle – *7 pl. Fraternité - 12100 Millau - ☎ 05 65 60 14 72 - fermé 2 oct. au 11 avr. - 46 ch. : 24,10/40,50€ - ☕ 5,35€.* Cet hôtel a deux avantages : des prix raisonnables et une certaine tranquillité. À ce tarif il ne faut pas s'attendre au grand luxe, les chambres sont plutôt simples et ont gardé un cadre années 1960.

• Valeur sûre

Château de Creissels – *12100 Millau - 2 km au S de Millau rte de St-Affrique - ☎ 05 65 60 16 59 - fermé janv.-fév., lun. midi d'oct. à avr. et dim. soir - P - 30 ch. : 46/71€ - ☕ 7,50€ - restaurant 20,50/40€.* Ce château est sur les hauteurs de Millau. Chambres aménagées à l'ancienne dans le bâtiment du 12e s. ; l'aile construite en 1971 offre un décor « seventies ». Belle salle à manger sous les voûtes d'une cave. La terrasse d'été domine les toits du village.

se promener

Place du Maréchal-Foch

C'est la partie la plus pittoresque du vieux Millau, avec son «couvert» aux arcades (12e-16e s.) soutenues par des colonnes cylindriques.

Église N.-D.-de-l'Espinasse

Elle possédait autrefois une épine de la sainte Couronne, d'où son nom. Lieu de pèlerinage important au Moyen Âge, l'édifice, roman à l'origine, fut reconstruit au 17e s.

Musée de Millau

Pl. du Mar.-Foch. Avr.-sept. : 10h-12h, 14h-18h (juil.-août : 10h-18h) ; oct.-mars : tlj sf dim. et j. fériés. Fermé 1er mai. 5€, gratuit 1er sam. du mois. ☎ 05 65 59 01 08.

Il est installé dans l'hôtel de Pégayrolles (18e s.), au Sud-Est de la place. Au rez-de-chaussée, la section de paléontologie abrite, au milieu de nombreux fossiles de faune et de flore du secondaire, le squelette, presque complet, d'un plésiosaure de Tournemire, reptile marin de 4 m de long datant de 180 millions d'années...

Les caves voûtées du musée abritent une remarquable collection de **poteries★** gallo-romaines, trouvées sur le site de la Graufesenque (à 1 km au Sud de Millau) : vases ornés et lisses, moules, poinçons et comptes de potiers, four reconstitué.

La **Maison de la peau et du gant★** présente les deux industries traditionnelles de Millau : la mégisserie, qui permet de transformer une peau périssable et brute en un produit imputrescible de haute qualité, et la ganterie. Outils, échantillons de peaux, étapes de fabrication d'un gant de la coupe à la finition, et magnifiques paires de gants de soirée toutes plus luxueuses et originales les unes que les autres.

circuits

CAUSSE DU LARZAC★

152 km. Quitter Millau à l'Ouest par la D922.

Situé à une altitude qui varie de 560 à 920 m, il se présente comme une succession de plateaux calcaires arides et de vallées verdoyantes, où sont disséminés villages et commanderies de templiers. Sur les plateaux, des sotchs argileux tapissés de terres rouges ont permis l'installation de domaines agricoles. De même que les autres causses, le Larzac est troué d'avens. C'est enfin le royaume du roquefort, fabriqué avec du lait de brebis. Ces dernières sont partout présentes sur le causse, rassemblées en troupeaux de 300 à 1 000 têtes.

Roquefort-sur-Soulzon*

Roquefort, dont le nom évoque le château fort qui existait sur le rocher de Combalou au 11e s., a donné son nom au célèbre fromage.
La visite des **caves de roquefort*** permet d'observer la fabrication du fromage, avec du lait de brebis cru, pur et entier, sans qu'homogénéisation ou pasteurisation soient nécessaires. Après leur fabrication dans les fermes-fromageries, les « pains » sont disposés sur des étagères de chêne dans les caves naturelles aménagées. Une lente maturation commence sous le contrôle attentif des maîtres affineurs. Grâce à l'air froid et humide soufflé par les fleurines, le *Penicillium roqueforti* se développe en donnant les marbrures vert-bleu. *Roquefort Société : juil.-août : 9h30-18h30 ; sept.-juin : 10h-12h, 13h30-17h. Fermé 1er janv. et 25 déc. 2,30€. ☎ 05 65 59 93 30.*
Roquefort Papillon : juil.-août : 9h30-18h30 ; avr.-juin et sept. : 9h30-11h30, 13h30-17h30 ; oct-mars : 9h30-11h30, 13h30-16h30. Fermé 1er janv. et 25 déc. Gratuit. ☎ 05 65 58 50 08.

Quitter Roquefort au Sud par la D 93 vers Fondamente. Continuer sur la D 7.

▶▶ Abbaye de Sylvanès

La Couvertoirade*

Au milieu du plateau du Larzac, cette ancienne possession des templiers dépendant de la commanderie de Ste-Eulalie doit ses fortifications aux hospitaliers : l'enceinte qui la protège fut élevée en 1439 par les chevaliers de Saint-Jean-de-Jérusalem. De belles demeures aux encadrements de portes remarquables sont toujours visibles et contribuent au charme d'une flânerie intemporelle.

Prendre la D 55 vers le Nord, puis la D 7 à droite. En aval d'Alzon, la route descend au fond de la vallée, boisée de chênes et de sapins, puis franchit la Vis qui dessine bientôt des méandres de plus en plus larges sur le fond plat de sa vallée.

Cirque de Navacelles***

C'est le site le plus prestigieux de la vallée de la Vis, entre les causses de Blandas et le Larzac. Il se présente comme un immense et magnifique méandre, profondément encaissé, aux parois presque verticales.
Depuis le **belvédère Nord**, sur le rebord du plateau, on a une vue superbe sur le cirque et le canyon de la Vis. La route de descente dessine quelques lacets à hauteur de la falaise, puis plonge jusqu'au fond du cirque et gagne Navacelles.

▶▶ Gorges de la Vis**

CAUSSE MÉJEAN*

111 km. Quitter Millau au Nord par la N 9, puis suivre à droite la D 907, et aller au-delà de Meyrueis pour prendre à gauche la D 986.

C'est le causse le plus élevé, connu pour la rudesse de son climat : les hivers y sont rigoureux et les étés torrides. Très dépeuplé, le causse Méjean s'étend à l'Est en un immense désert tandis qu'à l'Ouest, des ravins profonds viennent l'échancrer. Avec les chevaux de Przewalski, les sculptures ruiniformes et les vautours fauves qui planent, on se croirait volontiers dans un inquiétant western.

Aven Armand***

Température : 10 °C. Juil.-août : visite guidée (1h) 9h30-19h ; avr.-mai et sept. : 9h30-12h, 13h30-18h ; oct. : 9h30-12h, 13h30-17h. 8€ (enf. : 4€). ☎ 04 66 45 61 31.

Cette merveille du monde souterrain fut découverte par hasard. Elle porte aujourd'hui le nom de son inventeur. Un tunnel, long de 200 m, débouche presque au pied du puits de 75 m. Du balcon où aboutit le tunnel, on jouit d'un spectacle étonnant. Le regard plonge dans une salle immense. Sur les matériaux éboulés de la voûte se sont édifiées d'éblouissantes concrétions, offrant l'image d'une forêt pétrifiée. Ces arbres de pierre peuvent atteindre 15 à 25 m de hauteur.

Le vertigineux spectacle des corniches du causse Méjean.

A. Thuillier/MICHELIN

CAUSSE NOIR*

44 km. Quitter Millau à l'Est par la D110.

Même si c'est le moins étendu des Grands Causses, il se distingue par la puissance des paysages qui l'entourent, les gorges de la Jonte et la vallée de la Dourbie, et la beauté inégalée du chaos de Roquesaltes qu'il abrite. On le dit Noir à cause des anciennes forêts de pins qui le couvraient.

Chaos de Montpellier-le-Vieux***

De déb. avr. à mi-sept.: 9h30-19h; de mi-sept à déb. nov. 10h-18h. 5€ (enf.: 2,50€). ☎ 05 65 60 66 30. Attention, il est facile de se perdre si l'on s'écarte des parcours balisés.

Montpellier-le-Vieux n'est pas une ville mais un extraordinaire ensemble rocheux dû à la corrosion et au ruissellement des eaux de pluie s'exerçant sur la roche dolomitique. Ce lieu est si curieux et si attachant, la végétation y est si belle que l'on y passe volontiers une journée. Une fois franchi le rocher de la Poterne, le sentier offre, du Rempart (alt. 830 m), une vue d'ensemble impressionnante. Les rochers ont reçu d'après leur silhouette des noms évocateurs: la Quille, le Crocodile, le Sphinx, l'Ours, etc.

Revenir à la D110, que l'on suit à droite pour rattraper la D29. Prendre à gauche la D584.

Grotte de Dargilan**

Avr.-sept.: visite guidée (1h) 10h-12h, 14h-17h30 (juil.-août: 10h-18h30); oct.: 10h-12h,14h-16h30. 6,90€ (enf.: 3,80€). ☎ 04 66 45 60 20.

On entre directement dans la Grande Salle du Chaos où l'on voit des concrétions en cours d'édification. Au fond de la Grande Salle, la salle de la Mosquée est très riche en belles stalagmites aux reflets nacrés. Ensuite, on entreprend la descente jusqu'au couloir des Cascades pétrifiées où une superbe draperie de calcite se déploie. La visite se poursuit jusqu'à la salle du Tombeau ornée d'une cascade stalagmitique.

CAUSSE DE SAUVETERRE

84 km. Quitter Millau au Nord par la N9 puis l'A 75 pour gagner La Canourgue.

Pas une parcelle de terre arable qui n'ait été soigneusement mise en culture sur ce causse. Il présente aussi de grands espaces boisés rappelant qu'entre le Lot et le Tarn, les routes sinueuses se faufilent dans le moins aride des quatre Grands Causses.

Sabot de Malepeyre*

Cet énorme rocher de 30 m de haut a été creusé par les eaux qui circulaient autrefois à la surface du causse. Il est percé d'une large baie surmontée d'un arc en anse de panier. De la plate-forme sur laquelle repose le talon du Sabot s'offre une belle vue sur la vallée de l'Urugne et, au loin, sur les monts de l'Aubrac.

Chanac

Tout en haut de ce vieux bourg trône le donjon, unique vestige de la résidence d'été des évêques de Mende. La place du Plô, où se tient le marché le jeudi, a gardé sa tour de l'Horloge.

Le Villard

Dominant la vallée du Lot, ce charmant village flanque une forteresse épiscopale. Au 14e s. fut érigée une enceinte ménageant une place forte qui permit aux populations alentour d'échapper aux ravages des Grandes Compagnies.

Moissac**

Dans un cadre d'eau et de verdure, entouré de coteaux couverts de vergers et de vignobles, Moissac s'élève autour de son abbaye, sur la rive droite du Tarn et de part et d'autre du canal latéral à la Garonne. L'été, pour ne rien gâcher, son Festival de jazz réveille ses vieilles pierres... et ça swingue à Moissac!

La situation

12 321 Moissagais – Cartes Michelin Local 337 C-E 7, Regional 526 – Le Guide Vert Midi-Pyrénées – Tarn-et-Garonne (82). Pour atteindre l'abbaye lorsqu'on arrive à Moissac en voiture, une seule solution: suivre la signalisation.

Pl. Durand-de-Bredon, 82200 Moissac, ☎ 05 63 04 01 85.

Pour poursuivre la visite, voir aussi: CAHORS, ALBI, TOULOUSE, AUCH.

visiter

Église St-Pierre*

Importante étape sur la route de Compostelle, l'abbaye bénédictine rayonne de tous ses feux à l'époque romane. L'église St-Pierre ne garde de l'édifice d'origine que le clocher-porche qui fut fortifié vers 1180.

carnet pratique

RESTAURATION

• *Valeur sûre*

Chapon Fin – *82200 Moissac - ☎ 05 63 04 04 22 - fermé 15 au 30 nov. et lun. de nov. à Pâques - 16,77€ déj. - 22,87/33,54€.* Sur la place du marché et à deux pas de l'abbaye romane, adresse où vous serez traité comme des « coqs en pâte » : quelques chambres rénovées, accueillante salle à manger et cuisine classique. En saison, goûtez au fameux chasselas doré de Moissac.

La Table de Virginie – *13 r. des Soubirous-Hauts - 82000 Montauban - 30 km au SE de Moissac par N 113 puis D 958 - ☎ 05 63 20 37 93 - 10€ déj. - 16/26€.* Tout nouveau, ce restaurant, situé face au presbytère, vous invite à goûter la cuisine du Sud-Ouest. La salle aux tons ensoleillés se termine par une grande cheminée. La carte des vins fait honneur aux crus locaux.

HÉBERGEMENT

• *À bon compte*

Le Carmel – *5 sente du Calvaire - 82200 Moissac - ☎ 05 63 04 62 21 - ✗ - 28 ch. : 9,50/19€ - ☕ 4€ - repas 11€.* Ce centre international d'accueil et de séjour, construit dans une zone de bois protégés, abritait jadis un carmel. Les cellules des sœurs sont devenues les chambres, un rien monacal.

Le tympan du **portail méridional★★★**, exécuté vers 1130, compte parmi les chefs-d'œuvre de la sculpture romane. La majesté de sa composition, l'ampleur des scènes traitées, l'harmonie des proportions sont d'une puissance et d'une beauté auxquelles la maladresse de certains gestes et la rigidité de quelques attitudes ne font qu'ajouter un charme supplémentaire.

Le thème traité est celui de la Vision de l'Apocalypse. Trônant au centre de la composition, le Christ, serrant dans la main gauche le Livre de la Vie, lève la main droite dans un geste de bénédiction. Il est entouré des Évangélistes, représentés par leurs symboles : un jeune homme ailé (saint Matthieu), un lion (saint Marc), un taureau (saint Luc) et un aigle (saint Jean). Le reste du tympan est occupé par les 24 vieillards de l'Apocalypse. L'ensemble, avec sa composition axée sur le personnage principal vers qui convergent tous les regards, atteint une rare intensité. On ne se lasse pas de détailler la beauté et l'élégance des formes, la perfection du modelé et des draperies, la précision des détails, l'expression des visages.

Les deux figures longilignes de saint Paul, à gauche, et de Jérémie, à droite, sont sculptées sur les faces latérales du trumeau, tandis que sur les piédroits apparaissent saint Pierre, patron de l'abbaye, et le prophète Isaïe. La nef a conservé une partie de son mobilier. Remarquer une Vierge de Pitié de 1476, un admirable **Christ★** roman du 12e s. et une Mise au tombeau de 1485.

S. Sauvignier/MICHELIN

Le prophète Jérémie sur le portail de l'église St-Pierre de Moissac, chef-d'œuvre de la sculpture romane.

Cloître★★

Accès par l'Office de tourisme. ♿ Juil.-août : 9h-19h ; sept.-juin : 9h-18h ; avr.-mai : 9h-12h, 14h-18h ; oct.-mars : 10h-12h, 14h-17h. Fermé 1er janv. et 25 déc. Billet jumelé avec le musée 5€. ☎ 05 63 04 01 85.

Remarquable par la légèreté de ses arcades et de ses colonnes, alternativement simples ou géminées, l'harmonie des tons de ses marbres – blanc, rosé, vert, gris – et la richesse de sa décoration sculptée, ce cloître de la fin du 11e s., qu'ombrage un grand cèdre, dégage un charme incomparable.

alentours

Montauban★

27 km au Sud-Est de Moissac par la N 113 puis la D 958. À la limite des collines du bas Quercy et des riches plaines alluviales de la Garonne et du Tarn, Montauban est une cité qui mérite une halte, ne serait-ce que pour visiter ses vieux quartiers de brique rouge, son musée exceptionnel consacré à Ingres, et son pont Vieux du 14e s.

Musée Ingres★ – *Juil.-août: 9h30-12h, 13h30-18h; sept.-juin: tlj sf lun. 10h-12h, 14h-18h (de mi-oct. aux Rameaux: fermé dim. matin). Fermé 1er janv., 1er mai, 14 juil., Toussaint et 25 déc. 4€, gratuit 1er dim. du mois.* ☎ 05 63 22 12 91.

Au 1er étage, après une salle consacrée à la tradition classique chez Ingres, d'où ressort son admirable composition de *Jésus parmi les docteurs*, achevée à l'âge de 82 ans, une grande pièce renferme de nombreuses esquisses, des études d'académie, des portraits, et le *Songe d'Ossian*, vaste toile exécutée en 1812 pour la chambre à coucher de Napoléon à Rome. Des œuvres de David, Chassériau, Géricault et Delacroix complètent cette présentation.

Au rez-de-chaussée, la salle consacrée à **Bourdelle** permet de suivre l'évolution de l'artiste. On y découvre son *Héraclès archer* en plâtre patiné, des bustes de Beethoven, de Rodin, et, bien sûr, d'Ingres.

Face au musée, en bordure du square, remarquez l'admirable bronze du ***Dernier centaure mourant***★, une œuvre puissante et ramassée de Bourdelle (1914).

UN MAÎTRE DU DESSIN...

Né à Montauban en 1780, d'un père artisan-décorateur qui lui donne de solides bases en musique et en peinture, Jean Auguste Dominique Ingres devient à Paris l'élève de David. Grand prix de Rome à 21 ans, il se fixe près de vingt ans en Italie avant d'ouvrir un atelier et fonder une école à Paris. Il est surtout reconnu comme un extraordinaire dessinateur, touchant à la perfection grâce à la pureté et à la précision de son trait, et il a laissé d'innombrables portraits et études, exécutés en général à la mine de plomb. Comblé d'honneurs, il mourut à 85 ans, léguant à sa ville natale un ensemble de plusieurs milliers d'œuvres, aujourd'hui déposées au musée qui porte son nom.

Place Nationale★

Après deux incendies successifs, les arcades ont été reconstruites en brique au 17e s. Voûtées en arcs brisés ou en plein cintre, elles offrent une double galerie: l'intérieur était une simple voie de circulation tandis que l'extérieur était réservé aux marchands. Il en résulte une place, qui frappe par une homogénéité non dépourvue d'une fantaisie bienvenue d'autant que les tons chauds de la brique atténuent la rigueur de la composition. Le marché quotidien qui s'y tient chaque matin ajoute à l'ensemble une touche de couleur, aussi bien visuelle qu'auditive.

Principauté de Monaco★★★

Décor d'opérette sur le Rocher, palaces et casinos rococo, paradis du jeu, architecture californienne ou «bonsaï» sur la côte Est, ville de parade et ville policée, une famille princière: Monaco, c'est tout cela à la fois, mais c'est aussi de superbes jardins, un Musée océanographique remarquable et des hôtels... abordables.

La situation

29876 habitants, dont 5000 citoyens monégasques – Cartes Michelin Local 341 F 5, Regional 528 – Le Guide Vert Côte d'Azur. L'État souverain sur ses 1,5 km² comprend le Rocher de Monaco (vieille ville) et Monte-Carlo (ville neuve) réunis par la Condamine (le port), Fontvieille à l'Ouest (l'industrie) et le Larvotto à l'Est (la plage). ℹ *2a bd des Moulins, 98030 Monaco,* ☎ *00377 92 16 61 66.*

Pour poursuivre la visite, voir aussi: NICE, CANNES, LE MERCANTOUR.

comprendre

Les Grimaldi – Dans le cadre de la lutte des Guelfes contre les Gibelins, François Grimaldi, expulsé de Gênes, s'empare de Monaco en 1297, déguisé en moine ainsi que ses hommes, mais il ne peut s'y maintenir. Un autre Grimaldi achète aux Genois la seigneurie de Monaco en 1308 et, depuis, le nom et les armes des Grimaldi sont toujours portés par les héritiers du titre.

La naissance de Monte-Carlo – En 1856, afin de se créer des ressources, le prince de Monaco autorise l'ouverture d'une maison de jeux. Celle-ci s'installe à Monaco modeste et unique ville de la principauté. En 1862, une autre bâtisse est élevée sur l'ancien plateau des Spélugues ou Monte-Carlo: elle est isolée. Tout change lorsque François Blanc, directeur du casino de Bad Homburg, ville d'eaux de la Hesse, en devient concessionnaire. Grâce à ses talents et à ses capitaux, il réussit là où ses prédécesseurs s'étaient ruinés. Toute l'aristocratie d'Europe en villégiature défile dans les palaces, le casino et l'opéra de Monte-Carlo.

Une économie florissante – Attirant sur son sol le tourisme par ses manifestations sportives ou culturelles, et des sociétés étrangères en quête de privilèges fiscaux Monaco n'a cessé de se construire... jusqu'à occuper tout l'espace disponible. Qu'à cela ne tienne! On décida de remblayer la côte: 22 % du territoire ont été ainsi gagnés sur la mer.

carnet pratique

Restauration

• Valeur sûre

Le Jazz – *3 r. de la Turbie - 98000 Monaco - ☎ 00 377 97 70 50 24 - fermé août, sam. midi et dim. - réserv. conseillée le w.-end - 11,89€ déj. - 18,29/42,69€.* L'endroit ressemble à une boîte de jazz : cadre moderne feutré où domine le rouge, sièges originaux aux immenses dossiers, tableaux évoquant la célèbre musique noir-américaine. Forte clientèle locale à midi. Le soir, ambiance plus intime sur fond de musique jazzy.

Richart – *19 bd des Moulins - 98000 Monaco - Monte-Carlo - ☎ 00 377 93 30 15 06 - fermé dim. sf en déc. - 24,41/34,63€.* Cette boutique de chocolats est aussi un salon de thé très chic avec sa jolie salle grise et blanche. Carte alléchante de salades, tartes salées, pâtisseries, thés et chocolats de la maison, d'origines diverses.

Hébergement

• Valeur sûre

Hôtel de France – *6 r. de la Turbie - 98000 Monaco - près de la gare - ☎ 00 377 93 30 24 64 - 26 ch. : 61/71€ - ☕ 8€.* Cet hôtel vient de s'offrir une sympathique cure de jouvence : chambres bien insonorisées, parées de jolies couleurs provençales ; salle des petits déjeuners moderne garnie d'un plaisant mobilier en bois et métal.

• Une petite folie !

Alexandra – *98000 Monte-Carlo - ☎ 00 377 93 50 63 13 - 56 ch. : 89/140€ - ☕ 13€.* La façade richement ouvragée témoigne du goût ostentatoire de la Belle Époque. Petit déjeuner servi uniquement dans les chambres, dont les aménagements sont fonctionnels.

Sorties

Casino de Monte-Carlo – *Pl. du Casino - 98000 Monaco - ☎ 00 377 92 16 20 00 - www.casino-monte-carlo.com - tlj 12h jusqu'au départ du dernier client.* Premier casino d'Europe, avec plus d'un milliard de chiffre d'affaires (obtenu à 70 % avec des jeux européens et non avec des machines à sous comme dans les autres casinos). Il faut voir les salons de jeux majestueux et le luxueux restaurant au décor de train (Le Train Bleu). La terrasse donnant sur la mer vous offrira une quiétude incomparable que vous ressortiez les poches vides ou pleines.

se promener

LE ROCHER DE MONACO**

Le promontoire, couronné des remparts de la vieille ville et surplombant la mer, offre un véritable décor de théâtre, avec de jolies maisons du 18e s., fraîchement colorées d'un même rose saumon, serrées dans un lacis de ruelles. Vous êtes au cœur de la principauté, là où se trouvent les principales attractions.

Musée océanographique**

♿ *Juil.-août : 9h-20h ; avr.-sept. : 9h-19h ; oct.-mars : 10h-18h. Fermé dim. du Grand Prix automobile de Monaco. 11€. ☎ 00 377 92 16 77 93. www.oceano.mc*

L'**aquarium**** héberge quelque 4 500 locataires répartis en deux zones, tropicale et méditerranéenne. L'impressionnant lagon aux requins présente une barrière de corail et de grands prédateurs des fonds marins. Dans le musée proprement dit, après avoir été accueilli par un crabe du Japon de 2 m d'envergure, vous découvrirez, dans l'atrium, une remarquable collection de coquillages et nacres ouvragés. Dans la **salle océanographie physique*** sont exposés des squelettes de mammifères marins : orque, cachalot, lamantin, narval et une baleine de 20 m.

Indissociable de la vie mondaine de la principauté, le casino de Monte-Carlo figure dans de nombreuses scènes de films..

B. Kaufmann/MICHELIN

Palais princier★

Juin-sept. : 9h30-18h30 ; oct. : 10h-17h. 6€. ☎ 00 377 93 25 18 31. www.palais-princier.mc
Construit sur la forteresse génoise du 13e s., ce somptueux palais, précédé d'un portail aux armes des Grimaldi, date du 17e s. De la galerie d'Hercule, décorée de fresques des Ferrari, on admire la cour d'honneur ornée de 3 millions de galets. La galerie des Glaces mène aux Grands Appartements et à la salle du Trône, où ont lieu depuis le 16e s. les réceptions officielles.

▶▶ Musée des Souvenirs napoléoniens et Collection des Archives historiques du Palais★ ; Musée national : Automates et Poupées d'autrefois★ ; Collection de voitures anciennes★ ; Musée naval

Rampe Major

Sous de vieilles portes datant des 16e, 17e et 18e s., elle descend vers la place d'Armes de la Condamine, où se tient un marché tous les matins.

Jardin exotique★★

De mi-mai à mi-sept. : 9h-19h ; de mi-sept. à mi-mai : 9h-18h ou tombée de la nuit selon les mois. Fermé 19 nov. et 25 déc. 6,40€ (billet combiné avec la grotte de l'Observatoire et le musée d'Anthropologie préhistorique). ☎ 00 377 93 15 29 80.
Dépaysement garanti dans cette insolite collection de cactées qui apprécient le microclimat exceptionnel d'un jardin suspendu le long d'une falaise rocheuse. Depuis les allées, **panorama**★ grandiose sur la principauté, le cap Martin et la Riviera italienne.

MONTE-CARLO★★★

À l'Est de la principauté, ce nom, célèbre dans le monde entier, évoque le jeu, les caprices de la fortune, le rallye automobile, et aussi un cadre majestueux avec ses palaces, ses casinos, ses riches villas, ses magasins luxueux, ses terrasses fleuries, ses arbres et ses plantes rares.

Casino

Accès interdit -21 ans. Ouv. à partir de 12h. 10€. Pièce d'identité obligatoire. ☎ 00 377 92 16 24 29.
Charles Garnier a construit en 1878 la façade côté mer et le théâtre-opéra, scène des Ballets russes. Cette compagnie fondée en 1909 à St-Pétersbourg par Diaghilev s'installa à Monte-Carlo après 1917. Elle prit son essor grâce à Nijinski et devint le carrefour de l'avant-garde, attirant les plus grands chorégraphes, danseurs, peintres et musiciens. Les Ballets russes de Monte-Carlo continuèrent sous l'égide de directeurs et artistes illustres, comme le marquis de Cuevas, jusqu'en 1962.

▶▶ Jardin japonais★

Le Mont-Dore

Sur les bords de la Dordogne naissante, dans un cirque de montagnes dominé par le puy de Sancy, Le Mont-Dore, station thermale, est aussi un centre de sports d'hiver. Des sentiers balisés permettent de découvrir la beauté du paysage volcanique. En été, la station dispose de nombreux équipements de loisirs.

La situation

1 682 Montdoriens – Cartes Michelin Local 326 D-E 7-9, Regional 522 – Le Guide Vert Auvergne – Puy-de-Dôme (63). À 45 km au Sud-Ouest de Clermont-Ferrand, on accède au Mont-Dore par la N 89 puis la D 983 à gauche, après le col de la Ventouse. La plus jolie arrivée s'effectue par le col de la Croix-Morand et la D 996.

Av. de la Libération, 63240 Le Mont-Dore, ☎ 04 73 65 20 21. www.mont-dore.com

Pour poursuivre la visite, voir aussi : CLERMONT-FERRAND, SALERS.

Grand monolithe, la roche Sanadoire encadre la vallée de Fontsalade avec la roche Tuilière.

carnet pratique

RESTAURATION

• ***À bon compte***

Le Bougnat – *23 r. Georges-Clemenceau - 63240 Le Mont-Dore - ☎ 04 73 65 28 19 - fermé 10 nov. au 15 déc. - réserv. obligatoire - 14/21,50€.* Dans ce vieux buron restauré, le décor typique a été fidèlement restitué. Vous serez accueilli dans son ancienne étable avant de monter dans l'ancienne pièce à vivre, avec son vieux lit clos, sa « souillarde », pour déguster une vraie cuisine auvergnate !

Auberge de l'Âne – *Les Arnats - 63710 St-Nectaire - 8 km au N de St-Nectaire par D 150 et D 643 - ☎ 04 73 88 50 39 - fermé oct. et lun.-mar. sf juil.-août - réserv. obligatoire - 13/21€.* Nichée dans un minuscule hameau sur les hauteurs de St-Nectaire, cette auberge de pays sert depuis quarante ans une cuisine bien auvergnate dans une salle toute simple, avec nappes en toile cirée et serviettes en papier. Bon rapport qualité/prix.

HÉBERGEMENT

• ***À bon compte***

Hôtel Les Bourelles – *63240 Le Mont-Dore - ☎ 04 73 65 82 28 - fermé 2 oct. à Pâques - ⊭ - 7 ch. : 23/29€ - ☕ 5€.* Un petit hôtel tout simple, style pension de famille, dans un jardin abondamment fleuri en été. Vous y serez choyé par les charmants propriétaires et si les chambres sont très modestes, avec leur lavabo et leur bidet, elles sont impeccables... et pas chères du tout !

Central Hôtel – *63113 Picherande - 5 km à l'O du lac Chauvet par D 203 - ☎ 04 73 22 30 79 - fermé 30 sept. au 1er déc. et le midi - 16 ch. : 13,80/27,40€ - ☕ 4,50€.* Dans le village, la maison familiale de 1930 au décor désuet est modeste mais impeccablement tenue. Menus simples et pas chers. Pas de sanitaire dans les chambres, à ce prix là, ce n'est pas le grand confort mais cela dépanne. Ambiance familiale.

Régina – *St-Nectaire-le-Bas-Est - 63710 St-Nectaire - 25 km à l'E du Mont-Dore par D 996 - ☎ 04 73 88 54 55 - fermé nov. et déc. - P - 24 ch. : 33,54/51,83€ - ☕ 5,18€ - restaurant 14,48/19,82€.* Vous ne pourrez pas manquer la petite tour qui se dresse à l'angle de cet hôtel construit en 1904. Les chambres sont un peu petites mais claires et bien tenues. La salle à manger a conservé son décor d'époque dans le style Art déco. Piscine d'été chauffée.

ACHATS

Ferme Bellonte – *Farges - 63710 St-Nectaire - ☎ 04 73 88 52 25 - les Mystères de Farges : vac. scol. : tlj 10h-12h, 14h-19h ; la ferme : tlj 7h45 (traite des vaches), 8h30-10h30 (fabrication), 17h (traite des vaches), 17h-19h (fabrication).* La famille Bellonte, producteurs de saint-nectaire, vous accueille avec passion dans sa ferme. Traite des vaches, différentes étapes de fabrication et caves d'affinage en tuf volcanique.

séjourner

Établissement thermal

De déb. mai à mi-oct. : visite guidée (3/4h) sur demande tlj sf dim. à 14h, 15h, 16h et 17h ; de mi-oct. à fin avr. : tlj sf w.-end à 15h. Fermé vac. de Noël. 2,70€. ☎ 04 73 65 05 10.

Construit de 1817 à 1823, agrandi et modernisé depuis, sa décoration intérieure comporte de multiples références à l'art byzantin, à l'architecture romaine ainsi qu'à l'art roman auvergnat. Les aménagements les plus remarquables sont le hall des Sources et la salle des Gaz thermaux, la **galerie César★** et la **salle des Pas perdus★**. Les eaux étaient déjà exploitées par les Gaulois dans des piscines dont on a découvert les vestiges sous les thermes romains. C'est seulement sous Louis XIV que la station retrouva une clientèle. Puis la vogue vint au 19e s., grâce aux travaux du Dr Bertrand et au séjour qu'y fit la turbulente duchesse de Berry, en 1821. Ces eaux, les plus siliceuses de France, chargées de gaz et d'acide carboniques, émergent de filons de lave ; leurs températures varient de 38 à 44 °C. Elles sont utilisées dans le traitement de l'asthme, des affections respiratoires et des rhumatismes.

Station de sports d'hiver✻

À 4 km au Sud de la ville thermale, elle bénéficie des nombreuses infrastructures mises en place pour les curistes (hébergement, patinoire, piscine, distractions). La saison d'hiver permet la pratique du ski alpin (y compris monoski et snowboard), du ski de fond, de la randonnée en raquettes et de l'escalade sur cascade glacée.

circuit

MASSIF DU SANCY★★★

85 km.

Entre le Cézallier au Sud et les dernières coulées des monts Dôme au Nord, le massif des monts Dore est un ensemble assez complexe de plusieurs massifs volcaniques, le résultat d'une longue histoire de près de 3 millions d'années. Surgi il y a 900 000 ans, le massif du Sancy est le plus jeune d'entre eux. C'est peut-être ce qui lui vaut son profil alpestre. L'hiver, les formes sont nettes, dures, comme purifiées.

À la fin du printemps, les dernières plaques de neige finissent de disparaître, laissant place au lys martagon, à la grande gentiane et à l'anémone soufrée. En toute saison, on apprécie l'ampleur des cirques délicatement modelés par les glaciers, les grandes forêts de sapins ou de hêtres, qui cèdent vite le pas aux immenses prairies d'altitude où viennent les troupeaux en transhumance. Une faune et une flore originales, un patrimoine bâti intéressant, des cascades d'eau vive et des lacs bleus, immobiles et profonds, composent cette terre de magie.

Quitter Le Mont-Dore par l'Est en empruntant la D 983, puis prendre à gauche la D 36.

Col de la Croix-St-Robert

Du col (1 426 m), superbe **panorama**★★ à l'Ouest sur le plateau de Millevaches, à l'Est sur le lac Chambon, le plateau et le château de Murol et, à l'horizon, les monts du Forez et du Livradois. La descente du col vers Besse-en-Chandesse s'effectue à travers le plateau de Durbise aux immenses pâturages.

Vallée de Chaudefour★★

Les pentes élevées et les sommets sont entamés par des ravins dénudés ou hérissés de roches que l'érosion a dégagées et sculptées en profils étranges. Les passionnés de géologie découvriront d'intéressants échantillons de roches volcaniques, et les amateurs d'alpinisme y trouveront de multiples possibilités d'escalade.

Besse-en-Chandesse★

C'est un lieu de séjour idéal pour rayonner dans le massif du Sancy et pratiquer les sports d'hiver. En été, une foule bigarrée se presse devant les étals des petits marchés de pays qui proposent charcuterie et fromages.

Lac Pavin★★

À 1 197 m d'altitude, ce lac de cratère, l'un des plus beaux d'Auvergne, est enchâssé dans les forêts et de superbes rochers. Les eaux du lac sont peuplées d'ombles chevaliers et de truites atteignant parfois un poids prodigieux. On peut y pêcher et canoter à loisir.

Le Lac Pavin, pierre bleue enchâssée dans la forêt.

Lac Chauvet

Comme le lac Pavin, il remplit un cratère d'explosion. D'une profondeur de 63 m, il était autrefois enfermé par le bois Noir et le bois de Maubert. Des entailles y ont été pratiquées, dégageant bien les rives.

Revenir vers la D 203 et prendre à gauche. Après 12 km, suivre à droite la D 88.

La Tour-d'Auvergne

En limite de l'Artense et tout près de Tauves, cette petite ville s'élève à 990 m d'altitude sur un plateau basaltique qui se termine en colonnes prismatiques régulières, visibles près de l'église. Le champ de foire, établi à la surface de ces prismes, semble fait de pavés géants. Les seigneurs de La Tour d'Auvergne, connus dès le 12e s., devinrent comtes d'Auvergne en 1389.

Roche Vendeix★

1/2h à pied AR. La roche Vendeix, dont les flancs abrupts laissent voir les prismes basaltiques, constituait un emplacement de choix pour une forteresse. Celle qui servit de repaire à Aimerigot Marcheix n'a laissé que quelques traces. Du sommet (alt. 1 131 m), beau panorama sur La Bourboule et les monts Dore.

▶▶ La Bourboule‡‡

alentours

Château de Murol**

19 km à l'Est du Mont-Dore, par la D 996. Avr.-oct. : 10h-12h, 13h-18h (juil.-août : mer. et sam. 10h-19h, dernière entrée 1/2h av. fermeture) ; nov.-mars : w.-end, j. fériés et vac. scol. 14h-17h. 3,20€. Visites animées (1h1/2, personnages en costume) juil.-août : tlj sf mer. et sam. dép. tous les 3/4h 10h-11h30, 13h30-17h30 ; mars-juin et sept.-nov. : sur demande. Fermé 14 juil. 6,90€ (enf. : 4,60€). ☎ 04 73 88 67 11.

Cette fière forteresse déchue occupe le sommet d'une butte recouverte d'une épaisse couche de basalte à proximité du **lac Chambon****.

Dans la cour basse se dresse le pavillon Renaissance. Au Nord s'élève le château central. À côté du donjon, relié à une tour de moindres dimensions par une courtine, se trouvent les chapelles. Une rampe d'accès conduit à une élégante porte, décorée des armoiries des Murol et de Gaspard d'Estaing. Dans la cour intérieure, remarquez la galerie que surmontait la salle des Chevaliers, les cuisines, la boulangerie et ses dépendances. On peut emprunter le chemin de ronde pour faire le tour du château central (quelques passages vertigineux) et monter ensuite au sommet du donjon d'où se dégage un beau **panorama*** sur Murol, la vallée de la Couze, le lac Chambon, les monts Dore, le Tartaret et, au loin, sur le Livradois.

> **TRANSPORTEZ-VOUS EN PLEIN MOYEN ÂGE**
>
> Depuis quelques années, le château a bénéficié d'importants aménagements : afin de le faire revivre comme au Moyen Âge, des **visites animées*** y sont organisées par les Compagnons de Gabriel.

Saint-Nectaire*

25 km à l'Est du Mont-Dore, par la D 996. Le mont Cornadore, qui porte St-Nectaire et dont le nom signifie « réservoir des eaux », était habité dès l'époque celtique. Les Romains y établissent des thermes. Au Moyen Âge s'installe un prieuré bénédictin dépendant de l'abbaye de La Chaise-Dieu. Le nom de « saint-nectaire » s'applique aussi à un fromage de caractère bien connu des gastronomes.

L'**église St-Nectaire****, construite vers 1160, relève de l'art roman auvergnat. Elle s'apparente aux autres églises majeures du roman auvergnat (N.-D.-du-Port à Clermont-Ferrand, St-Austremoine d'Issoire, N.-D.-d'Orcival, St-Saturnin).

La façade Ouest s'orne d'une humble porte en plein cintre. Le chevet, en revanche, d'une magnifique ordonnance, est couronné d'un clocher reconstruit au 19e s. Sa décoration est sobre : délicate frise de mosaïques figurant des rosaces, arcatures aveugles aux fines colonnettes, petits murs pignons.

L'intérieur est remarquable par l'harmonieuse unité de son style. Cent trois magnifiques **chapiteaux**** ornent la nef et le chœur ; ils valent par la vivacité d'imagination et le sens de la composition déployés par l'artiste. Ils illustrent des épisodes de l'Ancien et du Nouveau Testament, des scènes de l'Apocalypse, des miracles de saint Nectaire, et les thèmes du bestiaire, traités avec charme et fantaisie.

Le **trésor****, pillé pendant la Révolution, possède encore de très belles œuvres : le **buste de saint Baudime****, en cuivre doré (12e s.) ; la Vierge du mont Cornadore (12e s.), en bois marouflé polychrome ; un bras-reliquaire (15e s.) de saint Nectaire en argent repoussé.

Orcival**

18 km au nord du Mont-Dore. Prendre la D 983 puis la D 27. En limite du massif du Sancy et de la chaîne des Puys, niché dans un frais vallon qu'arrose le Sioulet, Orcival possède une superbe basilique romane, fondée par les moines de La Chaise-Dieu, et une Vierge en majesté, vénérée et admirée.

La basilique Notre-Dameaa fut vraisemblablement élevée dans la première moitié du 12e s. Les volumes du chevet se superposent harmonieusement jusqu'à la flèche du clocher octogonal. Les vantaux des trois portes ont conservé leurs pentures romanes ; les plus ornées, de rinceaux et de têtes humaines, se trouvent sur la porte Sud (dite St-Jean). Sous les arcatures du transept Sud sont suspendues des chaînes, ex-voto de captifs délivrés.

On ressent une impression de plénitude lorsque l'on entre dans l'édifice. Le regard est alors attiré par l'enfilade des piliers vers le chœur, baigné de lumière. Les chapiteaux intéressants dans le déambulatoire sont sculptés d'animaux fabuleux, d'oiseaux, de poissons, de démons. Derrière le maître-autel, sur une colonne, trône la **Vierge*** en majesté ouvrant largement ses longues mains de lumière.

Montélimar

Prononcez le nom de Montélimar et, en écho, vous reviendra le mot « nougat ». C'est dire la popularité de cette friandise dont la cité, forte de sa position charnière qui ouvre sur l'Ardèche et la Drôme provençale, s'est fait une spécialité. Mais la gourmandise n'est pas le seul attrait d'une ville à l'ambiance déjà provençale, renommée pour ses cafés littéraires comme pour son musée de la Miniature.

La situation

31 344 Montiliens – Cartes Michelin Local 332 C-D 6-7, Regional 524 – Le Guide Vert Lyon et la vallée du Rhône – Drôme (26). Des neuf portes que comportait l'enceinte, seule subsiste la porte St-Martin au Nord, qui donne accès au centre de la cité. La ville est agrémentée par les allées piétonnières récemment aménagées, les Allées Provençales : elles protègent les promeneurs des assauts du soleil, leur permettant de profiter en toute quiétude des terrasses de café pour une pause rafraîchissante, ou de lécher les vitrines des nombreuses boutiques de spécialités régionales.

Allées Provençales, 26200 Montélimar, ☎ 04 75 01 00 20. www.montelimar.net

Pour poursuivre la visite, voir aussi : VALENCE, ORANGE, GORGES DE L'ARDÈCHE.

carnet pratique

Restauration

• *À bon compte*

Le Grillon – *40 r. Cuiraterie - 26200 Montélimar - ☎ 04 75 01 79 02 - fermé 5 au 22 juil., dim. soir et lun. - 11,50€ déj. - 13,50/27,50€.* Dans une petite rue de la vieille ville, ce restaurant à la façade discrète cache en fait une grande salle au fond de son couloir. Le jeune chef sert une cuisine enlevée. Plusieurs menus à prix tout doux.

Francis « Les Senteurs de Provence » – *202 Rte de Marseille - 26200 Montélimar - 2,5 km au S de Montélimar par N 7 - ☎ 04 75 01 43 82 - fermé 25 juil. au 22 août, mar. soir, dim. soir et mer. sf j. fériés - 15/26€.* Une maison bien connue des habitants de la ville. Légèrement en dehors de Montélimar, avec sa façade neuve, son décor coloré et son mobilier récent, elle fait salle comble autour de ses menus gourmands... servis à des prix très étudiés. Bon appétit !

• *Valeur sûre*

La Charrette Bleue – *26110 Nyons - 7 km au NE de Nyons sur D 94 (rte de Gap) - ☎ 04 75 27 72 33 - fermé 28 oct. au 6 nov., 18 déc. au 31 janv., mar. soir de sept. à juin, dim. soir de mi-sept. à mars et mer. - 15€ déj. - 20/30€.* Oui, une charrette bleue s'est perchée sur le toit de ce joli mas coiffé de tuiles romaines ! Si le soleil est trop vif pour rester en terrasse, préférez la fraîcheur de sa salle à manger dotée de poutres apparentes et dalles anciennes. Cuisine régionale dans les règles de l'art.

Hébergement

• *À bon compte*

Provence – *118 av. Jean-Jaurès - 26200 Montélimar - ☎ 04 75 01 11 67 - fermé 15 janv. au 15 fév. et sam. de nov. à fév. - P - 16 ch. : 27/42€ - ☕ 5,50€.* Cet hôtel tenu par un couple d'Alsaciens et leur fille est certes modeste mais propre. Ses petites chambres, toutes semblables, sont claires et nettes. Une adresse utile, sans prétention.

• *Valeur sûre*

Printemps – *26200 Montélimar - ☎ 04 75 92 06 80 - hotelprintemps @ifrance.com - P - 11 ch. : 59,46/67,08€ - ☕ 8,38€ - restaurant 19,06/27,44€.* Au Printemps, on profite du coin piscine style renaissance italienne et l'on *fa niente* à l'ombre des platanes. Chambres bien équipées.

Hôtel Picholine – *Prom. Perrière - 26110 Nyons - 1 km au N de Nyons par prom. des Anglais - ☎ 04 75 26 06 21 - fermé 2 au 25 fév. et 13 oct. au 5 nov. - P - 16 ch. : 52/66€ - ☕ 7€ - restaurant 21,50/37€.* Halte paisible sur les collines de Nyons, dans cette grande bâtisse bordant une voie privée. Son jardin, sa piscine à l'ombre du feuillage léger des oliviers et sa belle terrasse séduiront les amateurs de farniente. Chambres fonctionnelles, parfois dotées d'un balcon.

Achats

Nougat Chabert et Guillot – *9 r. Charles-Chabert - 26200 Montélimar - ☎ 04 75 00 82 00 - lun.-sam. 8h-12h30, 14h-19h ; mar.-ven. 8h-19h15 - fermé j. fériés.* Pour les spécialistes comme pour le grand public, cette maison fondée en 1913 est LE nougatier de Montélimar. Sa renommée est telle qu'on ne compte plus les anciens employés, devenus patron de fabrique et qui se revendiquent maintenant comme ses disciples... Le cas le plus célèbre demeure celui du Rucher de Provence fondé en 1938 par Marcel Tournillon, neveu d'Henri Guillot.

Coopérative du Nyonsais – *Pl. Olivier-de-Serres - 26110 Nyons - 50 km au SE de Montélimar par N 7, D 133, D 541, D 941 et D 538 - ☎ 04 75 26 95 00 - lun.-sam. 8h45-12h15, 14h-18h.* Depuis 1923, cette coopérative commercialise toute une gamme de produits régionaux tels que vins de pays et côtes-du-rhône, huiles d'olive et produits dérivés, tilleul, miel, noix, jus d'abricot et plantes aromatiques. La boutique est vaste et l'accueil courtois.

La saga du nougat

Dans l'Antiquité, il était une gourmandise à base de miel, de noix et d'œufs dont le gastronome latin Apicius nous a livré la recette, le *nucatum*. Hélas, après les invasions barbares, le nucatum sombra dans un regrettable oubli. Au 16e s., cependant, apparut près de Marseille une friandise, également à base de noix, d'où son nom provençal de nougat. Mais le véritable nougat, le nôtre, était encore à venir : il fallut attendre qu'en 1650 Olivier de Serres acclimate l'amandier, originaire d'Asie, dans son domaine vivarois du Pradel. Dès lors, le destin de Montélimar était scellé. Sa position stratégique, entre le plateau des Gras où la culture des amandes s'était généralisée, et la Provence et les Alpes, riches en miel, ne pouvait que faire un jour germer l'idée de mélanger les unes à l'autre : une industrie était née, qui prit l'ampleur que l'on connaît lorsque des usines se créèrent dans la première moitié du 20e s. Souvent copié, rarement égalé, le nougat de Montélimar a donné à sa ville natale une renommée universelle.

se promener

Montélimar se donne une allure méridionale en aménageant les **Allées provencales★**, larges voies semi-piétonnes qui regroupent plusieurs boulevards sur plus de 1 km. Devenues une halte de verdure incontournable, elles protègent le promeneur des assauts du soleil montilien ; il pourra ainsi en toute quiétude profiter des terrasses de cafés pour une pause rafraîchissante, ou lécher les vitrines des boutiques de spécialités régionales.

Vieille ville

La place du Marché avec ses façades colorées, ses balcons en fer forgé et ses arcades, c'est déjà la Provence ! Et la place Émile-Loubet est bordée au Nord par la maison de Diane de Poitiers qui présente une belle façade percée de fenêtres à meneaux.

Château

Juil.-août : 9h30-11h30, 14h-18h ; avr.-oct. : 9h30-11h30, 14h-17h30. Fermé 1er janv. et 25 déc. 3,50€. ☎ 04 75 00 62 30.

La forteresse primitive a été agrandie au 14e s. sous la domination papale. Elle servit de prison de 1790 à 1929. La visite se limite au logis seigneurial et au chemin de ronde.

Musée de la Miniature★

Juil.-août : 10h-18h ; sept.-juin : tlj sf lun. et mar. 14h-18h. Fermé janv., 1er nov. et 25 déc. 4,90€ (enf. : 3,35€). ☎ 04 75 53 79 24.

Le succès du Festival international de la miniature est à l'origine de cette exposition installée dans la chapelle de l'ancien hôtel-Dieu (19e s.). Les miniatures sont prêtées par des musées, des collectionneurs ou des artisans du Club de la miniature française, ce qui permet un renouvellement régulier. Des micro-miniatures, invisibles à l'œil nu, sont présentées sous des oculaires ou des loupes. Pour être dignes d'être exposées, les miniatures doivent être à l'échelle 1/12 et faites du même matériau que leur modèle !

circuit

LA DRÔME PROVENÇALE★

Quitter Montélimar au Sud par la N 7, puis la D 133.

La vallée du Rhône s'élargit à l'Est du fleuve jusqu'aux collines des Préalpes, en plaines compartimentées. Elles montrent les premiers caractères du Midi méditerranéen avec ses terrasses alluviales en gradins, ses rangées de mûriers, et surtout sa multitude de vergers. Les oliviers recouvrent les versants du bassin de Montélimar avant d'alterner avec les vignes sur les collines sèches du Tricastin.

Grignan★

Dressé sur une butte rocheuse isolée, l'imposant château des Adhémar de Monteil domine ce vieux bourg du Tricastin, où Mme de Sévigné séjourna souvent. C'est d'ailleurs là qu'elle mourut, en 1696, alors qu'elle était venue soigner sa fille atteinte d'une maladie de langueur ; elle fut enterrée dans la collégiale.

Le **château★★** fut transformé une première fois au 16e s. par Louis Adhémar, gouverneur de Provence, puis, plus tard, par le gendre de Mme de Sévigné, entre 1668 et 1690. La visite permet de découvrir la grande façade Renaissance du Midi, puis la cour du Puits avec son bassin, ouverte sur une terrasse, encadrée par la galerie gothique et des corps de logis Renaissance.

À l'intérieur, un remarquable **mobilier★**, en particulier les meubles Louis XIII et le « cabinet » (secrétaire) italien de la salle d'audience, orne les pièces. De belles tapisseries d'Aubusson représentant des scènes mythologiques. *Juil.-août : visite guidée (1h) 9h30-11h30, 14h-18h ; sept.-juin : 9h-11h30, 14h-17h30. Fermé 1er janv. et 25 déc. 5€. ☎ 04 75 46 51 56.*

Nyons

Au débouché de la vallée de l'Eygues, dans la plaine du Tricastin, la ville est bien abritée par les montagnes. Importé par les Grecs, il y a 2 500 ans, l'olivier règne en maître ici, prospérant sous la douceur du climat. Les moulins à huile fonctionnent de novembre à février. Dans certains, l'huile est fabriquée selon les procédés traditionnels.

Le **musée de l'Olivier** présente un inventaire de l'outillage traditionnel nécessaire à la culture de l'olivier et à la fabrication de l'huile. Nombreux objets, comme des lampes, se rapportant aux utilisations multiples de celle-ci. *Av. des Tilleuls.* ♿ *Juin-oct. : tlj sf dim. 10h-11h, 14h45-18h ; mars-mai : tlj sf dim. 14h45-18h ; nov.-fév. : tlj sf dim. et lun. 14h45-18h. 2€.* ☎ *04 75 26 12 12.*

Le **pont roman**★ (ou Vieux Pont) en dos d'âne fut construit aux 13e et 14e s. Son arche, de 40 m d'ouverture, est une des plus hardies du Midi.

Dieulefit

Joliment située dans un élargissement de la vallée du Jabron, cette petite ville, de tradition protestante, vit du tourisme, du séjour des curistes, grâce à son centre de remise en forme, et de l'artisanat d'art qui a contribué à la renommée de ses poteries.

Le Poët-Laval

Miraculeusement conservé, le village perché de Poët-Laval a gardé une commanderie de Malte, un donjon du 12e s., des vestiges de remparts et des maisons du 15e s. De l'ancienne église ne subsistent que le clocher et l'abside romane. Le temple, aménagé au 17e s., abrite le **musée du Protestantisme dauphinois**. *Avr.-sept. : 11h-12h, 15h-18h30, ven. et dim. 15h-18h30. 4€.* ☎ *04 75 46 46 33.*

Montpellier★★

Baignée par la douce lumière méditerranéenne, la capitale de la région Languedoc-Roussillon multiplie les clins d'œil charmeurs. Ses quartiers anciens et ses superbes jardins agrémentent les promenades en journée, tandis que théâtres, cinémas et Opéra animent longuement la nuit. Les visages sont jeunes à la terrasse des cafés, population estudiantine oblige. L'air humecté de sel annonce déjà la mer toute proche. La ville est belle et chaleureuse, que demander de plus ?

La situation

287 981 Montpelliérains – Cartes Michelin Local 339 F-J 6-9, Regional 527 – Le Guide Vert Languedoc Roussillon – Hérault (34). La circulation en centre-ville relève de l'impossible, notemment à cause des sens uniques. Un conseil, garez votre voiture et marchez à pied, la ville n'est pas si grande que cela... Hors centre-ville, utilisez les bus et le tramway, flambant neuf !

30 allée de-Lattre-de-Tassigny (esplanade Comédie), 34000 Montpellier, ☎ *04 67 60 60 60. www.ot-montpellier.fr*

Pour poursuivre la visite, voir aussi : NÎMES, LA CAMARGUE, MILLAU, LES CÉVENNES, NARBONNE.

Le petit temple à colonnes était destiné à masquer le réservoir du château d'eau du Peyrou, chef-d'œuvre d'Antoine Giral.

carnet pratique

Restauration

• À bon compte

La Pomme d'Amour – *2 bis r. Albert-Paul-Allies - 34120 Pézenas - 50 km au SO de Montpellier par N 113 - ☎ 04 67 98 08 40 - fermé janv., fév., lun. soir et mar. - réserv. conseillée juil. et août - 14,33/17,99€*. Dans cette maison du 18e s. proche de l'Office de tourisme se cache une petite salle intime au plafond poutré. En été la rue devient piétonne et la terrasse à l'ombre des maisons voisines dévoile son charme discret. Cuisine qui sent bon le soleil.

• Valeur sûre

Petit Jardin – *20 r. J.-J.-Rousseau - 34000 Montpellier - ☎ 04 67 60 78 78 - fermé janv. et lun. - 13€ déj. - 19,80/27,45€*. Dans une ruelle du quartier rénové de l'Écusson, cette charmante maisonnette accueille ses hôtes, dès les beaux jours, dans son séduisant jardin-terrasse. Installé sous les arbres, vous pourrez admirer la cathédrale et vous restaurer d'une cuisine régionale.

Mazerand – *Rte de Fréjorgues - 34000 Montpellier - 5 km au S de Montpellier par D 986 et D 172 - ☎ 04 67 64 82 10 - fermé dim. soir hors sais., sam. midi et lun. - 22,15/51,83€*. Les frères Mazerand vous accueillent dans leur mas du 19e s., ancienne propriété viticole. Vous passerez un agréable moment sur l'une des jolies terrasses dressées face au parc ou dans la salle à manger aux tables bien espacées. Cuisine au goût du jour.

The Salmon Shop – *5 r. de la Petite-Loge - 34000 Montpellier - ☎ 04 67 66 40 70 - fermé août, dim. et lun. midi - réserv. conseillée le w.-end - 22,41/36,44€*. Amateurs de viande, passez votre chemin ! Ici, le saumon est roi et se décline à toutes les sauces, avec un accompagnement unique (des frites), dans un décor dépaysant façon cabane de trappeur. Planches de pin au mur, skis anciens et pubs anglaises pour une ambiance décontractée.

La Rotonde – *17 quai du Mar.-de-Lattre-de-Tassigny - 34200 Sète - 30 km au SO de Montpellier par N 112 - ☎ 04 67 74 86 14 - fermé 2 au 13 janv., 28 juil. au 12 août, sam. midi et dim. - 21€ déj. - 24/50€*. Dans l'enceinte du Grand Hôtel, cette salle à manger bourgeoise garnie de moulures s'est joliment égayée de tons bleu et blanc et de fauteuils en rotin. Comme les connaisseurs de la région, adoptez ce restaurant pour sa cuisine bien tournée.

Hébergement

• Valeur sûre

Hôtel du Palais – *3 r. du Palais - 34000 Montpellier - ☎ 04 67 60 47 38 - 26 ch. : 50/67€ - ☕ 8€*. Cet hôtel familial est une bonne adresse au cœur de la ville historique, à deux pas des jardins du Peyrou et de la place de la Canourgue. Ses petites chambres sont coquettement arrangées et bien tenues.

Hôtel Maison Blanche – *1796 av. Pompignane - 34000 Montpellier - ☎ 04 99 58 20 70 - P - 37 ch. : 56/87€ - ☕ 7,70€ - restaurant 20,60/27,50€*. Un petit séjour au pays de Scarlett O'Hara vous tente ? Sans aller si loin, cette maison coloniale en bois vous dépaysera totalement. Chantée par Jean-Edern Hallier, avec ses coursives et ses frises sculptées, elle vous séduira sans doute à votre tour... Chambres spacieuses.

Hôtel Guilhem – *18 r. J.-J.-Rousseau - 34000 Montpellier - ☎ 04 67 52 90 90 - hotel-le-guilhem@mnet.fr - 33 ch. : 71/115€ - ☕ 9€*. Cet hôtel réunit le charme d'une demeure du 16e s. et la tranquillité de part sa situation dans une ruelle calme de la ville historique. Ses fenêtres s'ouvrent sur des jardins privés et sur la faculté de médecine. Chambres spacieuses et joliment aménagées.

• Une petite folie !

Golf – *1920 av. Golf - 34280 La Grande-Motte - 20 km par D 66 puis D 62 - ☎ 04 67 29 72 00 - golfhotel.34@wanadoo.fr - P - 45 ch. : 79/111€ - ☕ 8€*. D'un côté le golf, de l'autre l'étang du Ponant, faites votre choix pour l'orientation de votre chambre. Elles disposent toutes d'un balcon pour lézarder au soleil et profiter du calme. Le style est plutôt récent et les pièces sont régulièrement rafraîchies.

Achats

Confiserie Boudet (Berlingots de Pézenas) - *5 pl. Gambetta - 34120 Pézenas - ☎ 04 67 90 76 05 ou 04 67 98 16 32 - 14h30-18h.* Vente de berlingots.

Maison Allary – *9 r. des Chevaliers St-Jean - 34120 Pézenas - ☎ 04 67 98 13 12 - mar.-dim. 6h-20h.* Si les petits pâtés de Pézenas sont d'origine indo-britannique, on vous certifiera ici que c'est dans les murs de la Maison Allary qu'un pâtissier piscénois du nom de Roucayrol exposa pour la première fois ces délicieux mets à la viande sucrée.

Maison régionale des vins et produits du terroir *34 r. St-Guilhem - 34000 Montpellier - ☎ 04 67 60 40 41 - tlj sf dim. 9h30-20h.* Tous les produits de la région en une seule boutique.

Marché – Tous les matins, dans le centre-ville, les halles Castellane, les Arceaux, l'esplanade Charles-de-Gaulle, les halles Laissac, les nouvelles halles Jacques-Cœur dans le quartier Antigone, et le plan Cabannes accueillent des marchés alimentaires. Place des Arceaux, le mardi et le samedi se tient un marché biologique. Le 3e samedi du mois, les bouquinistes se donnent rendez-vous rue des Étuves.

Calendrier

Festival International Montpellier Danse – Danses et musiques traditionnelles, fin juin-début juillet. Représentations à l'opéra Berlioz, à l'opéra Comédie, dans la cour de l'ancien couvent des Ursulines et sur la place de la Comédie. ☎ 04 67 60 83 60. www.montpellierdanse.com

Festival de Radio France et Montpellier Languedoc-Roussillon – Art lyrique, concerts symphoniques, musique de chambre, jazz et de musique du monde, durant la 2e quinzaine de juillet. ☎ 04 67 02 02 01. www.radio-france.fr

comprendre

Le Moyen Âge – La cité s'est développée grâce au commerce des épices et des plantes tinctoriales avec l'Orient. Après une période de crise au 14e s., le commerce redevient florissant, sous l'impulsion de Jacques Cœur, argentier de Charles VII. Le prestige de Montpellier était dû à la renommée de son université et surtout à celle de sa faculté de médecine. Parmi ses étudiants prestigieux, signalons Rabelais.

Montpellier capitale – Au 16e s., devenue fief protestant, la ville est le théâtre d'affrontements violents : églises et couvents sont détruits. En 1622, Louis XIII organise le siège de Montpellier qui capitule. Richelieu fait alors construire la citadelle pour surveiller la cité rebelle. Nombre de protestants se réfugient dans les Cévennes et ailleurs en Europe.

Louis XIV fait de Montpellier la capitale administrative du Bas-Languedoc. Redevenue prospère, la ville est alors l'objet de travaux d'embellissement réalisés par de grands architectes comme d'Aviler et les Giral.

se promener

Le vieux Montpellier**

Entre la place de la Comédie et l'arc de triomphe du Peyrou, s'étendent les vieux quartiers, aux rues tortueuses et étroites, selon le plan de la cité médiévale. Le long de ces rues se sont édifiés aux 17e et 18e s. de superbes hôtels particuliers qui cachent leurs façades principales et leurs remarquables escaliers à l'intérieur des cours. Centre animé de Montpellier, la **place de la Comédie** fait le lien entre les quartiers anciens et les réalisations modernes. Autour de la fontaine des Trois Grâces, un tracé ovale rappelle les limites d'un terre-plein qui lui a valu d'avoir pour surnom « l'Œuf ».

> **Conseil**
> Les cours de la plupart des hôtels particuliers étant le plus souvent fermées, il est recommandé de participer aux visites organisées par l'Office de tourisme.

La place se poursuit au Nord par l'Esplanade, promenade plantée de beaux platanes où l'été les Montpelliérains flânent parmi les terrasses de café et viennent écouter les musiciens qui se produisent dans les kiosques ; la perspective est fermée par le Corum, vaste complexe de forme allongée en béton et granit rouge de Finlande conçu par l'architecte Claude Vasconi. Le joyau en est l'Opéra Berlioz.

Le quartier Antigone*

S'étendant sur l'ancien polygone de manœuvre de l'armée, ce vaste ensemble néoclassique est une réalisation de l'architecte catalan Ricardo Bofill. Il allie la technique de la préfabrication à la recherche d'une harmonie rigoureuse et gigantesque. Il abrite, derrière une profusion d'entablements, de frontons, de pilastres et de colonnes, des logements sociaux, des équipements collectifs et des commerces de proximité, disposés autour de places et patios, agrémentés de jets d'eau. La recherche d'harmonie transparaît aussi bien dans le dessin du pavement que dans les structures de l'éclairage public.

Promenade du Peyrou**

La promenade comporte deux étages de terrasses. De la terrasse supérieure décorée de la statue équestre de Louis XIV, on a une **vue*** étendue au Nord sur les Garrigues et les Cévennes, au Sud sur la mer et, par temps clair, sur le Canigou. Des escaliers monumentaux conduisent aux terrasses basses ornées de grilles en fer forgé. La partie la plus originale du Peyrou est constituée par le château d'eau et l'aqueduc St-Clément. Il transporte l'eau jusqu'au château d'eau, lui-même relié à la fontaine des Trois Grâces *(pl. de la Comédie)*, à la fontaine de Cybèle *(pl. Chabaneau)* et à la fontaine des Licornes *(pl. de la Canourgue)*.

Construit à la fin du 17e s., l'**arc de triomphe** est décoré de bas-reliefs figurant les victoires de Louis XIV et de grands épisodes de son règne.

visiter

Musée Fabre**

♿ *Tlj sf lun. 9h30-17h30, w.-end 10h-17h30. Fermé j. fériés. 3,50€, gratuit 1er dim. du mois. ☎ 04 67 14 83 00.*

Les peintures espagnoles (Zurbarán), italiennes (Véronèse, le Guerchin), hollandaises et flamandes (Ruysdael, Rubens, Téniers le Jeune) complètent les œuvres françaises des 17e et 18e s. représentées par des chefs-d'œuvre de Bourdon, Poussin, Vouet, David, Greuze, ainsi que des sculptures de Houdon.

Du Montpelliérain Frédéric Bazille, on admirera la *Vue de village*, avec son remarquable rendu de la lumière d'un paysage languedocien écrasé de chaleur, les

Remparts d'Aigues-Mortes, et *La Négresse aux pivoines*, toute de sensualité. Parmi les sculptures de Bourdelle et de Maillol sont exposées des pièces de Van Dongen, de Staël, Marquet, Dufy, Soulages, Vieira da Silva et Jean Hugo.

alentours

Pézenas★★

54 km à l'Ouest de Montpellier. Une des plus charmantes villes de France après Paris, au dire de Louis XIII. Elle connut dans les années 1620 l'aménagement d'une promenade bordée de très belles demeures. Aujourd'hui, cette petite ville d'art se trouve dans une plaine fertile où s'étendent les vignobles, véritable «jardin de l'Hérault». Magnifiques demeures seigneuriales du 17ᵉ s. demeurées intacts, cours intérieures et rues où abondent échoppes d'artisans et magasins d'antiquaires : le noble passé de Pézenas illumine encore son présent.

séjourner

Sète★

32 km à l'Ouest par l'A 9 puis la N 300. Entre le bleu de l'**étang de Thau** – paradis pour les amoureux de la voile – et de la Méditerranée, Sète glisse le long du mont St-Clair. Des canaux émaillent en tous sens la ville neuve, les sirènes des bateaux retentissent du port, tandis que les vacanciers profitent de la plage de sable fin qui s'étend jusqu'au Cap-d'Agde. Le **vieux port★★** et la Marine, le long du canal, sont bordés d'immeubles aux façades colorées et de restaurants de fruits de mer.
L'un des meilleurs souvenirs qu'on puisse rapporter de Sète est l'excursion au **mont St-Clair★**. Cette colline forme un belvédère de choix.
▶▶ Espace Brassens ; musée Paul-Valéry

Le Cap-d'Agde

44 km à l'Ouest par l'A 9 puis la N 312. Depuis 1970, la station du Cap-d'Agde tire parti de ce site exceptionnel sur la côte du Languedoc. Les travaux de dragage ont ouvert là un vaste havre abrité, dont les rives n'accueillent pas moins de huit ports de plaisance, pouvant accueillir 1 750 bateaux. Le style architectural du centre urbain est inspiré de l'architecture languedocienne traditionnelle. Les immeubles de 3 ou 4 étages, aux toitures de tuiles, reflètent leurs teintes pastel dans l'eau, ou se protègent du soleil le long de ruelles tortueuses aboutissant à des piazzas.
14 km de plages de sable fin sont accessibles par des sentiers piétonniers : la plage Richelieu est la plus vaste ; celle du Môle la plus fréquentée, etc.
Le **musée de l'Éphèbe** (archéologie sous-marine) abrite les trésors découverts lors des fouilles du delta de l'Hérault, dont le magnifique ***Éphèbe d'Agde★★***, statue en bronze de style hellénistique. ♿ *9h-12h, 14h-18h (dernière entrée 1/2h av. fermeture). Fermé 1ᵉʳ janv. et 25 déc. (matin). 3,80€.* ☎ *04 67 94 69 60.*

La Grande-Motte

22 km à l'Est par la D 62. Dans cette station créée de toutes pièces en 1967, les bâtiments principaux se présentent comme des pyramides alvéolées exposées au midi tandis que les villas, disséminées dans une verdure qui apparaît aujourd'hui comme la vraie réussite de la station, adoptent un style provençal ou s'ordonnent autour de cours intérieures. Son développement se poursuit vers l'Ouest par le quartier piéton de la Motte du Couchant dont l'architecture présente des conques arrondies tournées vers la mer, et vers le Nord autour du plan d'eau du Ponant. La plage de sable fin s'étend sur 6 km, avec accès direct à la ville.

Le Grau-du-Roi

32 km à l'Est par la D 62. Construite de part et d'autre d'un grau (brèche dans le cordon littoral ouverte naturellement vers 1570), entre l'embouchure du Vidourle et celle du Rhône, cette station offre 18 km de plage de sable fin aux adeptes des bains de mer. Quant aux plaisanciers, ils disposent avec Port-Camargue de marinas leur permettant d'accéder directement à leur bateau.

L. Campion/MICHELIN

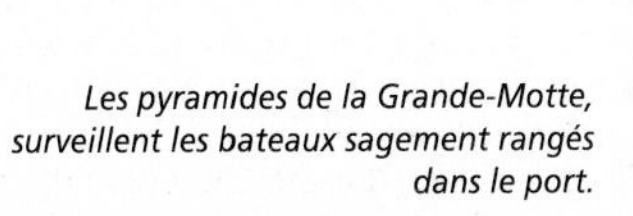

Les pyramides de la Grande-Motte, surveillent les bateaux sagement rangés dans le port.

VALLÉE DE L'HÉRAULT*

120 km. Quitter Montpellier vers l'Ouest par la N109. Prendre à droite vers Gignac, et suivre la direction de St-Guilhem-le-Désert.

Dominées par des versants escarpés, les **gorges de l'Hérault*** s'élargissent au-delà du pont du Diable.

Grotte de Clamouse**

Température : 17 °C. Juil.-août : visite guidée (1h) 10h-19h ; juin-sept. : 10h-18h ; fév.-mai et oct. : 10h-17h ; nov.-janv. : tlj sf sam. 12h-17h. 6,60€. ☎ 04 67 57 71 05.
Elle éblouit par la blancheur de ses concrétions et l'originalité de ses cristallisations. Deux types de concrétions sont visibles : d'une part, les classiques stalagmites, stalactites, etc., parfois colorées par des oxydes métalliques ; d'autre part, les cristallisations fines d'une blancheur étincelante, beaucoup moins fréquentes que les précédentes dans le monde des cavernes.

Saint-Guilhem-le-Désert**

Le **village***, oasis resserrée autour d'une ancienne abbaye, marque l'entrée de gorges sauvages, au confluent du Verdus et de l'Hérault. Le Désert, de l'occitan *desèrt*, désigne un « endroit sauvage, inculte... désertique ».
L'abbaye fut fondée en 804 par Guilhem, vaillant lieutenant de Charlemagne, mais il n'en reste que l'**église*** construite au 11e s. Depuis la ruelle bordée de maisons anciennes, on peut admirer la richesse de la décoration du **chevet***. Des arcades séparées par de fines colonnettes aux curieux chapiteaux les surmontent. La nef (11e s.) est d'une grande sobriété. L'abside, voûtée en cul-de-four, est décorée par sept grandes arcatures. Du **cloître** à deux étages, il ne reste que les galeries Nord et Ouest du rez-de-chaussée, ornées de fenêtres géminées dont les arcatures reposent sur des chapiteaux très frustes.

Continuer sur la D 4 jusqu'à St-Bauzille-de-Putois. La grotte des Demoiselles se trouve à 2,5 km au Nord-Est du village.

Grotte des Demoiselles***

Température : 14 °C. Juil.-août : visite guidée (1h, dernier dép. 1/2h av. fermeture) 9h-19h ; avr.-sept. : 9h30-12h, 13h30-18h30 ; oct.-mars : 9h30-12h, 13h-17h30. Fermé 1er janv. et 25 déc. 7€ (enf. : 3,80€). ☎ 04 67 73 70 02. www.demoiselles.com
De la gare supérieure du funiculaire, on gagne l'orifice naturel de l'aven. On est frappé dès l'abord par l'abondance et les dimensions des concrétions qui tapissent les parois. De l'aven, par une série de couloirs étroits, on débouche en surplomb sur la partie centrale de la grotte proprement dite : une immense salle longue de 120 m, large de 80 m et haute de 50 m. On fait le tour de cette salle magnifique en descendant par paliers jusqu'à la légendaire stalagmite de la Vierge à l'Enfant juchée sur son piédestal de calcite blanche. On se retourne alors pour admirer l'imposant buffet d'orgue. Le cheminement se poursuit entre de belles draperies, soit translucides, soit formant tribunes pour de curieux personnages de théâtre.
Revenir à Montpellier par la D 986.

Le Mont-St-Michel***

Pourquoi le Mont-St-Michel fascine-t-il autant ? Certainement parce qu'au-delà de la beauté de son architecture et de la richesse de son histoire, un mystère se dégage, lié au rythme des marées, à la tombée du jour, au cri des mouettes rieuses, au sable mélangé à l'herbu... On ne peut comprendre le Mont-St-Michel sans prendre la mesure de l'immensité sauvage qui l'entoure. Le rocher et la baie ne font qu'un. C'est la raison pour laquelle l'un comme l'autre sont classés par l'Unesco comme « sites du Patrimoine mondial ».

La situation

72 Montois – Cartes Michelin Local 303 C 6-8, Regional 517 – Le Guide Vert Normandie Cotentin – Manche (50). Le Mont-St-Michel est un îlot granitique d'environ 900 m de tour et 80 m de haut, relié au continent par une digue construite en 1877. La baie étant déjà comblée en partie, le Mont se dresse, le plus souvent, au milieu d'immenses bancs de sable. Ces sables, par le jeu des marées, déplacent souvent l'embouchure des rivières côtières, la Sée, la Sélune et le Couesnon. L'archange Michel étant apparu, par trois fois, en songe, à Aubert, évêque d'Avranches, celui-ci fonda sur le mont Tombe un oratoire que remplaça une abbaye carolingienne. Les origines de l'abbaye remontent ainsi au début du 8e s. **i** *Corps de garde des Bourgeois, 50116 Le Mont-St-Michel, ☎ 02 33 60 14 30. www.abbaye-saintmichel.com*

Pour poursuivre la visite, voir aussi : COUTANCES, ST-MALO, BAGNOLES-DE-L'ORNE.

carnet pratique

RESTAURATION

• *À bon compte*

Pré Salé – *Rest. de l'hôtel Mercure - 50116 Le Mont-St-Michel - 2 km au S du Mont-St-Michel par D 976 - ☎ 02 33 60 14 18 - fermé 12 nov. au 1er fév. - 14,94/36,59€.* Bordant le Couesnon à l'amorce de la digue, l'hôtel Mercure vous invite dans sa lumineuse salle à manger récemment rénovée, aux tables bien espacées. Dégustez-y les fameuses viandes des prés-salés de la baie du Mont-St-Michel.

La Sirène – *50116 Le Mont-St-Michel - ☎ 02 33 60 08 60 - fermé 15 nov. au 20 déc. et ven. - 15/25€.* Cette maison du 14e s. au long passé d'auberge abrite désormais une crêperie à laquelle on accède par un escalier en colimaçon. L'aspect des fenêtres, qui ressemblent à des vitraux avec leurs carreaux de verre dépoli sertis d'étain, confirme l'authenticité des lieux.

HÉBERGEMENT

• *Valeur sûre*

Hôtel Beauvoir – *50170 Pontorson - 4 km au S du Mont-St-Michel par D 976 rte de Pontorson - ☎ 02 33 60 09 39 - fermé 16 nov. au 14 mars - P - 18 ch. : 48/55€ - ☕ 7€ - restaurant 12/45€.* Au bord de la route, cette grosse maison à la façade couverte de vigne vierge se trouve dans le dernier village avant le Mont-St-Michel. Correctement tenues, ses chambres de différentes tailles sont sobrement meublées.

visiter

LE BOURG

Grande-Rue★

Étroite et en montée, elle est bordée de maisons anciennes (15e-16e s.) dont plusieurs ont gardé leur nom d'antan, Le Vieux Logis, La Sirène, La Truie-qui-file. Elle est très encombrée pendant la saison : les étalages de marchands de souvenirs l'envahissent, ni plus ni moins d'ailleurs qu'à l'époque des plus fervents pèlerinages, au Moyen Âge. C'est dans la Grande-Rue que se trouve le restaurant de la Mère Poulard où, du monde entier, on vient pour manger la fameuse omelette.

Remparts★★

La promenade sur le chemin de ronde offre de belles vues sur la baie, particulièrement de la tour Nord d'où l'on distingue très bien le rocher de Tombelaine.

ABBAYE★★★

Mai-août : 9h-18h (dernière entrée 1h av. fermeture) ; sept.-avr. : 9h30-17h. Fermé 1er janv., 1er mai, 1er et 11 nov., 25 déc. 7€, gratuit 1er dim. du mois (oct.-mai). ☎ 02 33 89 80 00.

La visite s'effectue à travers un dédale de couloirs et d'escaliers. On atteint le Grand Degré, escalier qui conduit à l'abbaye. En haut et à droite s'ouvre l'entrée des jardins, puis s'amorce l'escalier des remparts. On passe sous l'arche d'une porte pour pénétrer dans une cour fortifiée que domine le châtelet. Dans cet ouvrage militaire transparaît le souci d'art du constructeur : la muraille est bâtie en assises alternées de granit rose et gris. De là part un escalier couvert d'une voûte en berceau surbaissé. Il aboutit à la belle porte qui donne accès à la salle des gardes ou porterie.

Le Mont-St-Michel émerge des eaux de la baie qui porte son nom.

B. Kaufmann/MICHELIN

On gravit un imposant escalier qui se développe entre les bâtiments abbatiaux à gauche et l'église à droite.

De la plate-forme de l'Ouest, vaste terrasse créée par l'arasement des trois dernières travées de l'église, la **vue**★ s'étend sur la baie du Mont-St-Michel.

Le Mont la nuit

L'abbaye peut se visiter en nocturne, des profondeurs jusqu'au cloître. Ne pas manquer le coucher de soleil sur la baie depuis le parvis de l'église. Le spectacle est époustouflant !

Église★★

Le chevet, avec ses contreforts, arcs-boutants, clochetons, balustrades, est un chef-d'œuvre de grâce et de légèreté. À l'intérieur, le contraste entre la nef romane, sévère et sombre, et le chœur gothique, élégant et lumineux, est saisissant.

La Merveille★★★

Ce nom désigne les bâtiments gothiques qui occupent la face Nord. La partie Est de ces constructions, la première édifiée (1211-1218), comprend, de bas en haut, l'aumônerie, la salle des Hôtes et le réfectoire ; dans la partie Ouest (1218-1228) leur correspondent le cellier, la salle des Chevaliers et le cloître.

Extérieurement, la Merveille a l'aspect puissant d'une forteresse, tout en accusant, par la noblesse et la pureté de ses lignes, sa destination religieuse. À l'intérieur, on se rend compte de l'évolution accomplie par le style gothique depuis la simplicité encore presque romane des salles basses, jusqu'au chef-d'œuvre de finesse, de légèreté et de goût qu'est le cloître, en passant par l'élégance de la salle des Hôtes, la majesté de la salle des Chevaliers et la luminosité mystérieuse du réfectoire.

Cloître★★★

Il est comme suspendu entre mer et ciel. Les arcades des galeries comportent des sculptures fouillées, dans un décor de feuillage orné çà et là de formes humaines et d'animaux ; on y découvre quelques motifs poétiques illustrant l'art sacré. Les arcades sont soutenues par de ravissantes colonnettes disposées en quinconce afin de donner une impression de légèreté.

Réfectoire★★

L'impression est étonnante : il règne une belle lumière diffuse qui, à l'évidence, ne peut provenir des deux baies percées dans le mur du fond ; l'acoustique y est remarquable. En avançant, on découvre l'artifice de l'architecte : pour éclairer la salle sans affaiblir la muraille soumise à la forte pression de la charpente, il a ménagé des ouvertures très étroites et très hautes au fond d'embrasures.

Salle des Hôtes★

L'abbé y accueillait les rois (Saint Louis, Louis XI, François Ier) et les visiteurs de marque. La salle, aux voûtes gothiques, présente deux nefs séparées par de fines colonnes. Elle est fort élégante. En fait, cette salle était divisée en deux par un grand rideau de tapisseries. Une partie servait de cuisine (2 cheminées) et l'autre de salle à manger (cheminée d'ambiance).

se promener

BAIE DU MONT-SAINT-MICHEL★★

Environ 100 km de côtes bordent la baie du Mont-Saint-Michel. Les îles, les falaises, les plages et les dunes forment une succession de zones riches d'une faune et d'une flore très variées. Ce parcours du littoral cotentinois réserve des vues étonnantes sur le Mont et ménage de bien agréables promenades entre les polders et les herbus.

L'amplitude des marées dans la baie est considérable et peut atteindre 14 m. Comme le fond est plat, les bancs de sable découvrent très loin : jusqu'à 15 km en vive eau. Le flot monte à l'allure d'un homme marchant d'un bon pas. Ce phénomène, accompagné d'un encerclement dû aux nombreux courants qui grossissent, peut mettre en danger les imprudents.

Depuis des décennies le Mont s'ensable. En effet, la mer dépose annuellement dans la baie environ 1 000 000 de m³ de sédiments. L'homme y est pour beaucoup, car depuis le milieu du 19e s. jusqu'en 1969, il a bâti un certain nombre d'ouvrages qui ont accentué cette poldérisation.

En venant de la station balnéaire de **Granville**★, les belvédères et la route découvrent des vues de plus en plus belles à mesure que l'on se rapproche du Mont.

Entre **Carolles** et St-Jean-le-Thomas, une **vue**★★ étendue et splendide révèle le Mont. L'espace est dégagé de tout bosquet. La lumière est particulièrement belle sur la baie, mais plus encore à l'heure du coucher de soleil.

Depuis le **Bec d'Andaine**★, dans un paysage de plages de sable fin et de dunes, la route côtière passe par le Grand Port et offre des vues intéressantes et rapprochées du Mont, particulièrement à la pointe du Grouin du Sud. En approchant du Mont, l'itinéraire du bord de mer longe la tangue où se forme une végétation spécifique, l'herbu, qui fait le régal des moutons de pré-salé.

Morlaix

Cette baie est l'une des plus magnifiques de France, un site enchanteur qu'il faut découvrir lorsque le crépuscule d'été y jette ses dernières lueurs. Tout au fond de l'estuaire, à cheval sur le Léon et le Trégor, se niche Morlaix, ville active qui conserve un beau quartier ancien.

La situation

17607 Morlaisiens – Cartes Michelin Local 308 G-I 3-4, Regional 517 – Le Guide Vert Bretagne – Finistère (29). La baie s'ouvre plein Nord à partir de Morlaix, à l'Est jusqu'à Plougasnou, à l'Ouest jusqu'à Roscoff.

Pl. des Otages, 29203 Morlaix, ☎ 02 98 62 14 94.

Pour poursuivre la visite, voir aussi : BREST, TRÉGUIER, QUIMPER.

carnet pratique

RESTAURATION

• *À bon compte*

Les Bains Douches – *45 allée du Poan-Ben - 29600 Morlaix - ☎ 02 98 63 83 83 - fermé lun. soir et dim. - 13,80€ déj. - 15/22,11€.* Il vous faudra franchir la passerelle enjambant le Jarlot pour accéder à ce restaurant original installé dans les murs des anciens bains municipaux (1904). Intérieur façon bistrot parisien, avec carrelages et verrière réchappés de l'ancienne structure. Plats traditionnels.

HÉBERGEMENT

• *À bon compte*

Hôtel d' Europe – *1 r. d'Aiguillon - 29600 Morlaix - ☎ 02 98 62 11 99 - reservations@hotel-europe-com.fr - fermé vac. de Noël - 59 ch. : 38/77€ - ☕ 7€.* Une bonne adresse, bien située, pour dormir à Morlaix : hôtel de caractère dont le hall et l'escalier sont agrémentés de belles boiseries sculptées du 17ᵉ s. Les chambres, rénovées par étapes et équipées d'un mobilier avant tout pratique, sont moins séduisantes, mais tout de même agréables.

se promener

LE VIEUX MORLAIX★

Grand'Rue★

Réservée aux piétons. Dans le **vieux Morlaix★**, les demeures du 15ᵉ s. sont ornées de statuettes de saints et de grotesques ; certaines boutiques basses prennent jour par une large fenêtre, l'étal, en particulier aux nᵒˢ 8-10.

Maison « de la Reine Anne »

Juil.-août : 10h-18h30, dim. 14h-18h ; avr.-juin et sept. : tlj sf dim. 10h-12h, 14h-18h. Fermé j. fériés. 1,60€. ☎ 02 98 88 23 26.

C'est une maison de trois étages en encorbellement (16ᵉ s.), dont la façade est ornée de statues de saints et de grotesques. L'**intérieur★** est l'exemple même d'une maison à lanterne morlaisienne. Dans l'un des angles, un très bel escalier à vis,

La baie de Morlaix, par une belle fin de journée estivale.

R. Mattes/MICHELIN

colonne de 11 m faite d'une seule pièce, dessert les galeries des étages. Le pilier est orné de statues de saints, sculptées dans la masse. Entre le 1er et le 2e étage, remarquez une belle sculpture représentant un acrobate sur un tonneau.

▶▶ Musée des Jacobins★

circuits

BAIE DE MORLAIX★★

14 km. Quitter Morlaix au Nord par la D 73. La D73 longe la rive gauche de la rivière de Morlaix. La **vue**★ est superbe, particulièrement à marée basse. Elle s'élargit à mesure que l'estuaire s'ouvre sur la baie, parsemée d'écueils et d'îlots.

Carantec

Située sur une presqu'île, entre l'estuaire de la Penzé et la rivière de Morlaix, Carantec est un centre balnéaire familial. Les plages sont protégées du noroît (vent de Nord-Ouest). De la «Chaise du Curé», plate-forme rocheuse, la **vue**★ se développe, à gauche, sur la grève de Porspol et la grève Blanche; en fond, St-Pol-de-Léon et Roscoff; à droite, la pointe de Pen-al-Lann.

Pointe de Pen-al-Lann

1,5 km à l'Est, plus 1/4h à pied AR. La **vue**★★ s'étend sur la côte depuis la pointe de Bloscon à l'Ouest, jusqu'à celle de Primel à l'Est. En face, le château de l'île du Taureau fut construit en 1542 pour se protéger des attaques des corsaires anglais.

Île Callot

Une chaussée submersible, praticable cependant par les autos à mi-marée, relie le port de la grève Blanche à l'île. Faites attention à l'heure de la marée... L'île est un excellent lieu de pêche et abrite deux plages charmantes.

ENCLOS PAROISSIAUX★★

47 km. Quitter Morlaix au Sud-Ouest par la D 712.

Les enclos paroissiaux sont une réalisation originale de l'art breton, que l'on rencontre principalement en Basse-Bretagne. Ces ensembles monumentaux sont l'expression artistique de la prospérité des ports bretons du 15e au 17e s. Ils s'ouvrent par une porte triomphale donnant accès à l'église, au calvaire et à l'ossuaire, et permettent ainsi à la vie paroissiale de rester attachée à la communauté des morts, puisque l'enclos avait pour centre le cimetière.

St-Thégonnec★★

La **chapelle funéraire**★ de l'enclos paroissial fut construite de 1676 à 1682. Dans la crypte, voyez le **saint-sépulcre**★ à personnages sculptés. *Juil.-août : 9h-18h; mai-juin et sept.: 9h-18h. Gratuit.*

Sur le socle du **calvaire**★★, élevé en 1610, se déroulent les scènes de la Passion. L'**église**★ Renaissance possède une magnifique **chaire**★★, chef-d'œuvre de la sculpture bretonne.

Le calvaire, une silhouette traditionnelle en Bretagne.

Guimiliau★★

Chef-d'œuvre de granit, l'enclos de Guimiliau est l'un des plus imposants de l'Argoat. Le **calvaire**★★ (1581-1588) comprend plus de 200 personnages d'une facture naïve. Les scènes sont très expressives et réparties sans ordre chronologique.

Le **porche méridional**★★ de l'église est orné d'une belle décoration biblique. À l'intérieur se trouve un magnifique **baptistère**★★ baroque, en chêne.

Lampaul-Guimiliau★

Cette petite localité possède un **enclos paroissial**★ complet. On remarque la richesse de la décoration. Dans l'**église**★, la poutre de gloire (16e s.) porte un crucifix, entre les statues de la Vierge et de saint Jean. Les deux faces sont ornées de sculptures. À gauche du chœur, l'autel est orné d'un retable où l'on voit des personnages en haut relief d'un réalisme saisissant. *Retour par la N 12 via Landivisiau.*

▶▶ Enclos de Plougastel-Daoulas (calvaire★★)

MONTS D'ARRÉE★★

À 20 km au Sud de Morlaix par la D 785. Frontière naturelle entre la Cornouaille et le Léon, les monts d'Arrée sont les plus élevées des «montagnes bretonnes», bien que leur point culminant ne dépasse pas 400 m. Arides, couvertes de landes, souvent humides, ces crêtes de quartzite et ces vallées sauvages sont aujourd'hui protégées par le Parc naturel régional d'Armorique.

Du **roc Trévezel★★** (384 m), le **panorama★★** est immense. On découvre une succession de mamelons où serpentent les rivières encaissées aux eaux brunes et vives.

Châteaulin, sur une boucle de l'Aulne, est le rendez-vous des pêcheurs d'eau douce. C'est le centre de la pêche au saumon, particulièrement en mars et avril.

Au pied des monts d'Arrée, **Pleyben★★** est connu pour ses excellentes galettes et son magnifique **enclos paroissial★★**. C'est le plus imposant de Bretagne. Il fut construit en 1555. L'énorme piédestal met en valeur les personnages de la plate-forme qui se détachent sur le ciel en une très belle ordonnance.

Moulins★

Sur les bords de l'Allier demeure la tranquille et charmante capitale du Bourbonnais. On prendra plaisir à flâner le long des rives dans le quartier des anciens mariniers et dans la cité, riche d'un remarquable patrimoine. Moulins est une ville ouverte sur le Bocage et la Sologne bourbonnaise, avec son maillage très dense de gentilhommières et de châteaux.

La situation

21 892 Moulinois - Cartes Michelin Local 326 D-G 3, Regional 519 - Le Guide Vert Auvergne - Allier (03). Entre la N 7 et la N 2079 qui va de Paray-le-Monial à Montluçon, Moulins est à un carrefour des routes importantes du département.

11 r. François-Péron, 03000 Moulins, ☎ 04 70 44 14 14. www.moulins.auvergne.net

Pour poursuivre la visite, voir aussi : VICHY, BOURGES, AUTUN, CLUNY.

se promener

De la halle du 17ᵉ s., on jouit d'une vue d'ensemble sur la cathédrale. Les tours et la nef, du 19ᵉ s., prolongent la collégiale, édifiée de 1474 à 1507 dans le style gothique flamboyant, et comprenant le chœur et le déambulatoire à chevet plat.

Cathédrale Notre-Dame★

La cathédrale retient l'attention par ses œuvres d'art et ses **vitraux★★**.

Dans une chapelle, à droite du chœur, la Vierge noire, réplique de celle du Puy-en-Velay, rappelle que Moulins était une étape pour les pèlerins en route pour le Puy et St-Jacques-de-Compostelle.

Le **triptyque du Maître de Moulins★★★** est exposé dans le **trésor**. Cette admirable peinture sur bois, probablement achevée en 1498, paraît se rattacher à l'école flamande par ses attitudes, à l'école florentine par le dessin des visages et des

carnet pratique

Restauration

• *À bon compte*

Restaurant des Cours – *36 cours Jean-Jaurès - 03000 Moulins - ☎ 04 70 44 25 66 - fermé 24 fév. au 5 mars, 1er au 17 juil., mar. soir en août et mer. - 15/42€.* Cette belle demeure bourgeoise au cœur de la ville se laisse doucement caresser par la vigne vierge... Les bibelots, le mobilier de belle facture et les compositions florales en font un lieu raffiné et plaisant. La cuisine classique reste pourtant abordable avec ses menus.

Hébergement

• *À bon compte*

Parc – *31 av. du Gén.-Leclerc - 03000 Moulins - ☎ 04 70 44 12 25 - fermé 5 au 20 juil., 27 sept. au 5 oct. et 23 déc. au 4 janv. - P - 28 ch. : 33/57€ - ☕ 6€ - restaurant 15/35€.* À deux pas d'un parc verdoyant et de la gare, établissement où toute une famille se met en quatre pour rendre votre séjour agréable. Modestes chambres bien tenues et deux salles à manger : l'une d'esprit rustique et l'autre plus actuelle, égayée de chaises en bambou coloré.

Le Tronçais – *03000 Moulins - ☎ 04 70 06 11 95 - fermé 16 nov. au 14 mars, dim. soir et lun. hors sais. - P - 12 ch. : 38/63€ - ☕ 7€ - restaurant 19/31€.* Et si vous envisagiez une partie de pêche ? C'est possible dans l'étang du joli parc ombragé autour de cette agréable demeure. Chambres spacieuses et calmes. Salle à manger lumineuse bordée de baies ouvrant sur la nature.

fronts. L'éclat des couleurs, la grâce des personnages en font une œuvre empreinte d'une grande fraîcheur. Il fut réalisé pour le compte de Pierre II, duc de Bourbon, et de son épouse Anne de France (Anne de Beaujeu): ils sont représentés sur les faces intérieures encadrant la Vierge en gloire. Celle-ci, les yeux baissés sur l'Enfant Jésus, se détache sur un fond de soleil et d'arc-en-ciel qui donne à l'ensemble une grande perspective. *Avr.-sept. : visite guidée (1/4h) 9h-11h40, 14h-17h30, dim. et j. fériés 14h-17h30; oct.-mars: tlj sf mar. 10h-11h40, 14h-16h40, dim. et j. fériés 14h-16h40. Fermé 1er janv. ☎ 04 70 20 89 65.*

Jacquemart*

Le beffroi, surmonté d'une charpente couverte et d'un campanile abritant les cloches et les automates, était jadis le symbole des libertés communales de la ville. Le père Jacquemart, en uniforme de grenadier, et sa femme Jacquette sonnent les heures, tandis que les enfants Jacquelin et Jacqueline égrènent les demies et les quarts.

alentours

Abbaye de Souvigny**

13 km à l'Ouest de Moulins par la D 945. Ce superbe ensemble abbatial était l'un des grands prieurés dépendant de l'abbaye de Cluny. Deux clochers romans, reliés depuis le 15e s. par un pignon ajouré d'une rose, dominent le prieuré. L'intérieur surprend par ses vastes dimensions: 87 m sur 28 m. La **chapelle vieille*** abrite le tombeau de Louis II de Bourbon et de sa femme Anne d'Auvergne. La **chapelle neuve**** abrite le tombeau de Charles Ier et de sa femme Agnès de Bourgogne. Les gisants, revêtus de manteaux aux plis amples, sont l'œuvre d'un artiste formé à l'art bourguignon.

Forêt de Tronçais***

50 km à l'Ouest de Moulins par Cérilly et la D 953. Au contact du Berry et du Bourbonnais, la forêt domaniale de Tronçais, avec plus de 10 000 ha, se distingue par ses chênes vénérables. Autrefois, on pouvait dire que cette forêt naviguait sur toutes les mers du globe. Colbert fut en effet soucieux de réserver les plus beaux chênes aux bateaux de la marine. Aujourd'hui, le chêne de Tronçais est apprécié en tonnellerie pour la maturation du cognac et des bordeaux.

Les amateurs de champignons trouveront ici cèpes, girolles, pieds de mouton ou russules. Les autres s'intéresseront à la faune diversifiée ou surprendront les grèbes huppées sur l'étang de Pirot.

La forêt de Tronçais possède des arbres de dimensions exceptionnelles.

Mulhouse**

Mulhouse est la ville industrielle par excellence, dont le patrimoine a été intelligemment mis en valeur: un musée national de l'Automobile, le plus prestigieux de la planète, un musée du Chemin de fer, un musée du Papier peint, un musée de l'Impression sur étoffe, un musée de l'Énergie électrique. L'autre visage de Mulhouse, c'est celui du centre-ville aux maisons anciennes peintes que l'on découvrira à pied en suivant le sentier du Vieux-Mulhouse.

La situation

234 445 Mulhousiens – Cartes Michelin Local 315 G-I 9-10, Regional 516 – Le Guide Vert Alsace Lorraine – Haut-Rhin (68). Au carrefour de l'A 35, qui joint Strasbourg à Bâle, et de l'A 36, qui traverse les faubourgs de la ville d'Est en Ouest, puis se dirige vers Belfort et Montbéliard-Sochaux, villes à moins de 50 km. Ces axes soulagent la circulation dans les avenues, laissant libre son centre piétonnier.

9 av. Mar.-Foch, 68100 Mulhouse, ☎ 03 89 35 48 41. www.ot.tourisme-mulhouse.fr

Pour poursuivre la visite, voir aussi : COLMAR, RIQUEWIHR, BELFORT, MASSIF DES VOSGES.

carnet pratique

RESTAURATION

• *À bon compte*

Aux Caves du Vieux Couvent – *23 r. du Couvent - 68100 Mulhouse - ☎ 03 89 46 28 79 - fermé dim. soir et lun. - 9,15/25€.* Une taverne alsacienne au cœur de la ville. Sous le plafond voûté de sa salle à manger, le décor rustique aux murs décorés de fresques et aux bancs et chaises de bois massif s'accorde fort bien avec la cuisine régionale servie dans une ambiance bon enfant.

La Taverne – *À l'Écomusée d'Alsace - 10 km au NO de Mulhouse par D 430 - ☎ 03 89 74 44 49 - 15/29€.* Décor de vieille taverne alsacienne avec poutres et charpentes pour une cuisine revigorante à base de cochonnailles, choucroutes et autres plats régionaux typiques... Parfait pour continuer la découverte des traditions entamée à l'Écomusée, ambiance en plus !

• *Valeur sûre*

Zum Saüwadala – *13 r. de l'Arsenal - 68100 Mulhouse - ☎ 03 89 45 18 19 - fermé lun. midi et dim. - 8,84€ déj. - 15,85/23,63€.* Vous ne pourrez pas le rater avec sa façade typique : au cœur du vieux Mulhouse, ce restaurant, avec sa collection de chopes de bière au plafond et ses nappes vichy, sert une cuisine aux accents alsaciens de bon aloi. Plusieurs menus dont un pour les petits.

HÉBERGEMENT

• *À bon compte*

Hôtel St-Bernard – *3 r. des Fleurs - 68100 Mulhouse - ☎ 03 89 45 82 32 - stber@evhr.net - 21 ch. : 30/48€ - ☕ 7€.* Près de la jolie place de la Réunion et de l'Hôtel-de-Ville, ce petit hôtel fonctionnel est bien situé. Demandez l'une des deux chambres avec matelas à eau pour rire ou celle avec un plafond peint pour rêver. À la réception, Internet gratuitement à votre disposition et des vélos pour les sportifs...

• *Valeur sûre*

Hôtel Bristol – *18 av. de Colmar - 68100 Mulhouse - ☎ 03 89 42 12 31 - hbristol@club-internet.fr - P - 70 ch. : 55/130€ - ☕ 7,50€.* Un peu en dehors de la vieille ville, cet hôtel à la façade début de siècle a été entièrement rénové. Ses nombreuses chambres sont spacieuses et bien équipées. Certaines salles de bains ont des baignoires d'angle. Une adresse pratique de Mulhouse.

découvrir

LES MUSÉES DE L'INDUSTRIE

Musée national de l'Automobile, collection Schlumpf***

♿ *Avr.-oct. : 9h-18h (dernière entrée 1/2h av. fermeture); nov.-mars : 10h-18h. Fermé 1er janv. et 25 déc. 10€ (enf. : 5€). ☎ 03 89 33 23 21.*

Cette fabuleuse collection de quelque 500 automobiles de rêve a été constituée pour permettre d'apprécier la créativité et la personnalité des constructeurs.

On aborde l'histoire de l'automobile avec les « ancêtres » (1895-1918) – les Panhard, De Dion, Benz et Peugeot –, puis on passe aux « classiques » (1918-1938), moment de la fusion de deux grands constructeurs, Mercedes et Benz, de l'introduction en série de la traction avant par Citroën, et de l'ouverture des usines Peugeot à Sochaux. Enfin, les « modernes » (après 1945) rappellent l'apparition de voitures économiques et grand public.

Ensuite, ce sont les voitures de course : Maserati, Porsche et autres Bugatti... La visite se termine avec des voitures de prestige, comme la coach Delahaye type 135, les Rolls Royce Silver Ghost, où le luxe n'a d'égal que la majesté des lignes. Au centre ont été rassemblées les Bugatti que le collectionneur Fritz Schlumpf, instigateur de ce musée, affectionnait tant.

COMME POUR DE VRAI

Démarrer une voiture à la manivelle, faire des tonneaux dans une voiture spéciale, piloter un bolide sur le circuit des 24 Heures du Mans, c'est possible ! Plusieurs espaces animés et simulateurs de conduite vous y invitent...

Musée français du Chemin de fer***

♿ *Mai-sept. : 10h-18h ; oct.-avr. : 10h-17h. Fermé 1er janv., 25 et 26 déc. 7,60€ (enf. : 4€). Visite à thème mar. et jeu. à 10h et 14h30. ☎ 03 89 42 83 33.*

La collection constituée par la SNCF présente dans le musée-express le monde ferroviaire par l'intermédiaire de jeux, de maquettes et de manipulations interactives, ainsi que le matériel ferroviaire : signaux, infrastructures, bâtiments et trains. L'immense hall offre des aménagements astucieux pour tout connaître et tout comprendre : passerelles pour observer l'intérieur des voitures, fosses pour passer sous les locomotives.

Parmi les pièces à ne pas manquer, la locomotive St-Pierre au corps de bois de teck affectée à la ligne Paris-Rouen en 1844, la dernière des locomotives à vapeur, la voiture de 4e classe de la compagnie d'Alsace-Lorraine, etc.

Électropolis : musée de l'Énergie électrique★

Situé à l'Ouest de Mulhouse, Électropolis est tout proche du musée du Chemin de fer avec lequel il partage un vaste parking. ♿ Fermé exceptionnellement pour travaux. Réouverture mars 2003. 10h-18h. Fermé lun. sept.-juin (hors lun. de Pâques et Pentecôte), 1er janv., 25 et 26 déc. 7,30€ (enf. : 3,50€). ☏ 03 89 32 48 50.

L'architecture moderne du bâtiment fournit un cadre original à la présentation de toutes les étapes de la production de l'électricité et ses applications. Les thèmes les plus divers sont abordés dans la vaste « galerie de Jupiter » : la musique, l'électroménager, l'informatique et l'électronique, la radio, les satellites...

Un certain nombre d'expériences sont proposées, des manipulations et des jeux pour s'initier à l'univers de l'énergie électrique. Quant à la « maison de l'électricité », elle anticipe ce que sera le confort domestique de demain.

Musée de l'Impression sur étoffes★

♿ 10h-18h. Fermé 1er janv., 1er mai et 25 déc. 5,49€. ☏ 03 89 46 83 00.

Ici, on découvre comment Mulhouse s'est ouvert à l'impression textile, comment celle-ci s'y est développée, entraînant à sa suite la croissance de la ville, et comment l'évolution des techniques a pu servir la créativité des dessinateurs. Du blanchiment des toiles jusqu'à leur amidonnage et lustrage, teinture par les couleurs naturelles telles qu'indigo ou garance, savoir-faire des dessinateurs et des graveurs. Ainsi naissent les chefs-d'œuvre les plus rares (indiennes du 18e s. dont les motifs floraux imitent ceux de la Perse) ou les objets les plus familiers.

ACHATS

La boutique du musée de l'Impression sur étoffes réédite les motifs originaux d'impression et propose un large choix de nappes, châles, foulards, mouchoirs et accessoires, aux couleurs chatoyantes.

Musée du Papier peint★

À Rixheim, 6 km à l'Est de Mulhouse sur la route de Bâle. Juin-sept. : 10h-12h, 14h-18h (dernière entrée 1/2h av. fermeture) ; oct.-mai : tlj sf mar. 10h-12h, 14h-18h. Fermé 1er janv., Ven. saint, 1er mai et 25 déc. 5,50€ (billet combiné avec le musée de l'Impression sur étoffes : 8€). ☏ 03 89 64 24 56.

Dans l'aile droite d'une commanderie de chevaliers Teutoniques, Jean Zuber installa, en 1797, une fabrique de papiers peints qui fit la renommée de sa famille. La **collection**★★ de ces fameux panoramiques est remarquable. Ils furent très recherchés et exportés dans le monde entier, notamment en Amérique du Nord. Ce sont pour l'essentiel des paysages aux fraîches couleurs qui mêlent des vues recomposées de la Suisse, de l'Algérie ou du Bengale.

se promener

Hôtel de ville★★

Construit en 1552 dans le style de la Renaissance rhénane par un architecte bâlois, il est unique en France avec ses façades peintes en trompe-l'œil pour certains détails. Son double perron couvert est une merveille d'équilibre.

Les écus aux armes des cantons suisses peints sur la façade rappellent le lien historique de Mulhouse avec la Confédération helvétique. Au pied de la volée de marches se trouve l'entrée du **Musée historique**★★. Sur le côté gauche de la place, le « poêle des tailleurs » est l'immeuble dans lequel se réunissait la corporation la plus nombreuse de la ville. Plus loin *(rue Henriette)*, on repère le « poêle des vignerons », maison dont la façade date du 16e s.

L'hôtel de ville de Mulhouse.

Temple St-Étienne

Mai-sept. : tlj sf mar. 10h-12h, 14h-18h, dim. 14h-18h. Gratuit. ☏ 03 89 46 58 25.

Construit en 1866 à la place d'une église du 12e s., il en a gardé le nom et les magnifiques **vitraux**★ du 14e s.

Dans la rue des Franciscains, sont installées plusieurs manufactures d'indiennes dont la plus célèbre est la « cour des chaînes » ouverte en 1763 dans un édifice du 16e s.

▶▶ Parc zoologique et botanique★★

alentours

Écomusée d'Alsace**

12 km au Nord de Mulhouse, par la D430. Juil.-août : 9h30-19h ; mars-juin et sept. : 10h-18h ; janv.-fév. et oct.-déc. : 10h-17h. 13€ (enf. : 9€). ☎ 03 89 74 44 74.

La visite est conçue comme une promenade en plein air, sur près de 20 ha. Chacun y consacre le temps qui lui convient, mais une demi-journée semble un temps minimum ; par ailleurs, des animations pour mieux connaître la vie en Alsace sont proposées en soirée, principalement l'été.

On découvre, à travers une cinquantaine de maisons rurales à pans de bois regroupées selon leur région d'origine, l'organisation sociale et domestique aux 19e et 20e s. Ici, tous les sens sont sollicités : on goûte les saveurs autour du pressoir et du four à pain, on touche la chaleur moite du cheval de labour et la glaise froide du potier, on découvre les savoir-faire et les façons de vivre.

Entrez dans le hangar proche de la halle des fêtes ! Vous voilà dans l'univers enchanteur de l'Eden-Palladium. C'est un carrousel-salon entièrement reconstitué avec ses glaces miroitantes, ses tables bistrot, la musique du limonaire et le splendide manège de chevaux frémissants.

Église de Murbach**

29 km au Nord-Ouest de Mulhouse, en passant par Guebwiller. C'est parce qu'il avait trouvé ce creux de vallon propice à la promenade et à la méditation que Pirmin est venu y fonder en 727 une abbaye, devenue depuis une des plus puissantes abbayes bénédictines de la région. Elle déployait des droits et des biens sur plus de 300 localités alentour. Les abbés possédaient des mines, une bibliothèque remarquable et faisaient battre monnaie.

L'église St-Léger, chef-d'œuvre de l'art roman, fut construite au 12e s. Elle est réduite à présent au chœur et au transept, la nef ayant été démolie en 1738. Le **chevet**** est la partie la plus remarquable de l'édifice. Son mur plat légèrement en saillie porte des sculptures disposées avec fantaisie dans le large triangle du haut. Puis une galerie de 17 colonnettes dissemblables règne au-dessus de deux étages de fenêtres. Le tympan du portail Sud, avec sa composition en faible relief, deux lions affrontés dans un encadrement de rinceaux et de palmettes, rappelle les ouvrages orientaux.

Nancy***

Nancy évoque pour les uns les fameuses bergamotes sagement rangées dans leurs belles boîtes de fer, pour les autres la majestueuse place Stanislas toute de dorures sur le ciel bleu. Pour d'autres encore, la capitale des ducs de Lorraine. Mais aussi l'Art nouveau présent dans les rues et derrière les vitrines des musées. Et enfin, un club de football, l'AS Nancy-Lorraine, qui a vu dans les années 1970 l'éclosion d'un talent précoce, celui de Michel Platini.

La situation

103 605 Nancéiens - Cartes Michelin Local 307 G-I 6-7, Regional 516 - Le Guide Vert Alsace Lorraine - Meurthe-et-Moselle (54). Nancy est posée sur la Meurthe, près de son confluent avec la Moselle, et sur le canal de la Marne au Rhin, au contact des côtes de Moselle et du plateau lorrain, au Sud de Metz.

14 pl. Stanislas, 54000 Nancy, ☎ 03 83 35 22 41. www.ot-nancy.fr

Pour poursuivre la visite, voir aussi : METZ, VERDUN, BAR-LE-DUC, MASSIF DES VOSGES.

comprendre

La fondation de Nancy remonte au 11e s. Développée à l'abri du château fort de Gérard d'Alsace, fondateur du duché de Lorraine, entre deux marais de la Meurthe, Nancy comprend alors quelques couvents et le château ducal. Après un incendie qui la détruit en 1228, on rebâtit.

La croix de Lorraine – La croix à double traverse (la traverse supérieure figurant l'écriteau) fait déjà partie au 15e s. du patrimoine de la maison de Lorraine : elle rappelle le souvenir d'une relique de la vraie Croix conservée en Anjou. En juillet 1940, les forces navales de l'amiral Muselier l'adoptent comme emblème de la France au combat.

Stanislas le Magnifique – François III, duc de Lorraine, cède en 1737 son duché en échange de celui de Toscane, pour épouser Marie-Thérèse, future impératrice d'Autriche. Louis XV installe à sa place, sur le trône de Nancy, son beau-père, Stanislas Leszczynski, roi détrôné de Pologne, à la mort duquel la Lorraine

carnet pratique

Restauration

• ***Valeur sûre***

Les Pissenlits – *25 bis r. des Ponts - 54000 Nancy - ☎ 03 83 37 43 97 - fermé 1er au 16 août, dim. et lun. - 15,70/30,34€.* On se bouscule dans ce bistrot à deux pas du marché. Et pour cause : l'ambiance est décontractée, la cuisine, pleine d'allant, est généreuse et la salle avec ses tables serrées, son mobilier Majorelle et son tableau noir est vraiment sympathique... Alors, courez-y, vous aussi !

Hébergement

• ***À bon compte***

Portes d'Or – *21 r. Stanislas - 54000 Nancy - ☎ 03 83 35 42 34 - fermé 26 déc. au 3 janv. - 20 ch. : 40/50€ - 7€.* La proximité de la place Stanislas est l'atout majeur de cet hôtel. Les chambres aux tons pastel ne sont pas très grandes, mais possèdent un mobilier moderne et un équipement correct.

• ***Valeur sûre***

Hôtel Crystal – *5 r. Chanzy - 54000 Nancy - ☎ 03 83 17 54 00 - hotelcrystal.nancy@wanadoo.fr - fermé 28 déc. au 3 janv. - 58 ch. : 75/90€ - 8€.* Cet hôtel central et entièrement rénové est une bonne adresse nancéienne. Ses chambres modernes sont spacieuses, bien aménagées, et leur décor soigné leur donne une petite touche agréablement chaleureuse. Salon-bar feutré.

Spectacles

Programme – Pour connaître le programme des manifestations et des spectacles, se procurer le magazine mensuel *Spectacles à Nancy*. Informations sur Internet : *www.spectacles-nancy.presse.fr*

Achats

Maison des Sœurs Macarons – *21 r. Gambetta - 54000 Nancy - ☎ 03 83 32 24 25 - www.macaron-de-nancy.com - lun. 14h-19h ; mar.-sam. 10h-12h30, 14h-19h - fermé dim.* Le secret de l'élaboration des célèbres macarons des sœurs (petits gâteaux ronds à base d'amandes, finement craquelés et très mœlleux) se transmet depuis le 18e s. Outre le macaron, d'autres spécialités lorraines seront proposées : la bergamote, le berg'amour (pâtes de fruits arômatisée à l'essence de bergamote), les perles de Lorraine (pâte de fruits fourrée à l'eau-de-vie de mirabelle) et les florentins des sœurs (praliné enrobé d'un fondant).

Confiserie Alain Batt – *30 r. du Tapis-Vert - 54000 Nancy - ☎ 03 83 35 70 00 - lun.-sam. 9h-17h30, visite sur RV.* Ce confiseur fabrique sous vos yeux macarons, mirabelles en pâte d'amande, Chardons de Lorraine, truffes à la bergamote... Dégustation et vente.

reviendra à la France. Il s'agit d'accoutumer la Lorraine à la domination française. Or, nul mieux que ce Polonais ne sut se faire aimer des Lorrains par ses largesses et les embellissements qu'il laissa à sa capitale d'adoption. Durant trente ans, Stanislas joue le rôle d'un gouverneur de province. Il consacre son temps, et la pension que lui alloue son gendre, à embellir Nancy. C'est un homme paisible qui aime sa fille, la reine de France, la paix, la bonne chère, les jolies femmes et pratique une philosophie facile et une religion indulgente.

se promener

LA CAPITALE HISTORIQUE DE LA LORRAINE

Place Stanislas***

Construite entre 1751 et 1760 entre la Ville-Vieille et la Ville-Neuve, la place Stanislas porta d'abord le nom de place Royale : la statue de Louis XV trône alors au centre. Détruite sous la Révolution, la statue est remplacée en 1831 par celle de Stanislas : la place est alors rebaptisée du nom du Polonais.

Les grilles de Jean Lamour sont le joyau de ce lieu. De fer forgé rehaussé d'or, elles sont un chef-d'œuvre de légèreté, d'élégance et de fantaisie.

Arc de triomphe*

Construit de 1754 à 1756 en l'honneur de Louis XV, cet arc de triomphe imite celui de Septime Sévère, à Rome. La partie droite, consacrée aux dieux de la Guerre, est dédiée au prince victorieux ; la partie gauche, consacrée aux déesses de la Paix, glorifie le prince pacifique.

Place de la Carrière*

Cette longue place date de l'époque ducale ; elle servait aux exercices équestres. Elle est encadrée aujourd'hui par de beaux hôtels du 18e s. Aux deux extrémités s'ouvrent les grilles de Lamour, enrichies de potences à lanternes.

Palais du Gouverneur*

À l'opposé de l'arc de triomphe, la place est fermée par le palais du Gouverneur, ancienne résidence des gouverneurs de Lorraine. Le péristyle de l'édifice est relié aux maisons de la place par une **colonnade*** d'ordre ionique surmontée d'une balustrade ornée de vases. Entre chaque colonne, voyez les bustes mythologiques.

Palais ducal★★

La façade, sobre et nue, rend plus saisissante l'élégance et la richesse de son unique ornement: la **Porterie★★**, achevée au 16e s. Le style flamboyant et celui de la Renaissance se mêlent pour composer cette admirable porte surmontée de la statue équestre (reconstituée) du duc Antoine de Lorraine.

Église N.-D.-de-Bon-Secours★

Lieu de pèlerinage renommé, sa façade est de style baroque. L'intérieur, richement orné, possède des confessionnaux sculptés, de style Louis XV, des grilles de Jean Lamour et une belle chaire rocaille. Dans le chœur se trouvent, à droite, le **tombeau de Stanislas★** et le monument du cœur de Marie Leszczynska, épouse de Louis XV, sculptés par Vassé, à gauche, le **mausolée de Catherine Opalinska★**, épouse de Stanislas, par les Adam.

R. Mattes/MICHELIN

Les grilles en fer forgé et doré de Jean Lamour, sur la place Stanislas, joyau de la ville.

visiter

Musée historique lorrain★★★

Tlj sf mar. 10h-12h30, 14h-18h. Fermé 1er janv., 1er mai, 14 juil., 1er nov. et 25 déc. 3,10€. ☎ 03 83 32 18 74.

Une documentation d'une valeur exceptionnelle par sa qualité et sa richesse évoque l'histoire du pays lorrain. La galerie des Cerfs rassemble les souvenirs de la dynastie des ducs de Lorraine. On admire ici les peintures de Georges de La Tour (*La Femme à la puce, Découverte du corps de saint Alexis, Le Jeune Fumeur, Saint Jérôme lisant*).

Musée de l'École de Nancy★★

Tlj sf lun. et mar. 10h30-18h. 4,57€ (enf. : gratuit), gratuit 1er dim. du mois 10h30-13h30. ☎ 03 83 40 14 86.

Le musée offre un panorama de l'extraordinaire mouvement de rénovation des arts décoratifs qui se développa à Nancy, entre 1885 et 1914, à la Belle Époque.

Il présente une magnifique collection d'œuvres Art nouveau: meubles, reliures, affiches et dessins, verreries, céramiques et vitraux.

ART NOUVEAU

Ce mouvement qui a d'abord touché les arts décoratifs, puis l'architecture, est né dans les années 1880 de façon convergente dans plusieurs pays où il porte des noms différents: *Liberty* en Angleterre, *Jugendstil* en Autriche et en Allemagne, *Tiffany* aux États-Unis. Influencé à l'origine par le style néogothique et l'art japonais, il voulut rompre, par des créations originales, avec la répétition des styles dits «historiques». En France, les premières œuvres apparaissent à Nancy avec Émile Gallé qui fabrique des verres à décor inspiré de la nature. C'est autour de lui que se regroupent des verriers, des céramistes, des graveurs, des sculpteurs et des architectes qui vont faire de Nancy une des capitales européennes de l'Art nouveau, au même titre que Paris, Vienne, Bruxelles ou Prague.

Musée des Beaux-Arts★★

♿ Tlj sf mar. 10h-18h. Fermé 1er janv., 1er mai, 14 juil., 1er nov. et 25 déc. 4,57€ (exposition temporaire: 5,34€), gratuit 1er dim. du mois. ☎ 03 83 85 30 72.

Installé dans l'un des pavillons (18e s.) de la place Stanislas, le musée propose un panorama de l'art en Europe du 14e au 20e s. Dès l'entrée, on est peu à peu séduit par la mise en scène intérieure mettant en valeur l'ensemble de la collection grâce à un subtil jeu de lumière et à des rapprochements inattendus. L'Italie est très présente avec, aux côtés des primitifs, des œuvres du Pérugin, du Tintoret, de Pierre de Cortone, du Caravage. Le musée possède un fond d'art graphique remarquable avec tout l'œuvre gravé de Jacques Callot (787 gravures) et les dessins de Grandville (1438 dessins). Des vestiges de fortifications du 15e au 17e s. abritent la collection Daum, ensemble magnifique de près de 300 pièces.

Église et couvent des Cordeliers★

Mêmes conditions de visite que le Musée historique lorrain. 3,10€. ☎ 03 83 32 18 74. Composée d'une nef unique, suivant l'usage des ordres mendiants, l'**église★** a été édifiée à la fin du 15e s. Dans une chapelle à gauche, le **gisant de Philippa de Gueldre★★** a été sculpté, dans un calcaire très fin, par Ligier Richier dont c'est une des plus belles œuvres.

À gauche du chœur de l'église, la **chapelle ducale★** s'élève au-dessus du caveau funéraire des ducs de Lorraine. De forme octogonale, la chapelle a ses murs encadrés de seize colonnes, auxquelles s'adossent sept cénotaphes en marbre noir.

Le cloître et une partie des salles de l'ancien monastère abritent un riche **musée d'Arts et Traditions populaires**.

alentours

Saint-Nicolas-de-Port★★

12 km au Sud-Est de Nancy par la D 400. L'arrivée au 11e s. d'une relique de saint Nicolas, rapportée par un croisé, bouleverse la cité de Port (appelée ainsi à cause de son activité fluviale sur la Meurthe). Et, depuis le Moyen Âge, toute la Lorraine célèbre, le 6 décembre, saint Nicolas.

La **facade** de la **Basilique★★** comprend trois portails surmontés de gâbles flamboyants. Le portail central a conservé la statue qui figure le miracle de saint Nicolas.

La **nef** est un lumineux vaisseau élancé, couvert de belles voûtes à liernes et tiercerons. Dans le transept, les voûtes sont soutenues par des piliers hardis : ce sont les plus hauts de France (28 m).

Les magnifiques **vitraux** de l'abside et du collatéral ont été exécutés entre 1507 et 1510. Les inventions décoratives de la Renaissance transparaissent déjà. *De déb. juil. à mi-sept. : visite guidée (1h) dim. et j. fériés 14h-18h. 5€ (basilique et tours). En août concerts d'orgue chaque dim. 17h30. Gratuit. Visite avec baladeur tlj sf dim. et lun. 14h-18h (baladeur à retirer à l'Office de tourisme, pl. Croué-Friedman). ☎ 03 83 48 58 75.*

▶▶ Musée français de la Brasserie ; musée du Cinéma, de la Photographie et des Arts audiovisuels

Toul★

23 km à l'Ouest de Nancy par l'A 31. Commencée au début du 13e s., la **cathédrale St-Étienne★★** fut achevée au 16e s. La magnifique **facade★★** a été édifiée de 1460 à 1496 dans le style flamboyant. L'intérieur montre des traces du gothique champenois : galeries de circulation hautes et basses au-dessus des grandes arcades et des bas-côtés, arcades très aiguës, absence de triforium. La nef, haute de 30 m, est la plus jolie partie de l'édifice. À droite, belle chapelle Renaissance surmontée d'une coupole à caissons. *Service culturel, mairie de Toul. ☎ 03 83 63 76 41.*

Le **cloître★** est tout petit. Les murs sont ornés d'arcatures et de belles gargouilles.

Ancienne collégiale de chanoines, édifiée du 13e au 15e s., l'**église St-Gengoult** est une manifestation de l'école gothique champenoise. La façade Ouest, percée d'une gracieuse porte, date du 15e s. *Nov.-mars : tlj sf w.-end sur demande auprès de Mme Arnould ou de M. Blanchet. ☎ 03 83 63 76 41.*

Le **cloître St-Gengoult★★** date du 16e s. Le long des galeries, dont la décoration extérieure est Renaissance, des gâbles accentuent l'élévation des arcades. Les voûtes en étoile ont des clefs en forme de médaillons, décorées avec fantaisie.

Nantes★★★

Capitale historique des ducs de Bretagne, Nantes est située au confluent de la Sèvre, de l'Erdre et de la Loire qui lui a tout apporté. Grand pôle tertiaire, la métropole de l'Ouest est devenue la sixième ville de France; elle attire un nombre record de nouveaux citadins, tant il fait bon y vivre. Généreuse en chlorophylle, réputée pour ses festivals, elle déploie ses larges artères où circule un vent maritime. Le château des ducs convie à une flânerie vers le cœur classique, où s'alignent d'altiers bâtiments des 18e et 19e s.

carnet pratique

Restauration

• À bon compte

Crêperie Heb-Ken – *5 r. de Guérande - 44000 Nantes - ☎ 02 40 48 79 03 - fermé 17 juil. au 23 août, dim. et j. fériés - 7,62/13,72€.* Prix très raisonnables pour ces crêpes de qualité servies dans deux salles sans fioriture, décorées de photos du pays bigouden. Une escale sympathique à prévoir au cours de vos flâneries nantaises, entre la place Royale et la rue Crébillon.

• Valeur sûre

La Maison du Change – *2 pl. du Change - 44000 Nantes - ☎ 02 40 47 18 49 - fermé dim. - 16,01/28,51€.* Remontez le temps en admirant la façade de cette maison nantaise du 15e s., puis poussez sa porte pour découvrir son cadre médiéval et s'attabler autour de plats inspirés par l'histoire du lieu, désormais monument classé. L'établissement fait bar en dehors des heures de repas.

Hébergement

• À bon compte

Hôtel Cholet – *10 r. Gresset - 44000 Nantes - ☎ 02 40 73 31 04 - hotelcholet@wanadoo.fr - 38 ch. : 38,11/49,55€ - ☕ 5,95€.* Pratique... À partir de ce petit hôtel, tout, ou presque, se visite à pied : quatre musées, la place Graslin et son théâtre... Le confort des chambres est correct et le cadre sans grand caractère, mais les prix sont sages.

• Valeur sûre

Hôtel Graslin – *1 r. Piron - 44000 Nantes - ☎ 02 40 69 72 91 - resagraslin@ifrance.com - 47 ch. : 53,36/60,98€ - ☕ 6,10€.* Situé dans le cœur animé de la ville, cet hôtel bénéficiant d'une bonne insonorisation constitue une étape pratique, aussi bien pour la clientèle d'affaires que pour les touristes. Les chambres sont fonctionnelles ; huit d'entre elles sont plus vastes. Formule buffet au petit déjeuner.

Hôtel La Pérouse – *3 allée Duquesne - 44000 Nantes - ☎ 02 40 89 75 00 - 47 ch. : 70,13/91,47€ - ☕ 7,62€.* Résolument contemporain, le décor de cet hôtel allie pureté des formes et confort des matières. Avec ses murs blancs passés à l'huile de lin, ses parquets blonds, son mobilier épuré et ses vasques transparentes, il séduira les amateurs de design.

Spectacles

Programme – *Ouest-France* (édition Nantes) et le magazine *Nantes-Poche* vous renseigneront sur les programmes des manifestations et des cinémas. Consultez également le programme mensuel *Des Jours et des Nuits* édité par l'Office de tourisme. Enfin, le 3615 Nantes (borne à l'Office de tourisme) donne des informations sur les activités culturelles et sportives.

Achats

Georges-Gautier – *9 r. de la Fosse - 44000 Nantes - ☎ 02 40 48 23 19 - mar.-sam. 9h-19h15 - fermé dim. et lun.* Magnifique chocolaterie, datant de 1850, et classée Monument historique. Gourmands de tous les pays, salivez devant les macarons, les berlingots nantais ou les vieux pavés... La brûlerie d'à côté appartient au même propriétaire.

Comptoir du Château – *4 r. Prémion - 44000 Nantes - 02 40 20 16 22 - www.comptoir-du-chateau.com - mar.-sam. 10h30-13h30, 14h30-19h, dim. 15h-19h ; juil.-août : jusqu'à 19h - fermé 3 sem. en janv. et en oct., lun.* Cette boutique est spécialisée dans la fabrication d'armure de combat, épées, dagues, boucliers et autres objets médiévaux, voisinage du château des ducs de Bretagne oblige ! Vous y trouverez également bijoux celtiques et personnages de la mythologie régionale (fées et korrigans).

Calendrier

Les Folles Journées – De plus en plus populaires à Nantes, elles drainent un public très large qui déborde les amateurs de musique classique. La folle journée, consacrée chaque année à un compositeur différent, a lieu le dernier w.-end de janvier. ☎ 02 51 88 20 00.

H. Le Gac/MICHELIN

La situation

548 741 Nantais - Cartes Michelin Local 316 G 4, Regional 518 - Le Guide Vert Bretagne - Loire-Atlantique (44). La capitale de la région est un casse-tête pour l'automobiliste. Garez-vous aux abords du centre, et optez pour la marche à pied. Le quartier Ste-Croix est le haut lieu des soirées nantaises. Bars et restaurants s'y succèdent, et les terrasses gagnent le pavé dès les premiers beaux jours.

7 r. de Valmy, 44000 Nantes, ☎ 02 40 20 60 00. www.nantes-tourisme.com

Pour poursuivre la visite, voir aussi: LA BAULE, ANGERS, SAUMUR, LE PUY DU FOU, LES SABLES-D'OLONNE.

comprendre

Nantes, capitale de la Bretagne - Gauloise, puis romaine, Nantes est mêlée aux luttes sanglantes qui opposent les rois francs aux comtes et ducs bretons. Au Moyen Âge, Nantes lutte pour son titre de capitale contre Rennes.

L'édit de Nantes - En 1597, la Bretagne, lasse des troubles engendrés par la Ligue et par les ambitions séparatistes de son gouverneur, Philippe de Lorraine, adresse un appel à Henri IV pour qu'il rétablisse l'ordre. Devant le château, le roi s'écrie, admiratif: « Ventre Saint-Gris, les ducs de Bretagne n'étaient pas de petits compagnons! » Durant son séjour, le 13 avril 1598, il signe l'édit de tolérance qui, en 92 articles, règle la question religieuse.

Sucre et « bois d'ébène » - Du 16e au 18e s., la vente aux Antilles des esclaves noirs achetés sur la côte de Guinée permet l'achat du sucre de canne, qui est raffiné à Nantes: ce commerce, pudiquement dénommé le « bois d'ébène », laisse 200 % de bénéfice. À la fin du 18e s., l'opulence de Nantes est éclatante. Premier port négrier de France, la ville développe des chantiers navals et des fabriques de toiles indiennes. Sa flotte compte 2 500 navires. Les armateurs, qui forment de véritables dynasties, se font construire les beaux immeubles du quai de la Fosse et de l'île Feydeau.

Belle façade d'une maison d'armateur.

Le temps des industries - L'abolition de la traite en 1815, la fabrication du sucre à partir de la betterave et l'ensablement de la Loire marquent la fin d'une époque. La ville se tourne vers la métallurgie et les fabrications alimentaires: biscuiteries, conserveries... En 1856, elle crée un avant-port à Saint-Nazaire. Au tournant du 20e s., elle creuse un canal latéral à la Loire et ouvre l'estuaire aux cargos de 8,25 m de tirant d'eau.

Une nouvelle vitalité - Dans les années 1980, Nantes subit la fermeture des chantiers navals et le déclin de l'industrie agroalimentaire. Mais aujourd'hui, le tertiaire représente l'essentiel de son activité économique: assurances, informatique, téléphonie... Nantes accueille 43 000 étudiants. En dix ans, elle s'est propulsée parmi les villes les plus jeunes de France: plus de 35 % de sa population a moins de 25 ans.

se promener

AUTOUR DU CHÂTEAU

Cathédrale St-Pierre-et-St-Paul*

Commencé en 1434, achevé en 1891 et restauré après l'incendie de 1972, cet édifice imposant surprend par l'austérité de sa façade: deux tours sans fantaisie encadrent une grande baie flamboyante. Les trois portails, en revanche, présentent des voussures finement sculptées.

À l'**intérieur****, le tuffeau a permis d'élever des voûtes jusqu'à 37,50 m de hauteur. Il en résulte un vaisseau de style gothique, aux lignes très pures.

Dans le croisillon droit, le **tombeau de Francois II**** est l'une des grandes productions de la Renaissance, commandée par Anne de Bretagne à Michel Colombe (1502-1507) pour recevoir les restes de son père, François II, et de sa mère,

Marguerite de Foix. Les anges qui soutiennent les têtes représentent l'accueil céleste. Le lion couché aux pieds du duc est l'emblème de la Puissance; le lévrier de Marguerite, celui de la Fidélité. Les grandes statues personnifient les vertus cardinales: la Justice, la Force, la Prudence et la Tempérance. La Prudence, vertu qui s'inspire du passé pour envisager l'avenir, a deux visages. La Tempérance tient un mors rappelant la retenue des passions, et une horloge qui symbolise la mesure.

Château des ducs de Bretagne★★

Juil.-août: cour et remparts 10h-19h; sept.-juin: 10h-18h. Expositions : tlj sf mar. 10h-18h. Fermé j. fériés. 3,10€, gratuit 2e dim. du mois. ☎ 02 40 41 56 56.

En 1466, le duc de Bretagne, François II, décide de reconstruire le château. Les travaux se poursuivent avec sa fille, Anne de Bretagne. Par son architecture, le château rappelle toujours la double fonction qu'il avait jadis: place forte aux murailles de granit, et palais à l'architecture élégante, comme en témoigne le tuffeau ouvragé des logis.

Dans la cour, le **puits★★**, qui remonte probablement à François II, est surmonté d'une magnifique armature en fer forgé, figurant la couronne ducale. Autrefois dorée à l'or, elle comporte sept poulies et sept gargouilles sculptées sur une margelle à sept côtés.

Comment joindre l'utile... à l'agréable

En face du château, de l'autre côté de la voie ferrée, se dresse un curieux clocheton bleu, blanc et rouge: c'est l'ultime vestige de la biscuiterie que Jean-Romain Lefèvre, époux de Pauline-Isabelle Utile, occupa à partir de 1885. Mariant leurs initiales, ils créèrent l'usine LU, où naquit l'année suivante le « Petit Beurre »...

AU CŒUR DU VIEUX NANTES★

Ancienne île Feydeau★

Marécageuse, l'île fut lotie au début du 18e s. selon un strict cahier des charges qui lui a donné toute sa régularité. Ces immeubles d'opulents négociants s'ornent de mascarons et de balcons galbés. L'île a été rattachée à la ville entre 1926 et 1938, par le comblement des bras de la Loire.

Quartier Graslin★

Passage Pommeraye★ – Dans la rue Santeuil s'ouvre cette galerie couverte, aménagée en 1843 à l'initiative d'un notaire. C'est l'un des lieux les plus attachants de Nantes, avec son escalier de bois et de métal dont les contremarches sont ornées de souris, ses colonnes cannelées, ses balustrades ajourées et ses statues d'enfants surmontées de torchères.

Place Graslin – La rue Crébillon, étroite et commerçante, mène à cette esplanade où s'élève le grand théâtre (1783) de style corinthien. À l'angle de la brasserie La Cigale (intérieur 1900 aux belles mosaïques) s'amorce le noble cours Cambronnea. Réalisé par Mathurin Crucy, il est bordé sur 180 m de maisons à pilastres, commencées sous Napoléon Ier et terminées sous le Second Empire.

PARCS ET JARDINS

Dès le 17e s., la botanique eut une place privilégiée à Nantes, dont la situation portuaire favorisa l'entrée des plantes exotiques, comme le magnolia. Aujourd'hui, la ville recèle 800 ha d'espaces verts qui contribuent beaucoup à la douceur de vivre nantaise. Ce sont le jardin des Plantes, l'île de Versailles et le parc de Procé.

visiter

Musée des Beaux-Arts★★

Tlj sf mar. 10h-18h, ven. 10h-20h. Fermé j. fériés. 3,10€, gratuit ven. 18h-20h et 1er dim. du mois, demi-tarif tlj à partir de 16h30. ☎ 02 40 41 65 65.

Ses importantes collections couvrent l'histoire de la peinture du 13e s. à nos jours. Parmi les œuvres anciennes, voyez le *Saint Sébastien* du Pérugin, le *Joueur de vielle*, le *Songe de saint Joseph*, le *Reniement de saint Pierre* de Georges de La Tour, et *Arlequin, empereur de la Lune* de Watteau. Admirez aussi le très beau portrait de *Mme de Senones* par Ingres, et *Kaïd, chef marocain* de Delacroix.

En art moderne, une série est consacrée à l'impressionnisme et au fauvisme. Les œuvres de Wassily Kandinsky furent peintes à l'époque où il enseignait au Bauhaus (1922-1933). À voir aussi, *Cheval rouge* de Chagall, ainsi qu'un ensemble abstrait de l'école de Paris où se distinguent Manessier, Poliakoff, Hartung et Soulages.

Muséum d'histoire naturelle★★

♿ *Tlj sf mar. 10h-18h. Fermé j. fériés. 3,10€, gratuit 3e dim. du mois. ☎ 02 40 99 26 20.*

Ouvert en 1799, le Muséum abrite d'importantes collections: zoologie générale, faune régionale, paléontologie, préhistoire, sciences de la terre, minéralogie, ethnographie. La section de conchyliologie se distingue par la beauté et la variété des coquillages. Un vivarium présente des reptiles et batraciens de toutes origines.

Musée Jules-Verne★

Tlj sf mar. 10h-12h, 14h-18h, dim. 14h-18h. Fermé j. fériés. 1,50€, gratuit 4e dim. du mois. ☎ 02 40 69 72 52.

Une demeure du 19e s. sert de cadre à ce musée où de nombreux souvenirs retracent la vie de l'écrivain nantais.

▶▶ Musée Dobrée★ ; Musée archéologique★

L'ENFANCE D'UN VISIONNAIRE

Jules Verne passa vingt ans à Nantes, depuis sa naissance en 1828 dans l'île Feydeau jusqu'à son installation à Paris, en 1848. Le spectacle du grand port encombré de navires, les machines à vapeur dans l'usine d'Indret, les récits de voyages entendus chez l'oncle Prudent, ancien armateur, comme l'apprentissage de la lecture avec Mme Sambin, veuve d'un capitaine au long cours, et les naufrages que l'enfant inventait en jouant aux abords des îlots de la Loire : autant de souvenirs qui contribuèrent à fortifier la vocation de Jules Verne à l'heure des *Voyages extraordinaires*.

Romancier à l'imagination débordante, mêlant avec un exceptionnel talent le rêve, la science et l'aventure, il fut plébiscité par plus de 25 millions d'adolescents avant d'être universellement reconnu comme un très grand écrivain.

alentours

Planète sauvage★★

20 km au Sud-Ouest de Nantes, par la D 723, la D 751 puis la D 758. ♿ De déb. avr. à mi-nov. : 10h-17h. 14,50€ (enf. : 9,50€). ☎ 02 40 04 82 82.

Piste Safari – Après avoir franchi le pédiluve, l'automobiliste est invité à rouler au pas sur les 10 km de pistes serpentant à travers le parc. Dans un environnement de brousse et de savane, le circuit permet de découvrir, en observation rapprochée, hippopotames, éléphants, bisons, mais aussi impalas, springboks, ours baribal, tigres, lions, lycaons, girafes, etc.

Le village du Safari – Ce village, qu'on découvre à pied, propose des activités dans un décor de village de brousse. La visite peut débuter par l'Arche des reptiles et la ferme des animaux miniatures, et se poursuivre par un show d'otaries avant de longer l'île des Siamangs où les singes hurleurs apostrophent les colonies de flamants roses, marabouts et pélicans bordant la rive. Enfin, le jardin exotique précède la forêt des singes.

La Piste Safari permet d'observer les animaux de très près...

Narbonne★★

Sous la chaude caresse du soleil, Narbonne « la rose » égrène les témoins architecturaux de son glorieux passé de capitale de la Gaule narbonnaise, de résidence des rois wisigoths et de cité archiépiscopale. Elle présente au visiteur le visage d'une ville méditerranéenne, important centre viticole et carrefour de communications.

L'ombre de ses musées recèle des pièces rares, en particulier des peintures romaines. Dehors, les boulevards ombragés comme les berges de la Robine invitent à une promenade paresseuse...

La situation

46 510 Narbonnais – Cartes Michelin Local 344 K-I 2-4, Regional 527 – Le Guide Vert Languedoc Roussillon – Aude (11). La N 9 contourne Narbonne, avec cependant des accès directs jusqu'au centre historique que l'on aborde en longeant le canal de la Robine.

Pl. R.-Salengro, 11100 Narbonne, ☎ 04 68 65 15 60, www.mairie-narbonne.fr

Pour poursuivre la visite, voir aussi : MONTPELLIER, TOULOUSE, CARCASSONNE, PERPIGNAN.

carnet pratique

Restauration

• Valeur sûre

L'Os à Mœlle – *Rte de Salles-d'Aude - 11100 Narbonne - 7 km au NE de Narbonne dir. Béziers par N 9 - ☎ 04 68 33 55 72 - fermé vac. de fév., 9 au 23 sept., dim. soir et lun. - 20/39€.* Arrêtez-vous dans ce restaurant de Coursan. Niché dans une maison de village, avec sa terrasse, son petit jardin et son décor soigné, c'est une adresse gourmande et raisonnable... Le patron aux fourneaux vous régalera avec ses petits menus !

Hébergement

• À bon compte

Hôtel de France – *6 r. Rossini - 11100 Narbonne - ☎ 04 68 32 09 75 - hotelfrance@worldonline.fr - 15 ch. : 25/48€ - ☕ 5,50€.* Bien situé en centre-ville, cet hôtel est dans une rue peu passante. Les chambres sont simples et elles se rénovent peu à peu. Évitez celles du dernier étage car leur confort est trop modeste.

découvrir

PALAIS DES ARCHEVÊQUES★

Le palais domine la place de l'Hôtel-de-Ville, cœur animé de la cité. À l'origine modeste résidence ecclésiastique, le palais des Archevêques compose un ensemble architectural religieux, militaire et civil complexe où les siècles ont laissé leur empreinte (du 12e s. avec le Palais vieux, au 19e s. avec l'hôtel de ville).

Donjon Gilles-Aycelin★

Juil.-sept. : 10h-18h ; oct.-juin : 9h-12h, 14h-18h. Fermé 1er janv., 1er mai, 1er et 11 nov., 25 déc. 2€. ☎ 04 68 90 30 65.

Le donjon aux murs en bossage est établi sur les restes du rempart gallo-romain qui défendait le cœur de la ville antique. Il affirmait la puissance épiscopale face à celle des vicomtes installés de l'autre côté de la place de l'Hôtel-de-Ville.

Du chemin de ronde de la plate-forme *(162 marches)*, le **panorama★** se développe sur Narbonne et sa cathédrale, la plaine alentour, la montagne de la Clape, les Corbières, les étangs marins et les Pyrénées à l'horizon.

Palais neuf

Il forme un ensemble s'ordonnant autour de la cour d'honneur avec la façade sur cour de l'hôtel de ville, le donjon Gilles-Aycelin, la tour St-Martial, le bâtiment des Synodes et deux ailes Nord et Sud.

Palais vieux

Il est composé de deux corps de bâtiments qui flanquent la tour de la Madeleine. Au Sud se déploie une façade percée d'ouvertures romanes, gothiques et Renaissance. D'autres monuments bordent la cour de la Madeleine : le clocher carré carolingien de St-Théodard, l'abside de la chapelle de l'Annonciade que domine au Nord l'imposant chevet de la cathédrale, le Tinal, cellier des chanoines du 14e s.

CATHÉDRALE ST-JUST-ET-ST-PASTEUR★★

En 1332, le chœur rayonnant était terminé dans le style des grandes cathédrales du Nord, mais la construction du transept et de la nef, qui aurait entraîné la démolition partielle du rempart, fut remise à plus tard... et tout juste ébauchée au 18e s.

L'intérieur de la cathédrale se résume à un chœur, unique partie achevée. Son élévation est d'une grande pureté architecturale : grandes arcades dominées par un triforium dont les colonnettes prolongent les lancettes des grandes verrières.

La chapelle axiale de Ste-Marie-de-Bethléem a retrouvé son **grand retable gothique★**.

Trésor

Juil.-sept. : 10h-18h ; oct.-juin : 14h-18h. 2€. ☎ 04 68 90 30 65.

Installé au-dessus de la chapelle de l'Annonciade dans une salle dont la voûte possède une curieuse propriété acoustique, il conserve notamment une admirable tapisserie flamande de la fin du 15e s. représentant la **Création★★**, tissée d'or et de soie. Admirez aussi la finesse d'une plaque d'évangéliaire en ivoire sculpté (fin du 10e s.) et un coffret de mariage en cristal de roche, orné d'intailles antiques.

Extérieur

Sortir de la cathédrale par une porte située dans la 2e chapelle rayonnante en partant de la gauche. En se promenant dans le **jardin des Archevêques** (18e s.), on a une belle vue sur les arcs-boutants, la tour Sud de la cathédrale et le bâtiment des Synodes, cantonné de deux tours rondes. Le **cloître** (14e s.) est un havre de paix et de fraîcheur. Observez les hautes voûtes gothiques de ses galeries et les gargouilles sculptées disposées dans ses contreforts.

visiter

PALAIS NEUF

Musée archéologique★★

Dans le Palais neuf. Avr.-sept. : 9h30-12h15, 14h-18h ; oct.-mars : tlj sf lun. 10h-12h, 14h-17h, dim. 10h-12h, 14h-18h. Fermé 1er janv., 1er mai, 1er et 11 nov., 25 déc. 5€. ☎ 04 68 90 30 65.

Narbonne possède sans doute la plus riche collection de France de **peintures romaines★★**. Après une initiation à la construction d'une maison gallo-romaine, on découvre les techniques de la peinture murale antique puis des exemples variés de décors peints et de mosaïques.

Musée d'Art et d'Histoire★

Dans le Palais neuf. Mêmes conditions que le Musée archéologique.

Faisant suite à la salle des Audiences où sont accrochés des portraits d'archevêques, la chambre du Roi est ornée d'un beau plafond à caissons représentant les neuf Muses et, au sol, d'une mosaïque romaine. La Grande Galerie présente un bel ensemble de pots de pharmacie de Montpellier et des toiles flamandes et italiennes des 16e et 17e s. Mais c'est dans la salle des Faïences qu'on découvre les pièces sorties des plus grandes fabriques françaises de faïence (Montpellier, Moustiers, Marseille...).

alentours

Abbaye de Fontfroide★★

14 km au Sud-Ouest par la N 113, puis à gauche par la D 613. ♿ Juil.-août : visite guidée (1h) 9h30-18h ; avr.-oct. : 10h-12h15, 13h45-17h30 ; nov.-mars : 10h-12h, 14h-16h. 6,10€. ☎ 04 68 45 11 08.

Cette abbaye cistercienne, secrètement nichée au creux d'un vallon, occupe un site paisible, peuplé de cyprès. Les belles tonalités flammées ocre et rose du grès des Corbières, dont l'édifice est construit, contribuent à créer une atmosphère de grande sérénité au couchant. L'essentiel des bâtiments a été érigé aux 12e et 13e s. Les bâtiments conventuels ont été restaurés aux 17e et 18e s. Des cours fleuries de roses, de beaux jardins en terrasses en font un cadre enchanteur.

Béziers★

27 km au Nord-Est par la N 9. Béziers, c'est la **cathédrale St-Nazaire★** posée tout en haut de la ville et qui descend abruptement vers la plaine où serpente le long couloir argenté du canal du Midi. C'est également la capitale du vignoble languedocien qui s'étend jusqu'à Carcassonne et Narbonne. Enfin, c'est une ville qui s'enflamme en août pour la feria et tous les dimanches pour sa légendaire équipe de rugby, l'ASB.

À Béziers, l'essentiel de l'activité se concentre autour des allées Paul-Riquet, avec son ravissant marché aux fleurs les vendredis, ses grandes brasseries et ses grands magasins.

Nice★★★

Le charme de Nice « l'Italienne » se conjugue au pluriel : entre mer et montagne, son site★★ procure aux amoureux de la nature et du sport de multiples activités. La capitale de la Riviera offre un visage effervescent, de jour comme de nuit. Les couleurs de sa vieille ville baroque, de sa cuisine et de ses grands musées comblent le visiteur qui peut à tout moment contempler la ville depuis la colline du château ou profiter de la douceur de l'air marin sur la célébrissime promenade des Anglais.

La situation

342 738 Niçois – Cartes Michelin Local 341 E-G 5, Regional 528 – Le Guide Vert Côte d'Azur – Alpes-Maritimes (06). De l'A 8, au Nord de la ville, cinq sorties vous mènent dans des quartiers différents. Le torrent du Paillon divise Nice en deux : à l'Ouest, la partie moderne, à l'Est, la vieille ville, la « colline du Château », et derrière, le port. Au Nord, la colline de Cimiez, la cité romaine.

ℹ 5 promenade des Anglais, 06300 Nice, ☎ 04 92 14 48 00. www.nicetourisme.com

Pour poursuivre la visite, voir aussi : MERCANTOUR, CANNES, MONACO.

PROGRAMME

Une journée est nécessaire à la découverte de Nice. Consacrez la matinée au front de mer et à la vieille ville ; l'après-midi à Cimiez. Les visiteurs disposant de plus de temps verront le musée des Beaux-Arts, le musée d'Art moderne et d'Art contemporain et/ou le musée des Arts asiatiques.

carnet pratique

Restauration

• *À bon compte*

La Tapenade – *6 r. Ste-Réparate - 06300 Nice - ☎ 04 93 80 65 63 - fermé nov. et lun. - ⊠ - 15/20€.* Décor original reconstituant une rue typique, avec ses volets, ses pots de fleurs et ses chapelets d'ail. Ne manquez pas l'étonnante fresque au plafond. Ambiance chaleureuse et familiale, où déguster, bien sûr, la tapenade, la cuisine régionale ou une pizza.

Au Pistou – *9 quai Gordon-Bennett - 06500 Menton - 30 km à l'E de Nice par N 98 - ☎ 04 93 57 45 89 - fermé 15 nov. au 15 déc.,dim. soir en hiver et lun. - 13,42€.* L'affaire, située sous les arcades du port, est gérée en famille : jusqu'au doyen de la maison qui ramène les produits de sa pêche ! Terrasse sur caillebotis.

• *Valeur sûre*

Grand Café de Turin – *5 pl. Garibaldi - 06300 Nice - ☎ 04 93 62 29 52 - 19,82/30,49€.* Institution niçoise depuis plus de deux siècles, ce café propose une carte de dégustation de fruits de mer à prix raisonnables, servis toute la journée dans un cadre simple et convivial.

L'Escalinada – *22 r. Pairolière - 06300 Nice - ☎ 04 93 62 11 71 - ⊠ - 20/30,50€.* Maison traditionnelle dans les ruelles du vieux Nice, avec sa petite salle rustique pimpante, où la tradition des plats niçois est cultivée autour d'un attrayant menu. Atmosphère sympathique et conviviale.

Hébergement

• *Valeur sûre*

Star Hôtel – *14 r. Biscarra - 06300 Nice - ☎ 04 93 85 19 03 - star-hotel@wanadoo.fr - fermé nov. - 19 ch. : 43/60€ - ☕ 5€.* Au-dessus d'un bistrot du quartier Ste-Réparate, tout près de la place Rossetti, populaire et animée, établissement proposant des chambres sobrement meublées et bien tenues. Atouts majeurs : une situation centrale et des prix doux.

Villa St-Hubert – *26 r. Michel-Ange - 06300 Nice - ☎ 04 93 84 66 51 - hotel-villa-st-hubert@wanadoo.fr - 13 ch. : 52/68€ - ☕ 5€.* À proximité des universités, villa 1900 donnant sur une rue calme. Chambres pas très grandes, mais bien équipées. Courette fleurie où l'on sert les petits déjeuners.

Hôtel Durante – *16 av. Durante - 06300 Nice - ☎ 04 93 88 84 40 - 🅿 - 24 ch. : 68,60/83,84€ - ☕ 8,38€.* Le calme de cette impasse proche de la gare vous permet même de dormir la fenêtre entrouverte ! Toutes les chambres, rénovées, sont tournées vers le jardin empli de senteurs d'orangers et de citronniers.

Hôtel de Londres – *15 av. Carnot - 06500 Menton - ☎ 04 93 35 74 62 - fermé 20 oct. au 27 déc. - 27 ch. : 50/90€ - ☕ 7,20€ - restaurant 23€.* Rénovation réussie pour cet accueillant hôtel situé à deux pas du front de mer. Chambres de taille variable, bien insonorisées et meublées dans un style rustique ou moderne. La terrasse, en net retrait de la rue, est très agréable.

• *Une petite folie !*

Château des Ollières – *39 av. des Baumettes - 06300 Nice - ☎ 04 92 15 77 99 - 🅿 - 9 ch. : 145/335€ - ☕ 14€ - restaurant 43€.* Témoin de la présence russe au 19e s., cette demeure princière située dans un petit parc derrière le musée des Beaux-Arts évoque un charme particulier : salons luxueusement meublés, œuvres d'art, chambres feutrées et spacieux appartements. Proximité de la voie rapide.

Achats

Alziari – *14 r. St-François-de-Paule - 06300 Nice - ☎ 04 93 85 76 92 - mar.-sam. 8h30-12h30, 14h15-19h.* Spécialiste de l'huile d'olive. Produits du terroir.

Confiserie Florian – 14 *quai Papacino - 06300 Nice - tlj 9h-12h, 14h-18h30.* Fruits confits, confitures d'agrumes, fleurs cristallisées, confits de fleurs à la rose, au jasmin et à la violette, chocolats et bonbons, fabriqués sur place. Visite guidée de la confiserie

S. Sauvignier/MICHELIN

Marchés – Ils ont lieu tous les jours sauf lundi, jour des antiquaires, sur le cours Saleya. Le plus pittoresque : le marché aux poissons, place St-François de 6h à 13h. Le plus typique : le marché aux fleurs, cours Saleya de 6h à 17h30. Suivant la saison, de bonnes affaires peuvent se réaliser en milieu d'après-midi. Le plus haut en couleur : le marché aux fruits et légumes, le matin, cours Saleya. Le plus vaste : le marché de la « Libération », sur l'avenue Malausséna et la place Charles-de-Gaulle. Le marché aux puces a lieu, du mardi au samedi, place Robillante.

Calendrier

Carnaval de Nice – Il attire chaque année une foule trépidante, enchantée par les coloris des fruits et des fleurs. Les réjouissances ont lieu au moment de Mardi gras, pendant 2 semaines, le w.-end : cortèges, feux d'artifice, bals masqués, batailles de fleurs et confettis.

comprendre

Des Grecs aux Savoyards – Le sol de Nice a révélé une occupation humaine vieille de 400 millénaires. Citadelle ligure, elle devient, vers le 4e s. avant J.-C., un comptoir des Grecs de Marseille. Cette bourgade est éclipsée trois siècles plus tard par les Romains, qui portent leur effort colonisateur sur la colline de Cimiez.
En 1388, Nice, alors sous domination du comte de Provence, choisit son camp: à Louis d'Anjou, comte de Provence, elle préfère Amédée VII, comte de Savoie, pour qui le port de Nice est un enjeu capital dans sa maîtrise de la route d'Italie. Quittant l'habit provençal, Nice s'italianise avec la Savoie qui établit sa capitale à Turin au 16e s. et annexe la Sicile puis la Sardaigne au 18e s.

Le plébiscite – Le traité de Turin (1860), entre Napoléon III et le roi de Sardaigne Victor-Emmanuel II, stipule le retour de Nice à la France. Le plébiscite est triomphal: 25743 oui contre 260 non. Le 12 septembre, l'empereur et l'impératrice Eugénie reçoivent du maire de Nice les clefs de la ville. La région de Tende et de la Brigue demeure territoire italien jusqu'au traité du 10 février 1947.

Aujourd'hui – En 1860, Nice compte 40000 habitants. Son rattachement à la France marque le début d'un développement fondé sur le commerce, le transport et surtout le tourisme, grâce au chemin de fer.
Actuellement 5e ville de France, elle est devenue un pôle technologique de dimension internationale grâce à la technopole de Sophia-Antipolis et au palais des congrès Acropolis. Son climat, doux en hiver et tempéré par la brise en été, fait le bonheur des retraités, en nombre croissant. Un équipement hôtelier hors pair finit de faire de Nice l'un des hauts lieux du tourisme en France.

Roi Carnaval

Cette grande fête célèbre et très ancienne fut souvent un dérivatif aux difficultés nées des conflits que la situation géographique de Nice ne cessait d'engendrer. Après une interruption pendant la Révolution et l'Empire, un premier défilé de chars eut lieu en 1830 pour honorer le retour à la souveraineté sarde. Sa forme moderne date de 1873, ses décors ayant été enrichis par le peintre niçois Alexis Mossa. De nos jours, l'entrée de Sa Majesté Carnaval a lieu environ trois semaines avant le Mardi gras. Pendant les festivités, des corsos de 20 chars et 800 grosses têtes loufoques défilent les week-ends, en journée ainsi que certains soirs. La fabrication de chaque char nécessite en moyenne une tonne de carton-pâte.

se promener

LE FRONT DE MER★★

Promenade des Anglais★★

Cette magnifique avenue épouse la courbe de la baie des Anges. La colonie anglaise, nombreuse depuis le 18e s., prit à sa charge l'établissement du chemin riverain qui a donné son nom à la voie. En 1931, c'est encore un Anglais, le fils de la reine Victoria, qui donne à la promenade sa dimension actuelle.
Au gré de votre promenade, vous rencontrerez les *Nanas* et autres sculptures de Niki de Saint-Phalle. En contrebas, les plages de galets invitent à la baignade.

LE VIEUX NICE★

La vieille ville se découvre après une flânerie sur le **cours Saleya**, rassasié des odeurs et des couleurs du marché aux fleurs et aux primeurs. Au 18e s., le cours était une artère élégante et mondaine, comme en témoignent la superbe façade de la **chapelle de la Miséricorde** ou celle du palais Caïs de Pierla, où Matisse vécut de 1921 à 1938. Le cœur de Nice envoûte par son charme méridional, ses bistrots et ses petits restaurants qui fleurent bon la cuisine du pays.

Cathédrale Ste-Réparate

Point de repère précieux, son superbe dôme de style génois du 18e s. illumine le cœur de la vieille ville de ses 14000 tuiles vernissées. À l'**intérieur★**, le baroque déploie toute sa fantaisie dans le stuc et le marbre. Remarquez au-dessus du maître-autel, à droite du tableau, une vue de Nice et de son château au 17e s.

Place Garibaldi

C'est une des plus belles places de Nice, avec ses élégantes maisons ocre-jaune à arcades à la mode piémontaise. Contemporaine du nouveau port à l'Est et de la route royale de Turin (d'où le café du même nom, spécialisé en fruits de mer), elle devient un carrefour essentiel de la ville au 18e s.

Château

On désigne ainsi la colline, aménagée en promenade ombragée, sur laquelle s'élevait le château fort de Nice détruit en 1706 par les armées de Louis XIV. De la vaste plate-forme établie au sommet, **vue★★** à peu près circulaire *(table d'orientation)* sur les toits de la ville et la baie des Anges.

La promenade des Anglais épouse la courbe de la baie des Anges.

L'HÉRITAGE RUSSE À NICE

Dès le milieu du 19e s., à la suite de l'installation en 1856 de l'impératrice Alexandra Fedorovna, veuve du tsar Nicolas Ier, des aristocrates russes choisissent Nice comme lieu de villégiature. Ces «excentriques» rivalisèrent de prodigalité pour recréer un coin de leur patrie sur la Côte, mêlant inspiration slave et méditerranéenne. Plusieurs villas ont été bâties à cette époque : le gothique château de Valrose et le château des Ollières , par exemple.
La **cathédrale orthodoxe russe St-Nicolas★** a été construite en 1912. L'intérieur a la forme d'une croix grecque et son décor est d'une richesse extraordinaire. Le chœur est fermé par une somptueuse **iconostase★**, synthèse des plus belles réussites de l'art religieux russe. *Mai-sept. : 9h-12h, 14h30-18h ; oct. et de mi-fév. à fin avr. : 9h15-12h, 14h30-17h30 ; de déb. nov. à mi-fév. : 9h30-12h, 14h30-17h. Fermé dim. matin, les matins des j. de fêtes orthodoxes et 1er janv. 2,50€. ☎ 04 93 96 88 02.*

visiter

Musée des Beaux-Arts Jules-Chéret★★

Tlj sf lun. 10h-12h, 14h-18h. Fermé 1er janv., Pâques, 1er mai et 25 déc. 3,80€, gratuit 1er et 3e dim. du mois. ☎ 04 92 15 28 21.
Cette ravissante demeure abrite une riche collection de chefs-d'œuvre des 17e, 18e et 19e s. Le patio abrite *L'Âge d'airain* de Rodin et *Le Triomphe de Flore* de Carpeaux. La peinture du paysage est illustrée par des toiles de Boudin, Camoin, Lebasque, Monet, Sisley, Bonnard, Marie Laurencin... Une salle est consacrée aux Van Loo, dont Carle, premier peintre du roi, est né à Nice en 1705.

Musée Matisse (villa des Arènes)★★

♿ *Avr.-sept. : tlj sf mar. 10h-18h ; oct.-mars : tlj sf mar. 10h-17h. Fermé 1er janv., 1er mai et 25 déc. 3,80€. ☎ 04 93 53 40 53.*
Dominant la mer du haut de Cimiez, cette splendide villa du 17e s. se prête merveilleusement à exposer le peintre de *Luxe, calme et volupté*. Associées au beau mobilier, les toiles et les sculptures résument l'itinéraire de Matisse (1869-1954).

Musée Marc-Chagall★★

♿ *Juil.-sept. : 10h-18h (dernière entrée 1/2h. av. fermeture) ; oct.-juin : tlj sf mar. 10h-17h. Fermé 1er janv., 1er mai et 25 déc. 5,50€, gratuit 1er dim. du mois. ☎ 04 93 53 87 20.*
L'architecte A. Hermant a bien mis en valeur les œuvres de Chagall (1887-1985), dont les grandes toiles du *Message biblique* (1954-1967), la tapisserie *(La Création)*, qui nous introduit dans un univers où merveilleux et sacré ne font qu'un, et le *Cantique des cantiques*.

Musée d'Art moderne et d'Art contemporain★★

Tlj sf mar. 10h-18h (dernière entrée 1/2h av. fermeture). Fermé 1er janv., Pâques, 1er mai et 25 déc. 3,80€, gratuit 1er et 3e dim. du mois. ☎ 04 93 62 61 62.
Au début des années 1960, Nice devient l'un des foyers artistiques les plus exubérants d'Europe avec notamment les nouveaux réalistes. Une place de choix est réservée à Yves Klein (1928-1962), instigateur du mouvement, avec ses happenings et ses monochromes qui expriment le concept d'un art abstrait épuré, et à Niki de Saint-Phalle, qui a fait don de ces œuvres, dont les fabuleuse *Nanas*, au musée.

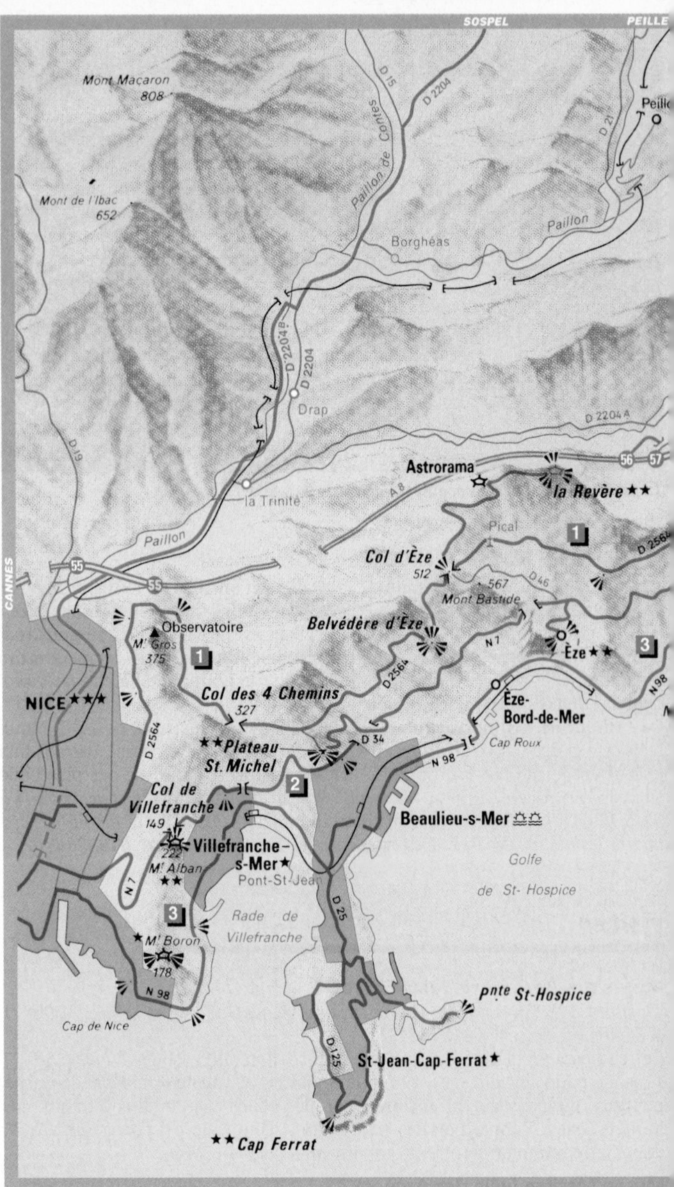

Monastère franciscain★

Les **œuvres maîtresses**★★ du primitif niçois Louis Bréa rendent la visite de l'**église N.-D.-de-l'Assomption** incontournable : une *Pietà* datée de 1475, très siennoise. Très différente mais aussi belle est la *Crucifixion*. Plus tardive (1512), elle n'a plus rien de gothique ; le fond doré a fait place à un paysage très fouillé. La *Déposition* marque également l'assimilation des données picturales de la Renaissance.

▶▶ Musée des Arts asiatiques★★

alentours

Saint-Paul★★

21 km à l'Ouest de Nice. Ce ravissant village a su conserver son visage féodal propre aux cités fortifiées qui gardaient la frontière du Var jusqu'en 1870. La **Fondation Maeght**★, temple de l'art moderne, expose par roulement une fabuleuse collection. Vous pourrez y voir des œuvres de Calder, Zadkine, Giacometti, Kandinsky, Bazaine, Hartung, Alechinsky,... *Juil.-sept. : 10h-19h ; oct.-juin : 10h-12h30, 14h30-18h. 8€ (-10 ans : gratuit).* ☎ *04 93 32 81 63.*

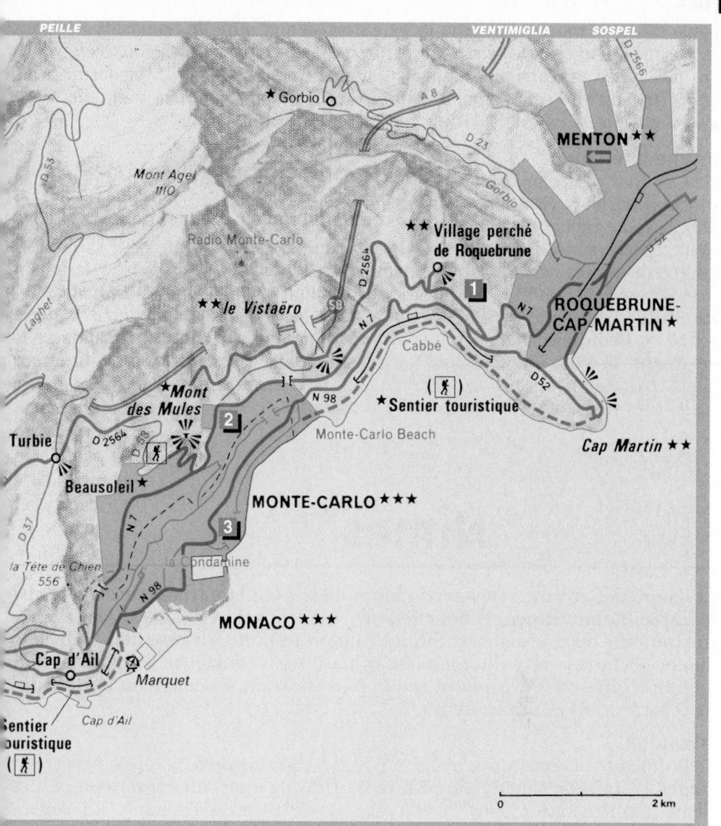

Vence*

23 km au Nord-Ouest de Nice par la N 7, puis la D 536. Postée sur son rocher, elle regarde la mer de loin, occupée à rassembler les villages voisins les jours de marché et à faire le bonheur du visiteur avec sa vieille ville où abondent les galeries d'art. La **chapelle du Rosaire*** fut conçue par **Matisse**, aidé de l'architecte Perret. Pétales de tulipe de l'arbre de vie marient harmonieusement les couleurs pures de Matisse.

circuits

CORNICHES DE LA RIVIERA***

Entre Nice et Menton, trois routes célèbres sillonnent les hauteurs dominant les plages. La plus haute multiplie les panoramas saisissants, la deuxième, les perspectives sublimes, celle du bas arpente les stations chics de la côte.

Grande Corniche***

31 km de Nice à Menton. La Grande Corniche (D 2564), la plus élevée, suit en partie le tracé de la voie romaine, via Julia Augusta, et fut construite sur ordre de Napoléon Ier. Le belvédère d'Èze se trouve 1 200 m après le col. **Vue**** panoramique sur la Tête de Chien, Èze, le cap Ferrat, le mont Boron, le cap d'Antibes, les îles de Lérins, l'Esterel, le cap Roux et les Alpes.
Outre des vues saisissantes, la route passe à **la Turbie***, où s'élève l'un des deux seuls trophées romains conservés en Europe. Au **Vistaëro****, merveilleuse vue sur la pointe de Bordighera, Menton, le cap Martin, Roquebrune et, en contrebas, Monte-Carlo Beach ; à droite, Monaco. On atteint ensuite le village perché de **Roquebrune****, puis la presqu'île du **cap Martin****. La station balnéaire de **Roquebrune-Cap-Martin*** comporte plusieurs plages sableuses. Enfin apparaît **Menton****, adossé à des pentes boisées ou cultivées d'agrumes et d'oliviers. Son climat idéal en a fait un lieu prisé de villégiature où les plantes les plus exotiques se sont acclimatées. Les nombreux jardins, privés ou non, de Menton valent qu'on s'y attarde.

Moyenne Corniche**

31 km de Nice à Menton. La Moyenne Corniche (N 7) a été construite à mi-pente de 1910 à 1928. C'est une belle et large route, moins sinueuse et plus courte que la Grande Corniche. À la sortie d'un tunnel long de 180 m apparaît le site extraordinaire du vieux village d'**Èze****, perché un piton rocheux.

Au-delà d'Èze, la route contourne la Tête de Chien et offre de nouveaux horizons vers le cap Martin et Bordighera. En contrebas, la principauté de Monaco.
Bien que située en territoire français, la station de **Beausoleil★** ne forme avec Monte-Carlo qu'une seule agglomération. Véritable balcon sur la mer, elle étage maisons et rues en escaliers sur les pentes du **mont des Mules★**.

Corniche Inférieure★★

33 km de Nice à Menton. Suivant les contours du littoral, au pied des pentes, la Corniche Inférieure (N 98) dessert les stations de la Riviera. Contournant le mont Boron, la route révèle de jolies **vues★**, sur la baie des Anges, le cap Ferrat, la rade de Villefranche-sur-Mer... **Villefranche-sur-Mer★** est bien connue pour sa **rade★★**, encadrée de pentes boisées. Une splendide végétation couvre la presqu'île prestigieuse de **cap Ferrat★★** où dans un site incomparable, la **villa Ephrussi-de-Rothschild★★** fut bâtie en 1905 pour revevoir les magnifiques collections de la baronne. À **Beaulieu**⌂⌂, apprécié comme l'un des endroits les plus chauds de la Côte d'Azur, la **villa de Kérylos★★** est un pastiche d'une maison de la Grèce antique. La route passe par Èze-Bord-de-Mer, puis traverse **Cap-d'Ail**, où nombre de célébrités résidèrent : Sacha Guitry, Greta Garbo...

Nîmes★★★

À la lisière des collines, des garrigues et de la plaine marécageuse de Petite-Camargue, Rome française pour les uns, Madrid selon d'autres, Nîmes présente toujours deux visages : catholique ou protestante, austère mais débridée pendant les ferias, fière de son passé romain mais soucieuse de modernité... Même le climat est à l'unisson : sec le plus souvent, il déclenche parfois des orages torrentiels et dévastateurs.

La situation

148 889 Nîmois - Cartes Michelin Local 339 L-M 4-5, Regional 527 - Le Guide Vert Provence - Gard (30). Depuis Alès, Sauve ou Uzès, la route sinueuse passe par les collines, avant d'entrer dans la ville par le canal de la Fontaine. En venant d'Avignon, de Montpellier ou d'Arles, vous ferez connaissance avec la « ville active » avant d'arriver à l'Esplanade par l'avenue Feuchère, bordée d'aristocratiques façades. Pour prendre un verre, faites une pause place aux Herbes.
ℹ 6 r. Auguste, 30000 Nîmes, ☎ 04 66 67 29 11. www.ot-nimes.fr
Pour poursuivre la visite, voir aussi : ARLES, LA CAMARGUE, MONTPELLIER.

se promener

NÎMES ROMAINE ET MÉDIÉVALE

Cette promenade fait découvrir les principaux monuments de la ville romaine ainsi que l'« Écusson », lacis de ruelles du quartier médiéval, serré entre les micocouliers.

TRADITIONS TAUROMACHIQUES

Née en Camargue, la tauromachie provençale s'est enrichie de traditions venues d'Espagne. Nîmes, Arles ou Les Saintes-Maries-de-la-Mer rivalisent dans l'organisation des ferias.
Côté rue, plusieurs jours durant, les fanfares animent les festivités de leurs airs entraînant, tandis que dans les *bodegas* (bars), vin et pastis coulent à flots. On danse la sévillane dans les bals. On joue à défier les taureaux lâchés dans les rues.
Côté arène, la corrida commence par un salut équestre. Après une série de passes, les picadors excitent la fougue du taureau, bientôt relayés par le torero qui plante ses banderilles à l'encolure de la bête. Puis le torero entame les passes à la *muleta* (cape rouge), prélude majestueux à l'estocade (mise à mort). Les matadors les plus méritants se voient attribuer les oreilles ou, trophée suprême, la queue de leur victime.
Ces ferias attirent des foules passionnées, aficionados ou simples curieux. En tout cas, un rendez-vous à ne pas manquer !

carnet pratique

RESTAURATION

• Valeur sûre

Aux Plaisirs des Halles – *4 r. Littré - 30000 Nîmes - ☎ 04 66 36 01 02 - fermé fév., 11 au 19 août, lun. sf le soir en juil.-août et dim. soir - 14,94€ déj. - 21,34/44,21€.* En ville, tout le monde en parle... Passé la discrète façade, place au plaisir ! Celui d'une pimpante salle jaune aux fauteuils drapés de toile, d'un patio joliment dressé en terrasse et d'une cuisine traditionnelle fort bien tournée. Sans oublier la belle carte des vins.

Le Bouchon et L'Assiette – *5 bis r. Sauve - 30000 Nîmes - ☎ 04 66 62 02 93 - fermé 2 au 17 janv., 29 avr. au 2 mai, 29 juil. au 23 août, mar. et mer. - 14,48€ déj. - 23,63/36,58€.* Un décor particulièrement soigné agrémenté de tableaux et d'antiquités, un accueil des plus sympathiques et dans l'assiette, une savoureuse cuisine de saison.

Les Fontaines – *6 r. Entre-les-Tours - 30700 Uzès - 25 km au N de Nîmes par D 979 - ☎ 04 66 22 41 20 - fermé mer. sf juil.-août - 19,06€ déj. - 25,15/74,70€.* Cette maison du 16e s. vous recevra dans sa salle à manger voûtée de style provençal ou sur sa terrasse dressée dans une charmante courette intérieure dallée et bordée d'arcades. Cuisine simple.

HÉBERGEMENT

• À bon compte

Hôtel Amphithéâtre – *4 r. des Arènes - 30000 Nîmes - ☎ 04 66 67 28 51 - hotel-amphitheatre@wanadoo.fr - fermé 2 au 25 janv. - 16 ch. : 33,55/51,85€ - ☕ 5,65€.* Proche des arènes, dans une rue piétonne, petit hôtel familial à la façade un peu austère, proposant des chambres de taille moyenne garnies d'un mobilier d'inspiration rustique. Une bonne adresse pour les petits budgets.

• Valeur sûre

Le Mas de Caroubier – *684 rte de Vallabrix - 30700 St-Quentin-la-Poterie - 30 km au N de Nîmes par D 979 jusqu'à Uzès puis D 5 - ☎ 04 66 22 12 72 - fermé janv. - ⊭ - 4 ch. : 55/70€.* Ce mas surgissant au bout d'un chemin dans la campagne est un havre de paix. Tout y incite à la sérénité : le délicieux accueil, la quiétude du jardin, le charme des chambres garnies de meubles chinés, l'eau bleue de la piscine... Et pour vous distraire, stages de poterie, de peinture ou de cuisine provençale.

• Une petite folie !

New Hôtel la Baume – *21 r. Nationale - 30000 Nîmes - ☎ 04 66 76 28 42 - nimeslabaume@new-hotel.com - 34 ch. : 95/135€ - ☕ 10€.* Mariage réussi du moderne et de l'ancien dans cet hôtel particulier du 17e s. autour duquel fut bâti le New Hôtel La Baume. Un escalier monumental en pierre conduit à des chambres sobres, égayées pour certaines de jolis plafonds à la française.

ACHATS

Brandade Raymond – *34 rue Nationale - 30000 Nîmes - ☎ 04 66 67 20 47 - mar.-sam. 8h30-12h30.* Le roi de la brandade ! Depuis plus d'un siècle, cette petite boutique élabore dans les règles de l'art la fameuse recette nîmoise, qu'elle vend ensuite en bocaux millésimés. Également, de nombreuses spécialités régionales : tapenade, crème d'anchoïade, croquants...

CALENDRIER

Ferias – Elles sont au nombre de trois : fin février, celle dite de Primavera, suite de novilladas durant un week-end. La plus connue, celle de Pentecôte, du jeudi au lundi avec pégoulade sur les boulevards, abrivados, novilladas et corridas matin et soir, et animations diverses dans la ville. La plus locale, celle des Vendanges, à la mi-septembre. Les places sont vendues sous deux formes : abonnement pour toutes les corridas ou à l'unité pour chacune. Seul privilège des abonnés, ils sont servis les premiers. Au guichet, compter de 15,24€ à 83,08€ pour une corrida, de 18€ à 44€ pour une novillada. Réservations : 4 r. de la Violette - 30000 Nîmes - ☎ 04 66 02 80 80.

Arènes★★★

Mai-sept. : 9h-18h30 ; oct.-avr. : 9h-17h30. Fermé 1er janv., 1er mai, 25 déc. et j. de spectacle. 4,45€. ☎ 04 66 58 38 00.

Même époque (fin du 1er-début du 2e s.), mêmes dimensions, contenance comparable (24 000 spectateurs) : cet amphithéâtre se distingue de son frère arlésien par des points de détail. Surtout, il est le mieux conservé du monde romain. Construit en grand appareil de calcaire, il présente à l'extérieur deux niveaux de 60 arcades. Une visite de l'intérieur permet d'apprécier le système de couloirs, d'escaliers, de galeries et de vomitoires qui permettait au public d'évacuer l'édifice en quelques minutes.

Maison carrée★★★

Avr.-sept. : 9h-18h30 ; oct.-mars : 9h-17h. Fermé 1er janv., 1er mai et 25 déc. Gratuit. ☎ 04 66 58 38 00.

En face du **Carré d'Art★**, la Maison carrée, sans doute le mieux conservé des temples romains, fut édifiée sous le règne d'Auguste (fin du 1er s. avant J.-C.). La pureté de lignes, les proportions de l'édifice et l'élégance de ses colonnes cannelées dénotent une influence grecque. Mais avant tout, il s'en dégage un charme empreint de fragilité qui tient autant à l'harmonie du monument qu'à son inscription dans la cité.

RETOUR AUX SOURCES

Jardin de la Fontaine★★

À l'époque gallo-romaine, ce quartier comprenait les thermes, un théâtre et un temple. Au 18e s., le jardin a été aménagé par un ingénieur militaire, qui a respecté le plan antique de la fontaine de Nemausus.
Sur la gauche de la fontaine, le temple de Diane, ruiné en 1577 lors des guerres de Religion, compose avec la végétation un tableau romantique. Le mont Cavalier forme un somptueux écrin de verdure d'où émerge l'emblème de la cité, la **tour Magne**★. Il s'agit du plus imposant vestige de l'enceinte romaine de Nîmes. Cette tour polygonale à trois étages, haute de 34 m et fragilisée par les travaux d'un chercheur de trésor du 16e s., est antérieure à l'occupation romaine. *Avr.-sept. : 9h-18h30 ; oct.-mars : 9h-16h30. Fermé 1er janv., 1er mai et 25 déc. 2,40€.* ☎ *04 66 58 38 00.*

alentours

Pont du Gard★★★

24 km au Nord-Est de Nîmes par la N 86, puis la D 19. Parking sur chaque rive 7h-1h. 5€ la journée (durée illimitée). Accès libre au pont.
C'est l'une des merveilles de l'Antiquité, ouvrage grandiose du 1er s. Ses pierres mordorées, l'étrange sensation de légèreté, le cadre de collines couvertes d'une végétation méditerranéenne, les eaux vertes du Gardon, chacun de ces éléments contribue à un merveilleux spectacle. Les Romains attachaient une grande importance à la qualité des eaux dont ils alimentaient leurs cités. Ainsi, l'acqueduc de Nîmes, long de près de 50 km, captait les eaux des sources près d'Uzès, avait une pente moyenne de 34 cm par kilomètre, et fournissait près de 20 000 m³ d'eau chaque jour dans la cité. Bâti en blocs colossaux de 6 à 8 tonnes hissés à plus de 40 m de hauteur, le pont est constitué de trois étages d'arcades en retrait l'un sur l'autre.

Magestueux Pont du Gard, enjambant les eaux du Gardon.

Uzès★★

25 km au Nord de Nîmes par la D 979. Le « premier duché de France » occupe un paysage de garrigues au charme changeant selon les saisons. Avec ses boulevards ombragés, ses ruelles médiévales et leurs belles demeures édifiées aux 17e et 18e s. lorsque le drap, la serge et la soie firent la richesse de la ville, Uzès dégage une beauté radieuse et sereine. De plan asymétrique, entourée de couverts sous lesquels se nichent d'agréables boutiques et quelques restaurants, plantée de platanes, la **place aux Herbes**★ est le véritable cœur de la cité qui s'anime les jours de marché.
La **tour Fenestrelle**★★, vestige de l'ancienne cathédrale, est l'unique exemple en France de clocher rond. Les six étages de fenêtres géminées lui ont donné son nom. Le **Duché**★, ancienne résidence des seigneurs d'Uzès, garde un bel escalier d'honneur Renaissance. *De déb. juil. à mi-sept. : visite libre de la tour, visite guidée des appartements (3/4h) 10h-13h, 14h-18h30 ; de mi-sept. à fin juin : 10h-12h, 14h-18h. Fermé 25 déc. 10€.* ☎ *04 66 22 18 96.*

Obernai**

L'Alsace est là tout entière, avec ses cigognes, ses maisons médiévales aux toits polychromes, ses petites rues fleuries, ses enseignes, ses remparts ombragés, son puits et la statue de sainte Odile. C'est une attachante étape sur la route des Vins.

La situation

10471 Obernois – Cartes Michelin Local 315 I-G 5-10, Regional 516 – Le Guide Vert Alsace Lorraine – Bas-Rhin (67). Obernai se trouve au Nord du vignoble alsacien, à 27 km au Sud-Ouest de Strasbourg. Enserrée par les hauteurs du mont Ste-Odile qui se trouve à 13 km à l'Ouest, la ville est aussi desservie par l'A 35 qui mène au Sud à Colmar, Mulhouse et Bâle. *Pl. du Beffroi, 67210 Obernai, ☎ 03 88 95 64 13.*
Pour poursuivre la visite, voir aussi : STRASBOURG, COLMAR, RIQUEWIHR.

se promener

Place du Marché**

Centre de la ville, elle est bordée de maisons anciennes aux teintes dorées tirant parfois vers le carmin, nuances qui donnent aux rues d'Obernai cette lumière si particulière.

Tour de la Chapelle*

Ce beffroi du 13e s. était le clocher d'une chapelle dont ne subsiste que le chœur. La flèche gothique culmine à 60 m ; flanquée de quatre échauguettes ajourées, elle date du 16e s.

Puits aux six seaux

Trois rouelles dont chacune porte deux seaux pour ce puits Renaissance, qui est l'un des plus beaux d'Alsace ; il date, comme l'indique la girouette, de 1579.

carnet pratique

Visite

Visite de caves – On peut visiter les caves de la Route des Vins, déguster la production locale et faire ses emplettes. Les vendanges ont généralement lieu entre la fin septembre et la mi-octobre, selon le degré de maturité des raisins. Lors des vendanges, l'accès aux sentiers viticoles peut être réglementé. Se renseigner sur place.

Restauration

• *À bon compte*

À la Truite – *17 r. du 25-Janvier - 68970 Illhausern - 37 km au S d'Obernai par N 422 jusqu'à Sélestat puis N 83 et D 106 - ☎ 03 89 71 83 51 - fermé fév., mar. soir et mer. - 10,50€ déj. - 15/36€.* Cette maisonnette des années 1950, au bord de l'eau, déploie sa terrasse le long de la rivière en été. Vous y serez bien accueilli et vous vous installerez dehors ou dans une salle colorée pour savourer une cuisine simple et sans chichis. Formule intéressante à déjeuner.

• *Valeur sûre*

La Cour des Tanneurs – *Ruelle du Canal-de-l'Ehn - 67210 Obernai - ☎ 03 88 95 15 70 - fermé 21 déc. au 3 janv., 1er au 14 juil., mar. soir et mer. - 20,10/29,10€.* Dans une toute petite ruelle du centre, ce restaurant au décor propret et récent sert une cuisine régionale, concoctée et servie en famille... Une étape simple qui satisfera votre appétit, avec ses formules à prix doux.

Hébergement

• *À bon compte*

Relais du Haut-Kœnigsbourg – *Rte du Haut-Kœnigsbourg - 67600 Orschwiller - 33 km au S d'Obernai par N 422 jusqu'à Sélestat puis D 159 et D 35 - ☎ 03 88 82 46 56 - fermé 7 au 27 janv., dim. soir, lun. soir et mar. d'oct. à avr. - P - 26 ch. : 37/42€ - ☕ 7€ - restaurant 15,50/25€.* Cet hôtel-restaurant vaut surtout par sa situation à 5mn du château. La maison, des années 1960, mériterait un coup de propre et seules quelques chambres ont été rafraîchies : préférez-les aux anciennes. Soirées folkloriques organisées.

• *Valeur sûre*

Hôtel La Diligence – *23 pl. de la Mairie - 67210 Obernai - ☎ 03 88 95 55 69 - P - 25 ch. : 43/69€ - ☕ 8,50€.* Cette jolie maison alsacienne à colombages est bien située sur la place principale d'Obernai. Ses chambres plutôt spacieuses sont de style rustique alsacien. Une formule de petite restauration est proposée dans le cadre cosy de son salon de thé...

Chambre d'hôte Maison Thomas – *41 Grand-Rue - 68770 Ammerschwihr - 50 km au S d'Obernai par D 422 et N 83 jusqu'à Colmar puis N 145 - ☎ 03 89 78 23 90 - ⊄ - 4 ch. : 42/44€.* Maison de village abritant de grandes chambres fonctionnelles, toutes avec un coin cuisine et parfois une mezzanine. Un appartement est également disponible. Côté jardin, goûtez au repos, et côté cour, vous êtes près d'une porte fortifiée surmontée d'une tour.

Remparts

C'est au 12e s. lorsqu'elle est possession du Saint Empire romain germanique, que la ville décide de se protéger par une double enceinte fortifiée. Remaniée à plusieurs occasions, elle forme aujourd'hui une promenade agréable.

alentours

Château du Haut-Kœnigsbourg★★

40 km au Sud, en passant par Sélestat, où l'on gagne la D159. Juin-août : 9h30-18h30 (dernière entrée 1/2h av. fermeture) ; avr.-mai et sept. : 9h30-17h30 ; mars et oct. : 9h45-17h ; nov.-fév. : 9h45-12h, 13h-17h. Fermé 1er janv., 1er mai et 25 déc. 7€ (18-25 ans : 4,50€), gratuit 1er dim. du mois (oct.-mars). ☎ 03 88 82 50 60.

Forteresse perchée à près de 800 m de haut, ce n'est ni un mirage, ni une *Grande Illusion*, pour évoquer le film que Jean Renoir y tourna en 1937.

L'éperon de grès sur lequel le château est accroché surveille toutes les routes menant vers la Lorraine ou traversant l'Alsace. Construit par les Hohenstaufen au 12e s., notamment par Frédéric Barberousse, après quelques siècles d'abandon, le Haut-Kœnisgbourg a été offert en 1899 par la ville de Sélestat à l'empereur Guillaume II. Ce dernier en confia la « restauration » à l'architecte Bodo Ebhardt. Après la visite des différents bâtiments, gagnez le grand bastion pour profiter du **panorama★★**.

Mont Sainte-Odile★★

2 km à l'Ouest d'Obernai. À plus de 750 m, les falaises de grès rose, couvertes de forêts avancent au-dessus de la plaine d'Alsace. De la terrasse, le **panorama★★** est splendide sur le Champ du Feu et la vallée de la Bruche.

Au 7e s., le duc Etichon, qui souhaitait un garçon, rejeta sa fille née aveugle. Mais Odile retrouva la vue le jour de son baptême, et son père, bien plus tard, lui fit don d'un château où elle établit un couvent. Après sa mort, le couvent devint le but de grands pèlerinages. Aujourd'hui encore, les pèlerins viennent nombreux honorer la sainte patronne de l'Alsace, dont la fête est le 14 décembre.

circuit

ROUTE DES VINS D'ALSACE★★★ DE MARLENHEIM À RIQUEWIHR

C'est peut-être la route gastronomique la plus fameuse de France. Elle permet de zigzaguer entre les vignes – qui sont partout –, les charmants villages fleuris, les châteaux, les abbayes, les caves, les bonnes tables et les fêtes vigneronnes.

Marlenheim

Ce centre viticole ouvre sur la route des Vins.

Molsheim★

Charmante ville ancienne située dans la vallée de la Bruche, Molsheim garde une belle **église des Jésuites★**, qui, bien que remontant au 17e s., fut bâtie dans le style gothique.

Voyez aussi la **Metzig★**, bâtiment Renaissance, construit par la corporation des Bouchers. Elle est bien alsacienne avec ses pignons à volutes, son double escalier et son élégant balcon de pierre.

Rosheim★

Cette petite ville de vignerons garde entre les ruines des remparts des monuments romans : une église du 12e s. aux chapiteaux sculptés, une maison en grès rouge qui date de 1170. Après le plaisir des yeux, attablez-vous pour une dégustation de munster – fromage à pâte molle – et d'un vin... d'Alsace.

SEPT CÉPAGES

Les vins d'Alsace portent les noms des cépages autorisés : tout d'abord, le plus prestigieux et d'une exceptionnelle finesse, le riesling ; le gewurztraminer, aromatique et puissant, est d'une grande élégance ; le sylvaner est sec et léger ; le pinot blanc est sec et plus corsé ; le tokay pinot gris est charpenté et corsé ; le muscat d'Alsace a un goût de raisin frais, et le pinot noir évoque la cerise. Leur extraordinaire diversité est due à la variété de la qualité des sols, l'exposition au soleil et le microclimat propre à la région. Goûtez-les au verre dans les winstubs, seuls ou avec du foie gras et certains desserts...

Andlau★

Andlau se résume en deux clochers, dont celui de la célèbre abbatiale au **portail★★** roman orné de remarquables sculptures, et trois grands crus de riesling.

Jusqu'à Ribeauvillé, la route est dominée par des châteaux : Haut-Kœnigsbourg, Kientzheim, Frankenbourg, St-Ulrich, Girsberg et Haut-Ribeaupierre.

Ribeauvillé★

Petite ville étalée le long de sa rivière, au pied de la chaîne des Vosges, Ribeauvillé mérite une halte, pour ses vins, le riesling, le tokay pinot gris et le gewurztraminer, mais aussi pour ses maisons anciennes à colombages et fleuries de géraniums.

Andlau et son vignoble, étape réputée sur la route des Vins d'Alsace.

Au-delà de Ribeauvillé, la route s'élève à mi-pente des coteaux, et la vue se dégage sur la plaine d'Alsace. C'est entre Ribeauvillé et Colmar *(voir ce nom)* que se trouve le cœur du vignoble alsacien. Villages et bourgs viticoles aux crus réputés se succèdent alors sur les riches coteaux qui bordent les Vosges.

Riquewihr★★★

Voir ce nom. Le Sud de la Route des Vins d'Alsace y est décrit.

Orange★★

Porte du Midi, important marché de fruits et de primeurs, Orange doit surtout sa célébrité à deux prestigieux monuments romains : l'arc commémoratif et le théâtre antique, qui constitue l'extraordinaire cadre des Chorégies, festival créé en 1869.

La situation

27 989 Orangeois - Cartes Michelin Local 332 B-D 8-9, Regional 528 - Le Guide Vert Provence - Vaucluse (84). En venant de Montélimar par la N7, vous aurez une belle vue sur l'arc majestueux. Après l'avoir contourné, prenez à gauche au-delà de la Meyne pour ranger votre voiture sur les parkings du cours Aristide-Briand.

ℹ *Cours Aristide-Briand, 84100 Orange, ☎ 04 90 34 70 88. www.provence-orange.com*

Pour poursuivre la visite, voir aussi : MONTÉLIMAR, GORGES DE L'ARDÈCHE, AVIGNON, LE LUBERON, NÎMES.

découvrir

ORANGE ROMAINE

Arc de triomphe★★

Véritable porte de la cité, cet arc magnifique s'élève à l'entrée Nord d'Orange, sur la via Agrippa qui reliait Lyon et Arles. S'il est remarquable pour ses dimensions imposantes (22 m de hauteur, 21 m de largeur, le troisième par la taille des arcs romains qui nous sont parvenus), c'est surtout l'un des mieux conservés.

Construit vers 20 avant J.-C., et dédié plus tard à Tibère, il commémorait les exploits des vétérans de la IIe légion. Percé de trois baies encadrées de colonnes, surmonté à l'origine par un quadrige en bronze flanqué de deux trophées, il présente deux particularités : un fronton triangulaire, au-dessus de la baie centrale, et deux attiques superposés. Sa décoration tient à la fois du classicisme romain et de l'art hellénistique. Les scènes guerrières évoquent la pacification de la Gaule, tandis que les attributs marins semblent faire référence à la victoire remportée par Auguste à Actium sur la flotte d'Antoine et Cléopâtre.

Théâtre antique★★★

Avr.-sept. : 9h-18h30 ; oct.-mars : 9h-12h, 13h30-17h. Fermé 1er janv. et 25 déc. 5€ (billet combiné avec le Musée municipal). ☎ 04 90 34 70 88.

Édifié sous le règne d'Auguste (alors Octave), c'est le seul théâtre romain qui ait conservé son mur de scène intact.

carnet pratique

Restauration

• À bon compte

Le Yaca – *24 pl. Silvain - 84100 Orange - ☎ 04 90 34 70 03 - fermé nov., mar. soir sf juil.-août et mer. - 10,67/19,82€.* Ici, le patron se décarcasse pour satisfaire ses clients ! Tout est fait maison, frais et vraiment pas cher dans ce petit restaurant situé à quelques enjambées du théâtre antique... Petite salle voûtée provençale avec lampes et fleurs sur les tables. Terrasse en été.

• Valeur sûre

Le Vieux Four – *Au village - 84410 Crillon-le-Brave - 35 km à l'E d'Orange par N 7 et D 950 jusqu'à Carpentras puis D 938 et D 55 - ☎ 04 90 12 81 39 - fermé 15 nov. au 1er mars, lun. et le midi en semaine - - 23€.* C'est dans l'ancienne boulangerie du village qu'est venue s'établir cette jeune cuisinière dynamique. Elle vous accueille dans le fournil, dont elle a conservé le vieux four, ou sur la terrasse, installée sur les remparts. De là, vous pourrez voir le mont Ventoux.

Hébergement

• À bon compte

Hôtel St-Florent – *4 r. du Mazeau - 84100 Orange - ☎ 04 90 34 18 53 - fermé déc. et janv. - 18 ch. : 27/53€ - ☕ 6€.* À deux pas du théâtre antique, vous serez surpris par ce petit hôtel original où toutes les peintures ont été réalisées par la propriétaire des lieux. Chaque chambre est personnalisée, et son mobilier coordonné avec le décor.

• Une petite folie !

Hostellerie de Crillon le Brave – *Pl. de l'Église - 84410 Crillon-le-Brave - ☎ 04 90 65 61 61 - crillonbrave@relaischateau.fr - fermé 2 janv. au 8 mars - P - 24 ch. : 180/400€ - restaurant 64€.* Cette bastide du 17e s. postée face au mont Ventoux évoque les toiles de Cézanne. Chambres provençales, ravissante salle à manger aménagée sous les voûtes de l'ancienne écurie, délicieuse terrasse ombragée et gracieux jardin à l'italienne. Sur la table, mets et vins honorent le Midi.

Calendrier

Chorégies – De mi-juillet à début août, le théâtre antique accueille les Chorégies, festival consacré à l'opéra et à la musique symphonique. C'est tout d'abord l'occasion de voir très grands et beaux spectacles, ensuite d'apprécier la grandeur du théâtre antique. Bureau de location : pl. Silvain (à côté du théâtre antique) - ☎ 04 90 34 24 24 - 3615 Thea.

Lorsque l'on arrive sur la place, on est avant tout frappé par ce mur imposant long de 103 m et haut de 36 m. On aperçoit, tout en haut, la double rangée de corbeaux (pierres en saillie) au travers desquels passaient les mâts servant à tendre le voile *(velum)* qui protégeait les spectateurs du soleil.

L'hémicycle *(cavea)* pouvait contenir près de 9000 spectateurs, répartis selon leur rang social. En contrebas, l'*orchestra* forme un demi-cercle; en bordure, trois gradins, sur lesquels on plaçait des sièges mobiles, étaient réservés aux personnages de haut rang. La scène, faite d'un plancher de bois sous lequel était logée la machinerie, mesure 61 m de longueur pour 9 m de profondeur utile.

Le mur de scène présentait un riche décor de placages de marbre, de stucs, de mosaïques, de colonnades étagées et de niches abritant des statues, dont celle d'Auguste, qui a été remise en place. Ce mur est percé de trois portes: la porte royale au centre (entrée des acteurs principaux) et les deux portes latérales (entrée des acteurs secondaires).

circuit

MONT VENTOUX***

122 km. Quitter Orange au Nord-Est par la D 975 en direction de Vaison-la-Romaine.

Vaison-la-Romaine**

La ville convie les amoureux du passé à une longue promenade dans le temps avec sa cathédrale romane, son village médiéval, son château et surtout son immense champ de **ruines romaines****. Mentionnée comme une des villes les plus prospères de la Narbonnaise sous l'Empire, Vasio accumulait un habitat hétéroclite dans le quartier de la Villasse et sur la colline de Puymin, où voisinaient luxueuses villas, logements modestes, bicoques et arrière-boutiques minuscules. *Juil.-août: Puymin 9h30-18h45, Villasse 9h30-12h30, 14h-18h45; juin et sept.: Puymin 9h30-18h15, Villasse 9h30-12h30, 14h-18h15; mars-mai: 10h-12h30, 14h-18h; fév. et oct.: 10h-12h30, 14h-17h30 ; nov.-janv. : 10h-12h, 14h-16h30. Fermé 1er janv. et 25 déc. 7€ (enf.: 3€), billet donnant accès à l'ensemble des monuments. ☎ 04 90 36 02 11.*

Dans le quartier de Puymin, le **musée archéologique Théo-Desplans*** évoque de façon remarquable la vie quotidienne à l'époque gallo-romaine: religion, habitat, céramique, verrerie, armes, outils, parure, toilette. Mais, on remarquera surtout les magnifiques statues de marbre blanc: Claude (en 43) est représenté la tête ceinte d'une couronne de chêne, Domitien est cuirassé, Hadrien, en 121, donne une image de majesté à la manière hellénistique en posant nu, tandis que Sabine, sa femme, plus conventionnelle, offre l'aspect d'une grande dame en vêtement d'apparat. ♿ *Juil.-août: 9h30-18h45; juin et sept.: 9h30-18h15; mars-mai: 10h-12h15, 14h-17h45; fév. et oct.: 10h-12h15, 14h-17h15; nov.-janv.: 10h-12h, 14h-16h30. Fermé 1er janv. et 25 déc. 7€ (enf.: 3€), billet donnant accès à l'ensemble des monuments.* ☎ *04 90 36 02 11.*

Rejoindre Malaucène par la D 938.

Malaucène

Une vieille ville entourée d'un cours planté d'énormes platanes, des maisons anciennes, fontaines, lavoirs, oratoires, et un vieux beffroi coiffé d'un campanile en fer forgé: voilà un village provençal.

Source vauclusienne du Groseau

Sur la gauche de la route, l'eau jaillit par plusieurs fissures au pied d'un escarpement de plus de 100 m, formant un petit lac aux eaux claires. Les Romains avaient construit un aqueduc pour amener cette eau jusqu'à Vaison-la-Romaine.

Prendre à gauche la D 974.

La route en lacet s'élève sur la face Nord, la plus abrupte du mont Ventoux; elle traverse pâturages et bois de sapins, près du chalet-refuge du mont Serein. Du belvédère aménagé après la maison forestière des Ramayettes, **vue★** sur les vallées de l'Ouvèze et du Groseau, le massif des Baronnies et le sommet de la Plate.

Le panorama, de plus en plus vaste, découvre les **dentelles de Montmirail★**, les hauteurs de la rive droite du Rhône et les Alpes.

Sommet du mont Ventoux★★★

Le «géant de Provence» est classé Réserve de biosphère par l'Unesco. Le botaniste amateur, parvenu au sommet (1 909 m d'altitude) s'extasie devant les échantillons de flore polaire, tels que la saxifrage du Spitzberg. C'est du terre-plein aménagé au Sud que l'on découvre un vaste **panorama★★★**: du massif du Pelvoux aux Cévennes en passant par le Luberon, la montagne Ste-Victoire, les collines de l'Estaque, Marseille et l'étang de Berre, les Alpilles et la vallée du Rhône et même, par temps clair, le Canigou.

La descente s'amorce sur le versant Sud; tracée en corniche, à travers l'immense champ de cailloux, la route la plus ancienne passe de 1 909 m à 310 m d'altitude à Bédoin, en 22 km.

> **VUE DE NUIT**
> Un spectacle inoubliable: la plaine provençale, lorsque, dans la nuit, villes et villages scintillent dans l'obscurité. De la mi-juin à la mi-août, tous les vendredis, des ascensions pédestres nocturnes sont organisées par les Offices du tourisme de Bédoin ou de Malaucène.

Le Chalet-Reynard

C'est le lieu de rendez-vous des skieurs d'Avignon ou de Carpentras et de la région. Dans la forêt, aux sapins succèdent les hêtres et les chênes, puis une belle série de cèdres. Enfin la végétation provençale fait son apparition: vigne, plantations de pêchers et de cerisiers, quelques olivettes. Vue sur le plateau de Vaucluse et au loin, la montagne du Luberon.

Crillon-le-Brave

Perché sur une avancée qui fait face au Ventoux, ce charmant village a gardé quelques traces de ses remparts. À côté de la mairie, l'intéressante **Maison de la musique mécanique** permet de voir et surtout d'entendre jouer une serinette datant de 1740, un grand orchestrion de 1900 (9 instruments), un orgue de manège et des orgues de Barbarie. ♿ *De mi-avr. à fin sept.: visite guidée (1h, dernière entrée 1h av. fermeture) 15h-19h. 4,57€.* ☎ *04 90 65 61 59.*

Rentrer à Orange par la D 55, la D 950 puis la N 7.

Fr. Isler/MICHELIN

Le sommet enneigé du mont Ventoux.

Orléans★

À la porte de la Sologne, paradis des chasseurs, des amoureux de la pêche et de la randonnée, Orléans est riche d'une cathédrale, d'une vieille ville, d'une belle rue Royale, d'un exceptionnel musée des Beaux-Arts, et, enfin, de jardins et parcs superbes. Et pour voir un château, il faut se rendre à Chambord!

La situation

263 292 Orléanais – Cartes Michelin Local 318 H-K 5-7, Regional 519 – Le Guide Vert Châteaux de la Loire – Loiret (45). Avec Tours et Angers, Orléans, capitale régionale, est l'une des trois grandes villes du Val de Loire. Entre la Beauce et la Sologne, elle est à une heure de Paris, par l'autoroute A 10, à moins que vous ne préfériez musarder par les petites routes de l'Île-de-France...

6 r. Albert-Ier, 45000 Orléans, ☎ 02 38 24 05 05. www.ville-orleans.fr

Pour poursuivre la visite, voir aussi : BOURGES, GIEN, FONTAINEBLEAU, CHARTRES, BLOIS

visiter

Cathédrale Ste-Croix★

La cathédrale, dont la construction fut commencée à la fin du 13e s. et poursuivie jusqu'au début du 16e s., fut en partie détruite par les protestants en 1586. Henri IV, en témoignage de gratitude pour la ville qui s'était ralliée à lui, entreprit sa reconstruction dans un style gothique composite.

La façade compte trois grands porches surmontés de rosaces, elles-mêmes coiffées d'une galerie ajourée. La pierre y est travaillée avec une extrême finesse. De splendides **boiseries★★** du début du 18e s. décorent le chœur et les stalles.

Musée des Beaux-Arts★★

♿ *Tlj sf lun. 10h-12h15, 13h30-18h, dim. et j. fériés 13h30-18h. Fermé 1er janv., 1er et 8 mai, 1er nov. et 25 déc. 4€, gratuit 1er dim. du mois. ☎ 02 38 79 21 55.*

La richesse et la diversité des collections du musée le placent parmi les premières collections publiques françaises. Peintures, sculptures et objets d'art offrent un

carnet pratique

Restauration

• Valeur sûre

Le Viking – *233-235 r. de Bourgogne - 45000 Orléans - ☎ 02 38 53 12 21 - fermé dim. et lun. - réserv. conseillée le soir - 9€ déj. - 17,50/33€.* Une adresse incontournable que ce restaurant à la devanture rose qui, depuis plus de dix ans, propose petits plats traditionnels, crêpes et spécialités de galettes « gastronomiques ». Le cadre est « cosy » et les produits utilisés sont cent pour cent frais.

Auberge du Cerf – *3 pl. du 8-Mai - 45240 Menestreau-en-Villette - ☎ 02 38 76 90 19 - fermé 2 sem. en hiver, 2 sem. en août, dim. soir et lun. de fév. sf j. fériés - 26/33€.* La belle façade à colombages de cette auberge typiquement solognote attire l'œil. L'intérieur est tout aussi séduisant et notamment la salle du Fournil, d'une authentique rusticité. Dans l'assiette, produits exclusivement « maison » et gibier en saison.

Hébergement

• Valeur sûre

Jackotel – *18 cloître St-Aignan - 45000 Orléans - ☎ 02 38 54 48 48 - fermé dim. et j. fériés le midi - P - 61 ch. : 42/49€ - ☕ 5,50€.* Dans la vieille ville, proche des bords de Loire, cet hôtel profite du calme de la très jolie place du cloître Saint-Aignan, plantée de marronniers. Les chambres meublées simplement sont confortables et fonctionnelles.

Hôtel Grand St-Michel – *Pl. St-Michel - 41250 Chambord - 46 km au SO d'Orléans par N 152 et D 112 - ☎ 02 54 20 31 31 - fermé 12 nov. au 20 déc. - P - 38 ch. : 46/70€ - ☕ 6,70€ - restaurant 17/22€.* Cette bâtisse régionale en face du château profite du calme de son magnifique parc. Seul le brame des cerfs risque de troubler votre sommeil. Quelques chambres ont vue sur la splendide demeure seigneuriale. Grande salle à manger avec verrière et vaste cheminée.

Domaine de Valaudran – *41300 Salbris - 55 km au S d'Orléans par N 60 - ☎ 02 54 97 20 00 - info@valaudran.com - fermé 15 fév. au 30 mars et dim. du 15 sept. au 30 mars - P - 30 ch. : 68,60/106,71€ - ☕ 12,20€ - restaurant 33,54/48,78€.* Rendez-vous avec le calme et la détente dans cette belle maison de brique adossée à un parc. Une allée bordée d'arbres vous y conduira. Chambres ouvrant sur la nature. Repas dans la salle à manger charpentée ou en terrasse, près de la piscine chauffée.

Achats

Martin Pouret – *236 fg Bannier - 45400 Fleury-les-Aubrais - 6 km au N d'Orléans par N 60 - ☎ 02 38 88 78 49 - lun.-ven. 8h-12h, 13h-17h30.* Seule maison (existant depuis 1797) à perpétuer l'élaboration du vinaigre de vin à l'ancienne selon le procédé d'Orléans.

vaste panorama sur la création en Europe du 16e au 20e s., dont de très belles peintures françaises des 17e et 18e s., un magnifique cabinet de pastels du 18e s. – avec le superbe *Autoportrait aux bésicles* de Chardin. La collection d'art moderne se distingue par l'importance de la sculpture : Rodin, Maillol, Bourdelle...

▶▶ Musée historique et archéologique★

Maison de Jeanne d'Arc★

Mai-oct. : tlj sf lun. 10h-12h15, 13h30-18h ; nov.-avr. : tlj sf lun. 13h30-18h. Fermé 1er janv., 1er et 8 mai (ap.-midi) et 25 déc. 2€, gratuit 2e dim. du mois. ☏ 02 38 52 99 89.

Sa haute façade à colombages tranche sur la place, moderne, du Général-de-Gaulle, dans ce quartier dévasté par les bombardements de 1940. C'est la copie de la maison de Jacques Boucher, trésorier du duc d'Orléans, chez qui Jeanne fut logée en 1429. Au 1er étage, le montage audiovisuel raconte la levée du siège d'Orléans par Jeanne d'Arc, le 8 mai 1429. Des reconstitutions de costumes de l'époque et de machines de guerre complètent l'exposition.

alentours

Saint-Benoît-sur-Loire★★

41 km au Sud-Est d'Orléans par la D 960 puis la D 60. Visite guidée sur demande préalable de Pâques à Toussaint. 3€. ☏ 02 38 35 72 43.

Éblouissant témoignage d'art et de spiritualité, l'abbaye Saint-Benoît subjugue par ses proportions, la richesse de ses sculptures et la lumière dorée qui semble draper voûtes et colonnes. Elle fut un des tout premiers foyers intellectuels d'Occident, rayonnant en particulier sur l'Ouest de la France et l'Angleterre.

L'église a été bâtie de 1067 à 1107, mais la nef ne fut achevée qu'à la fin du 12e s. Le **clocher-porche**★★ est un des plus beaux monuments de l'art roman. Sur les chapiteaux de type corinthien, admirez les feuilles d'acanthe, qui alternent avec des animaux fantastiques, des scènes de l'Apocalypse, des épisodes de la vie du Christ. À la façade du porche (2e pilier en partant de la gauche), l'un des chapiteaux est signé : « *Umbertus me fecit* » (Umbertus me fit). Le **chœur**★★ roman, très profond, est entouré de chapelles rayonnantes, caractéristique d'une église construite pour les foules et les processions.

S. Sauvignier/MICHELIN

Le clocher-porche de Saint-Benoît-sur-Loire est une brillante introduction à la visite de ce joyau roman.

Église de Germigny-des-Prés★

35 km au Sud-Est d'Orléans par la D 960 puis la D 60. Rare et précieux témoin de l'art carolingien, la ravissante église de Germigny est l'une des plus vieilles de France. L'édifice a conservé sur sa voûte une remarquable **mosaïque**★★ représentant l'Arche d'alliance, surmontée de deux chérubins, encadrée de deux archanges ; au centre apparaît la main de Dieu. L'emploi de mosaïques d'or et d'argent dans le dessin des archanges rattache cette œuvre à l'art byzantin de Ravenne.

circuit

LA SOLOGNE★

Entre Cher et Loire, le terroir solognot, avec ses villages colorés de brique, vous réserve bien des plaisirs, entre terrines et tartes Tatin, entre étangs et grands bois, peuplés de hérons, butors, faisans, cerfs, sangliers, brochets, sandres, anguilles, carpes... C'est au début de l'automne, lorsque le cuivre des chênes se mêle au vert persistant des pins sylvestres, par-dessus les fougères rousses et les tapis de bruyère mauve, que la Sologne exerce son charme le plus profond.

La Ferté-St-Aubin

Sur la rive du Cosson, semée de nénuphars, un superbe **château**★ classique dresse ses façades de brique rose parmi les feuillages. Dans la cour d'honneur, deux bâtiments abritent de magnifiques écuries et une orangerie. À l'intérieur, la salle à manger et le Grand Salon ont conservé des meubles du 18e s. Dans les cuisines, une animation permanente initie aux secrets de la fabrication des madeleines au miel. Dans le parc, l'île enchantée permet de découvrir des jeux, comme les pendules, la quintaine, etc. *De déb. avr. à mi-nov. : 10h-19h. 7€ (enf. : 4,50€).* ☎ *02 38 76 52 72.*

Château de Chambord***

Juil.-août : 9h30-18h45 ; avr.-oct. : 9h-18h30 (dernière entrée 1/2h av. fermeture) ; oct.-mars : 9h-17h30. Fermé 1er janv., 1er mai et 25 déc. 7€. ☎ *02 54 50 40 00.*

Grandiose folie du roi François Ier stimulé par ses rêves, son amour de l'art et du faste, Chambord est unique. Si le nom de l'architecte ne nous est pas connu avec certitude, sa conception initiale semble bien avoir germé dans l'esprit fécond de Léonard de Vinci. Le vieil artiste, installé depuis peu à la cour de France, meurt au printemps 1519, au moment où débutent les travaux. En 1537, le gros œuvre est terminé. En 1545, le logis royal est achevé.

B. Kaufmann/MICHELIN

Merveille de la Renaissance, le château compte 440 pièces, 365 cheminées, 13 escaliers principaux et 70 secondaires.

Le plan de Chambord est d'inspiration féodale : un donjon central à quatre tours entouré d'une enceinte. Au cours de la construction sont ajoutées deux ailes : l'une abrite l'appartement royal, l'autre la chapelle. Mais la construction Renaissance n'évoque plus aucun souvenir guerrier : c'est une royale demeure de plaisance, dont les façades, imposantes, doivent à l'Italie l'agrément de leurs sculptures et de leurs larges ouvertures. Au niveau de la terrasse, la richesse du décor est étonnante.

Le **parc** du château offrait un magnifique territoire de chasse. Aujourd'hui, les promeneurs à pied peuvent suivre l'un des quatre sentiers balisés dans la partie Ouest du parc ou le GR 3.

Neuvy

Son **église** solitaire est entourée d'un cimetière, dans un site agréable près d'une vieille ferme de brique, à pans de bois. Dans la nef, la poutre de gloire supporte des statues du 15e s. *Visite sur demande auprès de la mairie.* ☎ *02 54 46 42 69.*

Chaumont-sur-Tharonne

Cette cité conserve, dans son plan, le témoignage des remparts qui l'entouraient autrefois. Elle occupe un lieu privilégié, sur une butte que couronne une église des 15e et 16e s.

Lamotte-Beuvron

Grâce à l'acquisition du château en 1852 par Napoléon III, et suite sans doute à l'ouverture de la gare ferroviaire, ce simple hameau s'est métamorphosé en véritable capitale de la chasse. Tous les bâtiments publics et la plupart des habitations en brique datent de la période 1860-1870.

Souvigny-en-Sologne

Ce sympathique village solognot, mérite amplement une halte. Autour de l'église (12e-16e s.) précédée de son caquetoir (grand porche en charpente qui longe deux façades de l'édifice et qui abrite, à la sortie des offices, les conversations des paroissiens), vous remarquerez les typiques maisons à colombages.

80 km de chemins ruraux sont balisés aux alentours de la commune *(plan détaillé disponible chez les commerçants).*

La tarte Tatin

Les demoiselles Tatin, aubergistes à Lamotte-Beuvron au 19e s., ont inventé ce succulent et célèbre dessert, dont voici la recette.

Enduire l'intérieur d'un grand plat d'une belle couche de beurre et d'une couche non moins épaisse de sucre en poudre. Éplucher et couper en quartiers de belles pommes reinette. Remplir le plat complètement en serrant bien les fruits. Les arroser de beurre fondu. Sucrer un peu et recouvrir le tout d'une couche de pâte brisée, un peu molle et pas trop épaisse. Cuire à four chaud entre 20 et 25mn. Démouler en retournant le plat de façon à avoir les pommes en haut, parfaitement caramélisées. Et le tour est joué...

Paris★★★

Magie de Paris, Paris la nuit, Paris le jour, Paris est une incitation aux joies simples de la flânerie et du bien-vivre. Flâner dans Paris, c'est partir à la découverte de mille et une facettes de cette ville si mythique, guidé par l'humeur du moment.
Haut lieu de la mode, des arts et de la gastronomie, au point d'incarner à elle seule l'élégance et l'art de vivre français, Paris, par son animation permanente, son atmosphère particulière, est une ville où, quelles que soient la saison et l'heure, il se passe quelque chose.
Paris a ses «montagnes»: Buttes-Chaumont, Montmartre, Montparnasse, montagne Ste-Geneviève, Butte-aux-Cailles; son fleuve, la Seine, qui lui a donné sa devise: « Fluctuat nec mergitur » (elle est battue par les flots, mais ne sombre pas). Et ses deux îles qui forment son cœur historique.

La situation

2152333 habitants – Atlas Michelin n°16 – Le Guide Vert Paris – Paris (75). Paris s'étend sur 7 ha, plus large (12 km d'Est en Ouest) que haute (9 km entre le Nord et le Sud). La ville se compose de 20 arrondissements, chacun détenant son administration et ses caractéristiques. Et chaque arrondissement se compose d'une multitude de quartiers dont les limites ont été fixées par les habitants.
Pour se déplacer, rien ne vaut le métro, dont le réseau couvre largement la totalité des arrondissemnets. La ligne 1, qui traverse Paris d'Est en Ouest, dessert plusieurs quartiers touristiques comme le Louvre, les Champs-Élysées, l'Arc de Triomphe. La ligne 4, quant à elle, est pratique pour visiter Paris du Nord au Sud.
Pour rejoindre la proche banlieue, on peut prendre le métro, pour aller un peu plus loin, le RER et les trains de banlieue SNCF.
ℹ 127 av. des Champs-Élysées, 8ᵉ arrondissement, Mᵒ Charles-de-Gaulle-Étoile, ☎ 0 892 68 31 12. 3615 et 3617 otparis, www.paris-touristoffice.com. Sais. : 9h-20h ; hors sais. : dim. et j. fériés 11h-18h. Fermé 1ᵉʳ mai.

comprendre

Dans l'Antiquité – Vers 200 avant notre ère, des pêcheurs gaulois, de la peuplade des Parisii, installent leurs huttes sur la plus vaste des îles de la Seine: c'est la naissance de Lutèce, nom celtique signifiant «chantier naval sur un fleuve». La bourgade, conquise par les légions romaines en 52 avant J.-C., devient une ville gallo-romaine qui s'adonne à la batellerie. La nef, qui sera adoptée comme armoirie de la capitale, évoque à la fois la forme générale de l'île et l'activité la plus ancienne de ses habitants.
En 360, le préfet romain Julien l'Apostat est proclamé ici empereur par ses légions. Vers la même époque, Lutèce prend le nom de ses habitants et devient Paris.
Au début du Moyen Âge – En 451, Attila passe le Rhin à la tête de 700000 hommes. Geneviève, une jeune fille de Nanterre consacrée à Dieu, calme les Parisiens, certaine que la ville sera épargnée grâce à la protection céleste. Les Huns arrivent, hésitent, puis se détournent vers Orléans. Paris reconnaît la jeune fille comme sa patronne.
La ville devient, par intermittence, siège de la résidence royale; les rois résident dans l'île de la Cité. À partir d'Hugues Capet, en 987, Paris est le cœur de ce que l'on appelle désormais la France.
Sous les Capétiens directs – Autour de l'an 1000, l'abbaye de St-Germain-des-Prés, dévastée par les Normands, est reconstruite dans le style roman. L'abbé Suger, en 1136, bâtit St-Denis, qui est le prototype dont s'inspirent les architectes des cathédrales de la fin du 12ᵉ s., notamment ceux de Chartres, de Senlis et de Meaux. Les rues sont pavées peu à peu. En 1215, le pape Innocent III autorise la formation de l'université de Paris. Très vite, les collèges se multiplient, sous l'affluence des étudiants.
Au début du 14ᵉ s., **Philippe le Bel** construit la Conciergerie.
Les Valois – **Philippe VI** entreprend à Vincennes la construction d'un château dont le donjon répond aux normes les plus avancées de l'architecture militaire.
Le rempart de Philippe Auguste est doublé par l'enceinte de **Charles V** que ferme à l'Est la forteresse de la Bastille. Ainsi annexé à la ville, le quartier du Marais reçoit sa consécration: Charles V se fixe à l'hôtel St-Pol, entre la rue St-Antoine et le quai. Son fils Charles VI, auquel les médecins conseillent de se divertir, en fait la maison des «Joyeux Ébattements». Paris compte plus de 150000 habitants.
En 1530 débute la construction d'un nouvel hôtel de ville. **Francois Iᵉʳ** fonde le Collège de France.

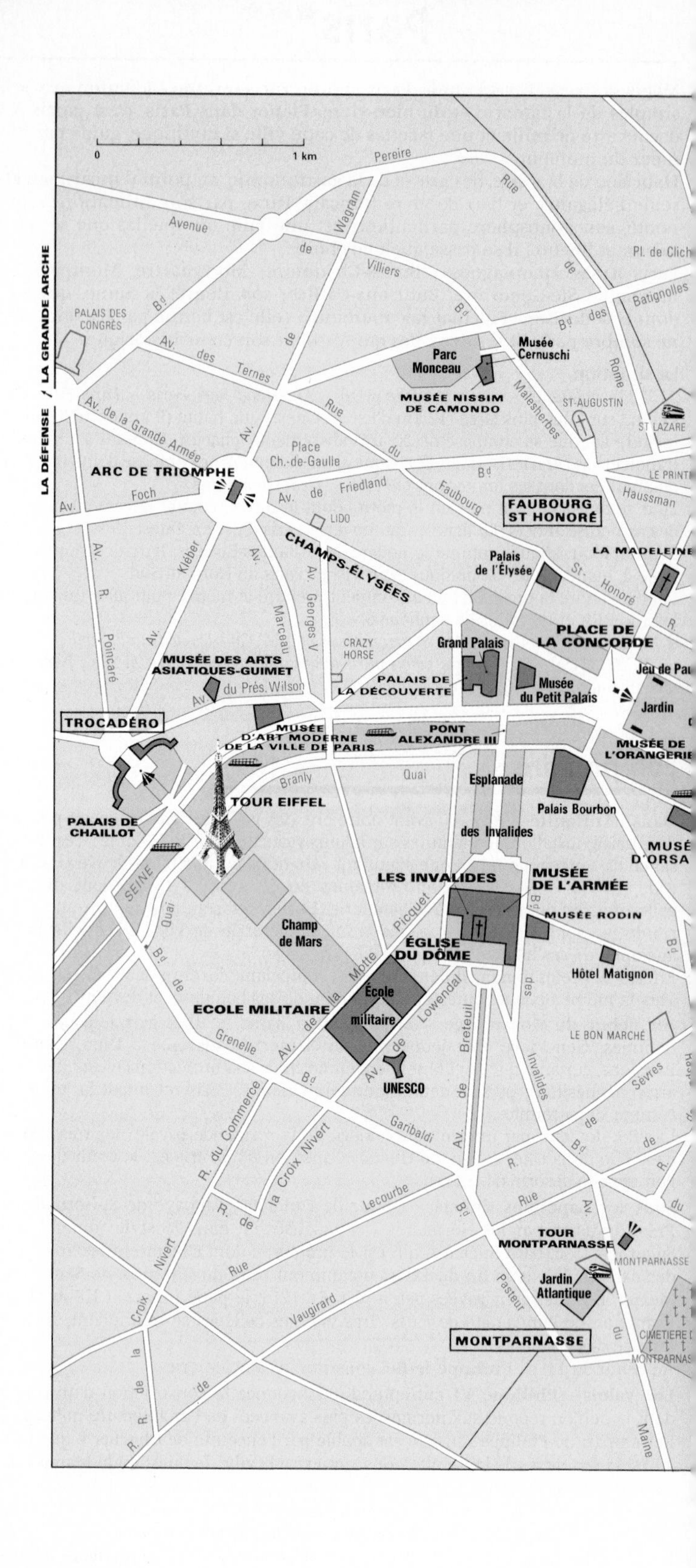

0
1 km
LA DÉFENSE / LA GRANDE ARCHE
PALAIS DES CONGRÈS
Parc Monceau
Musée Cernuschi
MUSÉE NISSIM DE CAMONDO
ST-AUGUSTIN
ST LAZARE
Pl. de Clich
ARC DE TRIOMPHE
Place Ch.-de-Gaulle
LIDO
LE PRINTE
FAUBOURG ST HONORÉ
LA MADELEINE
Palais de l'Élysée
CHAMPS-ÉLYSÉES
CRAZY HORSE
Grand Palais
PLACE DE LA CONCORDE
Jeu de Pau
MUSÉE DES ARTS ASIATIQUES-GUIMET
PALAIS DE LA DÉCOUVERTE
Musée du Petit Palais
Jardin
TROCADÉRO
MUSÉE D'ART MODERNE DE LA VILLE DE PARIS
PONT ALEXANDRE III
MUSÉE DE L'ORANGERIE
Esplanade des Invalides
Palais Bourbon
TOUR EIFFEL
PALAIS DE CHAILLOT
MUSÉ D'ORSA
SEINE
LES INVALIDES
MUSÉE DE L'ARMÉE
MUSÉE RODIN
Champ de Mars
ÉGLISE DU DÔME
Hôtel Matignon
ECOLE MILITAIRE
École militaire
LE BON MARCHÉ
UNESCO
TOUR MONTPARNASSE
MONTPARNASSE
Jardin Atlantique
MONTPARNASSE
CIMETIÈRE MONTPARNAS
Pereire
Rue de Rome
Avenue de Wagram
Villiers
Batignolles
Bd des Ternes
Av. de la Grande Armée
Av. Foch
Rue du Faubourg St Honoré
Av. de Friedland
Bd Haussman
Bd Malesherbes
Av. Kléber
Av. R. Poincaré
Av. Marceau
Av. Georges V
Av. du Prés. Wilson
Quai Branly
Quai
Bd de Grenelle
Av. de la Motte Picquet
Av. de Lowendal
Av. de Breteuil
Bd des Invalides
Bd Garibaldi
R. du Commerce
R. de la Croix Nivert
Rue Lecourbe
Rue de Vaugirard
Bd Pasteur
Rue de Sèvres
Av. du Maine

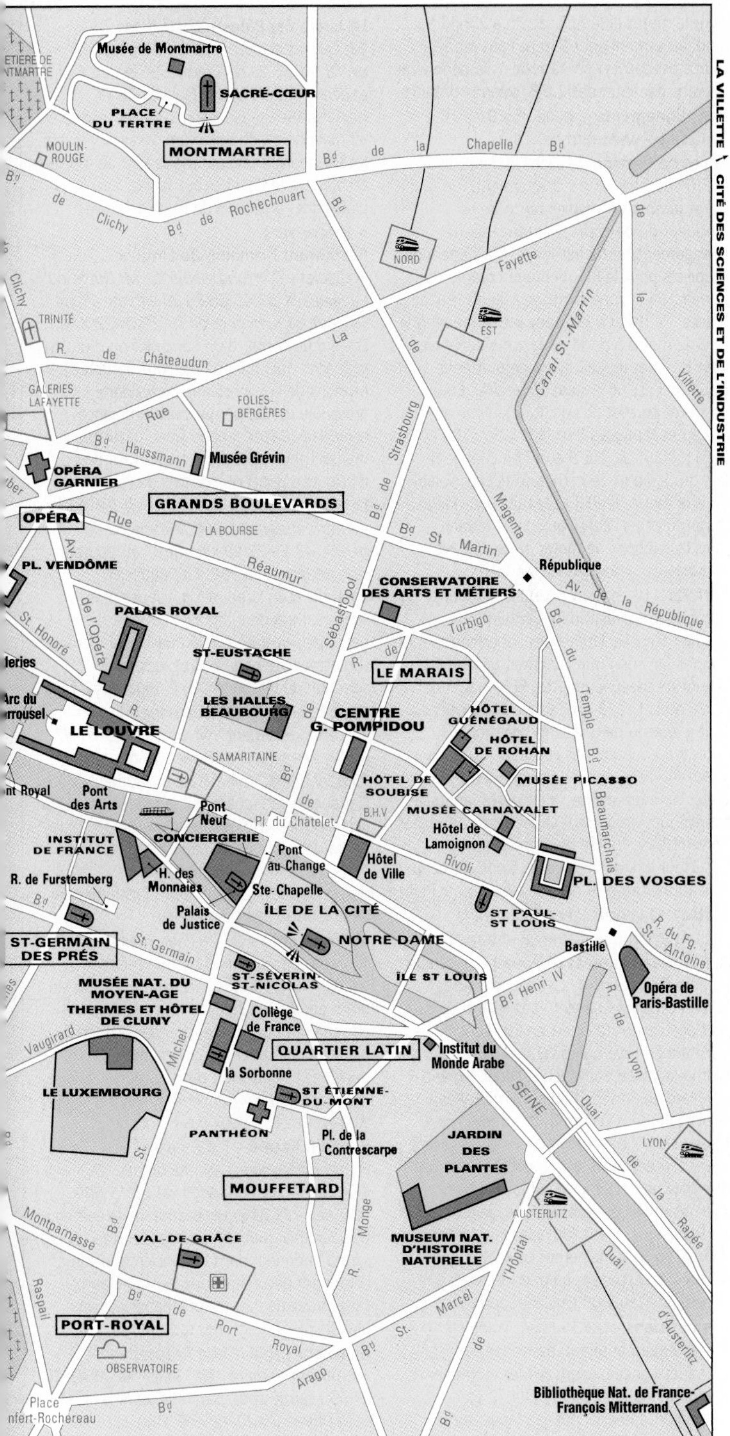

LA VILLETTE ↑ CITÉ DES SCIENCES ET DE L'INDUSTRIE

Musée de Montmartre
SACRÉ-CŒUR
PLACE DU TERTRE
MONTMARTRE
MOULIN-ROUGE
Bd de la Chapelle
Bd de Clichy
Bd de Rochechouart
NORD
EST
La Fayette
Canal St-Martin
TRINITÉ
R. de Châteaudun
GALERIES LAFAYETTE
FOLIES-BERGÈRES
Bd Haussmann
Musée Grévin
OPÉRA GARNIER
GRANDS BOULEVARDS
OPÉRA
Rue Réaumur
LA BOURSE
Bd de Strasbourg
Bd St Martin
Magenta
République
Av. de la République
PL. VENDÔME
Av. de l'Opéra
CONSERVATOIRE DES ARTS ET MÉTIERS
PALAIS ROYAL
St Honoré
Sébastopol
Turbigo
ST-EUSTACHE
LE MARAIS
Bd du Temple
LES HALLES BEAUBOURG
CENTRE G. POMPIDOU
HÔTEL GUÉNÉGAUD
HÔTEL DE ROHAN
Arc du Carrousel
LE LOUVRE
SAMARITAINE
HÔTEL DE SOUBISE
MUSÉE PICASSO
Pont Royal
Pont des Arts
Pont Neuf
Pl. du Châtelet
B.H.V
MUSÉE CARNAVALET
Hôtel de Lamoignon
Bd Beaumarchais
INSTITUT DE FRANCE
CONCIERGERIE
Pont au Change
Hôtel de Ville
Rivoli
PL. DES VOSGES
R. de Furstemberg
H. des Monnaies
Ste-Chapelle
Palais de Justice
ÎLE DE LA CITÉ
ST PAUL-ST LOUIS
ST-GERMAIN DES PRÉS
Bd St Germain
NOTRE DAME
Bastille
R. du Fg. St. Antoine
ST-SÉVERIN-ST-NICOLAS
ÎLE ST LOUIS
Bd Henri IV
Opéra de Paris-Bastille
MUSÉE NAT. DU MOYEN-AGE
THERMES ET HÔTEL DE CLUNY
Collège de France
R. de Lyon
Vaugirard
QUARTIER LATIN
Institut du Monde Arabe
Michel
la Sorbonne
LE LUXEMBOURG
ST ÉTIENNE-DU-MONT
SEINE
PANTHÉON
Pl. de la Contrescarpe
JARDIN DES PLANTES
LYON
Quai de la Rapée
MOUFFETARD
R. Monge
AUSTERLITZ
Montparnasse
VAL-DE-GRÂCE
MUSEUM NAT. D'HISTOIRE NATURELLE
l'Hôpital
Quai d'Austerlitz
Raspail
Bd de Port Royal
PORT-ROYAL
Bd St. Marcel
OBSERVATOIRE
Arago
Place Denfert-Rochereau
Bibliothèque Nat. de France-François Mitterrand

carnet pratique

Transports en commun

Utilisation – Service assuré de 5h30 à 1h15 pour le métro et le RER, de 7h à 20h30 du lundi au samedi pour le bus. Paris intra-muros est couvert par la zone 1, la périphérie de Paris par les zones 2 à 8, selon la distance.

Renseignements – ☎ 08 36 68 77 14 - 3615 ratp - www.ratp.fr

Titres de transport – Dans le métro et le RER (Paris intra-muros uniquement), un seul ticket permet de circuler sur toute la longueur du parcours et d'effectuer des changements entre les lignes. Mais attention, les billets pour le RER tiennent compte du numéro de la zone dans laquelle on veut se rendre ; le ticket n'est donc pas le même que pour le métro à partir de la zone 3. Ne pas jeter le ticket de RER avant de quitter le réseau : il est nécessaire pour sortir. En bus, un ticket permet de parcourir la ligne entière (exceptés les lignes 350, 351, 297, 299 et 221) ; il faut un 2e ticket si l'on change de bus ou de ligne. Le carnet de tickets, valable dans le métro, le RER et le bus (pour Paris intra-muros), s'achète aux gares routières, dans les stations de métro et de RER, les commerces dépositaires de la RATP.

Forfaits – Le coupon « Mobilis » autorise un nombre de trajets illimité pendant une journée dans les limites des zones choisies. Le coupon « Paris-Visite » permet un nombre illimité de trajets en métro, RER, bus, train SNCF pour 1, 2, 3 ou 5 jours consécutifs sur tout le réseau dans la limite des zones choisies. Attention, les coupons « Mobilis », « Paris-visite », « carte orange » et toutes les cartes hebdomadaires, mensuelles, annuelles, touristiques ne doivent jamais être compostés dans les bus. Il suffit de les montrer au chauffeur lors de la montée. Sinon, ils ne fonctionneront plus dans le métro ou le RER.

Métro – Quatorze lignes sillonnent la capitale en long, en large et en travers.

RER (Réseau express régional) – Le réseau compte 5 lignes dont 3 s'articulent sur la station centrale Châtelet - Les-Halles (lignes A, B et D). Ligne A (d'Ouest en Est) de St-Germain-en-Laye ou Poissy ou Cergy à Marne-la-Vallée ou Boissy-St-Léger. Ligne B (du Nord au Sud) de Robinson ou St-Rémy-lès-Chevreuse à la gare du Nord puis (via le réseau SNCF) à l'aéroport de Roissy ou Mitry-Claye. Ligne C (d'Ouest en Est) de Versailles-Rive gauche (château) ou St-Quentin-en-Yvelines ou Argenteuil ou Pontoise à Dourdan ou Étampes. Ligne D (du Nord au Sud-Est) d'Orry-la-Ville à Malherbes ou Melun. Ligne E (d'Ouest en Est) de la gare Saint-Lazare à Villiers-sur-Marne ou Chelles-Gournay.

Bus parisiens – Les 59 lignes complètent agréablement le réseau métropolitain. Certaines lignes passent par les monuments et quartiers phares de Paris (la 72 en particulier). Certains bus (18 lignes sont concernées) fonctionnent en nocturne : ce sont les « Noctambus » ; ils circulent la nuit de 1h à 5h30 environ, avec un départ toutes les heures (ttes les 30mn le w.-end) à chaque terminus de ligne, pour rayonner jusqu'à 30 km autour de Paris.

Restauration

• *À bon compte*

Le Jardin des Pâtes – *33 bd Arago - 13e arrondissement - M° Les Gobelins - ☎ 01 45 35 93 67 - fermé 23 déc. au 6 janv. et dim. - 13,26/21,19€.* Non loin de la Manufacture des Gobelins, cette terrasse sous les marronniers du boulevard devance la petite façade fleurie d'une minuscule salle au mobilier en bois. Carte de pâtes aux farines maison et biologiques préparées de façon originale.

• *Valeur sûre*

Restaurant Domaine de Lintillac – *20 r. Rousselet - 7e arrondissement - M° Duroc ou Vaneau - ☎ 01 45 66 88 23 - fermé 1er au 15 août, sam. midi et dim. - 15,24/22,87€.* Envie d'un confit, d'un cassoulet ou d'un foie gras sans vous ruiner ? Ici, vous goûterez les produits de la conserverie corrézienne artisanale du patron dans une ambiance conviviale. Décor simple, sans chichis où se marient poutres et murs crépis. L'un des meilleurs rapport qualité/prix de Paris.

Le Bistrot de Jean-Luc – *41 r. de Penthièvre - 8e arrondissement - M° Miromesnil - ☎ 01 43 59 23 99 - fermé 1er au 20 août, sam. et dim. - 19/30€.* La petite salle, agrandie d'un large miroir, est des plus simples. Mais peu importe. L'intérêt de ce gentil petit restaurant de quartier réside dans son attrayante carte bistrot et sa belle sélection de vins au verre, le tout à prix doux.

Chez Paul – *13 r. de Charonne - 11e arrondissement - M° Bastille - ☎ 01 47 00 34 57 - réserv. conseillée le soir - 19,82/27,44€.* Ici la patine est authentique... Cet ancien café-charbon-limonade centenaire accueille de nombreux habitués qui perpétuent l'esprit de famille du lieu. Aux murs, vieux miroirs, vieilles affiches publicitaires et tableaux. Dans l'assiette, une cuisine bistrotière bien ficelée.

Le Vinéa Café – *26-28 cour St-Émilion - 12e arrondissement - M° Cour-St-Émilion - ☎ 01 44 74 09 09 - 23/29€.* L'esprit du vin flotte encore sur Bercy : humez-le dans cet ancien entrepôt. Vieilles poutres et murs de pierre flirtent avec une cuisine tendance et quelques plats bistrot, dans un décor revisité. Possibilité de boire un verre au bar zébré ou sur la terrasse, à deux pas des cinémas.

Bouillon Racine – *3 r. Racine - 6e arrondissement - M° Odéon ou Cluny-la-Sorbonne - ☎ 01 44 32 15 60 - 20€ déj. - 27,29€.* Un bastion de la cuisine belge à St-Michel : bières et spécialités du cru sont à l'honneur dans cet ancien bouillon à l'étonnant décor Art nouveau. À l'étage, carte brasserie ; au rez-de-chaussée, plats plus simples à grignoter face au zinc.

Monsieur Lapin – *11 r. R.-Losserand - 14e arrondissement - M° Gaîté - ☎ 01 43 20 21 39 - fermé août, mar. midi et lun. - réserv. obligatoire - 28,20/45,73€.* Avec son amusante façade d'auberge de campagne fleurie, ce restaurant met le lapin à l'honneur. Célébré par une collection d'objets, il l'est aussi par la carte... qui le sert à toutes les sauces. Décor rétro sympathique. Menu gourmand à prix doux.

Hôtel du Nord – *102 quai de Jemmapes - 10e arrondissement - Mo Jacques-Bonsergent ou République - ☎ 01 40 40 78 78 - fermé 13 au 28 août - 14€ déj. - 18/22€.* C'est devant cette façade au bord du canal St-Martin qu'Arletty lança sa célèbre réplique, « atmosphère, atmosphèèère », dans le film *Hôtel du Nord* de Marcel Carné. Aujourd'hui ce café-restaurant, au cadre rétro, sert une cuisine classique et organise des soirées musicales.

La Brasserie de l'Isle St-Louis – *55 quai de Bourbon - 4e arrondissement - Mo Pont-Marie ou Cité - ☎ 01 43 54 02 59 - fermé 1 sem. en fév., août, jeu. midi et mer. - pas de réservation - 25,92/38,11€.* Après la visite de Notre-Dame, traversez le pont St-Louis pour vous attabler dans cette brasserie traditionnelle aux tons patinés. Là où sur sa terrasse en été, entre habitués et touristes, vous profiterez du spectacle des artistes de rue et des musiciens qui jouent devant le pont...

• ***Une petite folie !***

Café Marly – *93 r. de Rivoli - 1er arrondissement - Mo Palais-Royal - Musée-du-Louvre - ☎ 01 49 26 06 60 - 31/57€.* En face de la Pyramide, sous les arcades du musée du Louvre, ce restaurant branché sert une cuisine au goût du jour dans un cadre où se marient moulures, planchers et mobilier contemporain. En été, il faut boire un verre sur sa terrasse, c'est l'une des plus belles de Paris... Service jusqu'à 1h du matin.

HÉBERGEMENT

• ***Valeur sûre***

Hôtel Amadeus – *39 r. Claude-Tillier - 12e arrondissement - Mo Reuilly-Diderot ou Nation - ☎ 01 43 48 53 48 - 22 ch. : 47,26/59,45€ - ☕ 3,05€.* Vu de l'extérieur, ce petit hôtel ne paye pas de mine. Pourtant, n'hésitez pas à pousser la porte car l'intérieur, qui vient d'être rénové, est des plus confortables. Les chambres, meublées en rotin, changent de couleur à chaque étage et sont très calmes.

Hôtel Chopin – *10 bd Montmartre, 46 passage Jouffroy - 9e arrondissement - Mo Richelieu-Drouot - ☎ 01 47 70 58 10 - 35 ch. : 62/80€ - ☕ 7€.* Dans ce passage couvert de 1846 qui abrite le musée Grévin, ce petit hôtel jouit d'une tranquillité étonnante au cœur de ce quartier animé. Ses chambres aux murs colorés sont à réserver bien à l'avance.

Hôtel Daguerre – *94 r. Daguerre - 14e arrondissement - Mo Denfert-Rochereau - ☎ 01 43 22 43 54 - hotel.daguerre.paris14 @gofornet.com - 30 ch. : 69/104€ - ☕ 8€.* Ici et là, on retrouve des éléments de l'architecture 1920 de cet hôtel entièrement rénové en 1994, comme sa façade ou l'amusante fontaine à l'entrée. Non loin de Montparnasse, dans une rue commerçante, ses chambres sont sobres, mais parfaitement tenues et les tarifs sont raisonnables.

Hôtel Beaumarchais – *3 r. Oberkampf - 11e arrondissement - Mo Filles-du-Calvaire - ☎ 01 53 36 86 86 - hotel.beaumarchais @libertysurf.fr - 31 ch. : 69/99€ - ☕ 9€.* Cet immeuble du début du 20e s., joliment fleuri, a pris un sérieux coup de jeune. Les chambres, repeintes dans des couleurs éclatantes et dotées de meubles aux arrondis gracieux, ne manquent pas de charme. La verdoyante cour intérieure est bienvenue en été.

Hôtel Avia – *181 r. de Vaugirard - 15e arrondissement - Mo Pasteur - ☎ 01 43 06 43 80 - 40 ch. : 72/85€ - ☕ 7€.* Une restauration habile et soignée a doté cet hôtel de tout le confort moderne. Ses chambres sont spacieuses, bien équipées et agrémentées de tissus choisis assortis au mobilier et aux tapisseries. Salle des petits déjeuners au « look » moderne.

Hôtel Ambassade – *79 r. Lauriston - 16e arrondissement - Mo Boissière ou Kléber - ☎ 01 45 53 41 15 - 38 ch. : 73/105€ - ☕ 8,50€.* Cet hôtel à la façade nouvellement ravalée profite de la tranquillité d'un quartier résidentiel tout en étant à quelques centaines de mètres des Champs-Élysées. Les chambres, meublées en rotin, sont de confort variable ; les moins chères sont un peu exiguës.

Hôtel Vivienne – *40 r. Vivienne - 2e arrondissement - Mo Bourse - ☎ 01 42 33 13 26 - paris@hotel-vivienne.com - 44 ch. : 63/84€ - ☕ 6€.* À deux pas de la Bourse et du Palais-Royal, ce petit hôtel propret vous permettra de découvrir Paris à pied : ici, vous serez à quelques enjambées des Grands Boulevards, des Grands Magasins et de l'Opéra Garnier. Chambres simples et bon accueil.

Hôtel du 7e Art – *20 r. St-Paul - 4e arrondissement - Mo St-Paul - ☎ 01 44 54 85 00 - hotel7art@wanadoo.fr - 23 ch. : 70/120€ - ☕ 7€.* L'enseigne le laisse deviner : l'ensemble de l'établissement est décoré sur le thème du cinéma, et plus particulièrement celui des années 1940-1960. Préférez les chambres des 3e et 4e étages, aux poutres apparentes. Buanderie à disposition.

Hôtel Français – *13 r. du 8-Mai-1945 - 10e arrondissement - Mo Gare-de-l'Est - ☎ 01 40 35 94 14 - hotelfrancais @wanadoo.fr - 71 ch. : 73/81€ - ☕ 7,50€.* En face de la gare de l'Est, dans un quartier animé, cet hôtel est d'un bon rapport qualité/prix : ses chambres nettes aux meubles en stratifié style 1970 sont bien équipées et insonorisées. Salon et réception 1900.

• ***Une petite folie !***

Hôtel des Croisés – *63 r. St-Lazare - 9e arrondissement - Mo Trinité - ☎ 01 48 74 78 24 - hotel-des-croisés@wanadoo.fr - réserv. conseillée - 27 ch. : 77/94€ - ☕ 7,50€.* Ce bâtiment de la fin du 19e s. abrite deux types de chambres : les plus grandes ont un délicieux charme désuet et disposent parfois d'une cheminée, de meubles Art nouveau ou Art déco ; les autres sont plus sobres, mais toutes les salles de bain sont rénovées. Il est prudent de réserver bien à l'avance.

Grand Hôtel Français – *223 bd Voltaire - 11e arrondissement - Mo Nation - ☎ 01 43 71 27 57 - 40 ch. : 83,85/114,34€ - ☕ 6,10€.* La situation à deux pas de la place de la Nation et des principales lignes de métro et RER est un des points forts de ce bel immeuble restauré. Les chambres, habillées de tissus colorés, sont neuves et bien insonorisées. Accueil convivial.

Hôtel Place du Louvre – *21 r. des Prêtres-St-Germain-l'Auxerrois - 1er arrondissement - M° Pont-Neuf ou Louvre-Rivoli - ☏ 01 42 33 78 68 - hotel.place.louvre@wanadoo.fr - 20 ch. : 87/141€ - ☕ 9,15€.* Une adresse pour les amoureux du Louvre ! À deux pas du musée, elle leur permettra de le visiter de fond en comble et du matin au soir si le cœur leur en dit... Les autres apprécieront sa situation centrale, ses chambres proprettes et ses duplex au 5e étage...

Hôtel Powers – *52 r. François-Ier - 8e arrondissement - M° George-V ou Alma-Marceau - ☏ 01 47 23 91 05 - contact@hotel-powers.com - 55 ch. : 100/300€ - ☕ 13€.* Un hôtel discret et agréable à quelques enjambées de la plus belle avenue du monde. Ses chambres jaunes sont cosy et plutôt spacieuses, avec leurs meubles anciens et leurs belles moulures qui leur donnent un petit air de demeure anglaise. Sauna.

Résidence Malesherbes – *129 r. Cardinet - 17e arrondissement - M° Villiers-Malesherbes - ☏ 01 44 15 85 00 - 21 ch. : 88/119€ - ☕ 8€.* Ce petit hôtel à l'ambiance familiale est fort plaisant. Ses chambres, « cosy », sont toutes conçues sur le même modèle : tons chauds, rideaux et dessus-de-lit assortis à la moquette et coin cuisine bien équipé. Le petit déjeuner est exclusivement servi en chambre.

Le temps d'un verre

Fouquet's – *99 av. des Champs-Élysées - 8e arrondissement - M° Franklin-Roosevelt - ☏ 01 47 23 50 00 - tlj 8h-0h.* Inscrit à l'inventaire des Monuments historiques, le Fouquet's possède l'une des dernières terrasses renommées des Champs-Élysées. C'est un point de rendez-vous pour le show-biz comme pour le milieu littéraire. Rénové en 1999, le Fouquet's conjugue le côté brasserie avec la cuisine inventive de Jean-François Lemercier, meilleur ouvrier de France 1993.

La Closerie des Lilas – *171 bd du Montparnasse - 6e arrondissement - M° Vavin - ☏ 01 44 27 00 30 - tlj 9h-1h30.* Une institution littéraire, « snob » et intimidante ? Et pourtant, c'est un endroit au charme précieux. Ses boiseries et sa terrasse protégée dispensent une atmosphère intime et chaleureuse. Si de Sartre ou d'Hemingway on ne voit plus que les noms gravés sur leurs tables favorites, on croise parfois des célébrités littéraires d'aujourd'hui...

La Rotonde – *7 pl. du 25-Août - 14e arrondissement - M° Montparnasse - ☏ 01 45 40 40 20 - tlj 5h-23h.* Lénine y fut garçon de café durant quelques mois, Trotsky fréquenta l'établissement, Picasso, Derain, Modigliani, Matisse ou Vlaminck s'y retrouvèrent pour confronter leurs espoirs... Depuis 1903, c'est la mémoire du 20e s. qui emplit cet établissement – qui est également un pôle d'attraction pour plusieurs communautés étrangères (russe et sud-américaine) à Paris.

Le Procope – *13 r. de l'Ancienne-Comédie - 6e arrondissement - M° Mabillon - ☏ 01 40 46 79 00 - tlj 11h-1h.* Fondé en 1686, le plus vieux café de Paris fut un haut lieu littéraire à l'époque de La Fontaine puis de Voltaire et, plus tard, de Daudet, d'Oscar Wilde et de Verlaine. Si c'est aujourd'hui un restaurant, on peut cependant toujours y prendre le thé ou le café, l'après-midi, de 15h à 17h.

Café de Flore – *172 bd St-Germain - 6e arrondissement - M° St-Germain-des-Prés - ☏ 01 45 48 55 26 - tlj 7h-2h.* Ouvert sous le Second Empire, le Café de Flore est un des cafés de prestige de Paris, notamment pour ses accointances avec la petite histoire littéraire. Apollinaire, Breton, Sartre et Simone de Beauvoir, Camus, Jacques Prévert l'ont assidûment fréquenté.

Café de la Paix – *12 bd des Capucines - 9e arrondissement - M° Opéra - ☏ 01 40 07 30 20 - tlj 9h-1h.* Inauguré en 1862, son emplacement sur le carrefour le plus réussi de l'urbanisme haussmannien, et l'un des plus animés de la capitale, est remarquable. De nombreux artistes s'y attablèrent : Maurice Chevalier, Joséphine Baker, Mistinguett, Serge Lifar, pour ne citer qu'eux.

Sorties

Programmes – Les hebdomadaires *Pariscope* et *L'Officiel des spectacles* annoncent les expositions, un certain nombre de concerts et donnent les horaires des séances de cinéma. Les quotidiens *Le Monde* et *Libération* consacrent une rubrique aux spectacles, sorties, événements et concerts du jour comme de la semaine.

Bal du Moulin-Rouge – *82 bd de Clichy - 9e arrondissement - Mo Blanche - ☏ 01 53 09 82 82 - billetterie : tlj 9h-1h.* Depuis 1889, le Moulin-Rouge présente aux spectateurs du monde entier de somptueuses revues : du french cancan immortalisé par Toulouse-Lautrec à Maurice Chevalier, de Colette aux spectacles de Mistinguett, d'Ella Fitzgerald à Elton John... « Féerie », la nouvelle revue du Moulin-Rouge, perpétue la tradition et les filles sont toujours aussi belles...

Folies-Bergère – *32 r. Richer - 9e arrondissement - M° Cadet - ☏ 01 44 79 98 98 - www.foliesbergere.com - tlj 10h-18h.* S'y sont croisés Loïe Fuller et Yvette Guilbert, Maurice Chevalier, Yvonne Printemps et Mistinguett, Joséphine Baker et Charles Trenet... Autant de figures légendaires qui hantent ce théâtre à la façade Art déco pourvu d'un gigantesque hall hollywoodien dont le promenoir fut célébré par Maupassant.

Le Lido – *116 bis av. des Champs-Élysées - 8e arrondissement - M° George V - ☏ 01 40 76 56 10 - www.lido.fr - tlj à partir de 20h.* Sans doute la plus internationale des revues parisiennes. Les célèbres Bluebell Girls y exhibent leurs plumes, leurs paillettes et leur somptueuse anatomie avec panache. Plus de 600 costumes, des dizaines de décors, des jeux d'eau et de lumière composent un spectacle toujours aussi populaire.

Opéra-Bastille – *Pl. de la Bastille - 12e arrondissement - M° Bastille - ☎ 01 40 01 17 89 - www.opera-de-paris.fr - lun.-sam. 11h-18h30 - fermé de mi-juil. à mi-sept.* Construit par Carlos Ott, cet opéra allie vocation populaire et performance technique. Inauguré le 13 juillet 1989 par François Mitterrand, il ouvrit sa première saison le 17 mars 1990 par une reprise des Troyens d'Hector Berlioz sous la direction du chef d'orchestre Myung Whun Chung.

Palais Garnier – *8 r. Scribe - 9e arrondissement - M° Opéra - ☎ 01 40 01 17 89 ou 0 836 697 868 - www.opera-de-paris.fr - billetterie : lun.-sam. 11h-18h30 - fermé de mi-juil. à déb. sept.* Construit par le jeune architecte Garnier de 1862 à 1875, ce théâtre est caractéristique du second Empire par ses dimensions imposantes et le luxe de son ornementation. C'est le siège de l'Académie nationale de musique, qui s'y installa en 1875. Admirez la magnificence de l'escalier d'honneur et du foyer, et la somptuosité de la salle ornée, depuis 1964, d'un plafond peint par Chagall.

Achats

Galeries Lafayette de Paris – *40 bd Haussmann - 9e arrondissement - M° Chaussée-d'Antin - ☎ 01 42 82 34 56 - www.galerieslafayette.com - lun.-mer., ven.-sam. 9h30-19h, jeu. 9h30-21h - fermé j. fériés.* Nul Parisien qui ne connaisse ce grand magasin où toutes les grandes marques ont leur « corner ». Un incontournable du shopping à Paris, en particulier à l'époque des fêtes de fin d'année, où petits et grands se regroupent devant les vitrines transformées en pays merveilleux où les marionnettes s'animent au son de musiques enchantées.

Printemps – *64 bd Haussmann - 9e arrondissement - M° Havre-Caumartin, RER Auber - ☎ 01 42 82 50 00 - www.printemps.fr - lun.-sam 9h35-19h, jeu. 9h35-22h.* Carrefour de la mode réunissant tous les grands créateurs, ce grand magasins est divisé en trois bâtiments qui communiquent par des passerelles. Une grande terrasse panoramique domine le Printemps de la Maison.

La Samaritaine – *19 r. de la Monnaie - 1er arrondissement - M° Pont-Neuf - ☎ 01 40 41 20 20 - lun.-mer., ven.-sam. 9h30-19h, jeu. 9h-22h.* Il n'est pas évident d'arriver au 8e étage de ce grand magasin, mais vos efforts sont récompensés par la superbe vue panoramique de son café-terrasse dominant la Seine.

Le Bon Marché – *24 r. de Sèvres - 7e arrondissement - M° Sèvres-Babylone - ☎ 01 44 39 80 00 - www.lebonmarche.fr - lun.-mer., ven. 9h30-19h, jeu. 10h-21h, sam. 9h30-20h.* Il fut fondé en 1852 par un petit boutiquier très inventif. Son style « vieille France » et sa politique de sélection des produits et des créateurs de mode contribuent au succès de ce grand magasin s'étendant sur 32 000 m².

Le Bazar de l'Hôtel-de-Ville (BHV) – *55 r. de la Verrerie - 1er arrondissement - M° Hôtel-de-Ville - ☎ 01 42 74 90 00 - www.bhv.fr - lun., mar., jeu. et sam. 9h30-19h, mer., ven. 9h-20h30.* Ce grand magasin sur 35 000 m², toujours plein, est une véritable institution à Paris : pour la décoration et le bricolage, difficile de ne pas trouver ce dont vous avez besoin.

Carrousel du Louvre – *Au Louvre - 1er arrondissement - M° Palais-Royal (sortie indiquée) - ☎ 01 43 16 47 10.* Plus d'une trentaine de boutiques, choisies pour leur qualité ou le lien qu'elles entretiennent avec le musée, rivalisent d'espace et d'originalité dans le cadre grandiose du Grand Louvre.

Fauchon – *26 pl. de la Madeleine - 8e arrondissement - M° Madeleine - ☎ 01 47 42 60 11 - tlj 9h30-19h.* À la fois traiteur, pâtissier, épicier et salon de thé, Fauchon propose des produits de luxe de France et d'ailleurs. Un lieu très prisé de la bourgeoisie parisienne et des étrangers qui viennent admirer les impressionnantes décorations des fêtes.

Hédiard – *21 pl. de la Madeleine - 8e arrondissement - M° Madeleine - ☎ 01 43 12 88 88/76 - www.hediard.fr - lun.-sam. 9h-22h - fermé j. fériés.* À l'entrée, un bel étalage de fruits exotiques et d'épices invite le gourmet à pénétrer dans cette vénérable demeure. La cave, tenue par un sommelier jeune et compétent, vaut aussi le détour.

Marchés aux puces

Marché aux puces de Montreuil – *Porte-de-Montreuil - 20e arrondissement - M° Porte-de-Montreuil.* Brocante les samedis, dimanches et lundis.

Marché aux puces de Vanves – *Porte-de-Vanves - 14e arrondissement - M° Porte-de-Vanves.* Les samedis et dimanches.

Marché aux puces de St-Ouen – *R. Jean-Henri-Fabre - 18e arrondissement - M° Porte-de-Clignancourt - w.-end et lun.* De nombreuses boutiques de brocanteurs réparties en plusieurs marchés (Vernaison, Biron, Cambo, Paul-Bert, Malassis, Serpette, etc., sans compter les marchés volants), et une clientèle cosmopolite en font le « village » de l'insolite et du pittoresque.

Marché aux puces de Clignancourt – *R. Jean-Henri-Fabre (le long des puces de St-Ouen) - 18e arrondissement - M° Porte-de-Clignancourt - sam.-lun. 7h-19h30.*

Faire les grands magasins est une étape incontournable de la découverte de la vie parisienne (ici la Samaritaine).

S. Sauvignier/MICHELIN

En 1559, la Cour est endeuillée par la mort d'**Henri II**, blessé rue St-Antoine lors d'un tournoi. Sa veuve, Catherine de Médicis, confie à Philibert Delorme la tâche d'édifier le palais des Tuileries. Le 24 août 1572, c'est le massacre de la St-Barthélemy. Les **guerres de Religion** ralentissent peu l'extension de la ville, si bien que Charles IX et Louis XIII doivent élargir l'enceinte vers l'Ouest.

Le donjon du château de Vincennes où furent enfermés Diderot et tant d'autres.

Les Bourbons – En 1594, Paris ouvre ses portes au nouveau roi, Henri IV, qui a pacifié le pays et vient d'abjurer le protestantisme: «Paris vaut bien une messe.» Philibert Delorme dessine l'Arsenal, Louis Métezeau la place des Vosges. Mais le 14 mai 1610, le roi tombe sous le couteau de Ravaillac, rue de la Ferronnerie.

Sous **Louis XIII**, Salomon de Brosse édifie pour Marie de Médicis le palais du Luxembourg; Lemercier élève l'église de la Sorbonne et, pour Richelieu, le Palais-Cardinal – ou Palais-Royal.

En s'installant à Versailles, **Louis XIV** n'oublie pas Paris. Les nombreux aménagements le prouvent. En une vingtaine d'années, Le Nôtre, génie de l'art paysagiste, jardinier des Tuileries, en redessine les parterres; Perrault entreprend au Louvre sa fameuse colonnade; Le Vau achève le gros œuvre du Louvre et l'Institut. Libéral Bruant édifie la chapelle de la Salpêtrière puis, après que Louis XIV eut fondé les Invalides pour abriter ses vieux soldats, il donne les plans de cette caserne, construite comme un palais. Colbert établit la Manufacture des Gobelins. Hardouin-Mansart aménage la place Vendôme; le Marais se couvre d'hôtels particuliers.

À la mort du Roi-Soleil, la Cour revient à Paris. Robert de Cotte aménage l'esplanade des Invalides. L'art du meuble émerveille l'Europe entière et nourrit l'activité d'ateliers et de boutiques rue St-Eustache et faubourg St-Antoine. Sous **Louis XV**, Jacques Ange Gabriel dessine les façades de la place de la Concorde, celle de l'église St-Roch puis réalise l'École militaire; Soufflot est l'auteur de la coupole du Panthéon.

Cependant, la mode se déplace vers l'Ouest. Déjà attirée par la proche île St-Louis, la noblesse se retrouve sous Louis XVI dans les faubourgs St-Honoré et St-Germain. L'église St-Sulpice doit donner sur une place aux façades élégantes (seul le nº 6 est réalisé). Dans les années 1780-1790, Paris compte près de 500000 habitants. La campagne recule. Un nouveau mur d'enceinte cerne la ville de ses 57 «barrières» d'octroi, créées par Ledoux. Et Pilâtre de Rozier effectue le premier vol humain dans l'atmosphère: avec sa montgolfière il traverse Paris, de la Muette à la Butte-aux-Cailles.

Révolution et Empire – Le 14 juillet 1789, le peuple de Paris s'empare de la Bastille. La famille royale quitte Versailles et réside au palais des Tuileries.

Le 2 septembre 1792, le carrefour de Buci est le théâtre de massacres qui, perpétrés quatre jours durant, voient 1200 détenus exécutés. C'est le début de la Terreur.

Près d'un an plus tard, le 27 juillet 1793, la chute de Robespierre, à l'Hôtel de Ville, marque la fin de cette période. La Convention montagnarde procède, le 10 août, à l'inauguration du musée du Louvre.

En 1803, le pont des Arts, premier pont en fer, est lancé sur la Seine et réservé aux piétons.

Proclamé par le Sénat empereur des Français le 18 mai 1804, **Napoléon Ier** est sacré le 2 décembre à Notre-Dame par le pape Pie VII et se couronne lui-même; la cérémonie est immortalisée par David (tableau au musée du Louvre). Pour faire de Paris sa capitale, l'Empereur ordonne l'érection, place Vendôme, d'une colonne à la gloire de la Grande Armée; il passe commande à Vignon d'un temple – l'église de la Madeleine; il demande à Chalgrin les plans de l'Arc de Triomphe. Brongniart construit la Bourse; Percier et Fontaine l'aile Nord du Louvre et l'arc du Carrousel. Les rues sont éclairées au gaz.

De la Restauration à 1870 – En 1837, la première ligne de chemin de fer ouverte au public relie l'embarcadère de Paris à celui de St-Germain-en-Laye.

De 1841 à 1845, les fortifications de Thiers entourent les villages de Paris en plein essor économique (Austerlitz, Montrouge, Vaugirard, Passy, Montmartre et Belleville). Elles sont doublées à la distance d'un boulet de canon par 16 bastions. Ce sont les

«fortifs», qui limitent officiellement la capitale à partir de 1859. Et, le 24 février 1848, à l'Hôtel de Ville, Lamartine fait acclamer le drapeau tricolore : c'est la Deuxième République.
Pendant le règne de **Napoléon III** se tiennent deux Expositions universelles (1855 et 1867). La capitale, sous l'impulsion du baron Haussmann, préfet de la Seine, fait l'objet de gigantesques travaux – aménagement des bois de Vincennes et de Boulogne, percement de l'avenue Foch, création des gares, achèvement (aile Nord) du Louvre, dégagement des grands axes (Grands Boulevards, place de l'Opéra...) – facilitant à la fois la circulation et la dislocation des émeutes. En 1860, Paris est divisé en 20 arrondissements.
Troisième République – Le 4 septembre 1870, au lendemain de la défaite de Sedan, Gambetta entraîne la foule à l'Hôtel de Ville où la République est proclamée. Après les premiers épisodes de l'insurrection de la Commune, les fédérés incendient l'Hôtel de Ville, le palais de la Légion d'honneur, le palais des Tuileries, la Cour des Comptes ; ils renversent la colonne Vendôme et fusillent leurs détenus devant le mur des Otages (rue Haxo) avant de succomber eux-mêmes à la répression devant le mur des Fédérés (cimetière du Père-Lachaise).
Gustave Eiffel achève, en 1889, sa tour pour l'inauguration de l'Exposition universelle. Girault associe la pierre, l'acier et les verrières pour édifier le Grand et le Petit Palais, pavillons de l'Exposition universelle de 1900, à l'occasion de laquelle est lancée l'arche métallique surbaissée du pont Alexandre-III.
Les arts se manifestent place de la Nation dans le *Triomphe de la République* de Dalou et dans les panneaux en haut-relief de Bourdelle sculptés à la façade du Théâtre des Champs-Élysées, que les frères Perret viennent d'édifier en béton armé. En 1914, la **basilique du Sacré-Cœur**, entreprise en 1878, est achevée au sommet de la butte Montmartre.
1914-1918, c'est la Grande Guerre. Le gouvernement quitte Paris pour Bordeaux.
1920, inhumation du soldat inconnu sous l'Arc de Triomphe de l'Étoile.
Durant les années 1920, Paris profite du renouveau culturel et se trouve à l'origine de grands mouvements littéraires et artistiques.
1939-1945 : Seconde Guerre mondiale. Paris est bombardé puis occupé par l'armée allemande. Les 16 et 17 juillet 1942, c'est la rafle du Vél'd'hiv. Enfin, le 19 août 1944, Paris est libéré.
Quatrième et Cinquième Républiques – La Quatrième République est proclamée à l'Hôtel de Ville le 27 octobre 1946. La capitale retrouve son rang politique.
La Cinquième République voit la concrétisation de la politique d'aménagement lancée par le gouvernement précédent. Sous l'influence de Le Corbusier, l'esthétique architecturale connaît un renouvellement : Maison de Radio-France, Unesco, palais du CNIT à la Défense.
En 1973, le périphérique et la tour Montparnasse sont achevés. Quatre ans plus tard, le Centre Georges-Pompidou est inauguré. La gare d'Orsay devient un magnifique musée.
Sous le gouvernement de François Mitterrand, une politique de grands travaux est entreprise : en 1989, sont inaugurés la Pyramide du Louvre, la Grande Arche de la Défense et l'Opéra-Bastille ; en 1995, c'est au tour de la Bibliothèque nationale de France à Tolbiac.
Fin de siècle : quelques jours avant le passage à l'an 2000, une tempête affecte gravement les parcs et monuments de Paris.

découvrir

LA TOUR EIFFEL***

Ascenseur : 9h30-23h (de mi-juin à fin août : 9h-24h). 3,70€ (1er étage), 6,90€ (2e étage), 9,90€ (3e étage). Escaliers : 1er et 2e étage uniquement, 9h30-18h30 (de mi-juin à fin août : 9h-24h). 3€. ☎ 01 44 11 23 23.
Vigie de la capitale, la tour Eiffel est sans doute la silhouette la plus populaire au monde. Ses poutrelles métalliques enchevêtrées et ses ascenseurs sont l'œuvre d'un ingénieur, Gustave Eiffel (1832-1923), qui vient d'achever le viaduc de Garabit en Auvergne. De 1887 à 1889, les 300 monteurs acrobates ont assemblé deux millions et demi de rivets.
Pour accéder au sommet, deux possibilités : les escaliers pour les courageux qui ne craignent ni les crampes ni le vertige. 1 652 marches, mais quel spectacle ! Les ascenseurs sont bien sûr l'autre moyen et là, en changeant au 2e étage, on atteint sans fatigue les 300 m de hauteur.
Au 1er étage, la tour atteint 57 m ; au 2e, 115 m et au 3e, 276 m. Hauteur totale : 300 m ; en trichant un peu (cabine de télévision), elle s'envole à 324 m avec plus ou moins 15 cm selon la température. Poids : 7 000 t auxquelles il faut ajouter 50 t de peinture, renouvelée tous les sept ans. Au 3e étage, le **panorama***** s'étend sur 67 km au maximum mais l'événement reste rare.

Champ-de-Mars

Lors de la construction de l'École militaire, les jardins maraîchers qui s'étendaient entre les nouveaux bâtiments et la Seine furent transformés en champ de manœuvre ou Champ-de-Mars. Ce fut aussi le lieu des rassemblements patriotiques: le 14 juillet 1790, on y célébra le premier anniversaire de la prise de la Bastille, au cours duquel Louis XVI prêta serment à la Constitution. En 1794, on y fêta l'existence de l'Être suprême, décrétée par la Convention. À son tour, Napoléon y distribua aigles et insignes. Devenu champ de foire, le Champ-de-Mars accueillit ensuite les Expositions universelles. C'est aujourd'hui un vaste jardin, mi-anglais, mi-français, où les foules se rassemblent encore à l'occasion.

La tour Eiffel : un symbole national.

École militaire*

En 1751, grâce à Mme de Pompadour, le financier Pâris-Duverney obtient l'acte de fondation de l'École royale militaire. À la direction des travaux et avec l'aide de Jacques Ange Gabriel, la caserne apparaît d'une surprenante magnificence. Le soutien financier est assuré par un impôt sur les cartes à jouer et par une loterie grâce au dynamisme de Beaumarchais. En 1769, la première pierre de la chapelle est posée par Louis XV; en 1773, le «château» est achevé. À l'origine, l'École forme 500 gentilshommes pauvres pendant trois ans au métier d'officier. La Révolution supprime l'institution, mais les bâtiments conservent leur fonction de caserne et de centre de formation. Ils accueillent aujourd'hui les Écoles supérieures de guerre et l'Institut des hautes études de Défense nationale.

LES INVALIDES***

Entre la Seine et l'hôtel des Invalides, l'esplanade fut aménagée de 1704 à 1720 par Robert de Cotte, beau-frère de Mansart. Des allées de tilleuls argentés longent les six parterres de gazon latéraux.

Hôtel des Invalides***

Un large fossé, ainsi que des canons de bronze (17e-18e s.), alignés le long des remparts, ceignent le portail d'entrée. La **facade****, dessinée par Libéral Bruant, longue de 196 m, est majestueuse. Au centre, le gigantesque portail, à l'allure d'arc de triomphe, reste un cas unique dans l'architecture française.

Dans la **cour d'honneur***, l'austère beauté du lieu est saisissante. Napoléon avait pris pour habitude d'y passer en revue ses vétérans. Elle comporte deux étages de galeries qui servaient de promenade aux pensionnaires. La décoration reste sobre: trophées d'armes autour des lucarnes et coursiers foulant aux pieds les attributs de la Guerre, aux angles des toits. L'un des quatre pavillons de la cour, plus orné que les autres, sert de façade à l'église Saint-Louis. Au milieu se dresse la statue du *Petit Caporal*, par Seurre.

Église St-Louis des Invalides*

L'«église des soldats» a été construite selon un plan classique de croix latine par Jules Hardouin-Mansart. Celui-ci avait repris le chantier de Libéral Bruant et, sous la pression de Louis XIV, avait conçu une église double. L'unique décoration est constituée de drapeaux pris à l'ennemi. Derrière le maître-autel, on aperçoit le baldaquin de l'église du Dôme au travers d'une grande verrière.

Église du Dôme***

♿ *Avr.-sept. : 10h-18h ; oct.-mars : 10h-17h. Fermé 1er lun. du mois, 1er janv., 1er mai, 1er nov. et 25 déc. 6€. ☎ 01 44 42 37 72.*

De style classique français, elle fut édifiée entre 1677 et 1706 par Jules Hardouin-Mansart. Deux coupoles s'emboîtent tandis qu'une «lumière cachée» vient les éclairer. À cette beauté des coupoles répond la rigueur du carré de la base, construite sur le modèle d'une croix grecque. Le dôme saisit par son élan et sa majesté. C'est à l'occasion du bicentenaire de la Révolution française qu'il a retrouvé son éclat. 555 000 feuilles d'or ont été nécessaires à sa restauration (soit 12,65 kg).

Le **tombeau de l'Empereur**, qui se compose d'un sarcophage de porphyre rouge, se trouve au fond de la «crypte». Deux grandes statues en bronze montent la garde: l'une porte le globe, l'autre le sceptre et la couronne impériale. Et douze figures de Victoires, œuvre de Pradier, l'entourent.

L'ÎLE DE LA CITÉ***

La Cité est le berceau de Paris. La place Dauphine, la Sainte-Chapelle, Notre-Dame de Paris, le Palais de Justice ou la Conciergerie sont autant de joyaux offerts à la capitale.

Cathédrale Notre-Dame***

Au cœur de Paris et dans le cœur des Parisiens, la cathédrale a participé aux joies et aux sombres moments de l'histoire de la capitale, souvent confondue avec celle de la France. Pour la voir dans toute sa splendeur, rendez-vous quai de la Tournelle, de l'autre côté de la Seine.

Vers 1163, Maurice de Sully entame la construction de la cathédrale. Les travaux sont achevés autour de 1300. Notre-Dame est la dernière des grandes églises à tribunes et l'une des premières à arcs-boutants; idée neuve, on les prolongea par un col destiné à rejeter les eaux pluviales loin des fondations: ce sont les premières gargouilles.

Les portails de la **facade** sont tous intéressants. À gauche, le portail de la Vierge est orné d'une émouvante Dormition de la Vierge et du Couronnement de Marie. Au centre, voilà le Jugement dernier. Les cordons des voussures représentent la cour céleste. En bas, le ciel et l'enfer sont symbolisés par Abraham recevant les âmes et par d'affreux démons. Enfin, à droite, le portail de sainte Anne, où la Vierge en majesté trône de face et présente l'Enfant Jésus, selon la tradition romane.

Au-dessus des portails, la galerie des Rois présente les rois de Juda et d'Israël, ancêtres du Christ. Avec près de 10 m de diamètre, la grande rose forme comme une auréole à la statue de la Vierge à l'Enfant.

L'ordonnance et l'élévation de la **nef** expliquent la prééminence de l'école française au début du 13e s. par son élancement et sa hardiesse plus assurés encore que dans le chœur. Aux 13e et 14e s., pour éclairer les chapelles, on agrandit les fenêtres que masquaient les hautes tribunes; celles-ci furent abaissées. Pour soutenir la poussée de la nef et des voûtes, on eut alors l'idée de lancer des arcs-boutants d'une seule volée. Ainsi tout l'effort de la construction repose sur l'extérieur, tandis que l'intérieur dispose du maximum d'espace et de lumière.

Tours – *Accès au pied de la tour Nord (386 marches). Juil.-août : 9h-19h30, w.-end 9h-23h ; oct.-nov. : 10h30-17h30 ; déc.-mars : 10h-17h. Fermé 1er janv., 1er mai et 25 déc. 5,50€. ☎ 01 53 10 07 00.*

Des baies étroites et très hautes leur donnent de la légèreté. La tour de droite porte le fameux bourdon, qui pèse 13 t, et son battant de 500 kg. **Vue***** splendide.

Sainte-Chapelle***

La Sainte-Chapelle jouxtant la Conciergerie, il est intéressant de combiner les deux entrées (8€). Avr.-sept.: 9h30-18h30; oct.-mars: 10h-17h. Fermé 1er janv., 1er mai, 1er et 11 nov., 25 déc. 5,50€. ☎ 01 53 73 78 50.

Bâtie au 13e s. par Saint Louis au cœur de la Cité pour accueillir les reliques de la Passion, la Sainte-Chapelle touche à la perfection. Conçu comme une châsse de pierre et de verre, cet édifice tout en clarté et légèreté, chef-d'œuvre du gothique rayonnant, fut élevé en 33 mois à la demande du roi et dans son palais même.

La chapelle basse est d'autant plus impressionnante qu'elle n'est haute que de 7 m. Les vitraux de la chapelle haute sont les plus anciens de Paris. Ils comptent 1 134 scènes, ayant pour thème l'exaltation de la Passion, son annonce par les grands prophètes et Jean Baptiste et les scènes bibliques qui la préfigurent.

L'église du Dôme des Invalides, dont le dôme, à l'origine, était bleu azur et doré.

S. Sauvignier/MICHELIN

Place Dauphine*

Pendant longtemps, la Cité s'est terminée à l'Ouest par un archipel à fleur d'eau que des bras marécageux de la Seine coupaient de la grande île. En 1607, Henri IV cède le terrain au président du Parlement, Achille de Harlay, à charge d'y édifier une place triangulaire aux maisons uniformes.

Pont-Neuf*

C'est le plus ancien des ponts de Paris: commencé en 1578 par Androuet du Cerceau et achevé en 1604. Les demi-lunes accueillaient des boutiques en plein vent, des arracheurs de dents, des «farceurs», et toute une foule de badauds et de vide-goussets. Pour la première fois à Paris, la vue du fleuve n'est plus bouchée par des maisons, et des trottoirs protègent les piétons de la circulation.

LES CHAMPS-ÉLYSÉES***

Les Champs-Élysées sont un des symboles de Paris. Élégante, prestigieuse même, la «plus belle avenue du monde» participe au charme de la Ville Lumière. On les monte ou on les descend! Le côté Nord *(à gauche en descendant)* a la faveur des Parisiens. On s'y donne rendez-vous, on s'y rend pour flâner, regarder, sortir, faire la fête. Promenade que l'on peut prolonger vers l'Alma et le Trocadéro, la place de la Concorde et le jardin des Tuileries, ou le faubourg Saint-Honoré.
Défilé militaire du 14 Juillet où, le temps d'un jour, l'avenue est en bleu, blanc et rouge, arrivée de la dernière étape du Tour de France, nuit de la Saint-Sylvestre... chaque fois qu'un événement exceptionnel, grave ou joyeux le commande, c'est sur cette voie triomphale que le peuple de Paris se rassemble spontanément.
L'avenue des Champs-Élysées est la plus longue avenue de Paris: 71 m de large sur 1,9 km de long.

Place de la Concorde***

La promenade des Champs-Élysées commence sur la place de la Concorde. Au centre, l'**Obélisque*** fut offert à la France en 1831 par le vice-roi d'Égypte, Méhémet-Ali, et fut érigé à sa place actuelle en 1836. En granit rose recouvert de hiéroglyphes, avec un sommet en plomb et or, il mesure 23 m de hauteur et pèse près de 220 tonnes. Le terre-plein de l'Obélisque est le meilleur endroit pour admirer les perspectives de la Voie triomphale. Les *Chevaux de Marly* (œuvre de Coustou – originaux au Louvre) guident le regard vers les Champs-Élysées; les chevaux ailés de Coysevox (originaux au Louvre) vers les Tuileries et le Louvre.
Au bout de la **rue Royale***, on aperçoit l'immense fronton et les hautes colonnes de la **Madeleine****, qui répondent la masse blanche du Palais-Bourbon. En 1806, Napoléon décide d'élever un temple consacré à la gloire de la Grande Armée et en passe commande à Vignon. En 1814, Louis XVIII souhaite que la Madeleine soit une église. En 1837, l'Administration veut y placer l'embarcadère de la première ligne de chemin de fer (de Paris à St-Germain): il s'en faut de peu que l'édifice ne lui soit affecté. C'est la dernière alerte avant sa consécration en 1842.

Avenue des Champs-Élysées***

Au-delà des jardins à l'anglaise du bas de l'avenue des Champs-Élysées, de part et d'autre se succèdent des salles de cinéma, des banques, des compagnies aériennes, des halls d'exposition d'automobiles. L'avenue est une vitrine internationale... Ici et là, des pays étrangers et des provinces françaises ont installé leur «maison», ambassadrice de leurs richesses touristiques, de leur art culinaire ou de leur artisanat. Ce cosmopolitisme contribue à l'atmosphère animée de l'avenue. Tout le long de son parcours se presse une foule bigarrée et ravie, jusqu'à une heure avancée de la nuit.

Arc de Triomphe***

Au sommet des Champs-Élysées, l'Arc de Triomphe, inspiré de l'antique, a des dimensions colossales: 50 m de haut sur 45 de large. Il occupe le centre de la place Charles-de-Gaulle, qui s'ouvre sur 12 grandes avenues, et célèbre la gloire de la Grande Armée. Commandé en 1806 par Napoléon à Jean-François Chalgrin (1739-1811), le monument, à la mort de l'artiste, n'atteint pas 5 m de hauteur, et les revers militaires refrènent l'activité des constructeurs. Les travaux, abandonnés sous la Restauration, sont terminés sous Louis-Philippe, de 1832-1836. L'Arc de Triomphe abrite depuis 1921 le tombeau du Soldat inconnu, dont la flamme du Souvenir se consume depuis le 11 novembre 1923. Elle est ranimée tous les soirs à 18h30.
La **terrasse** de l'Arc offre une **vue***** inoubliable sur la capitale, depuis La Défense jusqu'au Louvre. *Avr.-sept.: 9h30-23h (dernière entrée 1/2h av. fermeture); oct.-mars: 10h-22h30. Fermé 1er janv., 1er et 8 mai (matin), 14 juil. (matin), 11 nov. (matin) et 25 déc. 7€. ☎ 01 55 37 73 77.*

MONTMARTRE***

Un village dans la grande ville, un vrai village, avec son syndicat d'initiative, ses petites rues et son arpent de vigne... Un village, où les peintres et portraitistes ont élu domicile à l'abri de l'immense dôme du Sacré-Cœur. Et pour accéder à cette butte, que vous veniez du Nord ou du Sud, il faut monter! Côté Sud, le funiculaire permet d'accéder facilement à la terrasse du Sacré-Cœur.

Place des Abbesses*
La marquise du métro Abbesses, œuvre d'Hector Guimard, est l'une des deux seules subsistant à Paris. La seconde est à la station Porte-Dauphine. L'église St-Jean-de-Montmartre est le premier édifice religieux construit en béton armé (1904).

Place Émile-Goudeau*
Place des peintres (Picasso, Braque, Juan Gris y créèrent progressivement le cubisme) et des poètes (Max Jacob, Apollinaire, Marc Orlan brisaient les moules traditionnels de l'expression poétique). Tout ce petit monde se retrouvait au Bateau-Lavoir *(n° 13)*.

Carrefour de l'Auberge-de-la-Bonne-Franquette
Pissarro, Sisley, Cézanne, Toulouse-Lautrec, Renoir, Zola fréquentèrent cette auberge qui s'appelait alors Aux Billards en Bois. Tout le charme d'un petit restaurant de campagne. Maurice Utrillo, fils de Suzanne Valadon, a immortalisé par ses toiles ce carrefour, saisissante image du vieux Montmartre.

Place du Tertre**
Des petites maisons, des arbres... un air villageois... qui s'envole midi passé : place à une foule cosmopolite qui prend le soleil aux terrasses des cafés ou se bouscule entre les artistes qui proposent leurs scènes montmartroises ou portraits.

Sacré-Cœur**
Après le désastre de 1870, des catholiques font le vœu d'élever une église consacrée au cœur du Christ pour obtenir le Salut de la France. L'Assemblée nationale la déclare d'utilité publique en 1873. L'architecte Paul Abadie (1812-1884) lance les travaux de cette basilique de style romano-byzantin en 1876 ; ils ne sont achevés qu'en 1914. Depuis la consécration en 1919, les fidèles y assurent, jour et nuit, le relais ininterrompu de l'Adoration perpétuelle.
La montée au **dôme** permet d'avoir une vue plongeante sur l'intérieur de l'église de la galerie intérieure, et sur Paris depuis la galerie extérieure : **panorama***** sur un rayon de 30 km par temps clair. *300 marches ; accès depuis la crypte. 10h-17h45. 5€, billet combiné avec celui de la crypte. ☎ 01 53 41 89 00.*
Dans le campanile, la Savoyarde est l'une des plus grosses cloches connues (19 t). Elle fut fondue à Annecy en 1895 et offerte à la basilique par les diocèses de Savoie.

Rue Saint-Vincent
Au carrefour avec la rue des Saules, on a sans aucun doute le coin le plus rustique de Paris : des petits escaliers, une pente abrupte, l'échappée de verdure et le fameux Lapin Agile caché par un vieil acacia.
Dans le cimetière Saint-Vincent reposent Harry Baur, Émile Goudeau, Arthur Honegger, Maurice Utrillo, Dorgelès, Gabrielo, Marcel Carné...

Moulin de la Galette
L'ancien bal populaire fit fureur au 19e s. Il inspira Renoir (tableau au musée d'Orsay), Van Gogh, Willette... Le véritable nom du moulin est le blute-fin. Il subit le vent depuis six siècles.

OPÉRA**
L'Opéra ! Un mot pour ainsi dire magique... Au pied du monument, la place de l'Opéra ouvre sur le boulevard des Capucines, qui mène à la **Madeleine****, et sur la rue de la Paix. Tracée de 1854 à 1878, l'avenue de l'Opéra devient rapidement une voie prestigieuse et compte parmi les artères les plus vivantes de la capitale. Elle est le royaume des achats « parisiens » (parfums, cadeaux, foulards). Grand quartier d'affaires, l'avenue est très animée en semaine.

Opéra Garnier**
10h-16h30 (sf spectacle en matinée ou manifestation exceptionnelle). Visite guidée (1h1/2) des foyers publics et du musée tlj à 12h (RV 1/4h av. hall d'entrée, statue de Rameau). 4,57€, visite guidée : 9,15€ (-10 ans : 3,81€). Fermé 1er janv. et 1er mai. ☎ 01 40 01 22 63.
La célébrité de cette grande scène lyrique française, le prestige de sa troupe et de son corps de ballet, la magnificence de l'escalier d'honneur et du foyer, la somptuosité de la salle : tout incite à passer une soirée à l'Opéra.
Aujourd'hui, le palais Garnier se consacre plus particulièrement au ballet. Incontestable réussite du Second Empire, cet édifice dessiné en 1860 par un Charles Garnier alors âgé de 35 ans offre sa façade monumentale et fastueuse à la place de l'Opéra. Parmi le programme sculpté, on remarque *La Danse (arcade)* et au sommet de la façade, Apollon qui élève sa lyre vers le ciel et rappelle la vocation de l'édifice. Une originalité du monument est l'emploi par Garnier de marbres provenant de toutes les carrières de France, et des couleurs les plus variées : blanc, bleu, rose, rouge, vert. Le Grand Escalier et le Grand Foyer sont des œuvres remarquables, tout en théâtralité et conçues pour le grand apparat. Dans la salle que l'on peut voir en dehors des répétitions, le plafond est l'œuvre de Chagall.

Au sommet de la façade de l'Opéra Garnier, Apollon élève sa lyre vers le ciel et rappelle la vocation de l'édifice .

Rue de la Paix

Au Monopoly, c'est la rue la plus chère. Dans la réalité, c'est là qu'on trouve les plus belles devantures. Si la place Vendôme est l'adresse huppée des grands noms de la joaillerie, Van Cleef et Arpels, Boucheron, Mauboussin, la joaillerie et la bijouterie ont fait la renommée de cette rue élégante et luxueuse.

Place Vendôme**

Vers 1680, Louvois, surintendant des Bâtiments, désireux d'éclipser la place des Victoires tracée par son prédécesseur, envisage un écrin palatial à une statue colossale de Louis XIV. Jules Hardouin-Mansart l'imagine, mais si la statue équestre du Roi-Soleil, par François Girardon, est inaugurée en 1699, il faut attendre 1702 pour voir s'élever la première construction. En 1720, la place est enfin cernée de façades rythmées par des avant-corps et des pilastres corinthiens colossaux. Au n° 15 se trouve l'hôtel Ritz.

La Révolution détruit la statue royale. En 1810, l'Empereur fait dresser une colonne imitant la colonne Trajane à Rome. Haute de 44 m, elle est recouverte d'une spirale de bronze fondue avec les 1 250 canons pris à Austerlitz, et couronnée d'une statue de Napoléon Ier.

PARC MONCEAU*

À peu de distance des Champs-Élysées, le parc Monceau est un paisible espace vert, bordé de vastes avenues : Hoche, Courcelles, Malesherbes. Un jeu de colonnes à l'antique, les parterres de fleurs et quelques canards font oublier les voitures de l'extérieur. C'est pour le duc de Chartres, futur Philippe Égalité, que le peintre-écrivain Carmontelle dessine les plans de ce jardin mi-allemand, mi-anglais (1778). Les luxueux hôtels naissent un siècle plus tard. Le parc renferme des espèces rares aux essences variées : érable sycomore, platane d'Orient et ginkgo biloba.

PALAIS-ROYAL**

À deux pas du musée du Louvre, du Louvre des Antiquaires, des Halles, de la place des Victoires, et de superbes passages couverts, le palais, qui encadre un **jardin****, est accessible par les rues bordant les bâtiments qui le cernent. En 1624, à peine nommé Premier ministre, Richelieu acquiert des terrains et demande à l'architecte Jacques Lemercier d'y élever un vaste et splendide édifice, le Palais-Cardinal. Il lègue son hôtel à Louis XIII qui le suit bientôt dans la tombe. Le Palais-Cardinal devient Palais-Royal lorsque Anne d'Autriche vient y vivre avec le jeune Louis XIV. En 1780, le palais passe aux mains de Louis-Philippe d'Orléans qui, toujours à court d'argent, entreprend une importante opération immobilière.

Sur trois côtés du jardin, il fait construire des maisons de rapport à façades uniformes, avec des galeries bordées de boutiques. L'auteur de ce remarquable ensemble est Victor Louis, l'architecte du théâtre de Bordeaux. De 1786 à 1790, Philippe Égalité fait édifier, par ce même architecte, la salle du Théâtre-Français, actuelle Comédie-Française, et le théâtre du Palais-Royal.

La romancière Sidonie **Colette** (1873-1954), grande analyste de l'âme féminine, s'éteignit à 81 ans au n° 94, galerie de Beaujolais. Jean **Cocteau** (1889-1963), poète, décorateur, dramaturge et cinéaste, occupa pendant vingt ans un appartement *(au n° 36 rue de Montpensier)* donnant sur les jardins.

Aux colonnades du 19e s. répondent 260 sections de colonnes inégales en marbre noir et blanc. Cette œuvre (1986) controversée de Daniel Buren témoigne du souci de l'artiste de révéler les particularismes des lieux qu'il s'approprie.

LE MARAIS***

À proximité de la Bastille, la rue des Francs-Bourgeois, les hôtels de Soubise, Salé ou de Rohan nous plongent dans les 17e et 18e s. Les temps présents ont investi vieilles rues, placettes et nobles hôtels: boutiques, galeries, restaurants et marchés font de l'endroit un quartier vivant où la découverte est à chaque coin de rue.
Au début du 17e s., la place Royale (actuelle place des Vosges) devient le cœur du Marais. Tandis que les jésuites s'installent rue St-Antoine, les seigneurs et les courtisans édifient à l'entour de splendides demeures que décorent les meilleurs artistes du Grand Siècle. Au Marais s'élabore à cette époque le type de l'hôtel particulier à la française, construction classique et discrète entre cour et jardin.

Église St-Gervais-St-Protais*

L'édifice, de style gothique flamboyant, a été terminé en 1657. Son imposante façade classique, la première de Paris (1616-1621), présente trois étages de styles dorique, ionique et corinthien. Le chevet apparaît bien depuis la rue des Barres.
De la construction d'origine, l'église a gardé les voûtes flamboyantes, des vitraux du 16e s. et de belles stalles des 16e et 17e s.

Église St-Paul-St-Louis**

En 1580, la Compagnie de Jésus installe dans l'actuel lycée Charlemagne une maison pour les religieux qui ont déjà prononcé leurs vœux. Louis XIII leur offre les terrains nécessaires pour la nouvelle église, édifiée de 1627 à 1641. Le plan est inspiré de l'église de Gesù, à Rome, un modèle d'architecture baroque.
Les ordres classiques étagent leurs colonnes sur la façade qui cache le dôme, grande nouveauté du style jésuite. Dans les églises postérieures, comme celles de la Sorbonne, du Val-de-Grâce et des Invalides, les architectes corrigeront ce défaut et mettront, au contraire, en valeur la beauté des dômes.

Rue Saint-Antoine

Grand axe de communication vers l'Est, la rue Saint-Antoine était fréquemment empruntée par les souverains. Elle présentait dès le 14e s. cette largeur inhabituelle qui en faisait un lieu de promenades et de réjouissances populaires. Au 17e s., elle devint la plus belle voie de Paris.

Hôtel de Sully*

Visite de la cour et du jardin: 8h30-19h. Gratuit. ☎ 01 44 61 21 50.
Construit à partir de 1625, l'édifice est acheté en 1634 par Sully, ancien ministre d'Henri IV, alors âgé de 75 ans. Il est aujourd'hui occupé en partie par le Centre des Monuments nationaux.
Avec sa décoration de frontons et de lucarnes sculptées et une série de figures représentant les quatre Éléments et deux Saisons, la **cour**** constitue un remarquable ensemble Louis XIII. Au fond du jardin, l'orangerie permet de communiquer avec la place des Vosges.

Place des Vosges***

La place devient royale dès 1612. Henri IV voulait un beau quartier. Son désir est exaucé: la place s'impose comme le lieu de la vie élégante, des carrousels et des plaisirs, le rendez-vous des duellistes. Mme de Sévigné *(au n° 1 bis)*, Bossuet *(au n° 17)*, Richelieu *(au n° 21)* et Victor Hugo (*au n° 6* - **maison de Victor-Hugo***), Théophile Gautier et Alphonse Daudet *(au n° 8)* s'y plurent. Les 36 pavillons sont d'une même symétrie: alternance de pierre et revêtement de fausse brique, deux étages avec un toit percé de lucarnes, arrière-cours et jardins cachés; au pavillon du Roi *(face Sud)* correspond celui de la Reine.

A. Éi/MICHELIN

À la mode sous Henri IV, comme de nos jours, la place des Vosges...

Hôtel de Soubise**

L'entrée rue des Francs-Bourgeois laisse voir la **cour d'honneur**** en forme de fer à cheval, d'une majestueuse beauté, bordée d'un péristyle élégant et pur que surmonte une balustrade destinée, à l'origine, à former un vaste promenoir en terrasse. Il renferme le **musée d'Histoire de France***.

Hôtel de Guénégaud**

60 r. des Archives. Édifié par François Mansart vers 1650 et remanié au 18e s. Il est remarquable dans ses lignes simples et harmonieuses, avec un petit jardin à la française. C'est l'une des plus belles demeures du Marais. Il abrite le **musée de la Chasse**.

Hôtel de Rohan**

Au carrefour avec la r. Vieille-du-Temple. Delamair entreprit sa construction en 1705, en même temps que celle de l'hôtel de Soubise: le second style Louis XIV s'y déploie. Cet hôtel était destiné au fils du prince et de la princesse de Soubise, évêque de Strasbourg et futur cardinal de Rohan. Dans la cour de droite, au-dessus des anciennes écuries, se dressent avec une certaine superbe les frémissants **Chevaux du soleil****, de Robert Le Lorrain.

ÎLE SAINT-LOUIS**

À l'origine étaient deux îlots, l'île aux Vaches et l'île Notre-Dame, où se déroulaient au Moyen Âge les duels judiciaires appelés «jugements de Dieu».
Au 17e s., l'entrepreneur Christophe Marie obtint du roi Louis XIII et du chapitre de Notre-Dame de réunir les deux îlots, de les desservir par deux ponts en pierre et de les lotir à ses frais. Le résultat de cette opération immobilière (1627-1664) est cette île unique quadrillée par un plan en damier, entièrement bâtie d'hôtels classiques. Les demeures du 17e s. aux belles façades et élégants balcons de fer forgé appartenaient jadis à des financiers et des magistrats. Elles abritent aujourd'hui des hommes de lettres, des artistes et des amoureux du vieux Paris.

Quai de Bourbon

À la pointe de l'île, les bornes enchaînées, les médaillons 18e s. du pan coupé et la vue sur l'église St-Gervais-St-Protais composent un **site*** ravissant.

Pont de Sully

Ce pont, qui s'appuie sur la pointe de l'île, date de 1876. Du bras Nord, la vue porte sur le quai d'Anjou et l'hôtel Lambert, le port des Célestins, le **pont Marie*** et le clocher de St-Gervais; du bras Sud, on a une belle **vue*** sur Notre-Dame, la Cité et l'île St-Louis.

QUARTIER LATIN***

Encadré par la montagne Sainte-Geneviève et la Seine, le Quartier latin se situe au cœur historique et géographique de Paris. Les artères principales que constituent les boulevards Saint-Germain et Saint-Michel sont en constante animation, et celle-ci se prolonge à toute heure dans les ruelles alentours. Le quartier recèle nombre d'universités prestigieuses et parfois anciennes (comme la Sorbonne). L'enseignement s'y effectua en latin, jusqu'à la Révolution, d'où le nom de ce quartier.

Quai St-Michel

Les bords de Seine recèlent des trésors pour les amateurs: les bouquinistes étalent, sous leurs parapets verts, livres anciens ou introuvables, gravures, dessins, etc. Il y a toujours une bonne affaire à dénicher.

Place St-Michel

Elle est le lieu de bon nombre de rendez-vous pour les Parisiens. La fontaine et la place datent du 19e s. De là, on se promène dans les rues de la Harpe, de la Parcheminerie, de la Huchette et de Saint-Séverin. Elles en ont gardé un charme désuet, qui tranche avec l'animation des «caves» et des restaurants méditerranéens, intense jusque tard dans la nuit.

Église St-Séverin**

L'église, agrandie latéralement (par manque de place) aux 14e et 15e s., est aujourd'hui presque aussi large que longue. Les travées passent du style rayonnant au flamboyant, qui est aussi celui du double **déambulatoire****, dont les multiples nervures retombent en spirale le long des colonnes gainées de marbre et de bois.
Les **vitraux*** datent de la fin du 15e s. Des verrières multicolores modernes de Bazaine éclairent les chapelles du chevet.

La Sorbonne

Encadrée de cafés, librairies et magasins, à forte fréquentation étudiante, la place de la Sorbonne sert de «parvis» à l'illustre université de réputation internationale. Richelieu, élu proviseur de la Sorbonne, décide de reconstruire les bâtiments qui tombent en ruine. Les travaux durent de 1624 à 1642.
Rebâtie et considérablement agrandie par Nénot, de 1885 à 1901, la Sorbonne abrite 22 amphithéâtres, 2 musées, 16 salles d'examens, 22 salles de conférences, 37 cabinets de professeurs, 240 laboratoires, une bibliothèque, une tour de physique, une tour d'astronomie, etc. Les salles, galeries, amphithéâtres sont décorés de tableaux historiques ou allégoriques.
L'**église*** de style jésuite ne comporte que deux ordres superposés (au lieu de trois) sur la façade allégeant ainsi les proportions écrasantes du reste de l'édifice (1635-1642). Le **tombeau du cardinal de Richelieu*** (Girardon, 1694) et les pendentifs de la coupole peints par Philippe de Champaigne forment la décoration intérieure.

Jardin du Luxembourg**

Poumon vert chargé d'histoire, havre de paix du Quartier latin, à proximité de Port-Royal, de l'Odéon et de Montparnasse, le jardin du Luxembourg est le plus grand jardin de Paris. Sa beauté classique enchante les écrivains, comme les promeneurs... Durant l'année universitaire, le « Luco » est colonisé par les étudiants. À la belle saison, les abords du grand bassin rassemblent les amateurs de soleil, pendant que l'on devise ou révise sous les arbres...
En 1612, Marie de Médicis achète l'hôtel du duc de Luxembourg ainsi que les terrains alentour, qui formeront par la suite un vaste parc. Elle charge Salomon de Brosse des travaux de construction. À son achèvement, le palais suscite l'admiration; il contient, entre autres, 24 tableaux de Rubens retraçant la vie de la régente. Ces derniers se trouvent aujourd'hui au musée du Louvre. Le palais abrite aujourd'hui la deuxième chambre parlementaire, le Sénat.
Le **jardin**** a été dessiné à la française; ses lignes et perspectives harmonieuses, ainsi que son ombrage, charment le promeneur. Sur le grand bassin octogonal, les enfants font voguer des voiliers. Mais le style anglais transparaît également, dans les allées serpentines le long des rues Guynemer et Auguste-Comte. La tradition agricole se perpétue dans les cours d'arboriculture et d'apiculture qui sont dispensés dans un coin de l'ancienne pépinière *(près de la rue d'Assas)*.
La fontaine Médicis, à l'extrémité du petit bassin, traduit l'influence italienne, dans ses bossages et ses congélations (1624).
☺ Du côté de la rue Guynemer foisonnent balançoires, manèges et marionnettes.

Panthéon**

Avr.-sept. : 9h30-23h; oct.-mars: 10h-22h30. Fermé 1er janv., 1er et 8 mai (matin), 14 juil. (matin), 11 nov. (matin) et 25 déc. 7€. ☎ 01 55 37 73 77.
Louis XV, tombé gravement malade à Metz en 1744, fait le vœu, s'il guérit, de remplacer l'église à demi ruinée de Sainte-Geneviève par un édifice au point le plus élevé de la rive gauche. Rétabli, il confie le soin de réaliser son vœu au marquis de Marigny, frère de la Pompadour. Soufflot, protégé de Marigny, est chargé des plans. Il dessine un gigantesque édifice long de 110 m, large de 84 m et haut de 83 m.
En avril 1791, la Constituante ferme l'église au culte et en fait le réceptacle des « cendres des grands hommes de l'époque de la liberté française », le **Panthéon**. Voltaire, Rousseau sont inhumés dans la crypte.
Elle sera église sous l'Empire, nécropole sous Louis-Philippe, à nouveau église sous Napoléon III, quartier général de la Commune, avant de dévenir définitivement temple laïque en 1885 pour recevoir les cendre de Victor Hugo.
Le **dôme**** doit être vu à distance pour être apprécié. Le péristyle aligne ses colonnes corinthiennes et cannelées, qui soutiennent un fronton triangulaire, le premier du genre à Paris.
À l'intérieur, les colonnes qui soutiennent la coupole centrale sont englobées dans la maçonnerie, ce qui provoque un effet de lourdeur pour l'ensemble de l'édifice. Les murs sont décorés de **peintures*** exécutées à partir de 1877; les plus célèbres, celles de Puvis de Chavannes, retracent l'histoire de sainte Geneviève. Par un escalier, on accède aux parties hautes qui offrent une **vue magnifique*** sur Paris.

Pendule de Foucault

Sous la coupole, voyez la reconstitution de l'expérience de Léon Foucault en 1851: son pendule, une boule de laiton de 28 kg suspendue sous la coupole par un câble d'acier de 67 m, dévie de son axe au cours de son oscillation. C'est à la fois la preuve de la rotation de la Terre (la déviation s'exerce en sens contraire dans les hémisphères Nord et Sud) et de sa sphéricité (elle est nulle à l'équateur, s'accomplit en 36h par 45° de latitude et en 24h au pôle).

Église St-Étienne-du-Mont**

Près du chevet du Panthéon, cette église est connue pour son **jubé**** et pour sainte Geneviève, qui y est vénérée. La **facade**** est très originale: trois frontons superposés occupent son centre. Son clocher allège cet ensemble imposant.
Sa structure gothique explique la luminosité de l'église: grandes baies des bascôtés, du chœur (flamboyant) et du déambulatoire, fenêtre (Renaissance) de la nef.
Dans le cloître des Charniers, qui est contigu au déambulatoire de l'église (deux cimetières la bordaient autrefois), beaux **vitraux*** colorés évoquant des sujets de prédications (17e s.).

Val-de-Grâce**

Médecine et enseignement sont les deux maîtres mots de cette ancienne « vallée de la Grâce ». Aujourd'hui, le service de santé des Armées y est installé. Au 17e s., Anne d'Autriche y trouvait un peu plus de tranquillité qu'au Louvre et y préparait ses intrigues contre Richelieu. La reine fit vœu d'y bâtir une église si elle avait un fils. Son vœu fut exaucé en 1638. Sept ans plus tard, le jeune roi posait la première pierre tandis que François Mansart dirigeait les travaux, poursuivis par Lemercier.
L'**église****, inspirée de celles de Saint-Pierre et du Gesù à Rome, se distingue par son dôme très décoré: statues, génies, médaillons, pots-à-feu. L'intérieur est de style baroque avec son pavage polychrome. La **coupole**** peinte par Mignard (en quatorze mois) représente le Séjour des bienheureux.

SAINT-GERMAIN-DES-PRÉS**

À la Libération, Saint-Germain-des-Prés est prisé pour sa vie nocturne, ses caves de jazzmen. De Sidney Bechet à Boris Vian, de Juliette Gréco à Sartre, les artistes et les intellectuels ont donné au quartier ses couleurs que l'on y recherche toujours un peu... Il y flotte d'ailleurs encore un air de douce folie, une atmosphère intellectuelle et de plaisir, de luxe calme.

La Brasserie Lipp fut un rendez-vous des gens de lettres et de la politique. Verlaine, Proust, Gide, Malraux y tinrent salon. Hemingway y écrivit *L'Adieu aux armes*. Les terrasses des cafés Le Flore et Les Deux Magots de ce vieux quartier de la rive gauche ont autant d'importance que la belle église, les librairies et les rues étroites bordées d'antiquaires et de boutiques de mode. Rues anciennes, carrefours pittoresques, placettes, petites salles de jazz... Le boulevard St-Germain le traverse dans toute sa longueur jusqu'au quartier de l'Odéon. Et, entre la Seine et ce boulevard, ce sont nombre de charmantes petites rues.

Les écrivians Apollinaire, Breton, Sartre, Camus se sont assis à la terrasse du Café de Flore .

Rue de Furstemberg*

Le Paris paisible qui fait rêver: petite rue avec sa petite place ombragée de paulownias et décorée d'un réverbère à boules blanches. Le musée Delacroix a pris place dans le salon, la bibliothèque, l'atelier et la chambre qu'occupa le peintre de 1858 à 1863.

JARDIN DES PLANTES**

Au cœur d'un quartier ancien de Paris, à proximité de l'université de Jussieu, de la rue Mouffetard, du Quartier latin et des Gobelins, le Jardin des plantes procure une bouffée d'oxygène, tout en restant un lieu d'apprentissage et de découverte. C'est un lieu privilégié: en combinant culture et plaisir, il met la science à la portée de tous dans le Muséum *(voir description dans «visiter»)*.

En 1626, Jean Héroard et Guy de La Brosse, médecins et apothicaires de Louis XIII, obtiennent l'autorisation d'installer, au faubourg Saint-Victor, le Jardin royal des plantes médicinales. Ils en font une école de botanique, d'histoire naturelle et de pharmacie. Dès 1640, le jardin est ouvert au public. Le botaniste Tournefort et les trois frères Jussieu parcourent le monde entier pour enrichir les collections. C'est avec Buffon, intendant de 1739 à 1788, secondé par Daubenton et Antoine Laurent de Jussieu, neveu des précédents, que le jardin botanique connaît son plus grand éclat. Buffon agrandit le parc jusqu'à la Seine et y crée les allées de tilleuls, l'amphithéâtre, le belvédère, des galeries. Son prestige est tel que sa statue est inaugurée de son vivant.

Les Grandes Serres

Tlj sf mar. 13h-17h (avr.-oct. : w.-end. 18h). Fermé 1er mai. 2,29€. ☎ 01 40 79 30 00.

Découvrez les plantes exotiques: la serre tropicale avec sa luxuriante forêt (bananiers, palmiers), la serre australienne, la serre mexicaine avec ses cactées et ses euphorbiacées qui poussent dans les pays arides intertropicaux.

Jardin alpin

Avr.-sept. : tlj sf w.-end 8h-11h, 13h30-17h. Fermé j. fériés. Gratuit. ☎ 01 40 79 30 00.

Toute la flore de montagne s'y est donné rendez-vous. Les végétaux sont répartis en fonction de la nature du sol et de l'orientation du soleil, originaires de Corse et du Maroc occupant le flanc Sud, provenant des Alpes ou de l'Himalaya, le flanc Nord.

CIMETIÈRE DU PÈRE-LACHAISE**

De mi-mars à déb. nov. : 7h30-18h, sam. 8h30-18h, dim. et j. fériés 9h-18h ; de déb. nov. à mi-mars : 8h-17h30, sam. 8h30-17h30, dim. et j. fériés 9h-17h30. 5,79€. ☎ 01 40 71 75 60.

Un cimetière est rarement un but de flânerie. Pourtant, celui-ci est exceptionnel par le nombre et la qualité de ses hôtes ainsi que par la dimension romantique de la plupart de ses sépultures. Créé sous l'Empire par Brongniart, le cimetière du Père-Lachaise constitue un véritable musée à ciel ouvert de la statuaire funéraire, parfois intrigante, souvent touchante. Les nombreuses essences des plantations (plus de 3 000 arbres) atténuent l'aspect funèbre des lieux. Chacun repérera ceux et celles auxquels il voue de la sympathie ou de l'admiration : Jim Morrison, le légendaire chanteur des Doors, ou le spirite Allan Kardec pour les uns, Chopin, Balzac ou Marcel Proust pour d'autres...

visiter

Paris possède quelque 149 musées... devant une telle richesse, voici des informations générales sur les plus importants d'entre eux, classés par ordre alphabétique.

MUSÉE DE L'ARMÉE***

7e arrondissement. L'hôtel des Invalides réunit trois musées : Armée, Plans-reliefs, et Ordre de la Libération. Le billet, cumulatif pour ces trois musées, vaut également pour l'église du Dôme et le tombeau de Napoléon, et ce durant toute la journée ; les sorties provisoires sont donc autorisées. Avr.-sept. : 9h-18h ; oct.-mars : 10h-17h. Fermé 1er lun. du mois, 1er janv., 1er mai, 1er nov. et 25 déc. 6€. ☎ 01 44 42 37 72. www.invalides.org

Les galeries sont consacrées à l'art, la technique et l'histoire militaires du monde entier. Les collections très riches, plus de 500 000 pièces au total, sont classées en cinq sections : celle des **armes et armures** fait voyager dans le temps et l'espace, avec des armures de samouraïs de la fin du 16e s., l'épée et l'armure de François Ier, le casque du sultan ottoman Bajazet ; celle de l'**Ancien Régime et le 19e s.** où l'on trouve les uniformes des soldats de l'Empire et de nombreux objets liés au souvenir de Napoléon, comme son cheval arabe Vizir ; celle des **emblèmes et artillerie**, où l'artillerie de terre française est à l'honneur à travers 200 modèles réduits ; puis celle de la **Première Guerre mondiale**, qui retrace les phases du conflit grâce aux cartes animées, plans-reliefs et cartes d'état-major ; et enfin, celle de la **Seconde Guerre mondiale, France Libre et France combattante**. Le cheminement est chronologique, allant de la défaite de 1940 et de l'appel du 18 Juin aux camps de concentration et à la capitulation du Japon en 1945.

▶▶ Musée des Plans-reliefs** (extraordinaires maquettes de villes, ports et places fortes qui servaient à l'étude de la stratégie militaire)

MUSÉE D'ART ET D'HISTOIRE DU JUDAÏSME**

3e arrondissement. ♿ Tlj sf sam. 11h-18h, dim. et j. fériés 10h-18h. Fermé 1er janv., 1er mai et 25 déc. 6,10€. ☎ 01 53 01 86 60.

Dans un cadre historique, une muséographie ultramoderne présente des œuvres anciennes et contemporaines, accompagnées de nombreuses notes explicatives, autant d'éléments qui permettent de découvrir pleinement la culture juive. La reconstitution de synagogues et l'exposition d'objets cultuels rendent compte des rites des différentes fêtes. Les premières salles illustrent l'installation des juifs en France au Moyen Âge et en Italie de la Renaissance au 18e s. Si le Siècle des lumières et le Premier Empire favorisent l'émancipation, le 19e s. s'achève sur la formation d'un antisémitisme moderne : l'affaire Dreyfus, la déportation conduisent à la naissance du sionisme. Les salles 11 et 13, réservées aux présences juives dans l'art du 20e s. et au monde juif contemporain, complètent remarquablement cet ensemble.

MUSÉE D'ART MODERNE DE LA VILLE DE PARIS**

16e arrondissement. Tlj sf lun. 10h-17h40, w.-end 10h-18h45. Fermé j. fériés. Gratuit. ☎ 01 53 67 40 00.

Tous les grands courants de peinture du 20e s. sont exposés dans cette aile du palais de Tokyo qui fut bâtie pour l'Exposition internationale des arts et techniques de 1937. Quelques-unes des œuvres majeures du siècle méritent à elles seules un détour : *La France* de Bourdelle, *Les Disques* de Léger (1918), *L'Équipe de Cardiff* de Robert Delaunay (1912-1913), la *Pastorale* et l'admirable ***Danse de Paris**** de Matisse (1932), l'*Évocation* de Picasso, le *Rêve* de Chagall.

La Fée Électricité de Raoul Dufy, qui compte parmi les plus grands tableaux du monde (600 m²), confronte le monde antique à sa transformation par les philosophes et les savants qui ont étudié et domestiqué cette énergie. Exécutée en 1937, cette œuvre, aboutissement d'années de recherches décoratives, servit de décoration au pavillon de la Lumière lors de l'Exposition de 1937.

▶▶ Palais Galliera (musée de la Mode de la Ville de Paris) ; Musée de la Marine**

MUSÉE NATIONAL DES ARTS ASIATIQUES - GUIMET***

16e arrondissement. Tlj sf mar. 10h-18h (dernière entrée 3/4h av. fermeture). Fermé 1er janv., 1er mai et 25 déc. 5,50€, gratuit 1er dim. du mois. ☎ 01 56 52 53 00. www.musee-guimet.fr

Ce temple de la culture asiatique, construit par le collectionneur lyonnais Émile Guimet (1836-1919) en 1889, vient de sortir d'une cure de jouvence qui aura duré cinq ans. Place désormais à la lumière et à la clarté de la présentation d'une collection d'art asiatique qu'on dit la plus riche du monde.

Un temple ce musée? C'est en tout cas ce à quoi on peut s'attendre lorsqu'en se dirigeant vers la salle consacrée au Cambodge, on se retrouve face à une statue colossale de Nâga, qui constituait, à Angkor, l'extrémité de la balustrade de l'allée menant au temple du Preah Khan. Le sourire ourlé d'une fine moustache qu'arbore le dieu ne nous quitte pas durant la découverte des trésors de l'**art khmer**★★.
Quelques instants de rêverie s'imposent devant un Visnu Nâtarâja, roi de la danse, qui incarne à merveille toute la grâce et la souplesse de la sculpture indienne. Puis le voyage continue avec le Vietnam, l'Indonésie, la Birmanie, la Thaïlande et ses somptueux bouddhas de bronze doré.
Au 1er étage, on aborde la Chine antique avec des terres cuites du 3e s. avant notre ère, de la vaisselle rituelle en bronze (13e-10e s. avant notre ère), des cloches de la dynastie Zhou, une curieuse série de sculptures animales en bois laqué.
Dans la rotonde sont exposés des bijoux et tissus indiens (merveilleux cotons teints, taffetas brodés, damas de soie évoquant le faste des grands princes du Rajasthan et du Bengale). Dans l'ancienne bibliothèque, quelques miniatures vous transportent à la cour des princes moghols.
La Chine classique, celle des peintures à l'encre noire, des grès blancs et noirs, des céladons, mais surtout des **porcelaines Ming**★ (1368-1644) aux émaux polychromes ou aux somptueux décors bleu et blanc, est exposée au 2e étage. Les meubles laqués, dorés, incrustés de nacre, sont éblouissants.
Les artistes japonais se sont inspirés de leurs voisins chinois et coréens. Bols aux formes irrégulières, plats carrés: les techniques chinoises ou coréennes sont là mais l'esthétique est tout autre... Émerveillement garanti devant les *inro*, ces petites boîtes laquées constituées de trois à cinq compartiments, que l'on suspendait à la ceinture de son kimono. Et, admiration absolue devant les estampes signées Utamaro (18e s.), Sharaku (fin 18e s.), Hiroshige (19e s.) et Hokusai, dont la célèbre ***Vague au large de Kanagawa***★★.
Encore quelques marches pour découvrir des porcelaines chinoises de l'époque Qing et la «rotonde aux laques» où sont exposés deux imposants paravents.

MUSÉE DES ARTS ET MÉTIERS★★

3e arrondissement. Tlj sf lun. 10h-18h (jeu. 21h30). Fermé j. fériés. 5,34€. ☎ 01 53 01 82 00.
Ce temple de la science propose une incomparable rétrospective de l'histoire des techniques par la présentation de machines réelles ou de modèles réduits.
La visite commence avec les instruments d'exploration de l'infiniment petit et de l'infiniment loin. Puis on découvre les machines qui transforment les matériaux pour en faire des objets usuels mais également des œuvres d'art.
L'art de communiquer est abordé à travers l'imprimerie, la télévision, la photographie, la micro-informatique. Plongez ensuite au cœur des machines pour découvrir la mécanique, puis laissez les locomotives, avions et autres voitures transporter votre imagination dans le temps.
Dans la chapelle se trouvent les premiers autobus à vapeur, des maquettes de la statue de la Liberté, celle du moteur de la fusée Ariane, et le pendule de Foucault, preuve expérimentale de la rotation de la Terre.
Parmi les belles pièces de la collection, citons les machines à calculer de Pascal (1642), le phonographe d'Edison à feuille d'étain (1878), le premier projecteur des frères Lumière utilisé en 1895, la pile de Volta (1800), le théâtre des automates faisant revivre, en particulier, la *Joueuse de tympanon* de Marie-Antoinette (1784), l'avion de Clément Ader...

MUSÉE CARNAVALET - HISTOIRE DE PARIS★★

3e arrondissement. Tlj sf lun. 10h-18h. Fermé certains j. fériés.Gratuit. ☎ 01 44 59 58 58. www.paris-france.org/musees/museecarnavalet
Situé dans deux hôtels particuliers somptueux, l'hôtel Carnavalet et l'hôtel Le Peletier de Saint-Fargeau, il renferme toute la mémoire de Paris, de la préhistoire à aujourd'hui. Tableaux, meubles, gravures, documents et maquettes, sculptures et collections des arts et traditions populaires font de ce musée l'un des plus vivants et séduisants de la capitale.
L'orangerie abrite des **pirogues** néolithiques en bois trouvées à Bercy. La plus ancienne est datée d'environ 4400 avant J.-C.
Si de nombreux tableaux retracent l'évolution de la capitale, la visite permet aussi de revivre de grands moments de l'Histoire, comme la Révolution française ou la Commune.
Les **arts décoratifs** constituent un point fort du musée: des lambris peints ou sculptés, des plafonds provenant d'autres édifices ont été remontés. Admirez les salons de l'hôtel de la Rivière, et rêvez de la Belle Époque dans la bijouterie Fouquet. C'est enfin un musée littéraire: pouvait-il en être autrement dans l'hôtel de Mme de Sévigné? De nombreux portraits, des meubles, des souvenirs vous introduisent dans l'intimité des grands auteurs, comme cette émouvante alcôve qui évoque la chambre de Proust.

MUSÉE NATIONAL D'ART MODERNE (MNAM/CCI)★★★

1er arrondissement – à l'intérieur du Centre Georges-Pompidou. ♿ 11h-21h, jeu. 11h-23h. Fermé mar. et 1er mai. 5,5€, gratuit 1er dim. du mois. ☎ 01 44 78 12 33.

C'est l'un des plus riches musées d'Art moderne du monde (près de 50 000 objets). Il permet de suivre l'évolution artistique depuis le fauvisme et le cubisme jusqu'aux expressions les plus contemporaines. Le long du parcours, les salles d'arts plastiques et les salles d'architecture et de design permettent de confronter la peinture et la sculpture de chaque décennie avec la création industrielle qui lui est contemporaine.

L'alternance entre des salles monographiques (Balthus, Picasso, Rouault, Matisse, Léger, Soulages...) et des salles thématiques (autour de la nature morte, du nu...) offre au visiteur une approche vivante et attrayante.

La création contemporaine, renouvelée régulièrement, est diversifiée: arts plastiques, installations vidéo, design et architecture. La présentation de grands mouvements artistiques, associée à celle de fortes personnalités montre une vision dynamique et évolutive. On plonge dans un univers de couleurs, de formes et de mouvements alliant art et vie quotidienne.

Après la visite du musée, gagnez le 6e niveau. De l'extrémité de l'escalator et des terrasses, belle **vue**★★ sur les toits de Paris d'où émergent la colline de Montmartre et la basilique du Sacré-Cœur.

CENTRE GEORGES-POMPIDOU★★★

Les architectes Richard Rogers et Renzo Piano ont achevé en 1977 la construction de cet édifice d'une technique d'avant-garde. Le gigantesque parallélépipède déploie son ossature d'acier, ses parois de verre, ses couleurs franches. Dans son tube de verre, le grand escalator, la « chenille », en trace la diagonale.

S. Sauvignier/MICHELIN

La silhouette du Sacré-Cœur est aussi familière aux Parisiens que celle de la tour Eiffel... En montant aux terrasses du Centre Georges-Pompidou, on bénéficie d'une vue imprenable sur cette église, mais également sur les toits de Paris.

MUSÉE DU LOUVRE★★★

1er arrondissement. ♿ Tlj sf mar. et certains j. fériés 9h-18h. Mer. et lun. (partiellement) 9h-21h45. Expositions temporaires sous la pyramide: 9h-18h (mer. 21h45). Collections permanentes et expositions temporaires (même billet): 7,50€ av. 15h, 5€ après 15h et dim. toute la journée (-18 ans: gratuit), gratuit 1er dim. du mois. Billets valables toute la journée, même si l'on sort du musée. Leur vente se termine à 17h15 (lun. et mer. 21h15). Possibilité d'acheter les billets à l'avance en s'adressant à la FNAC au 0 892 683 622 (prix du billet majoré d'une commission de 1,10€), à Ticketnet au 0 803 346 346 (prix du billet, majoré d'une commission de 0,91€) ; billet à date de validité illimitée.

Entre le Palais-Royal, le jardin des Tuileries et la Seine, la position du Louvre est centrale à Paris, tout comme elle l'est dans son histoire. Il fut à travers huit siècles la demeure des rois et des empereurs. Des architectes de grand renom y ont travaillé : Pierre Lescot,, Philibert Delorme, Jacques II Androuet Du Cerceau, Le Vau, Percier et Fontaine, Visconti et Lefuel... Des agrandissements successifs, qui résument aussi l'histoire de l'architecture, en ont fait le plus grand palais du monde. Mais sa renommée universelle, il la doit à son musée, écrin séculaire de chefs-d'œuvre absolus comme la *Joconde* ou la *Vénus de Milo*.

Nous vous proposons ici un aperçu des collections, section après section. Pour découvrir l'ensemble du musée, mieux vaut revenir plusieurs fois.

Antiquités égyptiennes★★★

Le Louvre depuis la cour Napoléon. Le palais des rois, depuis Philippe-Auguste, embelli et agrandi au cours des règnes successifs, est devenu l'un des plus riches musées du monde.

À travers œuvres d'art et objets de tous les jours, 19 salles illustrent la vie quotidienne et la culture des anciens Égyptiens. Le Nil, les travaux agricoles, la nourriture sont évoqués à travers des reliefs, dont ceux du **mastaba d'Akhethétep**★★. Au 1er étage sont rassemblés la plupart des chefs-d'œuvre des collections égyptiennes du Louvre, comme le **poignard du Gebel el-Arak**★★, l'un des tout premiers bas-reliefs (vers 3200 avant J.-C.): lame en silex poli et sculpté, manche en ivoire de rhinocéros gravé. Le **Scribe acroupi**★★★, statue en calcaire peint, fut découvert à Sakkara. Le regard intense (cristal de roche et cuivre), le réalisme de l'attitude et de l'expression justifient sa célébrité (Ve dynastie, vers 2500 avant J.-C.). Les bustes et statuettes du temps d'Aménophis III témoignent d'un idéal précieux: la **Dame Touy prêtresse du dieu Min**, la **reine Tiy**, en terre émaillée verte. Le règne d'Aménophis IV-Akhénaton et de son épouse Néfertiti a produit des œuvres imprégnées d'un réalisme tendre et familier.

Antiquités grecques★★★

De la Grèce préclassique, voyez la tête du **Cavalier Rampin**, d'une exceptionnelle finesse (chevelure, barbe), qui s'éclaire d'un délicat sourire. La salle 7 renferme des vestiges du **Parthénon**, édifié sous Périclès vers 445 avant J.-C. sur l'Acropole d'Athènes. C'est la grande période du classicisme grec.

Le **fragment**★★★ de la frise représente les Ergastines, jeunes filles qui confectionnaient le voile brodé offert à leur déesse protectrice lors des Panathénées. La lenteur de la procession, la distinction des attitudes, la souplesse de la démarche révèlent le talent de Phidias.

L'**Aphrodite de Cnide**★★ était la statue féminine la plus célèbre de l'Antiquité. Parmi les œuvres originales de l'époque hellénistique, l'**Apollon de Piombino** a été retrouvé dans la mer au large de la Toscane et provenait des ateliers de Grande-Grèce (Sicile et Italie du Sud).

Le naturel, la beauté sereine de la **Vénus de Milo**★★★, au drapé en spirale admirable de souplesse, en font l'une des œuvres les plus accomplies de la statuaire antique.

Au 1er étage, la **Victoire de Samothrace**★★★, chef-d'œuvre de l'art hellénistique (début du 2e s. avant J.-C.), figure de proue installée sur une galère de pierre, commémore une victoire navale. Le traitement des draperies, plaquées au corps par le vent, la liberté et la fougue du mouvement de la femme ailée en font une œuvre éblouissante.

La **galerie Campana**★★, du nom du marquis Gian Pietro Campana (1808-1880) qui a fouillé les nécropoles étrusques du Nord du Latium, présente sa collection de vases grecs, l'une des plus importantes au monde, qui fut presque intégralement achetée par Napoléon III en 1861.

La **salle des Bronzes et objets précieux**★★ renferme la très belle **tête de jeune homme** dite «**de Bénévent**».

Parmi les statues et sarcophages de l'Empire romain, le **Gladiateur Borghèse**★★ (vers 100 avant J.-C.) marque une tension et une puissance rares.

Antiquités étrusques★★

Peuple d'Italie centrale, les Étrusques essaimèrent en Campanie et en Italie du Nord et connurent leur apogée au 6e s. avant J.-C. Leur déclin s'amorça au siècle suivant et se poursuivit jusqu'en 265 avant J.-C., date de la soumission de l'Étrurie à Rome. Les œuvres des artistes étrusques se distinguent par une originalité marquée, inspirée des arts oriental et grec, qui influencèrent à leur tour l'art romain.

Le **sarcophage «des Époux»**★★★ (6e s. avant J.-C.), énorme urne en terre cuite provenant de la nécropole de Cerveteri, porte une décoration sculptée d'un remarquable réalisme: le couple participe avec sérénité au banquet divin.

Antiquités romaines et paléochrétiennes★★

Dans les anciens **appartements d'Anne d'Autriche**★★, les œuvres illustrent deux modes d'expression originaux de l'art romain: le portrait et le relief historique ou mythologique. De superbes **mosaïques**★ proviennent de riches demeures et de églises d'Afrique du Nord et du Proche-Orient.

Au 1er étage, dans une salle ornée de peintures de Braque, le fabuleux **trésor de Boscoreale★★** fut trouvé dans les ruines d'une villa romaine détruite par l'éruption du Vésuve (79 de notre ère). Ce trésor de monnaies, de bijoux d'or et de vaisselle d'argent témoigne des goûts raffinés d'une classe aisée et cultivée.

Antiquités orientales★★★

Elles constituent l'une des collections les plus célèbres du musée du Louvre.
Le site sumérien de Tello a livré la **stèle des Vautours** (vers 2450 avant J.-C.), immortalisant la victoire du roi de Lagash sur la cité rivale d'Umma. Sur une face, le dieu protecteur de la cité emprisonne les ennemis dans un filet; sur l'autre, le prince est à la tête de ses fantassins et monté sur un char de guerre.
La culture sumérienne s'étend vers le Nord, jusqu'à l'actuelle Syrie (site de Mari). L'une de ses coutumes était d'offrir des représentations d'adorants destinées à pérenniser la prière des fidèles. Parmi les statuettes dédiées à Ishtar, la plus belle est celle de l'**intendant du palais Ebih-il★** (milieu du 3e millénaire), aux yeux de lapis-lazuli, vêtu d'une ample jupe à mèches de peau de mouton.
Au début du 2e millénaire, Babylone entre dans l'histoire: son souverain conquiert la Mésopotamie. Le **Code d'Hammurabi★** (1792-1750 avant J.-C.) est une stèle de basalte noir haute de 2,50 m; au sommet, le roi reçoit du dieu solaire Shamash (dont la règle et la corde d'arpenteur, instruments de mesure, symbolisent la justice) les 282 lois gravées au-dessous en langue akkadienne.
Dans la **cour Khorsabad★★**, les bas-reliefs assyriens provenant du palais de Sargon II à Dûr-Sharrukîn ont été placés, face au visiteur, dans le même rapport de hauteur qu'à l'époque assyrienne. Deux **taureaux ailés** à cinq pattes restituent une partie du décor de l'enceinte. Sur les murs de la cour se déroule une frise d'admirables bas-reliefs: transport de bois du Liban, tributaires mèdes; porteurs du trône roulant et du mobilier du roi, serviteurs, mêlés à des Génies ailés bénissant et au tres héros maîtrisant un lion.
Les **reliefs★★** du palais d'Assurbanipal à Ninive comptent parmi les chefs-d'œuvre de la sculpture universelle. Remarquez les épisodes de la campagne d'Élam: la prise d'une ville; la déportation de la population; la vue de la ville d'Arbèles aux multiples tours; sur le mur du fond, le roi sur son char.

Arts de l'Islam★★

La visite de la collection propose un véritable dépaysement. Chaque objet est d'un raffinement et d'une stylisation extrêmes, et les origines géographiques, variées: pays du pourtour de la Méditerranée, Iran, Inde et Asie centrale. Du fait de leur fragilité et de leur sensibilité à la lumière, les miniatures sont exposées à l'entresol.

Peintures italiennes★★★

Dans le Salon carré, du tableau d'autel de la ***Vierge aux Anges*** de Cimabue (vers 1280) se dégage le hiératisme byzantin. Avec Giotto, au début du 14e s., l'école de Florence affirme son identité par un parti pris réaliste. La scène est réduite à l'essentiel dans la grande figure de ***Saint Francois d'Assise recevant les stigmates★★***.
Moine dominicain, Fra Angelico évoque la vie paradisiaque avec un mysticisme serein. Saints et anges se pressent autour du ***Couronnement de la Vierge*** (1435), sous une lumière surnaturelle. Passionné par la perspective, Paolo Uccello représente la ***Bataille de San Romano***: les lances rythment l'espace; la mêlée des guerriers, armures vues de dos aux cimiers fastueux, prêts à charger, accentue l'aspect fantastique de la scène.
Dans la salle des Sept-Mètres, on passe aux petits formats, du côté de l'école de Sienne en particulier, avec de nombreux fonds d'or. La première Renaissance, ou Quattrocento, modifie la perception de l'homme. Le portrait fournit de remarquables analyses, comme celui de l'autoritaire et énigmatique **Sigismond Malatesta** de Piero della Francesca.
La **Grande Galerie** prête son immense cimaise aux œuvres du 13e au 15e s. Les thèmes, les physionomies, les attitudes évoluent: en témoignent le ***Saint Sébastien*** de Mantegna, d'une précision anatomique qui évoque la statuaire et l'art du graveur; le ***Portrait d'un vieillard et d'un jeune garcon*** de Ghirlandaio qui allie à la grâce florentine le réalisme flamand, lequel se retrouve dans le modelé vigoureux du **Condottiere** d'Antonello de Messine.
Génie universel, Léonard de Vinci occupe la place d'honneur: la ***Vierge aux rochers***, œuvre de maturité, la ***Vierge, l'Enfant Jésus et sainte Anne***. ***La Joconde★★★***, portrait de Mona Lisa, est exposée dans la salle 13 *(à l'extrémité Ouest de la Grande Galerie)*, dans un coffre spécial.
Gagnez la salle 76. On y découvre les ***Noces de Cana★★★*** de Véronèse. Achevée en 1563 pour le réfectoire d'un couvent de la cité des Doges, la scène évangélique est prétexte à dépeindre, avec un talent consommé de la mise en scène, le Siècle dior de Venise, son architecture et sa vie fastueuse.
Revenez dans la Grande Galerie. Raphaël garde de son Ombrie natale la douceur de ses paysages et montre sa maîtrise dans des compositions d'un équilibre parfait, telle la ***Belle Jardinière★★***; dans le ***Portrait de Balthazar Castiglione***, le tempérament philosophe de l'ami est rendu avec une grande économie de moyens.

Les principaux représentants de l'école de Bologne sont Annibale Carrache (qui dessinait souvent dans la campagne – ***La Pêche*** et ***La Chasse*** sont parmi les plus beaux paysages du Louvre) – Guido Reni, le Guerchin.
Ce réalisme sera repris d'une façon plus radicale par le Caravage, qui fait entrer le peuple des tavernes dans la peinture: la ***Diseuse de bonne aventure***★★.
Les fastes du Siècle des lumières se reflètent chez Pannini. La dynastie des Tiepolo oppose les lumineuses évocations religieuses et mythologiques du père, Giambattista, aux scènes de rue du fils, Giandomenico, qui complètent, sur un mode mineur non dénué d'humour, les scènes d'intérieur de Pietro Longhi.

Peintures espagnoles★★

Dans les cabinets, quelques primitifs ibériques du 15ᵉ s. entourent l'ancienne salle Rubens où éclate l'œuvre maniériste de Domenikos Theotokopoulos, peintre d'icônes d'origine crétoise, élève du Tintoret à Venise, et plus connu sous le nom de El Greco. Son ***Christ en croix***★★, à la silhouette étirée sur un fond sombre, orageux, presque abstrait, est déjà «expressionniste».
Antithèse sociale du Siècle d'or espagnol, le ***Jeune Mendiant***★★ de Murillo, au bel éclairage latéral, contraste par son réalisme humain avec le spiritualisme de Zurbaràn et les *Portraits d'infantes* par Vélasquez.

Grands formats de la peinture française (19ᵉ s.)★★★

Le ***Serment des Horaces***, commandé par Louis XVI, que David envoya de Rome pour le Salon de 1785, marque l'avènement du néoclassicisme en peinture et eut un immense succès. Un croquis du ***Sacre de Napoléon Iᵉʳ***★ montrait l'Empereur se couronnant lui-même; le maître a préféré le geste suspendu et moins narcissique du couronnement de Joséphine.
Avec le ***Radeau de la Méduse***★★ (1819), Théodore Géricault introduit l'actualité parmi les thèmes de l'expression artistique. Les effets de contre-jour, l'attitude des malheureux traduisent l'alternance de l'angoisse et de l'espoir chez les naufragés de la frégate *La Méduse*, qui découvrent à l'horizon un pavillon.
Chef de file de l'école romantique, Eugène Delacroix s'engage pour la cause de l'indépendance grecque avec les ***Massacres de Scio***. Frappé par les journées révolutionnaires de juillet 1830, il expose la ***Liberté guidant le peuple***★★. L'Orient triomphe avec la ***Mort de Sardanapale***★, mélange de somptuosité et de barbarie inspiré de Byron, où l'on voit Sardanapale assister au massacre de tous ses sujets de plaisir dont il a ordonné la mort avant de se suicider.

Écoles du Nord★★★

Sous un éclairage conçu par Pei sont réunies dans 39 salles les peintures d'Allemagne, de Flandres et des Pays-Bas du 14ᵉ au 17ᵉ s.
L'œuvre la plus célèbre est la ***Vierge au chancelier Rolin***★★ de Jan Van Eyck, qui mit au point, avec son frère, la technique de la peinture à huile. La gravité des expressions, le traitement minutieux de la loggia romane comme de la ville et du paysage, à l'arrière-plan, sont remarquables.
La présentation chronologique des œuvres rapproche les primitifs flamands et allemands. À l'harmonie générale des premiers succède le maniérisme contrasté des seconds: la somptuosité des vêtements répond à l'examen minutieux des bijoux et des armes; l'expression est souvent dure et tourmentée.
Le petit cabinet *(salle 8)* abrite les points forts de la collection: de Hans Holbein le Jeune, ***Portrait d'Érasme***, modèle de l'humaniste; de Lucas Cranach l'Ancien, ***Vénus debout dans un paysage***; Albrecht Dürer se représente âgé de 22 ans avec un chardon, symbole de fidélité, dans un ***Autoportrait*** destiné à sa fiancée.
Le Prêteur et sa femme★★ est l'une des toiles les plus célèbres de Quentin Metsys: le couple est absorbé dans la pesée et le compte des monnaies; remarquez les mains du changeur, d'une finesse extraordinaire, les objets sur l'étagère, le manuscrit, les perles. Au milieu de cette représentation, qui se concentre sur les plus petits objets du réel, une mise en abîme, à travers le miroir, ouvre le tableau sur un troisième personnage, une fenêtre, un paysage. Deux autres figures discutent derrière une porte entrebâillée.
Maître du baroque, **Rubens** exalte la vie *(Portrait d'Hélène Fourment)*, les chairs généreuses, les somptueux vêtements (Hélène Fourment au carrosse). La profusion, les couleurs chaudes se retrouvent dans la **galerie**★★ conçue par Pei sur les 24 compositions de la ***Vie de Marie de Médicis***.
Van Dyck est le peintre de la noblesse génoise et anglaise: ***Charles Iᵉʳ, roi d'Angleterre***, la *Marquise Spinola-Doria*.
Rembrandt abandonne peu à peu le clair-obscur pour une gamme colorée réduite, mais très nuancée, à dominante de bruns; il éclaire ses toiles de teintes dorées, irréelles, d'où se dégage une grande émotion (le *Philosophe en méditation*). Les thèmes bibliques lui permettent de transcender la réalité quotidienne dans les *Pèlerins d'Emmaüs* et dans la figure très humaine de la *Bethsabée au bain*, portrait de sa seconde femme. Les peines et l'isolement de l'artiste âgé se lisent dans le bouleversant *Autoportrait*.

Vermeer de Delft, dont la matière rappelle l'éclat de la faïence, poétise des occupations paisibles dans une atmosphère de recueillement (la ***Dentellière***★★, l'***Astronome***★★).

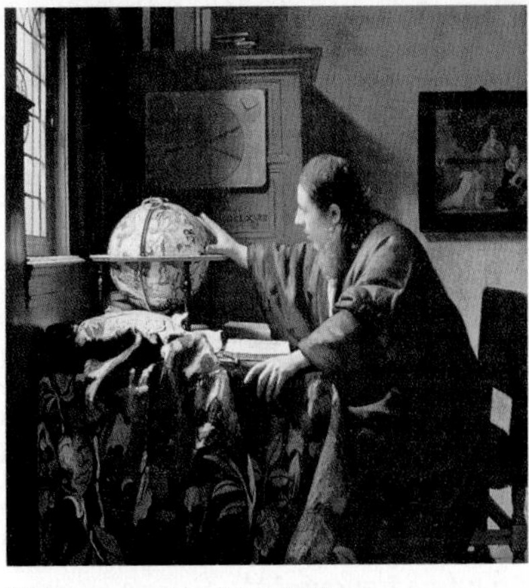

RMN

L'Astronome a été peint en 1668 par Vermeer de Delft. C'est un de ses rares tableaux qui met en scène un personnage masculin.

Peinture française, 14e-19e s.★★★

Plus qu'à des courants, le visiteur est confronté à des personnalités très marquées qui vont souvent chercher leurs modèles à l'étranger.

Jean le Bon, futur roi de France, pose pour un ***Portrait***★ (1350, la plus ancienne peinture de chevalet française conservée), à une époque où la peinture ne s'intéresse guère qu'aux sujets religieux.

L'artiste de la Renaissance se passionne pour l'homme. Les nombreux portraits que nous a laissés Jean Clouet ***(Francois Ier★)*** témoignent de ce goût.

Les artistes italiens invités par François Ier sur le chantier du château de Fontainebleau introduisent en France le maniérisme et un art très original du décor. La première, puis la seconde école de Fontainebleau sont illustrées respectivement par la *Diane chasseresse*, et ***Gabrielle d'Estrées au bain avec une de ses sœurs***★.

Le 17e s. s'ouvre avec les peintres caravagesques. À côté du bel ensemble de Valentin de Boulogne se détache la figure de Claude Vignon et de son *Jeune chanteur*, d'une grande liberté d'exécution.

À partir de la salle 12 commence l'extraordinaire rassemblement de toiles (38 tableaux) de **Nicolas Poussin** (1594-1665), artiste philosophe, Romain d'adoption, considéré comme le plus classique des peintres français. Épris de beauté formelle, il ne répugne pas à un sensualisme hérité de Titien. Dans la dernière partie de sa vie, il accorde une place grandissante au paysage.

Autre point fort de la visite : les toiles de Claude Gellée, dit le Lorrain (1600-1682), paysages terrestres et maritimes réconciliés par une lumière de crépuscule.

De nombreuses scènes de genre, des natures mortes ont été exécutées, sous l'influence de la peinture flamande, par des artistes venus travailler à Paris, tels Lubin Baugin *(Nature morte à l'échiquier)* et les frères **Le Nain**. De ceux-ci, la ***Famille de paysans dans un intérieur***★, d'un réalisme sobre, révèle une grande dignité, mais aussi peut-être une résignation.

Les tableaux de Georges de La Tour fascinent par le jeu des regards ***(Tricheur à l'as de carreau★)*** et les effets de lumière, qui fondent les personnages dans la nuit et créent une atmosphère de recueillement *(Saint Joseph charpentier)*.

Le ***Chancelier Séguier à cheval*** est un portrait officiel et solennel de Le Brun, dont le ministre fut le premier protecteur : entouré de ses pages, ce haut personnage est tout investi de la charge que lui a confiée Louis XIII.

Philippe de Champaigne a dressé un portrait extrêmement aigu de ses contemporains et peint, en remerciement de la guérison miraculeuse de sa fille, religieuse au couvent de Port-Royal-des-Champs, le célèbre ***Ex-Voto de 1662***.

Quelques années et pourtant un monde séparent cette image du Grand Siècle des toiles de **Watteau**, dont la grâce rêveuse annonce l'esprit du Siècle des lumières : les personnages de l'exquis ***Pèlerinage à l'île de Cythère***★★ sont disposés en arabesque dans un paysage diffus (1717).

Boucher adopte le style rocaille et emprunte ses sujets à la mythologie qu'il traite avec une grâce teintée d'érotisme dans des coloris frais et nacrés.

Une tendance plus calme se manifeste avec Chardin dans des natures mortes ***(La Raie★)*** et des scènes d'intérieur.

Le style plein d'allégresse de **Fragonard** et son sens du mouvement se retrouvent dans ses « Figures de fantaisie ». Toujours d'esprit galant, ***Le Verrou***★ est traité d'une manière plus stricte, sous l'influence du néoclassicisme de David.

Peu avant la Révolution, en peignant une série de toiles commandées pour l'appartement de Louis XVI à Fontainebleau, **Hubert Robert** met à la mode les ruines romaines, rapprochant parfois des édifices éloignés les uns des autres dans la réalité.

L'Empire et son style néoclassique trouvent leur meilleure expression chez **Ingres**. Celui-ci s'oppose avec vigueur, par son amour de la ligne, à l'école romantique, qui voit Géricault et Delacroix donner libre cours aux recherches de couleur et d'éclairage. ***Le Bain turc***★ (1862) a été exécuté cinquante-quatre ans après la ***Baigneuse Valpincon***★, avec le même nu vu de dos.

Géricault voue au cheval un véritable culte dont l'image domine la salle 61.
Les dernières salles rendent hommage à **Corot**, célèbre pour ses paysages, parfois baignés de nostalgie, dans lesquels il fait vibrer la lumière. Il est également l'auteur de pénétrants portraits comme la ***Femme à la perle****.
La **collection Beistegui*** occupe une salle particulière. Comportant quelques paysages vénitiens ou impressionnistes, elle est surtout riche en portraits de Fragonard, David, Nattier, Goya...

Sculpture italienne**

Les deux ***Esclaves****** de marbre sculptés par **Michel-Ange** entre 1513 et 1520 pour le tombeau du pape Jules II, chefs-d'œuvre inachevés, sont célèbres pour leur puissance torturée. Ils sont encadrés par la porte monumentale du palais Stanga de Crémone.
La vivacité du modelage du **Bernin** est sensible dans l'*Esquisse de l'Ange portant la couronne d'épines*, et sa monumentalité expressive dans le *Buste du cardinal de Richelieu*.
Psyché ranimée par le baiser de l'Amour** est une œuvre exquise dans laquelle Canova associe, en 1793, le goût de l'Antiquité et le sens baroque du mouvement.

Sculpture française***

Les mausolées du 15e s. prennent des proportions considérables : le ***tombeau de Philippe Pot*****, sénéchal de Bourgogne, est une œuvre d'une grande originalité. Le *Saint Georges combattant le dragon*, bas-relief de Michel Colombe, est déjà une œuvre de la Renaissance.
Le règne de Louis XIV suscite une magnifique éclosion de la statuaire. La présentation en terrasses met en valeur les ensembles qui ornaient les parcs des demeures royales ou princières : Marly, Versailles, Sceaux, les Tuileries. Grâce aux verrières, les œuvres retrouvent presque les conditions d'éclairage naturel dont elles bénéficiaient à l'origine, en plein air, tout en étant désormais protégées des intempéries.
Du château de Marly proviennent la *Renommée du roi* de Coysevox et les ***Chevaux cabrés retenus par leurs palefreniers***** de Guillaume Coustou, son neveu.
La **cour Puget**** doit son nom aux œuvres de Pierre Puget, sculpteur marseillais autodidacte, peintre, décorateur, architecte. Ébloui par l'Italie du baroque, il affiche sa singularité dans la sculpture française à l'époque classique : ***Milon de Crotone*****.
L'***Amour menaçant**** de Falconet *(salle 22)* est une sculpture exquise, commandée par Mme de Pompadour pour orner le jardin de l'actuel palais de l'Élysée.
La salle 25 réunit les morceaux de réception à l'Académie royale de peinture et de sculpture : le *Mercure rattachant ses talonnières*, chef-d'œuvre de Pigalle.
La dernière salle est consacrée à François Rude et Antoine-Louis Barye. Le premier a créé *La Marseillaise* sur l'Arc de Triomphe, le *Mercure rattachant ses talonnières* et un gracieux *Pêcheur napolitain*. Le second est un sculpteur animalier, observateur minutieux de la morphologie des fauves : *Lion au serpent*, *Tigre dévorant un gavial*.

RMN
Le Milon de Crotone *de Puget*.

Objets d'art***

Le **trésor médiéval du Louvre***** est l'un des points d'orgue de la visite du musée. Les pièces les plus célèbres proviennent du trésor de l'abbaye royale de Saint-Denis, qui servait de mausolée à la monarchie française, et de la Sainte-Chapelle. Les pièces d'orfèvrerie mais surtout les ivoires, dont certains millénaires, sont admirables.
Suger, abbé de Saint-Denis (1122-1151), enrichit son trésor de vases liturgiques, dont le plus célèbre, l'**Aigle de Suger****, utilise un vase en porphyre antique.
La Vierge à l'Enfant en argent doré dite **Vierge de Jeanne d'Évreux*** fut donnée par cette reine, veuve de Charles le Bel, à l'abbaye de Saint-Denis en 1339. La dimension de cette statue est exceptionnelle ; le lys servait de reliquaire.
La salle 4 est close par le monumental **retable italien des Embriachi****, en bois et os, sur lequel se détache la vitrine du sceptre de Charles V.

La suite de somptueuses tapisseries, les **Chasses de Maximilien**★★, en fils de soie, de laine et d'or, ont été tissées à Bruxelles, vers 1530, et représentent 12 scènes de chasse dans la forêt de Soignes. À chaque scène correspondent un mois de l'année et un signe du zodiaque.

Le cycle de tentures, tissé à la Manufacture des Gobelins à la demande de Louis XIV, raconte l'**histoire de Scipion l'Africain**★.

Le **trésor de l'ordre du Saint-Esprit**★★ contient de magnifiques pièces d'orfèvrerie : étonnants casque et bouclier de Charles IX recouverts d'or et d'émaux. L'ordre du Saint-Esprit, le plus prestigieux de l'Ancien Régime, fut fondé par Henri III, en pleine période des guerres de Religion, pour rassembler la noblesse autour de la royauté. Le cordon bleu était l'insigne de cette distinction.

La simplicité des lignes et du décor du nécessaire de voyage de Marie-Antoinette contraste avec le goût fantaisiste de la souveraine, reconnaissable aux ornements de bouquets et de rubans. Celui-ci infléchit vers la grâce la sobriété du style néoclassique.

Le cabinet chinois contient la table à écrire de la reine, mélange raffiné de matériaux (panneau de laque, incrustations de nacre, appliques de bronze doré et plaque d'acier) par Adam Weisweiler. Leleu se signale par ses commodes somptueuses aux lignes droites.

La salle Rothschild réunit de ravissants meubles ornés de plaques de porcelaine de Sèvres et des pots-pourris, qui appartenaient à la marquise de Pompadour.

La salle 64 sert d'écrin à ce qui reste du trésor des rois de France : le ***Régent***★★★ est un diamant pur de 140 carats acheté par le régent Philippe d'Orléans en 1717. Son eau d'une transparence exceptionnelle et la perfection de sa taille en font l'une des pierres les plus célèbres du monde. Il orna la couronne du sacre de Louis XV, l'épée d'apparat de Bonaparte et le diadème de l'impératrice Eugénie. Parmi les autres joyaux, admirer la *Côte de Bretagne* (rubis de 107 carats), le diamant rose *Hortensia*, la parure en saphirs de la reine Amélie, le diadème et la couronne de l'impératrice Eugénie. Les vitrines voisines abritent l'imposante collection de **vases en pierres dures**★ de Louis XIV.

Le mobilier raffiné de la chambre et du **salon de Mme Récamier**★, par les frères Jacob (1798), servit de modèle au style Empire.

Appartements Napoléon III★★★

Le meilleur accès se fait de la cour Marly par l'escalier du Ministre. Après avoir gravi cet escalier majestueux, orné d'une belle rampe en fer forgé, le visiteur pénètre dans un univers étourdissant d'or, de velours cramoisi, de cristaux. L'architecte qui termina le Louvre, Lefuel, a conçu un décor exubérant qu'il faut voir la nuit, à la lumière des lustres.

C'est l'un des rares grands décors du Second Empire qui ait subsisté avec son mobilier d'origine. Il se compose d'une antichambre, d'une galerie d'introduction, d'un salon qui servait de scène pour les fêtes musicales, d'un grand salon (où pouvaient se réunir 265 spectateurs), d'un boudoir, d'une petite et d'une grande salle à manger.

Nouvelle section

Les arts d'Afrique, d'Asie, d'Océanie et des Amériques sont désormés représentés au Louvre. 120 sculptures et autres chefs-d'œuvre, choisis pour leur valeur artistique et historique, préfigurent ce que sera le musée des Arts premiers, quai de Branly.

MUSÉE MARMOTTAN-MONET★★

16e arrondissement. Tlj sf lun. 10h-18h. Fermé 1er janv., 1er mai et 25 déc. 6,50€. ☎ *01 44 96 50 33.*

En 1932, l'historien d'art Paul Marmottan fait don à l'Institut de son hôtel particulier et de ses collections de la Renaissance et de l'époque napoléonienne. En 1950, Mme Donop de Monchy y adjoint une partie des œuvres acquises par son père, le Dr de Bellio, médecin et ami de plusieurs peintres impressionnistes. En 1971, Michel Monet lui lègue 65 toiles peintes par son père Claude. En outre, le legs Wildenstein enrichit le musée de 228 enluminures.

Le mobilier du Consulat et de l'Empire comprends l'éblouissant surtout de table de Lucien Bonaparte en bronze ciselé et doré par Thomire en 1803, un guéridon rond dont le plateau est composé de 101 plaquettes de marbre de provenances différentes, une commode en acajou attribuée à Jacob Desmalter.

Les enluminures garnissent les panneaux d'un grand salon. Elles proviennent de plusieurs pays d'Europe et datent des 13e-16e s. Elles comprennent des lettrines à décor floral ou historié, des antiphonaires, des extraits de livres d'heures.

La collection des toiles de **Claude Monet** est probablement la plus importante connue de ce maître de l'impressionnisme. La plupart de ces œuvres ont été inspirées par le jardin fleuri que l'artiste possédait à Giverny *(voir ce nom)* : nymphéas, glycines, iris, allée des rosiers, saule pleureur, pont japonais.

Le musée s'est enrichi de la donation Duhem qui comprend une soixantaine de toiles, dessins et aquarelles dont un magnifique Bouquet de fleurs de Gauguin, peint à Tahiti, et un pastel de Renoir, *Jeune fille assise au chapeau blanc.*

MUSÉUM NATIONAL D'HISTOIRE NATURELLE**

Grande galerie de l'Évolution***

Tlj sf mar. 10h-18h, jeu. 10h-22h. Fermé 1er mai. 6,10€. ☎ 01 40 79 30 00.

De l'infiniment petit (micro-organismes, grossis 800 fois) aux gros animaux (morse, éléphant de mer), la variété des espèces reflète celle des milieux marins : fonds abyssaux, littoral et haute mer, sources hydrothermales, récifs coralliens. Les animaux naturalisés sont présentés dans des films vidéo les mettant en scène dans leurs milieux naturels. Une longue caravane d'animaux présente les différents milieux terrestres, des plus chauds (où l'on trouve zèbres, girafes, buffles, antilopes) aux plus froids (que représentent les ours blancs). Les singes et les oiseaux (dans les cages d'ascenseurs) viennent de la forêt tropicale.

S'attaquant à un sujet sensible et d'actualité, une salle montre l'influence des actions humaines sur l'évolution du milieu naturel : exploitation et déplacement des espèces, domestication, transformation des milieux, pollution et même extermination, illustrée par la **salle des espèces menacées ou disparues**** (comme le lion du Cap à crinière noire, les tortues des Seychelles, l'hippotrague bleu...).

L'histoire de la vie, ou comment se mit en place la théorie de l'évolution des espèces, des protozoaires au rhinocéros, est décrite au travers des grands savants qui l'ont inventée, notamment Darwin. Des panneaux soulignent les découvertes contemporaines, comme celle de la cellule, du gène ou de l'ADN.

H. Renaudeau/HOA QUI

Grande galerie de l'Évolution : illustration (presque vivante) de la théorie de l'évolution.

Ménagerie

Été : 9h30-18h ; le reste de l'année : 9h30-17h. 4,57€. ☎ 01 40 79 37 94.

Reptiles, oiseaux, fauves et autres animaux sauvages sont présentés de manière attrayante ; ils évoluent paisiblement et semblent apprivoisés dans cette ménagerie créée en 1794.

La rotonde abrite le Micro Zoo, où l'on observe le monde des animaux minuscules (arthropodes microscopiques, collemboles, acariens, mille-pattes) à l'aide de microscopes et muni d'un casque à écouteurs. *Avr.-sept. :10h-12h, 14h-17h15, dim. et j. fériés 10h-12h, 14h30-17h45 ; oct.-mars : 10h-12h, 13h30-16h30. Appareils de microscopie télécommandés et sonorisés en self-service. 4,57€. ☎ 01 40 79 38 88.*

Galeries de Minéralogie et de Géologie*

Tlj sf mar. 10h-17h (avr.-oct. : w.-end 18h). Fermé 1er mai. 4,57€. ☎ 01 40 79 30 00.

Minerais et météorites du monde entier. Objets d'art et joyaux de la couronne de France. Collection de minerais de Louis XIII et Louis XIV. La plus grande collection de cristaux géants connue dans le monde vous attend à droite de l'entrée.

MUSÉE NATIONAL DU MOYEN ÂGE - THERMES ET HÔTEL DE CLUNY**

5e arrondissement. Les souterrains des thermes sont accessibles en visite guidée. Une grande partie en est visible des boulevards St-Michel et St-Germain. Tlj sf mar. 9h15-17h45 (dernière entrée 1/2h av. fermeture). Fermé 1er janv., 1er mai et 25 déc. 5,50€, gratuit 1er dim. du mois. ☎ 01 53 73 78 16.

Aux 2e-3e s. s'élève un vaste édifice gallo-romain dont les vestiges actuels ne représentent que le tiers environ. Les fouilles ont permis de déterminer qu'il s'agissait d'un établissement de bains publics, saccagé et incendié par les Barbares à la fin de l'Empire romain. Ces **thermes*** conservent le frigidarium, dont la voûte d'arêtes repose sur des consoles en forme de proue de navire évoquant les nautes.

Vers 1330, Pierre de Châlus, abbé de Cluny en Bourgogne, achète les ruines des thermes romains et le terrain avoisinant afin d'y bâtir un hôtel destiné aux abbés venus à Paris. Jacques d'Amboise, qui est aussi évêque de Clermont et abbé de Jumièges, rebâtit l'édifice de 1485 à 1500 et en fait la très belle demeure actuelle. Avec l'hôtel de Sens dans le Marais, Cluny est l'une des deux grandes demeures privées du 15e s. qui subsistent à Paris. La tradition médiévale s'y manifeste encore par des éléments (créneaux, tourelles) dont le seul rôle est décoratif. Le confort de l'habitat et la finesse de l'ornementation y sont déjà très sensibles.
Les salles thématiques du **musée**★★ illustrent la vie quotidienne et artistique du Moyen Âge. Les collections témoignent du raffinement de la civilisation médiévale en tapisseries et tissus, en orfèvrerie et en vitraux, en ferronnerie et en ivoires, en sculptures et en peintures.
Les six **tentures de la Dame à la Licorne**★★★ sont un magnifique exemple de l'art des tissus des Pays-Bas (15e-16e s.) du genre des mille-fleurs, où tout consiste dans l'harmonie et la fraîcheur des coloris, dans l'amour de la nature et la grâce des personnages et des animaux. Cinq pièces seraient des allégories des sens, tandis que la sixième, dite «À mon seul désir», symboliserait le renoncement au plaisir des cinq sens.

MUSÉE D'ORSAY★★★

7e arrondissement. ♿ De mi-juin à mi-sept. : tlj sf lun 9h-18h, jeu. 9h-21h45, dim. 9h-18h ; de mi-sept. à mi-juin : tlj sf lun. 10h-18h, jeu; 10h-21h45, dim. 9h-18h. Fermé 1er janv., 1er mai et 25 déc. 7€, gratuit 1er dim. du mois. ☎ 01 40 49 48 48.
Flanquant la Seine face au jardin des Tuileries auquel la passerelle piétonnière Solférino permet d'accéder, le musée se situe entre le quai Anatole-France et la rue de Lille, en plein faubourg Saint-Germain. Depuis 1986, l'immense nef de l'ancienne gare d'Orsay sert d'écrin à ce musée dont les collections artistiques couvrent les périodes de 1848 à 1914. Tout y est merveilleux, que ce soit le cadre, extraordinaire pour un musée, ou cette incroyable et magnifique succession de chefs-d'œuvre, qu'une foule cosmopolite ne se lasse pas de venir admirer.
Les collections sont présentées suivant un ordre chronologique et thématique.
Chefs-d'œuvre: l'*Angélus du soir* de Millet, *Un enterrement à Ornans* de Courbet, la *Famille Bellelli* de Degas, *Orphée* de Gustave Moreau, la *Danse* de Carpeaux, *Honoré de Balzac* de Rodin, le *Déjeuner sur l'herbe* de Manet, la série des *Cathédrales de Rouen* de Monet, les *Raboteurs de parquet* de Caillebotte, le *Bal du moulin de la Galette* de Renoir, la *Petite Danseuse* de Degas, *Pommes et Oranges* de Cézanne, *La Toilette* de Toulouse-Lautrec, la *Partie de croquet* de Bonnard, *Les Nourrices* de Vuillard, l'*Autoportrait au Christ jaune* de Gauguin, l'*Église d'Auvers-sur-Oise* de Van Gogh, *Le Cirque* de Seurat, le *Pendant de cou et chaîne* de Lalique, la *Vitrine aux libellules* de Gallé, et le mobilier de l'hôtel Aubecq à Bruxelles dû à Victor Horta.

MUSÉE PICASSO★★

3e arrondissement. ♿ Avr.-sept. : tlj sf mar. 9h30-18h ; oct.-mars : tlj sf mar. 9h30-17h30. Fermé 1er janv. et 25 déc. 5,50€ (enf. : gratuit), gratuit 1er dim. du mois. ☎ 01 42 71 25 21.
Le musée Picasso est installé dans un bel hôtel particulier du Marais, construit entre 1656 et 1659 pour Pierre Aubert, seigneur de Fontenay, fermier de la gabelle, d'où le nom d'hôtel Salé que lui a donné la malice parisienne.
Né à Malaga le 25 octobre 1881, **Pablo Ruiz Picasso** étudie à l'École des beaux-arts de Barcelone, puis à Madrid. En 1904, il vient s'installer en France qu'il ne quittera plus sauf pour de brefs séjours à l'étranger. Il meurt à Mougins (Alpes-Maritimes) le 8 avril 1973. La possibilité donnée aux héritiers, d'après une loi de 1968, de payer leurs droits de succession en œuvres d'art a permis à la France d'acquérir la plus importante collection de cet artiste. Elle comprend plus de 250 peintures, un ensemble exceptionnel de sculptures, des papiers collés et tableaux-reliefs, plus de 3000 dessins et estampes, 88 céramiques, la totalité de l'œuvre gravé, des livres illustrés et des manuscrits.

MUSÉE RODIN★★

7e arrondissement. Avr.-sept.: tlj sf lun. 9h30-17h45 (dernière entrée 1/2h av. fermeture); oct.-mars: tlj sf lun. 9h30-16h45. Fermé 1er janv., 1er mai et 25 déc. 5€, gratuit 1er dim. du mois. ☎ 01 44 18 61 24.
L'édifice date du 18e s. Il reçut de nombreux propriétaires prestigieux, dont l'écrivain autrichien Rainer Maria Rilke, ami de Rodin. L'hôtel fut mis à la disposition des artistes par l'État. En échange de ses œuvres, **Auguste Rodin** en obtint la jouissance jusqu'à sa mort, après quoi l'hôtel devint musée. Les œuvres les plus expressives de l'artiste sont réparties dans des salons: la *Cathédrale*, le *Baiser*, l'*Âge d'airain*. En bronze ou en marbre pour la plupart, elles sont marquées par une vigueur dans l'expression, une énergie et une puissance contenues. Le premier étage rassemble de petites œuvres ainsi que des esquisses de grands groupes sculptés: *Balzac*, *Victor Hugo*. Admirez les œuvres de Camille Claudel, comme *La Vague*. L'hôtel Biron est entouré d'un superbe jardin dans lequel sont exposées plusieurs sculptures importantes de l'artiste dont *Le Penseur*, les *Bourgeois de Calais*, la *Porte de l'Enfer*, le groupe d'*Ugolin*...

LA VILLETTE★★

19e arrondissement. Entre le canal St-Denis et le canal de l'Ourcq, à proximité des Buttes-Chaumont et du canal Saint-Martin, sur l'emplacement des anciens abattoirs de Paris, c'est une vaste plaine piétonnière où l'on oublie la présence de voitures, agrémentée de jeux pour les enfants. Dans ce grand parc se côtoient harmonieusement la Cité des Sciences et de l'Industrie, la Cité de la Musique, la Grande Halle et le Zénith. Au creux d'une architecture moderne dans un écrin de verdure, c'est un lieu de culture et de loisirs, d'invention et de détente...

LES INCONTOURNABLES

À l'intérieur d'**Explora** (Cité des Sciences) : Ariane V (expo Espace), le simulateur de conduite (expo Automobile), le ressort intouchable (expo Jeux de lumière), votre poids sur une autre planète (expo Étoiles et galaxies)

Également dans la Cité : le spectacle du planétarium, le film en relief du cinéma Louis-Lumière.

Dans le parc de la Villette : le sous-marin **Argonaute** *(mar.-ven. 10h30-17h30, w.-end 11h-18h30. 3€)*,
les films de la **Géode**★★ *(10h30-21h30, dim. 19h30 ; lun. se renseigner. 8,75€. Interdit enf. -3 ans et femmes enceintes de +6 mois. 8,75€. www.lageode.fr)*,
le **Cinaxe** *(tlj sf lun. 11h-17h, 1 séance tous les 1/4h. 5,18€ au guichet du Cinaxe. Interdit enf. -4 ans, déconseillé aux femmes enceintes et aux personnes cardiaques. Réservation possible au 01 40 05 12 12).*

Cité des Sciences et de l'Industrie★★★

☎ *01 40 05 80 00. www. cite-sciences.fr*

Réalisée par l'architecte Adrien Fainsilber et inaugurée en 1986, elle remplit trois missions : la connaissance, le savoir et l'émerveillement. La Cité vient à bout de sa mission dans un cadre où l'eau, la végétation et la lumière marquent sa conception.

Explora★★ – ♿ *Tlj sf lun. 10h-18h (dim. 19h). Fermé 1er mai et 25 déc. 7,50€ (-25 ans et accompagnateur d'un jeune de -16 ans : 5,50€ ; -7 ans : gratuit). Supplément Planétarium : 2,50€.*

À travers une variété d'expositions, de spectacles interactifs, de maquettes et de manipulations, voici comment explorer notre monde d'aujourd'hui et de demain, sur les thèmes de l'espace – à bord des fusées, satellites et autres sondes spatiales –, de l'eau – qui avant de couler du robinet a fait un grand voyage -, des océans – rien de mieux que le *Nautile*, le sous-marin français le plus récent et un des plus performants, pour explorer l'épave du *Titanic*, prévoir les séismes ou encore étudier les oasis sous-marines.

Puis perdez-vous dans le labyrinthe de verdure pour apprendre à faire pousser des plantes sans terre ou créer de nouvelles variétés. Mais attention, la nature artificielle a ses dangers... Et bien d'autres sciences et techniques sont abordées, comme la photographie, le cinéma, la télévision, l'informatique, les sons, l'automobile, l'aéronautique, l'énergie, les images, les mathématiques, les roches et volcans, les étoiles, la vie et la santé, la médecine, la biologie, les jeux de lumière. Le planétarium mérite également d'être vu (les spectacles changent régulièrement).

Cité des Enfants★ – ♿ *Tlj sf lun. 10h-18h (dim. 19h). Fermé 1er mai et 25 déc. 5€ pour 1h1/2 et exposition Électricité. Réservation conseillée au 08 92 69 70 72.*

☺ Activités de loisirs, d'éducation et de recherche pour les enfants de 3 à 5 ans et de 5 à 12 ans. On joue, on observe, on expérimente dans le domaine des sciences et des techniques : on se retrouve nez à nez avec une fourmi, on apprend comment filmer avec une caméra, on regarde le blé pousser, on joue au mécanicien...

La Cité des Sciences et la Géode jouent des couleurs et des volumes pour vous surprendre...

Ph. Gaïc/MICHELIN

Musée de la Musique*

♿ *Tlj sf lun. 12h-18h, dim. 10h-18h. Fermé certains j. fériés. 6,10€. ☎ 01 44 84 44 84. www.cite-musique.fr*

Replacés dans leurs contextes technique (invention de l'instrument), musical (extraits des œuvres ayant contribué à leur succès) et historique, quelque 900 instruments de musique sont exposés à travers un parcours sonore et visuel (entre autres : violons de Stradivarius, instruments de Berlioz, Chopin ou Fauré, collection de clavecins). Outre des tableaux et des sculptures, des maquettes de grands opéras européens permettent de revivre les premières de l'*Orfeo* de Monteverdi, *Le Sacre du printemps* de Stravinski.

alentours

Bois et château de Vincennes**

À l'Est de Paris. Entouré des belles communes de St-Mandé, Vincennes, Fontenay-sous-Bois, Joinville-le-Pont, St-Maurice et Charenton-le-Pont, le bois se situe juste à l'Est de la Porte Dorée et de la Porte de Charenton. Vincennes est connu pour son parc zoologique, son parc floral, son hippodrome, et la ville, jadis renommée pour sa porcelaine, abrite un château fort, ancienne résidence royale, œuvre des Valois : Philippe VI, Jean le Bon, Charles V.

Devenu gouverneur de Vincennes en 1652, Mazarin fait élever par Le Vau les pavillons symétriques du Roi et de la Reine. Un an après la fin des travaux, en 1660, Louis XIV, jeune marié de 22 ans, passe sa lune de miel dans le pavillon du Roi.

En 1860, Napoléon III cède le bois de Vincennes à la Ville de Paris pour qu'il soit transformé en parc à l'anglaise. Haussmann fait creuser le lac de Gravelle où les eaux de la Marne sont refoulées et qui sert de réservoir aux autres lacs et rivières qui sillonnent le bois. Un champ de courses pour le trot est créé.

Les lacs – Dits **Daumesnil*** *(à l'Ouest)*, des **Minimes** *(à l'Est)* et de **Gravelle** *(au Sud)*, ils sont investis dès les beaux jours par les promeneurs, les canotiers et les cyclistes. Les îles sont accessibles par des ponts : celle de Reuilly possède un café ; celle de la Porte Jaune un café-restaurant.

Château* – *Visite guidée uniquement. Circuit court (3/4h) : présentation générale et Sainte-Chapelle. Hiver : à 10h15, 11h45, 13h30, 16h15 ; été : à 10h15, 11h45, 13h30, 17h15. 3,96€. Circuit long (1h1/4) : présentation générale, douves, chemin de ronde et Sainte-Chapelle. Hiver : à 11h, 14h15, 15h, 15h45 ; été : à 11h, 14h15, 15h, 15h45, 16h30. 5,49€. Fermé 1er janv., 1er mai, 1er et 11 nov., 25 déc. Gratuit -18 ans ; gratuit 1er dim. du mois (oct.-mai). ☎ 01 48 08 31 20.*

Le **donjon****, chef-d'œuvre de l'art militaire du 14e s., conserve sa haute tour de 52 m flanquée de tourelles d'angle, ainsi qu'un éperon au Nord.

La **chapelle royale*** fut entreprise par Charles V en remplacement de celle de Saint Louis ; elle n'a été terminée que sous Henri II. À part les vitraux et des détails décoratifs, l'édifice est purement gothique. La façade, aux belles roses de pierre, est de style flamboyant. L'intérieur comprend une nef unique d'une grande élégance. Les beaux **vitraux*** Renaissance du chœur représentent des scènes de l'Apocalypse. Dans l'oratoire Nord se trouve le tombeau du duc d'Enghien, dernier héritier des Condés *(voir Chantilly)*.

> **Le duc d'Enghien**
>
> Bonaparte, comme parade aux complots que l'Angleterre et les émigrés ourdissaient contre lui, ordonne l'exécution du duc d'Enghien, accusé de conspiration. Le duc est enlevé en territoire allemand et transféré à Vincennes le soir du 20 mars 1804. Il dîne dans le pavillon du Roi, puis s'étend sur un lit, tandis que l'on creuse déjà sa tombe dans le fossé. À minuit et demi, il est réveillé. Une heure après, un conseil de guerre prononce sa condamnation à mort. Conduit dans le fossé, le duc est placé devant la fosse béante puis abattu. Son exécution indigne l'Europe.

Parc zoologique de Paris** – ♿ *Avr.-sept. : 9h-18h, dim. et j. fériés : 9h-18h30 ; oct : 9h-18h ; fév.-mars : 9h-17h30 ; nov.-janv. : 9h-17h. 8€ (enf. : 5€). ☎ 01 44 75 20 10.*

☺ À l'Ouest du bois, ce parc zoologique de 14,5 ha est le plus riche de France : 535 mammifères et 600 oiseaux d'environ 82 espèces y voisinent dans une liberté relative. Un grand rocher artificiel, haut de 65 m et peuplé de mouflons, bouquetins, vautours et loutres, forme un belvédère. 352 marches au programme ! Le visiteur voit s'ébattre les animaux à quelques mètres de lui dans un cadre inspiré de leur milieu naturel et qui connaît quelque 120 naissances annuelles.

Parc floral** – ♿ *Avr.-sept. : 9h30-20h ; mars et oct. : 9h30-18h (déb. oct. : 19h) ; nov.-fév. : 9h30-17h. 1,50€ (enf. : 0,75€). ☎ 01 55 94 20 20.*

Créé en 1969, ce jardin de 30 ha présente des centaines d'espèces florales. Que ce soit dans la vallée des Fleurs, dans le jardin des Dahlias, dans le jardin des Quatre Saisons ou dans le jardin d'Iris, tout est couleur, odeur et ravissement. Quelques statues contemporaines font du parc un véritable musée de plein air : le *Chronos* en acier poli, par Nicolas Schöffer, *Stabile* de Calder, la *Grande Femme* par Alberto Giacometti, la *Ligne-volume* en acier par Agam... Une immense aire de jeux occupe les enfants des heures entières: toboggans, tour Eiffel en toile d'araignée, tacots, train blanc, minigolf et théâtre.

Bois de Boulogne★★

À l'Ouest de Paris. Au 19e s., Napoléon III et Haussmann ont remplacé les routes rectilignes tracées par Colbert à travers de terrain de chasse royal par des allées sinueuses, creusé des mares et des lacs, installé l'hippodrome de Longchamp avec kiosques, chalets, restaurants et parcs d'attraction. Aujourd'hui, lacs, cascades, étangs, jardins, pelouses, sous-bois... le bois de Boulogne, à l'Ouest de Paris, fait le plaisir des cavaliers, des cyclistes et des piétons.

Les lacs★ – Le lac Inférieur est le plus vaste et le mieux aménagé. Avec le lac Supérieur, ce sont deux lieux de détente que l'on parcourt volontiers en barque.

Jardin d'acclimatation – *Juin-sept. : 10h-19h ; oct.-mai : 10h-18h.2,30€. ☎ 01 40 67 90 82.*

C'est le royaume des enfants. Bateaux de la rivière enchantée, zoo, auto-piste, guignol, théâtre, miroirs déformants, musée en Herbe et Explor@drome font le bonheur de tous.

Parc de Bagatelle★★ – *Mars-sept. : 8h30-18h30 (20h selon la période); oct.-fév. : 9h-16h30 (18h selon la période).1,50€. ☎ 01 40 71 75 60.*

Le château fut construit en soixante-quatre jours suite à un pari entre le comte d'Artois et sa belle-sœur, Marie-Antoinettte, en 1775. Dans le même temps, Blakie trace un jardin de style anglais. C'est un paradis d'odeurs, de couleurs, d'allées serpentines, avec au centre un belvédère qui offre une jolie vue sur le parc et les tours de la Défense. **Roseraie**, parterres de plantes bulbeuses, jardin des iris, nymphéas, etc.

Basilique Saint-Denis★★★

11 km au Nord de Paris. Saint Denis, évangélisateur et premier évêque de Lutèce, après avoir été décapité à Montmartre, se met en marche, portant entre ses mains sa tête tranchée. Il tombe dans la campagne et est enterré par une pieuse femme. Une abbaye s'édifie sur la tombe de celui que le peuple appelle «Monsieur (Monseigneur) saint Denis». Telle est la légende. Il existait en fait, à l'emplacement de St-Denis, une cité romaine. C'est dans un champ de cette cité que Denis aurait été enterré en cachette après avoir été martyrisé.

En 475, une première grande église est construite. Dagobert Ier la fait rebâtir en 630 et y installe une communauté bénédictine qui prend en charge le pèlerinage. Cette abbaye sera la plus riche et la plus illustre de France. Vers 750, l'église est reconstruite par Pépin le Bref. Mais l'édifice tel que nous le voyons aujourd'hui est essentiellement l'œuvre de Suger, au 12e s., et de Pierre de Montreuil, au 13e s.

Suger fait élever la façade et les deux premières travées de la nef de 1136 à 1140, le chœur et la crypte de 1140 à 1144; la nef carolingienne, provisoirement conservée, est rhabillée de 1145 à 1147. Au début du 13e s., la tour de gauche reçoit une magnifique flèche de pierre. Puis le chœur est repris; le transept et enfin la nef sont entièrement reconstruits. Saint Louis confie les travaux à Pierre de Montreuil qui les dirige de 1247 jusqu'à sa mort, en 1267.

La disparition de la tour de gauche au 19e s. nuit à l'équilibre de la façade. Au Moyen Âge, l'ensemble était fortifié, d'où la présence de créneaux à la base des tours. À l'intérieur, le vaisseau est d'une élégance remarquable.

Les tombeaux★★★ – *10h-17h15, dim. et j. fériés 12h-17h15 (avr.-sept. : 18h15, dim. 18h15). Visite guidée tlj à 11h15 et 15h. Fermé 1er janv., 1er mai et 25 déc. 5,50€. ☎ 01 48 09 83 54.*

On trouve à St-Denis les sépultures des rois, des reines, des enfants royaux et de quelques grands serviteurs de la Couronne, comme Du Guesclin. L'ensemble constitue un véritable musée de la sculpture funéraire française au Moyen Âge et pendant la Renaissance. Les monuments sont vides depuis la Révolution.

Jusqu'à la Renaissance, la sculpture des tombeaux ne comporte que des gisants. Avec la statue de Philippe III le Hardi, mort en 1285, apparaît un souci de ressemblance dans la représentation. À partir du milieu du 14e s., les grands personnages font exécuter leurs tombeaux de leur vivant. À la Renaissance, les mausolées deviennent importants et d'une décoration somptueuse. Leurs deux étages présentent une pathétique opposition. À l'étage supérieur, le roi et la reine sont figurés en

L'abbé Suger

La grande figure de Suger domine l'histoire de St-Denis. De famille pauvre, il a été «donné» à l'abbaye dès l'âge de 10 ans. Ses dons exceptionnels lui font prendre un grand ascendant sur son condisciple, le fils du roi Louis VI le Gros, qui apprend à connaître le jeune moine, l'appelle à la Cour et le consulte en toutes choses. Élu abbé de St-Denis en 1122, Suger établit lui-même les plans de l'église abbatiale. Ministre de Louis VII, il est régent du royaume pendant que le roi participe à la croisade. Sa sagesse, son souci du bien public sont tels que Louis VII, à son retour, lui donne le nom de «père de la Patrie».

costume d'apparat, agenouillés. À l'étage inférieur, les défunts sont représentés dans la rigidité cadavérique, sans vêtements, avec un réalisme minutieux. Remarquez le double monument de Louis XII et Anne de Bretagne, ainsi que celui de François Ier et Claude de France par Philibert Delorme et Pierre Bontemps.

Musée de l'Air et de l'Espace du Bourget**

13 km au Nord de Paris. On accède au Bourget par l'A 1. ♿ Tlj sf lun. 10h-17h (mai-oct. : fermeture à 18h). 6€ (enf. :4,50€). ☎ 01 49 92 70 62. www.mae.org

«Le Temps des ballons»* – Les débuts de l'aventure qu'est la conquête de l'air sont marqués par l'expérience de Pilâtre de Rozier et d'Arlandes en 1783. Le ballon rendra de grands services, avec son utilisation militaire ou comme moyen de transport pendant la guerre de 1870. Perfectionné, il devient «dirigeable».

Grande Galerie** – Elle est consacrée aux débuts de l'aviation. Les prototypes sont des planeurs. Parmi ces premiers avions, remarquez le *Voisin* de Farman, le *Blériot XI* qui réussit la traversée de la Manche. La Grande Guerre précipite l'évolution de l'aviation. Après la guerre, l'aéronautique continue de se développer; c'est le temps des records: le Potez 53 parcourt 2 000 km à la vitesse moyenne de 322 km/h, le *Breguet XIX* franchit l'Atlantique, en 1927. Puis ce sont les avions à réaction, l'apparition des sports aériens, la conquête de l'espace (reproduction de la capsule *Spoutnik*, maquette géante d'*Ariane V*).

Le Concorde est de sortie, au Musée de l'Air et de l'Espace.

Musée de l'Air et de l'Espace du Bourget

Château de Rueil-Malmaison**

15 km à l'Ouest de Paris par la N 13. Avr.-sept. : tlj sf mar. (dernière entrée 3/4h av. fermeture) 10h-12h30, 13h30-17h45, w.-end 10h-18h (mai-juil. : tlj sf mar. 10h-17h45, w.-end et j. fériés 10h-18h); oct.-mars: tlj sf mar. 10h-12h30, 13h30-17h15, w.-end 10h-17h45. 4,42€ (enf. : gratuit), gratuit 1er dim. du mois. ☎ 01 41 29 05 55.

Ce fut le château préféré de Bonaparte pendant la durée du Consulat. Construit vers 1622, il comportait le corps central et deux ailes en retour (ajoutées à la fin du 18e s.) quand il fut acquis par Joséphine en 1799.

La véranda, dessinée par Percier et Fontaine, a la forme d'une tente militaire. Les différents salons sont meublés de pièces magnifiques provenant de Malmaison, St-Cloud, les Tuileries; ils sont liés au souvenir de Joséphine et de l'Empereur.

Dans le **parc**, réduit à 6 ha, on remarque le cèdre de Marengo planté à la suite de cette victoire (14 juin 1800), plusieurs essences rares ainsi que la roseraie. À l'extrémité d'une allée de tilleuls centenaires s'élève le pavillon de travail d'été que Napoléon utilisait concurremment avec la bibliothèque.

Saint-Germain-en-Laye**

24 km à l'Ouest de Paris, par la N 13. Au 12e s., Louis VI le Gros, voulant utiliser la forte position du coteau de St-Germain, construit un château fort à l'emplacement du château actuel. Saint Louis y ajoute, en 1230, une ravissante chapelle. Bientôt, le vieux château fort ne répond plus aux idées que le jeune François Ier s'est faites, au contact de l'Italie, sur le confort d'une demeure royale. En 1539, il fait démolir, à l'exception du donjon de Charles V et de la chapelle de Saint Louis, tout ce qui s'élève au-dessus du soubassement féodal et confie la reconstruction à Pierre Chambiges. Napoléon III le fait restaurer, et en 1867, l'empereur inaugure le musée des Antiquités nationales de la France qu'il y a fait installer.

Musée des Antiquités nationales** – *♿ Tlj sf mar. 9h-17h15. Fermé 1er janv. et 25 déc. 4€ (enf. : gratuit). ☎ 01 39 10 13 00.*

Ses précieuses collections archéologiques constituent un témoignage passionnant, depuis les premiers signes de la présence de l'homme (au paléolithique) jusqu'à l'aube du Moyen Âge.

Les chefs-d'œuvre de l'art paléolithique surprennent par leurs petites dimensions: **Dame de Brassempouy** (hauteur: 3,6 cm), le plus ancien visage humain connu (repère 20000); le *Bison se léchant* (la Madeleine – repère 16000); le *Bâton de Bruniquel* sculpté d'un cheval sautant (repère 13000); la *Tête de cheval hennissant* du Mas-d'Azil (repère 10000).

La découverte de l'alliage du cuivre et de l'étain donne un premier essor à la métallurgie (âge du bronze). L'or est aussi exploité : une vitrine présente plusieurs objets et parures en or massif ou en feuilles d'or martelé. Les armes sont nombreuses : poignards, haches à tranchant courbe... La grande épée de fer caractérise les sépultures princières du premier âge du fer, où on l'a trouvée accompagnée de fibules, céramiques, mobilier, harnachements de chevaux et même de chars funéraires.

La période de La Tène, qui fait suite, montre l'apport de civilisations étrangères et surtout l'importance croissante des échanges avec le monde méditerranéen. Les tribus gauloises creusent encore des tombes à chars, travaillent l'or, frappent monnaie. Mais la prise d'Alésia (52 avant J.-C.) marque la fin de leur culture propre.

La « Paix romaine » et la tolérance des vainqueurs, l'enracinement profond des dévotions aux dieux indigènes sont illustrés en Gaule par le développement de la sculpture mythologique et funéraire.

Des objets remarquables provenant des différents continents permettent de comparer l'évolution des technologies et des modes de vie de peuples très éloignés dans le temps et l'espace. On remarque les très belles collections de l'Égypte prédynastique, une série de bronzes du Koban et du Talyche arménien (Asie), le char de Mérida (6e s. avant J.-C.), pièce exceptionnelle de l'ensemble ibérique.

Calendrier

La **fête des Loges**, dont l'origine remonte à Saint Louis, a lieu chaque année dans la forêt de St-Germain au lieu-dit les Loges. Cette fête foraine très conviviale dure sept semaines, de fin juin au dimanche qui suit le 15 août. Les nombreuses attractions et baraques attirent environ 3 millions de visiteurs qui peuvent déguster poulets, choucroute, bière...

▶▶ Terrasse★★

Musée départemental du Prieuré★ – *Tlj sf lun. et mar. 10h-17h30, w.-end 10h-18h30. Fermé 1er janv., 1er mai et 25 déc. 3,80€. ☎ 01 39 73 77 87.*

Le musée illustre les origines du groupe nabi, dont Paul Sérusier fut le fondateur (1888), et la passion de ces artistes pour les différentes formes d'expression picturales et décoratives : la peinture mais aussi l'affiche, le vitrail... Les collections du Prieuré témoignent du rayonnement qu'engendra la pensée symboliste et qui toucha l'ensemble des domaines artistiques : littérature, arts décoratifs, sculpture, peinture et musique.

Les artistes de Pont-Aven et du Pouldu sont présents avec Gauguin, Émile Bernard, Filiger, Moret, Slewinsky, Seguin. Le groupe des Nabis est représenté par Sérusier, Ranson, Bonnard, Vuillard, Maurice Denis, Cazalis, Lacombe, Roussel, Vallotton et Verkade. Les collections comprennent également des œuvres de Toulouse-Lautrec, Anquetin, Mondrian, Lalique.

Pau★★

Capitale du Béarn, c'est la ville natale d'Henri IV et la plus élégante des cités de la bordure pyrénéenne. De 1814 à 1914, elle devint une station touristique élégante prisée par une clientèle britannique qui donne une impulsion décisive au sport: steeple-chase, golf, chasse au renard. Aujourd'hui, elle porte son royal passé avec sobriété et raffinement, dont le château est la pierre angulaire.

La situation

78 732 Palois – Cartes Michelin Local 342 I-K 5-6, Regional 525 – Le Guide Vert Aquitaine – Pyrénées-Atlantiques (64). Évitez les alentours du château en voiture en fin de journée, il est impossible de circuler. *Pl. Royale, 64000 Pau, ☎ 05 59 27 27 08, www.ville-pau.fr*

Pour poursuivre la visite, voir aussi: LOURDES, TOULOUSE, BIARRITZ, LE PAYS BASQUE.

se promener

Boulevard des Pyrénées★★

C'est sur l'initiative de Napoléon Ier que la place Royale fut prolongée en terrasse au-dessus de la vallée: le boulevard des Pyrénées était né. Au-delà des coteaux de Gelos et de Jurançon, le **panorama**★★★ s'étend du pic du Midi de Bigorre au pic d'Anie. Le pic du Midi d'Ossau se détache parfaitement. Par temps clair, le spectacle est de grande beauté.

Château★★

De mi-juin à mi-sept.: visite guidée (1h) 9h30-12h15, 13h30-17h45; avr.-oct.: 9h30-11h45, 14h-17h; nov.-mars: 9h30-11h45, 14h-16h15. Fermé 1er janv., 1er mai et 25 déc. 4,50€, gratuit 1er dim. du mois. ☎ 05 59 82 38 19.

Dominant le gave, le château, élevé par Gaston Phœbus au 14e s., a perdu tout caractère militaire malgré son donjon de brique. Marguerite d'Angoulême, sœur de François Ier, et épouse d'Henri d'Albret, roi de Navarre, transforme le château dans le goût de la Renaissance et crée de somptueux jardins.

Les appartements forment une suite de salles richement décorées au 19e s. qui abritent une admirable collection de **tapisseries**★★★, tissées aux Gobelins. La chambre des souverains conserve son curieux lit monumental de style Louis XIII, et l'appartement de l'impératrice Eugénie a été restitué dans son état du Second Empire. Découvrez l'étonnant berceau d'Henri IV: une écaille de tortue des Galapagos, présentée sous un panache blanc et entouré d'un faisceau de lances porte-drapeaux.

B. Kaufmann/MICHELIN

Le château de Gaston Phœbus, adapté au goût de la Renaissance par Marguerite d'Angoulême.

circuits

Partagé entre les hauts sommets, les vertes vallées et les gaves, animé par une faune et une flore exceptionnellement denses, le Béarn est l'une des plus anciennes contrées françaises. Parsemé de vestiges médiévaux, c'est un pays chargé d'histoire, peuplé de bergers. Trois superbes vallées forment l'ossature de la montagne béarnaise. À l'Ouest, pays de pâturages, la vallée de Barétous. Au centre, la vallée d'Aspe, la plus sauvage, suit la route naturelle menant d'Oloron au col du Somport. Enfin, la vallée d'Ossau, dominée par le pic du Midi d'Ossau, découpée par les torrents et les lacs, est réputée pour son marbre d'Arudy et les eaux chaudes de Laruns.

LE GAVE D'ASPE★

88 km. Gagner Oloron-Ste-Marie par la N134. La route de la rive droite du Gave remonte la vallée campagnarde avec ses champs de maïs coupés de rideaux de peupliers. Le pic Mail-Arrouy (alt. 1 251 m) semble fermer le passage au Sud.

L'écomusée Notre-Dame-de-la-Pierre, antenne de l'**écomusée de la vallée d'Aspe**★, retrace l'histoire du pèlerinage à **Sarrance**. Il raconte, à travers un récit dit par le

carnet pratique

Restauration

• À bon compte

La Pimparela – *Plateau d'Ipère - 64490 Osse-en-Aspe - 70 km au SO de Pau par N 134 - ☎ 05 59 34 52 23 - ⊄ - réserv. obligatoire hors sais. - 9,15/22,87€.* Dominant la vallée d'Aspe, c'est une étable de montagne authentique au milieu des pâturages tapissés de pimparelas (pâquerettes). Un régal de produits maison à savourer en terrasse ou dans la salle à manger charmante avec ses bouquets de fleurs et ses boiseries bleues.

• Valeur sûre

Les Pyrénées – *9 pl. Royale - 64000 Pau - ☎ 05 59 27 07 75 - fermé dim. et lun. - 19,82/26,68€.* Au rez-de-chaussée, le bar de style pub anglais et la terrasse ombragée de platanes. En mezzanine, la salle à manger aux tables originalement dressées. Et dans l'assiette, de goûteux produits du terroir arrosés d'un cru régional choisi parmi plus de 150 références.

• Une petite folie !

Au Fin Gourmet – *24 av. G.-Lacoste - 64000 Pau - ☎ 05 59 27 47 71 - fermé vac. de fév., 23 juil. au 5 août, vac. de Toussaint, dim. soir et lun. - 16€ déj. - 31/43€.* En face de la gare et au pied du funiculaire, ce restaurant fait penser à un kiosque à musique avec sa grande salle en verrière. Tomettes au sol et jolies tentures sont de bon ton. Cuisine au goût du jour.

Hébergement

• À bon compte

Hôtel Central – *15 r. L.-Daran - 64000 Pau - ☎ 05 59 27 72 75 - hotelcentralpau@dial-oleane.com - fermé 21 au 29 déc. - 28 ch. : 29,50/54€ - ☕ 5,50€.* Vous serez bien accueilli dans ce petit hôtel modeste en plein centre-ville. Bien insonorisées, les chambres de taille et de confort variés sont simples et très bien tenues. Salon avec billard.

Hôtel Montpensier – *36 r. Montpensier - 64000 Pau - ☎ 05 59 27 42 72 - 32,01/53,36€.* À 500 m du château, cette imposante maison rose est en léger retrait de la rue. Les chambres sont classiques, au décor un peu désuet mais en général assez spacieuses.

• Valeur sûre

Hôtel Au Bon Coin – *Rte des Thermes - 64660 Lurbe-St-Christau - ☎ 05 59 34 40 12 - thierrylassala@wanadoo.fr - fermé dim. soir et lun. du 10 oct. au 30 mars - P - 18 ch. : 45,73/73,18€ - ☕ 7,62€ - restaurant 22,11/50,31€.* Une maison tout en longueur dans les arbres et face à la campagne. Les chambres sont modernes, confortables et ouvrent pour la moitié sur la montagne. Repas dans la salle à manger campagnarde ou en véranda. Jardin avec piscine de l'autre côté de la petite route.

Achats

Au Parapluie des Pyrénées – *1 r. de Laussat - 64000 Pau - ☎ 05 59 27 53 66 - lun.-ven. 8h-12h, 14h-19h, sam. 9h-12h.* Depuis 1890, on fabrique ici les immenses parapluies des Pyrénées qui sont les seuls capables de résister aux pires averses du Sud-Ouest. C'est aujourd'hui une des dernières entreprises du genre en France.

Tissage de Coarraze – *6 av. de la Gare - 64800 Coarraze - 19 km au SE de Pau par D 938 - ☎ 05 59 61 19 98 - mar.-sam. 9h-12h30, 14h-18h30 ; lun. 9h-12h30 - fermé j. fériés.* Le tissu basque est bien connu des maîtresses de maison qui apprécient sa qualité et sa résistance pour leur linge de maison. Tissé en coton et en lin, il est le plus souvent décoré de bandes de couleur, parfois constituées de motifs floraux stylisés.

Cave des Vignerons du Jurançon – *53 av. Henri-IV - 64290 Gan - 5,5 km au SO de Pau par D 134 - ☎ 05 59 21 57 03.* Dégustation de jurançon sec et moeleux. Quelques vieux millésimes.

Henri-Burgué – *Chemin des Bois - 64110 St-Faust - 12 km au SO de Pau par D 2 et D 502 - ☎ 05 59 83 05 91 ou 06 85 20 53 23 - tlj 9h-12h, 14h-19h.* Ce petit producteur réalise du jurançon moelleux et sec dans des fûts de chêne, fermés à l'aide de galets. Pendant l'élevage du vin durant les trois années que dure son vieillissement, il suffit de soulever le galet pour remplir à nouveau le fût.

SARL Féerie Gourmande - Francis Miot – *Rond-point d'Uzos - D 37 - 64110 Uzos - 5 km au S de Pau par D 37 - ☎ 05 59 35 05 56 - www.feerie-gourmande.com - lun.-ven. 10h-12h, 14h-18h, w.-end et j. fériés selon saison.* Champion du monde des maîtres confituriers en 1991 et créateur des « coucougnettes du Vert Galant », Meilleur Bonbon de France 2000, Francis Miot vous ouvre les portes de ses ateliers de fabrication et du musée de la Confiture et de la Confiserie. Démonstrations, dégustations et école du goût pour tous.

Adresses utiles

Parc national des Pyrénées – *59 rte de Pau - 65000 Tarbes - ☎ 05 62 44 36 60 - www.parc-pyrenees.com*

Maisons du Parc – Les maisons du Parc national donnent des informations sur la flore et la faune du parc, les randonnées en montagne et présentent diverses expositions permanentes ou temporaires, ainsi que des films ou documents multimédia.

Vallée d'Aure - *65170 St-Lary-Soulan - ☎ 05 62 39 40 91 ;*

Vallée de Luz-Gavarnie - *65120 Luz-St-Sauveur - ☎ 05 62 92 38 38 ;*

Vallée de Luz-Gavarnie - *65120 Gavarnie - ☎ 05 62 92 49 10 ;*

Vallée de Cauterets - *65110 Cauterets - ☎ 05 62 92 52 56 ;*

Vallée (vallée d'Azun - *65400 Arrens-Marsous - ☎ 05 62 97 43 13 ;*

Vallée d'Ossau - *64440 Laruns - ☎ 05 59 05 41 59 ;*

Vallée d'Aspe - *64880 Etsaut - ☎ 05 59 34 88 30 ou 05 59 34 70 87.*

Le « va-nu-pieds »

Les Béarnais l'appellent *pe descaous*, le « va-nu-pieds ». L'ours brun européen ne subsiste plus en France qu'en très petit nombre, dans la partie Ouest des Pyrénées centrales. Il a élu domicile à 1 500 m d'altitude, sur les versants rocheux et dans les forêts de hêtres et de sapins qui surplombent les vallées d'Aspe et d'Ossau. Ce plantigrade, autrefois carnivore, est devenu omnivore et, selon les saisons, se nourrit de tubercules, de baies, d'insectes, de glands mais aussi de petits mammifères et parfois de brebis (au grand dam des habitants du cru).

L'aménagement du réseau routier, l'exploitation forestière et l'engouement touristique, joints à un cycle de reproduction très lent (la femelle met bas un ourson tous les deux ans) ont entraîné la régression de l'espèce. Pour pallier la menace d'extinction, 7 000 ha ont été interdits à la chasse en automne, lorsque l'ours constitue ses réserves avant l'hibernation. Melba, Ziva et Pyros sont les noms des ours slovènes qui ont été réintroduits dans les Pyrénées en 1996 et 1997. Melba a mis au monde 3 oursons mais a été abattue ; on suppose qu'un de ses oursons vit encore entre l'Espagne et la France. Ziva élève de son côté deux oursons. À l'heure des bilans, on estime la population plantigrade à une dizaine d'individus.

chanteur béarnais Marcel Amont, les rapports entre l'homme, la pierre et l'eau. *Juil.-sept. : 10h-12h, 14h-19h ; le reste de l'année : w.-end, j. fériés et vac. scol. 14h-18h. Fermé 25 déc. et janv. ☎ 05 59 34 55 51.*

En parvenant à **Bedous**, on découvre le bassin médian de la vallée, où se groupent sept villages. À l'arrière-plan se découpent les crêtes d'Arapoup et, à l'extrême droite, les premiers sommets du cirque de Lescun (pic de Burcq).

Faites un arrêt à **Accous** pour visiter la **fromagerie des Fermiers Basco Béarnais**. Cette antenne de l'écomusée de la vallée d'Aspe permet de tout savoir sur les troupeaux, les bergers, la fabrication du fromage... *De déb. juil. à mi-sept. : 9h-13h, 14h-19h ; de mi-sept. à fin juin : tlj sf dim. 9h30-12h, 14h-18h ; vac. scol. : 9h-12h, 14h-18h. Fermé 1er janv., 1er mai et 25 déc. ☎ 05 59 34 76 06.*

Lescun★

Village aimé des montagnards pour son cirque de montagnes calcaires aux sommets acérés, dont les aiguilles d'Ansabère (alt. 2 377 m).

Pour admirer le **panorama★★** *(1/2h à pied AR)*, partir du parking, derrière l'hôtel du pic d'Anie, en suivant un instant le GR 10 que l'on quitte à hauteur de l'église. Au-delà d'un lavoir et d'une croix, le sentier tourne... Retournez-vous.

La **route du Somport★** remonte la vallée presque continuellement étranglée. Les villages, toujours deux par deux, semblent se surveiller l'un l'autre.

Dernière étape pour découvrir l'écomusée de la vallée d'Aspe : à **Borce**, l'écomusée **« Une halte sur le chemin de St-Jacques »**. Muni de votre bourdon, vêtu de votre cape et la coquille autour du cou, entrez dans l'ancien hôpital pour compléter vos connaissances sur le pèlerinage. *Son et lumière en visite libre. 2€ (20mn). Visite guidée sur demande à Mlle Monfort, mairie de Borce. ☎ 05 59 34 88 99 ou 06 81 32 58 32.*

Col du Somport★★

Alt. 1 632 m. Ce col, le seul des Pyrénées centrales accessible en toute saison, est chargé de souvenirs historiques depuis le passage des légions romaines. Les pèlerins de St-Jacques-de-Compostelle l'empruntèrent jusqu'au 12e s.

LE HAUT OSSAU★★

79 km au départ de Pau, que l'on quitte au Sud par la N134. Suivre la D934 jusqu'à Artouste-Fabrèges peu après Gabas.

La région appartient en grande partie au **Parc national des Pyrénées**. Ce parc vise à ranimer l'économie pastorale et les villages, et à protéger la faune et la flore pyrénéennes, tout en prévoyant l'accueil des visiteurs.

Montée en télécabine à la Sagette

Juil.-sept. et w.-end d'oct. : 9h-18h (15mn, ttes les 1/2h) 5,35€ (enf. : 3,80€), possibilité de billet combiné avec le petit train. ☎ 05 59 05 36 99.

De la station supérieure (alt. 1 950 m), la **vue★★**, plongeant sur la vallée glaciaire du gave de Brousset – noyée en partie par la retenue de Fabrèges – ne se détache guère de la silhouette du pic du Midi d'Ossau.

A. Thuillier/MICHELIN

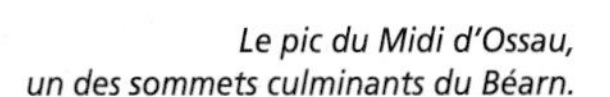

Le pic du Midi d'Ossau, un des sommets culminants du Béarn.

De la Sagette au lac d'Artouste

Le **petit train** serpente à flanc de montagne, sur un parcours de 10 km à 2 000 m d'altitude. Il offre des **vues★** sur la vallée du Soussouéou, 500 m en contrebas. *Juin-sept. : excursion (3h1/2). 16€ télécabine et train AR (4-12 ans : 12€). ☎ 05 59 05 36 99.*

ROUTE DE L'AUBISQUE★★★

107 km au départ d'Eaux-Bonnes qui se trouve à 43 km au Sud de Pau – prévoir une journée.

La station thermale des **Eaux-Bonnes**, au fond de la vallée boisée du Valentin, procure les bienfaits de cures aux affections des voies respiratoires.

Aas

Village typiquement ossalois avec ses rues étroites en pente raide. Quelques-uns de ses habitants pratiquent encore le langage sifflé, qui permettait jadis aux bergers de communiquer entre eux dans la vallée jusqu'à une distance de 2,5 km.

Gourette✲

Important centre de sports d'hiver, Gourette doit son existence au Palois Henri Sallenave qui, dès 1903, y effectua les premières descentes à skis des Pyrénées. Le site lui-même vaut le détour : les immeubles se nichent en pleines Pyrénées calcaires, dans un cirque marqué par les strates du pic du Ger.

Col d'Aubisque★★

Alt. 1 709 m. Du mamelon Sud *(émetteur TV – 1/4h à pied depuis le parking)*, **panorama★★** saisissant sur le cirque de Gourette. C'est dans le cadre grandiose du col d'Aubisque que de nombreux exploits se sont réalisés pendant la Grande Boucle du Tour de France. La route de la corniche est un des passages les plus saisissants du parcours.

PRUDENCE

Le col d'Aubisque est généralement obstrué par la neige de novembre à juin. Croisements difficiles sur la partie de la route en corniche, après le col d'Aubisque *(route très étroite)*. Entre le col et le département des Hautes-Pyrénées, la circulation est alternée toutes les 2h.

Col du Soulor★

Alt. 1 474 m. Au loin, au-delà de la vallée d'Azun, s'élèvent le pic du Midi de Bigorre et le pic de Montaigu. *Tourner à gauche dans la D 126 pour regagner Pau.*

Le Pays basque★★

Adossé à la chaîne des Pyrénées, étendu entre l'Adour et la Bidassoa et bordant le golfe de Gascogne, le Pays basque français offre l'attrait des richesses océanes, des parfums de la montagne et des bois ombreux. C'est aussi une entité forte scellée par la triple consécration de la langue, des traditions et du sang, rehaussée par un art de vivre coloré et pittoresque, de la pelote basque aux maisons à pans de bois.

La situation

Cartes Michelin Local 342 C-F 2-4, Regional 525 – Le Guide Vert Aquitaine – Pyrénées-Atlantiques (64). Le Pays basque français est constitué de trois provinces : le Labourd, qui longe la côte de Biarritz à Hendaye et comprend la montagne de la Rhune, la Soule, qui borde à l'Est le Béarn, et, au milieu, la Basse-Navarre, entre Cambo-les-Bains à l'Ouest, St-Palais à l'Est et St-Jean-Pied-de-Port au Sud.

circuits

LA BASSE-NAVARRE★

St-Jean-Pied-de-Port★

Les maisons de l'ancienne capitale de Basse-Navarre ont les pieds dans la Nive. La citadelle rénovée par Vauban veille sur la ville aux murs rougis par le grès. Somme toute, un endroit bien tranquille blotti dans ses remparts du 15e s. et du 17e s.

112 km. Prendre la D 15 à l'Ouest.

St-Étienne-de-Baïgorry★

Village basque à la fois caractéristique par ses maisons, sa belle place ombragée de platanes, et original par sa disposition en longueur dans la vallée et sa division en deux quartiers autrefois rivaux de part et d'autre du torrent.

Reconstruite au 18e s., l'**église St-Étienne★** est intéressante par ses trois étages de galeries, son chœur surélevé dont les trois autels sont ornés de retables de bois doré, son orgue (contemporain) de style baroque et son arc triomphal peint.

Prendre au Nord la D 948 puis la D 918 à gauche.

Restauration

• À bon compte

Chez Théo – *25 r. de l'Abbé-Onaindia - 64500 St-Jean-de-Luz - ☎ 05 59 26 81 30 - fermé mars, nov., dim. soir en sais.et lun. sf le soir en sais. - 12,04/14,64€.* Une auberge dévolue au Pays basque espagnol : azulejos, affiches de ferias, murs de torchis, mobilier massif en bois, grand choix de tapas et plats plus solides concoctés avec passion et servis dans une ambiance conviviale.

Chez Arbillaga – *8 r. de l'Église - 64220 St-Jean-Pied-de-Port - ☎ 05 59 37 06 44 - fermé 1er au 15 juin, 3 sem. en oct., mar. soir et mer. sf de juil. à sept. - 12,96/25,92€.* Posé contre les remparts, ce restaurant joue le répertoire régional. L'hiver, la garbure, les pibales ou l'agneau de lait à l'ail vert cuit dans la cheminée, au printemps, l'omelette aux mousserons de la St-Georges ou la lamproie à la bordelaise, et toute l'année, d'autres spécialités du terroir.

Venta Burkaitz – *Col des Veaux - 64250 Itxassou - à partir d'Itxassou, dir. Pas de Roland puis Artzmandi - ☎ 05 59 29 82 55 - fermé janv. à mi-mars, le soir et mer. - ⊭ - 13,72/35,06€.* Sur le versant espagnol, venta composée de deux salles : la plus authentique conserve son traditionnel comptoir où l'on peut prendre l'apéritif ou acheter alcools et conserves ; la seconde, en véranda, offre une jolie vue sur la vallée. Copieuse cuisine locale.

• Valeur sûre

Domaine Xixtaberri – *64250 Cambo-les-Bains - 4 km à l'E de Cambo-les-Bains par D 10 - ☎ 05 59 29 22 66 - fermé janv., lun., mar. et le midi - réserv. conseillée - 22€.* La route est escarpée jusqu'à cette maison mais vous serez récompensé par la vue sur les Pyrénées et la Côte basque. Spécialités basquaises à déguster sous la tonnelle ou dans la salle à manger coquette avec toiles de maîtres aux murs. Chambres confortables au décor personnalisé.

Ithurria – *64250 Ainhoa - ☎ 05 59 29 92 11 - fermé 4 nov. au 28 mars - réserv. obligatoire le dim. - 28/43€.* Cette jolie maison basque, face au fronton, date du 17e s. Intérieur feutré avec boiseries, tomettes, cheminée et murs de pierre. Votre repas soigné méritera une bonne sieste au jardin, au bord de la piscine. Les chambres sont assez classiques et confortables.

Hébergement

• À bon compte

Hôtel Chez Tante Ursule – *Quartier Bas-Cambo - 64250 Cambo-les-Bains - 2 km au N de Cambo - ☎ 05 59 29 78 23 - fermé 15 fév. au 15 mars et mar. - P - 17 ch. : 27/46€ - ☕ 5,40€ - restaurant 14/30,50€.* Un petit hôtel discret face au fronton, bien placé pour assister à une partie de pelote basque. Chambres classiques très bien tenues, préférer celles de l'annexe, plus modernes. Restauration traditionnelle dans la salle à manger sous la charpente.

Hôtel Bolivar – *18 r. Sopite - 64500 St-Jean-de-Luz - ☎ 05 59 26 02 00 - fermé oct. à avr. - 16 ch. : 34,30/53,36€ - ☕ 5,34€.* Ceux qui souhaitent profiter des attraits balnéaires de la station opteront pour cet hôtel familial situé à 50 m de la plage. Les chambres, pas très grandes, sont simples et nettes, et leurs salles de bains bien équipées.

• Valeur sûre

Hôtel Euzkadi – *Karrika Neagusia - 64250 Espelette - ☎ 05 59 93 91 88 - fermé 1er nov. au 20 déc., lun. et mar. hors sais. - ⊭ - 32 ch. : 42,69€ - ☕ 5,79€ - restaurant 13,72/25,91€.* On ne peut rater cette petite adresse typiquement basque tant le rouge de sa façade se voit de loin. Vous y dégusterez une cuisine régionale dans un cadre rustique agrémenté de guirlandes de piments d'Espelette. Préférez les chambres sur l'arrière.

Hôtel Central – *Pl. Ch.-de-Gaulle - 64220 St-Jean-Pied-de-Port - ☎ 05 59 37 00 22 - fermé 15 déc. au 1er mars - 14 ch. : 55/77€ - ☕ 8€ - restaurant 17/38€.* Bien situé en centre-ville, comme son nom l'indique, cet hôtel est un peu désuet avec son décor des années 1960. Installez-vous sur la petite terrasse au-dessus de la rivière pour votre déjeuner dehors ou dans la salle à manger rafraîchie.

Achats

Maison Adam – *6 r. de la République - 64500 St-Jean-de-Luz - ☎ 05 59 26 03 54 - mar.-dim. 7h45-12h30, 14h-19h30 ; de mi-juin à fin sept. : tlj - fermé de déb. janv. à mi-fév.* Depuis 1660, la Maison Adam perpétue la fabrication des macarons dont se délectait Louis XIV en personne. En effet, en cette même année 1660, le Roi-Soleil et son épouse Marie-Thérèse d'Autriche logeaient en face de la boutique.

Moulin de Bassilour – *Quartier Bassilour - 64210 Bidart - ☎ 05 59 41 94 49 - tlj sf mar. matin 8h-13h, 14h30-19h - fermé mar. matin de mi-sept. à fin juin.* Dans ce moulin datant de 1741, on fabrique artisanalement des gâteaux basques fourrés à la confiture de cerises noires d'Itxassou ou à la crème, mais également des sablés ou des pains.

B. Kaufmann/MICHELIN

Cambo-les-Bains ⚕

Verte et limpide, cette station thermale a séduit en son temps Edmond Rostand : venu soigner sa pleurésie à l'automne 1900, l'écrivain tombe sous le charme de Cambo et décide d'y rester. Il s'installe dans l'immense **villa Arnaga**★★ de style basco-labourdin, que l'on se doit de visiter. *Avr.-sept. : visite guidée (3/4h) 10h-12h30, 14h30-19h ; de mi-fév. à fin mars : w.-end 14h30-18h ; oct. : 14h30-18h30. 5,50€. ☎ 05 59 29 70 57.*

Au milieu d'un parc planté de palmiers, l'établissement thermal est un petit bijou de style néoclassique (1927) paré de mosaïques Art déco et de ferroneries. Les deux sources thermales sourdent aux abords du parc.

Suivre au Nord-Est les D 10 puis D 22. À St-Esteben, tourner à gauche dans la D 251.

Grottes d'Isturitz et d'Oxocelhaya★★

Juil.-août : visite guidée (3/4h, dép. toutes les 1/2h) 10h-12h, 13h-18h ; juin et sept. : 11h, 12h, 14h-17h ; de mi-mars à mi-nov. : 14h-17h (dim., j. fériés et vac. scol. visite supp. 11h). 5,50€ (enf. : 3€). ☎ 05 59 29 64 72. www.grottes-isturitz.com

Un calme de cathédrale, des voûtes de dentelles, des parois ciselées dans le plus fin des cristaux : l'eau, le calcaire et le temps ont travaillé ces merveilleuses stalactites, stalagmites et autres draperies translucides. Un étonnant voyage au centre de la Terre au cœur de la colline de Gaztelu.

Revenir à la D 22 que l'on prend à gauche.

St-Palais

Dans la Basse-Navarre des collines et des rivières calmes, St-Palais justifie son appartenance au monde basque surtout par ses traditions : galas de pelote, festival de force basque... Les ponts, gués, chapelles, tronçons d'antiques chemins pavés rencontrés aux environs évoquent le passage des pèlerins de Compostelle.

Rejoindre St-Jean-Pied-de-Port par la D933 .

LE LABOURD★

116 km. Si la Rhune n'atteint pas des sommets (900 m), c'est pourtant le plus haut de cette région du Labourd, tout en coteaux et en landes. Ce circuit traverse des villages traditionnels et des paysages vallonnés, domaine des pottoks et des brebis manech.

Saint-Jean-de-Luz★★

Après avoir fait fortune sur les mers, la ville maria le Roi-Soleil, puis fut happée par le tourbillon mondain né à Biarritz dans les années 1850. Les villas balnéaires poussèrent aux côtés des maisons basques aux bois peints et des palais du 17e s. Il se dégage de cet heureux mariage de styles une exquise douceur de vivre que l'on savoure sur la grande plage, en balade, ou bien en s'attablant devant des piquillos farcis à la morue.

L'**église St-Jean-Baptiste**★★ est la plus célèbre des églises basques. Elle est d'une architecture très sobre, avec ses hautes murailles percées de maigres ouvertures, sa tour massive sous laquelle se glisse un passage voûté.

L'intérieur, somptueux, date, pour l'essentiel, du 17e s. Trois étages de galeries de chêne encadrent la nef unique que couvre une remarquable voûte en carène lambrissée. Le chœur très surélevé, clos par une belle grille de fer forgé, porte un **retable**★ resplendissant d'or. *8h-12h, 14h-18h30, dim. 8h30-11h45, 15h-19h.*

Quitter St-Jean-de-Luz au Sud-Ouest par la N10 jusqu'à Urrugne. Rejoindre la D4.

Ascain★

Une place de village entourée de maisons labourdines où le bleu, le vert ou le rouge tranchent sur les crépis blancs, un fronton de pelote, un trinquet et une église, au massif clocher-porche et à 3 étages de galeries : voilà Ascain.

La Rhune★★

Du col de St-Ignace, prendre le petit chemin de fer à crémaillère. Retour possible à pied (se munir de bonnes chaussures). Se renseigner au préalable sur la visibilité au sommet (s'il y a des nuages, vous ne verrez rien !). Prendre un vêtement chaud. De mi-mars à mi-nov. : dép. en fonction de la météo et de l'affluence, en général toutes les 1/2h à partir de 9h. 9,95€ AR (enf. : 6,10€ AR). ☎ 05 59 54 20 26 ou 05 59 47 51 16.

R. Kaufmann/MICHELIN

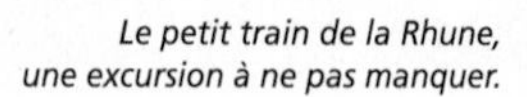

Le petit train de la Rhune, une excursion à ne pas manquer.

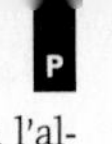

☺ Le petit train de bois qui vous amène au sommet de la Rhune, en 35mn (à l'allure de 8 km/h), a l'air de sortir tout droit d'une collection. Il date de 1924. La Rhune est la montagne-emblème du Pays basque français. Du sommet-frontière (avec son émetteur de télévision) **panorama★★★** splendide sur l'Océan, la forêt des Landes, les Pyrénées basques et, au Sud, la vallée de la Bidassoa.

Sare★

Très joli village que Pierre Loti a décrit dans *Ramuntcho*. Là aussi un bourg tout à fait basque avec son grand fronton, ses rues ombragées, sa belle église à trois étages de galeries et aux riches retables baroques et ses 14 chapelles votives.

Ainhoa★

C'est LE village basque par excellence: maisons rouges et blanches, fronton de pelote qui fait presque corps avec l'église, cimetière hérissé de stèles discoïdales. Ce sont les «croix basques», l'un des symboles solaires devenus l'emblème de la région.

Espelette★

En automne, les façades des maisons de ce joli village se couvrent du rouge foncé des guirlandes de **piments** mises à sécher. Introduit au Pays basque au 17e s., le piment est devenu très vite le condiment favori de ses habitants.

Revenir sur ses pas et prendre la D 918 vers St-Jean-de-Luz.

LA SOULE★

130 km – compter la journée. prendre la D147 au Sud de Mauléon-Licharre.

La haute Soule est séparée du bassin de St-Jean-Pied-de-Port par les massifs d'Iraty et des Arbailles qui forment écran par leur relief difficile et la densité de leur couverture forestière. Un endroit idéal pour les adeptes de randonnées en forêt, de pêche, et en hiver de ski de fond.

SAVOUREUX

Le lait des brebis locales des estives basques et béarnaises (manechs à tête noire ou rousse) donne un fromage longuement affiné: c'est le délicieux ossau-iraty. Excellent: le goûter avec de la confiture de cerises noires d'Itxassou, cerises que l'on retrouve dans le gâteau basque, auquel un musée est consacré à Sare.

Ahusquy

De ce lieu de rassemblement de bergers basques, établi dans un **site★★** panoramique, subsiste une auberge.

Col d'Aphanize

Dans les pacages autour du col évoluent librement les chevaux. Un kilomètre à l'Est du col, la **vue★★** devient immense.

Gorges de Kakouetta★★

Accès par la D113, route de Ste-Engrâce. Traverser l'Uhaïtxa sur une passerelle, escalader l'autre rive et descendre dans les gorges. De mi-mars à mi-nov.: de 8h à la tombée de la nuit. 3,80€. ☎ 05 59 28 73 44 (bar La Cascade) ou ☎ 05 59 28 60 83 (mairie). Prévoyez de bonnes chaussures: le terrain est glissant.

Taillées à pic dans le calcaire, ces gorges sont très belles. Le «Grand Étroit» est un splendide canyon, large de 3 à 10 m. Le torrent mugit dans la fissure riche en végétation. Le sentier aboutit en vue d'une cascade formée par une résurgence. Une grotte ornée de stalactites et de stalagmites géantes marque le terme de ce parcours sportif.

Revenir à Mauléon par les D113, 26 puis 918.

Périgueux★★

Périgueux se dévore comme un bon roman: à chaque coin de rue, une nouvelle page narre les splendeurs passées des deux cités de la vallée fertile qui jadis unirent leur force. Et c'est avec des mots comme «patrimoine», «gastronomie» ou «festivités» que la ville attire de nombreux visiteurs sur les pentes de sa colline, dominée par la silhouette byzantine de sa cathédrale.

La situation

63 539 Périgourdins – Cartes Michelin Local 329 E-H 3-4, Regional 521 – Le Guide Vert Périgord Quercy – Dordogne (24). On a un bon aperçu du vieux Périgueux depuis le pont qui franchit l'Isle dans le prolongement du cours Fénelon qui permet d'atteindre facilement le centre-ville.

26 pl. Francheville, 24070 Périgueux, ☎ 05 53 53 10 63. www.ville-perigueux.fr

Pour poursuivre la visite, voir aussi: ANGOULÊME, LIMOGES, BRIVE-LA-GAILLARDE, SARLAT-LA-CANÉDA, LES EYZIES-DE-TAYAC.

carnet pratique

Restauration

• ***Valeur sûre***

Le 8 – *8 r. Clarté - 24000 Périgueux - ☎ 05 53 35 15 15 - fermé 23 juin au 8 juil., 27 oct. au 4 nov., dim. et lun. - réserv. obligatoire - 25,20/61€.* C'est tout petit et les murs de pierre et la frisette ajoutent à l'intimité de ce restaurant, à deux pas de la cathédrale. Sa renommée locale n'est plus à faire. Cuisine du terroir et authentique pâté de Périgueux servis dans trois petites salles à manger.

Hercule Poireau – *2 r. de la Nation - 24000 Périgueux - ☎ 05 53 08 90 76 - fermé 23 au 26 déc. et 31 déc. au 3 janv. - 26,70/39,50€.* C'est dans une belle cave voûtée du 16e s. que vous dégusterez la savoureuse cuisine d'Hercule Poireau et non à bord de l'Orient-Express ! Les Périgourdins ne s'y trompent pas et fréquentent assidûment la maison. Menu basses calories pour les irréductibles du régime.

L'Imparfait – *8 r. des Fontaines - 24100 Bergerac - 50 km au SO de Périgueux par N 21 - ☎ 05 53 57 47 92 - fermé 4 nov. au 15 mars - 21/35€.* Quel drôle de nom pour ce restaurant en plein cœur de la vieille ville ! Cette bâtisse médiévale a pourtant de quoi vous séduire par sa salle à manger aux poutres et pierres apparentes, sa cuisine du marché et ses grillades dans la cheminée.

Hébergement

• ***À bon compte***

Europ Hôtel – *20 r. du Petit-Sol - 24100 Bergerac - 50 km au SO de Périgueux par N 21 - ☎ 05 53 57 06 54 - P - 22 ch. : 40/43€ - ☕ 5,50€.* Vous vous croirez un peu à la campagne, allongé au bord de la piscine entourée d'arbres. Cet hôtel est excentré, dans le quartier de la gare. Les chambres au décor des années 1970 sont simples, mais bien tenues et à prix doux.

• ***Valeur sûre***

Bristol – *37 r. A.-Gadaud - 24000 Périgueux - ☎ 05 53 08 75 90 - bristol.hotel@wanadoo.fr - P - 29 ch. : 48/64€ - ☕ 6,50€.* Proche du centre-ville, bâtiment abritant des chambres assez spacieuses et plutôt insonorisées. Salle des petits déjeuners vaste et fraîche.

Achats

Spécialités – Trois adresses pour le véritable pâté de Périgueux : Daniel Mazière, charcuterie La Cathédrale, 9 r. des Chaînes ; Serge Mesnard, pâtissier, 58 r. Louis-Blanc ; Françis Delpey, restaurateur Le 8, 8 r. de la Clarté.

se promener

QUARTIER SAINT-FRONT★★

Les façades Renaissance, les cours, les escaliers, les maisons nobles, les échoppes de l'ancien quartier des artisans et des commerçants ont été restaurés. Les rues piétonnes ont retrouvé leur fonction d'artères commerçantes, comme la **rue Limogeanne★** et la **galerie Daumesnil★** ; les places du Coderc et de l'Hôtel-de-Ville s'animent le matin avec le marché aux fruits et aux légumes, tandis que la place de la Clautre sert de cadre aux grands marchés du mercredi et du samedi. En hiver, les prestigieuses ventes de truffes et de foie gras attirent des foules de connaisseurs.

Cathédrale St-Front★★

Achevée vers 1173, la troisième basilique, de type byzantin, rappelle par ses coupoles et son plan en croix grecque, rare en France, St-Marc de Venise et les Sts-Apôtres de Constantinople. L'architecte Paul Abadie (1812-1884) l'a restaurée, et s'est inspiré de la cathédrale St-Front pour dessiner les plans du Sacré-Cœur à Paris. St-Front est l'une des plus vastes cathédrales du Sud-Ouest et l'une des plus originales de France.

Depuis la place de la Clautre, vous avez une vue d'ensemble de la cathédrale.

À l'intérieur, bel exemple d'ébénisterie du 17e s., la **chaire★** est entourée d'Hercule soutenant la cuve auquel font écho les deux atlantes portant l'abat-son. Les cinq lustres de cuivre monumentaux, éclairant chacun une travée de l'édifice, furent dessinés par Abadie. Un **retable★★** en noyer meuble le fond de l'abside. Ce chef-d'œuvre de sculpture baroque magnifie la Dormition et l'Assomption de la Vierge.

QUARTIER DE LA CITÉ

Situé à l'emplacement de l'ancienne Vésone, ce quartier possède encore de nombreux vestiges gallo-romains.

St-Étienne-de-la-Cité★

Tlj sf dim. 8h-19h. Fermé j. fériés.

Construite au 12e s. à l'emplacement du temple antique de Mars, cette église est le premier sanctuaire chrétien de la cité. Après l'occupation de la ville en 1577, les protestants ne laissèrent de l'édifice d'origine que les deux travées orientales.

B. Kaufmann/MICHELIN

La cathédrale St-Front : du pur style périgourdin.

À l'intérieur, la première travée élevée au 11ᵉ s. est trapue, obscure. Les grands arcs jouent le rôle de formerets, et la coupole, la plus vaste du Périgord avec ses 15 m de diamètre, est éclairée par de petites fenêtres. La seconde travée est plus élancée avec sa coupole cursive.

Arènes

Un agréable jardin public occupe aujourd'hui l'espace des arènes. Construit au 1ᵉʳ s., cet amphithéâtre elliptique pouvait contenir jusqu'à 20 000 personnes. D'énormes blocs de maçonnerie font encore apparaître des cages d'escalier, des vomitoires (larges sorties) et des voûtes.

Temple de Vésone

Voir « Visites guidées recommandées ».
La tour de 20 m de haut et de 17 m de diamètre est le seul vestige d'un temple dédié à la déesse tutélaire de Vésone. Élevé au cœur du forum de la cité antique sous le règne d'Antonin le Pieux au 2ᵉ s. après J.-C., ce temple comprenant à l'origine un péristyle était entouré de portiques et encadré par deux basiliques. La tour reste imposante malgré ses mutilations et la brèche qui la déchire.

Domus de Vésone

Voir « Visites guidées recommandées ».
Les vestiges de cette maison furent découverts en 1959 alors que l'on s'apprêtait à construire un immeuble. Les fouilles ont permis de dégager les bases de cette riche demeure gallo-romaine qui ordonnait ses pièces d'habitation et de service autour d'une cour carrée bordée d'un péristyle.
Elle était dotée de tout le confort avec son chauffage par hypocauste (l'air chaud circulait dans des conduits de brique) et ses bains. Une piscine et des baignoires individuelles complétaient cet ensemble, ainsi que des ateliers d'artisans (forgeron, potier).

VISITES GUIDÉES RECOMMANDÉES
Périgueux, qui porte le label **Ville d'art et d'histoire**, propose des visites-découvertes (2h), animées par des guides-conférenciers agréés par le ministère de la Culture et de la Communication.
Elles permettent notamment de découvrir la cité gallo-romaine (avec visite du temple de Vésone, invisible autrement) ou la ville médiévale-Renaissance (avec visite de l'hôtel La Joubertie et de la tour Mataguerre, invisibles autrement).
Juin-sept. : tlj sf dim. à 10h30. 4,60€.
Renseignements à l'Office de tourisme et sur www.vpah.culture.com

alentours

Brantôme**

27 km au Nord de Périgueux par la D 939. également appelée la « Venise du Périgord ». La fraîcheur de la vallée luxuriante de la Dronne en fait l'une des localités les plus agréables du Périgord et invite à prolonger son séjour en de longues promenades, a fortiori durant le Festival de musique baroque, Sinfonia. En outre, c'est une des villes-portes du Parc naturel régional Périgord-Limousin.
Traversez la rivière afin de découvrir les bâtiments de l'abbaye bénédictine. Au pied d'une falaise, ils dominent de leurs façades blanches l'île sur laquelle le bourg s'est installé.

Les deux coupoles de l'**église abbatiale** ont été remplacées au 15e s. par des voûtes angevines, compromis entre la croisée d'ogives et la coupole. Sous le porche, le bénitier, qui repose sur un beau chapiteau roman orné d'entrelacs, est surmonté d'un bas-relief du 13e s. représentant le Massacre des Innocents. Le **clocher**★★ est construit sur un rocher abrupt de 12 m de hauteur sous lequel s'ouvrent des grottes troglodytiques. Édifié au 11e s., il est composé de 4 étages en retrait les uns par rapport aux autres, coiffés d'une pyramide en pierre. *Juil.-août : visite guide (1h) 10h-19h, dim. 14h-19h ; de mi-juin à mi-sept. : tlj sf mar. 10h-12h30, 14h-18h, dim. 14h-18h. 4,60€. ☎ 05 53 05 80 63.*

Château de Hautefort★★

45 km à l'Est de Périgueux par la D5 qui suit l'Auvezère. De mi-juil. à fin août : visite guidée (1h) 9h30-19h ; avr.-sept. : 10h-12h, 14h-18h; oct.-nov. et vac. scol. fév. : 14h-18h. 6,50€, 4€ (parc). ☎ 05 53 50 51 23.

Plusieurs édifices se succèdent au Moyen Âge. La capacité défensive du château, renforcée au 16e s. pendant les guerres de Religion avec l'ajout d'échauguettes et d'un pont-levis, est allégée dès le 17e s. : Hautefort devient une résidence agréable où se mêlent styles Renaissance et classique.

Des allées du **parc** de 40 ha, on atteint les terrasses du château savamment entretenues par une équipe dirigée par un paysagiste décorateur : motifs et arabesques toujours renouvelés, essences communes et précieuses. La pièce maîtresse du château est la magnifique **charpente**★★ de châtaignier, œuvre des compagnons du Tour de France.

▶▶ Bergerac★

Perpignan★★

À la fois proche de la mer et des sommets pyrénéens, Perpignan, c'est encore la France mais c'est aussi la Catalogne. Perpignan a plus d'un atout : l'ombre de ses promenades plantées de platanes, ses cafés où l'on vient boire l'apéritif en dégustant des tapas, son rythme de vie, entre sieste et effervescence nocturne... Ici, l'architecture parle du passé : des comtes de Roussillon et des rois de Majorque, des Catalans et des Aragonais, puis des Français. Ville frontière, ville de partage culturel, elle a su au fil des siècles et des conquêtes construire une identité particulière.

La situation

162 678 Perpignanais – Cartes Michelin Local 344 H-K 6-8, Regional 526 – Le Guide Vert Languedoc Roussillon – Pyrénées-Orientales (66). Perpignan est desservi par l'A 9 et la N 9. Pour entrer le plus directement dans la ville, arriver à l'Ouest par le boulevard Michelet, au Nord par le pont Arago, ou encore au Sud par l'avenue des Baléares. **ℹ** *Palais des Congrès, pl. A.-Lanoux, 66000 Perpignan, ☎ 04 68 66 30 30. www.perpignantourisme.com*

Pour poursuivre la visite, voir aussi : CARCASSONNE, LE CANIGOU, NARBONNE.

se promener

Le Castillet★

L'emblème de Perpignan domine la place de la Victoire de ses deux tours couronnées de créneaux et de mâchicoulis ; remarquez leurs fenêtres à grilles de fer forgé. À l'intérieur se trouve la Casa Pairal, consacrée aux arts et traditions populaires catalans.

Place de la Loge

La place (avec sa *Vénus* de Maillol) et la rue piétonne de la Loge, pavée de marbre rose, constituent le centre d'animation de la ville. L'été, on y danse la **sardane** : cette danse repose sur la *cobla*, orchestre de 11 instruments capables d'exprimer les sentiments les plus doux comme les plus passionnés. Elle déroule ses guirlandes de bras levés et, au final, réunit les participants en rondes concentriques.

Loge de Mer★

Ce bel édifice, construit en 1397, remanié et agrandi au 16e s., était le siège d'un tribunal de commerce maritime. La girouette, en forme de navire, à l'angle du bâtiment, est le symbole de l'activité que déployaient les commerçants du Roussillon.

Hôtel de ville★

Patio : tlj sf w.-end 8h-18h (ven. 17h). Fermé j. fériés.

Les grilles sont du 18e s. Dans la cour à arcades, le bronze de **Maillol** représente *La Méditerranée*. Sur la façade du bâtiment, les bras de bronze, symbolisant les « mains » ou catégories de la population appelées à élire les cinq consuls, seraient, en fait, d'anciennes torchères.

Restauration

• Valeur sûre

Les Trois Sœurs – *2 r. Fontfroide - 66000 Perpignan - ☎ 04 68 51 22 33 - fermé vac. de fév., mar. soir sf été, lun. soir et dim. - 17,99/30,49€.* Quand ces trois sœurs se sont lancées, elles ont choisi un restaurant sur la place de la cathédrale... avec trois salles contiguës. Dans un décor contemporain, une belle arche en « cayrou » (la pierre rouge du pays) sépare le restaurant du bar à tapas. Belle terrasse et cuisine du Sud.

Les Antiquaires – *Pl. Desprès - 66000 Perpignan - ☎ 04 68 34 06 58 - fermé 1er au 23 juil., dim. soir et lun. - 19,82/36,60€.* Petite adresse gourmande de la vieille ville, cette maisonnette de 1925 est tenue par les mêmes propriétaires depuis plus de vingt-cinq ans... Leur cuisine enlevée et généreuse pianote sur des saveurs traditionnelles. Menus alléchants, d'un bon rapport qualité/prix.

La Frégate – *24 quai Camille-Pelletan - 66190 Collioure - 30 km au SE de Perpignan par N 114 - ☎ 04 68 82 06 05 - fermé 13 nov. au 30 mars - 17,53/33,54€.* Ici, c'est à l'intérieur que ça se passe, dans les deux jolies salles aux murs couverts de carreaux de style azulejos, réalisés par des artisans espagnols et portugais. Pas de vue sur mer, certes, mais une jolie terrasse ! Côté cuisine, l'influence reste méditerranéenne. Quelques chambres.

Hébergement

• Valeur sûre

Chambre d'hôte Domaine du Mas Boluix – *Chemin du Pou de les Colobres - 66000 Perpignan - 5 km au S de Perpignan dir. Argelès - ☎ 04 68 08 17 70 - fermé 1er au 20 fév. - ⊭ - 7 ch. : 50,31/56,41€ - repas 19,81€.* Éloigné du trépidant Perpignan, ce mas du 18e s. bien rénové est un lieu paisible perdu au milieu des vignes de Cabestany. Toutes ses très belles chambres aux murs blancs et aux tissus catalans portent le nom d'un artiste du pays.

New Christina – *51 cours Lassus - 66000 Perpignan - ☎ 04 68 35 12 21 - 25 ch. : 59/73€ - ☕ 7,50€ - restaurant 18€.* Proche du centre, ce petit hôtel moderne, avec sa piscine sur le toit, son hammam et son jacuzzi (ces deux derniers sont payants), est une étape pratique qui vous permettra d'allier détente et tourisme ou affaires à Perpignan. Chambres fonctionnelles et claires.

Ambeille – *Rte d'Argelès - 66190 Collioure - ☎ 04 68 82 08 74 - fermé déb. oct. à fin mars - P - 21 ch. : 46/59€ - ☕ 6€.* Construction des années 1970 abritant un hôtel familial tout simple. Les chambres, de bonne ampleur, bénéficient en façade d'une agréable vue sur la mer et les toits du pittoresque village catalan.

J. Malburet/MICHELIN

Le temps d'un verre

Bar des Templiers – *12 quai de l'Amirauté - 66190 Collioure - ☎ 04 68 98 31 10 - tlj 7h30-2h.* L'hôtel des Templiers est l'établissement le plus prestigieux de Collioure : les plus grands artistes (Derain, Picasso, Matisse) y sont descendus. Les nombreuses toiles qui couvrent les murs du bar témoignent de cette époque. Un lieu authentique où habitués et touristes se côtoient.

Achats

Rue commerçantes de Perpignan – Le centre-ville possède un secteur piétonnier où l'on trouve diverses boutiques de vêtements (prendre par la rue Mailly). L'avenue du Gén.-de-Gaulle est bordée par différents commerces, dans un quartier très populaire. La rue de l'Adjudant-Pilote-Paratilla, surnommée ici « rue des Olives », est réputée pour son rôtisseur et ses deux épiceries datant du début du siècle.

Maison Roque – *Rte d'Argelès - 66190 Collioure - 30 km au SE de Perpignan par N 114 - ☎ 04 68 82 04 99 - tlj 8h-19h30.* Depuis sa création en 1923, la Maison Roque prépare ses anchois artisanalement. Ici on est saleur de père en fils. L'accueil est très sympathique et on vous expliquera comment accommoder les petites bêtes.

Cave coopérative des Dominicains – *Pl. Orphila - 66190 Collioure - ☎ 04 68 82 05 63 - tlj 8h-12h, 14h-18h.* Installée dans un ancien couvent de dominicains du 13e s., cette coopérative propose des vins de Banyuls et de Collioure. Accueil sympathique et dégustation.

Cathédrale St-Jean★

L'église, commencée en 1324 par Sanche, 2e roi de Majorque, a été consacrée en 1509. La façade, de galets et de briques, est flanquée d'une tour carrée dotée d'un beau campanile de fer forgé (18e s.). La nef, imposante, repose sur de robustes contreforts intérieurs séparant les chapelles ornées de riches retables (16e-17e s.).

Palais des rois de Majorque★

Juin-sept. : 10h-18h (dernière entrée 3/4h av. fermeture) ; oct.-mai : 9h-17h. Fermé 1er janv., 1er mai, 1er nov. et 25 déc. Juin-sept. : possibilité de visite contée pour enf. (se renseigner). 3€ (enf. : 2€). ☎ 04 68 34 96 26.

À l'avènement des rois de Majorque (1276-1344), Perpignan ne disposait pas de demeure seigneuriale digne de ce nom. On éleva donc un palais sur la colline du Puig del Rey. Par une rampe voûtée, on accède à un agréable jardin méditerranéen. Passant sous la tour de l'Hommage, on débouche sur la cour d'honneur, ajourée de deux étages de galeries.

Les appartements de la reine ont conservé un superbe plafond peint aux couleurs catalanes. Le donjon-chapelle Ste-Croix comprend deux sanctuaires superposés (14e s.), construits par Jacques II de Majorque ; ils affichent un style gothique flamboyant d'influence française. La chapelle basse, au pavement de céramique verte, héberge une belle Vierge à l'Enfant (15e s.). La chapelle haute, plus élancée, s'ouvre par un beau **portail roman**★ aux voussures alternées de marbre bleu et rose.

alentours

Tautavel

28 km au Nord-Ouest de Perpignan par la D 117, puis la D 59 que l'on prend à Cases-de-Pène. Au pied des contreforts des Pyrénées, voilà un petit village des Corbières des plus renommés, puisqu'il a donné son nom à l'« homme de Tautavel », chasseur préhistorique vivant dans la plaine du Roussillon, il y a quelque 450 000 ans.

Centre européen de Préhistoire★★ – ♿ *Juil.-août : 9h-20h ; avr.-sept. : 10h-12h30, 13h30-19h ; oct.-mars : 13h30-17h30 (lun.-dim. seulement en déc.-janv. et vac. scol.). 7€ (enf. : 3,50€). ☎ 04 68 29 07 76.*

À côté des dioramas très réalistes, l'attraction principale est le fac-similé de la caune de l'Arago. Le visiteur voit défiler plusieurs scènes filmées : le retour de la chasse, l'hibernation d'un ours, la transformation de la grotte jusqu'à sa forme actuelle. La reconstitution du squelette de l'homme de Tautavel donne une idée de la stature de l'une des plus anciennes espèces humaines connues à ce jour hors d'Afrique : droite et haute d'environ 1,65 m.

Musée de la Préhistoire européenne - Préhistorama – ♿ *Juil.-août : 11h-21h ; avr.-sept. : 11h-13h30, 14h30-20h ; fév.-mars et oct.-mars : 14h30-18h30. 3,20€ (7-14 ans : 1,60€). ☎ 04 68 29 07 76.*

Dans le Palais des Congrès, cinq « **théâtres virtuels** » présentent en 3D la vie quotidienne des premiers habitants de l'Europe à travers leurs outils, la chasse, l'habitat.

Fort de Salses★★

16 km au Nord de Perpignan par la N 9. Juin-sept. : 9h30-19h ; oct.-mai : 10h-12h15, 14h-17h. Juin-sept. : possibilité de visite contée pour enf. (se renseigner). Fermé 1er janv., 1er mai, 1er et 11 nov., 25 déc. 5,49€ (enf. : gratuit), gratuit 1er dim. du mois (oct.-mai). ☎ 04 68 38 60 13.

Émergeant des vignes, cette forteresse à demi enterrée affiche d'imposantes dimensions. Le grès rose des pierres et le rouge patiné des briques adoucissent aujourd'hui sa rigueur. Le fort, élevé en un temps record au 15e s., reste un spécimen unique en France de l'architecture militaire médiévale espagnole, adaptée par Vauban en 1691 aux exigences de l'artillerie moderne.

circuit

LA CÔTE VERMEILLE★★

108 km. Quittez Perpignan au Sud par la N 114. Attention, les routes, et en particulier celle qui longe la côte, sont très encombrées l'été.

Après les longues plages de sable des côtes languedociennes et roussillonnaises, vous voici au pays des rochers où viennent se briser les vagues, où les ports de pêche et de plaisance se nichent au fond des anses protégées des tempêtes.

Au départ d'**Argelès-sur-Mer**, la N 114 s'élève sur les premiers contreforts des Albères. Elle ne cessera désormais d'en recouper les éperons, à la racine des caps baignés par la Méditerranée. Prendre la D 86, en montée, qui traverse le vignoble de Collioure. Suivre la signalisation « Circuit du vignoble » vers Banyuls. Cette belle route de corniche mène à une table d'orientation.

Vins doux naturels

Ils sont typiquement méditerranéens ! Pour conserver la quantité de sucre voulue dans le vin, on ajoute de l'alcool dans le moût (jus du raisin) en cours de fermentation. Il existe toute une gamme de muscats : qu'ils soient de Rivesaltes, de Frontignan, de Lunel, de Mireval ou de St-Jean-de-Minervois, ils portent une belle robe dorée, en harmonie avec leurs arômes d'agrumes et de miel : vous les boirez jeunes et frais.

Ambre ou grenat, les autres vins sont plus foncés en raison de l'oxydation à laquelle ils sont soumis durant leur élevage en fûts de chêne ou en bonbonnes de verre exposées au soleil. Banyuls, rivesaltes et maury se boivent à l'apéritif ; ils accompagnent à merveille les desserts au chocolat et les fromages à pâte persillée.

Tour Madeloc

1/4h à pied AR. Alt. 652 m. Elle faisait partie d'un réseau de guet au temps de la souveraineté aragonaise et majorquine : la tour de la Massane surveillait la plaine du Roussillon tandis que la tour Madeloc observait la mer. **Panorama**★★ sur les Albères, la Côte Vermeille et le Roussillon.

Banyuls

Charmante station balnéaire, Banyuls s'allonge au bord d'une jolie baie, à l'abri de la tramontane, surplombée par un inoubliable paysage de vignobles en terrasses. C'est la patrie du sculpteur Maillol (1861-1944) qui a laissé dans la région de nombreux monuments aux morts : Banyuls, Céret, Elne, Port-Vendres...

Cap Réderis★★

Au point culminant de la route, faire quelques pas en direction du cap pour avoir une vue mieux dégagée. Magnifique panorama s'étendant sur les côtes du Languedoc et de Catalogne, jusqu'au cap de Creus.

Cerbère

Petite station balnéaire bien abritée au fond de son anse, avec plage de galets en schiste feuilleté. Maisons blanches, terrasses de cafés et allées piétonnières ajoutent une note très espagnole.

Revenir sur ses pas jusqu'à Banyuls pour prendre la route côtière.

Port-Vendres

Port-Vendres (*Portus Veneris*, « port de Vénus »), né autour d'une anse où les galères antiques trouvaient abri, s'est développé sous l'impulsion de Vauban à partir de 1679, comme port militaire et place fortifiée. C'est aujourd'hui le port de pêche le plus actif de la côte roussillonnaise. N'hésitez pas à aller assister au débarquement des poissons.

Collioure★★

De nombreux peintres séduits par les couleurs de Collioure l'ont choisi pour l'immortaliser sur leurs toiles. Dès 1910, les premiers « Fauves » s'y réunissent : Derain, Braque, Othon Friesz, Matisse. Plus tard, Picasso et Foujita y séjournent.

L'église fortifiée avance si près de la côte qu'on la croirait dans la Méditerranée. Les deux petits ports sont séparés par le vieux château royal : les filets étendus et les barques catalanes aux couleurs vives attendent les pêcheurs d'anchois. Collioure, avec ses vieilles rues aux balcons fleuris, est un véritable tableau, où la rencontre du soleil avec le bleu du ciel et de la mer fait rêver...

A. Thuillier/MICHELIN

Le port de Collioure.

La route quitte les contreforts des Albères avant d'arriver à Argelès.

▶▶ Elne★ ; Céret★ (musée d'Art moderne★★)

Poitiers★★

La ville séduit par sa jeunesse et par son dynamisme culturel. En effet, Poitiers réunit tous les avantages d'une grande ville tout en gardant des dimensions humaines. Des chemins pentus vous entraînent à la découverte d'une floraison d'églises romanes, extraordinaire patrimoine architectural. Dans les quartiers médiévaux du centre, il est bon de flâner dans les rues piétonnes et de se mettre à vivre au rythme des étudiants sur des places animées de terrasses de cafés.

La situation

83 448 Poitevins - Cartes Michelin Local 332 H-L 4-5, Regional 521 - Le Guide Vert Poitou Vendée Charentes - Vienne (86). La ville est perchée sur un promontoire isolé par le Clain et la Boivre. Pour entrer ou sortir de Poitiers, empruntez la rocade qui enserre le plateau et qui est reliée aux principaux axes de communication. Trois grands parkings sont indiqués dans le centre.

45 pl. Charles-de-Gaulle, 86009 Poitiers, ☎ 05 49 41 21 24.

Pour poursuivre la visite, voir aussi : TOURS, LE PUY-DU-FOU, ANGOULÊME.

carnet pratique

Restauration

• *À bon compte*

St-Fortunat – *4 r. Bangoura-Moridé - 86000 Poitiers - 10 km à l'O du Futuroscope par D 62 - ☎ 05 49 54 56 74 - fermé 5 au 27 janv., 19 août au 3 sept., dim. soir, mar. soir et lun. - 15/29€.* Au rez-de-chaussée, vous apprécierez une table soignée à prix sages et, au premier étage, une formule bistrot plus simple : les solides fourchettes n'hésiteront pas à parcourir les 10 km séparant ce restaurant du Futuroscope.

• *Valeur sûre*

Les Bons Enfants – *11 bis r. Cloche-Perse - 86000 Poitiers - ☎ 05 49 41 49 82 - fermé 1er au 15 fév. et lun. - 10,50€ déj. - 18/23€.* Dans le quartier des écoles, ce petit restaurant à la façade verte est décoré d'une grande toile représentant un groupe d'écoliers de la fin du 19e s. On s'y sert les coudes pour déguster, entre autres, ses spécialités poitevines, servies dans une ambiance bon enfant.

Le Clos St-Hilaire – *65 r. T.-Renaudot - 86000 Poitiers - ☎ 05 49 41 15 45 - fermé 1er au 15 janv., 11 au 25 août, lun. midi et dim. - 19,82/22,41€.* Restaurant aménagé dans une salle voûtée du 12e s. Piliers massifs, solides mœllons et décoration médiévale accentuent le pittoresque du lieu qui fut, au Moyen ge, une chantrerie. Plusieurs menus à prix raisonnables.

Hébergement

• *À bon compte*

Hôtel Gibautel – *Rte de Nouaillé - 86000 Poitiers - ☎ 05 49 46 16 16 - hotel.gibautel@wanadoo.fr - P - 36 ch. : 40/50€ - ☕ 5,50€.* Proche d'une clinique, cet hôtel constitue une étape avant tout pratique de la périphérie poitevine. Les chambres sont petites, mais récentes et bien équipées.

• *Valeur sûre*

Chambre d'hôte Château de Vaumoret – *R. du Breuil-Mingot - 86000 Poitiers - 10 km au NE de Poitiers dir. La Roche-Posay par D 3 puis Sèvres-Anxaumont par D 18 - ☎ 05 49 61 32 11 - ⊠ - 3 ch. : 46/68€.* À quelques kilomètres de Poitiers seulement, vous voilà en pleine campagne ! Tranquillité assurée dans le parc de 15 ha qui entoure ce ravissant petit château du 17e s. et repos garanti dans ses chambres claires, joliment meublées à l'ancienne... Parfait pour déstresser.

Europe – *39 r. Carnot - 86000 Poitiers - ☎ 05 49 88 12 00 - P - 88 ch. : 47/75€ - ☕ 6,50€.* Hôtel composé de trois bâtiments répartis autour d'une cour intérieure. Les chambres offrent des styles divers : contemporain, Louis-Philippe, etc. Rues piétonnes et nombreux restaurants sont à proximité de cette adresse centrale.

comprendre

L'aube du christianisme – Aux 3e et 4e s., saint Hilaire, évêque de Poitiers (mort en 368) et docteur de l'Église, fait de la ville le centre du christianisme en Gaule. Il a pour disciple le futur saint Martin. Poitiers compte alors une très importante communauté chrétienne. L'église poitevine va demeurer un centre religieux important grâce notamment à l'arrivée de sainte Radegonde, épouse de Clotaire Ier, qui se réfugie à Poitiers en 559 et y fonde le monastère Ste-Croix.

Charles Martel et les Arabes : 732 – Maîtres de l'Espagne, les Arabes envahissent la Gaule par le Sud. Tenus une première fois en échec par Eudes, duc d'Aquitaine, ils l'écrasent près de Bordeaux et continuent leur avancée vers le centre du pays. Ils attaquent Poitiers et brûlent l'église St-Hilaire. C'est alors que Charles Martel et ses troupes les affrontent victorieusement. L'armée musulmane se repliera petit à petit et quittera l'Aquitaine.

Les comtes du Poitou – Après l'arrivée de Charlemagne, la ville tombe dans le giron des ducs d'Aquitaine. Elle est marquée par la personnalité de Guillaume IX (1071-1126), le premier troubadour. La ville se couvre d'églises romanes.

La cour de Jean de Berry – Passée sous la domination anglaise par deux fois, au 12e s., sous Henri Plantagenêt et Aliénor d'Aquitaine, puis au 14e s. après la bataille de Poitiers de 1356, la ville, grâce à Du Guesclin, est rendue à la Couronne, en la personne du frère de Charles V : Jean, duc de Berry et d'Auvergne, comte du Poitou. Le gouvernement de ce dernier (1369-1416) donne à Poitiers un essor rapide.

visiter

Église N.-D.-la-Grande**

L'œil est immédiatement attiré par sa **facade***** qui a récemment fait l'objet d'une restauration (1992-1995). Caractéristique de l'architecture romane poitevine, bien qu'influencée par l'art de Saintonge, elle présente un décor sculpté animé d'une vie intense. Au-dessus des arcs, des bas-reliefs figurent : Adam et Ève ; Nabuchodonosor ; Moïse, Jérémie, Isaïe et Daniel ; l'Annonciation ; l'arbre de Jessé ; à droite, la Visitation, la Nativité, le bain de l'Enfant Jésus et la méditation de saint Joseph. Les

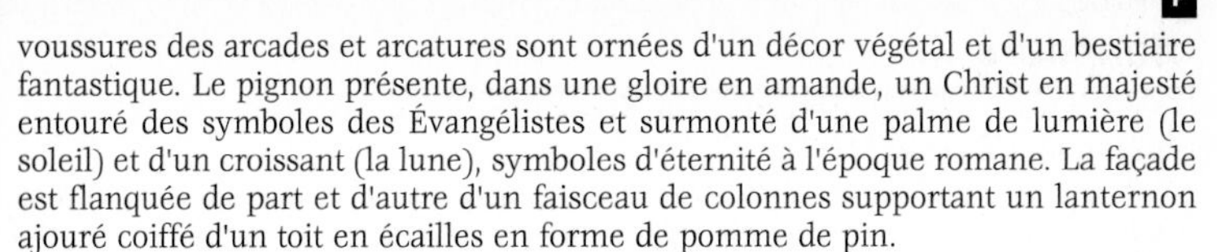

voussures des arcades et arcatures sont ornées d'un décor végétal et d'un bestiaire fantastique. Le pignon présente, dans une gloire en amande, un Christ en majesté entouré des symboles des Évangélistes et surmonté d'une palme de lumière (le soleil) et d'un croissant (la lune), symboles d'éternité à l'époque romane. La façade est flanquée de part et d'autre d'un faisceau de colonnes supportant un lanternon ajouré coiffé d'un toit en écailles en forme de pomme de pin.
L'intérieur, de type poitevin mais dépourvu de transept, fut repeint en 1851 dans un style chargé. Les puissantes colonnes rondes qui forment l'hémicycle du chœur portent la voûte en cul-de-four décorée d'une fresque du 12e s. représentant la Vierge en majesté et le Christ en gloire.

Cathédrale St-Pierre★

Commencée à la fin du 12e s. et presque achevée à la fin du 14e s., date de sa consécration, St-Pierre surprend par l'ampleur de ses dimensions.
Sa large façade, ornée d'une rosace et de trois portails, est flanquée de deux tours dissymétriques. Les sculptures des tympans représentent à gauche la Dormition et le Couronnement de la Vierge ; au centre le Jugement dernier, au-dessus, le Christ en gloire célébré par les anges ; à droite, la vie de saint Thomas, patron des tailleurs de pierre, avec l'édification miraculeuse d'un « palais mystique » pour le roi des Indes.
Dès l'entrée s'impose la puissance architecturale du large vaisseau. Dans le chœur, les **stalles★** du 13e s. passent pour être les plus vieilles de France. Sur leurs dosserets, les écoinçons sculptés évoquent la Vierge et l'Enfant, des anges porteurs de couronnes, l'architecte au travail.

Baptistère St-Jean★

Juil.-août : 10h30-12h30, 15h-18h ; avr.-juin et sept.-oct. : tlj sf mar. 10h30-12h30, 15h-18h ; nov.-mars : tlj sf mar. 14h30-16h30. Fermé 1er janv. et 25 déc. 0,80€. ☎ 05 49 41 21 24.

Édifié au milieu du 4e s., ce baptistère est le plus ancien témoignage de l'architecture chrétienne en France. Il est enterré de 4 m, à la suite de l'enfoncement progressif des sols. Il renferme un important musée lapidaire. La piscine octogonale servait au baptême par immersion : le catéchumène (futur baptisé), dépouillé de ses vêtements, descendait dans la piscine où l'évêque procédait aux onctions rituelles. Au 7e s., on boucha la cuve sur laquelle furent installés des fonts baptismaux pour procéder au baptême par affusion aspersion (eau versée sur la tête). Admirez le décor de colonnes de marbre et de colonnettes soutenant les arcatures, et les chapiteaux sculptés de feuilles, tresses, perles, à la mode antique.
Les **peintures romanes★** figurent l'Ascension, le Christ en majesté, et sur les murs de la salle rectangulaire les apôtres, l'empereur Constantin à cheval, sur le mur de gauche, des paons, symboles d'immortalité et, sur le mur de droite, un combattant et un dragon.

Église St-Hilaire-le-Grand★★

Un peu à l'écart du centre s'élève cette très ancienne église, considérée par les amateurs d'archéologie comme la plus intéressante de Poitiers. Au 11e s., St-Hilaire était déjà une grande église dont les trois nefs, couvertes de plafonds de bois, servaient d'abri aux pèlerins sur le chemin de St-Jacques. Au 12e s., elle fut ravagée par un incendie et, pour la restaurer en la couvrant d'une voûte de pierre, les architectes durent réduire la largeur de ses vaisseaux. Ils partagèrent chaque bas-côté en deux nefs par la construction de piliers centraux.
À l'extérieur, contournez l'église et voyez, au chevet, les chapelles greffées sur le transept et le déambulatoire. Elles sont ornées de colonnes portant des chapiteaux très ouvragés. Leurs corniches sont décorées de modillons sculptés (têtes de chevaux, feuillages, petits monstres).
De même on éleva dans la nef principale une rangée de colonnes qui se raccordent de façon très ingénieuse aux murs d'origine et portent la série des coupoles sur pendentifs. L'avant-chœur est orné au sol d'une belle mosaïque et, aux piliers, de chapiteaux intéressants dont, à gauche, celui de la mise au tombeau de saint Hilaire.

C'est du transept qu'apparaît le mieux l'ampleur de l'église St-Hilaire-le-Grand.

Planète Futuroscope★★★

10 km au Nord de Poitiers. Gare TGV à l'entrée du site. Fév. et mai : 9h-19h (certains j. fériés de mai 22h30) ; mars : 10h-18h, w.-end 10h-20h ; avr. : 9h-22h ; juin : 9h-19h, sam. 9h-23h. 30€ (enf. : 22€), basse sais. 21€ (enf. : 16€). ☎ 05 49 49 30 80.

Prêt à vivre les expériences sensorielles les plus fortes ? Dans un site de 110 ha, on vibre, on rit, on vole, on tombe dans le vide, on rencontre des acteurs qui sortent des écrans, on devient soi-même le héros d'un film, et tout ça en toute sécurité devant un écran géant !

Ce parc européen de l'image à l'architecture futuriste dispose de tout ce qui existe en matière de techniques audiovisuelles, écrans circulaires ou hémisphériques, cinéma dynamique, lunettes à cristaux liquides... pour vous transporter dans la quatrième dimension. Petits et grands peuvent aussi s'amuser avec des jeux de plein air. On peut passer ici deux jours, et ainsi profiter du féerique spectacle nocturne.

Dans un décor futuriste, Planète Futuroscope réussit la performance de réunir à la fois les loisirs, la formation et le travail autour d'un thème commun, la communication.

Abbaye de Saint-Savin★★

40 km à l'Est de Poitiers par la N151. Juil.-août : 9h30-19h ; avr.-sept. : tlj sf dim. et lun. matin 9h30-18h30 ; fév.-mars et oct.-déc. : 14h-17h30. Fermé matins du 8 mai, Ascension et Toussaint, 11 nov., 25 et 31 déc. 5€. ☎ 05 49 84 30 00.

Derrière les portes de l'abbaye de St-Savin se cachent des fresques d'une valeur universelle exceptionnelle. La découverte de ce cycle de peintures bibliques romanes, sauvées de la destruction par l'inspecteur des Monuments historiques Prosper Mérimée, est spectaculaire. L'abbatiale frappe par l'ampleur de ses dimensions : longueur totale 76 m, longueur du transept 31 m, hauteur de la flèche 77 m. À l'intérieur, les peintures accaparent l'attention ; pensez à observer les chapiteaux ornés de feuillages ou parfois d'animaux.

Les **peintures murales★★★** sont vraisemblablement l'œuvre d'un seul atelier qui les aurait réalisées dans un temps très court, entre 1080 et 1110. Contrairement à la plupart des fresques exécutées à partir d'un canevas, les peintures de St-Savin ont été dessinées directement sur le mur, par un procédé intermédiaire entre la fresque et la détrempe. Peu nombreuses, les couleurs employées se réduisent à l'ocre jaune, à l'ocre rouge et au vert, mélangés au noir et au blanc. L'ensemble présente une grande douceur de tons, mais reste très lumineux grâce à des jeux de contrastes.

Une vie intense anime les personnages : les pieds entrecroisés indiquent le mouvement, les vêtements moulent les formes, les mains souvent d'une longueur disproportionnée sont très expressives. On retrouve cette allure dansante dans la sculpture romane. Les visages sont dessinés à grands traits, des taches rouges et blanches soulignant les joues, les narines et le menton.

Mises en valeur par l'admirable pureté de l'architecture, les peintures de la voûte de la nef se déroulent à plus de 16 m de hauteur, sur une superficie de 412 m². Ce qui frappe tout d'abord, c'est la tonalité fondue, beige et rose, des colonnes supportant la voûte. Sur cette dernière se succèdent les scènes inspirées de la Genèse et de l'Exode, placées sur deux registres, de part et d'autre de la ligne du sommet.

Pontarlier

Porte franco-suisse commandée par le célèbre fort de Joux, Pontarlier, jadis célèbre pour sa production d'absinthe, est aujourd'hui un agréable point de départ pour des excursions en été ou pour les sports de glisse en hiver.

La situation

18 360 Pontissaliens – Cartes Michelin Local 321 G-H 4-6, Regional 520 – Le Guide Vert Jura – Doubs (25). Le TGV relie Pontarlier à Paris en 3h. La ville est un point de départ privilégié pour rejoindre le lac St-Point, le fort de Joux ou la station Métabief-Mont d'Or.

14 bis r. de la Gare, 25300 Pontarlier, ☎ 03 81 46 48 33. www.ville-pontarlier.fr

Pour poursuivre la visite, voir aussi: BESANÇON, LONS-LE-SAUNIER, SAINT-CLAUDE.

carnet pratique

Restauration

• *Valeur sûre*

La Gourmandine – *1 av. de l'Armée-de-l'Est - 25300 Pontarlier - ☎ 03 81 46 65 89 - fermé 30 janv. au 6 fév., 1er au 9 mai, 1er au 18 juil., mar. soir et mer. - 19,50/37€.* Sur une grande avenue passante, en face de l'usine Nestlé, cette maison accueillante sert une cuisine traditionnelle de bon aloi. Plusieurs menus dont un pour les enfants.

Auberge Le Tillau – *Le Mont-des-Verrières - 25300 Les Verrières-de-Joux - 12 km à l'E de Pontarlier par N 57 puis D 67bis - ☎ 03 81 69 46 72 - fermé 2 au 10 avr., 12 nov. au 12 déc. - 16/35€.* Faites le plein d'oxygène à 1 200 m d'altitude parmi les pâturages et les sapins. Savourez la cuisine traditionnelle aux produits du terroir dans cette auberge de montagne. Chambres confortables pour une étape ou un séjour de tout repos.

Hébergement

• *À bon compte*

Annexe Beau Site – *25300 Pontarlier - ☎ 03 81 69 70 70 - fermé 15 nov. au 20 déc. sf w.-end - P - 14 ch. : 26/31€ - ☕ 8€.* Cet édifice du début du 19e s. dont l'entrée est rehaussée de colonnes abrite des chambres aménagées dans un esprit fonctionnel. La restauration est assurée à l'hôtel du Lac : cuisine traditionnelle ou spécialités fromagères.

Hôtel du Parc – *1 r. du Moulin-Parnet - 25300 Pontarlier - ☎ 03 81 46 85 92 - fermé 31 déc. au 15 janv. et dim. soir d'oct. à mars - 19 ch. : 37/54€ - ☕ 5,50€.* Cet hôtel non loin du centre-ville vous dépannera si vous passez à Pontarlier car les prix sont très raisonnables. Préférez les chambres rénovées, les autres sont un peu surannées.

Hôtel du Lac – *Grande-Rue - 25160 Malbuisson - 16 km au SE de Pontarlier par D 437 - ☎ 03 81 69 34 80 - fermé 15 nov. au 15 déc. sf w.-end - P - 49 ch. : 37/107€ - ☕ 9€ - restaurant 16/39€.* Après votre promenade sur le lac de St-Point gelé, réchauffez-vous dans cet hôtel à 50 m de là. Chambres un peu anciennes mais bien équipées, plus modernes dans l'annexe, à l'hôtel Beau Site. Salle à manger bourgeoise.

• Achats

Atelier Bernardet – *12 r. Clos-de-Château - 25370 Touillon-et-Louteler - 18 km au S de Pontarlier par N 57 - ☎ 03 81 49 11 50 - vac. scol. : tlj 14H-19H ; reste de l'année : ven.-sam. 14H-19H.* M. et Mme Bernardet vous feront partager leur amour des beaux objets et du travail bien fait en vous faisant visiter leur boutique d'horloges comtoises.

Distillerie Pierre-Guy – *49 r. des Lavaux - 25300 Pontarlier - ☎ 03 81 39 04 70 - www.pontarlier-anis.com - mar.-sam. 9h-11h30, 14h30-17h - fermé 1 sem. mi-oct. et 1 sem. début janv.* C'est l'une des deux dernières distilleries artisanales de Pontarlier. Venez y découvrir le mode de fabrication des apéritifs (à base d'anis ou de gentiane), des liqueurs et des eaux-de-vie en suivant leur trajet, des alambics aux foudres centenaires. À consommer avec modération !

visiter

Espera-Sbarro

Rocade G.-Pompidou, à la sortie de Pontarlier, direction Besançon-Montbéliard (N 57). ♿ Juil.-août: 10h-19h; vac. scol.: 10h-12h, 14h-18h; le reste de l'année: tlj sf mar. 14h-18h. 5€. ☎ 03 81 46 23 67. www.espera-sbarro.com.fr

Cet espace de 4 000 m² accueille les œuvres les plus spectaculaires d'un magicien de l'automobile: Franco Sbarro. Il transforme des voitures de tourisme en bolides, redonne vie à certains modèles légendaires: répliques de la Ford GT 40, de la Mercedes 540 K... Mais son imagination débridée ne trouve sa mesure que dans la conception de prototypes futuristes. Ainsi du «Monster», 4x4 surpuissant qui développe 350 ch et renferme une minimoto de secours! La mécanique n'est pas oubliée: la «Robur» (200 ch), la «Chrono» (500 ch), l'«Isatis» ou l'extravagante «Oxalis» cachent sous leurs robes colorées des motorisations très efficaces.

alentours

Forêt de la Joux★★

35 km à l'Ouest de Pontarlier par la D72 puis la D471 en direction de Champagnole. Tourner à droite dans la D107. C'est l'une des plus belles sapinières de France. Elle est peuplée en majeure partie de résineux, dont certains spécimens atteignent des dimensions exceptionnelles : certains mesurent jusqu'à 45 m de hauteur. Le **sapin Président de la Joux★** est le plus célèbre des arbres du canton des Chérards. Âgé de plus de deux siècles, il a 3,85 m de circonférence à 1,30 m du sol.

Source de la Loue★★★

16 km au Nord de Pontarlier par la N57. Rejoindre Ouhans et gagner la source par la D443 en très forte pente. Laisser la voiture au parc aménagé devant la buvette du « Chalet de la Loue », puis descendre (1/2h à pied AR) le chemin tracé au fond du vallon.
Le site est l'un des plus beaux du Jura. Brusquement, après un tournant, l'hémicycle impressionnant où se produit la résurgence de la Loue apparaît. La source débouche d'une vaste grotte qui s'ouvre au pied d'une falaise haute d'une centaine de mètres. Lorsqu'il pleut, les eaux grossissent rapidement.
Jusqu'à Ornans, la vallée est superbe : en quelque 20 km, la rivière perd 229 m d'altitude.

Saut du Doubs★★★

40 km au Nord-Est de Pontarlier par la D437 jusqu'à Villers-le-Lac. Abandonnant le niveau surélevé du lac, le Doubs regagne son niveau naturel par une chute magnifique. À **Villers-le-Lac**, on peut embarquer sur un bateau qui suit les méandres de la rivière et remonte les gorges. Arrivé au débarcadère, empruntez le chemin *(1/2h AR)* qui conduit aux deux belvédères dominant le Saut du Doubs. Ils offrent une très belle vue sur la chute d'eau de 27 m de hauteur.

CONSEIL
Attention, comme toutes les cascades, le Saut du Doubs a un débit très variable en fonction des saisons. L'excursion est donc beaucoup moins spectaculaire en été mais devient grandiose à l'automne après de fortes pluies.

Lac de Saint-Point★

8 km au Sud-Ouest de Pontarlier, en direction de Malbuisson. Établi dans un « val », ce lac, réputé pour la couleur bleue de ses eaux, long de 6,3 km, large de 800 m, gèle totalement en hiver. Un sentier permet d'en faire le tour (parkings aménagés), et les belles perspectives sont nombreuses. La plus célèbre se trouve au belvédère aménagé près de Chaon avec une vue imprenable sur Port-Titi.

Porto★

Porto est au centre d'une région touristique offrant aux estivants à la fois les plaisirs de la mer et ceux de la montagne. Une tour génoise plantée sur un rocher à l'embouchure de la rivière, un bois d'eucalyptus et, le long du golfe, des curiosités naturelles de toute splendeur font de cette petite station balnéaire un lieu très fréquenté. Au coucher du soleil, les montagnes environnantes se parent de couleurs chaudes, tandis que le soleil s'abaisse à l'horizon.

La situation

Carte Michelin Local 345 A-B 5-6, Le Guide Vert Corse – Corse-du-Sud (2A).
La marine est séparée en deux par la rivière de Porto que l'on franchit à pied par une passerelle. Sur le côté Nord de la ville se concentrent les hôtels et les restaurants.
Pl. de la Marine, 20150 Porto, ☎ 04 95 26 10 55.
Pour poursuivre la visite, voir aussi : CALVI, AJACCIO, CORTE.

L'érosion est à l'origine de la formation de sculptures de granit, les taffoni : la roche se dissout et s'altère par l'eau qui s'infiltre dans le bloc en suivant ses fissures.

carnet pratique

RESTAURATION

• ***À bon compte***

U Caspiu – *Plage de Caspiu - 20150 Porto - ☎ 04 95 27 32 58 - fermé 30 sept. au 1er mai - réserv. le soir - 15/25€.* Dans une petite crique tranquille, face à des eaux turquoise, ce petit restaurant de plage a bien du charme. Vous y dégusterez, en toute simplicité, des poissons du jour, des produits corses mais aussi des salades, arrosés d'un bon vin du terroir. Un vrai bonheur !

• ***Valeur sûre***

Le Maquis – *20150 Porto - ☎ 04 95 26 12 19 - fermé 15 nov. au 15 fév. - 16/29€.* L'atout incontestable de ce restaurant au décor campagnard est sa très agréable terrasse sous les canisses, d'où vous pourrez admirer la montagne, mais aussi apercevoir au loin la tour génoise et le bleu infini de la mer. Cuisine régionale soignée.

HÉBERGEMENT

• ***Valeur sûre***

Stella Marina – *Plage de Bussaglia - 20150 Porto - 6 km au N de Porto par D 81 et D 724 - ☎ 04 95 26 11 18 - fermé nov. au 15 mars - 20 ch. : 51/76€ - ☕ 9€ - restaurant 18,29/38,11€.* Ce sympathique établissement surplombe la route qui mène à la grande plage de galets de Bussaglia. Ses vastes chambres sont toutes équipées d'une loggia grande ouverte sur la mer. Plaisant restaurant en rouge et blanc.

Bella Vista – *À la marine - 20150 Porto - ☎ 04 95 26 11 08 - bellavistacorse@aol.com - ouv. 27 mars au 13 oct., 26 oct. au 3 nov., 26 déc. au 5 janv. et w.-ends en fév. - P - 18 ch. : 72/95€ - ☕ 10€ - restaurant 15/58€.* Oui, c'est la belle vie, sur cette corniche en surplomb de la mer. Les chambres de cet hôtel sont simples mais entièrement rénovées, quelques-unes avec cuisinette pour les plus longs séjours. Salle à manger climatisée et terrasse. Cuisine soignée ancrée dans le terroir.

• ***Une petite folie !***

Hôtel Les Flots Bleus – *À la marine - 20150 Porto - ☎ 04 95 26 11 26 - fermé 10 oct. au 10 avr. - 20 ch. : 84€ - ☕ 7€.* Posez-vous sur le balcon de votre chambre et contemplez le coucher de soleil sur la Méditerranée et la tour génoise, le spectacle est mémorable ! Toutes orientées vers la mer, leur décor vient d'être mis au goût du jour. Petit déjeuner en terrasse.

LOISIRS-DÉTENTE

Nave va – *Hôtel Cyrnée - Marine de Porto - 20150 Porto - ☎ 04 95 26 15 16 - www.naveva.com - tlj 8h30-19h - fermé nov.-mars.* Découvrir le village perché de Bonifacio, traverser les réserves de Scandola et de Girolata ou visiter les îles Sanguinaires sont autant de promenades en mer que vous pourrez accomplir en une journée ou une après-midi à bord de ce sympathique bateau.

circuits

Le golfe doit sa splendeur à son littoral bordé de falaises de granit rouge qui contrastent avec le bleu intense de la mer : au Sud, les Calanche de Piana, au Nord, la presqu'île de Girolata et la réserve naturelle de Scandola. Cet ensemble constitue la fenêtre maritime du Parc naturel régional de la Corse. Les lieux sont donc protégés et abritent une flore et une faune exceptionnelles.

CALANCHE DE PIANA★★★ ET CÔTE SUD DU GOLFE

31 km de Porto au Capo Rosso. De Porto, suivre au Sud la D 81 vers Piana.

La D 81 traverse les Calanche sur 2 km, ménageant d'excellents points de vue sur les amas rocheux et la mer. De la terrasse du chalet des Roches bleues, on aperçoit plusieurs rochers à la silhouette évocatrice : Tortue, Aigle, Évêque, Tête de chien.

Piana★

Ce bourg, très animé en été, domine le golfe, dans un cadre magnifique où se profile dans le lointain le Monte Cinto. Il faut venir ici pour le coucher du soleil. Les eucalyptus aux troncs démesurés témoignent de la douceur du climat. Les maisons blanches, l'église du 18e s. au gracieux campanile forment un ensemble agréable.

Route de Ficajola★★

Cette route étroite et très escarpée descend jusqu'à la marine de Piana nichée dans l'anse de Ficajola. Un sentier permet d'accéder à une crique *(1/2h à pied AR)*.

Capo Rosso★

3h AR. Éviter d'entreprendre le parcours l'après-midi car il n'est pas ombragé. Emporter de l'eau. Le sentier est tracé dans le maquis, puis une voie jalonnée de cairns monte à la tour. Une éminence de porphyre rose porte la tour de Turghio. Celle-ci domine la mer de plus de 300 m ; une vue magnifique s'étend à gauche, sur la côte jusqu'à Cargèse et, à droite, sur le golfe de Girolata.

Plage d'Arone

Une superbe route en corniche offre des **vues★** sur le golfe de Porto et le Capo Rosso. Dans la descente vers la mer, la plage de sable fin apparaît, cernée de rochers roses et de maquis sur un fond montagneux.

▶▶ Cargèse★

SCANDOLA*** ET GOLFE DE GIROLATA**

L'érosion marine et éolienne, et la différence de résistance des roches ont donné naissance à des paysages grandioses : alternances de grottes, de fissures ponctuées de murailles dressées vers le ciel et de pitons acérés où balbuzards pêcheurs (aigles de mer) ont construit leurs aires. Sur les falaises rouges s'accroche une végétation de myrtes, de lentisques, d'euphorbes et de cistes.

La **presqu'île de Scandola** se dresse jusqu'à 560 m d'altitude entre la Punta Rossa au Sud et la Punta Nera au Nord. Elle se visite exclusivement par bateau au départ de Porto, de Calvi, de Propriano ou d'Ajaccio.

Au Nord du golfe de Girolata, le bateau longe les indentations de la côte. Des aiguilles jaillissent vers le ciel, des îlots forment d'énormes blocs, des pointes avancent dans la mer. Le bateau pénètre dans une calanque étroite, puis dans une grotte aux eaux exceptionnellement transparentes avant de virer de bord. Sur le chemin du retour, il dépasse la Punta Scandola et pénètre dans le **golfe de Girolata**.

Dans un **site*** reposant, Girolata, **village*** isolé sur un promontoire dominé par un fortin génois *(chemin privé)*, vit de la pêche à la langouste et du tourisme. Sa magnifique et paisible baie aux eaux translucides abrite quelques maisons de pierre.

Le village n'est accessible, par voie de terre, que par un **chemin muletier*** au départ du col de la Croix au Sud-Est (*environ 1h3/4 aller*).

Porto-Vecchio

Au fond d'un vaste golfe bien abrité, la station balnéaire est la troisième ville de Corse. Sur son littoral se nichent certaines des plus belles plages de l'île. La ville, autrefois fortifiée, domine la mer, à 70 m d'altitude. Son site s'apprécie pleinement de la mer, de la pointe de la Chiappa et du hameau de l'Ospédale.

La situation

10326 Porto-Vecchiais - Carte Michelin Local 345 E 5-9 - Le Guide Vert Corse - Corse-du-Sud (2A). Sur l'axe routier Bastia-Bonifacio, desservi par l'aéroport de Figari. Porto-Vecchio est divisée en deux parties : la ville haute qui abrite le vieux quartier et les fortifications et, en bas, la marine avec son port de plaisance et de commerce.

R. du Député-Camille-Rocca-Serra, 20137 Porto-Vecchio, ☎ 04 95 70 09 58. www.accueil-portovecchio.com

Pour poursuivre la visite, voir aussi : BONIFACIO.

séjourner

La vieille ville est traversée par le cours Napoléon autour duquel se regroupent des ruelles, des passages voûtés et des montées en escaliers. Dans le centre, une place ombragée est animée par les terrasses des cafés.

Des fortifications génoises subsistent encore les bastions et les échauguettes dominant la marine. De la porte génoise, la vue s'étend sur le port, les marais salants et le golfe.

Au Nord comme au Sud du golfe, presqu'îles et petites baies accueillent de somptueuses étendues de sable fin frangées de pinèdes, telle la célèbre plage de Palombaggia.

carnet pratique

RESTAURATION

• Valeur sûre

Le Bistrot – *4 quai Pascal-Paoli, au port de plaisance - 20137 Porto-Vecchio - ☎ 04 95 70 22 96 - fermé fév. à avr. et dim. d'oct. à fin janv. - 15€ déj. - 23/46€.* Posez votre sac sur cette terrasse face au port et contemplez les beaux voiliers. À l'intérieur le décor évoque celui d'un vieux gréement : lambris de bois et lanternes de cuivre. Poissons frais, légumes et aromates du jardin, fromages fermiers et confitures maison combleront vos appétits.

HÉBERGEMENT

• Valeur sûre

Hôtel San Giovanni – *20137 Porto-Vecchio - 3 km au SO de Porto-Vecchio par rte d'Arca D 659 - ☎ 04 95 70 22 25 - info@hotel-san-giovanni.com - fermé nov. à mars - P - 29 ch. : 73/90€ - 8€.* Le patron est un amateur éclairé de jardins : son parc est superbement planté d'essences et de fleurs méditerranéennes de toutes sortes. C'est là le principal atout de cet hôtel qui, par ailleurs, est installé assez sobrement. Belle piscine. Cuisine régionale réservée aux résidents.

alentours

Aiguilles de Bavella★★★

49 km au Nord de Porto-Vecchio. Prendre au Nord-Ouest la D368 qui traverse le massif de l'Ospédale. À Zonza, suivre la D268 vers la droite vers Solenzara.

Les aiguilles de Bavella composent un étonnant et somptueux décor, domaine de prédilection des randonneurs et des alpinistes. Un arrêt au col (altitude : 1 218 m) permet d'admirer ces pics aux formes déchiquetées, la couleur changeante des grandes murailles rocheuses et l'âpreté du paysage. De la **forêt de Bavella★★★**, peuplée de pins maritimes et laricio, de cèdres et de sapins, émergent, à l'Ouest du col, les aiguilles, derrière lesquelles on aperçoit le massif de l'Incudine. À l'Est se profilent la grande paroi de la Calanca Murata et l'arête rouge en dents de scie de la Punta Tafonata di Paliri, avec la mer Tyrrhénienne dans le lointain.

Promenade de la Pianona★ – *Boucle d'1h environ. Balisage orange. Départ du parking du col de Bavella ou de l'auberge de Bavella.* On progresse parmi de majestueux pins. En appuyant sur la droite, on accède à une plate-forme herbeuse, une pianona, piquetée de pins aux formes tourmentées par le vent. De là se découvre une **vue★★** saisissante sur les aiguilles de Bavella et, par temps clair, sur le rivage de la Corse.

Rejoindre la chapelle de la Vierge où l'on retrouve l'itinéraire de l'aller.

Provins★★

De loin, les silhouettes de la tour César et du dôme de l'église St-Quiriace annoncent Provins. Bientôt les magnifiques remparts vous replongent dans l'atmosphère du Moyen Âge. Cette cité est aujourd'hui un agréable lieu de divertissements. Au pied du promontoire, la ville basse, vivante et commerçante, s'étend le long de la Voulzie et du Durteint.

La situation

11 667 Provinois – Cartes Michelin Local 312 I 4, Regional 513 – Le Guide Vert Île-de-France – Seine-et-Marne (77). À 1h de la capitale, en empruntant la N19 ou l'A4, Paris-Metz, sortie 13, ou l'A5, Paris-Troyes, sortie 16.

Chemin de Villecran, 77160 Provins, ☎ 01 64 60 26 26. www.provins.net

Pour poursuivre la visite, voir aussi : DISNEYLAND RESORT PARIS, TROYES, VAUX-LE-VICOMTE, FONTAINEBLEAU.

visiter

Remparts★★

Édifiés aux 12e s. et 13e s., ils constituent un bel exemple d'architecture militaire médiévale. La partie la plus intéressante s'étend entre la porte St-Jean et la porte de Jouy. La muraille, dominant les fossés à sec, est renforcée par des tours arborant des formes diverses : carrées, rectangulaires, semi-cylindriques ou en éperon.

Tour César★★

Avr.-oct. : 10h-18h ; nov.-mars : 14h-17h. Fermé 25 déc. 3,40€. ☎ 01 64 60 26 26.

Ce superbe donjon du 12e s. est flanqué de quatre tourelles. Au 1er étage, la salle des gardes comporte une voûte formée percée d'un orifice par lequel on ravitaillait les soldats occupant l'étage supérieur et on recueillait les informations des guetteurs.

De la galerie qui ceinture le donjon, la **vue★** s'étend sur la cité et la campagne briarde. Par des escaliers très étroits, on atteint l'étage supérieur. Sous la belle charpente du 16e s. sont installées les cloches de St-Quiriace recueillies là depuis que l'église a vu son clocher s'effondrer en 1689.

La tour César était construite à cheval sur les remparts.

carnet pratique

RESTAURATION

• ***Valeur sûre***

Le Petit Écu – *9 pl. du Châtel (ville haute) - 77160 Provins - ☎ 01 64 08 95 00 - 16/20€.* Au cœur du vieux Provins, sur la charmante place du Châtel, jolie maison à colombages proposant une formule originale le week-end, autour d'un buffet d'inspiration médiévale. En semaine, les menus sont plus classiques.

SPECTACLES

Les Aigles des Remparts – ☺ - *77160 Provins - ☎ 01 64 60 26 26 - www.provins.net - de déb. avr. au 1er nov. : tlj - horaires et billetterie à l'Office de tourisme.* C'était l'une des distractions préférées des seigneurs du Moyen Âge que d'assister au spectacle des rapaces en vol libre. Après le spectacle, une visite de la volerie sous la houlette des fauconniers s'impose.

À l'assaut des remparts - Machines de guerre – *77160 Provins - ☎ 01 64 60 26 26 - www.provins.net - ouv. avr.-juin.* Horaires et billetterie à l'Office de tourisme. Près de la porte Saint-Jean et au fond des douves, plongez au cœur d'un spectacle médiéval au réalisme impeccable. Vous découvrirez le fonctionnement des machines de guerre et des armes de combat.

Grange aux dîmes*

Avr.-août : 10h-18h ; sept.-oct. : 14h-18h, w.-end 10h-18h ; nov.-mars : w.-end, j. fériés, vac. scol. zone C 14h-17h. Fermé 25 déc. 3,04€. ☎ 01 64 60 26 26.

Ce bâtiment a appartenu aux chanoines de St-Quiriace, qui la louaient aux marchands lors des très prospères foires. Lorsque l'activité des foires déclina au 14e s., elle servit d'entrepôt aux dîmes prélevées sur les récoltes des paysans. Une exposition évoque Provins au temps des foires de Champagne.

Souterrains à graffitis

Avr.-nov. : visite guidée (3/4h) à 15h et 16h, w.-end et j. fériés 10h30-18h ; déc.-mars : w.-end, j. fériés, vac. scol. zone C à 14h, 15h, 16h. Fermé 25 déc. 3,35€. ☎ 01 64 60 26 26.

Provins possède un réseau de souterrains d'une grande densité. Ceux ouverts à la visite correspondent à une couche de tuf, affleurant à la base de l'éperon qui porte la ville haute. L'accès se fait par une salle basse voûtée d'arêtes de l'ancien hôtel-Dieu. La destination de ces galeries aux parois couvertes de graffitis et ordonnancées de façon géométrique demeure une énigme.

Le Puy du Fou***

Faites un saut dans le temps au Puy du Fou ! La nuit, le château brille sous les feux d'un célèbre « son et lumière ». Le jour, un musée retrace le passé de la Vendée et le « Grand Parc » historique et écologique plonge petits et grands dans un monde merveilleux.

La situation

Cartes Michelin Local 316 K 6, Regional 518 – Le Guide Vert Poitou Vendée Charentes – Vendée (85). À mi-chemin entre Cholet et La Roche-sur-Yon, le parc se trouve à 12 km à l'Est des Herbiers. 60 km au Sud-Est de Nantes. Les trois parkings (grandes capacités) sont gratuits. Les services de cars des villes de Cholet, Les Herbiers et La Roche-sur-Yon permettent de se rendre au Puy du Fou. Se renseigner auprès des offices de tourisme.

Pour poursuivre la visite, voir aussi : POITIERS, SAUMUR, NANTES, LES SABLES-D'OLONNE, LA ROCHELLE.

visiter

La Cinéscénie***

♿ *Juin-juil. : spectacle (1h3/4) ven.-sam. 22h30 (dernière entrée 22h) ; août : ven.-sam. 22h (dernière entrée 21h) ; sept. : 1er sam. 22h. 20€ (enf. : 8€). Réservation obligatoire. ☎ 02 51 64 11 11.*

☺ La terrasse de la façade du château donnant sur une pièce d'eau compose le décor et l'aire scénique (15 ha) de la grandiose Cinéscénie du Puy du Fou. 800 acteurs « puyfolais » et 50 cavaliers font revivre l'histoire de « Jacques Maupillier, paysan vendéen » avec des moyens impressionnants : jets d'eau, effets spéciaux, éclairages et pyrotechnie informatisés, structure sous-marine autotractée, etc.

Le Grand Parc★★

De déb. juin à mi-sept. : 10h-19h ; mai : w.-end et j. fériés 10h-19h. 22€ (enf. : 11€). ☎ 02 51 64 11 11.

Après avoir franchi le pont flottant, vous voici devant les **volières des aigles★★**. Lors du **grand spectacle de fauconnerie★★**, le fauconnier commente cet art et les techniques de chasse, tandis que les dresseurs attirent les oiseaux de proie qui frôlent parfois la tête des spectateurs !

À l'ombre des tours de la **cité médiévale★★★**, artisans, enlumineurs, ménestrels se croisent au hasard des ruelles. Pénétrez dans la chapelle romane pour assister à un adoubement.

Les Vikings sont arrivés en Vendée ! Assistez à leur épopée lors du spectacle de la **légende de St-Philibert★★★**, où effets spéciaux et formidables courses poursuites ne manquent pas.

Au **fort de l'an mil★★**, entouré de palissades, les artisans montrent leur savoir-faire dans leurs maisons au toit de chaume.

Un parc souterrain, le **chemin creux des guerres de Vendée★★**, jalonné de scènes dramatiques, évoque les massacres perpétrés par les « colonnes infernales ».

Clairière aux renards, tanière des loups, pigeons voyageurs, ainsi que le **conservatoire animal★** complètent la visite, où bien d'autres spectacles vous attendent.

RESTAURATION

Restaurant L'Auberge – *Domaine du Puy du Fou - 85590 Les Épesses - ☎ 02 51 57 68 68 - fermé oct. à mai - réserv. obligatoire sur place - 19,82/33,54€.* Au Nord du site, cette auberge propose des repas préparés à partir de bons produits régionaux, dans un cadre chaleureux. Service en costume et un menu alléchant dit des « Gourmets ».

Le Puy-en-Velay★★★

Le site★★★ du Puy-en-Velay, l'un des plus extraordinaires de France, est inoubliable. Vision étrange et splendide que cette ville écartelée entre ses buttes couronnées de statues, le rocher St-Michel, surmonté d'une chapelle romane, le rocher Corneille (ou mont d'Anis), couronné par une Vierge monumentale. Notre-Dame du Puy, non moins étrange, presque orientale, abrite la Vierge noire encore vénérée par de nombreux pèlerins. Cette ville est aussi très vivante. Le samedi, jour de marché, Le Puy offre un spectacle étonnant : la place du Breuil et les vieilles rues des alentours présentent une animation extraordinaire.

La situation

20 490 Ponots – Cartes Michelin Local 331 C-H 2-4, Regional 522 – Le Guide Vert Lyon et la Vallée du Rhône – Haute-Loire (43). La ville est située sur la N 88, qui va de St-Étienne à Mende, en Lozère. Elle se trouve, de toute antiquité, sur les grandes voies de pèlerinage qui mènent à Compostelle, en Espagne, ou au mont Gagliano, en Italie. Des rebords des plateaux qui le délimitent, de belles vues s'offrent sur le bassin du Puy, surtout lorsque les tons dorés de ses vastes chaumes sont mis en valeur par les rayons du soleil couchant.

En été, un petit train touristique fait découvrir les principales curiosités de la ville.

Pl. du Breuil, 43000 Le Puy-en-Velay, ☎ 04 71 09 38 41, www.ot-lepuyenvelay.fr

Pour poursuivre la visite, voir aussi : ST-FLOUR, ST-ÉTIENNE, VALENCE.

J. Damase/MICHELIN

La chapelle romane de St-Michel-d'Aiguilhe et son fin clocher semblent prolonger le rocher.

carnet pratique

RESTAURATION

• *À bon compte*

Le Lion d'Or – *Av. de la Gare - 43160 La Chaise-Dieu - 40 km au N du Puy par N 102 puis D 906 - ☎ 04 71 00 01 58 - 10/15€.* Cette construction auvergnate traditionnelle postée au bout de la rue principale vous réserve une surprise assez originale : à table, les assiettes prennent la forme du plat commandé ! Cuisine généreuse et soignée. Additions sans sel !

• *Valeur sûre*

Lapierre – *6 r. des Capucins - 43000 Le Puy-en-Velay - ☎ 04 71 09 08 44 - fermé juin, 15 déc. au 15 janv., sam., dim. et j. fériés - 20/35€.* Un peu à l'écart du centre-ville, c'est un petit restaurant familial. Deux salles à manger dont l'une dans le style jardin d'hiver. Cuisine traditionnelle à prix raisonnables mais fumeurs s'abstenir.

HÉBERGEMENT

• *À bon compte*

Poste et Champanne – *1 bd du Dr-Devins - 43100 Brioude - 55 km au NO du Puy par N 102 - ☎ 04 71 50 14 62 - fermé 25 janv. au 1er mars, dim. soir sf juil.-août et lun. midi - P - 23 ch. : 26/49€ - ☕ 6€ - restaurant 13/35€.* La maison principale de cet hôtel familial abrite quelques chambres, les plus simples avec douche, et la salle à manger. Deux annexes toutes proches pour des chambres plus récentes et studios avec cuisinette. Cuisine du terroir à prix très raisonnables.

Dyke Hôtel – *37 bd du Mar.-Fayolle - 43000 Le Puy-en-Vealy - ☎ 04 71 09 05 30 - fermé Noël au J. de l'an - 15 ch. : 30,50/43€ - ☕ 5,30€.* Cet hôtel familial en centre-ville peut vous dépanner si vous passez au Puy. Les chambres au décor contemporain sont peu spacieuses mais bien tenues. Prenez votre petit déjeuner dans le bar, en compagnie des habitués ponots.

ACHATS

La Dentelle du Puy – *38-40 r. Raphaël - 43000 Le Puy-en-Velay - ☎ 04 71 02 01 68 - mi-juin à mi-sept. : lun.-ven. 9h-12h, 13h30-17h30, sam. 10h-17h ; de mi-sept. à mi-juin : lun.-ven. 10h-12h, 14h-17h - fermé j. fériés.* Enfin un établissement qui permet de découvrir la dentelle de façon originale ! Écrite comme un conte, une vidéo relate l'implantation de la dentelle du Puy. Et pour celles et ceux qui goûtent moins la théorie que la pratique, un centre d'enseignement permet de s'essayer à la confection au fuseau (cours à l'heure).

Distillerie de la verveine du Velay-Pagès – *ZI de Blavozy - 43700 St-Germain-Laprade - ☎ 04 71 03 04 11 - juil.-août : 10h-12h, 13h30-18h30 ; reste de l'année : mar.-sam. 10h-12h, 13h30-18h30 - fermé j. fériés - 5€ (enf. : 2€).* Les visiteurs sont conviés à la découverte de la fabrication de la célèbre verveine conçue en 1859 par J. Rumillet-Charretier. Pas moins de 32 plantes sont nécessaires à son élaboration. Dégustation et salle d'exposition.

Maison de la lentille verte du Puy – *R. des Tables - 43000 Le Puy-en-Velay - ☎ 04 71 02 60 44 - de juil. à mi-sept. : 10h-12h30, 14h-19h.* La lentille verte du Puy, véritable emblème de la région, fut le premier légume labellisé AOC. Vidéos, brochures informatives et boutique proposant une étonnante gamme de produits réalisés à partir de ces petites graines arrondies.

découvrir

Saint-Michel-d'Aiguilhe★★

Mai-sept. : 9h-18h30 ; avr.et de déb. oct. à mi-nov. : 9h30-12h, 14h-17h30 ; fév.-mars et vac. scol. de Noël : 14h-16h Fermé 1er janv. et 25 déc. 2,50€. ☎ 04 71 09 50 03.

Avant d'entreprendre la découverte de la ville haute et l'ascension du rocher Corneille, pour une bonne compréhension d'ensemble du site, commencez la promenade par la montée à cette ravissante chapelle romane, juchée au sommet d'un dyke basaltique, aiguille de lave qui s'élève d'un jet à 80 m au-dessus du sol.

À pied, la montée de Gouteyron relie le rocher d'Aiguilhe à la Haute-Ville. Vous pouvez aussi parvenir au pied du rocher en voiture et la laisser à proximité.

La construction, de la fin du 11e s., est d'inspiration orientale avec son portail trilobé, son gracieux décor d'arabesques, ses mosaïques de pierres noires, grises, blanches. À l'intérieur, le plan épouse les contours du rocher. La complexité du système de voûtes témoigne de l'art avec lequel les architectes ont su tirer parti du terrain. La voûte de la petite abside est décorée de peintures murales du 10e s.

L'ÎLE AUX TRÉSORS★★★

La cité épiscopale domine la ville haute. Partez de la place des Tables où s'élève la gracieuse fontaine du Choriste (15e s.) et monter vers la cathédrale par la rue des Tables aux escaliers latéraux bordés de demeures anciennes.

Cathédrale Notre-Dame★★★

C'est un merveilleux édifice de style roman qui doit son originalité à l'influence de l'Orient. Un large escalier donne accès à l'étrange façade Ouest de la cathédrale, aux laves polychromes et parements mosaïqués.

L'originalité de l'église réside dans la suite de coupoles qui couvrent la nef. Remarquez la chaire et le beau maître-autel, qui porte la statue en bois remplaçant la première Vierge noire brûlée lors de la Révolution. Dans le bras gauche du transept, les belles fresques romanes figurent les saintes femmes au tombeau et le Martyre de sainte Catherine d'Alexandrie. Un petit escalier, sur la gauche, mène à une tribune où se trouve une **fresque de saint Michel*** (fin 11e s.-début 12e s.), la plus grande peinture connue en France représentant l'Archange.

Cloître**

Juil.-sept : 9h30-18h30 ; avr.-juin : 9h30-12h30, 14h-18h ; oct.-mars : 9h30-12h, 14h-16h30. Fermé 1er janv., 1er mai, 1er et 11 nov., 25 déc. 4€. ☎ 04 71 05 45 52.

Accolé au Nord de la cathédrale, ce beau cloître est composé de galeries d'époques différentes, où l'on détaille nombre de chapiteaux historiés. Une **grille romane*** ferme la galerie Ouest. La polychromie des claveaux, les écoinçons en losanges rouges, ocre, blancs ou noirs formant des mosaïques composent un décor dont on souligne la parenté avec l'art islamique.

Trésor d'art religieux**

Mêmes conditions de visite que le cloître.

Aménagé dans l'ancienne salle des États du Velay, il conserve une chape de soie du 11e s., une châsse en émail champlevé du 13e s., un magnifique manteau brodé de la Vierge noire du 16e s. et un remarquable parchemin du 15e s. Parmi les tableaux se distingue une *Sainte Famille*, attribuée au Maître de Flémalle (fin 15e s.).

Rocher Corneille

Juil.-août : 9h-19h30 ; mai-sept. : 9h-19h ; de mi-mars à fin avr. : 9h-18h ; oct.-nov., de déb. fév. à mi-mars et vac. scol. de Noël : 10h-17h. 3€. ☎ 04 71 04 11 33.

C'est un reste de cône appartenant sans doute au volcan dont le rocher St-Michel représente la cheminée. De la plate-forme, **vue*** sur la ville et le bassin du Puy. Le rocher est surmonté d'une statue de **N.-D.-de-France**, érigée en 1860, par souscription nationale. On peut monter à l'intérieur.

EN PARCOURANT L'ANCIENNE CITÉ*

La vieille ville regroupe ses hautes maisons autour du rocher Corneille. Au pied de la cathédrale, la place des Tables offre un intéressant aperçu de la cité épiscopale.

Rejoindre la place du Plot et emprunter la rue Pannessac. Cette rue est bordée de maisons Renaissance présentant des façades en encorbellement parfois flanquées d'une tour ou échauguette. À droite, les ruelles de traverse : rues Philibert et du Chamarlenc, ont conservé leur caractère médiéval ; au 16, rue du Chamarlenc, la façade de la demeure des Cornards, dont le privilège était de brocarder les bourgeois de la ville, est ornée de deux têtes à cornes, l'une hilare, l'autre tirant la langue, surmontées d'inscriptions facétieuses.

La ville de la dentelle

Au Puy et dans le Velay, la dentelle à la main tenait autrefois une place importante dans l'économie locale. C'est au 17e s., grâce à l'action d'un père jésuite, canonisé sous le nom de saint François Régis, qu'elle prend un essor décisif et qu'une organisation particulière se met en place. Dans les villages, des femmes travaillent à domicile pour le compte de marchands établis dans les villes voisines. Des « leveuses » apportent fils et cartons aux ouvrières, elles servent d'intermédiaires avec les patrons. Ce travail est une nécessité pour la paysannerie pauvre de la région. L'imprégnation religieuse du métier resta longtemps très forte. La transmission du savoir-faire se faisait de mères en filles, mais aussi par des femmes pieuses, qui enseignaient en même temps le catéchisme. Grâce à leurs doigts de fée, les dernières initiées réalisent des dentelles au fuseau, en faisant s'entrecroiser les fils sur un « carreau ». Dans le Velay, une route de la dentelle évoque les us et coutumes de cet ancien métier.

J. Damase/MICHELIN

alentours

Mont Mézenc***

38 km au Sud-Est du Puy-en-Velay, par la D 535, puis la D 631 sur la gauche.

Les Estables* est un village montagnard très prisé en hiver pour ses pistes de ski de fond. Culminant à 1 753 m d'altitude, le **massif volcanique du Mézenc** offre du côté du Velay l'aspect d'un immense plateau dénudé et côté vivarois un paysage des plus tourmentés s'enfonçant brutalement en direction du Rhône. Au flanc des vallées, l'érosion a dégagé d'amples coulées basaltiques, en forme d'orgues prismatiques ; elles ont créé des sites célèbres : cascade du Ray-Pic, chaussée de Thueyts, éperons de Pourcheyrolles, Jaujac, Antraigues. Le Haut-Mézenc possède une flore exceptionnelle : séneçon leucophylle, anémone des Alpes, gentianes, trolles, etc.

Par la Croix des Boutières – 2,5 km au départ des Estables par la D631 à l'Est. Laisser la voiture à la Croix des Boutières. Le rocher qui domine le col offre une belle **vue**★★. Prendre le GR7 *(1h1/4 à pied AR)* qui s'élève, à gauche, vers le sommet d'où l'on a un **panorama**★★★ immense. Si le temps le permet, venez dès l'aube assister au lever du soleil *(prévoir des vêtements chauds)* : le spectacle est inoubliable.

Lavaudieu★★

56 km au Nord-Ouet du Puy-en-Velay par la N102.

Église abbatiale – *De mi-juin à mi-sept. : 10h-12h, 14h-18h30 (dernière entrée 1/2h av. fermeture) ; de mi-avr. à mi-juin et de mi-sept. à fin oct. : tlj sf mar. 10h-12h, 14h-17h30. Fermé 1er janv., 1er nov. et 25 déc. 4€ (billet incluant la Maison des arts et traditions populaires). ☎ 04 71 76 08 90.*

À l'intérieur, la nef est ornée de belles **fresques**★ du 14e s., d'influence italienne ; les scènes sont inspirées du cycle de la Passion du Christ et des malheurs du temps (les méfaits de la peste noire).

Des bâtiments conventuels subsiste un **cloître**★★, aux colonnettes de formes variées dont les chapiteaux sont sculptés de feuillages et d'animaux.

Carrefour du Vitrail★ – ♿ *Juin-sept. : visite guidée (1h1/4, dernière entrée 3/4h av. fermeture) 10h-12h, 13h-18h ; oct.-mai : tlj sf w.-end 10h-12h, 13h-18h. 4,50€. ☎ 04 71 76 46 11.*

Installé dans un élégant corps de ferme, cet espace abrite l'atelier d'un maître verrier. Les salles d'exposition vous feront découvrir les techniques de la fabrication du verre, se référant à mille ans de vitrail à travers des reproductions d'œuvres célèbres et des créations de vitraux contemporains.

La Chaise-Dieu★★

42 km au Nord du Puy-en-Velay par la N102 puis la D906. Taillée dans le granit, l'**église abbatiale St-Robert**★★ produit une impression de grandeur et de sévérité, qui semble refléter la personnalité de son promoteur, le pape Clément VI : il fit reconstruire, de 1344 à 1352, l'église actuelle par l'architecte occitan Hugues Morel.

L'intérieur fait forte impression avec sa vaste nef centrale couverte de voûtes surbaissées et flanquée de collatéraux d'égale hauteur. Un jubé du 15e s. rompt la perspective et semble réduire la nef en hauteur. En face, le superbe **buffet d'orgues**★ est du 17e s. Le **chœur**★★ est entouré de **144 stalles**★★ en chêne, du 15e s., dont les sculptures sont d'une grande diversité. Au-dessus de la clôture sont tendues d'admirables **tapisseries**★★★ en laine, lin et soie, exécutées au début du 16e s. à Arras et Bruxelles.

Dans le bas-côté gauche du chœur se trouve la fameuse peinture murale de la ***Danse macabre***★ longue de 26 m. Les panneaux mettent les grands de ce monde en présence des morts qu'ils deviendront et qui les invitent à danser. Ce thème, souvent représenté au 15e s., n'a été nulle part esquissé avec autant de réalisme et de mouvement. *Juin-sept. : 9h-12h, 14h-19h, dim. 14h-19h ; oct.-mai : 10h-12h, 14h-17h, dim. 14h-17h (déc.-fév. : tlj sf lun.). Fermé pdt le Festival de musique, 1er janv. et 25 déc. 2,80€, 3,70€ (chœur et trésor). ☎ 04 71 00 06 06 ou 04 71 00 01 16.*

> **CALENDRIER**
>
> **Foire aux cèpes** – C'est sur la place devant l'église, à côté de la fontaine du 17e s., qu'un marché de pays propose chaque jeudi matin les produits du terroir. On dit aussi que la grande foire aux champignons secs qui se tient le dernier jeudi d'octobre est la plus importante de France. Avis aux amateurs !

Brioude★★

62 km au Nord-Ouest du Puy-en-Velay par la N102. Avec 74,15 m de longueur, la **basilique St-Julien**★★ se rattache à l'école romane auvergnate par son chevet étagé et ses pierres de plusieurs couleurs, mais en diffère par d'autres points, comme l'agencement des portails, surmontés de voussures lisses, sculptées ou en dents de scie, et l'ornementation bourguignonne du chevet.

L'église, entreprise en 1060, fut achevée en 1180. Sa nef fut surélevée et voûtée en 1259. Faites le tour de la basilique pour admirer le **chevet**★★. Remarquez, sous les toits de lauzes, les modillons sculptés de monstres, personnages, feuillages.

Les **porches latéraux**★, voûtés d'arêtes, présentent un aspect original dû à leur utilisation comme chapelles au 16e s. et à la tribune qui les surmonte.

L'ampleur du vaisseau et sa chaude coloration, due aux grès rouges des murs et des piliers, sont frappantes, ainsi que l'élégant **pavage**★ polychrome de galets, du 16e s. dans l'ensemble de la nef. Des **chapiteaux**★★ à feuilles d'acanthe, historiés ou illustrant des thèmes communs aux églises d'Auvergne, abondent, haut placés sur les colonnes cantonnant chaque pilier.

Quimper★★

Les flèches de la cathédrale Saint-Corentin jaillissent au cœur de Quimper, ancienne capitale de la Cornouaille. Elles protègent d'étroites venelles, bordées de maisons à colombages, et dont les noms évoquent les corporations du Moyen Âge. Il fait bon s'y promener sur les bords de l'Odet, à mi-chemin entre la Bretagne intérieure et la mer.

La situation

68 000 Quimpérois – Cartes Michelin Local 308 F-H, 5-7, Regional 217 – Le Guide Vert Bretagne – Finistère (29). Il est très difficile de trouver une place de stationnement dans le centre-ville. Le mieux est de se garer sur l'un des parkings.

Pl. de la Résistance, 29000 Quimper, ☎ 02 98 53 04 05. www.mairie-quimper.fr

Pour poursuivre la visite, voir aussi : BREST, MORLAIX.

visiter

Cathédrale St-Corentin★★

Juil.-août : possibilité de visite guidée 9h30-18h30. SPREV (Sauvegarde du Patrimoine Religieux en Vie). ☎ 02 98 95 06 19.

L'histoire de ce bel édifice débute au 13e s. avec la construction du chœur. Le transept et la nef sont ajoutés au 15e s. Superbement restaurée, jusqu'à ses orgues et ses vitraux, la cathédrale a retrouvé la luminosité du style gothique flamboyant. Les **vitraux★★**, remarquables de sobriété et de finesse, représentent des chanoines, des seigneurs et des châtelaines de Cornouaille, à genoux, entourés de leurs saints

carnet pratique

RESTAURATION

• À bon compte

Crêperie du Guéodet – *6 r. du Guéodet - 29000 Quimper - ☎ 02 98 95 40 38 - fermé 14 au 29 janv., 7 au 15 oct., lun. sf juil.-août et dim. - 5,79/12,20€.* Minuscule crêperie très fréquentée par les Quimperois qui apprécient ses galettes de farine biologique, son décor égayé de faïences et son atmosphère simple et conviviale. Si c'est complet, faites un tour dans le vieux Quimper avant de retenter votre chance.

À l'Ancre – *22 r. Dumont-d'Urville - 29900 Concarneau - 21 km au SE de Concarneau par D 783 - ☎ 02 98 60 58 68 - fermé lun. et mar. en hiver - 10,67€ déj. - 13,11/27,44€.* À l'écart de l'agitation touristique, voici un restaurant sans prétention comme on aime à en dénicher. La salle à manger où dominent la pierre et le bois affiche de jolis tons printaniers, le service est attentionné et l'assiette ravira les amateurs de viandes et poissons grillés.

HÉBERGEMENT

• À bon compte

Hôtel La Baie des Trépassés – *29770 La Baie-des-Trépassés - 3 km de la pointe du Raz par D 784 - ☎ 02 98 70 61 34 - hoteldelabaie@aol.com - fermé 15 nov. au 8 fév. - P - 27 ch. : 29,58/59,46€ - ☕ 6,86€ - restaurant 17,53/47,26€.* C'est l'emplacement de l'hôtel qui vaut le détour : bâti sur la plage à 3 km de la pointe du Raz, il offre une vue unique sur la baie des Trépassés, la pointe elle-même et, dans son prolongement, l'île de Sein. Chambres fonctionnelles et propres, bar-glacier, restaurant.

Hôtel Coudraie – *Imp. du Stade - 29700 Pluguffan - 7 km de Quimper rte de Pont-l'Abbé et D 40 - ☎ 02 98 94 03 69 - fermé vac. de fév., 23 sept. au 7 oct. et dim. en hiver - P - 11 ch. : 39,64/45,73€ - ☕ 5,34€.* Ce pavillon niché dans un jardin a des airs de maison de famille, entretenus par les propriétaires dont l'accueil est très aimable. Un petit hôtel simple et propre, pratiquant des prix raisonnables qui le mettent à la portée de toutes les bourses.

CALENDRIER

Festival de Cornouaille – Importante manifestation folklorique organisée en juillet, ce festival de musique et de traditions populaires draine plus de 250 000 visiteurs. ☎ 02 98 55 53 33.

Faïencerie H.B. Henriot.

patrons. On remarque une nette évolution entre les vitraux du chœur et ceux de la nef et du transept, respectivement exécutés au début et à la fin du 15e s. À cette époque, dessin et modelé atteignent une grande maîtrise.

Le roi d'Ys

La statue équestre du bon roi Gradlon couronne le portail de la cathédrale. Ce souverain de légende est le père de la belle Dahut, qui mène une vie de débauche et rencontre le diable sous la forme d'un séduisant jeune homme. Comme preuve d'amour, ce dernier lui demande d'ouvrir les portes aux flots. Dahut dérobe la clef pendant le sommeil du roi et bientôt la mer se rue dans la ville d'Ys. Gradlon fuit à cheval, sa fille en croupe. Mais les vagues le poursuivent et vont l'engloutir. À ce moment, une voix céleste lui ordonne, s'il veut être sauvé, de jeter à l'eau le démon qu'il porte derrière lui. Le cœur serré, le roi obéit, et la mer se retire aussitôt. Mais Ys est détruite. Gradlon, qui choisit Quimper comme nouvelle capitale, finit ses jours en odeur de sainteté, guidé par saint Corentin. Quant à Dahut, changée en sirène, elle est devenue Marie-Morgane et entraîne, depuis lors, au fond de la mer les marins que sa beauté attire.

se promener

LE VIEUX QUIMPER*

Ce quartier s'étend face à la cathédrale, entre l'Odet et le Steir. Cet affluent, canalisé et couvert en amont de son confluent, offre une vaste zone piétonne.

Rue du Sallé

C'était, au Moyen Âge, la rue des «lardiers, saucissiers et charcutiers», qui lui ont donné son nom. Au no 10, l'ancienne **demeure des Mahault de Minuellou*** se remarque par la richesse de son décor, avec ses consoles Renaissance.

Rue Kéréon*

Commerçante et animée, elle offre une charmante perspective sur la cathédrale. La maison du no 9, avec ses personnages sculptés, présente un décor polychrome.

visiter

Musée des Beaux-Arts**

♿ Juil.-août: 10h-19h; avr.-oct. : tlj sf mar. 10h-12h, 14h-18h ; nov.-mars: dim. 14h-18h. Fermé 1er janv., 1er mai, 1er et 11 nov., 25 déc. 3,85€. ☎ 02 98 95 45 20.

Installé dans un palais à l'italienne construit en 1867 face à la cathédrale, ce musée est résolument moderne. Un éclairage subtil s'y conjugue avec la lumière naturelle, pour mettre en valeur les peintures du 14e s. à nos jours.

L'école française des 18e et 19e s. est bien représentée avec des œuvres de Boucher, Fragonard, Chassériau, Corot et Eugène Boudin. La trentaine de toiles de l'**école de Pont-Aven** (1886-1984) est l'un des fleurons des collections: Gauguin, Sérusier, Schuffenecker, Maufra, ainsi qu'Émile Bernard, Maurice Denis, Charles Filiger, Henry Moret, Georges Lacombe et Félix Vallotton.Une salle est consacrée à **Max Jacob**, écrivain et peintre (1876-1944) né à Quimper. Sa vie et son œuvre sont évoquées à travers des documents, des souvenirs, des dessins, des gouaches, notamment une série de portraits signés Picasso et Cocteau.

Musée départemental breton*

Juin-sept.: 9h-18h; oct.-mai: tlj sf lun. et j. fériés 9h-12h, 14h-17h, dim. 14h-17h. 3,80€. ☎ 02 98 95 21 60.

Consacré à l'histoire et aux arts et traditions populaires du Finistère, il occupe l'ancien palais épiscopal, qui jouxte la cathédrale. Vous y verrez deux des plus importants **bijoux d'or préhistoriques*** découverts en France: le collier de Tréglonou et la ceinture torsadée d'Irvillac.

Des vêtements traditionnels (19e et 20e s.) sont exposés en parallèle avec des sculptures et des tableaux: on découvre l'influence exercée par ces modes sur les artistes, comme René Quillivic. Enfin, la présentation du mobilier met en valeur les meubles du 17e s. aux années 1930: coffres, armoires de mariage, lit clos...

Musée de la Faïence*

De mi-avr. à mi-oct.: tlj sf dim. 10h-18h. Fermé j. fériés. 4€. ☎ 02 98 90 12 72.

Situé au bord de l'Odet, le musée est installé dans la maison Porquier, construite en 1797. Il retrace, sur trois siècles, l'histoire de la faïence à Quimper. Observez les motifs complexes de Quillivic et de Mathurin Méheut, les lignes épurées de René Beauclair, et les pièces uniques de Giovanni Leonardi.

▶▶ Descente de l'Odet en bateau**

alentours

Concarneau*

33 km au Sud-Est de Quimper par la D 783. Concarneau occupe un site abrité, face à Beg-Meil. Grand port de pêche, Concarneau est le premier de France pour le poisson frais, le thon pêché dans les eaux africaines et dans l'océan Indien. On y vient pour le spectacle de sa vie maritime et ses plages, mais aussi pour sa «ville close».

Les ruelles de la **ville close**★★ occupent un îlot de forme irrégulière, long de 350 m et large de 100 m, relié à la terre par deux petits ponts que sépare un ouvrage fortifié. D'épais remparts, élevés au 14e s., reconstruits au 16e s. et complétés par Vauban au 17e s., en font le tour.
Pour entreprendre le tour des **remparts**, montez les marches à gauche immédiatement après le pont et prenez le chemin de ronde. Audioguidage « À l'assaut des remparts ! ». *De mi-juin à mi-sept. : 10h-21h ; de déb. avr. à mi-nov. : 10h-17h. L'accès aux remparts peut être interdit par suite de conditions météorologiques défavorables et lors de la fête des Filets bleus. 0,80€ (basse sais. : gratuit),* ☎ *02 98 50 56 55.*

circuit

LA CORNOUAILLE★★

Royaume puis duché de Bretagne au Moyen Âge, la Cornouaille s'étendait très loin, au Nord et à l'Ouest de Quimper.
La région que l'on découvre ici est celle du littoral, jusqu'à la pointe du Raz : outre ses nombreux ports, sa côte rocheuse et ses larges baies, elle recèle une campagne aux horizons tranquilles, couverte de hameaux aux maisons blanches.
168 km. Quitter Quimper au Nord-Ouest par la D 39.

Locronan★★

Cadre de plusieurs films historiques *(Tess d'Uberville, Chouans...)*, Locronan a conservé sa belle **place**★★ centrale, ses maisons Renaissance de granit, son vieux puits et sa vaste église. Le pardon de la Montagne de Locronan, l'un des plus beaux et des plus pittoresques de Bretagne *(dernier dim. d'août)*, attire une large foule.
L'**église St-Ronan** et la **chapelle du Pénity**★★ communiquent. L'église (15e s.) frappe par sa voûte en pierre. Le beau **vitrail**★ dans l'abside évoque des scènes de la Passion. La chapelle (16e s.) abrite la dalle funéraire de saint Ronan et une Descente de Croix en pierre polychrome, dont le soubassement est orné de deux beaux **bas-reliefs**★.

Douarnenez★

Au fond de la baie qui a pris son nom, Douarnenez est la « ville aux trois ports ». Le port de plaisance se niche à Tréboul près des plages. Celui de **Rosmeur**★ accueille tous les deux ans une grande fête maritime. Ses maisons aux façades colorées firent le bonheur de peintres comme Renoir ou Boudin.
Le **port-musée**★, avec sa collection de vieux gréements (une centaine de bateaux dans le musée du Bateau, et six à flots, dont trois se visitent), évoque l'habileté des charpentiers de marine. *De mi-juin à mi-sept. : 10h-19h ; de mi-sept. à mi-juin : tlj sf lun. 10h-12h30, 14h-18h. Fermé de déb. nov. à mi-avr. 4,64€.* ☎ *02 98 92 65 20.*

Réserve du Cap Sizun★

Juil.-août : possibilité de visite guidée 10h-18h ; avr.-juin : 10h-12h, 14h-18h. 1,50€, 3,80€ (visite guidée). ☎ *02 98 70 13 53.*
Ce site magnifique et sauvage, qui domine la mer, abrite des milliers d'oiseaux de mer se rassemblant en colonies : guillemots de Troïl, cormorans huppés, goélands argentés, bruns et marins, les plus rares, mouettes tridactyles, pétrels fulmars, grands corbeaux et craves à bec rouge.
Il est conseillé de visiter le site pendant la période de reproduction, au printemps. Les adultes et les jeunes de l'année quittent peu à peu la réserve, jusqu'à la fin du mois d'août.

M. Guillou/MICHELIN

Le vanneau huppé et le goéland argenté nichent en colonies, le long des côtes et des estuaires.

Pointe du Van★★

Suivez la piste mal tracée qui contourne le cap *(1h à pied AR)*.
Belle vue★★ sur la pointe de Castelmeur derrière laquelle se profile la pointe de Brézellec ; en face, le cap de la Chèvre, la pointe de Penhir et les « Tas de Pois », la pointe de St-Mathieu ; au large de la pointe du Raz, l'île de Sein et le phare de la Vieille. Si vous êtes tentés par la descente, soyez prudents.
Le paysage devient plus sévère : murs de pierres sèches, lande rase, aucun arbre n'égaye l'extrémité du cap.

Presque aussi grandiose que la pointe du Raz, la pointe du Van battue par les vents.

Pointe du Raz★★★

Parking obligatoire à 800 m. 4,57€ par voiture. Compter environ 1h AR à pied. Navette gratuite (fonctionnant au gaz naturel) à la disposition des visiteurs. Maison de la pointe du Raz et du cap Sizun- Juil.-août : 9h30-19h30 ; avr.-juin et sept. : 10h30-18h. Promenade guidée « découverte du site » 4€ par personne à partir d'un groupe de 4. Expositions à la maison du site. ☎ 02 98 70 67 18. www.pointeduraz.com

À l'extrémité Ouest de la Cornouaille, la pointe du Raz occupe un site d'exception. Cet éperon rocheux s'enfonce dans le terrible raz de Sein. Près de la statue de N.-D.-des-Naufragés, le **panorama★★** sur le large permet de distinguer l'île de Sein, au-delà de laquelle on aperçoit par temps clair le phare d'Ar Men, et, au Nord-Ouest, le phare de Tévennec. Le sentier suit le bord de gouffres vertigineux *(câble de sécurité)*.

Audierne★

Ce port de pêche et de plaisance est situé sur l'estuaire du Goyen, dans un joli **site★**, au pied d'une colline boisée.

Planète Aquarium★ – *De déb. mai à mi-sept. : 10h-19h ; de mi-sept. à fin avr. : tlj sf ven. et sam. 14h-17h ; vac. scol. : 10h30-17h. Fermé janv. 10,50€ (4-14 ans : 7,50€), 9€ basse sais. (4-14 ans : 6€). ☎ 02 98 70 03 03.*

Le cours du Goyen sert de fil conducteur à la présentation du biotope. Dans les bassins, certains animaux sont de taille impressionnante : congres de 2 m, homards de 6 kg, araignée japonaise de 1,50 m... On peut effleurer les raies. À voir aussi le spectacle en 3D sur le monde des requins et la reconstitution d'une épave du 17e s.

N.-D.-de-Tronoën★★

Juin-sept. : 10h-12h, 14h-18h ; de mi-mars à mai : 14h-18h. ☎ 02 98 82 04 63.

Le **calvaire** et la **chapelle** se dressent en bordure de la baie d'Audierne, dans un paysage sauvage de dunes. Sur le calvaire (1450-1460), l'Enfance et la Passion du Christ se déroulent sur deux frises, à travers cent personnages doués d'une vie intense, et d'une originalité remarquable. Les sujets sont traités en ronde-bosse ou en haut relief, dans un granit grossier de Scaër, assez friable.

Pointe de la Torche

Ce paradis de « la glisse » rassemble les adeptes du surf et du funboard ; l'École de surf de Bretagne y est installée. Attention, les deux plages sont extrêmement dangereuses.

Phare d'Eckmühl★

Visite selon la disponibilité des gardiens. Gratuit. ☎ 02 98 58 61 17.

Construit en 1897 grâce à un don de la fille du maréchal Davout, prince d'Eckmühl, le phare (65 m de haut) se dresse à l'extrémité de la pointe de Penmarch. Il atteint une puissance de 2 millions de candelas et a une portée moyenne de 54 km. Les 307 marches du phare mènent au balcon : **panorama★★** sur la baie d'Audierne, qui se termine par la pointe du Raz et le phare de l'île de Sein, et la côte de Concarneau, de Beg-Meil, l'archipel de Glénan.

Pont-l'Abbé

La capitale du pays bigouden doit son nom au premier pont construit par les abbés de Loctudy. Bien que Pont-l'Abbé soit bâtie au fond d'un estuaire, elle est tournée vers la mer, avec son port et ses chantiers navals. Les quais sont un lieu d'intense activité, lorsque les chalutiers rentrent accompagnés par les goélands. Et les broderies que l'on voit encore parfois lorsque les Bigoudènes portent leur coiffe sont sa spécialité.

Quitter Pont-l'Abbé par la rue du Pont-Neuf pour regagner Quimper.

Reims★★★

Champagne ou art gothique ? Et pourquoi pas les deux ! Reims est pour tous une étape inoubliable avec la visite de la cathédrale et du palais du Tau, de la basilique et du musée St-Remi, sans oublier bien sûr les caves champenoises à la renommée mondiale.

La situation

215 581 Rémois - Cartes Michelin Local 306 E-G 7-9, Regional 514 - Le Guide Vert Champagne Ardenne - Marne (51). Délimitée par une ceinture de boulevards tracés au 18e s., la ville se prolonge maintenant par de vastes faubourgs aux grands ensembles, certains à la limite du vignoble. L'A 4 permet de gagner rapidement le centre-ville en longeant le Centre des congrès.

2 r. Guillaume-de-Machault, 51100 Reims, ☎ 03 26 77 45 25. www.tourisme.fr/reims/

Pour poursuivre la visite, voir aussi : LAON, CHÂLONS-EN-CHAMPAGNE, PROVINS.

carnet pratique

Restauration

• *Valeur sûre*

Continental – *95 pl. Drouet-d'Erlon - 51100 Reims - ☎ 03 26 47 01 47 - 17,07/44,06€.* Situé au centre de la « cité des sacres », ce restaurant propose une cuisine traditionnelle servie dans plusieurs salles à manger anciennes ; la plus grande est agrémentée de boiseries et d'un joli plafond à caissons.

Café du Palais – *14 pl. Myron-Herrick - 51100 Reims - ☎ 03 26 47 52 54 - fermé dim. - 23€.* Près de la cathédrale, l'ambiance est animée dans ce café fondé en 1930. Sous sa verrière d'époque, dans un décor de tentures rouges, les Rémois y apprécient les copieuses salades, les assiettes composées, le plat du jour et les pâtisseries maison. Vous pourrez aussi y boire un verre de champagne à un prix raisonnable.

Au Bateau Lavoir – *3 r. Port-au-Bois - 51480 Damery - 32 km au SO de Reims par N 51 et à droite par D 1 - ☎ 03 26 58 40 88 - fermé 1 sem. en fév., 15 j. en août et lun. - 10,50€ déj. - 17,50/30,50€.* Cette jolie maisonnette à la façade fleurie jouit d'une belle situation sur les bords de la Marne. Plaisante salle à manger moderne éclairée par de grandes baies vitrées. Cuisine traditionnelle.

Hébergement

• *À bon compte*

Ardenn Hôtel – *6 r. Caqué - 51100 Reims - ☎ 03 26 47 42 38 - fermé déc. à déb. janv. - 14 ch. : 31/54€ - ☕ 5,50€.* Cet établissement abrité derrière une avenante façade en brique ne manque pas d'atouts : sa situation dans une petite rue calme du centre-ville, la propreté irréprochable de ses chambres décorées avec goût et son accueil toujours souriant vous séduiront.

• *Valeur sûre*

Hôtel La Cathédrale – *20 r. Libergier - 51100 Reims - ☎ 03 26 47 28 46 - 17 ch. : 45/59,50€ - ☕ 6,10€.* Situé dans la grande rue qui mène à la cathédrale, cet hôtel coquet vous réserve un accueil chaleureux. Les petites chambres aux lits capitonnés sont gaies et lumineuses et de jolies gravures anciennes décorent la salle des petits déjeuners.

Grand Hôtel du Nord – *75 pl. Drouet-d'Erlon - 51100 Reims - ☎ 03 26 47 39 03 - fermé vac. de Noël - 50 ch. : 46,50/60€ - ☕ 6€.* Ce bel immeuble de 1920 situé sur une place piétonne abrite des chambres majoritairement rénovées ; celles sur l'arrière profitent d'une meilleure tranquillité. Nombreux restaurants et animations à proximité.

Hôtel Porte Mars – *2 pl. de la République - 51100 Reims - ☎ 03 26 40 28 35 - 24 ch. : 57/72€ - ☕ 8€.* Hôtel où il fait bon prendre un thé près de la cheminée du salon « cosy » ou un verre dans le cadre raffiné du bar. Chambres confortables et personnalisées. Le petit déjeuner gourmand est servi sous une verrière joliment agrémentée de photos et de miroirs anciens.

Achats

Biscuiterie Fossier – *25 cours Jean-Baptiste-Langlet - 51100 Reims - ☎ 03 26 47 59 84 - lun. 14h-19h, mar.-sam. 9h-19h.* Fondé en 1845, le biscuitier-chocolatier Fossier est la référence en matière de biscuiterie rémoise. On y déguste notamment les fameux biscuits roses, spécialité reimoise, et les croquignoles, sorte de croquants.

Chocolaterie Thibaut – *ZA de Pierry - Pôle d'activités St-Julien - 24 km au SE de Reims par N 51 et D 951 - 51530 Pierry - ☎ 03 26 51 58 04 - lun.-sam. 9h-12h, 14h-19h.* Cet artisan chocolatier élabore devant vous ses spécialités : un chocolat en forme de bouchon de champagne fourré aux alcools de Champagne (ratafia, fine marne, marc de champagne), praliné lait et praliné noir. Dégustation et vente des produits dans la boutique attenante.

découvrir

LES CAVES DE CHAMPAGNE**

Les grands établissements se groupent dans le quartier du Champ de Mars et sur les pentes crayeuses de la butte St-Nicaise, trouée de galeries, les «crayères», souvent gallo-romaines, dont l'intérêt documentaire se double d'un attrait historique. La profondeur et l'étendue des galeries se prêtent aux vastes installations des caves de champagne où s'élabore le précieux vin des fêtes.

Les grandes maisons se trouvent à Reims et à Épernay: Ruinart, Taittinger, Moët, Veuve Clicquot Ponsardin, Piper-Heidsieck, Pommery, Mumm... La qualité d'un grand champagne dépend de celle du vin de base. 75 % de la vendange est composée de raisins noirs de deux cépages: le pinot noir et le pinot meunier; on utilise un cépage blanc, le chardonnay. À l'exception des blancs de blancs millésimés, tous les autres champagnes sont le résultat d'assemblages réalisés sur les vins secs et tranquilles des trois cépages, de provenances et souvent d'âges différents.

BULLES FESTIVES

Le champagne doit être servi frais, à une température de 8-10 °C, et versé précautionneusement dans des flûtes qui mettent en valeur son bouquet (les coupes favorisent la perte des bulles et des arômes). «Sabler», à l'origine, signifiait boire cul sec et s'appliquait à tous les vins. Le champagne brut peut être servi tout au long d'un repas; beaucoup d'amateurs, cependant, le préfèrent en apéritif ou entre les repas. Les champagnes secs ou demi-secs seront réservés pour le dessert (de préférence sur des pâtisseries «sèches»: génoise, biscuit ou un champagne rosé pour les charlottes aux fruits rouges).

visiter

Cathédrale Notre-Dame***

7h30-19h30. Parties hautes de mi-juin à mi-sept.: visite guidée (1h) tlj sf lun. 10h-11h, 14h-17h30; le reste de l'année: sam. 10h-11h, 14h-17h, dim. 14h-17h30. Fermé 1er mai et nov.-déc. 4€. ☎ 03 26 47 81 79.

C'est une des plus grandes cathédrales du monde chrétien par son unité de style, sa statuaire et les souvenirs qui la lient à l'histoire des rois de France.

Après un incendie en 1210, l'archevêque décida d'entreprendre la construction d'une cathédrale gothique à l'image de celles qui étaient en chantier à Paris, Soissons et Chartres. L'élaboration des plans fut confiée à Jean d'Orbais et, en 1211, la première pierre était posée. En 1285, l'intérieur de la cathédrale était achevé.

Le 19 septembre 1914, un bombardement mit le feu à la charpente et l'énorme brasier fit fondre les cloches, les plombs des verrières et éclater la pierre. Des obus l'atteignirent tout au long des affrontements et, à la fin de la guerre, la restauration fut réalisée en grande partie par les fonds provenant de la donation Rockefeller.

La **facade** doit être vue si possible en fin d'après-midi. Les trois portails sont surmontés d'un gâble servant de support au tympan ajouré. Observez la variété des attitudes, la simplicité des vêtements, l'imitation de la nature dans les sculptures. Au portail central, consacré à Marie, la Vierge au trumeau sourit; à droite, parmi les groupes de l'Annonciation et de la Visitation, le fameux Ange au sourire; à gauche: la Présentation de Jésus au Temple avec la Vierge près du vieillard Siméon, Saint Joseph au visage malicieux, portant des colombes.

Du cours Anatole-France s'offre une belle **vue*** sur le **chevet**. La multiplicité des chapelles rayonnantes aux toits surmontés de galeries à arcatures et les deux séries d'arcs-boutants superposées créent une combinaison harmonieuse de volumes.

L'**intérieur** frappe par sa clarté et ses dimensions avec une longueur totale de 138 m et une hauteur sous voûte de 38 m. Le revers de la **facade****, œuvre de Gaucher de Reims, est unique dans l'histoire de l'architecture gothique.

S. Sauvignier/MICHELIN

L'Ange de l'Annonciation, le sourire le plus célèbre de la cathédrale de Reims.

Le mur est creusé de niches dans lesquelles ont été sculptées des statues. Les différents registres sont séparés par une luxuriante décoration florale. À gauche se déroule la Vie de la Vierge. À droite est représentée celle de saint Jean-Baptiste. En bas, la **Communion du Chevalier**, en habits du 13e s. Au-dessus, la grande **rosace**, chef-d'œuvre du 13e s., est dédiée à la Vierge.
La cathédrale conserve une horloge astronomique du 15e s. Chaque heure déclenche deux cortèges de figurines figurant l'Adoration des Mages et la Fuite en Égypte.

Palais du Tau★★

Mai-août : tlj sf lun. 9h30-18h30 ; sept.-avr. : tlj sf lun. 9h30-12h30, 14h-17h30. Fermé 1er janv., 1er mai, 1er et 11 nov., 25 déc. 5,50€ (-17 ans : gratuit). ☎ 03 26 47 81 79.
Il abrite le trésor de la cathédrale et une partie de la statuaire originale. Le bâtiment actuel fut construit en 1690 par Robert de Cotte et Mansart. Le palais reçut ce curieux nom de Tau en raison de son plan en forme de T, évoquant les premières crosses épiscopales.
La **salle du Tau** servait de cadre au festin qui suivait le sacre. Toute tendue d'étoffes fleurdelisées, elle est couverte d'une belle voûte en carène. Les cérémonies des sacres des rois de France y sont évoquées. Le **trésor** renferme des présents royaux très rares préservés à la Révolution, dont le reliquaire de sainte Ursule, délicat vaisseau de cornaline décoré de statuettes émaillées en 1505, et les ornements du sacre de Charles X. La **chapelle** a reçu comme garniture d'autel la croix et les six chandeliers de vermeil réalisés pour le mariage de Napoléon avec Marie-Louise.
Dans la **salle du Goliath** sont exposées les statues monumentales de saint Paul, saint Jacques, de Goliath, géant de 5,40 m en cotte de mailles, de la Synagogue aux yeux bandés et de l'Église, très endommagée par un obus, tandis que la **salle des petites sculptures** abrite de précieuses têtes finement bouclées provenant des portails du bras Nord du transept et du portail de la Passion de la cathédrale, les statues d'Abraham et de Aaron *(portail Sud)*, deux anges aptères et la tenture de l'histoire de Clovis (la bataille de Tolbiac), tissée à Bruxelles au 17e s.

Place Royale★

Établie sur les plans de Legendre, en 1760, elle montre les traits distinctifs de l'architecture Louis XVI : arcades, toits à balustres dont les lignes horizontales contrastent avec la silhouette de la cathédrale, à l'arrière-plan. La statue de Louis XV par Pigalle, détruite à la Révolution, fut remplacée, sous la Restauration, par une autre de Cartellier.

Basilique St-Remi★★

En 533, saint Remi fut inhumé dans une chapelle dédiée à saint Christophe. La construction de la basilique débuta vers 1007, et c'est sous l'abbé Hérimar que les travaux se terminèrent par le transept et la couverture charpentée. En 1049, l'église fut consacrée par le pape Léon IX. De 1162 à 1181, le porche fut abattu et remplacé par une façade et une double travée gothiques; puis on substitua un nouveau chœur gothique à déambulatoire. La façade du croisillon droit du transept a été refaite de 1490 à 1515. Enfin, la nef fut couverte par une voûte d'ogives.
À l'**intérieur**★★★, les dimensions de la basilique, longue de 122 m pour une largeur de 26 m, font que l'on ressent une impression d'infini, renforcée par la pénombre régnant dans la nef. Entouré d'une clôture du 17e s., d'esprit encore Renaissance, le chœur gothique à quatre étages, d'une structure harmonieuse et légère, est éclairé par des baies qui gardent leurs vitraux du 12e s., représentant la Crucifixion, des apôtres, des prophètes et les archevêques de Reims.

Musée St-Remi★★

14h-18h30 (w.-end 19h). Fermé j. fériés. 3€, gratuit 1er dim. du mois. ☎ 03 26 85 23 36.
Il est installé dans l'ancienne abbaye royale St-Remi, bel ensemble de bâtiments des 17e et 18e s. qui conserve quelques parties de l'abbaye médiévale comme le parloir et la salle capitulaire. Il présente les collections d'art rémois des origines à la fin du Moyen Âge, une section d'histoire militaire de la cité. Par le superbe escalier d'honneur datant de 1778, on accède à la galerie où est présentée la série des 10 **tapisseries de St-Remi**★★, exécutées de 1523 à 1531. Chaque tapisserie se décompose en tableaux évoquant divers épisodes de la vie du saint et la suite des miracles qui la jalonnent.

Chapelle Foujita★

Mai-oct. : tlj sf mer. 14h-18h. Fermé 1er mai et 14 juil. 3€, gratuit 1er dim. du mois. ☎ 03 26 47 28 44.
Conçue et décorée par Léonard Foujita (1886-1968), cette chapelle commémore l'illumination mystique ressentie en la basilique St-Remi par ce peintre japonais de l'école de Paris, baptisé dans la cathédrale. L'intérieur est orné de vitraux et de fresques stylisées, représentant des scènes de l'Ancien et du Nouveau Testament. Au revers de la façade, dans la Crucifixion, le peintre a mis face à face la Vierge jeune mère et la Vierge de douleurs tout en noir.

▶▶ Musée-hôtel Le Vergeur★ (gravures de Dürer★) ; musée des Beaux-Arts★

circuits

ROUTES DU CHAMPAGNE***

Montagne de Reims**

Couverte de vigne et couronnée de bois, entre Reims et Épernay, cette petite montagne (287 m) est sillonnée de nombreuses routes qui en facilitent le tour.

Quitter Reims vers le Sud par la N51 jusqu'à Monchenot.

À **Rilly-la-Montagne**, de nombreux producteurs et négociants sont établis dans ce bourg cossu. De Rilly partent des promenades sur les pentes du mont Joli.

Verzenay est dominé par deux monuments que l'on ne s'attend pas à trouver dans la région, un moulin à vent et un phare – ce dernier abrite un musée de la Vigne. Ces deux sites offrent une vue étendue sur une mer de vignes.

Avenay-Val-d'Or possède une église à la belle façade flamboyante.

Ay apparaît dans un site abrité au pied du coteau au cœur d'un vignoble fameux déjà connu à l'époque gallo-romaine...

Le village d'**Hautvillers***a gardé ses demeures anciennes à portail en anse de panier qu'agrémentent des enseignes en fer forgé. Dans l'abbatiale, admirez le chœur des moines orné de boiseries de chêne et de stalles de la fin du 18e s.

Coulommes-la-Montagne possède une belle église romane, où l'on remarque des chapiteaux à feuilles lisses et palmettes.

Sur une motte près de Ville-Dommange, la **chapelle St-Lié*** se dissimule dans un bosquet. **Vue*** sur la côte, Reims dominée par sa cathédrale et la plaine.

Côte des Blancs**

D'Épernay à Vertus, la côte des Blancs est ainsi nommée parce qu'elle est plantée de vignobles à raisin blanc (presque exclusivement le cépage chardonnay). Ses crus, d'une finesse élégante, sont utilisés dans l'élaboration des cuvées de prestige et dans la réalisation du «blanc de blancs». À flanc de coteau s'égrènent les villages, aux rues tortueuses, le long desquelles s'ouvrent les hauts portails des maisons vigneronnes. L'itinéraire en balcon ou à mi-côte offre de jolies vues.

Quitter Épernay au Sud-Ouest par la D951 et la route de Sézanne à Pierry.

Le bourg de **Cramant**** occupe un site agréable. Son célèbre cru, produit par le chardonnay, a acquis une renommée universelle.

Au **Mesnil-sur-Oger**, le **musée de la Vigne et du Vin*** évoque dans les caveaux la culture de la vigne, mais aussi la fabrication des bouchons, la verrerie, la tonnellerie. Un petit train traverse le vignoble. *Visite guidée (2h) 10h et 15h, w.-end 10h30 sur demande préalable (1 j. av.). Fermé lun. Pâques et 25 déc.-1er janv. 6€.* ☎ *03 26 57 50 15.*

Vertus est vouée à la vigne. Cette petite cité tranquille aux rues entrecoupées de places est dotée de nombreuses fontaines d'eau vive.

Vallée de la Marne*

Au départ d'Épernay, la route permet de découvrir les villages viticoles étagés sur les coteaux couverts de vignes le long des deux rives de la Marne.

Quitter Épernay par la N3, tourner à droite dans Mardeuil, traverser la Marne pour longer la rive droite.

Damery possède une église romane, dont les chapiteaux sont sculptés d'un intéressant bestiaire dans un décor de feuillages.

Châtillon-sur-Marne couronne une colline couverte de vignes. Au Moyen Âge, la cité fortifiée servait les intérêts de puissants seigneurs, tel Gaucher de Châtillon (1250-1328), connétable de France. Haute de 33 m, la **statue d'Urbain II**, pape de la 1re croisade, a été érigée en 1887 sur la motte qui portait le donjon du château.

Petit matin dans le vignoble de la Côte des Blancs.

S. Sauvignier/MICHELIN

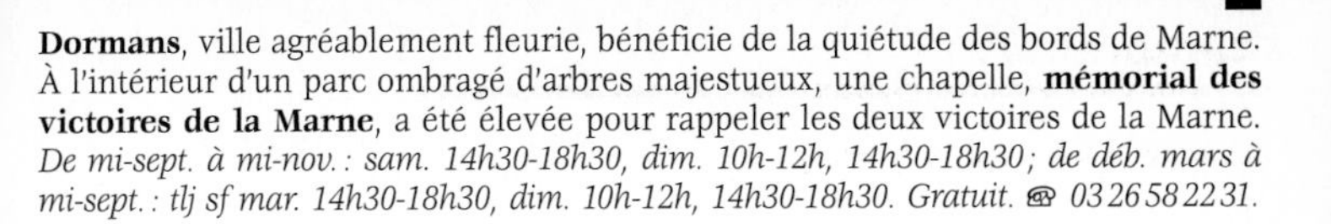

Dormans, ville agréablement fleurie, bénéficie de la quiétude des bords de Marne. À l'intérieur d'un parc ombragé d'arbres majestueux, une chapelle, **mémorial des victoires de la Marne**, a été élevée pour rappeler les deux victoires de la Marne. *De mi-sept. à mi-nov. : sam. 14h30-18h30, dim. 10h-12h, 14h30-18h30 ; de déb. mars à mi-sept. : tlj sf mar. 14h30-18h30, dim. 10h-12h, 14h30-18h30. Gratuit. ☎ 03 26 58 22 31.*

Rennes★★

La capitale régionale de la Bretagne, agrémentée de ruelles médiévales et de façades classiques, a su mettre en valeur son patrimoine. Ses deux places royales, qui expriment l'élégante solennité du 18e s., forment le cœur battant de la ville. En même temps, Rennes poursuit sa mue, offrant le visage d'une ville universitaire tournée vers les technologies de pointe.

La situation

350 000 Rennais – Cartes Michelin Local 309 L 6 et O 4, Regional 517 – Le Guide Vert Bretagne – Ille-et-Vilaine (35). Un conseil : évitez de chercher à vous garer dans le centre. Les parkings sont nombreux et pratiques. Sans oublier la première ligne du métro VAL.

11 r. St-Yves, 35000 Rennes, ☎ 02 99 67 11 11. www.ville-rennes.fr

Pour poursuivre la visite, voir aussi : LE MONT-ST-MICHEL, ST-MALO, NANTES, VANNES.

carnet pratique

Restauration

• *À bon compte*

Café Breton – *14 r. Nantaise - 35000 Rennes - ☎ 02 99 30 74 95 - fermé 12 j. en hiver, 3 sem. en août, sam. soir, lun. soir et dim. - 11,43/25€.* Cette ancienne épicerie est devenue un incontournable de la cité bretonne. La recette du succès : suggestions du marché présentées à l'ardoise, collections de cafetières et de bols, vieux mobilier bistrot, service décontracté et ambiance conviviale.

• *Valeur sûre*

Des Souris et des Hommes – *6 r. Nationale - 35000 Rennes - ☎ 02 99 79 75 76 - fermé 15 juil. au 5 août et dim. - 12,04€ déj. - 22,56/32,01€.* Dans une rue piétonne proche de l'ancien hôtel du Parlement de Bretagne. Murs ocre, bibelots et fleurs séchées donnent à ce restaurant aux allures de bistrot « mode » une atmosphère chaleureuse et feutrée. Cuisine du marché à prix doux.

La Haute Sève – *37 bd J.-Jaurès - 35300 Fougères - 49 km au NE de Rennes par N 12 - ☎ 02 99 94 23 39 - fermé 1er au 28 janv., 9 au 19 fév., 20 juil. au 16 août, dim. soir et lun. - 15,25€ déj. - 18,30/39,65€.* Un jeune couple tient depuis quelques années les rênes de ce petit restaurant gourmand de Fougères. Dans une salle à manger tout en longueur, vous pourrez goûter une cuisine inventive conçue avec les produits du cru. Accueil aimable et attentionné.

Hébergement

• *À bon compte*

Arvor Hotel – *31 av. Louis-Barthou - 35000 Rennes - ☎ 02 99 30 36 47 - arvorhotel.com - fermé 24 déc. au 5 janv. - 16 ch. : 39/48€ - ☕ 5,20€ - restaurant 10,60/14,80€.* Proche de la gare, cet établissement fraîchement ravalé constitue un pied-à-terre pratique pour découvrir la ville à pied. Ses chambres, réparties sur deux étages, sont propres et fonctionnelles. Son petit bar, de style anglais, est sympathique.

• *Valeur sûre*

Hôtel de Nemours – *5 r. de Nemours - 35000 Rennes - ☎ 02 99 78 26 26 - 26 ch. : 40,50/58€ - ☕ 6,90€.* Sis dans une rue fréquentée à proximité du métro, cet hôtel central est heureusement bien insonorisé. Ses chambres, récemment rafraîchies, sont desservies par un minuscule ascenseur. Jolie salle des petits déjeuners décorée de photos, gravures et maquettes de vieux gréements.

Garden Hôtel – *3 r. Duhamel - 35000 Rennes - ☎ 02 99 65 45 06 - 26 ch. : 42/54€ - ☕ 7€.* La plupart des chambres de cet hôtel ouvrent leurs fenêtres sur un patio intérieur où vous pourrez prendre votre petit déjeuner aux beaux jours. Bon point de départ pour découvrir la vieille ville, l'établissement a été agréablement rénové.

Le Victoria – *35 av. Jean-Janvier - 35000 Rennes - ☎ 02 99 31 69 11 - 28 ch. : 49/58€ - ☕ 6€ - restaurant 14€.* Une cure de jouvence est venue réveiller cet hôtel situé à proximité de la gare. Ses petites chambres sobres et fraîches en font une étape convenable. Côté restaurant, ambiance brasserie et agrément d'une fresque évoquant un voyage de la reine Victoria.

Calendrier

« Transmusicales » de Rennes – Début décembre, trois jours de musique et de fêtes. ☎ 02 99 31 12 10.

comprendre

Le rattachement à la France – En 1489, lorsque François II meurt, son héritière Anne de Bretagne n'a que 12 ans, ce qui n'empêche pas les prétendants d'affluer. Son choix se porte sur Maximilien d'Autriche, futur empereur, et le mariage religieux a lieu en 1490, par procuration. Mais le roi Charles VIII, qu'un mariage blanc lie à Marguerite d'Autriche, fille de Maximilien, sollicite la main de la duchesse. Éconduit, il l'assiège dans Rennes. La population, qui souffre de la disette, presse la souveraine de consentir à l'épouser. Elle se résigne et rencontre Charles VIII. Les fiançailles sont célébrées à Rennes, et les noces, au château royal de Langeais, dans le val de Loire, le 6 décembre 1491. Cette liaison rattache la Bretagne à la France.

Le grand incendie de 1720 – Au 18e s., la ville a encore son aspect médiéval : ruelles étroites, maisons en torchis et en bois. Le 29 décembre 1720 au soir, un menuisier ivre enflamme, avec sa lampe à huile, un tas de copeaux. La maison flambe, et le feu se propage : 900 maisons à pans de bois disparaissent. La ville est reconstruite sur les plans de Jacques Gabriel : elle reçoit de belles rues rectilignes, bordées de maisons de granit à l'élégance sévère.

se promener

LE VIEUX RENNES**

Une atmosphère de détente règne dans la vieille ville dont les belles façades des 15e et 16e s. bordent les rues St-Sauveur (au n° 6, maison canoniale du 16e s.), St-Guillaume (au n° 3, maison médiévale dite de Du Guesclin), de la Psalette, du Chapitre (au n° 22, maison de style Renaissance ; au n° 8, hôtel de Brie du 17e s. ; au n° 6, hôtel de Blossac du 18e s.), St-Yves (aux nos 6 et 8, maisons du 16e s.), St-Michel (vieilles maisons à pans de bois), des Dames (au n° 10, hôtel Freslon de La Freslonnière), du Pont-aux-Foulons (maisons à pans de bois du 18e s.), etc.

Place des Lices

Sur cette place se déroulaient joutes et tournois. Au n° 34, à l'intérieur de l'hôtel de Molant (17e s.), voyez le luxueux escalier en chêne, dont la cage est décorée au plafond d'un ciel et de boiseries en trompe-l'œil.

Place Ste-Anne

Les maisons colorées à pans de bois sont de tradition gothique et Renaissance. Elles entourent une église néogothique du 19e s. et jouxtent le couvent des Jacobins où eurent lieu les fiançailles d'Anne de Bretagne avec le roi de France.

Rue du Champ-Jacquet

Elle conduit à la curieuse place de forme triangulaire, de même nom, bordée au Nord de hautes maisons du 17e s., à pans de bois, et sur laquelle donne la façade en pierre et en bois de l'ancien hôtel de Tizé.

Par les rues La Fayette et Nationale vous découvrirez une partie de la ville classique où s'élèvent de majestueux édifices, dont le palais du parlement de Bretagne.

Rue St-Georges

Dans cette rue animée, bordée de cafés et de restaurants, toutes les maisons sont anciennes. Au n° 3, l'hôtel de Moussaye (16e s.) possède une splendide façade Renaissance. Les nos 8, 10, 12 forment un ensemble remarquable de maisons à pans de bois du 17e s.

Place du Champ-Jacquet se trouvent quelques-unes des plus belles maison à colombages de Rennes (17e s.).

Jardin du Thabor**

Au 16e s., hors des murs de la ville, se dressait l'abbaye bénédictine St-Mélaine, sur un lieu élevé que les moines auraient baptisé Thabor en souvenir de la montagne de Palestine. Ce parc de 10 ha comprend un jardin à la française, un jardin botanique, une roseraie, un jardin paysager et une volière. On y prend le frais en admirant ses roses, dahlias, chrysanthèmes, camélias, rhododendrons, séquoias, cèdres.

visiter

Palais du parlement de Bretagne★★

Juil.-août et vac. scol : horaires variables ; le reste de l'année : en dehors de heures de travail de la Cour d'appel. Fermé 1er janv., 1er mai et 25 déc. 6,10€ (7-15 ans: 3,05€). S'inscrire auprès de l'Office de tourisme. ☎ 02 99 67 11 66.

Le parlement de Bretagne, l'un des treize parlements provinciaux que comptait le royaume, siégea d'abord tantôt à Rennes, tantôt à Nantes, avant de se fixer définitivement à Rennes en 1561. Cour suprême des 2300 justices bretonnes, il jouait aussi un rôle législatif et politique. Son installation hissa Rennes au rang de capitale régionale et de cité aristocratique.

La construction du bâtiment dura un siècle: de 1618 à 1655 pour l'architecture, et jusqu'à 1706 pour le décor. Ce fut, en pays breton, l'arrivée d'un art royal et parisien, marqué par l'alternance de matériaux - granit au rez-de-chaussée et tuffeau à l'étage - et par la belle unité de la toiture en façade. La **Grand'Chambre** est le joyau du palais, avec son plafond en bois doré peint par Coypel et Errard.

Musée des Beaux-Arts★

♿ *Tlj sf mar. 10h-12h, 14h-18h. Fermé j. fériés. 4€. ☎ 02 99 28 55 85. www.mbar.org*

Le «cabinet de curiosités» constitué par Christophe-Paul de Robien, président du parlement de Bretagne au 18e s., est à l'origine de ce musée très éclectique, de l'archéologie aux primitifs italiens et à l'art contemporain.

Il possède une riche série d'œuvres du 17e s. Voyez surtout l'exubérante *Chasse au tigre* de Rubens et le célèbre ***Nouveau-Né***★ de Georges de La Tour. Le *Panier de prunes* de Chardin se détache pour le 18e s. Le *Massacre des Innocents*, chef-d'œuvre de Cogniet, voisine pour le 19e s. avec des toiles de l'école de Pont-Aven, comme ***Effet de vagues***★ de Georges Lacombe. À voir aussi: des Corot, Jongkind, Sisley, Denis et Caillebotte. Le 20e s. est illustré par Picasso, Magnelli, Kupka, Tanguy, De Staël, Poliakoff, Sam Francis.

▶▶ Musée de Bretagne★

alentours

Fougères★★

49 km au Nord-Est de Rennes par la N12. À la frontière de la Bretagne et de la France, Fougères a toujours eu une grande importance militaire. Cette ville forte domine la vallée sinueuse du Nançon. En contrebas, se dresse un magnifique château féodal dont l'enceinte compte parmi les plus considérables d'Europe.

Château★ – *De mi-juin à mi-sept. : 9h-19h ; avr.-sept: 9h30-12h, 14h-18h; fév.-mars et oct.-déc.: 10h-12h, 14h-17h. Fermé 25 déc. 3,50€ (enf.: 2€). ☎ 02 99 99 79 59.*

Son site en contrebas de la ville haute est inhabituel. Un méandre de la rivière, qui baignait une éminence rocheuse en forme de presqu'île très étroite, fournissait un excellent site défensif. L'architecture militaire a tiré parti de cet emplacement en y élevant des remparts et des tours, et en transformant la presqu'île en île, par une courte dérivation du Nançon. Reliée à la ville haute par des remparts, la garnison pouvait participer à sa défense et même s'y replier en cas de chute de la ville, pour jouer son rôle de garde-frontière du duché de Bretagne.

L'entrée, précédée d'un fossé alimenté par une dérivation du Nançon, se fait par la tour carrée de La Haye-St-Hilaire. Le château comprend trois enceintes successives. La visite de l'**intérieur**★★ donne une idée de la puissance d'une telle forteresse. Par la courtine la plus élevée du château, on atteint la **tour Mélusine** *(75 marches jusqu'au sommet)*, considérée comme un chef-d'œuvre de l'architecture militaire de l'époque.

Quartier du Marchix★– La place du Marchix occupe le site de l'ancien marché au cœur de la vieille ville qui abrite de belles maisons du 16e s.

Église St-Sulpice★ – Construite en gothique flamboyant, elle présente une flèche d'ardoise très élancée, d'une facture originale. L'intérieur s'enrichit, dans le chœur, de boiseries du 18e s. et de **retables**★, dont celui d'Anne de Bretagne est un très bel exemple de sculpture sur granit.

Riquewihr★★★

Avec 2 millions de visiteurs annuels, Riquewihr est l'un des cinq villages les plus visités de France. La ville est passée miraculeusement à travers toutes les guerres, toutes les destructions : les ruelles, les murailles et les maisons ont ainsi conservé, pratiquement intacte, leur splendeur du 16e s. À cette époque, c'était le riesling qui lui assurait sa prospérité. C'est toujours lui qui attire les connaisseurs.

La situation

1 212 Riquewihriens – Cartes Michelin Local 315 I-M 5-10, Regional 515 – Le Guide Vert Alsace Lorraine – Haut-Rhin (68). Utiliser les parkings à l'extérieur de la ville : place des Charpentiers, rue de la Piscine, rocade Nord et près de la Poste.

2 r. de la 1re-Armée, 68340 Riquewihr, ☎ 03 89 49 08 40.

Pour poursuivre la visite, voir aussi : COLMAR, MASSIF DES VOSGES, OBERNAI, STRASBOURG.

carnet pratique

Visite

Visite de caves – Les caves viticoles sont si nombreuses qu'on ne peut les citer toutes. On peut normalement les visiter, déguster la production locale et faire ses emplettes. L'accueil est toujours chaleureux, souvent agrémenté d'explications intéressantes sur l'histoire et le travail de la vigne, et la fabrication du vin.

Les vendanges ont généralement lieu entre la fin septembre et la mi-octobre, selon le degré de maturité auquel sont arrivés les raisins. À cette époque, l'accès aux sentiers viticoles peut être réglementé. Il vaut mieux se re renseigner sur place.

Restauration

• ***Valeur sûre***

Le Sarment d'Or – *4 r. du Cerf - 68340 Riquewihr - ☎ 03 89 86 02 86 - fermé 6 janv. au 12 fév., 1er au 9 juil., dim. soir, mar. midi et lun. - 19,80/51,80€.* Boiseries blondes, lustres en cuivre et poutres massives donnent à ce restaurant une belle ambiance chaleureuse. On s'y attable donc avec plaisir pour découvrir une cuisine qui se veut originale, préparée avec de bon produits. C'est un peu cher mais le cadre est agréable...

Relais des Ménétriers – *10 av. Gén.-de-Gaulle - 68340 Riquewihr - ☎ 03 89 73 64 52 - fermé 29 juin au 17 juil., 23 déc. au 2 janv., jeu. soir, dim. soir et lun. - 10€ déj. - 20/30€.* Les ménétriers sont unis à l'histoire de la ville depuis le Moyen Âge. Ce restaurant légèrement excentré propose une vraie cuisine alsacienne servie dans une sympathique salle à manger rustique.

Caveau Morakopf – *7 r. des Trois-Épis - 68230 Niedermorschwihr - 11 km au SO de Riquewihr par D 3 et D 10 dir. Ingersheim puis D 11 - ☎ 03 89 27 05 10 - fermé 7 au 20 janv., 23 juin au 7 juil., lun. midi et dim. - 20€ déj. - 23/35€.* Dans un ravissant petit village de vignerons, aux rues étroites et aux maisons colorées, ce restaurant niché dans une cave en hiver dresse ses tables dans un jardin en terrasses aux beaux jours. La cuisine, à l'image du décor, est rustique et typique...

Hébergement

• ***Valeur sûre***

Hôtel L'Oriel – *3 r. des Écuries-Seigneuriales - 68340 Riquewihr - ☎ 03 89 49 03 13 - oriel@club-internet.fr - 16 ch. : 60,50/78€ - ☕ 8,40€.* Vous reconnaîtrez facilement ce joli hôtel, sis dans une maison du 16e s., avec son enseigne en fer forgé à l'ancienne. Un peu biscornu, il est très accueillant et son décor simple avec meubles alsaciens campagnards et poutres dénudées, ne manque pas de romantisme...

Hôtel Les Remparts – *68240 Kaysersberg – 10,5 km au SO de Riquewihr par D 4 et D 1B - ☎ 03 89 47 12 12 - hotel@lesremparts.com - 40 ch. : 50/75€ - ☕ 6,25€.* Un peu à l'écart de la ville, cet hôtel est assez tranquille. Si vous le pouvez, préférez les chambres de l'annexe récente, construite dans un style alsacien : elles sont plus modernes et certaines ont des balcons.

Château de la Prairie – *68500 Guebwiller – 39 km au SO de Riquewihr par D 4, D10, N 83 puis D 3bis - ☎ 03 89 74 28 57 - prairie@chateauxhotels.com - P - 18 ch. : 55/89€ - ☕ 8€.* Maison de maître du 19e s. ouverte sur un agréable parc de 2 ha. Chambres assez spacieuses, mi-rustiques, mi-bourgeoises, et nombreux salons ornés de boiseries et moulures.

Calendrier

Le Pfifferdaj – Le 1er week-end de septembre, la musique et le vin coulent à flots à Ribeauvillé ! Pour l'une des dernières fêtes traditionnelles alsaciennes, la Fêtes des ménétriers, ou Pfifferdaj (jour des fifres), la fontaine de la place de l'Hôtel-de-Ville déverse des litres et des litres de vin d'Alsace ! À fêter, tout de même, avec modération.

se promener

Dans les rues médiévales se profilent ici ou là les vestiges du passé séculaire de Riquewihr, que l'on découvre de part et d'autre de la rue du Gén.-de-Gaulle.

Château des Ducs de Wurtemberg

Terminé en 1540, il a gardé ses fenêtres à meneaux, son pignon couronné de bois de cerf et sa tourelle d'escalier.

Maison Liebrich* (cour des Cigognes)

Datant de 1535, elle se distingue avec sa cour à galeries de bois à balustres, son joli puits et un énorme pressoir. En face, la maison Behrel possède un oriel de 1514 surmonté d'une partie ajoutée en 1709.

Maison Preiss-Zimmer*

Après avoir franchi plusieurs cours successives, on arrive sur l'avant-dernière cour qui donne sur la maison qui appartenait à la corporation des vignerons.

Rue et cour des Juifs

La rue des Juifs débouche sur la curieuse cour des Juifs, ancien ghetto, au fond de laquelle un étroit passage et un escalier de bois conduisent aux remparts et à l'amusant **musée de la Tour des Voleurs**, où l'on visite une salle de torture, des oubliettes, la salle de garde et l'habitation du gardien de cette ancienne prison. *Avr.-oct. : 10h15-12h30, 14h-18h30. 2€. ☎ 03 89 49 08 40.*

Maison Kiener*

La porte en plein cintre, taillée en biais pour faciliter l'entrée des voitures, donne sur une cour typique avec son escalier tournant, ses étages en encorbellement et son puits du 16e s. Cette maison, qui remonte à 1574, est surmontée d'un motif en bas-relief où l'on voit la Mort saisir le fondateur de la maison.

Maison Dissler*

Construite en pierre, avec ses pignons à volutes et sa loggia, c'est un intéressant témoin de la Renaissance rhénane (1610).

▶▶ Musée de la Diligence ; Maison Hansi

circuit

ROUTE DES VINS D'ALSACE**

72 km, de Riquewihr à Thann. L'Alsace, comme nous l'avons déjà évoqué à Obernai *(voir ce nom)*, possède l'un des plus célèbres vignobles de France. La route des Vins en donne une impression saisissante lorsque, au pied du rebord des Vosges, on roule au milieu des vignes.

Mittelwihr

Les coteaux de Mittelwihr – appelé le « Midi de l'Alsace » – bénéficient d'une exposition si favorable que les amandiers y fleurissent et même y mûrissent. Le gewurztraminer et le riesling qui en proviennent jouissent d'une renommée grandissante.

Kaysersberg**

Dès l'époque romaine, la cité commandait l'un des plus importants passages entre la Gaule et la vallée du Rhin. La petite ville a gardé son aspect médiéval, ses vieilles maisons, les ruines de son château, le très beau retable de l'église Ste-Croix, le puits Renaissance avec son inscription amusante (« Si tu te gorges d'eau à table, cela te glacera l'estomac ; je te conseille de boire du bon vin vieux et laisse-moi mon eau ! », le pont fortifié. Kaysersberg est la ville natale du docteur Albert Schweitzer (1875-1965), prix Nobel de la Paix en 1952.
Les vignerons ont réussi à élever ici les meilleurs crus de la région parmi lesquels le tokay dont les premiers plants leur ont été offerts par le bailli Lazare de Schwendi au 16e s. Ne manquez pas le **marché de Noël**, un des plus célèbres d'Alsace.

Niedermorschwihr*

Ce joli village au milieu des vignes possède une église moderne qui a gardé son clocher vrillé du 13e s., unique en Alsace. La rue principale est bordée de maisons anciennes à oriels et balcons de bois.

Turckheim*

À l'intérieur de ses remparts, la petite ville, aux toitures anciennes, aux nids de cigognes, et au clocher couvert de tuiles polychromes, est animée tous les soirs de mai à octobre par la **ronde du veilleur de nuit**, qui part de la place Turenne.

Wintzenheim

Ce village au centre d'un vignoble réputé (grand cru Hengst) conserve les restes de fortifications (1275), quelques maisons anciennes et l'ancien manoir des chevaliers de St-Jean ou Thurnburg devenu hôtel de ville.

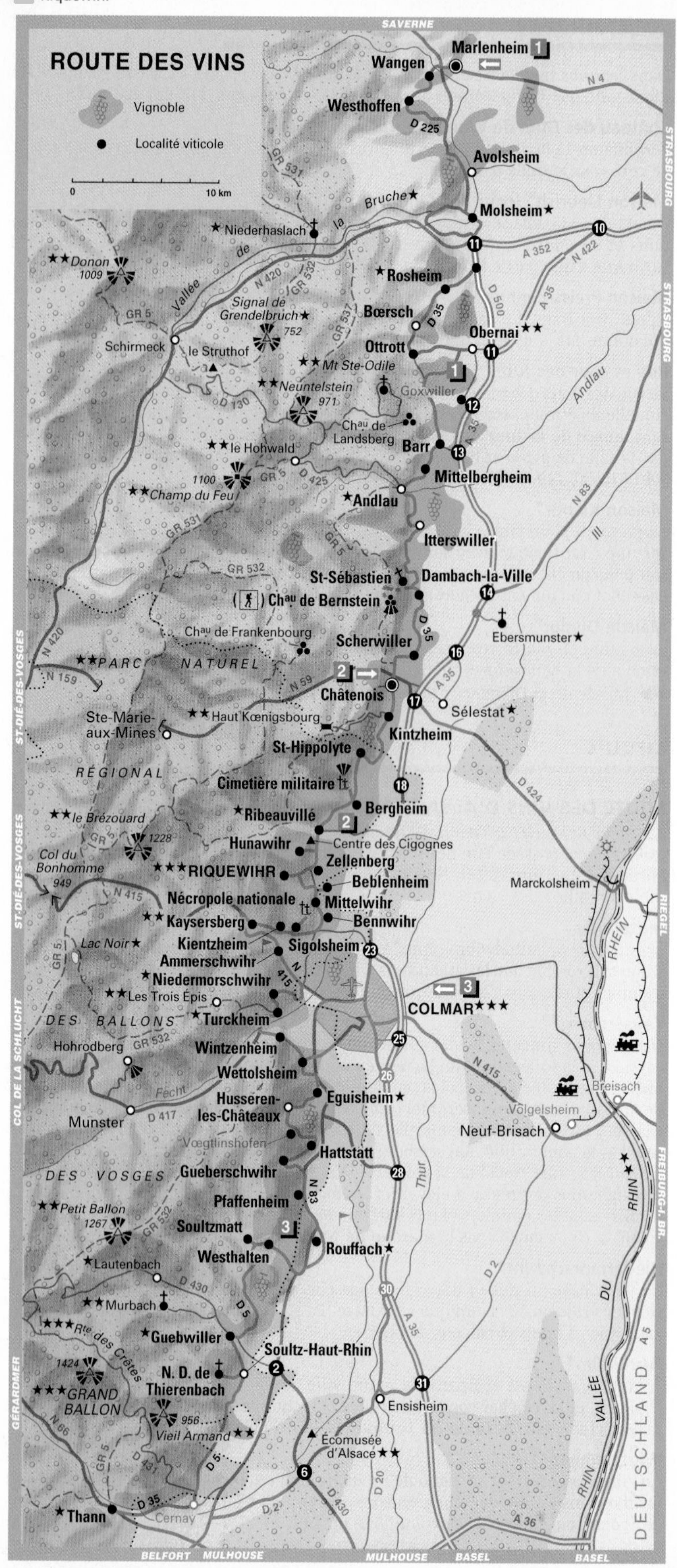
ROUTE DES VINS
Vignoble
Localité viticole
0
10 km
SAVERNE
Marlenheim
Wangen
Westhoffen
D 225
N 4
STRASBOURG
Avolsheim
GR 531
Bruche
la
Molsheim
Niederhaslach
de
Vallée
Donon
1009
N 420
GR 532
Rosheim
A 352
N 422
Signal de Grendelbruch
752
GR 537
Bœrsch
D 35
D 500
A 35
GR 5
Schirmeck
le Struthof
Obernai
Ottrott
Mt Ste-Odile
Neuntelstein
971
Goxwiller
Andlau
D 130
Chau de Landsberg
Barr
le Hohwald
1100
GR 5
D 425
Mittelbergheim
Champ du Feu
Andlau
N 83
GR 531
Itterswiller
GR 5
GR 532
St-Sébastien
Dambach-la-Ville
Chau de Bernstein
D 35
Ebersmunster
Chau de Frankenbourg
Scherwiller
N 420
PARC
NATUREL
N 159
N 59
Châtenois
Sélestat
Haut Kœnigsbourg
Ste-Marie-aux-Mines
Kintzheim
ST-DIÉ-DES-VOSGES
St-Hippolyte
RÉGIONAL
Cimetière militaire
D 424
le Brézouard
Ribeauvillé
Bergheim
GR 5
1228
Hunawihr
Centre des Cigognes
Col du Bonhomme
949
RIQUEWIHR
Zellenberg
Beblenheim
Marckolsheim
N 415
Nécropole nationale
Mittelwihr
Kaysersberg
Bennwihr
RIEGEL
RHEIN
Lac Noir
Kientzheim
Sigolsheim
Ammerschwihr
N 415
Niedermorschwihr
Les Trois Épis
COLMAR
DES
BALLONS
Turckheim
Hohrodberg
GR 532
Wintzenheim
Wettolsheim
N 415
Fecht
Eguisheim
Breisach
Husseren-les-Châteaux
Munster
D 417
Volgelsheim
Neuf-Brisach
COL DE LA SCHLUCHT
Vœgtlinshofen
Hattstatt
FREIBURG-I. BR.
DES
VOSGES
Gueberschwihr
N 83
Thur
Pfaffenheim
Petit Ballon
1267
GR 532
Soultzmatt
Rouffach
RHIN
Westhalten
D 2
Lautenbach
D 430
DU
Murbach
D 5
A 5
Rte des Crêtes
Guebwiller
Soultz-Haut-Rhin
VALLÉE
1424
N. D. de Thierenbach
GRAND BALLON
Ensisheim
DEUTSCHLAND
N 66
956
Vieil Armand
GÉRARDMER
Écomusée d'Alsace
GR 5
D 431
D 5
D 20
RHIN
D 35
D 430
Thann
Cernay
D 2
A 36
BELFORT
MULHOUSE
MULHOUSE
BASEL
BASEL

R. Mattes/MICHELIN

L'originalité d'Eguisheim réside dans le tracé concentrique de ses vieilles rues pavées.

Eguisheim*
Il y a matière à une leçon de géométrie... En effet, le village s'est développé en cercles concentriques à partir du château octogonal du 13e s. Eguisheim compte 300 ha de vignobles et deux grands crus, l'eichberg et le pfersigberg.

Soultzmatt
Au pied du vignoble du grand cru zinnkoepflé, le plus élévé d'Alsace (420 m), Soultzmatt produit des sylvaner et des gewurztraminer particulièrement appréciés. à l'entrée du village se dresse le château de Wagenbourg.

Guebwiller*
Quatre grands crus pour cette étape de la route des Vins, et des méthodes d'exploitation tout à fait modernes. La **vallée de Gubwiller**** est le paradis des randonneurs, où l'on fait volontiers un détour pour visiter l'**église de Murbach**** *(voir Mulhouse)*.

Cave vinicole du Vieil-Armand
À la sortie de Soultz. Elle regroupe 130 vignerons qui cultivent 150 ha de vignes. Deux grands crus sont élevés: le rangen, le plus méridional de l'Alsace avec son terroir à roche volcanique, et l'ollwiller au pied du Vieil-Armand. La cave propose une dégustation de vins régionaux.

Thann*
C'est l'ultime étape de la route des Vins, avec, en apothéose, le grand cru de rangen. Thann peut être aussi le point de départ de la route des Crêtes *(voir Massif des Vosges)*. À ce carrefour vous attend une des plus belles églises gothiques d'Alsace, la **collégiale St-Thiébaud****. La façade Ouest est percée d'un remarquable **portail****. La principale richesse de la collégiale reste les **51 stalles**** en chêne du 15e s. Toute la fantaisie du Moyen Âge s'y donne libre cours. Ce ne sont que feuillages, gnomes et personnages comiques d'une verve remarquable et d'une grande finesse d'exécution. *Juil.-août : 8h-19h ; sept.-juin : 8h-18h. Possibilité de visite guidée, s'adresser à l'Office de tourisme, ☎ 03 89 37 96 20.*

Rocamadour***

Rocher miraculeux, recueil d'histoire, de croyances et de légendes, sanctuaire de la Vierge noire, lieu de pèlerinage: Rocamadour est tout cela. C'est aussi l'un des sites les plus extraordinaires qui soient. Défiant tout équilibre, les vieux logis, les tours et les oratoires dégringolent le long de la falaise escarpée, sous l'égide du fin donjon du château et des sept sanctuaires.

La situation
614 Amadouriens - Cartes Michelin Local 337 F-G 2-3, Regional 522 - Le Guide Vert Périgord Quercy - Lot (46). Le bourg et la cité religieuse sont piétonniers. On y accède à pied, en ascenseur depuis les parkings *(voir le carnet pratique)* ou encore par le petit train et l'escalier de la Via Sancta.
ℹ Cité médiévale, 46500 Rocamadour, ☎ 05 65 33 74 13. www.rocamadour.com
Pour poursuivre la visite, voir aussi: FIGEAC, CAHORS, SARLAT, BRIVE-LA-GAILLARDE.

découvrir

En arrivant par la route de l'Hospitalet, on découvre une **vue**★★ remarquable sur le **site**★★★ : au fond d'une gorge, l'Alzou serpente au milieu des prairies, et à 500 m environ, agrippé à la falaise du causse, se détache l'extraordinaire profil du village dont l'élévation est un défi à la pesanteur. Au-dessus du bourg s'étage la cité religieuse couronnée par les remparts du château.

LA CITÉ RELIGIEUSE

Par la **porte du Figuier**, vous pénétrez dans la rue principale du village, encombrée de magasins de souvenirs, rue étroite accrochée au rocher, que domine en surplomb l'étagement des maisons, des sanctuaires et du fort.
Ensuite, il faut gravir les 233 marches de la **Via Sancta**, c'est-à-dire la voie sainte dont les pèlerins font souvent l'ascension en s'agenouillant à chaque degré. Les 141 premières marches conduisent à une plate-forme où s'élèvent les habitations des chanoines, aujourd'hui converties en magasins et en hôtels.

carnet pratique

TRANSPORTS

Ascenseur de Rocamadour – *☎ 05 65 33 62 44 - juil.-août : 8h-22h ; avr.-sept. : 8h-20h ; de fév.-mars et d'oct. à mi-nov. : 9h-18h - fermé de mi-nov. au déb. des vac. scol. de Noël et 1er janv. au 3 fév. - 2,6€ AR, 2€ aller (-8 ans : gratuit).*

RESTAURATION

• *Valeur sûre*

Jehan de Valon – *46500 Rocamadour - ☎ 05 65 33 63 08 - fermé 13 nov. au 7 fév. - 19,50/45€.* Salle à manger avec vue sur la vallée ou terrasse rafraîchie par les tilleuls : ce restaurant ne manque pas d'arguments. Carte traditionnelle axée sur la région.

Auberge de Mathieu – *46500 Padirac - à 300 m de l'entrée du gouffre - 17 km à l'E de Rocamadour par D 673 - ☎ 05 65 33 64 68 - fermé 16 nov. au 28 fév., sam. en mars et nov. - 12,50€ déj. - 19,50/43€.* Entre spécialités régionales et cuisine traditionnelle, vous trouverez de quoi vous rassasier dans cette auberge située près du gouffre. Quelques chambres simples et fort bien tenues permettent de prolonger l'étape.

HÉBERGEMENT

• *À bon compte*

Hôtel Le Belvédère – *À l'Hospitalet - 46500 Rocamadour - 1,5 km de Rocamadour - ☎ 05 65 33 63 25 - le.belvedere@wanadoo.fr - fermé 3 nov. au 31 mars - P - 18 ch. : 38,50/55€ - ☕ 5,70€ - restaurant 15/23€.* Régalez-vous les yeux ! De la terrasse séparant les deux salles à manger, la vue sur le site de Rocamadour est superbe. Une grande partie des chambres fonctionnelles en profitent aussi. Cuisine traditionnelle et régionale.

• *Valeur sûre*

Hôtel Les Vieilles Tours – *Rte de Payrac - 46500 Rocamadour - 4 km à l'O de Rocamadour par D 673 - ☎ 05 65 33 68 01 - les.vieillestours@wanadoo.fr - fermé 16 nov. au 22 mars - P - 16 ch. : 52/78€ - ☕ 9,68€ - restaurant 21/38€.* Une maison du 16e s. et un fauconnier du 13e s. en pleine campagne... Si la chambre de la tour est libre, n'hésitez pas, c'est la plus belle. Les autres ne manquent pas de charme non plus. Jolie vue du jardin sur la vallée. Piscine. Le repas n'est assuré que le soir.

Domaine de la Rhue – *46500 Rocamadour - 6 km au NE de Rocamadour par D 673 puis N 140 - ☎ 05 65 33 71 50 - domainedelarhue@wanadoo.fr - fermé 21 oct. au 21 mars - P - 14 ch. : 67/101€ - ☕ 7€.* Nuits paisibles garanties ! Aménagées dans les écuries d'un domaine agricole du 19e s., les chambres sobres et meublées à l'ancienne ouvrent sur la campagne. Poutres et piliers de bois sont restés intacts. Une belle piscine vous attend pour votre bain quotidien.

• *Une petite folie !*

Le Troubadour – *46500 Rocamadour - 2,5 km au NE de Rocamadour par D 673 dir. Brive - ☎ 05 65 33 70 27 - troubadour@rocamadour.com - fermé 16 nov. au 14 fév. - P - 10 ch. : 80€ - ☕ 7,65€.* Besoin de silence ? Plus d'hésitation, c'est dans cette ancienne ferme restaurée qu'il faut séjourner. Son jardin, sa piscine et sa vue sur la campagne s'ajoutent au charme du lieu. Petites chambres de caractère. Restauration simple réservée aux résidents.

ACHATS

Boutique du Terroir – *R. de la Couronnerie - 46500 Rocamadour - ☎ 05 65 33 71 25 - horaires variables selon saisons - fermé 11 nov. au 1er avr. et sam. sf juil.-août.* Voilà un artisan bardé de récompenses, dont la médaille d'or du Salon agricole 1999 décernée par le ministère de l'Agriculture. Du foie gras aux plats cuisinés, sans oublier la truffe noire du Périgord, cette jolie boutique contient mille et une merveilles comme cette eau-de-vie de prune, également primée.

La Maison de la Noix – *R. de la Couronnerie - 46500 Rocamadour - ☎ 05 65 33 67 90.* Cette boutique propose apéritifs, liqueurs, confitures, huiles, biscuits, confiseries, moutardes et vinaigres de noix.

La **porte du Fort**, percée sous le mur d'enceinte du palais, permet d'accéder à l'enceinte sacrée. Un escalier conduit au **parvis**, également appelé place St-Amadour, formant un espace assez restreint autour duquel s'élèvent sept sanctuaires.

Crypte St-Amadour

Dans le cadre des visites guidées de la cité religieuse. ☎ 05 65 33 23 23.
Cette petite église inférieure, édifiée au 12e s., s'étend sous les deux travées Sud de la **basilique St-Sauveur**. Autrefois, on y vénérait le corps de saint Amadour.

Chapelle Notre-Dame

Dans le cadre de la visite guidée de la cité religieuse. ☎ 05 65 33 23 23.
Du parvis, un escalier monte jusqu'à la chapelle miraculeuse, considérée comme le « saint des saints » de Rocamadour. Écrasée en 1476 par la chute d'un rocher, elle fut reconstruite en style gothique flamboyant.
Dans la pénombre de la chapelle noircie par la fumée des cierges, on découvre sur l'autel la **Vierge noire★** : de petite taille (69 cm), elle est assise, hiératique, portant sans le tenir un étonnant Enfant Jésus au visage d'adulte. Cette statue reliquaire en bois de facture rustique date du 12e s. Tout autour ont été accrochés des ex-voto.

Chapelle St-Michel

Dans le cadre des visites guidées de la cité religieuse. ☎ 05 65 33 23 23.
Cette chapelle romane est abritée par un encorbellement rocheux. Elle servait pour les offices des moines du prieuré qui y avaient aussi aménagé leur bibliothèque.
Sur le mur extérieur, deux fresques représentent l'Annonciation et la Visitation : l'habileté de la composition, la richesse des tons (ocre, jaune, brun-rouge, fond bleu roi), l'élégance des mouvements datent l'œuvre, qui s'inspire à la fois des châsses limousines et des mosaïques byzantines du 12e s.

Musée d'Art sacré Francis-Poulenc★

♿ Juil.-août : 10h-19h ; sept.-juin : 9h30-12h, 14h-18h. Il est préférable de téléphoner en hiver. 4,60€ (enf. : 2,60€). ☎ 05 65 33 23 30.
Des documents divers évoquent l'histoire de Rocamadour et de son pèlerinage. La salle du Trésor rassemble quelques très belles pièces provenant du sanctuaire, comme un chef reliquaire en argent doré de saint Agapit (14e s.).
En sortant du musée, empruntez le « tunnel » qui passe sous la basilique St-Sauveur et conduit à une terrasse dominant le canyon de l'Alzou.

alentours

Château de Castelnau-Bretenoux★★

24 km au Nord-Est de Rocamadour, par la D 673, puis la D 14 à gauche.
Juil.-août : visite guidée (1/2h, dernière entrée 3/4h av. fermeture) 9h30-18h45 ; avr.-sept. : 9h30-12h15, 14h-18h15 ; oct.-mars : tlj sf mar. 9h30-12h15, 14h-17h15. Fermé 1er janv., 1er mai, 1er et 11 nov., 25 déc. 5,50€ (enf. : gratuit). ☎ 05 65 10 98 00.
À la lisière septentrionale du Quercy, le château s'élève sur un éperon qui domine le confluent de la Cère et de la Dordogne. L'importance de son système de défense en fait l'un des plus beaux exemples d'architecture militaire du Moyen Âge. C'est autour du puissant donjon, bâti au 13e s., que se développa le château fort. Des remparts, on a une large **vue★**.

J. Damase/MICHELIN

Le château de Castelnau-Bretenoux dresse l'énorme masse rouge de ses remparts et de ses tours.

Gouffre de Padirac★★

15 km au Nord-Est de Rocamadour, par la D 673, puis la D 90 vers le Nord de Padirac. Juil. : visite guidée (1h1/2) 9h-18h30 ; août : 8h30-18h30 ; avr.-juin et sept. : 9h-12h, 14h-18h ; 1re sem. d'oct. : 9h-12h, 14h-17h. 7,70€ (enf. : 5€). ☎ 05 65 33 64 56. N'oubliez pas de vous munir de vêtements imperméables pour visiter le gouffre, surtout s'il a plu les jours précédents.
La visite de ce gouffre vertigineux, de sa mystérieuse rivière et des vastes cavernes ornées de concrétions calcaires gigantesques, reste un incontournable rendez-vous pour qui découvre le **causse de Gramat**.

À la descente, deux ascenseurs doublés d'escaliers conduisent à l'intérieur du gouffre de 32 m de diamètre jusqu'au cône d'éboulis formé par l'effondrement de la voûte primitive. Des escaliers mènent jusqu'au niveau de la rivière souterraine, à 103 m au-dessous du sol. Après la descente au fond du gouffre, on parcourt environ 2000 m sous terre, dont 700 m en barque.
Une flottille de bateaux insubmersibles permet d'effectuer une féerique promenade sur la «rivière plane» aux eaux limpides. Remarquez les niveaux d'érosion correspondant aux cours successifs de la rivière. En fin de parcours, on admire la **Grande Pendeloque**. Cette stalactite, dont la pointe atteint presque la surface de l'eau, n'est que le pendentif final d'un chapelet de concrétions de 78 m de hauteur.
La **salle du Grand Dôme**, impressionnante par la hauteur de son plafond (91 m), est la plus belle et la plus vaste du gouffre. Le belvédère établi à mi-hauteur permet d'observer les formations rocheuses et les coulées de calcite.

Rochefort★★

On arrive à Rochefort sur les pas de Pierre Loti, comme en de si nombreux endroits du globe... Mais ici, c'est dans la ville natale de l'écrivain-voyageur que l'on pose le pied, celle où il aimait revenir.
Créé par Colbert au 17e s., Rochefort est fier de son riche passé maritime. Son arsenal, où se préparaient les grandes expéditions, exhale encore un parfum d'exotisme très particulier.

La situation

25797 Rochefortais – Cartes Michelin Local 324 C-E 4 – Le Guide Vert Poitou Vendée Charentes – Charente-Maritime (17). La ville est située à quelques kilomètres du littoral atlantique, entre la rive droite de la Charente et les marécages. On peut se garer au centre.
Av. Sadi-Carnot, 17300 Rochefort, ☎ 05 46 99 08 60. www.tourisme.fr/rochefort
Pour poursuivre la visite, voir aussi : LA ROCHELLE, COGNAC, SAINTES, ANGOULÊME, ROYAN.

carnet pratique

Restauration

• À bon compte

Belle Cordière – *17370 St-Trojan-les-Bains - ☎ 05 46 76 12 87 - fermé 14 au 31 oct., lun. et mar. sauf juil.-août - 10,98/22,41€.* Restaurant aménagé dans une maison régionale bordant une ruelle voisine de l'église et de la mairie. Selon la saison, vous serez installé dans la salle à manger-véranda ou en terrasse. Le cadre est simple et l'accueil familial.

• Valeur sûre

Tourne-Broche – *17300 Rochefort - ☎ 05 46 99 20 19 - 25/40€.* Au sein d'une maison édifiée pour les officiers de Colbert, restaurant sachant tirer profit de son cadre authentique : cheminée, tournebroche et vues du Luxembourg.

L'Auberge de la Campagne – *D 734 - 17310 St-Pierre-d'Oléron - ☎ 05 46 47 25 42 - fermé Toussaint au 14 avr., dim. soir et lun. - 25€ déj. - 30/45€.* Dans les dépendances d'une ancienne ferme, ce restaurant est entouré d'un beau jardin. Idéal en été, puisque les tables s'installent en terrasse avec le soleil, il est cosy en hiver avec sa salle douillette, ses tables rondes et ses meubles de bois ancien... Cuisine soignée.

Hébergement

• Valeur sûre

Hôtel La Belle Poule – *17300 Rochefort - 3 km au S de Rochefort par rte de Royan - ☎ 05 46 99 71 87 - belle-poule@wanadoo.fr - fermé 28 oct. au 17 nov., dim. soir et ven. hors sais. - P - 20 ch. : 41,92/48,02€ - ☕ 5,64€ - restaurant 17,53/28,97€.* Tout près du pont de Martrou, cette maison dans un jardin fleuri est une gentille étape. À une encablure des îles, du centre de Rochefort et donc de la maison de Pierre Loti, elle vous ouvre ses grandes chambres et son agréable salle à manger avec cheminée... pour un séjour familial.

• Une petite folie !

Hôtel Corderie Royale – *R. Audebert - près de la Corderie royale - 17300 Rochefort - ☎ 05 46 99 35 35 - fermé 1er fév. au 4 mars, dim. soir et lun. de nov. à mars - P - 45 ch. : 77/155€ - ☕ 9,50€ - restaurant 24,39/51,83€.* Aménagé dans les magnifiques bâtiments de l'artillerie royale du 17e s., cet hôtel est en face du port. Une très belle étape, au cœur du quartier de l'Arsenal, même si sa décoration des années 1980 n'est pas du goût de tous. Superbe vue sur la Charente depuis le restaurant. Piscine.

Motel Île de Lumière – *Av. des Pins - 17310 St-Pierre-d'Oléron - ☎ 05 46 47 10 80 -fermé oct. au 6 avr. - P - 45 ch. : 106€ ☕.* Voilà une bonne adresse de vacances ! Avec ses pavillons aux volets bleus répartis dans un jardin fleuri, cet hôtel est entre mer et terre. Ses grandes chambres familiales, avec mezzanine pour la plupart, ont toutes une terrasse qui ouvre sur les dunes et l'Océan.

se promener

La ville a un aspect un peu sévère, dû au quadrillage de ses larges rues tracées au cordeau et se coupant à angle droit.

Quartier de l'Arsenal*

L'arsenal aménagé par Colbert s'étendait le long de la Charente sur deux plans encore existants, séparés par des cales de lancement. Il comprenait une fonderie, une chaudronnerie, des forges, des scieries, une tonnellerie, une corderie. Des fosses aux mâts pouvaient contenir 50 000 stères de bois que l'eau saumâtre rendait imputrescible. Un atelier de « sculpteurs de la Marine » ciselait poupes et proues.

Chantier de reconstruction de l'« Hermione »

Avr.-sept. : 9h-19h ; oct.-mars : 10h-18h. Fermé 1er janv. et 25 déc. 4,50€. ☎ 05 46 87 01 90.
Spécialement restaurée et aménagée pour ce chantier, une des deux formes de radoub accueille la construction d'une réplique de l'*Hermione*, frégate de La Fayette. Ce fameux trois-mâts, long de 45 m, est de nouveau assemblé à Rochefort depuis le 4 juillet 1997 avec les mêmes techniques de construction navale qu'en 1779.

Corderie royale**

En contrebas du jardin de la Marine et dominant la Charente s'étend l'ancienne Corderie royale. Achevée en 1670, la corderie fournit toute la marine en cordages jusqu'à la Révolution. Admirez sa longue et très harmonieuse façade, que surmonte un comble mansardé à ardoises bleues, percé de lucarnes à frontons. Ce bâtiment classique représente l'un des rares témoignages de l'architecture industrielle du 17e s.

Maison de Pierre Loti, Rochefort

Pierre Loti s'inspira de l'Alhambra de Grenade pour aménager son salon turc.

Maison de Pierre Loti*

De déb. juil. à mi-sept. : visite guidée (3/4h, dép. toutes les 1/2h) à partir de 10h ; de mi-sept. à fin juin : tlj sf mar. 10h30, 11h30, 14h, 15h, 16h. Fermé janv., 1er et 11 nov., 25 déc. 7,35€. Réservation recommandée. ☎ 05 46 99 08 60.
La maison se compose de deux habitations communicantes : sa demeure natale et celle dont il fit plus tard l'acquisition. Son somptueux intérieur aurait pu accueillir Schéhérazade. Remarquez le salon turc avec son sofa, ses coussins, ses tentures, son plafond en stuc. La chambre arabe est ornée d'émaux et d'un moucharabieh.

alentours

Brouage*

11 km au Sud-Ouest de Rochefort par la D3. Dès le Moyen Âge, Brouage devient la capitale européenne du sel, expédié surtout en Flandre et en Allemagne. Le siège de La Rochelle en 1628 fait de Brouage l'arsenal de l'armée royale. Richelieu fait reconstruire les fortifications. Au terme de dix ans de travaux, la cité constitue la plus forte place de la côte atlantique... À la fin du 17e s., la fondation de Rochefort lui enlève une part de son rôle militaire. Vauban entreprend cependant de renforcer ses remparts, mais le havre s'envase et les marais salants deviennent générateurs de fièvres. Les **remparts****, bâtis de 1630 à 1640, constituent un excellent exemple de l'art des fortifications avant Vauban. Dessinant un carré de 400 m de côté, ils sont défendus par sept bastions, eux-mêmes munis d'échauguettes. Le côté Nord formait le front de mer, donnant sur le havre, aujourd'hui réduit à un chenal.

Île d'Oléron*

33 km à l'Ouest de Rochefort. Un pont routier, gratuit, relie Oléron au continent.
Prolongement de la Saintonge, Oléron est la plus vaste des îles françaises (après la Corse), avec 30 km de long sur 6 km de large. Cette île charentaise à la beauté sauvage respire la santé : un air pur, des forêts magnifiques, des plages de sable, et bien

sûr... des huîtres! Un rivage de sable forme une couronne le long des dunes boisées au Nord et à l'Ouest. À l'intérieur des terres, de blanches maisons sont entourées de mimosas, lauriers-roses, tamaris et figuiers. De-ci de-là apparaissent des moulins à vent. On y part sur les traces des oiseaux et à la découverte du monumental et télégénique fort Boyard!

Au cœur de l'île, en bordure des marais, **St-Pierre** en est le centre administratif et commercial. En été, les rues piétonnes du centre-ville sont très animées. De la plate-forme du clocher de l'église, le **panorama★** embrasse la totalité d'Oléron, les îles d'Aix et de Ré, l'estuaire de la Charente.

St-Trojan-les-Bains est une agréable station balnéaire, fleurie de mimosas de janvier à mars. Villas et chalets sont disséminés sous une magnifique forêt de pins maritimes et le Gulf Stream vient adoucir les eaux des plages de sable fin.

Place forte du 17e s., le **Château-d'Oléron** conserve les restes d'une citadelle construite à l'initiative de Richelieu.

Le charmant port de **La Cotinière★** abrite des petits chalutiers, qui pêchent surtout, en été, crevettes, soles, crabes, homards alimentant la criée.

La Rochelle★★★

Porte sur l'Atlantique imprenable depuis des siècles, son port fut poussé par le vent du large vers l'avenir, en se dotant des meilleures structures nautiques. Première ville à fabriquer des voitures électriques, La Rochelle demeure un modèle pour la mise en valeur de l'environnement. Sous de magnifiques et mystérieuses arcades, on y fait une vertigineuse traversée historique: musées, forteresses, églises, parcs, plages, rien ne manque ici. Il ne reste qu'à ajouter un Festival de musique francophone.

La situation

116 157 Rochelais - Cartes Michelin Local 324 E 4, C 3, Regional 521 - Le Guide Vert Poitou Vendée Charentes - Charente-Maritime (17). Laissez la voiture dans un des nombreux parkings de la ville (notamment près du port) pour enfourcher un vélo jaune (gratuit 2h).

Quartier du Gabut, pl. de la Petite-Sirène, 17000 La Rochelle, ☎ 05 46 41 14 68.

Pour poursuivre la visite, voir aussi: ROYAN, ROCHEFORT, LE PUY DU FOU, ANGOULÊME, POITIERS, LES SABLES-D'OLONNE.

comprendre

Le commerce portuaire - Dès le 13e s., des remparts sont dressés, et La Rochelle noue des relations commerciales avec l'Angleterre et les Flandres. Le vin et le sel sont exportés, les toiles et la laine sont importées. La ville regorge de banques et de marchands bretons, espagnols, anglais ou flamands. À partir du 15e s., le port s'enrichit avec le Canada (commerce de fourrures) et les Antilles, avec la traite des Noirs.

Les premiers conflits - Très tôt, La Rochelle compte des adeptes du protestantisme dont les idées ont suivi les routes maritimes depuis le Nord de l'Europe. En 1568, les protestants ont le pouvoir à La Rochelle. En 1573, un siège est tenu devant

Le Vieux Port de La Rochelle, fréquenté par les petits navires de plaisance et les flâneurs.

M. Thiery/MICHELIN

carnet pratique

TRANSPORTS

Accès à l'île de Ré par le pont-viaduc – *☎ 05 46 00 51 10 - de mi-juin à mi-sept. péage AR auto (conducteur et passagers compris - 16,5€ (de mi-sept. à mi-juin : 9€) - deux-roues : 2€.* Le pont-viaduc, pont routier à péage long de 2 960 m, relie l'île au continent depuis 1988.

Accès à l'île d'Aix en bateau depuis l'île de Ré – *☎ 05 46 09 87 27 - de mi-avr. à fin sept.* Liaisons régulières vers l'île d'Aix, avec approche du fort Boyard.

RESTAURATION

• *À bon compte*

Mistral – *17000 La Rochelle - ☎ 05 46 41 24 42 - fermé 9 au 24 fév. et le soir du lun. au jeu. - 13,72/24,39€.* Maison au bardage de bois située au cœur du quartier du Gabut, à une encablure de l'Office de tourisme. La grande salle à manger de style « paquebot » est au premier étage et la terrasse, au même niveau, offre une vue sur l'ancien port de pêche.

Les Mangeux de Lumas – *Accès piétonnier en été - 79270 La Garette - 55 km au NE de la Rochelle par N 11 puis D 1 - ☎ 05 49 35 93 42 - fermé 4 au 19 janv., lun. soir et mar. sf juil.-août - 15/43€* . Dans un joli petit village, cette ancienne ferme ouvre sa petite terrasse au bord d'une conche dès les premiers rayons de soleil. En hiver, vous serez bien au chaud dans sa salle au décor campagnard. Formule grill en été et menus aux accents régionaux toute l'année.

• *Valeur sûre*

À Côté de chez Fred – *30 r. St-Nicolas - 17000 La Rochelle - ☎ 05 46 41 65 76 - fermé 20 oct. au 12 nov., dim. et lun. - 20/35€.* Ici, le poisson est tout frais ! Et pour cause, puisque ce petit restaurant est tenu par un ancien marin pêcheur et que, de plus, l'ardoise de suggestions change avec la pêche du jour. Ambiance un brin folklorique dans un décor simple, juste derrière le port.

Les Embruns – *6 r. Chay-Morin - Îlot - 17410 St-Martin-de-Ré - ☎ 05 46 09 63 23 - fermé dim. soir et mer. sf juil.-août - 15€ déj. - 21€.* Derrière ses volets verts, ce petit restaurant sert une cuisine de marché qui fait la part belle aux poissons. Affichée sur l'ardoise, elle change avec les saisons et se déguste fort bien dans le décor de filets et d'outils de pêche, sur fond blanc et bleu, bien sûr...

HÉBERGEMENT

• *Valeur sûre*

Hôtel France-Angleterre et Champlain – *20 r. Rambaud - 17000 La Rochelle - ☎ 05 46 41 23 99 - 36 ch. : 57/99€ - ☕ 11,50€.* Dans une rue passante, non loin du centre historique, ancien hôtel particulier cachant un joli jardin très reposant : c'est un peu la campagne à la ville ! Les chambres, souvent grandes, sont superbement meublées.

Hôtel Les Brises – *Chemin digue Richelieu (av. P.-Vincent) - 17000 La Rochelle - ☎ 05 46 43 89 37 - P - 46 ch. : 71/104€ - ☕ 9€.* Pour le plaisir d'ouvrir ses fenêtres sur l'Océan et de respirer la brise marine au réveil... Cet hôtel des années 1960 jouit d'un bel emplacement entre terre et mer : les pieds dans l'eau, vous profiterez de la vue depuis la terrasse panoramique et de la plupart des chambres.

Hôtel de la Monnaie – *3 r. de la Monnaie - 17000 La Rochelle - ☎ 05 46 50 65 65 - info@hotel-monnaie.com - 31 ch. : 75/100€ - ☕ 9,50€.* Juste derrière la tour de la Lanterne, ce ravissant hôtel particulier du 17e s. où se frappait autrefois la monnaie est une adresse agréable. Vous apprécierez le calme de ses chambres entre cour et jardin, leurs aménagements récents et leur bonne taille.

Sénéchal – *6 r. Gambetta - 17590 Ars-en-Ré - ☎ 05 46 29 40 42 - fermé 3 janv. au 14 fév. et 13 nov. au 19 déc. - 15 ch. : 45,73/121,95€ - ☕ 6,86€.* Ce vieil hôtel rétais vient de s'offrir une cure de rajeunissement. Pierres blanches, boiseries claires et tissus de couleur dans les chambres rénovées. Agréable patio.

ACHATS

Poterie de La Chapelle-des-Pots – *4 r. Chaudrier - 17000 La Rochelle - ☎ 05 46 28 91 37 - mai-sept., déc. : lun.-sam. 9h-19h ; le reste de l'année : 10h-12h30, 14h30-19h.* Les faïences présentées dans cette boutique sont réalisées à La Chapelle-des-Pots, bourg saintongeais réputé pour ses poteries depuis le 13e s. Nombreux décors et prix identiques à ceux de la fabrique.

La Martinière – *17 et 19 quai de la Poithevinière - 17410 St-Martin-en-Ré - ☎ 05 46 09 20 99.* Ce nom faisait peur, c'était celui d'un bateau qui emmenait les bagnards à Cayenne ; c'est aujourd'hui celui d'un glacier réputé qui fabrique sorbets et glaces artisanalement avec un choix pléthorique. Parmi les quelque 120 parfums proposés en rotation, le caramel au beurre salé rencontre souvent un grand succès.

LOISIRS-DÉTENTE

Location de bicyclettes sur l'île de Ré – La location de vélo est possible un peu partout dans l'île de Ré, où les offices de tourisme suggèrent 5 parcours balisés évocateurs des divers visages de Ré ; chemins de la Forêt du Littoral, des Marais, de la Campagne et de l'Histoire. *Rens. à l'Office de tourisme.*

Promenades en barque dans le Marais poitevin – Au départ de Coulon, promenades en barque à travers la « Venise verte », avec ou sans guide. S'adresser à : **M. Prala**, ☎ 05 49 35 97 63 ; **La Pigouille**, Mme Agnès, ☎ 05 49 35 80 99 ; **La Roselière** (possibilité de barques agréées pour le transport des handicapés), M. Jubien ☎ 05 49 35 82 98 ;**La Trigale**, DLMS Tourisme, ☎ 05 49 35 02 29 ; **Préplot « La maison aux volets bleus »**, M. Ravard, ☎ 05 49 35 93 66 ; **« Les bords de Sèvre »**, ☎ 05 49 35 90 47.

la cité par l'armée royale. Mais La Rochelle résiste. Un second siège a lieu en 1627, opposant de nouveau la ville à l'armée royale. Un blocus est organisé côté terre, et sur la mer une digue gigantesque barre la baie. Les Rochelais ne réagissent guère, persuadés que l'ouvrage ne résistera pas aux tempêtes. Or, il tient, réduisant la cité à la famine : le 30 octobre 1628, Richelieu entre dans la ville après treize mois de siège; Louis XIII l'y rejoint le 1er novembre.

se promener

LE VIEUX PORT**

Le port ancien est situé au fond d'une baie étroite. Il comprend un avant-port, un bassin d'échouage ou Vieux Port, un petit bassin à flot où s'amarrent les yachts, un bassin à flot extérieur ou bassin des chalutiers, et un bassin de retenue.

Tour St-Nicolas*

Juil.-août : 10h-19h, de mi-mai à mi-sept. : tlj sf lun. 10h-13h, 14h-18h ; de mi-sept. à mi-mai : tlj sf lun. 10h-12h30, 14h-17h30. Fermé 1er janv., 1er mai, 1er et 11 nov., 25 déc. 4€, 8,50€ billet jumelé avec les tour de la Chaîne et de la Lanterne, gratuit 1er dim. du mois (nov.-avr.). ☎ 05 46 34 11 81.

La tour St-Nicolas doit son nom au patron des navigateurs. Percée de meurtrières munies de bretèches, elle servit longtemps de prison. Un escalier extérieur aboutit à la salle principale couverte d'une élégante voûte d'ogives. De là, d'autres escaliers, pratiqués dans l'épaisseur des murs, conduisent à des pièces où est retracée l'évolution du site portuaire du 12e s. à nos jours.

Tour de la Chaîne

Elle doit son nom à la grosse chaîne qui, durant la nuit, la joignait à sa sœur St-Nicolas pour fermer le port. Cette tour fut utilisée comme poudrière. Bâtie également au 14e s., elle fut découronnée au 17e s. Aujourd'hui, elle abrite une exposition consacrée au siège de La Rochelle.

Tour de la Lanterne*

Érigée au 15e s., elle concilie soucis esthétiques et impératifs militaires. L'ouvrage, aux murs de 6 m d'épaisseur à la base, contraste avec la flèche octogonale à crochets et la fine lanterne, servant jadis de fanal, qui la surmontent. Sur les murs, remarquez les **graffiti*** de prisonniers ou de soldats. Du balcon, superbe **panorama****.

LE QUARTIER ANCIEN**

Ses grands axes sont la grande-rue des Merciers et la rue du Palais. Les maisons les plus anciennes sont à pans de bois couverts de plaques d'ardoise destinées à protéger ceux-ci de la pluie.

Porte de la Grosse-Horloge*

Entrée de la ville côté port, cette tour gothique a été remaniée au 18e s. par l'adjonction d'un couronnement. Au centre, son beffroi abrite la cloche et l'horloge.

Rue du Palais*

C'est l'une des principales voies de La Rochelle. À droite, les boutiques se succèdent sous des galeries. À gauche alternent galeries et bâtiments publics ; on y voit de vieilles maisons, comme celle aux fenêtres ornées d'arcades et de masques.

Grande-rue des Merciers**

Très commerçante, c'est une des artères les plus caractéristiques de La Rochelle, par ses galeries et ses maisons des 16e et 17e s. Les constructions médiévales, aux pans de bois couverts d'ardoises, alternent avec des demeures Renaissance en pierre, ornées de fantastiques gargouilles sculptées.

Muséum d'histoire naturelle**

Fermé pour rénovation.

Dans le **cabinet Lafaille**, armoires vitrées, vitrines, « coquillier », le seul conservé en France, se fondent dans de magnifiques boiseries, ornées de corail et sculptées d'objets scientifiques. De rares coquillages, mollusques et crustacés retiennent l'attention. Le palier est occupé par la première girafe introduite en France, cadeau du pacha d'Égypte Méhémet Ali au roi Charles X.

DÉFERLANTE MUSICALE

Chaque année, vers le 14 juillet, un avis de tempête musicale est annoncé sur La Rochelle. En 1985, Jean-Louis Foulquier choisit sa ville natale pour hisser le pavillon des Francofolies. La fête attire 25 000 personnes la première année, entraînées par un spécialiste de la scène : Jacques Higelin. Ouvert à tous les courants musicaux, ce festival fait cohabiter rock, variétés, jazz et rap. Au fil des éditions, le public se lance à l'abordage des Aznavour, Bashung, Cabrel, Ferré, Guidoni, Halliday, Lara, Lavilliers, Renaud, MC Solar, Rita Mitsouko, Sapho, Souchon, Manau, Faudel, Pierpoljak, Zazie, Enzo Enzo et Kent, et autres Zebda... L'esplanade St-Jean-d'Acre accueille les talents confirmés autour de la grande scène. Le Grand Théâtre et la Salle bleue se prêtent mieux aux artistes intimistes ou à la découverte de nouveaux talents, le Carré Amelot à la scène régionale. « La rue est à nous » complète les Francofolies officielles.

Musée du Nouveau-Monde★

Tlj sf mar. 10h30-12h30, 13h30-18h, dim. et j. fériés 15h-18h. Fermé j. fériés. 3,50€. ☎ 05 46 41 46 50. www.perso.wanadoo/musees-la-rochelle

L'hôtel Fleuriau, acquis en 1772 par l'armateur rochelais de ce nom, abrite les collections illustrant les relations tissées entre La Rochelle et les Amériques depuis la Renaissance. Les armateurs s'enrichirent avec le Canada, la Louisiane et surtout les Antilles où ils possédaient de vastes domaines produisant des épices, du sucre, du cacao, du café, de la vanille. Ces « négriers » prospéraient aussi avec le commerce du « bois d'ébène » ou commerce triangulaire : vente de tissus et achat d'esclaves sur les côtes d'Afrique, vente de ces esclaves et achat de produits coloniaux à l'Amérique, vente de ces produits coloniaux en Europe.

LA VILLE-EN-BOIS

À l'Ouest du bassin des grands yachts s'étend le quartier de la Ville-en-Bois, nommé ainsi à cause de ses maisons basses en bois, où artisanat, université et musées cohabitent.

Aquarium★★

♿ *Juil.-août : 9h-23h ; avr.-sept. : 9h-20h ; oct.-mars : 10h-20h. 10€ (enf. : 7€). ☎ 05 46 34 00 00. www.aquarium-larochelle.com*

Grand vaisseau de verre et de bois, l'aquarium abrite de manière originale plus de 10 000 animaux marins de l'Atlantique, de la Méditerranée, des mers chaudes et du Pacifique. Ses 65 bassins recréent l'environnement (relief, flore) des espèces présentées.

Parmi les innovations muséographiques, citons l'amusante entrée dans les profondeurs océanes en sous-marin, le tunnel des méduses à 360°, les bancs de poissons (sardines, barracudas), la salle obscure révélant la magie des espèces fluorescentes, le bassin des requins ou la magnifique serre tropicale.

Le ballet des méduses invite à découvrir un monde mystérieux.

Musée maritime Neptunéa★

Juil.-août : 10h-19h ; avr.-sept. : 10h-18h30 ; oct.-mars : 14h-18h30. Fermé de mi-nov. à déb. fév. et vac. scol. Noël. 7,60€. ☎ 05 46 28 03 00.

Le long des quais mouillent canots, chalutiers, remorqueur, yachts. Avec ses 80 m de long, la frégate météorologique *France I*, le plus imposant navire de la flottille, ouvre ses ponts à la visite. N'y manquez pas d'intéressantes expositions sur la vie à bord, la météorologie et les bateaux en bouteille.

Musée des Automates★

♿ *Juil.-août : 9h30-19h ; fév.-oct. : 10h-12h, 14h-18h ; nov.-janv. : 14h-18h. 6,50€ (enf. : 4€). ☎ 05 46 41 68 08. www.gaillard-decors.com*

Dans des décors et une mise en scène somptueuse, 300 personnages en mouvement rivalisent d'ingéniosité pour attirer l'attention du visiteur. Regardez le célèbre canard de l'automaticien J. de Vaucanson. Une bouche de métro donne accès à **Montmartre★★**. Les enfants seront émerveillés par les automates publicitaires des boutiques. Les adultes pourront flâner dans des rues pavées éclairées par des candélabres et se laisser surprendre par le passage d'un métro aérien.

alentours

Île de Ré★

10 km à l'Ouest de la Rochelle par le pont-viaduc. Allongée à fleur d'eau, nette et dépouillée sur l'horizon, l'île de Ré est l'un des rendez-vous favoris des vacanciers amateurs de soleil et de grand air. Ses plages et ses dunes au sable blanc ravissent baigneurs, véliplanchistes et ramasseurs de coquillages. L'île est parsemée de villages aux maisons basses, d'une blancheur éclatante, aux façades recouvertes de treilles et de glycines, et bordées de roses trémières ou de belles-de-nuit. On sillonne l'île à vélo en toute quiétude sur les pistes cyclables, pour découvrir vignobles, bois de pins, marais salants, et le **phare des Baleines★**.

St-Martin-de-Ré★, la capitale de l'île, jadis place militaire puissante et port actif, est devenue une charmante cité aux rues étroites et paisibles, pavées et reluisantes de propreté, et qui dans l'ensemble ont gardé l'aspect classique du Grand Siècle. Ses **fortifications★** remontent au début du 17e s. mais ont été remaniées par

Vauban. L'enceinte est percée de deux portes monumentales, la porte Toiras et la porte des Campani, précédées par des espaces demi-circulaires.
Le port a une disposition originale : le bassin enserre l'ancien quartier de marins, aujourd'hui bordé de commerces, qui forme presque un îlot au centre du port.

Marais poitevin**

33 km au Nord-Est de La Rochelle, en direction de Niort, par la N 11. Plonger dans le monde aquatique et végétal du Marais poitevin, c'est percer le mystère d'un immense labyrinthe de bras d'eau et de chemins. On peut se laisser glisser en barque sur les eaux vertes du Marais mouillé ou le parcourir à vélo ou à pied, sous des cieux immenses et lumineux, le long de prés bordés de peupliers et de saules. Dans la **baie de l'Aiguillon**, les oiseaux migrateurs ont trouvé un havre naturel et les hommes s'adonnent à l'élevage des huîtres et des moules de bouchot.
L'idéal pour découvrir le Marais mouillé, que l'on appelle aussi la Venise verte, apprécier sa beauté, son silence et sa poésie, est de faire une promenade en barque au départ de **Coulon***, du Vanneau, de Damvix, de Maillezais ou du charmant port d'Arçais.

L'ÂNE CULOTTE

Très doux et attachant, le baudet du Poitou, grand âne à longs poils brun-roux, était réputé pour sa résistance et fut utilisé lors des travaux d'assèchement du Marais poitevin. Il est surtout connu pour son talent de reproducteur de la mule poitevine, née du croisement entre un baudet et une jument. C'est à Melle que l'élevage et le négoce du baudet prospéraient, mais la mécanisation dans le domaine agricole rendit mules et baudets inutiles. Menacé de disparaître, le baudet du Poitou doit sa survie à l'Asinerie nationale de Dampierre-sur-Boutonne. On voit des ânes dans l'île de Ré ; ils portaient autrefois un pantalon afin de les protéger des mouches et des herbes coupantes.

M. Thiery/MICHELIN

Rodez*

Une jolie ville plantée aux confins de deux régions très différentes : les plateaux secs des causses et les collines humides du ségala. Elle est perchée sur une butte, et les plus beaux paysages de la région s'étalent à ses pieds. La ville ancienne, qui domine de 120 m le lit de l'Aveyron, est un régal pour les yeux !

La situation

23 707 Ruthénois – Cartes Michelin Local 338 E-H 3-4, Regional 526 – Midi-Pyrénées – Aveyron (12). On peut entreprendre le tour de la ville en voiture (en dehors des heures d'affluence) en suivant les boulevards établis sur l'emplacement des anciens remparts, puis laisser la voiture au parking du boulevard de la République, à moins de s'engager dans la ville (en face du square François-Fabié) pour tenter sa chance dans celui du boulevard Galy.
Pl. Foch, 12005 Rodez, ☏ 05 65 68 02 27. www.granrodez.com
Pour poursuivre la visite, voir aussi : FIGEAC, ALBI, MILLAU.

visiter

Cathédrale Notre-Dame**

La cathédrale, en grès rouge, a été mise en œuvre en 1277. L'élégance du style gothique apparaît notamment dans la verticalité du chœur aux fines lancettes, dans la légèreté des piliers de la nef et dans l'élévation des grandes arcades surmontées d'un triforium dont l'ordonnance reprend celle des fenêtres hautes. Le chœur est meublé de **stalles*** du 15e s. Dans le bras gauche du transept, le **buffet d'orgue*** présente une superbe boiserie sculptée du 17e s.
À l'extérieur, la façade donnant sur la place d'Armes frappe par son allure de forteresse avec son mur sans porche, percé de meurtrières, ses contreforts massifs, ses tourelles aux ouvertures ébrasées et ses deux tours dépourvues d'ornements. Cette façade austère, édifiée en dehors du mur d'enceinte de la ville, jouait en quelque sorte le rôle de bastion avancé pour la défense de la cité. Remarquable par sa position détachée de la cathédrale, le magnifique **clocher***** a été édifié sur une tour massive du 14e s.

carnet pratique

RESTAURATION

- ***À bon compte***

La Taverne – *23 r. de l'Embergue - 12000 Rodez - ☎ 05 65 42 14 51 - fermé 1 sem. en mai, 15 j. en sept., sam. midi hors sais., dim. et j. fériés - 10€ déj. - 14,50€.* Le patron qualifie son restaurant de « ferme-auberge à la ville ». La cuisine se veut résolument aveyronnaise : picaùcel, farçous et bien sûr l'aligot. Grande salle voûtée au sous-sol. On lui préférera, l'été, la terrasse donnant sur une petite place piétonne.

HÉBERGEMENT

- ***À bon compte***

Hôtel du Midi – *1 r. Béteille - 12000 Rodez - ☎ 05 65 68 02 07 - hotel.du.midi @wanadoo.fr - fermé 20 déc. au 6 janv. - P - 34 ch. : 39,65/44,20€ - ☕ 6,10€ - restaurant 9,15/21,34€.* Face à la cathédrale, cet hôtel propose des chambres simples, claires et bien tenues, mieux insonorisées sur l'arrière. Deux salles à manger. Cuisine classique régionale.

Musée Fenaille★★

♿ *Mar., jeu., ven. 10h-12h, 14h-18h, mer. et sam. 13h-19h, dim. 14h-18h. 3€. Fermé 1er janv., 1er mai, 1er nov. et 25 déc. ☎ 05 65 73 84 30.*

Les plus importantes collections sur le Rouergue sont réunies dans le plus ancien hôtel particulier de Rodez, auquel a été accolé un bâtiment moderne. Ce dernier, en partie consacré à la préhistoire, présente entre autres de merveilleuses **statues-menhirs★** (3300-2200 avant J.-C.), dont on n'a toujours pas percé le mystère. L'**ancien hôtel★★** évoque quant à lui la vie quotidienne et religieuse au Moyen Âge, et expose de belles statues et des éléments d'architecture de la Renaissance.

alentours

Conques★★★

37 km au Nord-Ouest de Rodez, par la D 901. Dans un **site★★** superbe, une bourgade tranquille s'accroche aux pentes escarpées des gorges de l'Ouche. Ce **village★**, aux ruelles escarpées bordées de maisons anciennes dont les pierres rousses s'allient harmonieusement aux couvertures de lauzes, encadre une magnifique église romane aux prodigieux trésors, vestige d'une abbaye qui hébergea longtemps l'interminable file des pèlerins se rendant à St-Jacques-de-Compostelle.

Abbatiale Ste-Foy★★ – *Mai-sept. : visite guidée. S'adresser à l'Office de tourisme.*

Ce magnifique édifice fut commencé au milieu du 11e s., mais la majeure partie date du 12e s. Dans un état de conservation remarquable, le **tympan★★★** du portail occidental (à voir, de préférence, au soleil couchant) est un chef-d'œuvre de la sculpture romane. Arrivé sur le parvis de l'église, tout pèlerin ne pouvait manquer d'être impressionné par cette représentation du Jugement dernier, regroupant 124 personnages. Sculpté dans le calcaire jaune, cet ensemble ordonné autour de la figure du Christ était jadis rehaussé de couleurs vives dont il reste quelques traces.

Trésor de Conques★★★ – *Entrée sous les arcades du cloître. Juil.-août : 9h-12h30, 13h30-19h ; avr.-sept. : 9h-12h30, 14h-18h30 ; mars : 9h30-12h, 14h-18h ; oct.-fév. : 10h-12h, 14h-18h. Fermé 1er janv. 5€. ☎ 0 820 820 803.*

Le trésor de Conques renferme d'extraordinaires pièces d'orfèvrerie qui en font la plus complète expression de l'histoire de l'orfèvrerie religieuse en France, du 9e au 16e s. Pièce maîtresse du trésor, la **statue-reliquaire de sainte Foy**, du 10e s., est composée de plaques d'or et d'argent doré sur âme de bois. Cette œuvre unique comporte également des camées et des intailles antiques; quant aux petits tubes que la sainte tient entre les doigts, ils sont destinés à recevoir des fleurs !

Villefranche-de-Rouergue★

56 km à l'Ouest de Rodez par la D 994. Blottie aux confins du Rouergue et du Quercy, la bastide de Villefranche, dont les toits se pressent au pied de la puissante tour de l'**église Notre-Dame★**, forme une étape pittoresque au confluent de l'Aveyron et de l'Alzou, encadrée de collines verdoyantes. Une ville où l'on a beaucoup de plaisir à se promener à pied dans les ruelles étroites qui la parcourent. Si Villefranche a perdu aujourd'hui une partie de son aspect médiéval, elle conserve cependant le visage d'une bastide avec sa place centrale et son plan en damier. La **place Notre-Dame★**, qui s'anime les jours de marché, est encadrée de maisons à «couverts» dont certaines ont conservé leurs fenêtres à meneaux et leurs clochetons de pierre.

▶▶ Vallée du Lot★★ ; Gorges du Lot★★

Rouen★★★

La capitale de la Haute-Normandie s'est développée dès l'époque romaine à hauteur du «premier pont» jeté sur un fleuve à estuaire. Son site occupe un méandre où s'abaissent des collines en amphithéâtre et dont les échancrures facilitent l'accès à l'arrière-pays. Cette ville mouvementée et pétrie d'histoire s'apprécie au fil des rues étroites et tortueuses, bordées de ravissantes maisons à pans de bois. De nombreux musées de qualité, l'une des plus somptueuses cathédrales gothiques de France et une vallée enchanteresse font de Rouen un trésor inestimable.

La situation

389862 Rouennais – Cartes Michelin Local 304 E-G 4-6, Regional 512 – Le Guide Vert Normandie Vallée de la Seine – Seine-Maritime (76). Les quais de la Seine et un enchaînement de boulevards, en vague arc de cercle, délimitent le centre-ville. Rive gauche se déploient la cité administrative, la préfecture, des quartiers d'habitation modernes, des centres commerciaux et zones industrielles. Rive droite, la «ville-musée».

25 pl. de la Cathédrale, 76000 Rouen, ☎ 0232083240. www.mairie-rouen.fr
Pour poursuivre la visite, voir aussi: DIEPPE, FÉCAMP, HONFLEUR, LISIEUX, GIVERNY.

comprendre

Jeanne d'Arc – Jeanne est faite prisonnière à Compiègne par les bourguignons, et ses deux tentatives d'évasion échouent. Les Anglais, par l'intermédiaire de l'évêque de Beauvais, Cauchon, se font livrer la prisonnière contre 10000 écus d'or. Le 25 décembre 1430, Jeanne est enfermée dans l'une des tours du château de Philippe Auguste. Cauchon a promis «un beau procès». La séance s'ouvre le 21 février 1431. Téméraire, mais «sans orgueil ni souci d'elle-même, ne songeant qu'à Dieu, à sa mission et au roi», la Pucelle oppose à toutes les ruses et subtilités de ses juges ce que Michelet appelle « le bon sens dans l'exaltation ». Les interrogatoires se succèdent durant trois mois, et l'acte d'accusation la déclare «hérétique et schismatique». Aussi est-elle brûlée vive le 30 mai sur la place du Vieux-Marché. Réhabilitée en 1456, elle est canonisée en 1920 et promue patronne de la France.

Le «Siècle d'or» – La période qui s'écoule de la reconquête française aux guerres de Religion est un «siècle d'or» pour toute la Normandie. Le cardinal d'Amboise, archevêque et mécène de la ville, importe le style Renaissance. Les notables se font construire de somptueux hôtels de pierre. Les négociants rouennais, associés aux navigateurs dieppois, sont sur toutes les routes maritimes. La vieille ville drapière tisse maintenant la soie et les draps d'or et d'argent.

se promener

LE VIEUX ROUEN★★★

Rue St-Romain★★

C'est une des rues les plus intéressantes du vieux Rouen avec ses belles maisons à pans de bois.

Église St-Maclou★★

C'est une ravissante construction de style gothique flamboyant, bâtie entre 1437 et 1517. Un grand porche à cinq arcades anime la magnifique façade. Le portail central et celui de gauche portent des **vantaux★★** Renaissance. À l'intérieur, le **buffet d'orgues★** (1521) se pare de belles boiseries Renaissance. L'**escalier à vis★** (1517), magnifiquement sculpté, vient du jubé de l'église.

Aître St-Maclou★★

L'endroit est étrange et paisible. Cet ensemble du 16e s. (du latin *atrium*) est l'un des derniers témoins des charniers de pestiférés du Moyen Âge. La cour centrale est entourée de bâtiments à pans de bois. Sur des colonnes portant des sculptures brisées qui figurent la danse macabre, court une double frise, décorée de curieux motifs de crânes, tibias et divers outils de fossoyeur.

Église St-Ouen★★

De mi-mars à fin oct.: tlj sf mar. 10h-12h30, 14h-18h; de mi-janv. à mi-mars et de déb. nov. à mi-déc.: mer. et w.-end 10h-12h30, 14h-16h30.

Cette ancienne abbatiale (14e s.) bien proportionnée compte parmi les joyaux de l'architecture du gothique rayonnant. Les travaux, commencés en 1318, ralentis par la guerre de Cent Ans, s'achèvent au 16e s. Le **chevet★★**, aux chapelles rayonnantes, s'anime de fins arcs-boutants et pinacles. À la croisée du transept, la **tour centrale★** flanquée aux angles de tourelles est surmontée d'une couronne ducale.

carnet pratique

RESTAURATION

• *À bon compte*

Pascaline – *5 r. de la Poterne - 76000 Rouen - ☎ 02 35 89 67 44 - réserv. conseillée - 10,70€ déj. - 12,95/21,30€.* À côté du palais de justice, ce restaurant à la façade bistrot est très agréable. Dans son décor brasserie avec beaux comptoirs en bois, banquettes et murs jaunes, vous aurez le choix entre plusieurs formules attrayantes. Pensez à réserver, c'est souvent bondé.

Les Maraîchers – *37 pl. du Vieux-Marché - 76000 Rouen - ☎ 02 35 71 57 73 - 15/22€.* Maison à colombages abritant un restaurant décoré façon bistrot parisien. Banquettes, comptoir, tables serrées, vieilles plaques publicitaires, collections de chapeaux et de pichets : tout y est ! Cuisine *adhoc*. La deuxième salle du rez-de-chaussée est de style normand.

• *Valeur sûre*

Le Canterbury – *R. de Canterbury - 27800 Le Bec-Hellouin - 40 km au SO de Rouen par N 138 et D 39 - ☎ 02 32 44 14 59 - fermé mar. soir et mer. - 13,57€ déj. - 20,58/34,30€.* Ici, pas de chichis : le but n'est pas de vous épater, mais de vous satisfaire. Le résultat : une cuisine faite dans les règles de l'art, servie dans une belle maison à colombages du 18e s. Plus de 60 calvados à la dégustation... Et quelques chambres aux vieilles armoires normandes.

Auberge des Ruines – *76480 Jumièges - 22 km à l'O de Rouen par D 982 et D 143 - ☎ 02 35 37 24 05 - fermé 20 août au 5 sept., 20 déc. au 10 janv., lun. soir et jeu. soir de nov. au 15 mars, dim. soir, mar. soir et mer. - 15€ déj. - 22/44€.* Juste à côté des ruines, cette auberge rustique tenue par un jeune couple sympathique ponctuera agréablement votre visite. La cuisine qu'ils y servent est inventive et leur carte attrayante, même si elle est un peu chère. La formule déjeuner est intéressante.

HÉBERGEMENT

• *À bon compte*

Hôtel des Carmes – *33 pl. des Carmes - 76000 Rouen - ☎ 02 35 71 92 31 - h.des.carmes@mcom.fr - 12 ch. : 40/45€ - ☕ 5,50€.* Au cœur de la ville, non loin de la cathédrale, voilà une jolie étape. Un léger parfum de bohème flotte dans le hall de réception délicieusement décoré et les chambres, savamment dépouillées, sont charmantes et bien équipées. Une très bonne adresse pour petits budgets.

• *Valeur sûre*

Hôtel Versan – *3 r. J.-Lecanuet - 76000 Rouen - ☎ 02 35 07 77 07 - hotel-versan@wanadoo.fr - 34 ch. : 40,39/44,21€ - ☕ 7,93€.* Une adresse pratique sur un boulevard passant non loin de l'hôtel de ville. Ses chambres sont toutes semblables, fonctionnelles et bien équipées.

Hôtel Dandy – *93 bis r. Cauchoise - 76000 Rouen - ☎ 02 35 07 32 00 - fermé 26 déc. au 2 janv. - 18 ch. : 71,50/95€ - ☕ 8€.* Dans une rue piétonne du centre, tout près de la place du Vieux-Marché, ce petit hôtel est assez charmant : il est décoré avec soin et même si certains trouvent ses chambres un peu trop chargées, elles sont douillettes. Petit déjeuner servi dans une jolie petite pièce.

E. Baret/MICHELIN

Vieux Marché – *15 r. pie - 76000 Rouen - ☎ 02 35 71 00 88 - P - 48 ch. : 74/120€ - ☕ 9€.* Bien situé, établissement aux équipements très complets, totalement rénové en 2001. Aucune chambre ne donne sur la rue. Formule buffet pour le petit déjeuner.

ACHATS

Fayencerie Augy-Carpentier – *26 r. St-Romain - 76000 Rouen - ☎ 02 35 88 77 47 - mar.-sam. 9h-19h.* Visite de l'atelier sur RV. Le dernier atelier de fabrication artisanale de faïence à Rouen ! Vous y trouverez, sur des faïences roses ou blanches, les reproductions de nombreux motifs traditionnels, du camaïeu bleu à la polychromie et du lambrequin à la corne d'abondance et des faïences personnalisées.

À l'intérieur, l'architecture élancée est mise en valeur par la chaude ambiance lumineuse que dispensent les grandes **verrières**★★. Des **grilles**★★ dorées (1747), œuvre de Nicolas Flambart, ferment le chœur.

Palais de justice★★

Ce splendide édifice de la première Renaissance a été bâti pour abriter l'Échiquier de Normandie (cour de justice). La **facade**★★ (1508-1526) est décorée avec un souci de gradation : sobre dans le bas, l'ornementation s'enrichit à chaque étage pour s'achever en une véritable forêt de pierres ciselées. Cet enchevêtrement de pinacles, clochetons, arcs-boutants, gâbles, qui laisse entrevoir de monumentales lucarnes, jaillit au-dessus d'une riche balustrade.

Place du Vieux-Marché*

Le quartier est riche en vieilles maisons à pans de bois. La place, où les condamnés étaient mis au pilori ou exécutés au Moyen Âge, regroupe les nouvelles halles, l'église Ste-Jeanne-d'Arc et un monument national.

Église Ste-Jeanne-d'Arc

10h-12h30, 14h-18h, ven. et dim. 14h-18h.
L'édifice achevé en 1979 a la forme d'un bateau renversé; les principes de la construction navale se retrouvent dans la couverture faite d'écailles en ardoise ou en cuivre. À l'intérieur, 13 vitraux Renaissance forment une **verrière**** de 500 m², éclatante illustration de la foi des croyants du 16e s.

Le palais de justice, un bâtiment de la première Renaissance.

Rue du Gros-Horloge**

Reliant la place du Vieux-Marché à la cathédrale, cette rue est la plus évocatrice du vieux Rouen. Domaine des marchands depuis le Moyen Âge, siège du pouvoir communal du 13e au 18e s., elle a retrouvé sa vocation commerciale, avec ses gros pavés et ses belles maisons à pans de bois. Flanqué d'une tour de beffroi, le **Gros-Horloge**, édifice Renaissance, enjambe la rue par une arcade surbaissée. L'horloge se trouvait dans le beffroi, mais pour mieux en profiter, les Rouennais ont construit cette arche en 1527, où elle reste encastrée.

Cathédrale Notre-Dame***

Commencé au 12e s., reconstruit au 13e s., l'édifice est embelli au 15e s. et au 16e s. Très endommagé entre 1940 et 1944, il a été rendu au culte, mais les travaux de restauration se poursuivent. La cathédrale doit son charme à la variété de sa composition et à la richesse de son décor sculpté. Elle a servi de thème à la célèbre série des *Cathédrales de Rouen* (1892-1894) peintes par Monet et composant une séquence continue de l'aube au crépuscule.

L'immense **facade Ouest** hérissée de clochetons, ajourée, s'encadre de deux tours d'allure et de style différents: la tour St-Romain à gauche, la tour de Beurre à droite. Cette dernière est ainsi nommée car elle a été en partie édifiée grâce aux «dispenses» perçues sur les fidèles autorisés à consommer du lait et du beurre en période de carême.

Du flanc Sud, avec un peu de recul, on aperçoit la flèche, gloire de Rouen. Le **portail de la Calende**, chef-d'œuvre du 14e s., termine le bras droit du transept. Le long du flanc Nord s'ouvre la **cour des Libraires** que ferme une splendide clôture de pierre de style gothique flamboyant (1482). Le **portail des Libraires**, que surmontent deux hauts gâbles ajourés, dessert le bras gauche du transept.

À l'**intérieur**, une impression de simplicité et d'harmonie se dégage en dépit des différences de style entre la nef et le chœur. Dominant la croisée du transept (51 m du sol à la clef de voûte), la saisissante tour-lanterne est une œuvre remarquable de hardiesse. Les énormes piles, dont chacune ne compte pas moins de 27 colonnes, jaillissent jusqu'au sommet. Les revers des portails de la Calende et des Libraires ont reçu de beaux décors sculptés (14e s.) et de belles verrières.

Le **chœur** constitue la partie la plus noble de la cathédrale par ses lignes simples et la légèreté de sa construction. Le déambulatoire, qui comporte trois chapelles rayonnantes et cinq **verrières*** (13e s.), abrite plusieurs gisants, notamment celui de Richard Cœur de Lion. À gauche, accolé à l'enfeu gothique de Pierre de Brézé (15e s.), le **tombeau de Louis de Brézé***, sénéchal de Normandie et mari de Diane de Poitiers, est une œuvre de la seconde Renaissance, exécutée de 1535 à 1544. Dans la chapelle de la Vierge, le tombeau des cardinaux d'Amboise date de la première Renaissance (1516-1520).

visiter

Musée des Beaux-Arts***

j Tlj sf lun. et mar. 10h-18h. Visite guidée 16h. Fermé j. fériés. 3,05€, 3,80€ (visite guidée), gratuit 1er dim. du mois. ☎ 02 35 71 28 40.

Les collections se succèdent dans leur simultanéité: on suit l'évolution de la peinture, de la sculpture, en même temps que celle de l'orfèvrerie, du mobilier ou du dessin. Outre quelques primitifs italiens, on admire des œuvres de Guerchin, Giordano,

Bronzino, et surtout de Véronèse et du Caravage. Parmi les maîtres espagnols et hollandais, Vélasquez et Ribera, Gérard David, Van de Velde et Rubens. Parmi les Français, François Clouet, L. Boullongne, Poussin, Simon Vouet et Jouvenet.
Le 19e s. se distingue tant par l'abondance que par la qualité des œuvres. D'Ingres à Monet, les plus grands maîtres – David, Géricault, Degas, Caillebotte, Corot, Chassériau, Millet, Moreau, Sisley, Renoir et tant d'autres – sont présents à travers des chefs-d'œuvre. Le 20e s. comprend des toiles de Modigliani, Puvis de Chavannes, Dufy, Villon et Grün.

Musée de la Céramique**

Tlj sf mar. 10h-13h, 14h-18h. Fermé j. fériés. 2,30€, gratuit 1er dim. du mois. ☎ 02 35 07 31 74.

Il raconte l'histoire de la faïence de Rouen à travers des objets remarquables.
Des carreaux de pavage et des vases à portraits représentent l'œuvre de Masséot Abaquesne, premier faïencier à Rouen, vers 1550. Après une brève interruption, la production renaît avec des plats à décor bleu d'inspiration nivernaise et chinoise. Vers 1670 apparaît la couleur rouge. Le début du 18e s. voit la multiplication des grandes faïenceries et l'arrivée de la polychromie (1699) avec des décors à cinq couleurs. Dès 1720, les motifs se diversifient: style «rayonnant» aux arabesques inspirées de la broderie et de la ferronnerie, «chinoiserie», décors superposés au trait bleu sur fond ocre. Le style rocaille fleurit vers le milieu du siècle, avec ses décors «à la corne» d'où s'échappent fleurs, oiseaux, insectes.

Musée Le Secq des Tournelles**

Tlj sf mar. 10h-13h, 14h-18h. Fermé j. fériés. 2,30€, gratuit 1er dim. du mois. ☎ 02 35 88 42 92.

Ce musée aménagé dans l'ancienne église St-Laurent, bel édifice de style flamboyant, expose de très riches collections de ferronnerie du 3e au 19e s. : serrures, heurtoirs, ustensiles de la vie domestique, bijoux, instruments professionnels...

circuit

ROUTE DES ABBAYES***

83 km. Quitter Rouen vers l'Ouest par la D 982. Traverser Canteleu et prendre à gauche la D 67

St-Martin-de-Boscherville

Ce bourg révèle l'un des fleurons monumentaux de la vallée de la Seine: l'**église abbatiale St-Georges****, édifice de pur style roman normand, aux lignes sobres et harmonieuses, à l'acoustique exceptionnelle, dont les jardins sont replantés comme au 17e s.

Abbaye de Jumièges***

De mi-avr. à mi-sept.: 9h30-19h; de mi-sept. à mi-avr.: 9h30-13h, 14h30-17h30. Fermé 1er janv., 1er mai, 1er et 11 nov., 25 déc. 4€, gratuit 1er dim. du mois (oct.-avr.). ☎ 02 35 37 24 02. www.monuments-france.rf

L'abbaye bénédictine occupe un site tranquille sur la rive droite de la Seine qui dessine ici un beau méandre, depuis Duclair jusqu'au Trait. Aujourd'hui, c'est «l'une des plus admirables ruines qui soient en France» ; à la Révolution, un marchand de bois entreprit de l'utiliser comme carrière et la fit sauter à la mine. L'émotion sera d'autant plus vive que l'imagination reconstruira les tribunes, le bas-côté droit, la charpente de la nef, le carré du transept, l'hémicycle du chœur, les galeries du cloître...

Abbaye de St-Wandrille*

Cette abbaye, comme celle du Bec-Hellouin, est un témoignage de la continuité bénédictine en terre normande. La règle de saint Benoît régit toujours la vie monastique. On peut donc visiter ces lieux pétris de spiritualité et d'histoire, sinon même partager la vie des moines le temps d'une retraite ou des offices ponctués de chants grégoriens dans l'église aménagée en 1969 dans une grange seigneuriale du 13e s.
Les **ruines de l'abbatiale** comprennent les bases des piliers des grandes arcades de la nef du 14e s. qui émergent de la verdure et les colonnes de la croisée du transept.
De St-Wandrille, traverser la Seine par le pont de Brotonne puis suivre la D 313 qui traverse la forêt de Brotonne jusqu'à Bourgtheroulde, où la N 138 à droite, puis la D 124 à droite, et la D 38 à gauche conduisent au Bec.

Abbaye du Bec-Hellouin**

Le Bec-Hellouin est un petit village typiquement normand, blotti au fond d'une vallée: maisons à pans de bois, lambeaux de bocage, ruisseaux, prairies, vaches grasses à l'ombre des pommiers... Dès le 11e s., l'abbaye devient l'un des foyers intellectuels de l'Occident. Au début du 19e s., l'église abbatiale, dont le chœur long de 42 m était un des plus vastes de la chrétienté, est abattue. Les bâtiments dévastés sont transformés en dépôt de remonte. La nouvelle abbatiale est aménagée dans l'ancien réfectoire mauriste, salle voûtée aux proportions majestueuses. En sortant, on se trouve en présence d'un corps de bâtiment en retour d'angle dont l'ordonnance classique, calmement rythmée, œuvre caractéristique du style mauriste, est rehaussée par le cadre de verdure environnant. Par le monumental escalier d'honneur (18e s.), on accède au **cloître**, construit entre 1640 et 1660. C'est l'un des premiers cloîtres classiques de France avec terrasses à l'italienne. *Juin-sept. : tlj sf mar. visite guidée (3/4h) tlj sf mar. 10h30, 15h, 16h, 17h, sam. 10h30, 15h, 16h, dim. et j. fériés à 12h, 15h, 16h; oct.-mai : tlj sf mar. à 10h30, 15h, 16h, dim. et j. fériés 12h, 15h, 16h. 3,96€. ☎ 02 32 43 72 60.*

Royan

Star de la Côte de Beauté, à l'entrée de la Gironde, Royan est une ville moderne qui a tissé sa toile le long de splendides plages de sable. Celles-ci se dessinent aux creux des conches, anses tièdes et abritées des vents. Entre elles alternent falaises ou dunes, et une forêt de chênes verts et de pins maritimes dégage ses vivifiants effluves. Un climat doux et sain et des bains de varech attirent les curistes. L'équipement de Royan et ses multiples distractions expliquent son succès.

La situation

17 102 Royannais - Cartes Michelin Local 324 C-D 5-6, Regional 521 - Le Guide Vert Poitou Vendée Charentes — Charente-Maritime (17). Royan est desservi par plusieurs départementales et par la N 150 venant de Saintes.

Palais des Congrès, 17200 Royan, ☎ 05 46 23 00 00. www.royan-tourisme.com

Pour poursuivre la visite, voir aussi : ROCHEFORT, LA ROCHELLE, COGNAC, SAINTES, ANGOULÊME, BORDEAUX.

carnet pratique

Restauration

• *À bon compte*

La Siesta – *140 r. Gambetta - 17200 Royan - ☎ 05 46 38 36 53 - fermé mi déc. à mi-janv. et mer. - 10/24€.* Ce restaurant, reconstruit en lieu et place de la Brasserie des Bains où Pablo Picasso vécut quelques temps, est en face du port de plaisance. Vous y goûterez la « bruschetta », une tranche de pain grillé, huilée et garnie, avant de savourer poissons, pâtes italiennes ou un plat « tex-mex ».

Hébergement

• *À bon compte*

Hôtel Pasteur – *40 r. Pasteur - 17200 Royan - ☎ 05 46 05 14 34 - 15 ch. : 29/47€ - ☕ 4,30€.* Dans un quartier calme de Royan, cette grosse maison d'après-guerre rénovée affiche des prix raisonnables pour la station. Ses chambres sont bien tenues et sobrement meublées, même si leur style est un peu désuet. Esprit pension de famille.

Achats

Spécialités – Pâtissiers et chocolatiers proposent des sardines en chocolat, à cause de la « royan » pêchée par les sardiniers locaux.

se promener

Des villas Belle Époque et quelques-unes de style Art nouveau ont résisté aux bombardements aériens alliés de 1945 qui ont rasé presque totalement la ville. Aujourd'hui, seule la conche de **Pontaillac★** évoque le Royan d'avant-guerre, avec ses villas et ses chalets nichés dans la verdure.

Église Notre-Dame★

Construit de 1955 à 1958 sur les plans des architectes Guillaume Gillet et Hébrard, c'est un édifice en béton armé, recouvert d'une couche de résine pour le protéger contre l'érosion du vent. À l'intérieur, l'envolée de la nef, spacieuse et claire, frappe le visiteur. Les grandes orgues en étain martelé, dues au poitevin Robert Boisseau, sont renommées pour leur musicalité.

Le front de mer★

Le long de la **Grande Conche**, immense plage de 2 km, se déroule le boulevard F.-Garnier qui aboutit ensuite au front de mer de Royan. Commerçant et résidentiel, il est agréable d'y faire des achats et d'admirer la vue sur la Gironde (à droite, on reconnaît la sihouette du phare de Cordouan). À l'extrémité du front de mer se déploie le port. Il comprend un bassin d'échouage pour les chalutiers et les sardiniers pêchant la fameuse «royan» (sardine), un bassin pour les bateaux de plaisance, un bassin à flot avec jetée où aborde le bac de la pointe de Grave.

alentours

Phare de Cordouan★★

Au large de la pointe de Grave. Tlj sf ven. (suivant marées et conditions climatiques). 3 à 4h AR. 25€. Se renseigner auprès de La Bohème II, ☎ 05 56 90 62 93 ou 05 56 09 61 78.
Au 14e s., le Prince Noir fit élever une tour octogonale au sommet de laquelle un ermite allumait de grands feux. À la fin du 16e s., cette tour tombant en ruine, Louis de Foix, ingénieur et architecte qui venait de déplacer l'embouchure de l'Adour, se mit en devoir de bâtir avec plus de 200 ouvriers une sorte de belvédère surmonté de dômes et de lanternons. Avec ses étages Renaissance qu'une balustrade sépare du couronnement bâti en 1788, ce phare, haut de 66 m, donne une impression de hardiesse. L'escalier de 301 marches grimpe à la lanterne.

Zoo de La Palmyre★★★

15 km au Nord-Ouest de Royan par la D 25. ♿ Avr.-sept. : 9h-19h ; oct.-mars : 9h-12h, 14h-17h. 12€ (enf. : 78€). ☎ 08 92 68 18 48. www.zoo-palmyre.fr
Ce parc animalier de 14 ha est installé dans le cadre superbe de la forêt et des dunes de La Palmyre. La visite, suivant un parcours fléché parmi plus de 1 600 animaux de tous les continents, est agrémentée de plans d'eau. Les carnivores (guépard, loup, tigre de Sibérie) côtoient petit panda et suricate. Les espèces les plus variées d'oiseaux permettent de découvrir des perroquets, cacatoès et autres aras aux superbes plumages. Puis, ce sont les ongulés avec les mastodontes. Le **bassin des ours** aménagé en banquise est impressionnant. Les reptiles, quant à eux, résident dans le vivarium. Les singes surprennent avec leur pelage flamboyant et leur magnifique moustache. Ne manquez pas, parmi les différentes animations, le repas des fauves...

Les Sables-d'Olonne

Cette station balnéaire de l'Atlantique comble ceux qui aiment les contrastes : grands vents et douceur de vivre. Sa luxueuse promenade de bord de mer tranche avec les quartiers plus typiques du port et de la Chaume, où vivent les pêcheurs. Optez pour une vivifiante balade en mer et enchaînez sur la terre ferme avec une visite des Sables et une séance de bronzage ou de thalassothérapie. Enfin, les Sables-d'Olonne, capitale du Vendée Globe, accueille et organise de nombreuses manifestations nautiques.

La situation

15 532 Sablais - Cartes Michelin Local 316 F-8 et C 5, Regional 521- Le Guide Vert Poitou Vendée Charentes - Vendée (85). La ville, bâtie sur les sables d'un cordon littoral, s'étire entre son port aux quais animés et son immense plage de sable fin.
1 prom. Joffre, 85100 Les Sables-d'Olonne, ☎ 02 51 96 85 85. www.ot-lessablesdolonnefr
Pour poursuivre la visite, voir aussi : NANTES, LE PUY-DU-FOU, POITIERS, LA ROCHELLE.

séjourner

Le Remblai★

Édifié au 18e s. pour protéger la ville qui se trouve en contrebas, le Remblai est une promenade bordée d'immeubles luxueux et de boutiques, de cafés et d'hôtels. Cachées derrière des immeubles se dissimulent les ruelles de la vieille ville.

La Corniche

Elle prolonge le Remblai vers le quartier résidentiel de la Rudelière. La route suit le bord de la falaise et atteint (3 km) le Puits d'Enfer, un creux étroit et impressionnant au fond duquel bouillonne la mer.

Le Remblai longe la grande plage des Sables-d'Olonne.

B. Kaufmann/MICHELIN

carnet pratique

Restauration

• À bon compte

L'Affiche – *21 quai Guinée - 85100 Les Sables-d'Olonne - ☎ 02 51 95 34 74 - fermé janv., mer. du 15 juin au 15 sept., dim. soir, jeu. soir et lun. du 15 sept. au 15 juin - 11/26€.* Vous ne pourrez pas rater ce petit restaurant sur le port de pêche : sa façade jaune soleil est lumineuse ! Son décor simple est soigné et la carte variée, avec évidemment une dominante de poissons et fruits de mer.

L'Auberge du Château – *9 r. des Douves - 85330 Noirmoutier-en-l'Île - ☎ 02 51 35 74 31 - fermé 8 j. en fév., 15 j. en déc., mar. et mer. d'oct. à fin mars - 12/26€.* Poutres, tons blancs et ocre et tables dressées avec soin président au cadre de cette sympathique maison de pays située à l'ombre du château. La carte oscille entre terre et mer et le service est impeccable. Terrasse prise d'assaut en saison.

• Valeur sûre

La Pêcherie – *4 quai Boucaniers, la Chaume - 85100 Les Sables-d'Olonne - ☎ 02 51 95 18 27 - fermé 6 janv. au 8 fév., 17 au 21 juin, 14 au 25 oct., lun. en juil.-août, mar. et mer. de sept. à juin - 21/36€.* En face de la sortie de Port Olona, ce petit restaurant avec véranda est tenu par un jeune chef dynamique. Dans sa salle, aux dominantes de jaunes et de bleus, vous dégusterez une cuisine de produits de la mer bien menée et servie avec le sourire.

Hébergement

• Valeur sûre

Hôtel Antoine – *60 r. Napoléon - 85100 Les Sables-d'Olonne - ☎ 02 51 95 08 36 - fermé nov. à fév. - 20 ch. : 54€ - ☕ 5,50€.* Entre le port et la plage, dans l'ancien quartier des pêcheurs, cet hôtel à la façade pimpante est aussi une pension de famille où logent quelques habitués. Ses chambres, de différentes tailles, sont proprettes. Demi-pension possible en saison. Accueil aimable.

Atlantic Hôtel – *5 prom. Godet - 85100 Les Sables-d'Olonne - ☎ 02 51 95 37 71 - info@atlantichotel.fr - 30 ch. : 71/122€ - ☕ 9€.* Cet hôtel des années 1970 est sur la promenade, juste en face de la baie des Sables d'Olonne. Ses chambres agréables sont de bonne taille. Préférez le côté mer : en plus de la vue, vous aurez un balcon. Restaurant Le Sloop et piscine couverte.

Achats

Coopérative Agricole de Noirmoutier – *Rte Champ-Pierreux - Le Petit Chessé - 85330 Noirmoutier-en-l'Île - ☎ 02 51 35 76 76.* Sirtema, aminca, roseval, charlotte et bonnotte, pour les variétés, sable, terre, embruns, algues et savoir-faire, pour la culture : ce mariage heureux fait le bonheur des amateurs de pommes de terre. Les tubercules sont en vente directe à la coopérative.

Maison du Sel, Aquasel – *10 r. des Marouettes - 85330 Noirmoutier-en-l'Île - ☎ 02 51 39 08 30.* Comme les paludiers de l'île de Noirmoutier, cette maison vend le classique gros sel, mais aussi la fleur de sel et du sel aromatisé (thym, etc.).

alentours

Île de Noirmoutier*

65 km au Nord des Sables. Un pont routier traverse le goulet de Fromentine (gratuit).
Prenez le large à Noirmoutier et venez-y par la route du **passage du Gois****; il y règne une atmosphère de bout du monde. L'île attire grâce à son climat doux, ses criques tranquilles et ses bois odorants... On y retrouve le geste ancestral du saunier, on y hume les mimosas et on y remplit son panier de sel, de pommes de terre et de fruits de mer.

L'île à vocation agricole se divise en trois secteurs. Au Sud, les **dunes de Barbâtre** s'allongent vers la côte vendéenne dont elles sont séparées par la fosse de Fromentine, large de 800 m, parcourue de violents courants. En son centre, l'île rappelle la Hollande avec des polders et des marais salants, situés au-dessous du niveau de la mer et protégés par des digues. Ils sont quadrillés de chenaux dont le principal, l'**étier de l'Arceau**, traverse l'île de part en part. Au Nord, la côte rocheuse est découpée de criques. Au sommet des dunes couvertes de pins maritimes s'alignent quelques moulins.

Île d'Yeu**

Au Nord-Ouest au large des Sables. Du continent, trois embarcadères accueillent des bateaux effectuant une liaison maritime régulière ou saisonnière avec l'île : Fromentine, Noirmoutier et St-Gilles-Croix-de-Vie.

Par la nature de son terrain – les schistes cristallins – par sa configuration et sa Côte Sauvage, l'île d'Yeu peut s'apparenter à sa grande sœur bretonne Belle-Île *(voir Vannes)*. Par ses côtes Sud et Est, elle se montre vendéenne : longues plages de sable fin, dunes, pins et chênes verts. De **Port-Joinville***, elle se découvre à pied ou à vélo sur les chemins de douaniers qui longent ses côtes. La ressource principale des insulaires est la pêche. Spécialisés dans le poisson de qualité, les marins islais détiennent le record national pour la pêche au thon blanc. Possédant une flotte de pêche de 81 bateaux, le port de l'île d'Yeu fait vivre près de 260 marins.

Saint-Bertrand-de-Comminges★★

Isolé du monde, le bourg de St-Bertrand-de-Comminges, perché sur une colline dans un site★★ remarquable, avec ses ruelles peuplées d'artisans d'art, ses vieilles demeures et ses remparts médiévaux, paraît figé hors du temps. Oui, ici, il semble que l'histoire se soit arrêtée une fois pour toutes.

La situation

237 Commingeois – Cartes Michelin Local 343 B 6, Regional 525 – Le Guide Vert Midi-Pyrénées – Haute-Garonne (31). On y monte à pied, de préférence en fin d'après-midi, soit en laissant la voiture au parking officiel et en empruntant la voie romaine jusqu'à la porte Majou, soit en la garant sous les platanes de la grand-place et en prenant des escaliers un peu raides qui raccourcissent sérieusement l'ascension.

Les Olivetains, 31510 St-Bertrand-de-Comminges, ☎ 05 61 95 44 44.

Pour poursuivre la visite, voir aussi : LOURDES, PAU, TOULOUSE, FOIX.

visiter

C'est depuis le chevet de la basilique romane **St-Just de Valcabrère★**, à 2 km de St-Bertrand-de-Comminges, que l'on a la vue la plus saisissante sur l'ancienne cité des Convènes, qui compta plus de 50 000 habitants.

Cathédrale Ste-Marie★

Mai-sept; : 9h-19h ; fév.-avr. et oct. : 10h-12h, 14h-18h ; nov.-janv. : 10h-12h 14h-17h. Pas de visite dim. matin et j. de fêtes. ☎ 05 61 89 04 91.

Une situation exceptionnelle en hauteur donne au **cloître★★**, au-delà de ses qualités architecturales, une spiritualité et une poésie particulières. La galerie Sud, ouverte sur l'extérieur, confère au visiteur le privilège de pouvoir contempler le paysage alentour.

JACASS/MICHELIN

Au pied de St-Bertrand, la basilique romane St-Just de Valcabrère.

Trois galeries sont romanes (12e-13e s.). La quatrième a été refaite aux 15e et 16e s. Détaillez les remarquables chapiteaux décorés d'entrelacs, de feuillages ou de scènes bibliques et le célèbre pilier des quatre Évangélistes dont le chapiteau représente les signes du zodiaque associés à chaque saison de l'année.

Le **trésor★** recèle des tapisseries de Tournai, des chapes (splendide travail de broderie liturgique), etc. Dans le chœur des chanoines, les splendides **boiseries★★** comprennent le jubé, la clôture du chœur, le retable du maître-autel, le trône épiscopal et 66 stalles. Ces bois sculptés qui content l'histoire de la Rédemption forment un petit monde où se donnent libre cours la piété, la malice, la satire...

carnet pratique

Restauration

• *Valeur sûre*

Chez Simone – *R. du Musée - 31510 St-Bertrand-de-Comminges - ☎ 05 61 94 91 05 - fermé vac. de Toussaint, de Noël et le soir hors sais. - ⊄ - 13€ déj. - 16/25€.*
À deux rues de la cathédrale, Simone propose une cuisine simple et familiale. Salle à manger campagnarde avec poutres apparentes, toiles cirées Vichy et cuivres aux murs ou terrasse sous les tilleuls. Et la poule farcie vous attend tous les dimanches !

Hébergement

• *À bon compte*

Hôtel L'Oppidum – *R. de la Poste - 31510 St-Bertrand-de-Comminges - ☎ 05 61 88 33 50 - oppidum@wanadoo.fr - fermé 15 nov.-15 déc., hors sais. dim. soir et lun. - ⊄ - 15 ch. : 39,64/53,35€ - ☕ 5,50€ - restaurant 13,50/30,49€.*
Cet établissement jouit d'un bel emplacement, au pied de la cathédrale Sainte-Marie. Ses chambres, peu spacieuses, sont correctement équipées et possèdent souvent des salles de bains neuves ; l'une d'entre elles est dotée d'une terrasse.

Saint-Claude★

Saint-Claude est avant tout un endroit magnifique au confluent de la Bienne et du Tacon dans la montagne jurassienne. Cette situation exceptionnelle est à l'origine d'une célèbre abbaye dont la prospérité a rapidement eu raison de l'esprit de pauvreté monastique et a entraîné la décadence avant la Révolution. De cette période faste, la ville a gardé la cathédrale et a retrouvé un réel dynamisme autour de son artisanat, dont celui de la pipe.

La situation

12303 Sanclaudiens – Cartes Michelin Local 321 F-G 8, Regional 520 – Le Guide Vert Jura – Jura (39). Saint-Claude est perché sur une terrasse dominant deux torrents. Pour apprécier le site, rendez-vous sur le pont qui enjambe le Tacon.

19 r. du Marché, 39200 St-Claude, ☎ 03 84 45 34 24.

Pour poursuivre la visite, voir aussi : LONS-LE-SAUNIER, PONTARLIER, BOURG-EN-BRESSE.

carnet pratique

Restauration

• ***Valeur sûre***

Chez Simone – *R. du Musée - 31510 St-Bertrand-de-Comminges - ☎ 05 61 94 91 05 - fermé vac. de Toussaint, de Noël et le soir hors sais. - ⊭ - 13€ déj. - 16/25€.* À deux rues de la cathédrale, Simone propose une cuisine simple et familiale. Salle à manger campagnarde avec poutres apparentes, toiles cirées Vichy et cuivres aux murs ou terrasse sous les tilleuls. Et la poule farcie vous attend tous les dimanches !

Hébergement

• ***À bon compte***

Hôtel L'Oppidum – *R. de la Poste - 31510 St-Bertrand-de-Comminges - ☎ 05 61 88 33 50 - oppidum@wanadoo.fr - fermé 15 nov.-15 déc., hors sais. dim. soir et lun. - ⊭ - 15 ch. : 39,64/53,35€ - ☕ 5,50€ - restaurant 13,50/30,49€.* Cet établissement jouit d'un bel emplacement, au pied de la cathédrale Sainte-Marie. Ses chambres, peu spacieuses, sont correctement équipées et possèdent souvent des salles de bains neuves ; l'une d'entre elles est dotée d'une terrasse.

visiter

Cathédrale Saint-Pierre★

L'édifice, élevé aux 14e et 15e s. dans le style gothique, a été terminé au 18e s. par l'adjonction d'une étonnante façade classique. À l'intérieur, il comporte un vaste vaisseau. Le chœur est orné de **vitraux★** et de magnifiques **stalles★★** en bois sculpté commencées avant 1449 et achevées en 1465 par le Genevois Jehan de Vitry. Elles présentent sur les dorsaux les apôtres et les prophètes en alternance, puis des abbés du monastère ; sur les jouées, des scènes de l'histoire de l'abbaye ; sur les parcloses et les miséricordes, des scènes de la vie quotidienne. Malheureusement, la partie Sud de cet ensemble a été détruite par un incendie dans la nuit du 26 septembre 1983. Après un long travail de recherche, les stalles incendiées ont été reconstruites.

Exposition de pipes, de diamants et pierres fines

Juil.-août : 9h30-18h30 ; mai-sept. : 9h30-12h, 14h-18h30 ; oct.-avr. : tlj sf dim. et j. fériés 14h-18h. Fermé de nov. à mi-déc. 4€. ☎ 03 84 45 17 00.

La collection de pipes, des 18e et 19e s. et provenant du monde entier, est d'une grande variété, tant par les matériaux (écume, terre cuite, cuivre, émail, bruyère, corne...), que par leur décor.

L'exposition fait aussi connaître les diamantaires, les pierres fines, naturelles et synthétiques, brutes et taillées, l'outillage du diamantaire et du lapidaire et la progression du travail de la taille.

St-Claude est la capitale de la pipe.

G. Magnin/MICHELIN

circuit

LE HAUT-JURA

Cette zone de moyenne montagne, dont le point culminant est le **crêt de la Neige**, est propice en hiver à la pratique du ski (alpin et fond) et, en été, aux randonnées pédestres et VTT. Vous recontrerez de nombreux artisans (tavaillonneurs, tourneurs sur bois, pipiers) et producteurs (bergeries, fruitières, fromageries) dans la **route des Savoir-faire du Haut-Jura** et la **route des Fromages du Haut-Jura**.

80 km. Quitter Saint-Claude à l'Est et rejoindre la D304.

Crêt Pourri★

Alt. 1025 m. *1/2h à pied AR.* De la table d'orientation, beau **panorama★**.

Suivre la D304 jusqu'à Lamoura que l'on traverse en direction de Lajoux.

Lajoux

Cœur du Parc naturel régional du Haut-Jura, Lajoux accueille la **Maison du Parc** et des artisans (layetier, potier) qui perpétuent les savoir-faire de la région. Il est possible de voir un grenier fort; ces solides constructions, à l'écart des fermes à cause des incendies, abritaient les denrées rares et les objets ayant quelque valeur.

Forêt du Massacre

Cette forêt est l'une des forêts les plus élevées du Jura français. Elle culmine au **crêt Pela**, à 1 495 m d'altitude, d'où la vue donne sur le Valmijoux, le Mont-Rond et les Alpes. Les boisements sont constitués de peuplements d'épicéas. La forêt conserve de nombreuses espèces des époques glaciaires, telles que la chouette chevêchette ou la chouette de Tengmalm pour l'avifaune, l'orchis vanillé, le camerisier bleu ou la myrtille pour la flore. Des visites du massif sont organisées en saison.

Les Rousses★★

À deux pas de la Suisse, la station des Rousses est réputée pour ses vastes domaines skiables qui se développent de 1100 m à 1680 m d'altitude. La qualité des animations et une réelle convivialité assurent son succès auprès d'une clientèle familiale. Et quand le massif perd son blanc manteau de neige, marcheurs et vététistes découvrent des paysages sauvages et des panoramas somptueux tandis que le lac des Rousses se drape d'une multitude de voiles et attire les baigneurs.

Le **fort des Rousses**, construit au 19e s., est l'un des plus vastes de France. Peu impressionnant à première vue, il cache un incroyable réseau de galeries souterraines, abrite d'immenses caves d'affinage du comté, et des parcours pour l'aventure classés par niveaux de difficulté, combinant passerelle suspendue, pont de singe, via ferrata, tyroliennes... *Juil.-août : 9h-12h, 14h-18h sur réservation au Club des sports des Rousses. 20€.* ☎ *03 84 60 35 14.*

Revenir à St-Claude en passant par Morez et les gorges de la Bienne★ (D26).

▶▶ Colomby de Gex★★★ ; col de la Faucille★★

La Transjurassienne

Le Jura organise une magnifique course de fond, la Transjurassienne, qui se déroule sur 76 km entre Lamoura (Jura) et Mouthe (Doubs). Créée en 1979, elle fait partie, depuis 1984, de la Worldloppet, championnat mondial de courses de ski de fond longue distance, organisé dans 13 pays. Plus de 3000 concurrents français et étrangers y participent. C'est l'occasion pour le Jura de promouvoir la beauté de ses paysages et de ses villages enneigés.

Saint-Étienne★

À proximité du massif du Pilat, de la retenue de Grangent et de la plaine du Forez, St-Étienne occupe le fond de la dépression du Furan. Sans renier son passé industriel, la ville nous offre un bel exemple de reconversion réussie : les façades ont été blanchies, des jardins et des places accueillantes ont été aménagés au cœur de la ville qui vit au rythme de la cloche de son tramway.

La situation

291 960 Stéphanois – Cartes Michelin Local 327 F-G 7, Regional 524 – Le Guide Vert Lyon et la Vallée du Rhône – Loire (42). La circulation dans la ville n'est pas aisée : il est conseillé de se garer à proximité d'une des places situées près de la ligne de tramway.

16 av. de la Libération, 42000 St-Étienne, ☎ 04 77 49 39 00. www.tourisme-st-etienne.com

Pour poursuivre la visite, voir aussi : LYON, LE PUY-EN-VELAY, VALENCE.

visiter

Musée d'Art moderne★★

À 4,5 km au Nord du centre-ville. Par l'autoroute en direction de Clermont-Ferrand, prendre la sortie la Terrasse-St-Priest-en-Jarez. ♿ Tlj sf mar. 10h-18h. Fermé 1er janv., 1er mai, 14 juil., 15 août, 1er nov. et 25 déc. 4,30€, gratuit 1er dim. du mois. ☎ 04 77 79 52 52.

Ce vaste musée, conçu par l'architecte D. Guichard, contient l'une des plus belles collections publiques françaises d'art moderne et contemporain.

Des œuvres d'art moderne se détache un ensemble représentatif de l'évolution de l'abstraction : Monet, Kupka, Rodin, Chabaud, Magnelli, le mouvement Dada (Picabia, Schwitters), puis Braque, Picasso, Robert Delaunay et Léger. À leur suite sont exposés les surréalistes avec Brauner, Ernst, Miró et Masson, et les représentants de l'art abstrait (Hélion, Freundlich, Marcelle Cahn). Dans la partie centrale du musée, la visite s'ouvre sur le foisonnement des courants des années 1950 : l'abstraction. Dans les années 1960, les objets usuels sont assemblés chez Arman, compressés chez César, déchirés chez Hains. Si l'espace est matérialisé chez Klein, les adeptes de la figuration narrative (Monory, Rancillac, Adami) utilisent les supports photographiques ou publicitaires, voire la bande dessinée. Les collections se poursuivent avec le Pop Art (Dine, Warhol, Lichtenstein), l'Arte Povera (Merz, Zorio et Penone) et le groupe Supports/Surfaces (Viallat).

Musée d'Art et d'Industrie★

♿ Tlj sf mar. 10h-12h30, 13h30-18h, w.-end 10h-18h. Fermé j. fériés. 4,30€. ☎ 04 77 49 73 00.

Réaménagé par l'architecte J.-M. Wilmotte dans le palais des Arts, ce musée constitue un véritable conservatoire du savoir-faire régional du 16e s. à nos jours ; une scénographie moderne met en valeur les collections exceptionnelles d'armes, de rubans des passementiers et de cycles qui illustrent la créativité de la ville.

carnet pratique

Restauration

• À bon compte

Auberge Vernollon – *42220 Colombier-sous-Pilat - 32 km au SE de St-Étienne par D 8 - 8 km à l'E du Bessat par D 8, puis D 63 vers le col de l'Œillon - ☎ 04 77 51 56 58 - fermé 1er déc. au 28 fév. lun. en été et lun. au ven. midi hors sais. - réserv. obligatoire - 10,70/15,80€.* Cette ancienne ferme est une étape incontournable sur la route du crêt de l'Œillon. La savoureuse cuisine familiale se déguste sous la magnifique charpente de la grange ou sur la terrasse panoramique. Trois chambres d'hôte simples.

• Valeur sûre

La Nouvelle – *30 r. St-Jean - 42000 St-Étienne - ☎ 04 77 32 32 60 - fermé 1er au 15 janv., 5 au 27 août, dim. soir et lun. - 23,63/48,78€.* Dans une rue piétonne, ce restaurant au décor moderne, adouci par une superbe toile de Jouy aux murs, des chaises houssées et des lampes en papier japonais, est très élégant. Un cadre raffiné qui s'accorde parfaitement avec la cuisine inventive du jeune chef-patron.

Hébergement

• À bon compte

Hôtel Carnot – *11 bd J.-Janin - 42000 St-Étienne - ☎ 04 77 74 27 16 - fermé 8 au 20 août - 24 ch. : 28,20/39,65€ - ☕ 5,35€.* Les habitués fréquentent cet hôtel près de la gare Carnot pour son accueil chaleureux et pour ses prix raisonnables. Le confort est modeste mais les chambres sont bien tenues.

Achats

Weiss – *8 rue du Général-Foy - 42000 St-Étienne - ☎ 04 77 49 41 48 - lun. 14h-19h, mar.-jeu. 9h-12h, 14h-19h ; ven. 9h-19h ; sam. 9h-12h, 14h-19h - fermé Nouvel An, 14 juil., 15 août, Pâques et Ascension.* Depuis 1882 Weiss est le temple du chocolat stéphanois et compte parmi ses clients les plus grands noms de la cuisine française et internationale. Savourez, entre autres, napolitains, nougamandines et nougastelles.

Puits Couriot, musée de la Mine★

Visite guidée (1h1/2) tlj sf mar. 10h30 et 15h30, w.-end à 14h15. Visite audioguidée tlj sf mar. 15h45-17h30 (dép. toutes les 10mn), w.-end 14h45-17h30. Fermé 1er janv., 1er mai, 14 juil., 15 août, 1er nov. et 25 déc. 5,50€ (enf.: 4€), visite audio guidée: 4,50€ (enf.: 3,50€). ☎ 04 77 43 83 26.

La visite commence par la «**salle des Pendus**»★, vaste pièce qui servait de vestiaire pour les mineurs: leurs tenues, suspendues au plafond, donnent à cette pièce un aspect saisissant. La galerie d'accueil – la recette – est le point de départ d'un circuit en wagonnets. Chaque halte constitue une étape de l'évolution des techniques d'extraction. L'itinéraire remonte le temps des années 1960 jusqu'au front de taille de 1900. La reconstitution d'une écurie rappelle que les chevaux constituèrent longtemps l'unique force de trait pour amener les bennes jusqu'à la recette.

alentours

Le Pilat★★

18 km à l'Est de St-Étienne. Le massif du Pilat s'élève, à l'Est de St-Étienne, entre le bassin de la Loire et la vallée du Rhône. Subissant les influences méditerranéennes à l'Est, et atlantiques à l'Ouest, il comporte une ligne de partage des eaux, notamment au col de Chaubouret (1 363 m).

Le Pilat, ce sont d'abord des paysages, beaux et variés: au bord du Rhône, des vergers et des vignobles (comme celui, fameux, de la Côte-Rôtie) qui font place, sur les plateaux, aux pâturages, puis en altitude, à des forêts. La fraîcheur de ses sapinières, de ses eaux vives et de ses pâturages contrastant avec les vallées industrieuses de l'Ondaine, du Janon et du Gier, en fait un lieu apprécié des randonneurs.

J. Damase/MICHELIN

Les paysages du Pilat forment de véritables tableaux.

Saint-Flour★★

Saint-Flour, dressant vers le ciel les tours carrées de sa cathédrale, semble garder la grande voie menant du Languedoc à l'ancien royaume de France. Cette ville consulaire et épiscopale, qui a bien perdu de sa pompe, a gagné en charme. Et autour d'elle, il y a la Margeride et les gorges de la Truyère.

La situation

6 625 Sanflorains – Cartes Michelin Local 330 G-H 4-5, Regional 522 – Cantal (15). À proximité de l'A 75 (sortie 28). C'est par l'Est qu'il faut arriver pour apprécier la beauté de son **site**★★.

Cours Spy-des-Ternes, 15100 St-Flour, ☎ 04 71 60 22 50. www.saint-flour.auvergne.net

Pour poursuivre la visite, voir aussi: RODEZ, LE PUY-EN-VELAY.

carnet pratique

RESTAURATION

• À bon compte

Chez Geneviève – *25 r. des Lacs - Ville haute - 15100 St-Flour - ☎ 04 71 60 17 97 - fermé 3 au 10 fév., 20 oct. au 10 nov., lun. soir, mar. soir et dim. sf du 2 juil. au 8 sept. - 12/15€.* Dans une rue piétonne du centre-ville, ce petit restaurant tout simple est très accueillant. Entre poutres et bois, régalez-vous de spécialités locales, notamment les tripoux de St-Flour ou la salade tiède aux lentilles et au pied de veau, préparées à partir de produits frais. Prix doux.

HÉBERGEMENT

• À bon compte

Grand Hôtel de l'Étape – *18 av. de la République - Ville basse - 15100 St-Flour - ☎ 04 71 60 13 03 - info@hotel-etape.com - fermé janv., dim. soir et lun. sf juil.-août - 23 ch. : 39/73€ - ☕ 7,50€ - restaurant 16/37€.* Toute la famille est aux commandes dans cet hôtel traditionnel de la ville basse, construit dans les années 1970. Chambres contemporaines. La cuisine est régionale, soignée et les légumes proviennent pour la plupart du potager.

se promener

Cathédrale*

De style gothique sévère, cet édifice rappelle la vocation de forteresse de la ville. Construite en 1396, elle ne fut achevée qu'à la fin du 15e s., avec un maître d'œuvre travaillant sous les ordres du duc de Berry. À l'intérieur, admirez contre le pilier gauche, à l'entrée du chœur, le grand **Christ*** en bois.

Rues anciennes

La rue Marchande possède de vieilles maisons dignes d'intérêt, parmi lesquelles : la maison du Gouverneur, du 15e s. dont on voit la façade et la cour ; l'hôtel Brisson avec une cour du 16e s., aux fenêtres originales séparées par des colonnes à torsades.

circuit

GORGES DE LA TRUYÈRE**

55 km. Quitter St-Flour au Sud-Est par la N 9. La **Truyère** a creusé dans les plateaux granitiques de la Haute-Auvergne des gorges étroites, profondes et sinueuses. Elles figurent parmi les plus belles curiosités naturelles de la France centrale. Des barrages créés pour l'industrie de la houille blanche les ont transformées en lac sur une grande longueur. La découverte des sites fabuleux, tels que celui du viaduc de Garabit ou du château d'Alleuze, vous marquera certainement.

Le viaduc de Garabit, œuvre élégante et audacieuse, a été repeint en rouge, ce qui était sa couleur d'origine.

J. Damase/MICHELIN

Viaduc de Garabit**

Depuis l'achèvement du barrage de Grandval, l'eau atteint les piles de soutien de l'ouvrage qui domine encore de 95 m le niveau maximal de la retenue. C'est par l'expérience acquise à Garabit (1882-1884) que **Eiffel** put concevoir la Tour à Paris.

Par la D13, longer la retenue, passer sur le barrage de Grandval et par la D48 gagner le château d'Alleuze.

Site du château d'Alleuze**

Les ruines féodales se dressent sur une butte rocheuse et dénudée, d'où elles dominent de près de 30 m le plan d'eau formé par la retenue de Grandval. Ce lieu romantique se cache au sein d'une vallée boisée. On accède au château à pied *(5mn)* par un sentier escarpé. Bâtie au 13e s. par les connétables d'Auvergne, la forteresse est composée d'un vaste donjon flanqué de 4 tours rondes.

Saint-Malo***

Presque entièrement détruite en août 1944, St-Malo a été si bien restaurée que ses visiteurs y retrouvent sans mal, une fois l'enceinte franchie, l'époque des corsaires. Port très actif, la cité malouine est aussi une station balnéaire réputée.

La situation

50675 Malouins - Cartes Michelin Local 309 F-M 2-3, Regional 517 - Le Guide Vert Bretagne - Ille-et-Vilaine (35). Dominant l'embouchure de la Rance, l'agglomération de St-Malo englobe St-Servan-sur-Mer, Paramé et Rothéneuf. Le vieux St-Malo est réservé aux piétons.

Esplanade St-Vincent, 35400 St-Malo, ☎ 02 99 56 64 48. www.ville-saint-malo.fr

Pour poursuivre la visite, voir aussi : LE MONT-ST-MICHEL, RENNES, TRÉGUIER.

se promener

Remparts (St-Malo intra-muros)***

Passer sous la porte St-Vincent et prendre, à droite, l'escalier donnant accès au chemin de ronde. Commencés au 12e s., les remparts (sortis intacts des destructions de 1944)

carnet pratique

Restauration

• *À bon compte*

Crêperie Ti Nevez – *12 r. Broussais (intra-muros) - 35400 St-Malo - ☎ 02 99 40 82 50 - fermé janv. et jeu. sf juil.-août - 8,84/13,57€.* Cette minuscule crêperie fondée en 1959 joue la carte de la tradition, tant dans son décor de meubles bretons et photos anciennes que dans ses recettes : les crêpes sont retournées comme autrefois, en salle devant les convives. Essayez aussi le fameux gâteau breton.

Coquille d'Œuf – *20 r. de la Corne-de-Cerf - 35400 St-Malo - ☎ 02 99 40 92 62 - fermé lun. - 12/23,50€.* Murs jaunes ornés de tableaux, parquet, petits fauteuils en osier : le cadre contemporain de ce restaurant du centre-ville est vraiment plaisant. Ajoutez à cela un service impeccable et des plats particulièrement soignés, vous comprendrez qu'il faut vous y arrêter !

• *Valeur sûre*

La Courtine – *6 r. de la Croix - 22100 Dinan - 20 km au S de St-Malo par N 137 puis N 176 - ☎ 02 96 39 74 41 - fermé 1er au 15 janv., 15 au 30 nov., dim. soir et mer. - réserv. conseillée - 13,80€ déj. - 16/33,50€.* Murs en granit et poutres composent le chaleureux cadre de ce restaurant installé dans une pittoresque maison de 1832. Service d'une grande efficacité, cuisine traditionnelle et belle carte de cafés.

Hébergement

• *À bon compte*

Les Croix Gibouins – *Au Croix-Gibouins - 35400 St-Malo - 6 km à l'E de St-Malo par D 301 rte de Cancale, et D 155 rte de St-Méloir-des-Ondes - ☎ 02 99 82 11 97 - - 4 ch. : 38/50€.* Oubliez la route qui passe à proximité de cette séduisante gentilhommière du 16e s., car l'épaisseur de ses murs garantit à elle seule le calme de ses intérieurs. Les chambres, douillettes et remarquablement restaurées, ouvrent leurs fenêtres sur un verger.

• *Valeur sûre*

Chambre d'hôte La Goëlettrie – *20 r. Goëlettrie, quartier Quelmer - 35400 St-Malo - 5 km de St-Malo, dir. Dinard puis Quelmer - ☎ 02 99 81 92 64 - - réserv. obligatoire le soir - 5 ch. : 42/47€ - repas 11/15€.* Cette jolie ferme dominant la Rance bénéficie d'une tranquillité très appréciée. Chambres sans grand caractère, mais accueil charmant.

Achats

Boutique Loc Maria - Les Gavottes – *9 r. du Château - 22100 Dinan - ☎ 02 96 87 06 48 - mar.-sam. 9h30-12h30, 14h-19h ; juil.-août : mar.-sam. 9h30-12h30, 14h-19h15, dim. 14h-19h.* C'est le point de vente de l'entreprise Les Gavottes, célébrissime maison qui concocte les fameuses crêpes dentelles de Dinan, biscuits croustillants roulés très fin, qui se dégustent nature ou enrobé de chocolat, et dont la recette fut inventée par Marie-Catherine Cornic en 1886.

ont été agrandis et modifiés jusqu'au 18e s. Aussitôt après la Grande Porte, couronnée de mâchicoulis, on découvre l'isthme étroit qui relie la vieille ville à ses faubourgs. Puis du bastion St-Louis au bastion St-Philippe, le rempart borde les maisons des riches armateurs malouins. La vue se développe sur l'avant-port, l'estuaire de la Rance, ainsi que sur Dinard. Ensuite, on aperçoit en partie la grande plage de Dinard ; on distingue l'île des Ebihens, la pointe de St-Cast et le cap Fréhel ; plus proche, l'île Harbour, les îles du Grand Bé et du Petit Bé, puis à l'arrière-plan, l'île de Cézembre et le fort de la Conchée. Après avoir longé les bâtiments de l'École nationale de la marine marchande, on découvre les plages de Paramé, de Rochebonne et du Minihic.

À marée haute

La promenade sur les remparts offre des **vues★** magnifiques. Elle est recommandée à marée haute, dont la grande amplitude (de 8 à 14 m) modifie de façon spectaculaire l'aspect du rivage et des flots. En Bretagne, les grandes marées les plus importantes se produisent en mars et septembre, au moment des équinoxes.

Île du Petit Bé

Située après le Grand Bé, l'île possède un remarquable **fort** construit à partir de 1693 par Vauban. La visite *(guidée)* présente les fortifications de la baie de Saint-Malo et le phénomène des marées. *Accès à pied ou en bateau (en fonction des marées) à partir du Grand Bé. 4€. Renseignements à l'Office du tourisme. ☎ 06 08 27 51 20.*

Île du Grand Bé

À marée basse, 3/4h à pied AR. Quitter St-Malo par la porte des Champs-Vauverts et traverser la plage pour gagner la chaussée qui conduit à l'île. Par le chemin accroché au flanc droit de l'île, on parvient au **tombeau de Chateaubriand** qui se trouve du côté du large. Du sommet de l'île, superbe **panorama★★** sur toute la côte d'Émeraude.

Château★★

Occupant le grand donjon et le castelet, le **musée d'Histoire de la ville et d'Ethnographie du pays malouin★** est consacré à l'histoire de St-Malo et de ses hommes célèbres. Documents, maquettes de navires, peintures et armes rappellent le passé maritime de la cité. *Avr.-juin : 10h-12h, 14h-18h ; oct.-mars : tlj sf lun. 10h-12h, 14h-18h. Fermé 1er janv., 1er mai, 1er et 11 nov., 25 déc. 4,40€. ☎ 02 99 40 71 57.*

La **tour Quic-en-Groigne★** est située dans l'aile gauche du château. Son nom rappelle la réplique d'Anne de Bretagne aux Malouins: «Qui qu'en groigne, ainsi sera, car tel est mon bon plaisir.»

Fort national★

Accès par la plage de l'Éventail à marée basse – 1/4h à pied AR. Juin-sept. : visite guidée (3/4h) à marée basse (horaires variables en fonction des marées). S'adresser à l'Office de tourisme de St-Malo. 4€. ☎ 02 99 85 34 33.

Construit par Vauban en 1689, le Fort royal est devenu Fort national après 1789. Bastion avancé qui assurait la protection de la cité corsaire, il fait corps avec le rocher. La **vue★★** des remparts est exceptionnelle : de l'estuaire de la Rance aux îles Chausey. Et la visite du cachot impressionnante. Au cours de la visite du fort est évoqué le duel mémorable de Surcouf qui défendit l'honneur de la France contre 12 adversaires. Il épargna le dernier... comme témoin de ses exploits!

▶▶ Corniche d'Aleth★★ ; Tour Solidor★ (musée international du Long Cours cap-hornier★) ; Mystères de la Mer★★ (grand aquarium)

Quatre Malouins célèbres

Jacques Cartier (1494-1557) part, en 1534, chercher de l'or dans la région de Terre-Neuve et du Labrador. Il découvre l'estuaire du St-Laurent. Comme le mot «Canada», qui signifie village en huron, revient souvent dans les propos des Indiens, il appelle ainsi le pays.

Duguay-Trouin et **Surcouf** – Ce sont les plus illustres corsaires malouins. Fils d'un riche armateur, Duguay-Trouin (1673-1736) est embarqué à 16 ans sur un navire corsaire pour mettre fin à une jeunesse orageuse. Ses talents sont tels qu'il passe à 24 ans dans le «Grand Corps» de la Marine royale, comme capitaine de frégate. Il meurt anobli, lieutenant général et commandeur de St-Louis.

Répondant à l'appel de la mer, Surcouf (1773-1827) commence très jeune une carrière riche en exploits fabuleux. Négrier, puis corsaire, il amasse un énorme butin et prend à 36 ans une retraite précoce au cours de laquelle il arme des corsaires, des navires marchands et continue à accroître sa fortune.

François René de Chateaubriand est le dixième et dernier enfant d'une famille bretonne désargentée de très ancienne noblesse. Son père est allé chercher fortune aux Amériques et a pu, au retour, s'établir armateur à St-Malo. Le jeune Chateaubriand (1768-1848) passe ses premières années à vagabonder sur le port, puis étudie aux collèges de Dinan, Dol, Rennes, Brest, rêvant d'être marin ou prêtre. C'est par le métier des armes qu'il commence, en 1786, une carrière mouvementée qui se termine en 1848 dans l'isolement du Grand Bé.

circuit

LA CÔTE D'ÉMERAUDE★★★

130 km. Des vedettes partant de St-Malo, avec escale à Dinard, permettent de contempler le cap Fréhel par la mer. C'est sous cet aspect qu'il est le plus impressionnant.

Cette partie de la côte qui s'étend de la pointe du Grouin, au Nord de **Cancale** réputé pour ses huîtres plates, offre une succession de sites majestueux, de villes historiques, de plages célèbres, de stations paisibles! La route qui longe la Côte d'Émeraude ne borde pas la mer sur tout son parcours, mais offre des excursions vers les sites côtiers, dont les vues révèlent le caractère de ce rivage très découpé.

Pointe du Grouin★★

Le panorama s'étend du cap Fréhel à Granville, en passant par la baie du Mont-St-Michel *(voir ce nom)*. Au large, on distingue les îles Chausey.

Contournez St-Malo par la D301 pour gagner Dinard.

Dinard⌂⌂⌂

Lovée dans un site magnifique à l'embouchure de la Rance, Dinard fut «lancée» vers 1850 par un Américain et devint la rivale de l'anglaise Brighton. Station balnéaire mondaine, Dinard offre un contraste extraordinaire avec St-Malo : en face, une vieille cité resserrée dans ses remparts, une plage familiale, un port de commerce; ici, un village de pêcheurs devenu une station raffinée aux villas luxueuses, aux jardins et aux parcs splendides.

St-Lunaire⌂⌂

Élégant centre balnéaire qui possède deux belles plages : St-Lunaire, la plus animée, regarde St-Malo; Longchamp, la plus vaste, est tournée vers le cap Fréhel.

La **pointe du Décollé★★** est reliée à la terre ferme par un pont naturel qui franchit la profonde crevasse du saut du Chat. À la pointe, la **vue★★** sur la Côte d'Émeraude, depuis le cap Fréhel jusqu'à la pointe de la Varde, est splendide.

St-Cast-le-Guildo⌂⌂

Cette station familiale a une longue histoire de tourisme balnéaire, comme en témoignent les belles villas du quartier des Mielles. St-Cast possède un charmant port de pêche, dont la flottille se consacre aux coquilles St-Jacques et aux praires.

Site légendaire, réserve ornithologique, le cap Fréhel domine une mer au bleu teinté d'émeraude.

Cap Fréhel★★★

Accès au cap juin-sept. : 8h-20h. 2€ par voiture.

Le site du cap est l'un des plus grandioses de la côte bretonne. On domine les rochers de la Fauconnière, peuplés de goélands, cormorans, pétrels, guillemots; le contraste entre le rouge violacé de la roche - schiste, grès et porphyre - et le bleu-vert de la mer est étonnant. Le **panorama★★★**, particulièrement beau en fin d'après-midi, est immense par temps clair, s'étendant de la pointe du Grouin à l'Est, jusqu'à l'île de Bréhat à l'Ouest; les îles Anglo-Normandes sont parfois visibles. À droite du cap se dresse la silhouette du fort la Latte.

À la pointe extrême surgit le phare. Il comporte 145 marches et abrite une lampe à arc au xénon. *De déb. juil. à mi-sept. : visite guidée 10h-12h, 14h30-18h. ☎ 02 96 41 40 03.*

Fort la Latte★★

Juil.-août : 10h-19h ; avr.-sept. : 10h-12h30, 14h30-18h30 ; oct.-mars. : vac. scol., w.-end et j. fériés 14h30-18h. 3,70€. ☎ 02 99 30 38 84 ou 02 96 41 40 31.

Ce château a conservé son aspect féodal et occupe un **site★★** spectaculaire. Dominant la mer de plus de 60 m, il est séparé de la terre ferme par deux crevasses que l'on franchit sur des ponts-levis. Passé l'épais mur pare-boulets, vous atteignez la tour de l'Échauguette et le curieux four à rougir les boulets, et, par un poste de guetteur, accédez au donjon. Du chemin de ronde apparaît un **panorama★★** étonnant sur toute la Côte d'Émeraude.

Sables-d'Or-les-Pins⛱

La station fut créée en 1922, au bord de la grève de Minieu. Avec ses villas, ses hôtels anglo-normands, elle connut un succès immédiat. Son immense **plage★** de sable fin, assurément l'une des plus belles de Bretagne, regarde un ensemble d'îlots.

Erquy⛱

Dans un joli site de falaises, cet actif port de pêche côtière, réputé pour ses soles, turbots, grondins et coquilles Saint-Jacques, continue à prendre de l'extension.

Par Pléneuf-Val-André, gagner le **Val-André⛱⛱**, station balnéaire fréquentée pour sa plage de sable fin.

alentours

Dinan★★

30 km au Sud de Saint-Malo, par la N 137 puis la N 176. Dinan possède un petit bijou : sa vieille ville ceinturée de remparts que son imposant château semble toujours vouloir défendre. La cité se dresse sur le bord escarpé d'un plateau qui domine de 75 m la Rance et son petit port de plaisance.

Dans la **vieille ville★★**, rendez-vous **place des Merciers★**. Elle est bordée de belles maisons à pignons triangulaires et forme, avec la rue de l'Apport et la place des Cordeliers qui la prolongent, un bel ensemble de demeures à pans de bois typiquement dinannaises des 15e, 16e et 17e s.

Jetez un coup d'œil dans les rues avoisinantes de la Cordonnerie et du Petit-Pain, avec leurs maisons à encorbellement. La **rue du Jerzual★** était jadis la rue des bourgeois, des artisans et des marchands. Pavée et en pente raide, elle est bordée de boutiques des 15e et 16e s. qui abritent aujourd'hui tisserands, fileurs de verre et sculpteurs.

Saint-Omer★★

Avec ses rues paisibles bordées d'hôtels particuliers à pilastres, sa cathédrale qui conserve l'un des plus riches mobiliers de France, St-Omer garde son allure aristocratique. En revanche, dans le faubourg Nord, les maisons basses à la flamande s'alignent le long des quais de l'Aa et lui donnent un air populaire. Des barques à fond plat vous y attendent pour une promenade dans le marais audomarois.

La situation

56425 Audomarois – Cartes Michelin Local 301 G 3, Regional 511 – Le Guide Vert Picardie Flandres Artois – Pas-de-Calais (62). Le cours de l'Aa et le canal de Neufossé se croisent à St-Omer, desservie par une voie rapide. Accès par l'A 26, puis la N 42 ou la D 77. Par l'A 25, prendre la D 948 vers Cassel. Le plan de St-Omer se dessine comme un fuseau de voies, qui relient les deux établissements religieux.

4 r. du Lion-d'Or, 62500 St-Omer, ☎ 03 21 98 08 51.

Pour poursuivre la visite, voir aussi : LE TOUQUET-PARIS-PLAGE, LILLE, ARRAS, BAIE DE SOMME.

carnet pratique

Restauration

• À bon compte

Charette – *32 pl. Foch - 62500 St-Omer - ☎ 03 21 98 28 29 - fermé 28 juil. au 18 août et dim. - 10/16€.* Dans ce restaurant tout en longueur du centre-ville, vous pourrez savourer une bonne cuisine traditionnelle à tout petits prix. Les produits frais et la simplicité bonhomme du patron plaisent aux Audomarois qui s'y pressent.

Hébergement

• À bon compte

Le Vivier – *22 r. Louis-Martel - 62500 St-Omer - ☎ 03 21 95 76 00 - fermé déb. janv. et dim. soir - 7 ch. : 38/52€ - ☕ 5,70€ - restaurant 16/34€.* On ne peut rêver meilleure situation pour résider en ville. Les chambres, dotées de meubles en bois blond, sont insonorisées et bien équipées. Le restaurant, décoré dans des tons beige, rose et grenat, propose une cuisine axée sur les produits de la mer.

Loisirs

Isnor Clairmarais – *3 r. du Marais - 62500 Clairmarais - 2 km au N de St-Omer par D 209 - ☎ 03 21 39 15 15 - www.isnor.fr - été : tlj 9h-18h ; hors saison : w.-end et j. fériés - fermé 15 déc. au 15 janv.* Bateaux, canoës, barques à rames ou à moteur (thermique et électrique) sont à votre disposition pour des balades dans les marais, seul ou accompagné par un guide.

visiter

Cathédrale Notre-Dame★★

Cette cathédrale, le plus bel édifice religieux de la région, étonne par la majesté et l'ampleur de ses formes. Son chœur date de 1200, son transept du 13e s., sa nef des 14e-15e s. Sa tour de façade est couverte d'un réseau d'arcatures verticales à l'anglaise, et surmontée de tourelles de guet.

L'intérieur est vaste. Les riches clôtures à jours, en marbre polychrome, témoignent de l'opulence des chanoines.

Parmi les **œuvres d'art★★**, voyez le mausolée d'Eustache de Croÿ, prévôt du chapitre de St-Omer et évêque d'Arras : une œuvre saisissante de Jacques Dubrœucq (16e s.) qui a représenté le défunt agenouillé, en costume épiscopal, et gisant, nu, à la manière antique. Admirez aussi les dalles funéraires gravées du 15e s. et la *Descente de Croix* de Rubens. Et ne manquez pas le **labyrinthe** *(au centre du chœur)* : ce pèlerinage en raccourci, dont on suivait le tracé en blanc, était appelé « la lieue de Jérusalem ».

Hôtel Sandelin et musée★

Fermé pour travaux. ☎ 03 21 38 00 94.

Les salons forment une suite aux lambris clairs finement sculptés, encadrant des cheminées et du mobilier Louis XV.

Dans la salle du Trésor est présenté le **pied de croix de St-Bertin★** (12e s.), orné des effigies des évangélistes et d'émaux figurant des scènes de l'Ancien Testament. Contemplez aussi une croix-reliquaire à double traverse (13e s.) dont la face antérieure, filigranée, est incrustée de gemmes.

Les pièces sur cour présentent des primitifs flamands et des petits maîtres du 17e s. flamands et hollandais. Parmi les céramiques, on distingue les produits de la fabrique de St-Omer, et une belle **collection de Delft** (750 pièces).

alentours

Coupole d'Helfaut-Wizernes★★

5 km au Sud de St-Omer, par la D 928. ♿ Avr.-sept. : visite audioguidée (3h) 9h30-18h30, w.-end et j. fériés 10h-19h ; oct.-mars : 9h30-18h30. Fermé 1re quinzaine de janv. et 25 déc. 8,50€. ☎ 03 21 93 07 07.

Cette gigantesque base de lancement de fusées V2 compte parmi les plus imposants vestiges de la Seconde Guerre mondiale. Symbole de la folie et de la démesure nazie, le site a été converti en Centre d'histoire de la guerre et des fusées, un lieu de mémoire et d'éducation.

Après un parcours dans le tunnel ferroviaire puis les galeries souterraines destinées au stockage des fusées, on parvient sous l'énorme coupole (55 000 t). Deux expositions présentent les armes secrètes allemandes et la vie des populations dans le Nord de la France de 1940 à 1944. Une maquette animée montre le site de tir tel qu'il aurait dû être ; une bombe volante V1 et une authentique fusée V2.

Saint-Tropez★★

Admirablement ancrées au bout du golfe de St-Tropez, ses jolies maisons pastel observent la côte, épaulées de collines aux rivages de roche et de sable idylliques. Coquet, St-Tropez se fait beau pour ressembler à l'image dépeinte au début du siècle par les plus grands artistes, conservée au musée de l'Annonciade. Il plaît ainsi au monde entier, associant un charme à l'allure provençale à une ambiance internationale, avec ses adresses chics et snobs propices à la fête de jour comme de nuit.

carnet pratique

Restauration

• ***Valeur sûre***

Leï Salins – *Plage des Salins - 83990 St-Tropez - ☎ 04 94 97 04 40 - fermé 15 oct. au 31 mars - 30/50€.* Dans ce restaurant de plage ouvert aux quatre vents, vous pourrez déguster les salades et la pêche du jour grillée devant vous. La beauté du site ajoute au plaisir de cette escale face à la mer.

Alizés – *Prom. de la Mer - 83240 Cavalaire-sur-Mer - 17 km au SO de St-Tropez par D 98 puis D 559 - ☎ 04 94 64 09 32 - 16,77/28,97€.* L'ambiance animée et la gouaille des patronnes sont dignes de Pagnol et de Raimu... Dans un cadre actuel, offrant une échappée sur la mer, on propose une cuisine familiale avec mention spéciale pour les poissons et les desserts maison. Chambres rénovées ; certaines bénéficient d'un balcon.

Hébergement

• ***Valeur sûre***

Hôtel Lou Cagnard – *Av. P.-Roussel - 83990 St-Tropez - ☎ 04 94 97 04 24 - fermé 6 nov. au 27 déc. - P - 19 ch. : 50/90€ - ☕ 7€.* Façade jaune et volets bleus égayent cette vieille maison tropézienne située derrière la célèbre place des Lices. Les chambres sont majoritairement rénovées, mais toutes bénéficient d'une tenue impeccable. Aux beaux jours, le petit déjeuner est servi dans un jardinet à l'ombre des mûriers. Prix raisonnables pour St-Tropez.

Achats

La Tarte Tropézienne – *Pl. des Lices - 83990 St-Tropez - ☎ 04 94 97 04 69 - tlj 7h30-22h.* C'est dans cette pâtisserie que fut créée en 1955 la célèbre tarte tropézienne, œuvre du Polonais Alexandre Micka. C'est une brioche fourrée d'une crème mœlleuse et riche à souhait ; sa recette ? Chut ! c'est le secret de la maison.

Confiserie Azuréenne – *Bd Kœnig - 83610 Collobrières - 37 km à l'O de St-Tropez par N 98, D 41 et D 14 - ☎ 04 94 48 07 20.* Fabrication de marrons glacés, marrons au naturel, crème de marron, confiture de châtaignes... Visite possible de la confiserie.

Petite pause

Sénéquier – *Quai Jean-Jaurès - 83990 St-Tropez - ☎ 04 94 97 00 90 - tlj 8h-19h ; juil.-août : 8h-3h - fermé de mi-nov. à mi-déc.* La terrasse et les chaises rouges de ce salon de thé-pâtisserie sont mondialement connues. Colette, Jean Cocteau, Jean Marais, Errol Flynn et bien d'autres y passèrent pour boire un café glacé ou déguster un nougat maison devant le port.

E. Baret/MICHELIN

La situation

5 444 Tropéziens – Cartes Michelin Local 340 M-P 5-7, Regional 528 – Le Guide Vert Côte d'Azur – Var (83). Mieux vaut éviter d'y venir en été, ou alors circulez tôt le matin, sinon restez entre l'Est et le Sud de la presqu'île. Ne manquez pas de vous promener place des Lices, où l'animation règne toute l'année.

Quai Jean-Jaurès, 83990 St-Tropez, ☎ 04 94 97 45 21. www.saint-tropez.fr

Pour poursuivre la visite, voir aussi : TOULON, GORGES DU VERDON, CANNES.

séjourner

Port**

Les yachts les plus clinquants s'y amarrent pour l'été, l'arrière tourné non vers le large mais vers les quais : c'est qu'il s'agit avant tout de faire voir qui on est ! Un théâtre où chacun se pavane, sur les quais et dans les rues voisines, devant les vitrines des cafés, glaciers, restaurants, boutiques, au pied des façades jaunes et roses des maisons, que couronne l'altier clocher coloré de l'église.

Plages

Elles sont divines, nappées de sable fin, entrecoupées de rochers formant parfois de délicieuses criques sous des pins parasols. Vous n'aurez que l'embarras du choix sur 10 km.

Les plus courageux les dénicheront à pied par le sentier du littoral qui fait le tour de la presqu'île jusqu'à la baie de Cavalaire ou à travers la campagne par le chemin de la Belle Isnarde qui mène à la plage Tahiti (Pampelonne).

L'Annonciade, musée de St-Tropez**

Juin-sept. : 10h-12h, 15h-19h ; oct.-mai : tlj sf mar. 10h-12h, 14h-18h. Fermé nov., 1er janv., 1er mai, Ascension et 25 déc. 4,60€. ☎ 04 94 97 04 01.

Cette chapelle du 16e s. recueille des chefs-d'œuvre de la peinture de la fin du 19e s. et du début du 20e s., pour la plupart, interprétations merveilleuses du site tel qu'il se présentait alors. La touche pointilliste de Signac rayonne avec le bleu scintillant de son *Orage*. Le fauvisme s'exprime avec Matisse, Van Dongen, Braque, Marquet. Les Nabis sont représentés par Vuillard et Vallotton.

circuit

MASSIF DES MAURES***

125 km. Quittez St-Tropez à l'Ouest par la N 98.

Une parure végétale couleur émeraude s'étend entre la mer et les vallées du Gapeau et de l'Argens, d'Hyères à St-Raphaël. De nombreuses stations sont nées sur le littoral, dans des creux ou indentations qui multiplient les points de vue. La « corniche des Maures », magnifique route touristique, permet de les découvrir. L'intérieur, longtemps isolé, est encore sauvage. Ce beau circuit, qui emprunte des routes souvent désertes, est très accidenté et ne compte pas moins de sept cols. Il pénètre profondément à l'intérieur des Maures.

Cogolin

Au cœur du golfe de St-Tropez, ce village a su garder le charme authentique des bourgs de Provence grâce à ses fabricants de pipes.

Grimaud*

Village perché pimpant et fleuri. On y trouve de vieilles maisons, des petites places, des ruelles entrelacées, ponctuées par une volée de marches, une fontaine ou un micocoulier.

MODE D'EMPLOI

Les voies de DFCI (Défense forestière contre l'incendie) sont assimilées à des voies privées et interdites en permanence à la circulation publique motorisée. L'accès pédestre reste permis.

Le camping sauvage est interdit à l'intérieur du massif et à moins de 200 m de toute forêt. Il est aussi interdit de faire du feu et de fumer de mi-mars à mi-octobre.

En cas de risques sévères, le plan ALARME est appliqué : les voies publiques classées risques majeurs d'incendie peuvent être fermées à la circulation des véhicules ; lourdes amendes pour les contrevenants ; pénétration à pied évidemment déconseillée.

Monastère de la Verne

Avr.-oct. : tlj sf mar. 11h-18h ; nov.-mars : tlj sf mar. 11h-17h. Fermée janv., Pâques, Ascension, Pentecôte, 15 août, 1er nov. et 25 déc. 5€ (enf. : 3€). ☎ 04 94 43 45 41.

Avant d'entrer dans la chartreuse, dont les bâtiments (17e et 18e s.) présentent un beau contraste de pierre entre les murs en schiste brun et le remarquable décor en serpentine, vous prendrez le temps d'admirer le superbe portail monumental en serpentine, flanqué de deux colonnes annelées soutenant un fronton triangulaire.

Collobrières
Ce bourg très ombragé a gardé de pittoresques maisons qui dominent, près d'un vieux pont en dos d'âne, la rivière au courant rapide. On y exploite le liège des forêts voisines et la vigne (vin rosé).

Bormes-les-Mimosas★
Dans un site enchanteur, dans ce vieux village étagé sur le flanc des Maures, les parfums des eucalyptus, des lauriers-roses et des mimosas embaument.
Revenir à St-Tropez par la route côtière que l'on rattrape au Lavandou.

Saintes★★

Des platanes et des maisons blanches à toits de tuiles donnent à Saintes, en Charente, un air méridional. On ne sait plus où donner de la tête tant le patrimoine historique et artistique de la ville est riche. Commencez par le centre historique et ses musées avant de découvrir la splendide Abbaye-aux-Dames, puis l'église St-Eutrope et les arènes gallo-romaines.

La situation
25 595 Saintais ou Santons – Carte Michelin Local 324 G 5, Regional 521 – Le Guide Vert Poitou Vendée Charente – Charente-Maritime (17). L'A 10 dessert la ville, qui est traversée par l'avenue Gambetta et les cours National et Lemercier. On peut se garer au centre, à proximité des Halles.
Villa Musso, 62 cours National, 17100 Saintes, ☎ 05 46 74 23 82. www.ot-saintes.fr
Pour poursuivre la visite, voir aussi : ROCHEFORT, COGNAC, ANGOULÊME, ROYAN, LA ROCHELLE.

visiter

Capitale des Santons sous domination romaine, la ville s'étendait sur la rive gauche de la Charente que franchissait un pont où était érigé l'arc de Germanicus.

Arènes★
Accès par les rues St-Eutrope et Lacurie. Avr.-oct. : 9h-19h ; nov.-mars : tlj sf lun. 10h-12h30, 14h-16h30. 1€. ☎ 05 46 97 73 85.
Un peu à l'écart de la cité, les arènes (en réalité un amphithéâtre) doivent une part de leur agrément à la verdure qui a remplacé la plus grande partie des gradins. Élevées au début du 1er s., elles comptent parmi les plus anciennes du monde romain ; 20 000 spectateurs pouvaient y prendre place.

D. Mar/MICHELIN

Les arènes, dont les gradins sont aujourd'hui recouverts de végétation.

Arc de Germanicus★
Cet arc romain se dressait, jusqu'en 1843, sur le pont principal de Saintes. Les arêtes des piliers qui soutiennent la double arcade sont soulignées par des pilastres cannelés aux chapiteaux corinthiens.
▶▶ Musée archéologique

carnet pratique

RESTAURATION

• ***Valeur sûre***

Le Bistrot Galant – *28 r. St-Michel - 17100 Saintes - ☎ 05 46 93 08 51 - fermé dim. sf le midi en sais., j. fériés et lun. - 15,09/30,18€.* Ce petit restaurant dans une rue piétonne calme du centre-ville est tout à fait recommandable avec ses menus intéressants, sa cuisine au goût du jour et ses deux petites salles aux couleurs gaies.

HÉBERGEMENT

• ***À bon compte***

Hôtel Avenue – *114 av. Gambetta - 17100 Saintes - ☎ 05 46 74 05 91 - fermé 20 déc. au 3 janv. - P - 15 ch. : 31/45,80€ - ☕ 5,85€.* Dans cet hôtel des années 1970 situé au centre-ville, vous serez relativement au calme car les chambres sont toutes tournées vers l'arrière. Belle salle des petits déjeuners.

Abbaye aux Dames

Avr.-sept. : 10h-12h30, 14h-19h ; oct.-mars : 14h-18h, mer. et sam. 10h-12h30, 14h-19h (nov.-mars : tlj sf lun.). Fermé 25 déc.-1er janv. 3€. ☎ 05 46 97 48 48.

Consacrée en 1047 et dédiée à la Vierge, confiée à des religieuses bénédictines, l'abbaye avait la charge d'éduquer les jeunes filles nobles. La façade est dotée d'arcatures latérales aveugles, encadrant un portail central richement ornementé : elle est de style roman saintongeais.

Le **clocher★**, à la croisée du transept, se caractérise par un étage de plan carré, surmonté d'une assise octogonale, sur laquelle repose une rotonde percée de baies jumelées, séparées par des colonnettes, et coiffée d'un toit à écailles conique.

Treize tapisseries aux couleurs vives et aux visages sereins couvrent les murs de la nef. Elles illustrent la Genèse et la Création. C'est une œuvre collective réalisée d'après des cartons de J.-F. Favre. Ces tapisseries renouent avec la technique de la broderie, utilisée à l'époque romane.

alentours

Église St-Pierre d'Aulnay★★

44 km au Nord-Est de Saintes par la N150, puis la D950 au-delà de St-Jean-d'Angély.

Ce chef-d'œuvre de l'art roman poitevin, bâti dans une pierre au ton chaud, exhibe un somptueux décor sculpté, dans le cadre campagnard du grand chemin de St-Jacques-de-Compostelle.

Au tympan de l'arcade gauche de la façade est sculptée la Crucifixion de saint Pierre, au tympan de l'arcade droite, on reconnaît le Christ en majesté. Sur le portail du croisillon droit, on identifie les apôtres, les vieillards de l'Apocalypse tenant chacun une fiole à parfum et un instrument de musique, ainsi que des atlantes et des animaux. À l'intérieur, les chapiteaux forment un ensemble remarquable. Détaillez surtout ceux du transept.

Salers★★

Une des villes les plus attirantes de la Haute-Auvergne. Elle garde intact, de son passé militaire et judiciaire, un ensemble rare de remparts et de vieux hôtels, groupés sur un piton d'où l'on domine le confluent de l'Aspre et de la Maronne. Les gourmands ne seront pas déçus non plus : après dégustation de la rituelle truffade ou d'un pounti aux pruneaux, ils savoureront les carrés de Salers, délicieux sablés.

La situation

359 Sagraniers – Cartes Michelin Local 330 C-E 4, Regional 522 – Le Guide Vert Auvergne – Cantal (15). À 45 km d'Aurillac par la D 922 puis la D 680, Salers n'est aussi qu'à 20 km du puy Mary par cette même D680, et c'est certainement la plus belle arrivée sur ce site.

ℹ *Pl. Tyssandier-d'Escous, 15410 Salers, ☎ 04 71 40 70 68. www.salers.auvergne.net*

Pour poursuivre la visite, voir aussi : ST-FLOUR.

La Maison du bailliage rappelle que Salers fut le siège du bailliage des Hautes Montagnes d'Auvergne.

J. Damase/MICHELIN

carnet pratique

RESTAURATION

• ***À bon compte***

La Diligence – *R. du Beffroi - 15140 Salers - ☎ 04 71 40 75 39 - fermé 12 nov. au 1er avr. - 9/28,40€.* Ne vous fiez pas à l'aspect récent de la maison, ici la table chante le terroir. Des crêpes certes mais aussi truffade, tripoux, pounti, potée auvergnate pour contenter les convives les plus affamés ! Le tout arrosé de vins du coin. Ambiance conviviale sur les grandes tables de ferme.

HÉBERGEMENT

• ***À bon compte***

Chambre d'hôte M. et Mme Prudent – *R. des Nobles - 15140 Salers - ☎ 04 71 40 75 36 - 6 ch. : 35/40€.* Au cœur de Salers, cette ravissante maison du 17e s. a beaucoup de charme : ses chambres simples sont confortables, son joli jardin ouvre une vue splendide sur les volcans et vous pourrez prendre votre petit déjeuner dehors, dans une belle pièce auvergnate ou au lit...

se promener

Le double caractère des constructions de Salers s'explique par l'histoire de la ville. Tout d'abord ouverte, elle subit les assauts des Anglais et des routiers, et s'entoure des remparts qu'elle possède encore. Ils la protègent des attaques des huguenots et des ligueurs pendant les guerres de Religion. Au 16e s., Salers devient chef-lieu du bailliage des Hautes Montagnes d'Auvergne et c'est alors que les familles de la bonne bourgeoisie, d'où sortaient les juges, font élever de charmants logis à tourelles.

Église St-Matthieu★

En cas de fermeture, s'adresser à Mme Andzieu. ☎ 04 71 40 72 15.

Remarquez, au portail, les cordons à billettes et les sculptures de la voussure supérieure. À l'intérieur, la **Mise au tombeau**★, œuvre en pierre polychrome, inspirée de l'art bourguignon, fut donnée à l'église en 1495. Chaque personnage y occupe une place exceptionnelle : Joseph d'Arimathie et Nicodème aux extrémités, la Vierge de douleur au centre, entourée de Jean et des saintes femmes.

circuit

ROUTE DU LIORAN★★

135 km. Gagner Aurillac par les D 680 et D 922 au Sud, puis prendre la N 122 à l'Est.

Cet itinéraire permet de suivre le cours des vallées de la Cère et de l'Alagnon. Il offre de belles échappées sur le Griou et le Plomb du Cantal, avec quelques arrêts intéressants pour ceux qui aiment le patrimoine bâti.

Vic-sur-Cère★ est une charmante station thermale.

Au **Pas de Compaing**★, des hautes falaises tombe la belle cascade de Malbec. Puis, la vallée se resserre, et la route passe en corniche au-dessus de la gorge profonde du Pas de Compaing.

Du **col de Cère**★, on a de beaux points de vue sur le **Plomb du Cantal**★★. Peu avant le col, observez sur la gauche, en arrière, la belle pyramide du **puy Griou**★★★.

Le **Lioran** et **Super-Lioran**★, à plus de 1 000 m d'altitude, sont d'agréables stations, été comme hiver.

Quelques kilomètres après **Laveissière**, on passe au pied des rochers basaltiques qui dominent **Murat**★, agréable centre d'excursion vers les volcans cantaliens.

Quitter Murat au Nord-Ouest par la D 680.

En montant vers le Pas de Peyrol, la route s'accroche en corniche au flanc abrupt du puy Mary et offre des **vues saisissantes**★★ sur les vallées de l'Impradine et de la petite Rhue, les monts Dore et le Cézallier.

Le **Pas de Peyrol**★★ (1 582 m) est le col routier le plus élevé du Massif Central.

Puy Mary★★★

Montée rude - 1h1/2 à pied AR au départ du Pas de Peyrol ; ne pas s'écarter du sentier balisé. Le sentier suit l'arête Nord-Ouest du puy jusqu'au sommet. Au premier plan, le regard embrasse le gigantesque éventail de vallées rayonnantes s'échappant du cœur de ce château d'eau, séparées par de puissantes lignes de crêtes dont l'altitude s'abaisse dans les lointains.

Cirque du Falgoux★★

La vallée du Mars y prend naissance et se creuse au pied du puy Mary. Ce cirque glaciaire est occupé par une forêt de sapins pectinés en exploitation.

Regagner Salers par la D 680.

Sarlat-la-Canéda***

De nombreux films ont été tournés dans les ruelles médiévales de Sarlat, la photogénique. Il suffit de faire le tour de la magnifique vieille ville périgourdine pour comprendre les raisons de cet engouement. Mais Sarlat n'est pas seulement un décor: on y vit, et même très bien; ne manquez pas le marché, ni les délicieuses pommes de terre... à la sarladaise.

La situation

9 707 Sarladais – Cartes Michelin Local 329 I-L 6-7, Regional 526 – Le Guide Vert Périgord Quercy – Dordogne (24). Sarlat s'est développé sur un axe Nord-Sud. La vieille ville, ceinte de petits boulevards (nombreux parkings), est accessible par les avenues Thiers et Gambetta.

R. Tourny, 24200 Sarlat-la-Canéda, ☎ 05 53 31 45 45. www.sarlat-tourisme.com

Pour poursuivre la visite, voir aussi: ROCAMADOUR, BRIVE-LA-GAILLARDE, LES EYZIES-DE-TAYAC, CAHORS, FIGEAC.

carnet pratique

Restauration

• À bon compte

Auberge de Mirandol – *7 r. des Consuls - 24200 Sarlat-la-Canéda - ☎ 05 53 29 53 89 - 13/27€.* Un vrai joyau que cette demeure Renaissance bâtie près du marché aux oies. Contiguë à une fontaine, la salle à manger voûtée en reproduit même le cadre avec, au fond, une grotte où coule un petit ru rejoignant le bassin. Cuisine régionale de bon aloi.

Redouillé – *28 av. de Toulouse - 46200 Souillac - ☎ 05 65 37 87 25 - fermé mi-fév. à mi-mars, dim. soir et lun. - 14,50/30€.* Deux salles de restaurant séparées par un salon ; l'une d'elles, très ensoleillée, est aux couleurs de la Provence. Cuisine classique. Accueil aimable.

Hébergement

• À bon compte

Hôtel Altica – *Av. de la Dordogne - 24200 Sarlat-la-Canéda - ☎ 05 53 28 18 00 - altica-sarlat@altica.fr - P - 50 ch. : 35€ - ☕ 4€.* Cet établissement de chaîne proche du centre de Sarlat-la-Canéda constitue une adresse fort commode pour poser ses valises dans l'une des plus ravissantes petites villes du Périgord noir. Chambres très convenables à prix « plancher ».

• Valeur sûre

Le Manoir de la Feuillade – *24200 Sarlat-la-Canéda - 7 km au SE de Sarlat par D 704ᴬ dir. Souillac - ☎ 05 53 31 22 22 - fermé nov. à avr. - 6 ch. : 59/78€.* Ce beau manoir typiquement périgourdin a été construit avec les pierres d'un ancien château détruit pendant la Seconde Guerre mondiale. Chambres de mise simple mais dotées de sanitaires complets. Parc et piscine.

Chambre d'hôte et gîte Le Manoir – *La Forge - 46200 Souillac - 30 km à l'E de Sarlat par D 704 et D 703 - ☎ 05 65 32 77 66 - m.klaverstyn@lemanoir.net - fermé 30 oct. au 15 avr. - 🚭 - 5 ch. : 45/50€.* Vous avez besoin de calme et de repos ? Voilà une maison séduisante. Au choix : pour un court séjour les chambres d'hôte s'ouvrent sur les bois alentour et pour prolonger le plaisir, cinq confortables gîtes (jusqu'à six personnes). Fumeurs s'abstenir. Pisicine.

Achats

Marchés de Sarlat – *Marché de la vieille ville : sam. 8h30-18h ; petit marché alimentaire : pl. de la Liberté : mer. 8h30-13h ; marché au gras et aux truffes : mer., sam. matin déc.-mars.* Un des plus beaux marchés de la région. Le samedi, toutes les rues de la vieille ville s'emplissent d'étals colorés qui exhalent des parfums uniques. Conseil aux automobilistes : ce marché très réputé attire foule, il est donc difficile de stationner le matin.

Distillerie Louis Roque – *41 av. Jean-Jaurès - 46200 Souillac - 30 km à l'E de Sarlat par D 704 et D 703 - ☎ 05 65 32 78 16.* Les héritiers de Louis Roque élaborent liqueurs et apéritifs régionaux dans le souci d'une tradition vieille de près d'un siècle. On goûtera notamment la vieille prune de Souillac, eau-de-vie de prune, idéale pour vous réchauffer après la visite d'une grotte ! Visite de la distillerie et du musée et dégustation gratuites.

Achats

Francis Annet – *R. Albéric-Cahuet - ☎ 05 53 28 88 1 - avr.-sept. : 10h-12h30, 14h-19h - fermé d'oct. à mars.* Si vous avez déjà écrit vos cartes postales, il vous faudra recommencer. Vous trouverez ici les plus beaux clichés du Périgord, et pour cause, Francis Annet et moins photographe qu'artiste. Ses chefs-d'œuvre coûtent moins cher que les cartes industrielles et mériteraient assurément d'être encadrés. Ne lui dites pas... On le lui a déjà trop répété. Vous y trouverez aussi des grands formats et de magnifiques livres commentés.

Loisirs-Détente

Gabares Norbert – *24250 La Roque-Gageac - 15 km au S de Sarlat par D 57 puis D 703 - ☎ 05 53 29 40 44 - avr.-oct. : dép. ttes les heures. D'oct. à mi-juin : descente de la rivière à la journée (repas prévu)- 6,86€ (enf. : 3,81€).* Promenade commentée en gabare (1h).

se promener

Vieux Sarlat***

Sarlat a été coupé en deux par la rue de la République, artère percée au 19e s. qui sépare le quartier Ouest plus populaire et le quartier Est plus aristocratique. Les maisons frappent par leur architecture : les cours intérieures, l'appareillage et la qualité de leurs pierres de taille choisies dans un beau calcaire ocre blond. La plupart ont été surélevées au cours des siècles et présentent un rez-de-chaussée médiéval, un étage gothique rayonnant ou Renaissance, des faîtages et des lanternons classiques et une couverture de lauzes.

Ne manquez pas de voir la **maison de La Boétie***, construite en 1525, l'**hôtel de Maleville*** (Office de tourisme) où l'on remarque que l'arc de la porte d'entrée est surmonté de médaillons représentant Henri IV et Marie de Médicis, puis la **rue des Consuls**, où les hôtels forment un ensemble intéressant d'architecture sarladaise du 14e au 17e s.

Poursuivez jusqu'à la **place de la Liberté**, place centrale de Sarlat bordée à l'Est par l'hôtel de ville du 17e s.

Lors du marché du samedi, de décembre à mars, la **place du Marché-aux-Oies*** est réservée aux négociations concernant les oies. Elle offre un beau décor architectural de tourelles, clochetons et escaliers d'encoignure, et une sculpture contemporaine dédiée au fameux volatile.

alentours

Jardins d'Eyrignac***

15 km au départ de Sarlat-la-Canéda par la D 47 jusqu'à Ste-Nathalène puis vers le Nord par La Tour. ♿ Juin-sept. : visite guidée (1h) 9h30-19h ; avr.-mai : 110h-12h, 14h-19h ; oct.-mars : 10h30-12h30, 14h30 à la tombée de la nuit. 7€ (enf. : 3,50€). ☎ 05 53 28 99 71. www.eyrignac.com

Aménagés au 18e s., ces jardins de verdure appartiennent à la même famille depuis cinq siècles. Ils offrent un heureux compromis entre le style à la française et l'art topiaire toscan. Les végétaux à feuillage persistants permettent ainsi tout au long de l'année de garder les allées bordées d'ifs savamment taillés, les chambres de verdure, les dés de charmille, les quinconces de pommiers, les bosquets de cyprès. En complément du jardin français, un « jardin blanc » composé de rosiers à fleurs blanches s'ordonne autour d'un bassin.

J. Damase/MICHELIN

L'art topiaire est l'art de tailler les arbres et les arbustes en des formes figuratives ou géométriques. Ici, à Eyrignac.

circuit

VALLÉE DE LA DORDOGNE : SUD DU PÉRIGORD NOIR***

52 km. Quitter Sarlat par le Sud en empruntant la D 457. Après avoir franchi la Dordogne, prendre à droite la D 50.

Beynac-et-Cazenac**

Accroché à l'une des somptueuses falaises de la vallée de la Dordogne, ce village est classé parmi les plus beaux de France. Des ruelles pavées du bourg au vaste panorama qui embrasse les châteaux de Marqueyssac, Fayrac ou des Milandes, le **site**** est enchanteur.

Le **château**** fut une redoutable place forte : il domine la vallée de la Dordogne de 150 m. Le donjon garni de créneaux date du 13e s. mais le manoir seigneurial remonte au 15e s. *Juin-sept. : 10h-18h30 ; mars-mai : 10h-18h ; oct.-nov. : de 10h à la tombée de la nuit ; déc.-fév. : de 12h à la tombée de la nuit. ☎ 05 53 29 50 40.*

Longer la Dordogne vers l'Est par la D 703, puis la traverser pour gagner Domme.

Domme**

Le magnifique site de Domme semblait l'emplacement idéal pour contrecarrer les velléités d'expansion anglo-gasconnes. Aussi, Philippe le Hardi décide-t-il, en 1283, de fonder ici une bastide royale pour surveiller la vallée de la Dordogne. Les fortifications qui enserrent le bourg s'adaptent au relief, tout comme les rues qui suivent, dans la mesure du possible, un plan géométrique. Du haut de la bastide, la **vue***** embrasse la vallée de la Dordogne.

Revenir sur la D 703 et suivre la Dordogne vers l'Est.

Site de Montfort*

Le château de Montfort surveille la courbe de la Dordogne. Ce **cingle*** est l'un des plus connus et des plus beaux du Périgord.

Souillac*

La ville est considérée comme la porte orientale du Périgord noir : un excellent lieu de villégiature pour découvrir le Quercy et le Sarladais. L'ancienne **église abbatiale** s'apparente aux cathédrales romanes d'inspiration byzantine d'Angoulême. De la place de l'abbaye, admirez le joli chevet aux cinq absidioles pentagonales.

Sartène*

Sartène est bâtie en amphithéâtre au-dessus de la vallée du Rizzanèse, à 13 km de Propriano, son port naturel. « La plus corse des villes corses », selon Prosper Mérimée, a conservé beaucoup de caractère avec ses vieilles demeures austères et ses traditions : la procession du Catenacciu est sans doute la cérémonie la plus ancienne de l'île.

La situation

3410 Sartenais - Carte Michelin Local 345 C 9-10 - Corse-du-Sud (2A). Au Sud-Est de Propriano (par la N 196), Sartène dresse ses hautes façades au-dessus du golfe de Valinco. La place de la Libération est le lieu central de la ville ; le vieux quartier Santa Anna se concentre au Nord de cette place.

6 r. Borgo, 20100 Borgo, ☎ 04 95 77 15 40.

Pour poursuivre la visite, voir aussi : BONIFACIO, AJACCIO, PORTO-VECCHIO.

se promener

Église Ste-Marie

Construite en gros appareil de granit, elle présente un clocher à trois étages ajourés, surmonté d'un dôme. Le chœur est orné d'un imposant maître-autel baroque en marbre polychrome importé d'Italie au 17e s. Beau Christ au-dessus de l'autel. À gauche de l'entrée principale de l'église Ste-Marie sont accrochées au mur la croix et la chaîne portées par le pénitent rouge du Vendredi saint.

Quartier de Santa Anna*

En passant sous la voûte de l'hôtel de ville, ancien palais des gouverneurs génois, on pénètre dans ce quartier qui a conservé son aspect moyenâgeux. Il offre un dédale de venelles, dallées, reliées entre elles par des escaliers et des voûtes, bordées de maisons de granit gris, aux murs épais et aux persiennes closes.

▶▶ Musée de Préhistoire corse*

carnet pratique

Restauration

• *Valeur sûre*

Auberge Santa Barbara – *Rte de Propriano - 20100 Sartène - ☎ 04 95 77 09 06 - fermé 16 oct. au 14 mars et lun. sf le soir en sais. - 25€.* Derrière sa façade anodine, cette auberge à la sortie du village dissimule une terrasse qui ouvre sur un beau jardin verdoyant. De là, vous pourrez admirer le village de Sartène et savourer la cuisine de la patronne qui pianote gentiment sur les saveurs d'ici...

Hébergement

• *Valeur sûre*

Domaine de Croccano – *Rte de Granace - 20100 Sartène - 3,5 km au NE de Sartène par D 148 - ☎ 04 95 77 11 37 - fermé déc. - 4 ch. : 46/68€ - repas 20€.* Lors d'un séjour équestre ou d'une simple étape dans sa confortable maison de granit, partagez avec ce couple attachant leur amour pour la nature et les chevaux, parmi les chênes-lièges et les oliviers. Chambres douillettes, convivialité et préparations soignées à la table d'hôte.

alentours

Le Sartenais*

Cette zone riche en vestiges mégalithiques - dolmens et menhirs - représente un des grands foyers de la préhistoire corse. En suivant la route D48 sui suit la vallée du Loreto, puis la D48[A], vous parvenez au plateau de Cauria sur lequel trois ensembles se trouvent dispersés: ce sont l'alignement de **Santari**, celui de **Renaggiu** et le dolmen de **Fontanccia**.

Filitosa**

27 km au Nord de Sartène, en passant par Propriano, puis la route côtière D157, puis la D57. Avr.-oct.: de 8h au coucher du soleil. 4€. ☎ 0495740091.

Ce site archéologique offre, à travers ses précieux vestiges, une synthèse de l'histoire en Corse, du néolithique à l'époque romaine.

Sur ce site ont été découvertes 70 statues-menhirs; Filitosa V est la plus volumineuse et la mieux armée de ces statues: elle porte une longue épée et un poignard oblique dans son fourreau; de dos, apparaissent des détails anatomiques et vestimentaires.

Une enceinte cyclopéenne cerne le plateau et barre l'éperon où se trouve l'essentiel du gisement.

La procession du Catenacciu**

Le soir du Vendredi Saint, la procession part de l'église Ste-Marie, à Sartène, à 21h30 et se déroule, durant trois heures, dans la ville illuminée de chandelles. Chaque année, cette cérémonie commémore la montée au calvaire et exprime la double tendance de la piété corse: s'identifier au Christ portant la croix et adorer le Christ au tombeau. La procession est conduite par le Grand Pénitent ou Catenacciu (signifiant l'enchaîné) qui a reçu en fardeau la croix (31 kg) et les chaînes (14 kg) exposées dans l'église Ste-Marie. Le Catenacciu a sollicité, parfois depuis plusieurs années, du curé de Sartène, le secret honneur de cette pénitence anonyme et non renouvelable. Vêtu d'une robe rouge, pieds nus, la tête dissimulée sous une cagoule, il s'identifie au Christ.

Saumur**

«La perle de l'Anjou»... Mais, au fait, son château, campé sur son piédestal de pierre et captant le doux soleil de Loire comme une enluminure, ne vous semble-t-il pas échappé des «Très Riches Heures» du duc de Berry? Et si les virtuoses démonstrations du Cadre noir vous ont laissé la bouche un peu sèche, bien des caves profondes vous attendent, avec leur vin mousseux.

La situation

29857 Saumurois - Cartes Michelin Local 317 I 5, Regional 518 - Le Guide Vert Châteaux de la Loire - Maine-et-Loire (49). Sur la Loire, Saumur est désormais à 1h40 de Paris par le TGV. Venant de Chinon par la rive gauche (D947), ou de Bourgueil par la rive droite (N152), vous ne pouvez manquer le château, perché sur son coteau de tuffeau. ℹ *Pl. de la Bilange, 49410 Saumur, ☎ 0241 40 2060. www.saumur-tourisme.com*

Pour poursuivre la visite, voir aussi: ANGERS, POITIERS, LE MANS, TOURS

Le Cadre noir porte jusqu'à l'excellence les couleurs de l'équitation française.

A. Laurioux/ENE

se promener

VIEUX QUARTIER*

Entre le château et le pont, les ruelles tortueuses qui sillonnent la vieille ville ont gardé leur tracé mediéval; à côté de certains quartiers reconstruits dans le style médiéval ou moderne, d'autres ont conservé et mis en valeur nombre de façades anciennes.

La **rue St-Jean** et ses commerces vous mènent jusqu'à la place St-Pierre, où voisinent façades à colombages et maisons du 18e s. aux balcons de fer forgé. La halle, construite en 1982, s'harmonise avec les maisons alentour.

carnet pratique

RESTAURATION

• *À bon compte*

Les Pêcheurs – *512 rte de Montsoreau - 49400 Saumur - 3 km à l'E de Saumur par D 947 - ☎ 02 41 67 79 63 - fermé vac. de fév. et Toussaint - réserv. conseillée - 9,90/18,30€.* La galipette du Pêcheur vous fera sourire de plaisir ! Dans le décor simple de ce restaurant, accueil, convivialité et qualité sont réunis. Une clientèle d'habitués s'y presse pour savourer la friture de Loire en été et les anguilles toute l'année.

HÉBERGEMENT

Village hôtelier Le Bois de Terrefort – *49400 St-Hilaire-St-Florent - 2 km à l'O de Saumur par D 751 - ☎ 02 41 50 94 41 - contact@villagehotelier.com - P - 13 ch. : 48/55,50€ - ☕ 5€.* Non loin de Saumur, près de l'École nationale d'équitation, ce village hôtelier met à votre disposition des petits cottages simples et fonctionnels. Le calme de la campagne et la modestie des prix en font une étape idéale pour petit budget.

Église St-Pierre

Cet édifice gothique Plantagenêt dont la façade écroulée a été rebâtie au 17e s. conserve deux suites de **tapisseries★** du 16e s. illustrant les vies de saint Pierre et saint Florent.

Château★

Juil.-août : visite guidée (3/4h) 9h30-18h , mer. et sam. 20h30-22h30 juin et sept. : 9h30-18h ; oct.-mai : 9h30-12h, 14h-17h30. Fermé 1er janv. et 25 déc. 6€. ☎ 02 41 40 24 40.

Le château se dresse sur une sorte de piédestal formé par les fortifications en étoile du 16e s. Il n'a pas changé depuis sa reconstruction (fin 14e s.) et a conservé son allure de forteresse, son architecture élancée, gracieuse avec les lignes verticales de ses tours et de leurs toits pointus.

Le **musée d'Arts décoratifs★★** présente un bel ensemble d'œuvres d'art du Moyen Âge et de la Renaissance : émaux, sculptures, albâtres, tapisseries, meubles, peintures et une importante collection de faïences et de porcelaines tendres françaises des 17e et 18e s., complétée de meubles et de tapisseries de la même époque.

Le **musée du Cheval★** comprend une rare collection de selles, mors, étriers, éperons, gravures ayant trait à l'École de cavalerie de Saumur, aux courses et aux pur-sang célèbres.

▶▶ Musée de l'École de cavalerie★ ; Musée des Blindés★★

alentours

Zoo de Doué★★

20 km au Sud-Ouest de Saumu par la D 960. À la sortie de Doué-la-Fontaine sur la route de Cholet. Été : 9h-19h, hiver : 10h-18h. Fermé nov.-janv. 11,50€ (-10 ans : 5,50€). ☎ 02 41 59 18 58. www.zoodoue.fr

Le zoo occupe un **site★** troglodytique exceptionnel, formant un cadre hors du commun à plus de 500 animaux vivant en semi-liberté. Acacias, bambous, cascades fournissent de belles mises en scène pour présenter cette sélection d'espèces, pour la plupart menacées.

Rendez-vous dans la « fosse aux charognards », immense volière où vivent des vautours, puis dans le « canyon aux léopards » pour observer les panthères des neiges et les léopards du Sri Lanka.

Sens★★

L'archevêché de Sens témoigne de la grandeur passée d'une capitale de province à l'époque romaine devenue simple sous-préfecture. Concentrée autour de la cathédrale St-Étienne, la vieille ville est ceinte de boulevards et de promenades qui ont remplacé les remparts.

La situation

26 904 Sénonais – Cartes Michelin Local 319 C 2, Regional 513 – Le Guide Vert Bourgogne – Yonne (89). Sur la N 6 entre Fontainebleau et Joigny ou par les autoroutes A 5 et A 19. L'arrivée par la D 81 à l'Ouest procure une belle vue d'ensemble de la ville.

Pl. Jean-Jaurès, 89100 Sens, ☎ 03 86 65 19 49. www.office-de-tourisme-sens.com

Pour poursuivre la visite, voir aussi : FONTAINEBLEAU, AUXERRE, TROYES, GIEN, PROVINS.

carnet pratique

RESTAURATION

● ***Valeur sûre***

Au Crieur de Vin – *1 r. d'Alsace-Lorraine - 89100 Sens - ☎ 03 86 65 92 80 - fermé 3 sem. en août, 22 déc. au 4 janv., dim. et lun. - 17€.* Les vins de l'Yonne accompagnent cuisine traditionnelle du marché (tête de veau, salade de gras double...) et mets cuits à la broche sous vos yeux (volailles, agneaux, jambons). Vente de vin à emporter. L'adresse étant bien connue des Sénonais, il est prudent de réserver.

HÉBERGEMENT

● ***À bon compte***

Hôtel Virginia – *89100 Sens - 3 km à l'E de Sens par N 60 dir. Troyes - ☎ 03 86 64 66 66 - P - 100 ch. : 37/43€ - ☕ 5,50€ - restaurant 16/22€.* Plusieurs pavillons constituent ce motel moderne. Ainsi, vous pourrez garer votre voiture devant la porte de votre chambre. Restaurant-grill avec menu pour les enfants. Salon avec billard.

visiter

Cathédrale St-Étienne★★

Possibilité de visite guidée en s'adressant au musée-trésor. ☎ 03 86 64 46 22.

Commencée vers 1130, c'est la première des grandes cathédrales gothiques de France. L'architecte Guillaume de Sens s'en inspira pour reconstruire le chœur de la cathédrale de Cantorbéry (1175-1192).

Sur la façade Ouest, le tympan du portail de gauche (12ᵉ s.) évoque l'histoire de saint Jean-Baptiste. Celui du portail central illustre la vie de saint Étienne. Enfin, celui de droite (début 14ᵉ s.) est consacré à la Vierge. Au trumeau du portail central trône une très belle statue de saint Étienne. Cette œuvre de la fin du 12ᵉ s. constitue un bon exemple de la statuaire gothique à ses débuts. Au croisillon Nord, voyez la magnifique façade de style flamboyant (1503 à 1513), dont le décor sculpté est d'un grand raffinement. À l'intérieur, prenez le temps de détailler les **vitraux**★★, notamment les verrières du croisillon droit (1500-1502) figurant l'Arbre de Jessé et la légende de saint Nicolas; la rosace représente le Jugement dernier.

B. Kaufmann/MICHELIN

Le vitrail du Bon Samaritain, un des plus anciens de la cathédrale St-Étienne, à Sens.

Musée, trésor et palais synodal★

Juil.-août : 10h-18h ; juin et sept : 10h-12h, 14h-18h ; oct.-mai : tlj sf mar. (hors vac. scol.) 14h-18h, mer., w.-end et j. fériés 10h-12h, 14h-18h. Fermé 1ᵉʳ janv. et 25 déc. 3,20€, gratuit 1ᵉʳ dim. du mois. ☎ 03 86 83 88 90.

Le **trésor de la cathédrale**★★ est un des plus riches de France. Il renferme une splendide collection de tissus et de vêtements liturgiques, dont l'aube de saint Thomas Becket ; des tapisseries du 15ᵉ s. ; des ivoires ; des pièces d'orfèvrerie...

Sisteron★★

Sisteron, c'est d'abord un site★★ qui frappe. À la lumière vibrante du haut pays provençal, vous découvrirez soudain une cité idéale couronnée d'une citadelle, puis de mystérieux andrônes dévalant vers sa rive escarpée que vous gravirez entre des maisons étroites et roses.

La situation

6 964 Sisteronnais – Cartes Michelin Local 334 D 7, Regional 528 – Le Guide Vert Alpes du Sud – Alpes-de-Haute-Provence (04). Deux tunnels facilitent la traversée de cette ville : l'un sous la butte escarpée et la citadelle, l'autre sous le rocher d'en face, que franchit l'A 51.

ℹ *Pl. de la République, 04200 Sisteron, ☎ 04 92 61 36 50.*

Pour poursuivre la visite, voir aussi : GAP, AIX-EN-PROVENCE, GORGES DU VERDON.

carnet pratique

RESTAURATION

• À bon compte

Café-Restaurant de la Paix – *41 r. Saunerie - 04200 Sisteron - ☎ 04 92 62 62 29 - fermé 24 au 30 juin, 1re sem. de nov. et Noël au 1er janv. - 9,91€ déj. - 14,94/22,11€.* Cette adresse sans prétention est bien connue des locaux qui viennent s'y sustenter de copieux petits plats traditionnels. La salle à manger est toute simple : murs lambrissés, carrelage au sol et chaises en bois. En saison, les prix restent identiques.

HÉBERGEMENT

• Valeur sûre

Château des Herbeys – *05800 Chauffayer - 2 km au N de Sisteron par N 85 - ☎ 04 92 55 26 83 - fermé 12 nov. au 31 mars et mar. sf vac. scol. - P - 10 ch. : 61/115€ - 8,50€ - restaurant 19,06/36,59€.* Demeure du 13e s. érigée sur une colline entourée d'un beau parc (petit enclos à cerfs). Chambres spacieuses meublées d'ancien. Un must : les bains bouillonnants de certaines salles de bains. Cuisine au goût du jour servie auprès de la cheminée d'une salle au cadre un peu éclectique.

se promener

Cathédrale Notre-Dame-des-Pommiers*

Tlj sf w.-end 15h-18h. ☎ 04 92 61 12 03.

Avec ses trois nefs, elle est l'un des plus grands édifices religieux de Provence. Sur le portail, l'alternance de blocs noirs et blancs est d'inspiration lombarde. Regardez les reliefs et les chapiteaux : ils forment une frise pleine de drôles d'animaux. À l'intérieur, vous pourrez admirer les tableaux de Mignard, Van Loo et Coypel

Vieux Sisteron*

Entre la rue Droite et les bords de la Durance, les ruelles étroites de la ville ancienne dégringolent vers la rivière, bordées de hautes maisons. Certaines sont reliées par des rampes abruptes, souvent voûtées, les andrônes (du grec *andron*, « passage »). Beaucoup ont conservé leurs élégantes portes sculptées des 16e, 17e et 18e s. On parvient au pied de la **tour de l'Horloge***, tour du Moyen Âge (reconstruite en 1892), à laquelle ont été ajoutés l'horloge et un magnifique campanile de fer forgé. On peut lire la devise de Sisteron *« Tuta montibus et fluviis »* (« Sûre entre ses montagnes et ses fleuves »).

Citadelle*

Juil.-août : 9h-20h (dernière entrée 1h av. fermeture) ; juin et sept. : 9h-19h30 ; mai et oct. : 9h-18h30 ; avr; et nov. : 99h--17h30. 4,60€. ☎ 04 92 61 27 57 .

Les fortifications du 16e s. qui enserrent le rocher sont de Jean Errard, ingénieur d'Henri IV. En 1692, après la pénétration des armées de Savoie, Vauban fit le plan de nouvelles défenses. Par une série d'escaliers et de terrasses, on parvient à la crête du chemin de ronde. Passant sous le donjon, on gagne la terrasse (table d'orientation) d'où la **vue*** plonge sur la ville basse et le lac du barrage et, au Nord, jusqu'aux montagnes de Laup et d'Aujour. De la « guérite du Diable », la **vue*** sur le rocher de la Baume est étonnante. Le **musée de la Citadelle** évoque le retour de l'île d'Elbe et abrite un musée de la voiture à cheval.

circuit

ROUTE NAPOLÉON**

153 km de Sisteron à Grenoble (de Cannes à Sisteron : voir Cannes). Quittez Sisteron au Nord en prenant la N 85, surnommée la Route Napoléon.

Gap* *(voir ce nom)*

Col Bayard

Culminant à 1246 m, il sépare les Alpes du Sud et celles du Nord. De la table d'orientation de Chauvet *(versant Sud)*, la vue se dégage sur le bassin de Gap. Au Nord, s'ouvre le Sillon alpin ; la route y emprunte la vallée du Drac, évidée dans les schistes par les glaciers quaternaires. Ce très ancien itinéraire commercial (foires de St-Bonnet) est jalonné de villages en terrasse aux toits de tuiles brunes et plates.

Corps

C'est la ville du Sillon alpin. À 5 km à l'Ouest, le **barrage du Sautet**** occupe un site saisissant par son encaissement et sa profondeur. Le lac qu'il retient noie le confluent du Drac et de la Souloise.

Prairie de la Rencontre*

Au Sud de Laffrey. C'est ici que le 7 mai 1815, l'escorte de Napoléon rencontra un bataillon qui, malgré les ordres de son lieutenant, refusa de tirer sur l'Empereur.

Laffrey* précède la descente sur **Vizille*** et **Grenoble**** *(voir ce nom).*

Baie de Somme★★

Comment résister à l'appel des phoques veaux-marins, des canards sauvages et du tortillard qui siffle dans la campagne picarde? D'immenses espaces vous attendent, des paysages baignés d'une luminosité à damner les peintres. À marée basse, la mer découvre des étendues infinies de sable et d'herbe. La baie redouble alors de charme... on ne distingue plus l'eau du ciel.

La situation

Cartes Michelin Local 301 C 6, Regional 511 – Le Guide Vert Picardie Flandres Artois – Somme (80). L'estuaire de la Somme, improprement appelé «baie», atteint 5 km de large entre la pointe du Hourdel et celle de St-Quentin. Au Nord-Ouest d'Abbeville, accès par la D940.

Pour poursuivre la visite, voir aussi: DIEPPE, AMIENS, LE TOUQUET-PARIS-PLAGE, ST-OMER.

carnet pratique

Restauration

• À bon compte

Aux Trois Jean – *Prom. Jules-Noiret - 80550 Le Crotoy - ☎ 03 22 27 16 17 - fermé janv. (sf les w.-ends), 15 j. en sept. et mar. sf juil.-août - 14/32€.* Très belle situation pour cet établissement récent dominant la seule plage picarde exposée au Sud. La terrasse est d'ailleurs prise d'assaut dès les premiers rayons de soleil. Cuisine faisant la part belle aux produits de la mer. La moitié des chambres ouvrent sur le large.

Mado – *6 quai Léonard - 80550 Le Crotoy - ☎ 03 22 27 81 22 - 14/70€.* Cette institution locale dispose de trois salles à manger ; celles du rez-de-chaussée, décorées de lithographies sur la mer et les oiseaux, sont plaisantes, mais si vous voulez profiter de la vue imprenable sur la baie, il faudra réserver au 1er étage.

Conseils

Ne pas oublier – Prévoyez un coupe-vent et des chaussures confortables pour pouvoir parcourir à pied la baie de Somme. Munissez-vous d'une paire de jumelles pour observer les oiseaux, en particulier dans le parc ornithologique du Marquenterre (possibilité d'en louer à l'acceuil du parc).

S. Sauvignier/MICHELIN

circuit

Parc ornithologique du Marquenterre★★

35 km. Avr.-sept. : 9h30-19h (dernière entrée 17h); de déb. oct. à mi-nov. : 10h-18h. 9,50€ (enf. : 7€). ☎ 03 22 25 03 06. www.marcanterre.fr. Prévoyez un coupe-vent et des chaussures confortables. Munissez-vous d'une paire de jumelles pour découvrir le parc. Possibilité d'en louer à l'accueil du parc.

Trois parcours pédestres sillonnent le parc, balisés de panneaux pédagogiques.

Parcours pédagogique *(1h)* – Au pied de l'ancienne dune côtière, il permet de se familiariser avec la plupart des espèces du littoral: canards, mouettes, oies, tadornes de Belon...

Parcours d'observation *(2h)* – Un circuit de 7 km, dans les dunes, mène aux postes de guet. On surprend les vols groupés d'huîtriers pies, de bécasseaux, d'avocettes ainsi que les grands migrateurs: bécasseaux venus de Sibérie, spatules blanches d'Afrique, bernaches des terres arctiques...

Grand parcours d'observation *(3h)* – Une boucle supplémentaire *(1,5 km)* dévoile un autre aspect du site.

Le Crotoy

Jadis, se dressait une place forte où Jeanne d'Arc fut enfermée le 21 novembre 1430, avant d'être conduite à Rouen. De 1865 à 1870, Jules Verne séjourna au n° 9 de la rue qui porte son nom, puis Toulouse-Lautrec, Seurat y vinrent. À la fin du 19e s., le parfumeur Pierre Guerlain entreprit de faire du Crotoy «la seule plage du Nord située au Sud». L'arrivée du train, dans les années 1880, avait déjà renforcé la réputation de la station, avec ses villas de style anglo-normand.

La plage est le domaine du speedsail, du cerf-volant et du char à voile, qui entraîne les plus sportifs jusqu'à Fort-Mahon-Plage.

St-Valery-sur-Somme★

Saint-Valery, c'est le charme d'un petit port de plaisance, d'un port de pêche, d'une plage et d'une ville haute, avec ses demeures à colombages et ses remparts. Près du cap Hornu, la chapelle Saint-Valery inspira les artistes, comme Boudin, Degas ou Seurat.

BONNE PÊCHE

À St-Valery, au Crotoy et au Hourdel, on pêche la « sauterelle », une crevette grise savoureuse, mais aussi la coquille Saint-Jacques, les encornets et de nombreux poissons plats : sole, carrelet, raie, lotte...

La pêche au lancer permet de ramener les anguilles. La pêche à pied des coques est pratiquée le long des chenaux. Sans oublier les moules de bouchot, élevées dans la baie.

Le Hourdel

Ce petit port de pêche étire ses maisons de style picard à la pointe du cordon littoral qui part d'Onival. Sur son quai, on vient acheter les « sauterelles » toutes fraîches. Avec des jumelles, on peut observer les phoques veaux-marins, une colonie protégée d'une vingtaine de congénères.

▶▶ Cimetière chinois de Noyelles-sur-Mer.

Strasbourg★★★

Strasbourg, capitale de l'Europe, siège du Parlement européen et du Conseil de l'Europe. C'est une cité d'avant-garde : son tramway a réussi le pari de l'esthétique et de la protection de l'environnement. Au cœur de l'Alsace, Strasbourg montre l'exemple en matière de gastronomie : foies gras, vins d'Alsace, chocolats et eaux-de-vie attirent les gourmets du monde entier.

La situation

264 115 Strasbourgeois – Cartes Michelin Local 315 I-K 2-5, Regional 515 – Le Guide Vert Alsace Lorraine – Bas-Rhin (67). Ville desservie par de nombreux trains qui la relient à Paris en 4h, par des vols à partir des grandes villes. Nombreux parkings en centre-ville et tramway tout neuf vous permettant d'aller sans souci d'un bout à l'autre de la cité.

🅘 17 pl. de la Cathédrale, 67200 Strasbourg, ☎ 03 88 52 28 28. Pl. de la Gare, ☎ 03 88 32 51 49. Pont de l'Europe, ☎ 03 88 61 39 23. www.strasbourg.com

Pour poursuivre la visite, voir aussi : COLMAR, OBERNAI, MASSIF DES VOSGES.

se promener

LA CITÉ ANCIENNE★★★

Elle s'étend autour de la cathédrale, sur l'île formée par les deux bras de l'Ill.

Place de la Cathédrale★

À gauche de la cathédrale se dresse la **maison Kammerzell★** (1589), décorée de fresques, est un joyau de la sculpture sur bois.

Cathédrale Notre-Dame★★★

Sur l'emplacement d'un temple d'Hercule, le chantier de la cathédrale débute en 1015. La **facade★★★** est ornée d'une magnifique rose. Au portail central, le tympan comprend quatre registres figurés de scènes bibliques. Au portail de droite, la parabole des Vierges sages et des Vierges folles est illustrée par de célèbres statues. Au portail de gauche, les sculptures (14e s.) représentent les Vertus : sveltes et majestueuses dans leurs longues tuniques flottantes, elles terrassent les Vices.

De la plate-forme de la **flèche★★★**, *(328 marches)*, point de **vue spectaculaire★** sur Strasbourg, la plaine rhénane limitée par la Forêt-Noire et les Vosges. *Juil.-août : 8h30-19h ; avr.-sept. : 9h-18h30 ; mars et oct. : 9h-17h30 ; nov.-fév. : 9h-16h30. 3€. ☎ 03 88 43 60 32.*

Pour mieux voir la façade de la cathédrale, rendez-vous rue Mercière, ici illuminée au moment de Noël.

carnet pratique

Restauration

• À bon compte

Caveau Gurtlerhoft – *13 pl. de la Cathédrale - 66700 Strasbourg - ☎ 03 88 75 00 75 - 14/21€.* Descendez dans les belles caves du 14e s. de cet ancien hôtel canonial, aux voûtes admirables et piliers massifs, vous y dégusterez plats régionaux ou traditionnels... Menus alléchants et formule déjeuner, servis sans précipitation à deux pas de la cathédrale.

Auberge du Pfaffenschlick – *Col de Pfaffenschlick - 67510 Climbach - 12 km au SO de Wissembourg par D 3, dir. Lembach, et rte du col par D 51 - ☎ 03 88 54 28 84 - fermé 15 janv. au 15 fév., lun. et mar. - 13,50/29€.* En pleine forêt, juste en face d'une cabane qui servit de cantine pendant la construction de la ligne Maginot, ce restaurant qui accueillait autrefois les marcheurs continue de servir une cuisine ménagère du cru, solide et abondante. Belle terrasse et cadre campagnard.

• Valeur sûre

Au Renard Prêchant – *34 r. de Zürich - 66700 Strasbourg - ☎ 03 88 35 62 87 - fermé sam. midi, dim. midi et les midis fériés - 21/32€.* Dans une zone piétonne, cette chapelle du 16e s. doit son nom aux peintures murales qui la décorent et racontent l'histoire du Renard Prêchant... Une légende à découvrir en s'attablant dans sa salle rustique. Jolie terrasse en été et formule déjeuner intéressante.

Hébergement

• À bon compte

Patricia – *R. du Puits - 66700 Strasbourg - ☎ 03 88 32 14 60 - www.hotelpatricia.fr.st - réserv. conseillée - 20 ch. : 25/45€ - ☕ 4,50€.* Deux petites imprimantes en bois rappellent que cette vénérable demeure (façade classée) abritait au 19e s. l'imprimerie régionale. Transformée en hôtel, elle propose aujourd'hui des chambres claires et calmes où télévision et tabac sont bannis.

Hôtel de L'Ill – *8 r. des Bâteliers - 66700 Strasbourg - ☎ 03 88 36 20 01 - fermé 29 déc. au 6 janv. - 27 ch. : 30/58€ - ☕ 5,50€.* Hôtel rénové où règne une ambiance familiale. Les chambres, de tailles variées, sont d'une propreté exemplaire. Salle des petits déjeuners de style alsacien avec pendule à coucou ! À deux pas de là, découvrez l'Ill à bord d'une vedette.

• Valeur sûre

Couvent du Franciscain – *18 r. Fg-de-Pierre - 66700 Strasbourg - ☎ 03 88 32 93 93 - info@hotel-franciscain.com - fermé 24 déc. au 5 janv. - P - 43 ch. : 52/58€ - ☕ 8€.* Au fond d'une impasse, deux bâtiments reliés par un hall plaisant. Préférez les chambres logées dans l'aile neuve. Salle des petits déjeuners aménagée dans un caveau. Une adresse commode pour se rendre à pied dans la cité ancienne.

• Une petite folie !

Hôtel Beaucour – *5 r. des Bouchers - 66700 Strasbourg - ☎ 03 88 76 72 00 - beaucour@hotel-beaucour.com - 49 ch. : 86/162€ - ☕ 10€.* Quel délice ! Au cœur de Strasbourg, cet hôtel installé dans plusieurs maisons anciennes plaira aux amateurs d'adresses de charme. Sa cour fleurie, ses chambres cosy, son cadre chaleureux décoré de meubles d'inspiration régionale... Tout ici devrait les séduire.

Loisirs-Détente

Promenades commentées en vedette sur l'Ill – *☎ 03 88 84 13 13 - d'avr. à fin oct. : dép. ttes les 1/2h 9h30-21h ; de fin oct. à fin déc. et janv.-mars : dép.10h30, 13h, 14h30, 16h. 6,25€ (enf. : 3,13€) - mai-sept. : flânerie sur l'Ill illuminée à 21h30 et 22h. 6,56€ (enf. : 3,28€).* Départ de l'embarcadère du plais Rohan pour une promenade dans la Petite France, avec passage devant le barrage Vauban, puis le fossé du Faux Rempart jusqu'au palais de l'Europe.

Calendrier

Strasbourg, capitale de Noël – Très nombreuses animations et spectacles en ville : marché de Noël (Christkindelsmärik), illuminations, grand sapin, grand bal viennois, promenade aux flambeaux, expositions, crèches et concerts. Un programme est disponible à l'Office de tourisme.

Au flanc droit, le **portail de l'Horloge** remonte au 13e s. Encadrant la figure de Salomon, l'Église tient d'une main la croix et de l'autre le calice, et la Synagogue s'incline, essayant de retenir les débris de sa lance et les Tables de la Loi qui s'échappent de ses mains. Dans le tympan de la porte de gauche se trouve la **Mort de la Vierge★★**.

À l'intérieur, les **vitraux★★★** des 12e, 13e et 14e s. sont superbes. Dans la nef, vous détaillerez les statuettes sur le corps de la **chaire★★**, type parfait de gothique flamboyant. L'**orgue★★** accroché au triforium déploie son buffet gothique (14e-15e s.). Dans le croisillon droit se trouve le **pilier des Anges★★**, élevé au 13e s. Sur l'**horloge astronomique★** (1838), les jours de la semaine sont représentés par des chars que conduisent des divinités, apparaissant au-dessous du cadran. Une série d'automates frappent deux coups tous les quarts d'heure. Les heures sont sonnées par la Mort. À 12h30, un grand défilé se produit dans la niche, au sommet de l'horloge. ♿ *Sonnerie à 12h30. 0,80€.*

La cathédrale possède 14 **tapisseries★★** du 17e s. suspendues le long de la nef pendant l'octave de la Fête-Dieu, représentant des scènes de la vie de la Vierge.

▶▶ Musée de l'Œuvre Notre-Dame★★

En suivant la rue des Cordiers, on parvient à la charmante **place du Marché-aux-Cochons-de-Lait*** bordée de maisons anciennes.

Traverser le pont St-Nicolas.

Église St-Thomas

Mars-sept. : 10h-18h ; oct.-fév. : 10h-17h. Fermé janv. ☎ 03 88 32 14 46.

Cette église de la fin du 12e s. est devenue cathédrale luthérienne en 1529. Elle renferme le **mausolée du maréchal de Saxe****, œuvre maîtresse de Pigalle (18e s.). Sur le mausolée, la France en larmes, tenant le maréchal par la main, s'efforce d'écarter la Mort. La Force s'abandonne à sa douleur, tandis que l'Amour pleure. Un lion (la Hollande), un léopard (l'Angleterre) et un aigle (l'Autriche) sont rejetés vaincus sur des drapeaux froissés.

Du pont St-Martin, **vue*** plaisante sur le quartier des tanneurs. La rivière se divise à cet endroit en quatre bras. Prendre la rue des Moulins puis suivre le contour de l'île pour atteindre les ponts couverts.

La Petite France**

C'était autrefois le quartier des pêcheurs, des tanneurs et des meuniers. Une des façons les plus agréables de le découvrir est d'emprunter une vedette de croisière sur l'Ill et d'admirer les jeux de lumière sur les façades des maisons médiévales.

Rue du Bain-aux-Plantes**

Elle est bordée de maisons de la Renaissance alsacienne, à encorbellement, pans de bois, galeries et pignons. Au n° 42, voyez la maison des Tanneurs, et, à l'angle des rues du Fossé-des-Tanneurs et des Cheveux, le n° 33, extraordinairement étroit.

Barrage Vauban

60 marches. 9h-19h30. Gratuit. ☎ 03 88 60 90 90.

De la terrasse aménagée sur toute la longueur du pont-casemate, impressionnant **panorama**** sur les ponts couverts, le quartier de la Petite France, la cathédrale.

visiter

Musée des Arts décoratifs**

Tlj sf mar. 10h-18h. Fermé 1er janv., Ven. saint, 1er mai, 1er et 11 nov., 25 déc. 3€ (enf. : gratuit), gratuit 1er dim. du mois. ☎ 03 88 52 50 00.

Les grands appartements du palais Rohan comptent parmi les plus beaux intérieurs français du 18e s., remarquables par leur décor, leur mobilier d'apparat, leurs tapisseries et leurs tableaux. Consacré aux arts et à l'artisanat de Strasbourg et de l'Est de la France, ce musée expose la **collection de céramiques****: faïences et porcelaines de la manufacture de Strasbourg et Haguenau, ainsi que de celle de Niderviller.

Musée archéologique**

Mêmes conditions de visite que le musée des Arts décoratifs.

Parmi les collections d'archéologie régionale, ne manquez pas la remarquable section romaine avec ses collections lapidaires et épigraphiques ainsi que son bel ensemble de verreries, associés à de très nombreux objets de la vie quotidienne.

Musée alsacien**

☎ 03 88 52 50 01. Mêmes conditions de visite que le musée des Arts décoratifs.

Empruntant le dédale des escaliers et galeries de bois des cours intérieures, le parcours permet de découvrir des collections de costumes, d'imagerie, de jouets anciens, et surtout des restitutions d'intérieurs, tels que le laboratoire de l'apothicaire alchimiste et des chambres à boiseries, avec leurs lits clos, leurs meubles en bois peint et des poêles monumentaux.

Musée d'Art moderne et contemporain**

♿ Tlj sf lun. 11h-19h, jeu. 12h-22h. Fermé 1er janv., Ven. saint, 1er mai, 1er et 11 nov., 25 déc. 4,50€ (enf. : gratuit), gratuit 1er dim. du mois. ☎ 03 88 23 31 31.

Les œuvres exposées illustrent la diversité des langages picturaux qui, des peintures du maître de l'académisme Bouguereau, aux œuvres abstraites de Kandinsky, Poliakoff ou Magnelli, ont marqué l'histoire de l'art moderne des années 1850 aux années 1950. Le 1er étage est consacré à l'art moderne des années 1950 à nos jours. Plusieurs salles sont dédiées à Arp et à sa femme Sophie Taeuber-Arp.

Musée des Beaux-Arts*

Mêmes conditions de visite que le musée des Arts décoratifs.

Intéressante collection de tableaux, du Moyen Âge au 18e s. La peinture italienne comprend des œuvres de Filippino Lippi, Botticelli, et du Corrège. L'école espagnole est représentée par des toiles de Zurbarán, Murillo, Goya, et le Greco. L'école des anciens Pays-Bas occupe une place de choix avec Rubens, Van Dyck et Pieter de Hooch.

Autre richesse du musée : une importante collection de natures mortes. Parmi les œuvres françaises, voyez *La Belle Strasbourgeoise* de Largillière.

R. Mattes/MICHELIN

La Petite France est un des secteurs les plus curieux et les mieux conservés du vieux Strasbourg, avec ses maisons qui se reflètent dans l'eau du canal.

alentours

Marmoutier★

38 km à l'Ouest de Strasbourg par la N4, en direction de Saverne. L'**église abbatiale**★★ de Marmoutier est un joyau de l'art roman qui apparaît dans son écrin de verdure au débouché de la forêt. La **facade occidentale**★★ construite en grès rouge des Vosges fourmille de détails romans: arcatures aveugles et culs-de-lampe sculptés. Le narthex, voûté de coupoles, est la seule partie intérieure romane. Dans le chœur, voyez les belles stalles Louis XV.

circuits

VOSGES DU NORD★★

Les sentiers de randonnée traversent les vallées boisées, les prairies, les étangs et les forêts qui recouvrent plus de la moitié du Parc naturel régional des Vosges du Nord formant un triangle entre Wissembourg-Saverne-Volmunster.

Traversée du pays de Hanau

125 km au départ de Saverne.

Après St-Jean-de-Saverne et les **ruines du Haut-Barr**★, arrêtez-vous au musée d'Arts et Traditions populaires d'**Offwiller** pour découvrir le charme rural et culturel de la région. *Juin-sept.: dim. 14h-18h. 1,83€. ☎ 03 88 89 31 31 ou 03 88 89 36 56.*

Au fond d'une vallée boisée, **St-Louis-lès-Bitche** est le siège des cristalleries de St-Louis fondées en 1767, anciennes verreries royales, dont la production comporte une grande variété d'articles de table et d'ornementation. *Fermé pour travaux. Boutique ouv. tlj sf dim. 9h-12h, 13h-17h, sam. 9h-12h, 13h30-17h. ☎ 03 87 06 40 04.*

À **Meisenthal**, la Maison du verre et du cristal expose la fabrication et les produits de la verrerie depuis le 18e s.

À 2 km au-delà de Meisenthal, à **Soucht**, a été installé le musée du Sabot. Il abrite une importante collection de sabots et permet d'assister à la fabrication des pièces. ♿ *De Pâques à fin oct.: visite guidée (3/4h) w.-end et j. fériés 14h-18h (juil.-août: tlj). 1,52€. ☎ 03 87 96 86 97.*

La Petite-Pierre★, point de départ de plus de 100 km de sentiers balisés, abrite des restes des fortifications de Vauban, d'une tour romaine et d'un château du 12e s.

Les châteaux

54 km au départ de Niederbronn-les-Bains au Nord-Ouest d'Haguenau.

Aux confins des zones d'influence du Palatinat, de l'Alsace et de la Lorraine, presque chaque piton rocheux porte la ruine d'un château médiéval. Construits aux 12e s. et 13e s. par les puissants Hohenstaufen, ou par les familles nobles et seigneurs qui contestaient leur pouvoir, ces châteaux ont été détruits et abandonnés avant le 18e s.

Au cœur d'une région de tourbières, l'**étang de Hanau**★ est aménagé pour les loisirs nautiques. De l'autre côté de l'étang, château de **Waldeck,** que l'on gagne par des parcours pédestres fléchés.

À la **Maison des châteaux forts** d'Obersteinbach, vous trouverez des explications sur l'histoire des châteaux, leur site, leurs accès, leurs maîtres.

Le château de **Schoeneck** est érigé sur une barre rocheuse.
Les deux châteaux de **Windstein**, distants de 500 m l'un de l'autre, ont été détruits en 1676. Le **Nouveau Windstein** (*1/2h à pied AR*), de style gothique, a gardé une partie de ses fortifications et de belles fenêtres ogivales.
▶▶ Soufflenheim (ateliers de potiers)

Une frontière bien gardée

42 km au départ de Wissembourg.
Au-delà du col de Litschhof, le château de **Fleckenstein**★★ fut fondé au 12e s. Des escaliers intérieurs *(attention aux marches)* conduisent à plusieurs chambres taillées dans le roc, dont l'étonnante salle des Chevaliers et son pilier central monolithe. *Mai-oct. : 10h-18h; avr. : 10h-17h ; nov.-mars : w.-end 12h-16h (sf si neige et verglas). 1,85€, 2,75€ (visite guidée). ☎ 03 88 94 40 07.*
On traverse des villages que la guerre de 1870 a rendus célèbres: Reichshoffen, Frœschwiller et Wœrth.
Hunspach★★ est classé parmi « les plus beaux villages de France ». Le style alsacien et le caractère exclusivement rural du village se voient dans ses cours fermières, ses vergers, ses fontaines à balanciers.
Seebach★ demeure l'un des plus beaux villages d'Alsace.

Gorges du Tarn★★★

Les murailles de pierre des gorges du Tarn sont la grande curiosité de la région des causses. Elles offrent une succession ininterrompue de sites grandioses et de vues vertigineuses sur le Tarn. Ce fleuve aux paillettes d'or, chanté par les poètes du Haut Moyen Âge, dessine un fascinant serpent au corps émeraude et puissant.

La situation

Cartes Michelin Local 330 H-J 8-9 et 338 L-N 5, Regional 527 – Le Guide Vert Languedoc Roussillon – Aveyron (12) et Lozère (48). La D 907bis, très empruntée l'été, épouse les méandres du Tarn sur une cinquantaine de kilomètres.
Le Tarn, qui prend sa source au mont Lozère, à 1 575 m d'altitude, descend les pentes des Cévennes d'un cours rapide et torrentueux. Il pénètre alors dans la région des causses. Dans cette gorge, brûlante l'été, les agglomérations, que menacent parfois des crues subites, sont rares et peu importantes. Elles s'échelonnent au débouché de ravins secs ou dans un élargissement de la vallée. La forte concentration des habitations, en certains points des gorges, contraste avec l'absence de peuplement des causses. Elle surprend le voyageur qui découvre subitement les villages, après avoir parcouru sur les plateaux des dizaines de kilomètres, sans rencontrer le moindre hameau.
Pour poursuivre la visite, voir aussi : LES CÉVENNES, MILLAU.

La descente en canoë, une des activités privilégiées pour visiter les gorges du Tarn.

circuit

Pour connaître les gorges du Tarn, trois méthodes, qui peuvent se combiner: le parcours automobile de la route des gorges, la descente en barque ou en canoë, et une randonnée pédestre sur les sentiers des hautes corniches du causse Méjean ou le long du Tarn. En voiture, vous verrez surtout défiler châteaux, belvédères, villages, offrant un paysage admirable. La barque et le canoë permettent d'approcher les falaises et offrent sur le versant droit des gorges des vues qui restent insoupçonnées de la route tracée trop près de la falaise. Mais les paysages les plus étonnants, les contacts les plus intimes avec les parois rocheuses sont réservés à ceux qui accepteront l'épreuve d'une incomparable randonnée pédestre qui leur laissera l'impression d'avoir été complices de cette grandeur naturelle.

carnet pratique

RESTAURATION

• ***À bon compte***

La Calquière – *12720 Monstuéjouls - ☎ 05 65 62 64 17 - fermé janv. à Pâques, dim. et lun. - réserv. obligatoire - 13,26/16,77€.* Sur la route fréquentée des gorges, cette auberge a une jolie vue de sa terrasse : elle surplombe une petite église du 10e s. avec son cimetière, au bord du Tarn. Cuisine simple et familiale préparée avec des produits de la ferme, servie dans une salle voûtée et fraîche.

HÉBERGEMENT

• ***À bon compte***

Gorges du Tarn – *48400 Florac - ☎ 04 66 45 00 63 - gorges-du-tarn.adonis@wanadoo.fr - fermé Toussaint à Pâques et dim. soir sf juil.-août - P - 27 ch. : 29/41€ - 6,50€.* Vous êtes à l'entrée (ou à la sortie) des gorges du Tarn. Chambres rénovées dans l'habitation principale, moins fraîches, mais plus spacieuses à l'annexe. Petite salle de restaurant égayée de chaudes couleurs méditerranéennes. Quant aux savoureuses spécialités, elles content le pays cévenol.

Chambre d'hôte Nissoulogres – *48210 Ste-Énimie - 13 km à l'O de Ste-Enimie, rte de Mende et rte secondaire - ☎ 04 66 48 53 86 - fermé janv. - 6 ch. : 33,54€ - 4,57€ - repas 12,20€.* Amateurs d'isolement, voilà un lieu qui vous enchantera... Cet ancien village de bergers, sur un plateau sauvage, a été restauré et vous reçoit dans une bergerie pour les repas ou dans des chambres simples pour la nuit. Les cavaliers y trouveront des box. Gîtes.

• ***Valeur sûre***

Manoir de Montesquiou – *48210 La Malène - ☎ 04 66 48 51 12 - montesquiou@domaine-de-lozere.com - fermé fin oct. à fin mars - P - 12 ch. : 67,07/129,58€ - 10,67€ - restaurant 20,59/39,64€.* Dans cette demeure du 15e s., vous plongerez dans l'histoire de La Malène, cet étonnant village au cœur des gorges du Tarn. Une étape séduisante pour goûter à la nature sauvage, savourer la douceur d'une cuisine aux couleurs d'ici et profiter du confort des chambres, toutes agréables...

LOISIRS-DÉTENTE

Bateliers des Gorges du Tarn – *48210 La Malène - ☎ 04 66 48 51 10 - d'avr. à fin oct. : visite guidée et commentée (1h1/4) par un batelier ; juil.-août : dép. avant 9h30 et après 17h (dép. du matin conseillé) - 68€ par barque de 4 personnes.* Descente des gorges en barque, de La Malène au cirque des Baumes.

LA ROUTE DES GORGES

30 km. Quitter Florac au Nord par la N 106, en vue du village de Biesset, prendre à gauche la D 907bis qui longe la rive droite de la rivière.

À hauteur d'**Ispagnac**, le Tarn tourne brusquement; là commence vraiment le canyon, gigantesque trait de scie profond de 400 à 600 m qui sépare les causses Méjean et de Sauveterre. Le bassin d'Ispagnac, planté d'arbres fruitiers et de vignes et où se développe la culture des fraises, jouit d'un climat très doux qui fut de tout temps renommé.

Le **pont de Quézac**, gothique, franchit le Tarn.

Entre Molines et Blajoux, deux châteaux apparaissent. Tout d'abord sur la rive droite, celui de **Rocheblave** (16e s.) – reconnaissable à ses mâchicoulis – dominé par une curieuse aiguille calcaire. Plus loin, en aval du village de Montbrun, celui de **Charbonnières** (16e s.).

Castelbouc★

Les ruines du château se dressent sur un rocher escarpé, haut de 60 m, qui surplombe, creusé dans le roc, un village dont les maisons ont utilisé la falaise comme mur de fond. Une résurgence extrêmement puissante jaillit par trois ouvertures, deux dans une grotte, une dans le village.

Château de Prades

Dressé sur un éperon rocheux surplombant le Tarn, ce château, construit au début du 13e s., avait pour mission de protéger l'abbaye de Ste-Enimie et de défendre l'accès des gorges.

Ste-Enimie★

Ce bourg s'étage à l'un des passages les plus resserrés des gorges. On discerne sur les pentes abruptes des murs de soutènement et des terrasses qui montent en larges escaliers, témoins de l'immense travail des hommes. Avec ses rues pavées de galets et ses demeures médiévales, il figure au rang des plus beaux villages de France.

Toulon★★

Toulon est d'abord une rade★★, l'une des plus belles de la Méditerranée, qui s'arrondit majestueusement en une nappe bleu sombre bordée de bâtiments aux tons clairs, et que l'on admire du mont Faron. Les croiseurs et frégates du port militaire ont depuis longtemps remplacé galères et forçats.

La situation

519640 habitants - Cartes Michelin Local 340 K-N 7-8, Regional 528 - Le Guide Vert Côte d'Azur - Var (83). Le boulevard de Strasbourg et l'avenue du Gén.-Leclerc, tracés sur d'anciennes fortifications, raccordent les deux tronçons de l'A 57, laissant au Sud la vieille ville et le port, au Nord la ville moderne et les banlieues qui grimpent sur les collines. L'arsenal et le port militaire sont interdits au public. Le secteur de la vieille ville n'est pas accessible aux véhicules de passage. Les parkings les plus vastes se situent place d'Armes, place de la Liberté et au centre Mayol.

Pl. Raimu, 83000 Toulon, ☎ 04 94 18 53 00.

Pour poursuivre la visite, voir aussi: MARSEILLE, LA CAMARGUE, AIX-EN-PROVENCE, GORGES DU VERDON, ST-TROPEZ.

E. Baret/MICHELIN

La rade de Toulon la nuit, un spectacle grandiose.

se promener

La vieille ville enchevêtre ses ruelles entre les rues Landrin *(au Nord)* et Anatole-France *(à l'Ouest)*, et le cours Lafayette *(à l'Est)*, soit le tracé des fortifications de l'époque d'Henri IV. Jadis, Chicago, le «quartier réservé», était un des hauts lieux de la vie nocturne des ports de la Méditerranée.

Fontaine des Trois-Dauphins

La place Puget s'orne depuis 1780 de cette curieuse fontaine-jardin due à deux artistes toulonnais et à mère Nature: la végétation a comblé les vasques et les fameux dauphins disparaissent sous la mousse, les fougères, un figuier, un néflier et un laurier-rose!

Quai Cronstadt

Le port fut bombardé pendant la Seconde Guerre mondiale. Aujourd'hui, un rideau d'immeubles des années 1950 cache la vieille ville. Sur le quai, cafés et magasins attirent la foule des promeneurs. C'est de là qu'on embarque pour la visite ou la traversée de la rade. Les célèbres ***Atlantes***★ de Pierre Puget, sauvés des bombes, soutiennent le balcon de la mairie d'honneur.

Cathédrale Ste-Marie

La belle façade classique date des agrandissements du 17e s. L'intérieur, plutôt sombre, associe art roman et art gothique, les architectes du 17e s. ayant voulu respecter les lignes de l'édifice primitif (11e-12e s.).

Cours Lafayette

Bécaud a chanté le marché qui se tient chaque jour sur cette voie qu'on appelait autrefois «le pavé d'amour». La mercerie, la fripe et les gadgets tiennent les deux extrémités, les fruits et légumes règnent sur le reste. Olives, herbes de Provence, figues de Barbarie pour la couleur, verbe aussi haut que coloré.

carnet pratique

Transports pour les Îles d'Hyères

Au départ d'Hyères - TLV – *Port St-Pierre - 83400 Hyères - ☎ 04 94 57 44 07 - juil.-août : dép. à 8h15, 9h30, 11h, 14h30 ; hors sais. : dép. à 9h30 - durée de la traversée vers Port-Cros : 1h ; vers le Levant : 1h1/2 - circuit des deux îles (Port-Cros et Levant) juil.-août : tlj.*

Au départ de la presqu'île de Giens - TLV – *Port de la Tour-Fondue - 83400 Giens - ☎ 04 94 58 21 81 - services réguliers toute l'année vers Porquerolles - circuit des deux îles (Porquerolles et Port-Cros) juil.-août : tlj 23,63€.*

Au départ de Cavalaire - Vedettes Îles d'Or – *Quai d'embarquement - 83240 Cavalaire-sur-Mer - ☎ 04 94 71 01 02 - juil.-août : dép. 11h (retour à 18h50) - durée environ 3/4h.* On rejoint directement Port-Cros. Possibilité de départ à La Croix-Valmer.

Restauration

• *À bon compte*

Le Tournesol – *9 r. des Trois-Ormeaux - 83340 Le Thoronet - 4 km de l'abbaye - ☎ 04 94 73 89 81 - fermé janv. - ⊭ - 15/17€.* Malgré la modeste taille de cette maison du 17e s., au cœur du petit village, vous serez charmé par les couleurs gaies des murs et du mobilier, par la simplicité de la cuisine et par le charme de la terrasse située dans la ruelle.

• *Valeur sûre*

Al Dente – *30 r. Gimelli - 83000 Toulon - ☎ 04 94 93 02 50 - fermé dim. midi - 9,80€ déj. - 18/22€.* Une carte de pâtes et de plats italiens complétée par des menus très abordables attirent une clientèle d'habitués qui apprécie également l'atmosphère créée par la décoration contemporaine et colorée.

L'Eau à la Bouche – *54 r. Muiron - 83000 Toulon - ☎ 04 94 46 33 09 - fermé sam. midi, dim. et lun. - 22/30€.* Restaurant voisin de l'arsenal du Mourillon, sur la route de la tour Royale. Le coquet décor est bien évidemment de style... marin ! Les suggestions du jour, présentées sur ardoise, ne manqueront pas de vous mettre l'eau à la bouche.

Ste-Anne – *Pl. d'Armes - 83400 Porquerolles (île de) - ☎ 04 98 04 63 00 - fermé 4 janv. au 10 fév. et 4 nov. au 26 déc. - 22/50€.* Il fait bon s'attarder sur cette terrasse ombragée, proche de l'église, pour déguster la cuisine locale et observer l'animation de la place du village. Chambres à l'atmosphère de maison familiale provençale (en demi-pension seulement).

Hébergement

• *À bon compte*

Les 3 Dauphins – *9 pl. des Trois-Dauphins - 83000 Toulon - ☎ 04 94 92 65 79 - 14 ch. : 33,54/38,11€ - ☕ 4,12€.* Les fenêtres de ce sympathique hôtel tout juste rénové s'ouvrent sur une minuscule place où trône un buste de Raimu. Décoration réussie dans les chambres, petites mais illuminées par de jolies couleurs ensoleillées. Accueil charmant.

Grand Hôtel Dauphiné – *10 r. Berthelot - 83000 Toulon - ☎ 04 94 92 20 28 - grandhoteldauphine@wanadoo.fr - 55 ch. : 38,11/48,78€ - ☕ 6,10€.* Cet hôtel central est un point de départ idéal pour découvrir à pied les ruelles enchevêtrées de la vieille ville. Les chambres, égayées de tissus imprimés et bien tenues, restent avant tout fonctionnelles.

• *Valeur sûre*

New Hôtel de l'Amirauté – *4 r. A.-Guiol - 83000 Toulon - ☎ 04 94 22 19 67 - 58 ch. : 60,98/65,55€ - ☕ 10€.* Bien situé au centre-ville, cet hôtel vous permettra de concilier affaires et tourisme si vous en avez le temps. Dans un décor qui s'inspire de celui des grands navires de croisière, ses chambres fonctionnelles sont bien insonorisées.

Val'Hôtel – *Av. René-Cassin, ZA Paul Madon - 83160 La Valette - sur A 57 sortie 5, derrière Leroy Merlin, ZA de Toulon-la-Valette - ☎ 04 94 08 38 08 - P - 42 ch. : 49€ - ☕ 6€ - restaurant 7/15€.* L'environnement verdoyant, les chambres spacieuses et colorées, toutes avec balcon ou terrasse, et les tarifs attractifs du week-end font vite oublier la proximité d'une sortie d'autoroute.

Achats

Les Navires de la Royale – *30 r. des Riaux - 83000 Toulon - ☎ 06 11 18 55 61 - lun.-sam. 9h-12h, 14h-18h.* À voir absolument ! Jean-Michel Delcourte est un artiste passionné de bateaux, dont il réalise ou restaure les maquettes : bâtiments de la Marine nationale, navires, voiliers... Il se fera un plaisir de tout vous raconter sur la vie de ses bateaux.

découvrir

LA MARINE MILITAIRE

Tour de la rade en bateau★

Embarcadère : quai Cronstad, côté préfecture maritime. De mi-avr. à fin oct. : circuit commenté (1h) matin et ap.-midi dans la rade. 8€. Réservations : SNRTM, 1247 rte du Faron, ☎ 04 94 62 41 14.

On sort de la Darse Vieille pour explorer la Petite Rade et longer (de loin) les installations militaires. Le bateau passe devant le port de commerce, l'institut Ifremer, l'ex-chantier naval de la Seyne. Les forts de l'Éguillette et de Balaguier encadrent les parcs à moules de la corniche de Tamaris. Le circuit se termine par la côte de St-Mandrier, et la digue déchiquetée qui protège la Petite Rade. Tout au long de la promenade, **magnifiques vues★** sur Toulon.

Musée de la Marine★

De déb. avr. à mi-sept. : 10h-18h30 ; de mi-sept. à fin mars : tlj sf mar. 10h-12h, 14h-18h. Fermé 25 déc.-1er janv. et 1er mai. 4,60€. ☎ 04 94 02 02 01.

La monumentale porte de l'Arsenal, construite au 18e s. reflète l'importance accordée à la marine de guerre. À l'intérieur, deux niveaux retracent le passé et le présent de la marine de guerre à Toulon : spectaculaires maquettes de la frégate *La Sultane* et du vaisseau *Duquesne* (18e s.)...

alentours

Mont Faron★★★

Le massif calcaire du mont Faron domine Toulon. La **montée en téléphérique★**, spectaculaire, est l'occasion de découvrir de belles vues sur la ville, les rades, St-Mandrier, le cap Sicié et Bandol. *Juil.-août : tlj sf lun. 9h30-19h45 ; de mi-juin à fin juin et de déb. sept. à mi-sept. : tlj sf lun. 9h30-19h ; de déb. juin à mi-juin et de mi-sept. à fin-sept. : tlj sf lun. 9h30-12h, 14h-18h30 ; avr.-mai et oct. : tlj sf lun. 9h30-12h, 14h-18h ; nov.-mars : 9h30-12h, 14h-17h30. Fermé déc.-janv. et 1er mai. 5,8€ AR, billet combiné avec le zoo 9,5€ (enf. : 4€ et 5,5€). ☎ 04 94 92 68 25.*

Installé dans la tour Beaumont, construite entre 1840 et 1845, le **musée-mémorial du Débarquement en Provence★** commémore la libération du Sud-Est de la France par les Alliés en août 1944. Les premières salles présentent des souvenirs des combattants dans la région lors de la libération : Anglais, Américains, Canadiens, Français, Allemands. Un diorama (12mn) met en scène la libération de Toulon et de Marseille. Dans la salle de cinéma sont projetés des documents filmés lors du débarquement (15mn). ♿ *Juil.-sept. : 9h45-12h45, 13h45-18h30 (dernière entrée 1h av. fermeture) ; mai-juin : tlj sf lun. 9h45-12h45, 14h-18h ; oct.-avr. : tlj sf lun. 9h45-12h45, 13h45-17h30. 3,80€. ☎ 04 94 88 08 09.*

Enfin, vous pourrez aller visiter le **zoo**, centre de reproduction d'espèces menacées, spécialisé dans les fauves : panthère des neiges, ocelot, caracal. On y trouve également singes, ours, hyènes et lémuriens. ♿ *Mai.-sept. : 10h-18h30 ; oct.-mars : 14h-17h30. 7€ (enf. : 5€). ☎ 04 94 88 07 89.*

Abbaye du Thoronet★

62 km au Nord-Est de Toulon par l'A 57 jusqu'à la sortie 13, puis la D 17. Avr.-sept. : 9h-19h, dim. 9h-12h, 14h-19h ; oct.-mars 10h-13h, 14h-17h. Fermé 1er janv., 1er mai, 1er et 11 nov., 25 déc. 5,50€. ☎ 04 94 60 43 90.

Ce chef-d'œuvre de pureté – la plus ancienne des trois abbayes cisterciennes de Provence (avec Sénanque et Silvacane) – se cache parmi les chênes dans un site sauvage et isolé qui s'accorde bien avec la règle austère de l'ordre de Cîteaux. L'église, le cloître et les bâtiments monastiques virent le jour entre 1160 et 1190. La belle pierre blonde contribue à la beauté de l'**église★** : finement taillée, elle présente un remarquable appareillage. Le plan, en forme de croix latine, ressemble à celui de Sénanque. En respect à la règle de saint Bernard, le décor sculpté est absent, soulignant la majesté des formes.

Dépouillement et proportions puissantes apportent ce sentiment d'équilibre dans le **cloître★**, dont les galeries offrent leur ombre et leur fraîcheur.

Îles d'Hyères★★★

Pour y accéder, voir le carnet pratique. Les îles d'Hyères sont trois coins de paradis, chacune dans son genre : le Levant est la plus minérale, Port-Cros, la plus montagneuse, et Porquerolles, la plus grande. La plus belle ? Avouons ici notre faible pour Port-Cros.

Porquerolles★★★ – C'est la plus occidentale et la plus importante des îles d'Hyères : la côte Nord est festonnée de plages de sable, que l'on parcourt en suivant la **promenade des plages★★**. La côte Sud est abrupte, avec quelques criques d'accès facile. À l'intérieur, une forêt de pins et de chênes verts, des vignobles, et une abondante végétation. Le meilleur moyen pour découvrir l'île reste le vélo.

Bâti au milieu du 19e s. par l'administration militaire au fond d'une rade minuscule, le village évoque plus l'Afrique du Nord que la Provence. Le noyau, entouré d'hôtels, de villas et d'une résidence, comprend la place d'Armes, une humble église et quelques maisons de pêcheurs.

La **promenade du phare★★** (*1h1/2 à pied AR*) permet de découvrir, de l'esplanade du **phare**, à l'extrême pointe Sud, un beau **panorama★★** sur la presque totalité de l'île : les collines du Langoustier, le fort Ste-Agathe, le sémaphore et les falaises du Sud, sans compter la rade d'Hyères et les Maures.

Port-Cros★★★ – L'île, véritable éden, est plus accidentée, plus escarpée, plus haute sur l'eau que ses voisines, mais sa parure de verdure est sans rivale. Port-Cros, classé Parc national, culmine au mont Vinaigre (alt. 194 m).

Quelques commerces et maisons de pêcheurs, une petite église garnissent le pourtour de la baie que domine le fort du Moulin. Et la mer, oscillant entre l'émeraude et la turquoise, y est étrangement belle.

Face à l'embarcadère, des panneaux directionnels indiquent les principaux itinéraires de promenade de l'île : **vallon de la Solitude**★, **Port-man**★...

B. Kaufmann/MICHELIN

Balade botanique à Port-Cros, la plus belle des îles d'Hyères.

Si vous le pouvez, suivez le **sentier sous-marin**★. Inutile de pratiquer la plongée, il suffit de savoir nager avec palmes, masque et tuba pour découvrir une grande variété de biotopes typiques de la Méditerranée. *De mi-juin à fin sept. : visite guidée par un animateur du parc (sf en cas de mauvais temps). Gratuit.*

Le Levant – C'est une étroite arête rocheuse (8 km de long sur 1,2 km de large), entourée de falaises inaccessibles avec de prodigieux à-pics, sauf en deux points : les calanques de l'Avis et de l'Estable.

On aborde habituellement à l'Ouest, au débarcadère de l'Ayguade, en bas du chemin d'Héliopolis. Ce village et le secteur des Grottes attirent chaque saison estivale une importante clientèle de naturistes *(domaine privé)*. Signalons que la Marine nationale occupe 90 % de l'île *(zone interdite)*.

Toulouse★★★

« Ville rose à l'aube, ville mauve au soleil, ville rouge au crépuscule... » Toulouse mélange les couleurs et les époques ! Cette ancienne capitale des terres d'Oc et des capitouls, qui vole aujourd'hui vers l'avenir avec ses usines aéronautiques, ravit les touristes qui s'y arrêtent. En se promenant dans ses vieux quartiers, on y découvre de superbes cours Renaissance envahies de fleurs et de magnifiques maisons cachées derrière de lourdes portes. Toulouse est aussi une ville universitaire, dynamique et animée...

La situation

761 090 Toulousains – Cartes Michelin Local 343 G 3, Regional 526 – Le Guide Vert Midi- Pyrénées – Haute-Garonne (31). Le pont St-Michel offre un point de vue intéressant, surtout si l'on se place entre le milieu du pont et la rive gauche : par temps clair, la chaîne des Pyrénées se profile au Sud. Du côté opposé, le regard embrasse une bonne partie de la ville. Les quais sont aménagés pour la promenade, la détente, activités dominicales des Toulousains dès les beaux jours.

Donjon du Capitole, 31000 Toulouse, ☎ 05 61 11 02 22. www.toulouse-tourisme-office.com

Pour poursuivre la visite, voir aussi : ALBI, AUCH, CASTRES, FOIX, ST-BERTRAND-DE-COMMINGES, CARCASSONE, MOISSAC.

comprendre

La cité des capitouls – Plaque tournante du commerce des vins sous les Romains, Tolosa devient le centre intellectuel de la Narbonnaise. Capitale des Wisigoths au 5e s., elle passe dans le domaine des Francs. Après Charlemagne, Toulouse est gouvernée par des comtes. Du 9e au 13e s., sous la dynastie des comtes Raimond, elle est le siège de la cour la plus magnifique d'Europe.

Des consuls ou capitouls, choisis dans la bourgeoisie commerçante, administrent la cité, une véritable « république » à l'italienne. Le comte les consulte pour la défense de la ville et pour toute question de relations extérieures.

Pour symboliser leur élévation, les nouveaux promus flanquaient leurs demeures de tours. Mais le pouvoir des capitouls perd de sa substance (même si le titre subsiste) après le rattachement à la Couronne, à l'issue de la crise albigeoise (1271).

carnet pratique

Restauration

• *À bon compte*

La Régalade – *16 r. Gambetta - 31000 Toulouse - ☎ 05 61 23 20 11 - fermé sam. midi, dim. et 15 j. courant août - 15/25€.* Entre le Capitole et la Garonne, petit restaurant abrité derrière une jolie façade de briques roses. L'intérieur est plaisant : poutres apparentes, exposition de toiles contemporaines, mobilier en bois et chaises bistrot. Cuisine traditionnelle copieuse.

• *Valeur sûre*

La Madeleine de Proust – *11 r. Ricquet - 31000 Toulouse - ☎ 05 61 63 80 88 - ⊠ - 10,50€ déj. - 16/25€.* Une adresse originale que ce restaurant décoré sur le thème des souvenirs d'enfance. Murs jaunes patinés, tables cirées, jouets anciens, bureau d'écolier, vieux buffet... : le décor est ici particulièrement recherché. La cuisine met en vedette des légumes oubliés.

Hébergement

• *À bon compte*

Hôtel de France – *5 r. d'Austerlitz - 31000 Toulouse - ☎ 05 61 21 88 24 - contact@hotel-france-toulouse.com - 64 ch. : 30/60€ - ☕ 6€.* Depuis 1910, cet hôtel, dont la belle façade toulousaine s'élève à deux pas de la place Wilson, propose des chambres de dimensions variées, sans luxe, impeccablement tenues et à tous les prix ; certaines, parmi les plus vastes, possèdent un balcon.

• *Valeur sûre*

Hôtel Castellane – *17 r. Castellane - 31000 Toulouse - ☎ 05 61 62 18 82 - 43 ch. : 48/74€ - ☕ 6€.* À deux pas du Capitole, ce petit hôtel familial est un peu en retrait du passage avec sa cour intérieure pimpante. Prenez votre petit déjeuner sur la terrasse-véranda. Les chambres sont simples et fonctionnelles.

• *Une petite folie !*

Hôtel Mermoz – *50 r. Matabiau - 31000 Toulouse - ☎ 05 61 63 04 04 - reservation@hotel.mermoz.com - 52 ch. : 83,85/105,20€ - ☕ 9,15€.* Conçu par son propriétaire architecte, cet hôtel proche du centre-ville est au grand calme avec son jardin intérieur fleuri. Évocation des débuts de l'aviation avec portraits de pilotes sur les murs. Les chambres spacieuses sont meublées dans le style des années 1930.

Hôtel des Beaux Arts – *1 pl. du Pont-Neuf - 31000 Toulouse - ☎ 05 34 45 42 42 - contact@hoteldesbeauxarts.com - 19 ch. : 99/153€ - ☕ 15€.* Admirez la vue sur la Garonne. Dans un immeuble du 18e s., les chambres de cet hôtel, entièrement rénové, ouvrent pour la plupart sur le pont Neuf. Elles sont peu spacieuses mais décorées avec goût, belles étoffes et mobilier contemporain.

Le temps d'un verre

Le Bibent – *5 pl. du Capitole - 31000 Toulouse - ☎ 05 61 23 89 03 - tlj 7h-1h.* Classé monument historique pour son décor Belle Époque, ce grand café dispose d'une superbe terrasse avec vue sur la place du Capitole.

Achats

Violettes & Pastels – *10 r. St-Pantaleon - 31000 Toulouse - ☎ 05 61 22 14 22 - mar.-sam. 10h-19h - fermé j. fériés.* Senteurs et couleurs du comte de Toulouse : tous les produits à base de violettes sont proposés dans ce magasin (liqueurs, eaux de toilette, savons, violettes cristallisées, linges brodés...).

Busquets – *10 r. Rémusat - 31000 Toulouse - ☎ 05 61 21 22 16 - mar.-sam. 9h45-12h45, 14h15-19h15 - fermé j. fériés.* Vins du Sud-Ouest, foie gras, cassoulet, confit et autres spécialités régionales sont en vente dans cette boutique fondée en 1919 et qui fera le bonheur des amateurs de bonne chère.

Olivier Confiseur-Chocolatier – *20 r. Lafayette - 31000 Toulouse - ☎ 05 61 23 21 87 - lun.-sam. 9h30-12h30, 13h45-19h15.* Difficile de résister aux spécialités de ce maître chocolatier : violettes cristallisées, capitouls (amandes enrobées de chocolat noir), Clémence Isaure (raisins à l'armagnac enrobés de chocolat noir), brindilles (nougatine enrobée de chocolat praliné), péché du diable (ganache au chocolat noir rehaussée d'écorces d'orange et de gingembre)...

Navigation sur le canal du Midi

Quand naviguer ? – En général de mars à novembre, la pleine saison couvrant les mois de juillet et août engendre un certain nombre d'inconvénients (plus un seul bateau à louer, circulation intense à certaines écluses, tarifs plus élevés, etc.). Au printemps (mai-juin), berges fleuries d'iris et de diverses plantes aquatiques ; en automne (l'arrière-saison souvent magnifique en septembre et octobre), couleurs fauves assurées.

Les écluses sont ouvertes de juin à août : 8h-12h30, 13h30-19h30. Certaines sont automatiques, d'autres encore manuelles, ce qui permet de faire un brin de causette avec l'éclusier (le passage dure environ 15mn). Fermées 1er mai, 14 juillet et 1er novembre.

Louer un bateau – Il s'agit de bateaux sans permis ; une initiation est généralement proposée par les loueurs avant le départ. Vitesse maximum : 6 km/h.

On peut louer à la semaine ou au week-end, pour un aller simple (si le loueur a plusieurs bases sur le parcours) ou pour un aller-retour. Pour naviguer en été, réserver à l'avance, si possible à la base d'où l'on souhaite partir. Les vélos sont fortement conseillés pour se déplacer de temps en temps hors du canal (location chez certains loueurs).

À emporter sur le bateau – Chaussures antidérapantes, lampe de poche, éventuellement matériel de pêche (gardons, carpes, perches, sandres – permis obligatoire), cartes nautiques et cartes-guides, vendues par les loueurs de bateaux.

Le boom du pastel – Au 15e s., le commerce des coques de pastel jette les négociants toulousains dans l'aventure du commerce international : Londres et Anvers figurent parmi les principaux débouchés. La spéculation permet aux Bernuy et aux Assézat de mener un train de vie princier. De splendides hôtels sont élevés à cette époque, symboles de la fortune, de la puissance et de la richesse des « princes du pastel ». L'influence italienne et plus particulièrement le renouveau florentin vont modifier la physionomie de cette cité florissante, encore médiévale. Mais à partir de 1560 en Europe, l'indigo et le marasme s'installent avec les guerres de Religion. Le système s'effondre.

La cité des violettes

On raconte que c'est au 19e s. que la violette, originaire de Parme, est arrivée à Toulouse : elle aurait été rapportée par des soldats français à l'issue des guerres napoléoniennes en Italie. Aussitôt adoptée par les Toulousains, elle fit la fortune des fleuristes, des parfumeurs et des confiseurs. Au début du 20e s., on expédiait quelque 600 000 bouquets par an vers la capitale, l'Europe du Nord et même le Canada ! Malheureusement, les virus et les champignons eurent raison de cette délicate fleur hivernale. Depuis 1985 cependant, des chercheurs se sont mobilisés afin de sauver la petite fleur mauve. Cinq ans plus tard, ils sont parvenus à la cultiver *in vitro*. Les serres sont désormais emplies du parfum si caractéristique de la violette qui, plantée de mai à juin, est cueillie d'octobre à mars. Unique pour ses fleurs doubles et son bleu mauve, elle est redevenue l'emblème de la ville qui fête la violette chaque année fin février-début mars.

se promener

LE VIEUX TOULOUSE***

Basilique St-Sernin***

C'est la plus célèbre et la plus belle des grandes églises romanes du Midi, la plus riche de France en reliques. Dès la fin du 4e s., une basilique abritait ici le corps de saint Sernin. Commencée vers 1080, en brique et pierre, l'église a été achevée au milieu du 14e s. St-Sernin est le type accompli de la grande église de pèlerinage. Elle est conçue pour faciliter les dévotions des foules et rendre possible la célébration des offices par un chœur de chanoines : une nef flanquée de doubles collatéraux, un immense transept et un chœur avec déambulatoire sur lequel ouvrent cinq chapelles rayonnantes. La **porte des Comtes** s'ouvre dans le croisillon Sud du transept. Les chapiteaux de ses colonnettes se rapportent à la parabole de Lazare et du Mauvais Riche et aux châtiments appliqués aux péchés d'avarice et de luxure. Le **chevet** du 11e s., partie la plus ancienne du monument, comporte les chapelles de l'abside et celles des croisillons, les toitures étagées du chœur et du transept, dominées par le clocher : tout cela forme un ensemble magnifique. La sculpture romane de la **porte Miégeville** a fait école dans tout le Midi. Du début du 12e s., elle recherche l'expression et le mouvement.

Les Jacobins**

♿ 9h-19h. 2,20€, gratuit 1er dim. du mois. ☎ 05 61 22 39 52.

En 1215, saint Dominique fonde l'ordre des Frères Prêcheurs. Le premier couvent des dominicains est installé à Toulouse en 1216. La construction de l'église et du couvent, première université toulousaine, commencée en 1230, se poursuivit aux 13e et 14e s. L'église de brique est un chef-d'œuvre de l'école gothique du Midi, dont elle marque l'apogée. Extérieurement, elle frappe par ses arcs de décharge disposés entre les contreforts et surmontés d'oculi, par sa tour octogonale allégée d'arcs en mitre qui servit de modèle à de nombreux clochers de la région. Le **vaisseau**** à deux nefs traduit le rayonnement de l'ordre, sa prospérité et ses deux missions bien tranchées : le service divin et la prédication. Les colonnes portent la voûte à 28 m de hauteur sous clef. Sur la dernière **colonne**** repose la voûte tournante de l'abside : ses 22 nervures alternativement minces et larges composent le fameux « palmier ».

Place du Capitole

Cette grande place, lieu de rendez-vous des Toulousains, est bordée à l'Est par la majestueuse façade du Capitole. On prend le temps d'une pause pour se joindre aux Toulousains qui envahissent les terrasses des brasseries.

B. Kaufmann/MICHELIN

La porte Nord des Jacobins ouvre sur un cloître à colonnettes jumelées typique du gothique languedocien.

Capitole*

♿ De mi-juin à mi-sept. : tlj sf sam. 8h30-12h, 14h-19h, dim.et j. fériés 10h-19h ; de mi-sept. à mi-juin : tlj sf w.-end 8h30-12h, 1330h-17h Gratuit. ☎ 05 61 22 34 12.

L'hôtel de ville de Toulouse tire son nom de l'assemblée des capitouls. La façade sur la place date du milieu du 18e s. Longue de 128 m, ornée de pilastres ioniques, c'est un bel exemple d'architecture colorée, jouant habilement des alternances de la brique et de la pierre. Dans l'aile droite se trouve le théâtre.

Hôtel d'Assézat**

C'est le plus bel hôtel de Toulouse. Il fut élevé en 1555-1557 sur les plans de Nicolas Bachelier, le plus grand architecte toulousain de la Renaissance. Sur les façades de l'hôtel d'Assézat, pour la première fois à Toulouse s'est développé le style classique caractérisé par la superposition des trois ordres antiques : dorique, ionique et corinthien. Pour donner de la variété à ces façades, l'architecte a ouvert, au rez-de-chaussée et au 1er étage, des fenêtres rectangulaires sous des arcades de décharge.

B. Kaufmann/MICHELIN

L'hôtel d'Assézat a été édifié pour un négociant enrichi dans le commerce du pastel.

Au 2e étage, c'est l'inverse : la fenêtre est en plein cintre sous un entablement droit. À cette recherche correspond la décoration poussée des deux portes, l'une avec ses colonnes torses, l'autre avec ses cartouches et ses guirlandes. Au revers de la façade donnant sur la rue s'ouvre un portique élégant, à quatre arcades, surmonté d'une galerie. Le 4e côté est resté inachevé : le mur est seulement décoré d'une galerie couverte reposant sur de gracieuses consoles.

Fondation Bemberg**

Dans l'hôtel d'Assézat. ♿ Tlj sf lun. 10h-18h, jeu. 10h-21h. Fermé 1er janv. et 25 déc. 4,57€. ☎ 05 61 12 06 89.

L'art ancien (16e-18e s.) est présenté comme dans une maison particulière : peintures vénitiennes avec des *vedute* de Canaletto et de Guardi, flamande du 15e s. et hollandaise du 17e s. avec un *Couple jouant de la musique* de Pieter de Hooch ; meubles vénitiens du 18e s. et objets d'art du 16e s. accompagnent ces tableaux. Dans la galerie des portraits Renaissance, les tableaux font face à des groupes sculptés du 16e s. Dans le cabinet voisin, des bronzes d'Italie, dont un superbe *Mars* attribué à Jean de Bologne, côtoient des émaux de Limoges.

Le 2e étage est consacré à l'art moderne. La collection, dominée par un ensemble de tableaux de Bonnard aux couleurs vibrantes, rassemble pratiquement tous les grands noms de l'école française moderne, offrant un panorama des principaux courants de peinture à la charnière du 19e et du 20e s.

Rue de la Dalbade

Les demeures des capitouls s'y succèdent. Remarquez au n° 22 le grand portail sculpté, d'inspiration païenne (16e s.), de l'hôtel Molinier. Au n° 25, l'**hôtel de Clary** comporte une belle cour intérieure Renaissance ; sa façade en pierre fit sensation lorsqu'elle fut élevée, au 17e s. C'était là un signe d'opulence en cette ville de brique.

Rue Mage

C'est l'une des rues les mieux conservées du vieux Toulouse : demeures d'époque Louis XIII, Louis XIV et régence.

Cathédrale St-Étienne*

La cathédrale apparaît disparate : en effet, sa construction s'est étendue du 11e au 17e s. La nef unique, aussi large que haute, est la première manifestation de l'architecture gothique du Midi. L'austérité des murs est corrigée par une belle collection de tapisseries des 16e et 17e s. retraçant la vie de saint Étienne.

Musée des Augustins**

♿ Tlj sf mar. 10h-18h, mer. 10h-21h. Fermé 1er janv., 1er mai et 25 déc. 2,20€, gratuit 1er dim. du mois. ☎ 05 61 22 21 82.

Il est installé dans les bâtiments désaffectés du couvent des Augustins, de style gothique méridional (14e et 15e s.). Les galeries du grand cloître abritent une intéressante **collection lapidaire** paléochrétienne ainsi qu'une série de gargouilles gothiques. L'église abrite des **peintures religieuses** des 15e, 16e et 17e s. (Rubens, Le Guerchin, Vouet, Tournier) et quelques sculptures.

Dans l'aile occidentale que rythment de grands arcs en plein cintre, les admirables **chapiteaux**★★★ historiés ou à décor végétal sont les pièces maîtresses du musée. À l'étage, les sculptures du 19e s. précèdent une galerie de peinture où sont exposés des tableaux de Laurens, Corot, Gros, Delacroix, Toulouse-Lautrec, Vuillard.

Les Abattoirs★

Tlj sf lun. 12h-20h (hiver 19h). Fermé 1er janv. et 25 déc. 6,10€, gratuit 1er dim. du mois. ☎ 05 62 48 58 00.

Les bâtiments de brique, qui servaient autrefois d'abattoirs, sont aujourd'hui réhabilités pour recevoir le fonds d'art moderne et contemporain. Divers courants artistiques nés après la Seconde Guerre mondiale sont représentés : expressionnisme abstrait, art brut, art informel, Gutai, Arte povera, Supports/Surfaces, etc.

Cité de l'espace★

Au parc de la Plaine, en bordure de la rocade Est. ♿ Tlj sf lun. (hors vac. scol. zone A) 9h30-18h, w.-end et j. fériés 9h30-19h. Fermé 2 sem. en janv. 12€ (enf. : 9€). ☎ 05 62 71 48 71. www.cite-espace.com

Le **parc** est dominé par une maquette grandeur nature de la fusée Ariane 5. À l'intérieur de **Terr@dome**, effets spéciaux et images inédites font revivre près de 5 milliards d'années de la vie de notre planète. La station Mir présente ses modules, permettant de se faire une idée de la vie et du travail des cosmonautes. Le **planétarium** propose plusieurs programmes de simulation en 3D. Et huit thèmes d'exposition donnent un vaste aperçu de notre univers, de la Terre aux planètes.

circuit

Canal du Midi★

De Toulouse à Sète. Ce fut une grandiose idée que celle de relier l'Atlantique et la Méditerranée. Elle fut réalisée par Pierre Paul de Riquet (1604-1680), fermier de la gabelle du Languedoc. Aujourd'hui, on peut découvrir le canal en voiture, mais si l'on veut capter la douceur de vivre de ses rives ou de son cours, il faut suivre ses berges à pied ou à vélo ou, mieux encore, à bord d'une péniche. Sa majesté et celle de ses ouvrages lui valent d'être inscit au Patrimoine mondial de l'Unesco.

Le Touquet-Paris-Plage

Bien située entre l'estuaire de la Canche, la Manche et la forêt, la station a gardé un charme désuet, avec ses villas rétro qui s'égrènent sous les pinèdes, rivalisant de contrastes : murs blancs, liserés bleus, tuiles rouges, pelouses fleuries cernées de haies impeccables... La superbe plage, qui se découvre à marée basse sur 1 km et se prolonge sur 12 km jusqu'à l'embouchure de l'Authie, est faite de sable fin et dur – idéal pour le char à voile.

La situation

5 299 Touquettois – Cartes Michelin Local 301 C-D 2-4, Regional 511 – Le Guide Vert Picardie Flandres Artois – Pas-de-Calais (62). Le centre dessine un quadrillage : des rues parallèles à la côte coupent une trentaine de voies d'accès à la plage.

Pl. de l'Hermitage, 62520 Le Touquet, ☎ 03 21 06 72 00, www.letouquet.com

Pour poursuivre la visite, voir aussi : BAIE DE SOMME, DIEPPE, ARRAS, ST-OMER.

se promener

Balade 1900

De la place de l'Hermitage, prendre l'avenue du Verger. Cette avenue reste le rendez-vous des élégantes. À droite, des parterres fleuris mettent en valeur des boutiques blanches, au style vaguement Art déco. Plus loin, l'**hôtel Westminster** compte parmi les plus prestigieux établissements de la station.

Prendre l'avenue St-Jean au croisement de l'avenue du Verger. Ensemble éclectique, le **Village suisse** (1905) se donne un air médiéval, avec ses tourelles et créneaux.

Revenir jusqu'à l'hôtel et prendre l'avenue des Phares. Suivre la rue J.-Duboc pour rejoindre le boulevard Daloz.

Jolie loggia et retombée de toiture originale pour la **villa Cendrillon** (1923). Au n° 44, la villa **La Wallonne** marque le début du quartier animé et commerçant. Au n° 78, la façade de la **villa des Mutins** (1925), résidence de l'architecte Louis Quételart, présente deux pignons sur la rue de Lens. Au n° 45, la **villa Le Roy d'Ys** (1903) est une demeure d'aspect normand, à pans de bois et pierre de marquise.

Prendre la rue Jean-Monnet vers la plage.

carnet pratique

RESTAURATION

• À bon compte

Le Doyen – *11 r. du Doyen - 62200 Boulogne-sur-Mer - 32 km au N du Touquet par N 39, D 940 et N 1 - ☎ 03 21 30 13 08 - fermé 15 j. en janv. et dim. sf fériés - 11,50€ déj. - 15/21€.* Voici une discrète adresse comme on aimerait en dénicher plus souvent. Intérieur tout petit mais coquettement décoré dans des couleurs pastel, convivialité de l'accueil et cuisine recherchée mettant à l'honneur les produits de la mer.

• Valeur sûre

Village Suisse – *52 av. St-Jean - 62520 Le Touquet-Paris-Plage - ☎ 03 21 05 69 93 - fermé 6 au 16 janv., 4 au 12 mars, dim. soir d'oct. à Pâques, mar. midi sf juil.-août et lun. - 21/41€.* Cet élégant restaurant aux allures de chalet suisse se trouve juste au-dessus des boutiques du « village ». Ses atouts ? Le confort de sa chaleureuse salle à manger, l'accueil courtois et sa goûteuse cuisine variant au gré des saisons. Délicieuse terrasse pour les beaux jours.

S. Sauvignier/MICHELIN

Bistrot de Pierrot – *Au marché couvert - 62520 Le Touquet-Paris-Plage - ☎ 03 21 05 30 30 - fermé mar. et lun. soir hors sais. - 22/38€.* Il règne une belle ambiance de bistrot dans cette lumineuse salle de restaurant tapissée de miroirs. L'accueil y est convivial et sa jolie terrasse fort appréciée l'été. La carte, bien garnie, propose quelques bons petits plats du terroir.

HÉBERGEMENT

• À bon compte

Hôtel de la Forêt – *73 r. de Moscou - 62520 Le Touquet-Paris-Plage - ☎ 03 21 05 09 88 - fermé vac. de Noël - 10 ch. : 36,59/45,73€ - ☕ 5,03€.* Ce petit hôtel familial est au centre-ville et à 500 m de la plage. Les petites chambres sont simples, rénovées peu à peu, bien insonorisées et fort bien tenues.

Le Chalet – *15 r. de la Paix - 62520 Le Touquet-Paris-Plage - ☎ 03 21 05 87 65 - 15 ch. : 39/57€ - ☕ 7€.* À 50 m de la plage, une adresse pour le moins dépaysante ! Façade aux allures de chalet savoyard, coquettes chambres décorées sur le thème de la montagne ou de la mer et salle des petits déjeuners ornée de sabots et vieux skis en bois. Charmant !

LOISIRS-DÉTENTE

Centre de Char à Voile – *Base nautique Sud - 62520 Le Touquet-Paris-Plage - ☎ 03 21 05 33 51 - accueil : 10h-12h, 14h-17h sur réservation - fermé mi-déc. à mi-janv.* La plage de plus de quinze kilomètres est un terrain idéal pour essayer ce sport surprenant. De plus, vous bénéficierez des conseils de Bertrand Lambert, recordman de vitesse (151,55 km/h !) et quadruple champion du monde.

Au n° 50, la **villa Le Castel** (1904) opte pour un style néomédiéval associé à des éléments Art nouveau. La rue Jean-Monnet passe sous l'arche du marché couvert (1927-1932) en forme de demi-lune, pour atteindre le boulevard Jules-Pouget, en bord de mer, où se succèdent d'autres maisons de plaisance.

circuit

LA CÔTE D'OPALE*

66 km. De la baie de Somme à la frontière belge s'étend un paysage encore sauvage. La Côte d'Opale dessine un chapelet de dunes, de vallées crantées et de falaises escarpées qui dominent le pas de Calais. La partie la plus spectaculaire, entre ciel et mer, c'est la corniche de la Côte d'Opale.

Boulogne-sur-Mer**

Ville rude mais attachante, Boulogne est le plus grand centre européen de transformation et d'échange des produits de la mer.

Nausicaä*** – *Visite : 3h1/2. ♿ 9h30-18h30 (juil.-août : 20h, dernière entrée 1h av. fermeture). Fermé les 3 premières sem. de janv. et 25 déc. 9,50/12€ (3-12 ans : 6,50/8,50€). ☎ 03 21 30 99 99. www.nausicaa.fr*

Un voyage initiatique au centre de la mer, dans une pénombre bleutée, et un bain de musiques aquatiques. 36 aquariums et grands bassins, avec plus de 10 000 animaux marins de toutes les mers du monde.

Wimereux

Nichée au creux de la baie St-Jean, cette station balnéaire familiale réserve de belles vues sur le pas de Calais, la colonne de la Grande Armée et le port de Boulogne.

Cap Gris-Nez★★
Au sommet de la falaise du cap Gris-Nez, **vue★** sur les côtes anglaises. On aperçoit également le cap Blanc-Nez *(à droite)* et le port de Boulogne *(à gauche)*.

Cap Blanc-Nez★★
Le spectacle est vertigineux: la masse verticale de la falaise, à 134 m de haut, surplombe le «pas» et son trafic incessant de navires. **Vue★** étendue sur les falaises anglaises et la côte, de Calais au cap Gris-Nez. Belles promenades pédestres balisées, souvent bien ventées.

Calais
Calais n'est pas une cité des plus riantes. Cependant elle possède quelques monuments intéressants dont une belle **statue de Rodin**, hommage au courage des fameux bourgeois (de Calais) et un **port** à l'air tonifiant. Les amateurs de dentelle peuvent se rendre au **musée des Beaux-Arts de la dentelle.** ♿ *Tlj sf mar. et j. fériés 10h-12h, 14h-17h30, sam. 10h-12h, 14h-18h30, dim. 14h-18h30. 3€, gratuit mer.* ☎ *03 21 46 48 40.*
Les autres fonceront sur la plage à l'Ouest du port. Particulièrement agréable, celle-ci se distingue par ses drôles de rangées de cabanes alignées comme des dominos.

Tours★★

Première ville du Val de Loire, devant Orléans et Angers, capitale de la Touraine et ancienne cité royale, Tours ne conserve pas moins de trois quartiers anciens, parfaitement préservés: le vieux Tours, avec sa place Plumereau et ses maisons médiévales ou Renaissance, le quartier Saint-Julien au centre, et celui de la cathédrale plus à l'Est, avec son archevêché. Longues promenades en perspective, au gré de ses rues commerçantes, piétonnières, de ses places secrètes, de ses beaux hôtels et de ses jardins...

carnet pratique

Restauration

• *À bon compte*

Le Petit Patrimoine – *58 r. Colbert - 37200 Tours - ☎ 02 47 66 05 81 - fermé dim. midi - réserv. obligatoire - 11,43/24,39€.* L'enseigne de ce restaurant situé à deux pas du musée du Compagnonnage est un hommage au livre de cuisine rédigé par la grand-mère du maître des lieux. Photos de ses aïeux, cartes postales anciennes et vieilles pierres décorent la petite salle à manger feutrée. Bonne cuisine du terroir.

• *Valeur sûre*

L'Espadon – *25 pl. du Grand-Marché - 37200 Tours - ☎ 02 47 64 10 62 - fermé lun. midi - 17/35€.* Avec une telle enseigne, quoi de plus naturel que de proposer des spécialités de poissons et de crustacés ! La décoration marine est recherchée : lambris, banquettes bleues, chaises toilées, tableaux des différents nœuds marins et hameçons et le service efficace.

Hébergement

• *À bon compte*

Châteaux de la Loire – *12 r. Gambetta - 37200 Tours - ☎ 02 47 05 10 05 - fermé 21 nov. au 9 mars - P - 30 ch. : 36,50/48€ - ☕ 6,10€.* Vous passerez des nuits paisibles dans cet établissement bordant une rue calme du vieux Tours. Les chambres, d'ampleurs diverses, sont régulièrement entretenues. Intime et confortable salon-bar.

• *Valeur sûre*

La Roseraie – *7 r. Bretonneau - 37150 Chenonceaux - 24 km au SO de Tours par D 751 - ☎ 02 47 23 90 09 - lfiorito@aol.com - fermé 21 nov. au 28 fév. - P - 17 ch. : 52/90€ - ☕ 8,50€ - restaurant 22/29€.* La façade fleurie de cette bâtisse régionale à 5mn du château est aussi couverte de vigne vierge. Spacieuses chambres rustiques. Déjeuner en terrasse ou l'hiver près de la grande cheminée dans la salle à manger. Jardin arboré avec sa piscine d'été chauffée.

Spectacles

Son et lumière au château d'Azay-le-Rideau – *34 km à l'E de Tours par N 76 et D 40 - 37190 Azay-le-Rideau - ☎ 02 47 45 42 04 ou 02 47 45 44 40 - mai-juil. 22h30 ; août : 22h ; sept. : 21h30 - fermeture à 0h30 (24h en sept., dernière entrée à 23h45) - 9,15€ (-12 ans : gratuit).* Le visiteur spectateur évolue à son rythme et suivant sa sensibilité entre parc et château. Les façades éclairées, la musique qui semble jaillir des bois, le jeu des lumières sur l'eau contribuent à renforcer l'image féerique du domaine et restituent le puissant élan créatif de la Renaissance. La durée du parcours est d'environ 1h.

Son et lumière au château de Chenonceau – *37150 Chenonceaux - 24 km au SO de Tours par D 751 - ☎ 02 47 23 90 07 - juil.-août : spectacle (3/4h) tlj à 22h15 - 7,62€.* Du moulin fortifié primitif, six femmes font une élégante demeure et y organisent des fêtes somptueuses.

La situation

297631 Tourangeaux – Cartes Michelin Local 317 K-P 4-6, Regional 518 – Le Guide Vert Châteaux de la Loire – Indre-et-Loire (37). Venant de Paris, vous surplomberez la Loire, ses ponts, ses larges étendues d'eau et de sable, puis la grande ville, avec ses toits d'ardoise çà et là percés de tours et de flèches.

78 r. Bernard-Palissy, 37000 Tours. ☎ 02 47 70 37 37. www.ville-tours.fr

Pour poursuivre la visite, voir aussi : SAUMUR, LE MANS, POITIERS, BLOIS.

se promener

LE VIEUX TOURS★★★

Place Plumereau★

Aménagée en zone piétonne, la place est bordée de belles maisons du 15e s. à pans de bois qui alternent avec des façades de pierre. Terrasses de cafés et de restaurants débordent sur la place dès les premiers beaux jours, attirant touristes et étudiants.

Rue du Grand-Marché

C'est une des plus intéressantes du vieux Tours, avec ses nombreuses façades à colombages garnies de briques ou d'ardoises.

Rue Briçonnet★

Elle rassemble tous les styles de maisons tourangelles, depuis la façade romane jusqu'à l'hôtel 18e s. Au no 35, une maison présente, sur l'étroite rue du Poirier, une façade romane ; au no 31, façade gothique de la fin du 13e s. ; en face, au no 32, maison Renaissance aux jolies statuettes en bois.

Au no 16 se trouve la **maison de Tristan**, remarquable construction de brique et pierre, au pignon dentelé, de la fin du 15e s.

Place de Châteauneuf

Belle vue sur la **tour Charlemagne**, vestige de la basilique St-Martin, élevée du 11e au 13e s. sur le tombeau du grand évêque de Tours. Saccagé en 1562 par les huguenots, l'édifice fut laissé à l'abandon pendant la Révolution et ses voûtes s'écroulèrent.

QUARTIER DE LA CATHÉDRALE★★

Plus tranquille et à l'écart des flux touristiques, c'est un quartier plein de charme.

Cathédrale St-Gatien★★

St-Gatien a été commencée au milieu du 13e s. et terminée au 16e s. Malgré le mélange de styles, la façade s'élance de façon très harmonieuse. Une légère asymétrie des détails évite toute monotonie.

L'intérieur de la cathédrale frappe par la pureté de ses lignes. La nef des 14e et 15e s. s'harmonise parfaitement au chœur : ce dernier est une belle réalisation du 13e s. et rappelle la Sainte-Chapelle de Paris. Les **verrières★★** du chœur, aux chauds coloris, sont du 13e s. ; les roses du transept, du 14e s. Dans la chapelle qui donne sur le croisillon Sud, remarquez le **tombeau★** des enfants de Charles VIII, œuvre gracieuse du 16e s.

S. Sauvignier/MICHELIN

Le riche décor de la façade de la cathédrale St-Gatien.

Place Grégoire-de-Tours★

À gauche se dresse le pignon médiéval du **palais des Archevêques** : de la tribune Renaissance, on donnait lecture des jugements du tribunal ecclésiastique. Remarquez, sur la rue Manceau, une maison canoniale (15e s.) surmontée de deux lucarnes à gâble et, à l'entrée de la rue Racine, une maison de tuffeau à toit pointu (15e s.).

Musée des Beaux-Arts★★

Tlj sf mar. 9h-12h45, 14h-18h. Fermé 1er janv., 1er mai, 14 juil., 1er et 11 nov., 25 déc. 4€. ☎ 02 47 05 68 73.

Les salons de l'ancien archevêché (17e-18e s.), garnis de boiseries Louis XVI et de soieries de Tours, exposent des œuvres d'art provenant en partie des châteaux détruits de Richelieu et de Chanteloup, ainsi que des grandes abbayes tourangelles. Aux murs, dans la salle Louis XIII, remarquez la suite très colorée les *Cinq Sens*, tableaux anonymes exécutés d'après des gravures du Tourangeau Abraham Bosse

(1602-1676). Parmi les peintures des 14e et 15e s., des primitifs italiens et les chefs-d'œuvre du musée: deux Mantegna ayant appartenu au retable de San Zeno Maggiore de Vérone. Dans la section consacrée aux 19e et 20e s., voyez les œuvres de Delacroix, Chassériau, le *Portrait de Balzac* par Boulanger, et une riche collection d'œuvres orientalistes, dominée par les envoûtantes *Femmes d'Alger* de Giraud. Une salle est consacrée au peintre contemporain Olivier Debré.

QUARTIER ST-JULIEN★

Proche du pont sur la Loire, ce quartier a beaucoup souffert des bombardements de la dernière guerre; mais derrière les façades rectilignes de la moderne rue Nationale subsistent d'intéressants vestiges historiques.

Musée du Compagnonnage★

♿ *De mi-juin à mi-sept. : 9h-12h30, 14h-18h ; de mi-sept. à mi-juin : tlj sf mar. 9h-12h, 14h-18h. Fermé 1er janv., 1er mai, 14 juil., 1er et 11 nov., 25 déc. 4€. ☎ 02 47 61 07 93.*
Aménagé au-dessus de la salle capitulaire de l'abbaye St-Julien, cet intéressant musée présente un ensemble de métiers du compagnonnage, les outils correspondants et les chefs-d'œuvre que les compagnons réalisent pour acquérir leur titre.

Jardin de Beaune-Semblançay★

De cet hôtel Renaissance ont échappé aux destructions une galerie à arcades surmontée d'une chapelle, une belle façade décorée de pilastres, isolée dans la verdure, et la ravissante fontaine de Beaune, finement sculptée.

Place Foire-le-Roi

Là se tenaient les foires franches établies par François Ier; on y jouait aussi des mystères lors de l'entrée des rois à Tours. La place est bordée au Nord de maisons à pignons du 15e s. Sur le côté droit en venant du quai, au fond d'une petite ruelle, s'ouvre, pour rejoindre la rue Colbert, l'étroit et tortueux passage du Cœur-Navré.

circuit

LES CHÂTEAUX DE LA LOIRE SAUMUROISE★★★

61 km. Quitter Tours à l'Ouest par la D 88. Cette route suit la levée de la Loire entre des jardins et des potagers.

Jardins et château de Villandry★★★

Les **jardins★★★** restituent l'ordonnance architecturale adoptée à la Renaissance, sous l'influence des jardiniers italiens emmenés en France par Charles VIII. Trois terrasses sont superposées: la plus élevée, le jardin d'eau avec son beau miroir formant réserve; au-dessous s'étend le jardin d'ornement, formé de deux salons de buis remplis de fleurs (l'un représentant les allégories de l'Amour, l'autre symbolisant la Musique); enfin, le jardin potager décoratif, formant un véritable damier multicolore avec ses carrés plantés géométriquement de légumes et d'arbres fruitiers. Le jardin des «simples» est consacré aux herbes aromatiques, médicinales ou condimentaires. *De déb. mai à mi-sept. : 9h-19h30 ; de déb. avr. à mi-oct. : 9h-19h ; ed mi-oct; à fin oct. : 9h-18h30 ; mars : 9h-8h ; oct.-fév. : 9h-17h30. 5€, château et jardins 7,50€ (enf. : 3,50/5€). ☎ 02 47 50 02 09.*

LE JARDIN DE LA FRANCE

« Connaissez-vous cette contrée que l'on a surnommée le jardin de la France, ce pays où l'on respire un air pur dans des plaines verdoyantes arrosées par un grand fleuve? Si vous avez traversé, dans les mois d'été, la belle Touraine, vous aurez longtemps suivi la Loire paisible avec enchantement, vous aurez regretté de ne pouvoir déterminer, entre les deux rives, celle où vous choisiriez votre demeure, pour y oublier les hommes auprès d'un être aimé. » (Alfred de Vigny, *Cinq-Mars*, 1826.)

De la forteresse primitive, il reste le donjon, tour carrée englobée dans l'édifice bâti au 16e s. Trois corps de logis entourent une cour d'honneur ouverte sur la vallée. L'Espagnol Joachim Carvallo a décoré le **château★★** de meubles espagnols et d'une intéressante collection de peintures (écoles espagnoles des 16e-18e s.). La galerie de tableaux se termine par la salle au **plafond mudéjar★** (13e s.) provenant de Tolède. *Juil.-août : 9h-18h30 ; avr.-oct.: 9h-18h; mars : 9h-17h30; fév. et de mi-nov. à fin nov.: 9h-17h. 7,50€ (château et jardins). ☎ 02 47 50 02 09.*

Après Villandry, on quitte le pays des maisons troglodytiques et, par la D39, on gagne la vallée de l'Indre.

Château d'Azay-le-Rideau★★★

Juil.-août: 9h30-19h (dernière entrée 3/4h av. fermeture) ; avr.-oct. : 9h30-18h; nov.-mars: 9h30-12h30, 14h-17h30. Fermé 1er janv., 1er mai, 1er et 11 nov., 25 déc. 5,50€ (enf. : gratuit). ☎ 02 47 45 42 04. www.monum.fr
L'harmonie des proportions, la richesse de la décoration et la beauté du site donnent à ce joyau de la première Renaissance un pouvoir de séduction sans pareil. Chaque détail, architecture, décors et proportions, suscite l'émerveillement.

R. Kaufmann/MICHELIN

L'harmonie des proportions, la richesse de la décoration et la beauté du site donnent au château d'Azay, joyau de la première Renaissance, un pouvoir de séduction sans pareil.

Le grand financier Gilles Berthelot fait élever l'édifice de 1518 à 1527: c'est sa femme, Philippa Lesbahy, qui dirige les travaux. En 1528, François Ier confisque Azay et l'offre à l'un de ses compagnons d'armes des campagnes d'Italie, Antoine Raffin. De nombreux propriétaires se succèdent, jusqu'à l'achat de la propriété par l'État, en 1905.
Construit en partie sur l'Indre, le château édifié sur des calculs précis se compose d'un grand corps de logis et d'une aile en équerre. La partie la plus remarquable du logis est l'escalier d'honneur avec, sur la cour, ses trois étages de baies jumelées formant loggias et son fronton richement ouvragé. L'escalier est devenu intérieur et à rampes droites – à l'italienne. Il dessert salle d'apparat et appartements privés. Décor et mobilier d'une grande richesse se signalent par leur qualité: chaire à dais en chêne de la fin du 15e s., lit brodé de la fin du 17e s., cabinets incrustés d'ivoire, portrait de la belle Diane de Poitiers, de l'inquiétante Marie de Médicis... Également remarquable, un magnifique ensemble de **tapisseries★** des 16e et 17e s.

La D17 court entre la rivière, qui se scinde en de nombreux bras, et la forêt de Chinon. Du pont sur l'Indre, on découvre le château d'Ussé.

Château d'Ussé★★

Avr.-sept.: visite guidée (3/4h) 9h30-18h30; de mi-fév. à fin mars: 10h-12h, 14h-17h30; de déb. oct. à mi-nov.: 10h-12h, 14h-17h30. 9,80€. ☎ 0247955405.
Adossé à la falaise où vient mourir la forêt de Chinon, le château déploie ses jardins en terrasses en surplomb de l'Indre. On dit qu'il inspira Charles Perrault pour sa *Belle au bois dormant*.
En montant au château, toits et clochetons se dessinent au travers des branches des cèdres du Liban. Les façades extérieures, construites au 15e s., conservent un aspect médiéval, alors que les bâtiments d'habitation, sur la cour d'honneur, sont imprégnés de style Renaissance. Comme à Chaumont, l'aile Nord a été supprimée au 17e s. pour ouvrir la vue.
Le château renferme un très beau mobilier, dont un cabinet italien du 16e s., d'immenses et somptueuses **tapisseries flamandes★** figurant des scènes villageoises d'après Teniers le Jeune (16e s.). Le donjon abrite une très intéressante **salle de jeux★** (dînettes de porcelaine, trains mécaniques, meubles de poupée). Le long du chemin de ronde, l'histoire de *La Belle au bois dormant* est évoquée grâce à des personnages de cire: la princesse Aurore, la fée Carabosse, et bien sûr... le Prince charmant.

Après Rigny-Ussé, on traverse le Véron. D'une grande fertilité, entre prairies et peupleraies, le Véron produit vins, asperges et fruits.

Château de Chinon★★

Avr.-sept.: 9h-19h; oct.-mars: 9h30-17h. Fermé 1er janv. et 25 déc. 4,60€. ☎ 0247 93 1345.
Forteresse médiévale bien impressionnante, Chinon déploie sous le ciel de Touraine ses immenses ruines romantiques. À ses pieds, la petite ville étire ses ruelles, ses places et ses quais tout au long de la Vienne: une vallée riche de culture et d'histoire, un pays de coteaux et de vignobles dorés, dont le climat exceptionnel a favorisé l'essor d'un grand vin.

▶▶ Château de Saché.

Bâtie sur un éperon qui avance vers la Vienne, cette vaste forteresse date pour l'essentiel de l'époque d'Henri II Plantagenêt (12e s.). Elle était formée de trois constructions séparées par de profondes douves sèches : le **fort St-Georges**, à l'Est, aujourd'hui démantelé, protégeait le côté vulnérable du château, accessible par le plateau ; franchissant un fossé, on pénètre dans le **château du Milieu**. Dans les salles de la tour de l'Horloge, les grandes étapes de la vie de Jeanne d'Arc, qui vint ici en 1429, sont évoquées. À l'Ouest des jardins, un second pont sur les douves mène au **fort du Coudray**. En 1308, Philippe le Bel fit enfermer des templiers dans le donjon : on distingue encore les graffiti gravés dans la pierre par les prisonniers.

Gagner la Loire par la D 749, et suivre le fleuve sur la rive droite par la N 152.

Château de Langeais**

D'avr. à mi-oct. : 9h30-18h30 (de mi-juil. à fin août : 20h) ; de mi-oct. à fin mars : 10h-17h30. Fermé 25 déc. 6,50€ (enf. : 4€). ☎ 02 47 96 72 60.

Forteresse massive et austère, avec ses hautes murailles, ses grosses tours pointues, son chemin de ronde à mâchicoulis et son pont-levis, Langeais a traversé les siècles sans prendre une ride. Il fut élevé par Jean Bourré, contrôleur des finances de Louis XI. Quant à son **intérieur*****, il réunit de véritables trésors, meubles anciens et tapisseries somptueusement colorées, qui vous replongent dans l'atmosphère de la vie seigneuriale au 15e s. et au début de la Renaissance. On admire de splendides tapisseries, des Flandres pour la plupart, notamment des mille-fleurs et la suite des Neuf Preux.

alentours

Château de Chenonceau**

32 km au Sud-Est de Tours par la D 140. De mi-mars à mi-sept. : 9h-19h ; de mi-sept. à fin sept. : 9h-18h30 ; de déb. mars à mi-mars et de déb. oct. à mi-oct. : 9h-18h ; de mi-oct. à fin oct. et de mi-fév. à fin fév. : 9h-17h30 ; de déb. fév. à mi-fév. et de déb. nov. à mi-nov. : 9h-17h ; de mi-nov. à fin janv. : 9h-16h30. 7,60€ (enf. : 6,10€). ☎ 02 47 23 90 07. www.chenonceau.com

Le château se compose d'un corps de logis carré, avec des tourelles aux angles. À gauche, en saillie, se trouvent la librairie et la chapelle. Sur le pont du Cher s'élève la galerie à deux étages de Catherine de Médicis. Sa masse, d'une sobriété déjà classique, la fait apparaître comme une construction annexe.

À l'intérieur, bien meublé, dans le **cabinet Vert**** de Catherine de Médicis, le plafond est un exemple rare de peinture à la tonalité verte appliquée sur des feuilles d'étain. La **Grande Galerie*** sur le Cher, au dallage noir et blanc, fut transformée en infirmerie militaire pendant la Première Guerre mondiale. Dans la **chambre de Francois Ier****, voyez l'imposante cheminée Renaissance et le superbe meuble italien (16e s.) incrusté de nacre et d'ivoire. On accède à l'étage par un superbe escalier à rampe droite, perpendiculaire au vestibule, qui fut, en France, une innovation pour l'époque.

Aménagées dans les piles creuses du château, les **cuisines*** comprennent l'office, le garde-manger, la boucherie, la cuisine proprement dite...

Les bords du Cher et les **jardins**** offrent un décor de rêve et d'excellents points de vue sur le château.

Le château des Dames

En 1512, Thomas Bohier, intendant des Finances de François Ier, achète Chenonceau. Très absorbé par sa charge, il ne peut diriger les travaux de construction de sa nouvelle résidence. C'est donc sa femme, Catherine, qui les surveille. Le château est achevé en 1521, mais le couple n'en profite guère, puisque Thomas et Catherine meurent en 1524 et 1526. Quelques années plus tard, pour payer la dette de son père au Trésor, Antoine Bohier cède, en 1535, le château à François Ier.

En 1547, lorsque Henri II monte sur le trône, il offre Chenonceau à Diane de Poitiers. Elle a vingt ans de plus que lui, mais reste extrêmement séduisante. La mort d'Henri II, tué en 1559 lors d'un tournoi, remet tout en cause. Sachant Diane très attachée à Chenonceau, Catherine de Médicis frappe au point sensible en l'obligeant à le lui céder en échange de Chaumont. L'ex-favorite quitte les rives du Cher pour se retirer au château d'Anet, où elle meurt sept ans plus tard.

Avec le goût des arts, Catherine de Médicis a celui du faste : Chenonceau satisfait l'un et l'autre. Le pont est doté d'une galerie à double étage, et de vastes communs sont bâtis. Surtout, les fêtes se succèdent : il y a celle de l'entrée de François II et de Marie Stuart, puis, celle de Charles IX, plus brillante encore. Repas, danses, mascarades, feux d'artifice, combat naval sur le Cher, rien ne manque aux réjouissances.

Catherine lègue Chenonceau à sa belle-fille Louise de Lorraine, femme d'Henri III. Après l'assassinat du roi par Jacques Clément, Louise se retire au château, prend le deuil en blanc selon l'étiquette royale et le garde jusqu'à la fin de sa vie. Elle vit ainsi onze ans, priant souvent dans sa chambre ornée d'un décor funèbre.

Tréguier★★

Au fond de l'estuaire formé par la réunion du Jaudy et du Guindy, l'ancienne cité épiscopale s'étage au flanc d'une colline. Sa cathédrale, ses ruelles et ses maisons à pans de bois forment un ensemble très séduisant, à quelques encablures d'une côte bretonne de granit rose particulièrement belle.

La situation

2679 Trégorrois – Cartes Michelin Local 309 A-C 2, Regional 517 – Le Guide Vert Bretagne – Côtes-d'Armor (22). Au Nord de Guingamp, Tréguier se situe à mi-chemin entre Lannion et Paimpol, sur la D 786.

1 pl. Gén.-Leclerc, 22220 Tréguier, ☎ 02 96 92 22 33.

Pour poursuivre la visite, voir aussi : ST-MALO, MORLAIX.

visiter

Cathédrale St-Tugdual★★

avr.-sept. : visite guidée (1/2h) 9h30-12h, 14h30-18h.

C'est l'une des plus belles cathédrales bretonnes (14e-15e s.). Trois tours reposent sur le transept. Celle du croisillon Sud s'ouvre par le « porche des cloches », surmonté d'une belle **fenêtre★** flamboyante.

Avec ses arcades gothiques élégamment travaillées dans le granit, la nef paraît lumineuse. Le tombeau de saint Yves, patron des avocats, date de 1890 : il reproduit le monument érigé au 15e s. Remarquez les enfeus sculptés de chevaliers en armure, du 15e s., les **stalles★** Renaissance aux miséricordes sculptées, et la **Grande Verrière★**.

Adossé à l'évêché, le **cloître★** forme un bel ensemble du 15e s. encadrant une croix de calvaire. Sous les voûtes à charpente boisée et sablière, voyez les gisants. *Juil.-août : 9h30-18h ; avr.-sept. : 9h30-12h, 14h30-18h: 1,83€. ☎ 02 96 92 30 19.*

circuit

CÔTE DE GRANIT ROSE★★

La couleur, mais surtout la forme érodée, surprenante, multiple, des rochers de granit qui émergent le long des grèves, des criques et des îlots, composent ce rivage inoubliable. La Côte de Granit rose, qui débute à la pointe de l'Arcouest, donne son nom à la route reliant Perros-Guirec à Trébeurden.

38 km. Gagner Perros-Guirec, 20 km à l'Ouest, par la D 786 puis la D 6.

Perros-Guirec

Bâtie en amphithéâtre, cette station balnéaire familiale domine les ports de pêche et de plaisance.

Ploumanach★★

À hauteur de cette station balnéaire, qui est aussi un petit port de pêche, la Côte de Granit rose est particulièrement belle. Gagnez le lieu-dit **les Rochers★★**, constitué d'innombrables rochers aux formes curieuses.

Trégastel-Plage

Cette station séduit également par la beauté et l'étrangeté de ses rochers : une merveille naturelle qui fait le charme de la corniche bretonne. En avançant à pied jusqu'à l'extrémité de la presqu'île, on découvre de magnifiques points de vue sur le large et les Sept-Îles.

La D 788 passe en bord de mer. Le regard se porte sur une côte étrange, parsemée de nombreux îlots et récifs.

Pleumeur-Bodou

Sous une coupole de 20 m de diamètre, le **Planétarium du Trégor★** transporte le spectateur en divers points de l'espace et du temps. Différents thèmes sont abordés suivant les séances. *Juil.-août : séances d'astronomie (1h) 11h-18h ; avr.-juin et sept. : 14, 15h et 16h ; fév.-ars et oct.-déc. : tlj sf mer. et sam. 15h et 16h. 6,25€ (enf. : 55€). ☎ 02 96 15 80 30. www.planetarium-bretagne.fr*

Revenir à la route de corniche.

Trébeurden

Cette station balnéaire du Trégor s'est dotée d'un nouveau port de plaisance, d'une taille imposante. À la **pointe de Bihit★**, **vue★** panoramique sur la côte.

Troyes★★★

Troyes, en Champagne, est une ville d'art, riche en églises aux superbes vitraux, en musées, en hôtels particuliers. Son centre historique regorge de vieilles rues pavées, aux charmantes maisons à colombages souvent un peu de guingois. Et vous pouvez compléter votre visite par celle des magasins d'usines aux marques dégriffées...

La situation

128 945 Troyens - Cartes Michelin Local 313 E 4 et I 2-4, Regional 514 - Le Guide Vert Champagne Ardenne - Aube (10). La ville dépasse la ceinture de boulevards délimitant le centre, et s'entoure de faubourgs et de zones industrielles.

16 bd Carnot, 10014 Troyes, ☎ 03 25 82 62 70. www.ot-troyes.fr

Pour poursuivre la visite, voir aussi : PROVINS, REIMS, AUXERRE, SENS, CHÂLONS-EN-CHAMPAGNE, LANGRES.

se promener

LE VIEUX TROYES★★

Au Moyen Âge, Troyes comptait deux quartiers distincts : la cité, centre aristocratique et ecclésiastique autour de la cathédrale ; et le bourg, bourgeois et commerçant, où se tenaient les foires de Champagne.

Ruelle des Chats★

Vision médiévale que celle de ces maisons aux pignons si rapprochés de part et d'autre de la ruelle, qu'un chat peut aisément sauter d'un toit à l'autre. Les bornes à l'entrée de la ruelle empêchaient les roues des chariots de heurter les murs. La nuit, comme la plupart des autres voies, une herse la fermait.

carnet pratique

RESTAURATION

• À bon compte

Aux Crieurs de Vin – *4-6 pl. Jean-Jaurès - 10000 Troyes - ☎ 03 25 40 01 01 - fermé dim. et lun. - 10,50€ déj. - 15/30€.* Amateurs de bonnes bouteilles, cette maison saura vous séduire. D'un côté, la boutique de vins et spiritueux, de l'autre, le bistrot à l'atmosphère rétro. Côté cuisine, les plats retour du marché et le choix de poissons raviront les connaisseurs.

• Valeur sûre

Le Bistroquet – *Pl. Langevin - 10000 Troyes - ☎ 03 25 73 65 65 - fermé dim. sf le midi de sept. à juin - 17/24€.* Un air de brasserie parisienne au centre de la ville piétonne de Troyes. Grande salle joliment éclairée par une verrière décorée au plafond, banquettes de cuir, plantes vertes. Et une ambiance animée. Carte exclusivement à base de produits frais. Terrasse avec arbustes et lampadaires.

HÉBERGEMENT

• À bon compte

Les Comtes de Champagne – *56 r. de la Monnaie - 10000 Troyes - ☎ 03 25 73 11 70 - infos@comtesdechampagne.com - P - 29 ch. : 31/55€ - 5€.* Cet hôtel composé de quatre maisons du 12e s. aurait jadis appartenu aux comtes de Champagne qui fabriquaient ici leur monnaie. Chambres du 1er étage entièrement rénovées. L'impressionnante cheminée de la salle des petits déjeuners témoigne de l'ancienneté du lieu.

De La Bonne Fermière – *Pl. de l'Église - 10450 Bréviandes - 7 km au N de Troyes par N 71 dir. Dijon - ☎ 03 25 82 45 65 - P - 13 ch. : 39/42€ - 6€.* Ce paisible petit hôtel vient de changer de look : ses chambres se parent désormais de jolies couleurs printanières et sont toutes équipées d'une literie neuve. L'accueil y est très sympathique et le rapport qualité-prix excellent.

• Valeur sûre

Hôtel de Troyes – *168 av. du Gén.-Leclerc - 10000 Troyes - ☎ 03 25 71 23 45 - P - 23 ch. : 42/47,50€ - 6€.* Pour faire une halte à la sortie de la ville. Les chambres de cet hôtel moderne sont fonctionnelles, bien entretenues et correctement insonorisées. Agréable salon sous verrière agrémenté de plantes vertes.

S. Sauvignier/MICHELIN

Cathédrale St-Pierre-et-St-Paul★★

Construite du 13e au 17e s., cette église est remarquable par la richesse de sa décoration et la beauté de sa nef. La façade (début 16e s.), très ouvragée, est ornée d'une belle rose flamboyante. Contournez la cathédrale par la gauche pour admirer le portail du transept Nord (13e s.) et son immense rose.
L'élégance de l'architecture, l'harmonie des proportions et l'éclat des **verrières★★** soulignent l'admirable perspective de la nef et du chœur.

Basilique St-Urbain★

Elle illustre l'art gothique champenois du 13e s. Longez l'édifice jusqu'au chevet pour admirer la légèreté des arcs-boutants, l'élégance des fenêtres, la grâce des pinacles, des gargouilles. À l'intérieur, tout l'intérêt se concentre sur le chœur, construit d'un seul jet. Exemple rare au début du gothique, les verrières occupent une surface considérable, réduisant les murs à une simple ossature de pierre.

Église Ste-Madeleine★

C'est la plus ancienne église de Troyes. L'église primitive de la fin du 12e s. a été très remaniée au 16e s. À l'intérieur, toute l'attention est attirée par le remarquable **jubé★★** de pierre. De style flamboyant, il fut exécuté de 1508 à 1517. Le chœur est orné de grandes **verrières★** Renaissance au coloris éclatant.
Dans le bas-côté droit contre un pilier de la nef, belle statue de **sainte Marthe★**.

Église St-Pantaléon★

Cette église du 16e s., voûtée de bois au 17e s., éclairée de hautes verrières Renaissance la plupart en grisaille, présente un surprenant balcon sinueux et une importante collection de **statues★** provenant d'églises détruites à la Révolution.

visiter

Musée d'Art moderne★★

♿ *Tlj sf lun. 11h-18h. Fermé fêtes légales. 4,60€, gratuit mer. et 1er dim. de chaque mois.* ☎ *03 25 76 26 80.*
En 1976, Pierre et Denise Levy, industriels troyens, firent don à l'État de l'importante collection d'œuvres d'art qu'ils avaient rassemblée depuis 1939, soit 388 peintures (fin du 19e s. et début du 20e s.), 1 277 dessins, 104 sculptures, des verreries Art déco et des pièces d'art africain et océanien. Elle est riche en œuvres des **peintres fauves★★**. Les œuvres plus récentes comptent des tableaux de Robert Delaunay, avant sa période abstraite, des œuvres de Roger de La Fresnaye, de Modigliani, de Soutine, de Buffet, de Nicolas de Staël, de Balthus et de nombreuses toiles de Derain postérieures à sa période fauve.
▶▶ Maison de l'outil et de la pensée ouvrière★★ ; Hôtel de Vauluisant★ (Musée historique de Troyes et de Champagne★) ; Musée St-Loup (beaux-arts et archéologie★)

découvrir

LES LACS

Lac et forêt d'Orient★★

15 km à l'Est de Troyes, soit par la D960, soit par la N 19. Le vaste parc naturel régional créé autour du lac d'Orient arrive aux portes de Troyes avec, à son autre extrémité, le **parc d'attractions de Nigloland**, à côté de Bar-sur-Aube.
Le tour, par la route ou en partie avec le train touristique, offre de beaux points de vue. Ils constituent une excellente base d'observation de la nature, surtout lors du passage des grands oiseaux migrateurs, d'octobre à mars. La **Maison de l'oiseau et du poisson** est installée dans une ferme du bocage champenois. *Juil.-août : 10h30-18h30; le reste de l'année sur demande. 5,50€.* ☎ *03 26 74 00 00.*
Près de la **réserve ornithologique** aménagée dans la partie Nord-Est du lac, un parc de vision animalier permet d'observer sangliers, cerfs et chevreuils.

> **Loisirs-Détente**
> Les lacs se prêtent au tourisme familial et offrent de nombreuses possibilités de loisirs : ports de plaisance, stations nautiques, plages de sable surveillées, pratique de la voile et de la plongée, zone d'évolution pour les bateaux à moteur et le ski nautique, pêche de jour ou de nuit, sentiers de randonnées pédestres qui permettent de ne pas trop s'éloigner des rives.

Lac du Der-Chantecoq★★

60 km au Nord-Est de Troyes par la D960 et la D400. Près de Saint-Dizier et de Vitry-le-François, ce lac capte les eaux de la Marne, protégeant Paris des inondations. C'est le plus vaste d'Europe occidentale (4 800 ha); il possède le plus grand port de plaisance en eau douce de France et six plages. Pays de prairies où paissent chevaux et bovins, de bois, d'étangs, le Der est une contrée originale, aux villages entourés de vergers, dont les maisons et les églises ont été construites en bois dans ce pays

S. Sauvignier/MICHELIN

Depuis l'observatoire de Champaubert, près du Lac du Der.

pauvre en pierre. Il fut longtemps le pays des bûcherons et des vanniers. **Musée du Pays du Der*** – ♿ *Juil.-août : 9h-19h15, w.-end et j. fériés 9h30-19h15 ;avr.-sept. : 9h-18h15, w.-end et j. fériés 9h30-18h15 ; oct.-mars : 9h-17h15, w.-end et j. fériés 9h30-17h15. Fermé janv. 3,80€ (enf. : 2,50€). ☎ 03 26 41 01 02.*

À Ste-Marie-du-Lac-Nuisement se dressent des bâtiments à pans de bois sauvés des eaux. Autour de l'église, vous verrez la grange des Machelignots qui regroupe les arts et traditions champenois (costumes, maquettes de maisons à pans de bois, reconstitutions d'ateliers d'artisans), la mairie-école qui abrite la Maison de la nature (aquarium, fourmilière, terrarium), la maison du forgeron (buvette, produits régionaux), un pigeonnier et un four à pain.

alentours

Colombey-les-Deux-Églises

68 km à l'Est de Troyes par la N 19. À l'orée de la forêt des Dhuits, Colombey doit sa notoriété à Charles de Gaulle qui y possédait, depuis 1933, la propriété de **la Boisserie**, dont on visite un salon du rez-de-chaussée. ♿ *Mai-sept. : tlj sf mar. 10h-12h, 14h-18 ; oct.-avr. : tlj sf mar. 10h-12h, 114h-17h30. Fermé déc.-janv. 4€. ☎ 03 25 01 52 52.* Sa tombe se trouve dans le cimetière du village. Le **Mémorial**, inauguré le 18 juin 1972, dresse sa croix de Lorraine sur la « Montagne » dominant le village et les forêts des alentours, dont la forêt de Clairvaux. *Avr.-oct. : tlj sf mar. 10h-12h30, 14h-17h45 ; nov.-mars : tlj sf mar. 10h-12h, 14h-16h. Fermé de mi-déc. à mi-janv. 4€. ☎ 03 25 01 50 50.*

Val-d'Isère***

Au fond de son val encaissé où coule l'Isère naissante, Val-d'Isère s'affirme comme l'une des plus prestigieuses stations de montagne des Alpes. Elle s'est développée, à 1 850 m d'altitude, au pied de l'imposant rocher de Bellevarde, de la Tête du Solaise et des hauts sommets de la réserve naturelle de la Grande Sassière.

La situation

1 632 Avalins – Cartes Michelin Local 330 M-O 4-6, Regional 523 – Le Guide Vert Alpes du Nord – Savoie (73). Loin du gigantisme, le village de Val-d'Isère s'est agrandi dans un style qui n'a pas renié la pierre et le bois autour de son église romane qui renferme un beau retable baroque.

73150 Val-d'Isère, ☎ 04 79 06 06 60. www.valdisere.com

Pour poursuivre la visite, voir aussi : COURCHEVEL, BRIANÇON.

carnet pratique

Restauration

• *Valeur sûre*

La Ferme de l'Adroit – *À l'Adroit - 73150 Val-d'Isère - ☎ 04 79 06 13 02 - fermé mai, juin et 1er nov. au 15 déc. - 22,87/32,01€.* Une ferme de 60 vaches aux portes de Val-d'Isère ! En plus de la visite et de la vente de fromages, elle vous servira petits déjeuners costauds, goûters sympathiques et repas dans une salle qui expose la vie savoyarde d'autrefois. Six chambres.

Hébergement

• *Valeur sûre*

Hôtel Le Kern – *La Grange - immeuble Les Trois Bises - 73150 Val-d'Isère - ☎ 04 79 06 06 06 - fermé mai à nov. - 20 ch. : 60,98/129,58€.* En retrait de la rue principale, cet hôtel discret a le confort douillet d'une maison avec veilles poutres, bois patinés et meubles anciens. Les chambres, sans être luxueuses, sont impeccables. Bonne idée, les prix incluent le petit déjeuner !

séjourner

Domaine skiable

Réputé pour son ambiance familiale et sportive, Val-d'Isère doit son succès à un enneigement abondant et à l'étendue de ses champs de neige. Les skieurs confirmés ne manqueront pas d'essayer la Face de Bellevarde, la «S» de Solaise, l'Épaule du Charvet, le Tunnel vers l'Iseran... Les possibilités de ski de randonnée sont importantes avec une trentaine de cols et sommets avoisinant les «3000» dans un rayon de 10 km.
La mise en commun du domaine skiable avec **Tignes***** sous le nom d'**Espace Killy***** donne à la station une autre dimension. Ce domaine a acquis une renommée internationale grâce à sa dimension (100 km^2), la haute qualité de son enneigement (ski toute l'année sur la Grande Motte) et le caractère grandiose de ses paysages de haute montagne. Val-d'Isère, très encaissée, s'adresse aux bons skieurs tandis que Tignes satisfait les skieurs moins téméraires. Elle permet le retour à la station, skis aux pieds, ce qui est appréciable...

circuit

MASSIF DE LA VANOISE★★★

Le massif de la Vanoise, qui occupe près du tiers de la superficie de la Savoie, s'étend entre les vallées de l'Isère au Nord et de l'Arc au Sud et jouxte le parc italien du Grand Paradis à l'Est. S'il existe un paradis du skieur, du randonneur et de l'alpiniste, le massif de la Vanoise mérite de l'être. Tout cela dans des paysages grandioses où poussent quelque 1000 espèces de fleurs et où gambadent, entre autres, bouquetins, chamois et marmottes...
De belles routes permettent de faire le tour complet du parc. Cependant, l'automobile n'offre pas la possibilité de découvrir le cœur du massif. Les plus beaux paysages sont accessibles à skis en hiver et à pied en été.
Au départ de Val-d'Isère, la **route de l'Iseran★★★** établit une superbe liaison entre la Tarentaise et la Maurienne. Au **belvédère de la Tarentaise** – *1/4h à pied AR* –, on découvre le **panorama★★** sur les massifs de la Vanoise.
En haut du **col de l'Iseran★** (altitude 2764 m), la neige subsiste pendant tout l'été. Au pied du col, la station de **Bonneval-sur-Arc★★** a préservé son vieux village.

Valence★

Valence doit son développement à sa situation sur le Rhône, au débouché des vallées affluentes du Doux, de l'Eyrieux, de l'Isère et de la Drôme. Dominée par sa cathédrale, la cité est bâtie sur un ensemble de terrasses descendant vers le fleuve. Le vieux Valence, entouré de boulevards percés au 19e s. à l'emplacement des remparts, conserve un lacis de ruelles commerçantes, animées en saison par les «Fêtes de l'été».

La situation

117448 Valentinois – Cartes Michelin Local 332 C 4, Regional 524 – Le Guide Vert Lyon et la Vallée du Rhône – Drôme (26). La ville, très bien desservie par un large réseau de communications (autoroute A7, RN 7, Rhône, TGV, aéroport), est un pôle d'attraction pour les départements de la Drôme et de l'Ardèche.
Parvis de la Gare, 26000 Valence, ☎ 0475449040. www.tourisme-valence.com
Pour poursuivre la visite, voir aussi: GRENOBLE, LE VERCORS, MONTÉLIMAR, LYON.

se promener

Champ-de-Mars

Cette vaste esplanade, établie en terrasses, face au Rhône, domine le parc Jouvet. Le belvédère procure une belle **vue★** sur la montagne de Crussol.

Cathédrale St-Apollinaire

C'est un vaste édifice roman en grande partie reconstruit au 17e s. À l'**intérieur★**, l'influence du style roman auvergnat est manifeste. Notez la profondeur, inhabituelle dans les édifices rhodaniens, des croisillons du transept.

Musée des Beaux-Arts

Juin-sept.: tlj sf lun. 10h-12h, 14h-18h45, dim. 14h-18h45, oct.-mai: tlj sf lun. 14h-17h45. Fermé j. fériés 4,60€ (-16 ans: gratuit), gratuit 1er dim. du mois. ☎ 0475792080.

carnet pratique

RESTAURATION

• *Valeur sûre*

L'Auberge du Pin – *285 bis av. Victor-Hugo - 26000 Valence - ☎ 04 75 44 53 86 - fermé mer. d'oct. à mai - 27€.* Quel bonheur que ce bistrot provençal ! Atmosphère chaleureuse et déco aux couleurs du Sud, vives et gaies, avec tables en fer forgé, chaises en paille et produits régionaux en vitrine... Là, ou à l'abri des arbres centenaires de la terrasse en été, prenez le temps de vivre !

Le Chaudron – *7 r. St-Antoine - 07300 Tournon-sur-Rhône - 18 km au N de Valence par N 86 - ☎ 04 75 08 17 90 - fermé 5 au 25 août, 24 déc. au 3 janv., jeu. soir et dim. - 20,58/27,44€.* Dans un quartier semi-piéton entre les quais et l'hôpital, ce restaurant au décor chaleureux avec banquettes de cuir, chaises bistrot et boiseries claires, ouvre sa jolie terrasse en été et sert une cuisine gourmande au goût du jour... Un succès de la ville !

HÉBERGEMENT

• *À bon compte*

Hôtel St-Jacques – *9 fg St-Jacques - 26000 Valence - ☎ 04 75 78 26 16 - P - 29 ch. : 33/45€ - ☕ 6€ - restaurant 11,60/22€.* Pas très loin du centre, cet hôtel moderne est une adresse pratique : ses chambres, qui sont toutes refaites, sont plutôt simples mais bien insonorisées. Au restaurant, plusieurs menus sont servis dans une salle assez chaleureuse en trois parties.

Chambre d'hôte La Mare – *Rte de Montmeyran - 26800 Étoile-sur-Rhône - 15 km au SE de Valence par D 111 et D 111B - ☎ 04 75 59 33 79 - ⊠ - 6 ch. : 27/40€ - repas 13,50€.* Cette ferme familiale est une étape sur mesure pour apprécier le savoir-vivre des gens d'ici et le charme de la campagne drômoise. Coquettes chambres dotées de meubles fabriqués « maison ». Le petit déjeuner gourmand se compose de confitures concoctées avec les produits du jardin et de pâtisseries préparées par la maîtresse des lieux.

ACHATS

Nivon – *17 rue Pierre-Semard - 26000 Valence - ☎ 04 75 44 03 37 - www.nivon.com - mar.-sam. 6h-20h, dim. 5h30-20h et j. fériés - fermé dernière sem. janv. et 3 sem. juil.* Fondée en 1852 et dirigée depuis trois générations par la famille Maurin, la pâtisserie Nivon fabrique merveilleusement deux spécialités locales : la pogne, brioche dauphinoise faite sur levain au beurre parfumée à la fleur d'oranger, au rhum ou au citron, et le Suisse, qui est une pâte sablée avec des écorces d'orange confites pilées dans la pâte et parfumée de la même façon que la pogne.

Son principal intérêt réside dans une collection de **97 sanguines**★★, dessins et peintures du paysagiste **Hubert Robert** (1733-1808). Le musée conserve également un intéressant ensemble de paysagistes de l'école de Barbizon et du préimpressionnisme. La section d'art contemporain rassemble autour de Bram Van Velde, Michaux, Hantaï, Bryen et des sculpteurs B. Pagès, M. Gérard, Toni Grand, des œuvres illustrant le courant abstrait de la seconde moitié du 20e s.

circuit

ROUTE PANORAMIQUE★★★

44 km. De Valence à Tournon-sur-Rhône, la D287 tracée en corniche offre d'extraordinaires points de vue.

Crussol★★

Le **site**★★★ est l'un des plus grandioses de la vallée du Rhône. Au 12e s., Bastet de Crussol établit ici son château fort qui sera en partie abattu au 17e s.

On gagne les ruines du village fortifié et du château par un sentier *(1h à pied AR)*. À l'intérieur du donjon, un belvédère aménagé offre une superbe vue sur la plaine valentinoise, le barrage de Bourg-lès-Valence et le confluent du Rhône et de l'Isère. Le Vercors, Roche-Colombe et les Trois-Becs dessinent un magnifique arrière-plan.

Le sentier suivant la crête escarpée *(comptez 1/2h de plus)*, au Sud, offre un point de **vue**★★ sur les ruines qui jaillissent du roc et sur les derniers contreforts du Massif central.

La montagne de Crussol porte, 200 m au-dessus de la plaine, les célèbres ruines du château de Crussol.

S. Sauvignier/MICHELIN

St-Romain-de-Lerps★★★

Deux balcons d'orientation sont aménagés près d'une chapelle. Le panorama immense couvre 13 départements. C'est le plus grandiose de la vallée du Rhône.

Tournon-sur-Rhône★

Située au pied de superbes coteaux granitiques, Tournon, comme sa jumelle **Tain-l'Hermitage**, au vignoble fameux, est une ville commerçante fort animée. Des quais ombragés, les terrasses d'un vieux château et des ruines perchées composent un paysage rhodanien caractéristique.

CORNICHE DE L'EYRIEUX★★★

90 km. Quitter Valence vers le Sud par la N86, gagner St-Laurent-du-Pape par la D 120 à droite et prendre rapidement encore à droite la D 21 en direction de Vernoux.

Cette très belle route de crête offre, à la montée vers le col de Serre-Mure (alt. 765 m), des vues sur les serres du Vivarais, le haut bassin de l'Eyrieux, le pays des Boutières et sur le versant Ouest du piton de Pierre-Gourde.

Vernoux-en-Vivarais

Sur le plateau vivarois, au centre d'une cuvette harmonieuse, Vernoux offre de loin une agréable silhouette de gros bourg, ramassé autour de la flèche de son église. Les ruines du **château de la Tourette,** qui marquait jadis l'entrée des États du Languedoc, apparaissent dans un **site★** très sauvage.

Rejoindre Boffres, 8,5 km au Nord-Est par la D14 et D219.

Boffres

Bâti sur un ressaut de terrain, au pied de sa simple église de granit rose et des vestiges d'un château fort, le village domine un paysage encadré de châtaigneraies.

Rejoindre le carrefour avec la D14 et prendre, à gauche, la D232. Au Moulin-à-Vent, prendre à droite la D266.

Panorama du château de Pierre-Gourde★★

Ce château en ruine occupe un **site★** magnifique. Au pied du piton qui portait le donjon apparaissent les vestiges du corps de logis, des pans de murs de l'enceinte fortifiée et du village féodal.

Au cours de la descente, deux virages panoramiques offrent des vues impressionnantes sur la vallée de l'Eyrieux.

Vannes★★

Bâtie en amphithéâtre au fond du golfe du Morbihan, Vannes conserve des remparts qui protègent la cité médiévale bretonne groupée autour de la cathédrale. C'est le point de départ idéal pour découvrir les mégalithes de Carnac, les îles du golfe, et déguster les fruits de mer dans les petits ports.

La situation

51 759 Vannetais – Cartes Michelin Local 308 O 9, Regional 517 – Le Guide Vert Bretagne – Morbihan (56). On a tout intérêt à laisser son véhicule près de la gare maritime ou place de la République, car il est très difficile de stationner dans le centre.

1 r. Thiers, 56000 Vannes, ☎ 02 97 47 24 34. www.pays-de-vannes.com/tourisme

Pour poursuivre la visite, voir aussi : NANTES, RENNES, QUIMPER, ST-MALO.

se promener

Enfermée dans ses remparts et groupée autour de la cathédrale St-Pierre, la **vieille ville★★** a été aménagée en zone piétonne.

Maison de Vannes

Cette demeure médiévale est ornée de deux bustes en granit, aux visages hilares. Ces figures populaires sont connues sous le nom de « Vannes et sa femme ».

Place Henri-IV★

Par la rue des Halles et la rue St-Salomon bordée de vieilles demeures, on gagne cette place aux jolies maisons à pignons (16e s.).

La Cohue★

La Cohue est le terme fréquemment employé en Bretagne pour désigner les halles, le lieu de commerce et de la justice. Au 13e s., la salle basse abritait une foule de petites échoppes, tandis que dans la salle haute siégeait la justice ducale.

Cathédrale St-Pierre★

Elle fut érigée du 13e au 19e s. On y entre par le beau portail du transept (gothique flamboyant, avec niches Renaissance). À l'entrée, à gauche, un tableau évoque la mort de saint Vincent Ferrier en présence de la duchesse de Bretagne.

carnet pratique

Restauration

• *À bon compte*

La Cave Saint-Gwenaël – *23 r. St-Gwenaël - 56000 Vannes - ☎ 02 97 47 47 94 - fermé janv., fin sept. à déb. oct., lun. sf le soir en été et dim. - 9€.* Une halte s'impose dans cette maison à colombages du 15e s. devenue crêperie. Intérieur rustique réchauffé d'une cheminée ornée de boiseries anciennes et, au sous-sol, cave médiévale agrémentée d'une fontaine du 13e s. Préparations à base de farine « bio ».

Le Gavroche – *17 r. de la Fontaine - 56000 Vannes - ☎ 02 97 54 03 54 - fermé dim. et lun. - réserv. conseillée - 12,50/20,75€.* Dans une rue envahie par les restaurants de toutes nationalités, voici une adresse qui sort du lot. La cuisine mitonnée y est on ne peut plus traditionnelle : blanquette, foie gras maison... Délicieuse terrasse intérieure rafraîchie par une fontaine. Pousse-café offert.

Le Perroquet Vert – *Rte de Bangor : 1 km - 56360 Belle-Île - ☎ 02 97 31 32 50 - fermé 1re sem. de janv., 1re sem. de sept., déc., mer. sf vac. scol. et dim. - 12,65/20,12€.* Belles tartes salées, salades, plat du jour et desserts frais : vous devriez vous régaler dans cette maison aux couleurs vives disposant d'une petite salle à manger genre bistrot, d'une terrasse pour l'été et d'un espace jeux pour les enfants. Vente à emporter.

Hébergement

• *À bon compte*

Le Marina – *4 pl. Gambetta - 56000 Vannes - ☎ 02 97 47 22 81 - lemarinahotel@aol.com - fermé Noël et J. de l'an - 14 ch. : 32/52€ - ☕ 5,40€.* Les chambres de cet hôtel situé au centre-ville, face au port, sont rénovées : papier peint changé, insonorisation revue, nouvelle literie ; une dizaine d'entre elles profitent de la vue sur les voiliers. Adresse pratique pour découvrir la ville à pied.

Guerlan – *À Guerlan - 56400 Plougoumelen - 12 km à O de Vannes par N 165 et rte secondaire dir. Plougoumelen - ☎ 02 97 57 65 50 - fermé janv. à mars - ⊠ - 5 ch. : 35/42€.* Cette imposante bâtisse du 18e s. est un pied-à-terre très pratique pour partir à la découverte du golfe du Morbihan. Ses chambres, où cohabitent l'ancien et le moderne, sont d'une propreté exemplaire ; l'une d'elles est prévue pour les familles. Sur demande, visite de la ferme.

• *Valeur sûre*

Manche Océan – *31 r. du Lt-Col.-Maury - 56000 Vannes - ☎ 02 97 47 26 46 - fermé 20 déc. au 10 janv. - 41 ch. : 56/69€ - ☕ 6,80€.* Au cœur de la ville, hôtel fonctionnel construit dans les années 1950, où l'on choisira de préférence les chambres du 5e étage, tout juste rénovées. Petit déjeuner sous forme de buffet. Le salon a un petit air colonial des plus plaisants.

Achats

Pâtisserie-confiserie Pétrel – *Pl. de l'Hôtel-de-Ville - 56360 Le Palais (Belle-île) - ☎ 02 97 31 85 12 - juil.-août : tlj 8h-20h ; sept.-juin : tlj sf mer. 8h30-19h - fermé de déb. mars à fin mars et de déb. oct. à fin oct.* Faites une petite escale gourmande chez ce pâtissier-confiseur qui réalise, entre autres, sablés de la citadelle, caramels et rochers de Belle-Île-en-Mer.

Loisirs-Détente

Navix – *Allée Loïc-Caradec - Parc du Golfe - 56000 Vannes - ☎ 02 97 46 60 00 - www.navix.fr - avr.-sept. : tlj 9h-18h.* Croisières dans le golfe du Morbihan, l'une des plus belles baies du monde. Déjeuner et dîner-croisières, croisières-découvertes du golfe et des îles du large (Belle-Île et Houat).

H. Dewynter/MICHELIN

Remparts★

De la promenade de la Garenne, la **vue**★★ se développe sur le coin le plus pittoresque de Vannes: le ruisseau qui coule au pied des remparts élevés au 13e s. sur des vestiges gallo-romains, les jardins à la française, la cathédrale à l'arrière-plan composent un tableau qui a tenté de nombreux peintres. Du petit pont conduisant à la porte Poterne, on domine des **lavoirs**★ ourlés d'une longue toiture.

Aquarium océanographique et tropical★

♿ *Juin-août: 9h-20h; avr.-sept. : 9h-12h30, 13h30-19h ; oct.-mars: 13h30-18h ; vac. scol. : 10h-12h30, 13h30-18h. Fermé 1er janv. et 25 déc. 8,05€ (enf.: 4,95€). ☎ 02 97 40 67 40.*

Dans plus de cinquante bassins où les milieux naturels ont été reconstitués évoluent des poissons provenant de toutes les eaux du monde. Un bassin recrée un récif corallien avec ses nombreuses espèces de poissons. Une grande fosse présente les requins de récif, et, exceptionnel, un énorme poisson-scie.

découvrir

LES MÉGALITHES DE CARNAC**

Au Nord de Carnac, une promenade fait découvrir l'essentiel des monuments mégalithiques de la région.

32 km à l'Ouest de Vannes par la N165 au-delà d'Auray, puis la D768.

Alignements du Menec**

Datés approximativement du néolithique moyen (3000 avant J.-C.), ces alignements s'étendent sur plus d'un kilomètre. Ils comptent 1099 menhirs; le plus élevé mesure 4 m de haut. Leur orientation est Sud-Ouest/Nord-Est. Un cromlech se trouve à chacune des extrémités: l'un comprend 70 menhirs, l'autre 25 seulement (très abîmé).

POUR L'AVENIR

Sur le site du Menec, le piétinement des innombrables visiteurs a fini par constituer un réel danger pour la conservation des mégalithes. Les alignements de Carnac ont donc été clôturés par les pouvoirs publics, le temps que la végétation stabilise le sol et empêche ainsi le déchaussement des menhirs.

Alignements de Kermario**

Juil.-août: visites-conférences guidées sur réservation. 4€. ☎ 0297522981.

Ici, 1029 menhirs sont disposés en 10 lignes parallèles sur 1120 m de long. Ils sont sensiblement contemporains de ceux du Menec. De la passerelle latérale, on observe la progression de la taille des menhirs d'Est en Ouest.

Musée de Préhistoire J.-Miln-Z.-Le-Rouzic**

♿ *Juin-sept.: 10h-18h, w.-end 10h-12h, 14h-18h; oct.-mai: tlj sf mar. 10h-12h, 14h-17h. Fermé 1er janv. et 25 déc. 4,65€ (mai-sept.), 3,90€ (oct.-avr.). ☎ 0297522204. www.museedecarnac.com*

Il rassemble d'exceptionnelles collections allant du paléolithique inférieur au début du Moyen Âge. La visite se déroule selon un ordre chronologique. Des vitrines expliquent l'architecture mégalithique, la vie quotidienne au néolithique, période où l'homme devient agriculteur et éleveur. Le premier étage est consacré à l'âge du bronze et à la période romaine.

CAIRN DE GAVRINIS**

Dép. depuis la cale de Penn-Lannic à Larmor-Baden tous les 1/4h précédant la visite. Juil.-août.: visite guidée (1h1/4) 9h30-12h30, 13h30-19h; avr., juin et sept.: 9h30-12h30, 13h30-18h30; mai: 13h30-18h30, w.-end et j. fériés 9h30-12h30, 13h30-18h30; oct.: tlj sf mar. 13h30-17h. 9,50€. Il est recommandé de réserver sa place en haute sais. Sagemor, ☎ 0297571938.

Construit au néolithique sur l'île de Gavrinis, voici environ 5000 ans, ce cairn est l'un des plus intéressants monuments mégalithiques de Bretagne. Constitué de pierres amoncelées sur une butte, il atteint 6 m de haut et 50 m de diamètre. Une galerie couverte mène à la chambre funéraire. Cette petite pièce est recouverte d'une seule pierre de granit, reposant sur des supports ornés de dessins.

circuits

GOLFE DU MORBIHAN**

D'une largeur de 20 km, cette petite mer intérieure parsemée de soixante îles ou îlots, est une destination recherchée pour la beauté de ses paysages. Barques de pêche, bateaux de plaisance et barges ostréicoles qui fréquentent Auray et le port de Vannes animent ce golfe, où pointe perpétuellement une voile.

50 km de Vannes à Locmariaquer. Quitter Vannes à l'Ouest par la D101.

De la **pointe d'Arradon***, la **vue*** sur le golfe du Morbihan permet de distinguer de nombreuses îles.

Larmor-Baden, charmante station balnéaire, abrite un petit port et un centre ostréicole important.

Après Le Bono, le nouveau pont offre une **vue*** sur la rivière du Bono, le port et le village, avec son vieux pont suspendu (1840) et ses bateaux de plaisance. Remarquez les tas de tuiles chaulées qui servent à recueillir le naissain d'huîtres.

Auray* possède un charmant petit port, très vivant en soirée, dans le quartier de St-Goustan.

Locmariaquer**, bien situé à l'entrée du golfe, est connu pour son important **ensemble mégalithique****. *À hauteur du cimetière prendre le chemin signalisé jusqu'au parking.* ♿ *Juin-sept.: 10h-19h (dernière entrée 1/2h av. fermeture); avr. mai: 10h-13h, 14h-18h; mars: 14h-17h; sept.-déc.: 10h-17h. 4€. ☎ 0297573759.*

Parmi ceux-ci, voyez le **Grand Menhir brisé** qui atteignait 20 m et pesait 48 t, et la **Table des Marchands**, où l'on observe des motifs sur la dalle de chevet.

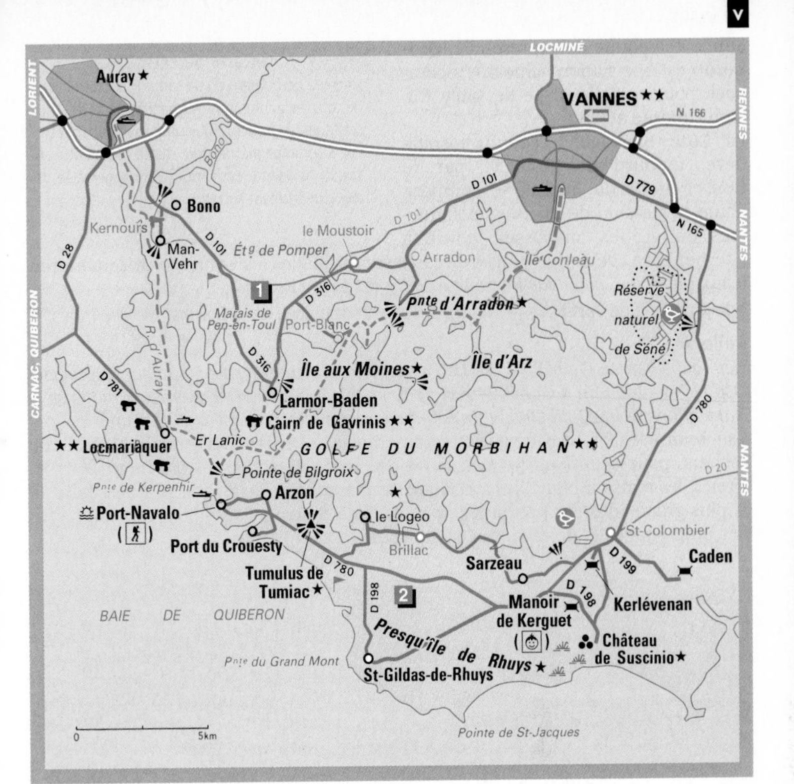

PRESQU'ÎLE DE RHUYS★

60 km. Quitter Vannes à l'Est par la N165 vers Nantes, puis prendre à droite la D780. Cette langue de terre et de sable ferme au Sud le golfe du Morbihan.

Sur la côte Sud de la presqu'île, **Sarzeau** étend de longues plages.

Port-Navalo🏖 est une sympathique station balnéaire, avec sa plage aux allures de carte postale, nichée dans une crique.

Le Crouesty, important port de plaisance, d'allure moderne, forme un véritable complexe qui abrite un centre de thalassothérapie.

St-Gildas-de-Rhuys doit son origine au monastère fondé au 6e s. par saint Gildas. Parmi les abbés qui le gouvernèrent, le plus célèbre fut Abélard, au 12e s.

Le **château de Suscinio★** fut la résidence préférée des ducs de Bretagne. Édifié au 13e s. et remanié aux 14e et 15e s., exploité comme carrière de pierres durant la Révolution, il ne conserve que six tours. Aujourd'hui, les salles du logis d'entrée, restaurées, abritent un intéressant musée consacré à l'histoire de Bretagne. *Juin-sept. : 10h-19h ; avr.-mai : 10h-12h, 14h-19h ; fév.-mars et de déb. oct.à mi-nov : tlj sf mar. 10h-12h, 14h-18h ; de mi-janv. à fin janv. : tlj sf mar. 10h-12h, 14h-17h. Fermé de mi-déc. à mi-janv. 5€ (enf. : 2€). ☎ 02 97 41 91 91.*

alentours

Château de Josselin★★

44 km au Nord-Est de Vannes par la D126. De mi-juil. à fin août : visite guidée (3/4h) 10h-18h ; juin et sept. : 14h-18h ; avr.-mai et oct. : w.-end, j. fériés, vac. scol. 14h-18h. 5,95€ (enf. : 4,12€), 10,67€ château et musée des Poupées (enf. : 7,47€). ☎ 02 97 22 36 45.

Au bord de l'Oust, le château de Josselin, qui appartient depuis le 15e s. à la famille de Rohan, surprend par l'à-pic de ses murailles. Donnant sur le parc qui occupe l'ancienne cour, la ravissante **facade★★** du corps de logis forme un contraste extraordinaire avec l'appareil fortifié de la face extérieure. On visite au rez-de-chaussée quelques pièces, dont le grand salon et la bibliothèque.

Installé dans les anciennes écuries du château, le **musée des Poupées** expose environ 600 poupées avec leurs accessoires, costumes et meubles miniatures.

Presqu'île de Quiberon★

32 km à l'Ouest par la N 165, puis la D 768. Cette ancienne île, que les apports d'alluvions ont rattachée à la terre par un isthme étroit – un tombolo –, déploie des dunes de sable où s'accrochent les pins maritimes, un impressionnant chaos rocheux sur la Côte Sauvage, ainsi que des plages très ouvertes, réputées pour leur ensoleillement.

Située à la pointe de la presqu'île, **Quiberon** est une station balnéaire recherchée pour sa belle plage de sable fin, bien exposée au Sud.

La **Côte Sauvage**★★, côte inhospitalière, aujourd'hui protégée par le Conservatoire du littoral, se compose d'une succession de falaises déchiquetées où grottes, crevasses, gouffres alternent avec de petites plages de sable sur lesquelles les vagues se brisent en rouleaux *(attention, baignade interdite à cause des lames de fond)*.

Galette ou crêpe ?

La crêpe de froment ou de sarrasin fait les délices de tous les gourmands. Au beurre, au sucre, à la confiture, au fromage, aux œufs, au jambon, etc., elle s'accompagne de cidre ou de lait baratté. À savoir : la galette de sarrasin se mange salée, la crêpe de froment sucrée.

▶▶ Citadelle de Port-Louis★★ (Trésors d'Océan et musée de la Compagnie des Indes★★)

Belle-Île★★★

Dép. quotidien de Quiberon vers Le Palais (5 à 12 rotations par j. suivant la période). Dép. de mi-juil. à fin août de Lorient (1AR/j., 1h). Société morbihannaise et nantaise de Navigation. ☎ 0820 056 000 (N° Indigo). www.smn-navigation.fr et 3615 smn

Son nom est déjà une invitation prometteuse... Des vallons entaillent de hauts rochers, pour aboutir à des plages ou des ports. Des champs alternent avec les ajoncs, les maisons blanchies à la chaux sont entourées de grasses prairies. Telle est la plus grande des îles bretonnes, avec sa **Côte Sauvage**★★★ offerte aux amoureux des promenades et de randonnées équestres.

G. Targat/MICHELIN

Un paysage quasi mythique de Belle-Île, Port Coton et ses Aiguilles.

Quittez **Le Palais** pour gagner **Sauzon**★, petit port qui occupe un joli **site**★. Puis poursuivez vers la **pointe des Poulains**★★. On découvre à gauche le fort Sarah Bernhardt, près duquel la tragédienne avait sa propriété.

À **Port Donnant**★★, la plage de sable, où déferlent des rouleaux, est encadrée de hautes falaises. Les **Aiguilles de Port Coton**★★ surgissent à l'extrémité de la route. **Bangor** est encadré par les sites les plus sauvages de l'île. Il tire son nom de l'abbaye de Bangor (Irlande du Nord) d'où sont venus les premiers moines installés sur l'île au 6e s. *Regagner Le Palais par la D190.*

Château de Vaux-le-Vicomte★★★

Édifié pour Nicolas Fouquet par de très grands artistes, et jalousé par Louis XIV, le château de Vaux préfigure la splendeur du palais de Versailles et demeure l'un des chefs-d'œuvre du 17e s. La promenade dans ses jardins imaginés par Le Nôtre est tout simplement inoubliable.

La situation

Cartes Michelin Local 312 F 4, Regional 513 – Le Guide Vert Île-de-France – Seine-et-Marne (77). Gare SNCF : Melun depuis la gare de Lyon. En voiture depuis Paris : prendre l'A 4 puis l'A 86 et la N 6 en direction de Melun. De là, la N36 et la D215 conduisent au château de Vaux qui est situé dans la vallée de l'Almont.

Pour poursuivre la visite, voir aussi : FONTAINEBLEAU, DISNEYLAND RESORT PARIS, PROVINS.

visiter

Château★ et jardins★★★

De déb. avr. à mi-nov. : 10h-18h ; de mi-mai à mi-oct. : visite aux chandelles sam. 20h-24h. 10€ (château, jardin et musée des Équipages), 13€ (soirée aux chandelles). ☎ *01 64 14 41 90. www.vaux-le-vicomte.com*

La majestueuse silhouette du château de Nicolas Fouquet est mise en valeur par l'harmonieuse composition des jardins. D'une famille de robe, Fouquet (1615-1680), entré au Parlement de Paris à 20 ans, devient surintendant des Finances de Mazarin. Les habitudes de ce temps et l'exemple du cardinal lui font user, pour son propre compte, des ressources de l'État. En 1656, il fait bâtir, dans sa seigneurie de Vaux, un château qui atteste sa réussite. Faisant preuve d'un goût excellent, il appelle auprès de lui trois grands artistes : Louis Le Vau, architecte, Charles Le Brun, décorateur, et André Le Nôtre, jardinier. Son choix n'est pas moins sûr dans les autres domaines : Vatel est son majordome, et il s'est attaché La Fontaine.
Le château est érigé sur une terrasse entourée de douves, formant socle au-dessus des jardins. La **façade Nord** est imposante : remarquez la surélévation du rez-de-chaussée et la hauteur de ses fenêtres désignant l'étage noble. L'ensemble est caractéristique de la première période de l'architecture Louis XIV.
À l'étage, on visite les appartements de Fouquet qui ont conservé leur décor d'origine et de belles pièces de mobilier.
De retour au rez-de-chaussée, passez dans la **Grande Chambre carrée**, seul aménagement Louis XIII du château avec son plafond à la française. Le **Grand Salon★** est resté inachevé à l'arrestation de Fouquet en 1661. La **chambre du Roi★★** est un modèle de style Louis XIV, annonçant les Grands Appartements de Versailles. Dans les **appartements de la duchesse et du maréchal de Villars★**, admirez le **lit à baldaquin★★**, remarquable par ses tapisseries brodées au petit point. L'ancienne salle à manger de Fouquet était sans doute l'actuelle **salle des Buffets**, communiquant avec un passage lambrissé et décoré de peintures, où des dressoirs recevaient les corbeilles de fruits, les plats apportés des cuisines, que l'on visite au sous-sol.

VAUX-LE-VICOMTE OU LA PARFAITE SYMÉTRIE

Si Le Nôtre (1613-1700) n'est pas considéré comme le véritable créateur du jardin à la française (17e s.-début 18e s.), il a amené cet art à la perfection. Vaux-le-Vicomte, sa première réalisation importante, attire l'attention du roi Louis XIV qui lui confie alors le soin d'aménager le parc de Versailles. Il concevra également Chantilly, St-Germain-en-Laye, Dampierre, Sceaux, St-Cloud, Meudon, Courances...
Le jardin à la française tel qu'il l'a imaginé est à la fois destiné à mettre en valeur le château et à offrir, des appartements, un majestueux spectacle. Les eaux, les grands arbres, les fleurs, les statues, les terrasses, une longue perspective en sont les éléments essentiels.
Devant le château est posé un « tapis de Turquie » : des parterres où fleurs et broderies de buis dessinent leurs arabesques. Des bassins symétriques aux margelles basses, animés de jets d'eau et, souvent ornés de statues agrémentent et couvrent la terrasse portant le château et l'aire qui lui fait suite, amorçant la perspective ouverte dans l'axe de l'édifice. Cette perspective, encadrée par des massifs réguliers de hauts arbres, est constituée par un tapis vert ou un canal.
Grâce à la grande variété que permettent le dessin de parterres et l'ornementation des massifs, la monotonie se trouve évitée dans ces jardins au tracé géométrique. Le plaisir que l'on en tire est d'ordre intellectuel. Ces jardins sont le théâtre de fêtes somptueuses où la Cour assiste à des jeux d'eaux, des feux d'artifice et des représentations théâtrales.

Le Vercors★★★

Forteresse dressée au-dessus de Grenoble, le Vercors est devenu le plus grand parc régional des Alpes du Nord. On y accède par des gorges étroites au fond desquelles bouillonnent rivières et torrents. Tout en haut, des paysages ouverts et amples évoquent, au Nord, le Canada et ses forêts, au Sud le Midi et ses steppes arides et inhabitées. Partout gouffres et grottes attirent les spéléologues. Les hivers rigoureux permettent le ski alpin comme le ski de fond.

La situation

Cartes Michelin Local 332 E-G 2-4, Regional 523 – Le Guide Vert Alpes du Nord – Isère (38) et Drôme (26). Le Vercors, région montagneuse du Dauphiné, où le réseau de routes touristiques est le plus dense, se présente, dans son ensemble, comme un haut plateau calcaire aux formes lourdes et puissantes, riche en forêts de hêtres et de résineux et profondément entaillé par les affluents de la basse Isère dont les gorges sont parcourues par des routes audacieuses.
i *Pl. Pietri, 26420 La Chapelle-en-Vercors,* ☎ *04 75 48 22 54 et pl. Mure-Ravaud, 38250 Villard-de-Lans,* ☎ *04 76 95 10 53. www.vercors-net.com*
Pour poursuivre la visite, voir aussi : SISTERON, GRENOBLE, VALENCE.

carnet pratique

Restauration

• *À bon compte*

Auberge des Montauds – *Bois-Barbu - 38250 Villard-de-Lans - 4 km à l'O de Villard-de-Lans par D 215, dir. Bois-Barbu - ☎ 04 76 95 17 25 - fermé nov. au 15 déc. - 13,57/26,68€.* L'établissement, juché sur les hauteurs de Villard, plaira aux personnes recherchant le calme, car après l'auberge la route s'arrête et laisse place à la nature. Salle de restaurant décorée sans recherche particulière. Cuisine régionale copieusement servie.

Hébergement

• *À bon compte*

Hôtel des Grands Goulets – *26420 Les Barraques-en-Vercors - ☎ 04 75 48 22 45 - hotel.grands.goulets@wanadoo.fr - fermé 16 sept. au 30 avr. - P - 29 ch. : 32/49€ - ☕ 5,80€ - restaurant 15,25/29,70€.* Cette longue et imposante bâtisse, en bordure de route, s'appuie sur la montagne. Si le temps le permet, quittez votre chambre et installez-vous sous le kiosque de sa terrasse, pour déjeuner. Pour la sieste, allez jusqu'au jardin.

circuits

GRANDS GOULETS***

36 km. Au départ de Villard-de-Lans, prendre la D 531 vers Pont-en-Royans.

La route passe par une cluse puis traverse le bassin des Jarrands, où aboutit la vallée de Méaudre. Elle s'enfonce dans la gorge qui se réduit à une fissure où elle dispute la place au torrent.

Au pont de la Goule Noire, prendre à gauche la D 103.

La Goule Noire

Cette importante résurgence est visible en aval du pont de la Goule Noire.

Entre le pont et les Clots, la route s'élève en corniche, procurant de jolies vues sur l'épanouissement verdoyant de la Balme, où débouche le vallon de Rencurel, et sur les falaises des rochers du Rang.

Des Clots aux Barraques, on parcourt le val de St-Martin-en-Vercors, dominé à l'Est par les grands escarpements urgoniens des Sapins du Vercors.

St-Martin-en-Vercors

Poste de commandement français pendant les combats de 1944.

Dès la sortie des Barraques-en-Vercors, la D518 se faufile au plus profond des Grands Goulets.

Grands Goulets***

Ils constituent la curiosité naturelle la plus sensationnelle du Vercors. Préalablement au parcours en auto, il est recommandé d'y faire un tour à pied *(1/4h environ AR)*, au moins jusqu'au deuxième pont. À hauteur des derniers tunnels, la Vernaison se dérobe en contrebas, et la route s'accroche à flanc de paroi. Retournez-vous après le dernier tunnel pour apprécier l'encaissement de la gorge, vers l'amont.

Petits Goulets*

Ce défilé doit son caractère aux longues lames rocheuses tranchantes qui plongent presque verticalement dans la rivière. Entre Ste-Eulalie et Pont-en-Royans apparaissent l'aimable pays du Royans et la dernière cluse de la Bourne.

GORGES DE LA BOURNE***

24 km. Entre Pont-en-Royans, qui marque l'entrée des gorges, et Choranche, la D531 se glisse dans la profonde coupure de cette cluse puis remonte la vallée. Après Choranche, la route se lance dans un parcours en corniche impressionnant.

Grotte du Bournillon

1 km à partir de la N 531, puis 1h à pied AR. Le sentier raide et pénible, coupé d'éboulis, aboutit à la base des escarpements qu'il faut continuer à longer, sur la gauche, pour parvenir à l'immense **porche*** de la grotte du Bournillon. Pousser au fond de la cavité, jusqu'à la passerelle, pour voir cette arche gigantesque sous son aspect le plus formidable.

Grotte de Coufin**

2,5 km à partir de la N531. Sept grottes se cachent dans les falaises qui entourent le village de Choranche. La visite de la **grotte de Coufin**** vous mène dans une vaste salle où des milliers de **stalactites fistuleuses**** se reflètent dans les eaux du lac.

♿ *Juil.-août : visite guidée (1h, dép. toutes les 1/2h) 9h30-18h30 ; mai-sept. : 9h30-12h, 13h30-18h30); avr. et oct. : 10h-12h, 13h30-18h ; nov.-mars : 10h30, 11h30, 12h30 (pdt vac. scol.) et 13h30, 14h30, 15h30, 16h30. 6,86€ (-14 ans : 4,57€). ☎ 04 76 36 09 88.*

La route traverse le bassin de la Balme, au débouché du vallon du Rencurel, s'enfonce ensuite dans le défilé de la Goule Noire décrit dans l'itinéraire précédent.

Gorges du Verdon★★★

Le plaisir, la peur, l'admiration, l'étonnement, le bonheur, l'amour de la nature, tout est à la mesure de vos émotions. Les gorges du Verdon donnent le spectacle grandiose, sans rival en Europe, de parois vertigineuses dans une nature sauvage. Cinq villages sentinelles veillent sur elles, avec l'aide du Parc naturel régional du Verdon et de quelques vautours fauves.

La situation

Cartes Michelin Local 334 E-F 10 – Regional 528 – Le Guide Vert Alpes du Sud – Alpes-de-Haute-Provence (04). Le Grand Canyon proprement dit va de Rougon à Aiguines et débouche dans le lac de Ste-Croix. La D 952 et la D 23 longent sa rive Nord; la D 71, sa rive Sud.

Parc naturel régional du Verdon, quartier St-Jean, 04360 Moustiers-Ste-Marie, ☎ 04 92 74 67 84.

Pour poursuivre la visite, voir aussi: SISTERON, TOULON, AIX-EN-PROENCE.

circuit

ROUTE DE LA CORNICHE SUBLIME★★★

La route va à la recherche des passages et des points de vue les plus extraordinaires. Et les 32 km de parcours du torrent entre le Point Sublime et le pont de Galetas font du canyon l'étape incontournable des amateurs d'activités d'eaux vives très sportives.

81 km. Quitter Castellane (voir «route Napoléon» au départ de Cannes) à l'Ouest et prendre la D 952. La route épouse la rive droite du Verdon dont les méandres sont dominés par des escarpements imposants. *À Pont-de-Soleils, prendre à gauche la D 955.* S'éloignant du Verdon, la route traverse un défilé, puis la verte vallée du Jabron.

Comps-sur-Artuby

Cette ancienne seigneurie des templiers, puis des hospitaliers de St-Jean-de-Jérusalem se tasse au pied d'un rocher. Au sommet, l'église St-André, édifice gothique du 13ᵉ s., était leur chapelle. *Quitter Comps à l'Ouest par la D 71.*

E. Baret/MICHELIN

Le lac de Sainte-Croix est le point d'arrivée du Verdon descendu de Castellane par les fameuses gorges.

Balcons de la Mescla★★★

De ces balcons, le regard plonge de 250 m sur la Mescla, «mêlée» des eaux du Verdon et de son affluent l'Artuby. Dans ce cadre sauvage et grandiose, le Verdon se replie autour d'une étroite crête en lame de couteau. Le belvédère supérieur, qu'on atteint par une courte marche, est le plus impressionnant.

Entre les deux **tunnels de Fayet** et juste après, **vue★★★** extraordinaire sur la courbe que décrit le canyon. Au-delà de la **falaise des Cavaliers★**, sur plus de 3 km, on domine le précipice de 250 à 400 m...

Au **Pas de l'Imbut**: vue plongeante sur le Verdon dominé par de prodigieuses falaises lisses; il disparaît sous un chaos de blocs écroulés, à 400 m en contrebas.

Cirque de Vaumale★★

Un coude marque l'entrée dans un cirque boisé. 700 m au-dessus du Verdon, la route atteint son point culminant à 1 204 m. À la sortie du cirque, la route s'écarte des gorges. Au loin, on découvre le Luberon, la montagne de Lure et le Ventoux.

Le **col d'Illoire★★** marque la sortie des gorges. Arrêtez-vous pour un dernier regard au Grand Canyon, dont l'entaille fuit en amont sans qu'on puisse voir le fond. On distingue l'éperon de la montagne Ste-Victoire.

Prendre à droite la D 957.

Lac de Ste-Croix★★

Il inonde le paysage d'un bleu émeraude si pur qu'on ne peut le quitter des yeux. Le Verdon et ses eaux vertes se mêlent à la sortie des gorges. Entouré de jolis villages provençaux et d'agréables plages, bien équipées pour les sports nautiques, ce lac n'existe que depuis 1975. Difficile à croire!

carnet pratique

Restauration

• *Valeur sûre*

L'Olivier – *04500 Ste-Croix-de-Verdon - ☎ 04 92 77 87 95 - fermé 2 nov. à Pâques et mer. sf juil.-août et le soir en oct. - 17/55€.* Un village accroché à la falaise dominant le lac de Sainte-Croix. Une maison toute simple... Installez-vous dans la véranda, et la vue éblouissante sur le lac restera longtemps dans votre mémoire... les menus vous donnent l'eau à la bouche, les produits sont bons et les prix raisonnables !

Le Luberon – *21 bis pl. des Terreaux - 04100 Manosque - ☎ 04 92 72 03 09 - fermé 1er au 17 sept., dim. soir et lun. sf du 14 juil. au 31 août - 17,53/39,64€.* Dans ce restaurant de la vieille ville, la cuisine ensoleillée et la belle carte des vins vous transporteront du côté de la Provence. Le cadre est simple, légèrement désuet, mais les habitués viennent ici pour la qualité de la table.

La Ferme Ste-Cécile – *Rte de Castellane - 04360 Moustiers-Ste-Marie - ☎ 04 92 74 64 18 - fermé vac. de fév., 18 nov. au 30 déc., dim. soir hors sais. et lun. - 20€ déj. - 29/42€.* Un peu de tranquillité à l'extérieur de Moustiers. Depuis la terrasse de ce restaurant installé dans une ancienne ferme, vous pourrez contempler la nature environnante. Dans les petites salles provençales, de bonnes odeurs de cuisine viendront vous chatouiller les narines et vous mettre en appétit.

Hébergement

• *À bon compte*

Hôtel du Terreau – *Pl. du Terreau - 04100 Manosque - ☎ 04 92 72 15 50 - hotelduterreau@wanadoo.fr - 21 ch. : 34/40€ - ☕ 5€.* Façade ravalée, insonorisation renforcée, literie neuve dans les chambres dont la décoration devrait être prochainement revue : cet hôtel n'a de cesse d'améliorer son confort. Accueil sympathique et situation intéressante.

• *Valeur sûre*

Grand Hôtel de Versailles – *17 av. Jean-Giono - 04100 Manosque - ☎ 04 92 72 12 10 - P - 20 ch. : 42,08/74,09€ - ☕ 5,79€.* Cet ancien relais de poste a eu la bonne idée de transformer son hall d'accueil et ses couloirs en lieu d'expositions (peintures et sculptures). Les chambres, personnalisées, sont peu à peu rénovées. Côté restauration : salades et charcuterie.

Hôtel Le Clos des Iris – *Le Pavillon St-Michel - 04360 Moustiers-Ste-Marie - ☎ 04 92 74 63 46 - closdesiris@wanadoo.fr - P - 6 ch. : 64,03€ - ☕ 7,93€.* Ce paisible mas noyé sous la verdure et les fleurs est déjà une récompense pour le regard. Chacune de ses chambres possède une petite terrasse à l'ombre d'une treille où grimpe un rosier. Les salles de bains habillées en faïence de Salernes sont superbes.

Moustiers-Ste-Marie★★

Ce village en amphithéâtre semble béni des dieux et ses très anciennes maisons étagées ressemblent à une crèche provençale sur fond de ciel bleu. Ce n'est pourtant pas son site exceptionnel qui fait son renom, mais la production depuis trois siècles d'une faïence fine à la blancheur de lait.

alentours

Plateau de Valensole★

C'est un vaste losange délimité par trois vallées (celles de la Bléone au Nord, de la Durance à l'Ouest, du Verdon au Sud) et coupé en deux par celle de l'Asse : au Nord, relief tourmenté ; au Sud, apparente platitude... Le traverser est un enchantement en mars, quand fleurissent les amandiers, ou en juillet, quand vient le tour de la lavande. Et dans son parfum bleu baignent d'antiques villages chargés d'histoire, tels que ceux de Valensole, **St-Martin-de-Brômes★**, Esparron-de-Verdon et **Gréoux-les-Bains✝✝**.

Manosque★

À l'Ouest des gorges du Verdon et à deux pas de la Durance, de longues avenues bordées de platanes mènent à une vieille cité toute ronde couchée sur les derniers coteaux du Luberon. Ses très hautes portes sont grandes ouvertes, mais derrière, seule une flânerie attentive dévoilera les secrets d'étroites rues provençales, de hautes maisons dont les toitures sont « agencées les unes aux autres comme les plaques d'une armure ». Ainsi les voyait Giono, dont l'âme vole sur la ville comme son hussard sur les toits...

La lavande

La plus provençale des fleurs est appréciée avant tout aujourd'hui pour ses qualités aromatiques ; mais sait-on qu'elle chasse les taupes, les mites, les mouches et les moustiques, en plus de parfumer agréablement le linge ? C'est aussi oublier ses nombreuses vertus médicinales : elle est tonique, antiseptique, stomachique, sédative et diurétique ; elle est préconisée contre l'insomnie, les vertiges, les rhumes, les digestions difficiles, les spasmes, l'asthme, l'eczéma. Diluée dans l'eau du bain, l'essence de lavande hydrosoluble apporte un bien-être immense. Les nombreuses foires et fêtes de la lavande offrent un large éventail de productions artisanales sur ce thème. Les distilleries sont ouvertes pendant la période estivale *(se renseigner aux offices de tourisme).*

Verdun★★

Témoin de la violence des combats sur les champs de bataille de 1914-1918, Verdun évoque, en filigrane, la colère et la tristesse devant la souffrance et la mort... Mais en réalité, la ville est aujourd'hui animée d'une nouvelle joie de vivre autour des bons vins du Toulois, de la mirabelle et de la dragée, qu'elle a inventée au 13e s., du massif boisé de l'Argonne et de la plaine de la Woëvre couverte d'étangs.

La situation

19 624 Verdunois - Cartes Michelin Local 307 D 4, Regional 514 - Le Guide Vert Alsace Lorraine - Meuse (55). Nombreux parkings dans le centre : rue du 8-Mai-45, rue des Tanneries, place de la Digue, place St-Nicolas, rue des Frères-Boulhaut, place Maginot et avenue du 5e-RAP.

Pl. de la Nation, 55016 Verdun, ☎ 03 29 86 14 18. www.verduntourisme.com

Pour poursuivre la visite, voir aussi : BAR-LE-DUC, NANCY, METZ.

découvrir

LA GUERRE ET LA PAIX

Citadelle souterraine★

Juil.-août : parcours reconstitution (1/2h) 9h-18h30 ; avr.-sept. : 9h-18h ; oct.-nov. : 9h-12h, 14h-17h ; déc.-mars : 10h-12h, 14h--16h30. Fermé 1er janv., 24, 25 et 31 déc. 5,40 (enf. : 2,30€). ☎ 03 29 86 14 18.

La citadelle a été bâtie sur l'emplacement de la célèbre abbaye de St-Vanne, fondée en 952, dont l'une des deux tours, la tour St-Vanne, du 12e s., est le seul vestige de l'ancien monastère que Vauban respecta en reconstruisant la citadelle.

Celle-ci abritait divers services et les soldats au repos. Ses 7 km de galeries étaient équipés pour subvenir aux besoins d'une véritable armée : magasins à poudre et à munitions, central téléphonique, hôpital, cuisines, boulangerie, boucherie, coopérative.

À bord d'un véhicule autoguidé, un **circuit**★★ fait revivre la vie quotidienne des soldats lors de la bataille de 1916, à l'aide d'effets sonores, de scènes animées (mannequins), d'images virtuelles (salle d'état-major, boulangerie), de reconstitutions, notamment celle de la vie dans une tranchée pendant les combats, et celle de la désignation du soldat inconnu.

carnet pratique

RESTAURATION

• *Valeur sûre*

Le Forum – *35 r. des Gros-Degrés - 55100 Verdun - ☎ 03 29 86 46 88 - fermé 22 juil. au 5 août, mer. soir et dim. - 9,91€ déj. - 15,25/22,87€.* Ancien comptable, le patron exerce aujourd'hui un tout autre métier : restaurateur... et peintre à ses heures. Sa femme cuisine et lui reçoit dans les deux salles de son restaurant, voûtées et décorées de ses œuvres. Une bonne adresse non loin du centre.

HÉBERGEMENT

• *Valeur sûre*

Chambre d'hôte Château de Labessière – *9 r. du Four - 55320 Ancemont - 15 km au S de Verdun par D 34 (rte de St-Mihiel) - ☎ 03 29 85 70 21 - rene.eichenauer@wanadoo.fr - fermé Noël et J. de l'an - - 3 ch. : 70€ - repas 25€.* Ce château du 18e s. a miraculeusement survécu aux dernières guerres. À taille humaine, ses chambres ne manquent pas de charme, avec leurs meubles de grand-mère, et sa salle à manger a du style. Un joli jardin et une piscine ajoutent au plaisir d'une halte.

ACHATS

Dragées Braquier – *3 r. Pasteur - 55100 Verdun - ☎ 03 29 86 05 02 - mar.-sam. 9h-12h, 14h30-19h.* Dans cette petite boutique à l'ancienne, vous trouverez les fameuses dragées de Verdun, celles mêmes que Gœthe avait achetées après la prise de la ville par les Prussiens en 1792, et d'autres spécialités de la région comme les madeleines de Commercy et les fameuses confitures de groseilles de Bar-le-Duc, épépinées à la plume d'oie.

Les champs de bataille***

Autour de Verdun. Chaque année, des centaines de milliers de visiteurs parcourent le théâtre des opérations de ce qui fut, dix-huit mois durant, du 21 février 1916 au 20 août 1917, la bataille de Verdun. Cette bataille a mis aux prises plusieurs millions d'hommes et causé la mort de près de 400000 soldats français, presque autant de soldats allemands, de milliers de soldats américains. Plusieurs décennies se sont écoulées, et les traces des combats dont Verdun fut l'enjeu n'ont pas encore totalement disparu.

Fort de Vaux – Une route, praticable en voiture, mène au monument. ♿ *Avr.-sept. : 9h-18h; de mi-fév. à fin mars et de déb. oct. à mi-déc.: 9h30-12h, 13h-17h. 2,50€. ☎ 0329861418.*

Les Allemands s'en emparèrent le 7 juin 1916 après une héroïque défense de la garnison. Cinq mois plus tard, au cours de leur première offensive, les troupes du général Mangin réoccupaient l'ouvrage.

Fort de Douaumont – *Juil.-sept.: 10h-18h30 ; avr.-juin : 10h-18h; oct.-déc. et fév.-mars: 10h-13h, 14h-17h. Fermé 24, 25 et 31 déc. 2,50€. ☎ 0329861418.*

Construit en pierre en 1885, en un point haut (Cote 388) qui en faisait un observatoire stratégique, il vit ses défenses plusieurs fois renforcées jusqu'en 1913.

À l'entrée en guerre, il se trouvait recouvert par une carapace de béton d'un mètre d'épaisseur, elle-même séparée des voûtes de maçonnerie par un mètre de sable. Selon les propres termes du communiqué allemand, cet ouvrage constituait le «pilier angulaire du Nord-Est des fortifications permanentes de Verdun». Enlevé par surprise le 25 février 1916, dès le début de la bataille de Verdun, il fut repris le 24 octobre, par les troupes du général Mangin.

On parcourt les galeries, casemates, magasins, montrant l'importance et la puissance de cet ouvrage. Une chapelle marque l'emplacement de la galerie murée où furent inhumés 679 soldats de la garnison allemande, tués par l'explosion accidentelle d'un dépôt de munitions, le 8 mai 1916.

Ossuaire de Douaumont – ♿ *De mi-avr. à fin août: 9h-18h ; de déb. mars à mi-avr. et sept.-nov. : 9h-12h, 14h-17h. 3,50€. ☎ 0329845481.*

Cette vaste nécropole comprend une galerie transversale dont les 18 travées contiennent chacune deux sarcophages en granit.

Au centre du monument s'élève la tour des Morts, haute de 46 m, silencieuse et émouvante vigie en forme d'obus dans lequel s'inscrivent quatre croix, symboliques points cardinaux de pierre voulant marquer l'universalité du drame.

Devant l'ossuaire, les 15000 croix du cimetière national.

R. Mattes/MICHELIN

L'ossuaire du Douaumont, l'un des plus importants monuments français en souvenir de 1914-1918.

Château de Versailles***

Versailles! Souvent qualifié de «plus beau château du monde», le château a été voulu comme un témoignage de la valeur artistique et de la puissance politique de la France. Versailles, qui fut, la période de la Régence mise à part, siège du gouvernement et capitale politique de la France de 1682 à 1789, doit sa réputation à l'exceptionnel ensemble composé par le château, ses jardins et Trianon.

La situation

Cartes Michelin Local 311 I-3, Regional 513 – Le Guide Vert Île-de-France – Yvelines (78).

Transports en commun: RER ligne C depuis Invalides jusqu'à Versailles Rive-Gauche; SNCF depuis Paris gare Montparnasse jusqu'à Versailles-Chantiers, depuis Paris gare St-Lazare jusqu'à Versailles Rive-Droite. En voiture, prendre l'autoroute A13 en direction de Rouen, puis à gauche la première sortie vers Versailles et Vaucresson.

À l'extrémité de la longue avenue de Paris, prolongement de la D10, le château ferme magistralement la perspective.

2bis av. de Paris, 78000 Versailles, ☎ 0139248888. www.versailles-tourisme.com

Pour poursuivre la visite, voir aussi: AUVERS-SUR-OISE, GIVERNY, PARIS, CHARTRES.

carnet pratique

RESTAURATION

- *Valeur sûre*

Au Chapeau Gris – *7 r. Hoche - 78000 Versailles - ☏ 01 39 50 10 81 - fermé 22 juil. au 22 août, mar. soir et mer. - réserv. obligatoire - 26/53€.* Une institution que ce restaurant qui existerait depuis le Siècle des lumières... Ambiance et décor versaillais à souhait, s'accordant à une belle cuisine de tradition... Point de folie donc, mais une indémodable adresse toujours très prisée.

HÉBERGEMENT

- *Une petite folie !*

Hôtel Versailles – *7 r. Ste-Anne, Petite Place - 78000 Versailles - ☏ 01 39 50 64 65 - info@hotel-le-versailles.fr - P - 46 ch. : 84/105€ - ☕ 10€.* Hôtel rénové situé non loin du château, dans une ruelle calme. Le décor de ses chambres vastes, claires et élégantes s'inspire du style Art déco. Agréable salon-bar feutré et terrasse où vous prendrez votre petit déjeuner en été.

SPECTACLES

Les **Grandes Eaux musicales★★★** font revivre les jeux d'eau des bassins et des bosquets au Grand Siècle. On distribue un dépliant donnant l'itinéraire. Les spectateurs attendent le début des Grandes Eaux sur le degré qui domine le bassin de Latone. Commencer le circuit dès l'épanouissement des jets du bassin de Latone et suivre l'itinéraire sans flânerie, en donnant une priorité aux bosquets ouverts exceptionnellement ces jours-là, en premier lieu la salle de Bal et le bosquet d'Apollon. La fin du spectacle *(à 17h20 - durée : 10mn)* – et son apothéose – a lieu aux bassins de Neptune et du Dragon : 99 jets, dont celui du bassin du Dragon qui s'élève à 28 m. *À cette occasion, l'entrée des jardins se fait par la cour d'Honneur et le passage des Princes, la grille des Matelots et la petite Venise vers le Grand Canal et la grille du Dragon (à l'extrémité de la rue de la Paroisse) de 8h30 à 16h50.*

comprendre

Le château de Louis XIII – Une butte portant un château féodal, un village au pied et, alentour, des marécages et des bois giboyeux, tel apparaît Versailles au 17e s. Louis XIII vient souvent chasser en ces lieux. En 1624, il y achète un terrain où il fait construire un pied-à-terre. En 1631, le pied-à-terre fait place à un petit château de brique, pierre et ardoises.

Louis XIV, amateur d'art éclairé – Né de la chasse, Versailles a été conçu pour la musique, dont la chapelle est le temple. Passionné de jardins, le roi rédige un itinéraire : manière de montrer les jardins de Versailles. Les collections royales s'augmentent sous son règne : vases de pierres dures, bronzes, peintures et sculptures de l'école française. Il faut donc rendre à Louis XIV sa vraie place : celle d'un mécène dispendieux, mais l'un des plus importants de toute l'histoire.

1661 marque le début du règne personnel de Louis XIV. Le roi prend à son service les artistes, architectes, maîtres en jardins qui ont créé Vaux-le-Vicomte pour leur confier la réalisation d'un château encore plus magnifique.

Cet ambitieux projet se réalise par étapes : en 1668, Louis Le Vau enferme le petit château d'une construction de pierre à l'italienne dite « l'enveloppe ». Dès 1664, les grandes fêtes se succèdent. En 1678, Jules Hardouin-Mansart, qui n'a que 31 ans, prend la direction des travaux d'agrandissement. Il la garde jusqu'à sa mort, trente ans plus tard. Charles Le Brun, de 1661 à 1683, est le chef d'une armée de peintres, sculpteurs, ciseleurs, tapissiers, etc. André Le Nôtre règne sur les jardins, collaborant avec les Francine, fils d'ingénieurs italiens, pour les installations hydrauliques. Une colline a été créée pour porter les 680 m de longueur du château. Des forêts entières ont été transplantées. 150 000 plantes florales sont produites chaque année par les jardiniers. L'orangerie abrite alors 1 080 arbres rares : orangers, grenadiers, myrtes, lauriers-roses.

Louis XV – En 1722, Louis XV, âgé de douze ans, revient à Versailles. Pour que l'étiquette ne gêne pas sa vie privée, le souverain fait transformer les appartements privés. Il rêve de modifier la façade du château vers la ville et confie à Gabriel le soin de la rendre homogène. Le manque de crédits ne permet pas d'accomplir des transformations sérieuses. Toutefois, le Petit Trianon est construit.

Ph. Gajic/MICHELIN

L'emblème du Roi-Soleil sur une des grilles du château de Versailles.

Louis XVI – Louis XVI, homme de goûts simples, et Marie-Antoinette, qui ne se plaît qu'au Petit Trianon ne font pas effectuer d'autres grands travaux.
Le 6 octobre 1789, sous la pression de l'émeute, la famille royale regagne Paris. Jamais plus le château n'abritera de rois.
« À toutes les gloires de la France » – Après la prise des Tuileries et la chute de la monarchie, le 10 août 1792, le mobilier du château est dispersé, vendu aux enchères. La démolition du château est envisagée sous Louis-Philippe qui le sauve, aux frais de sa cassette, et le transforme en 1837 en musée de l'Histoire de France.
Une nouvelle remise en état est entreprise après la guerre de 1914-1918, grâce à la contribution des Beaux-Arts et de mécènes, dont l'Américain J.-D. Rockefeller.

se promener

LE CHÂTEAU ET SES ABORDS

Place d'Armes**

À cette immense esplanade aboutissent les avenues de St-Cloud, de Paris et de Sceaux que séparent les **écuries royales***, œuvre de Jules Hardouin-Mansart. La **Grande Écurie** était réservée aux chevaux de selle et possédait un manège. Elle abrite aujourd'hui un musée des Carrosses. *Avr.-sept. : w.-end 12h-17h. 1,90€ (enf. : gratuit). ☎ 01 30 83 77 88.*

Cour de Marbre**

Pavée de marbre blanc et noir, elle est le cœur du château de Louis XIII dont les façades ont été remaniées et enrichies par Le Vau et Hardouin-Mansart. Les trois fenêtres cintrées de la chambre du Roi s'ouvrent au 1er étage de l'avant-corps central, derrière un balcon doré.

Façade sur le parc***

Évitant la monotonie, le corps central fait saillie sur les ailes, des avant-corps ornés de colonnes rompent la rigidité des lignes horizontales. Le toit plat, à l'italienne, est dissimulé par une balustrade portant des trophées et des vases. En parcourant la terrasse, on a une vue d'ensemble des parterres et des perspectives du parc.

visiter

Circuit des Grands Appartements***

Mai-sept. : tlj sf lun. (dernière admission 1/2h av. fermeture) 9h-18h30 ; oct.-avr. : tlj sf lun. 9h-17h30. 7,50€, (5,30€ à partir de 15h30 mar.-dim). ☎ 01 30 83 76 20.
Les Grands Appartements comprennent les pièces de réception composées du salon d'Hercule, des six salons en enfilade et la célèbre galerie des Glaces, ainsi que les pièces d'habitation consacrées à la vie publique du roi et de la reine, qui ont chacun leur Grand Appartement, de part et d'autre de l'axe transversal du bâtiment.
La vie des souverains au château se déroulait entre les salons et galeries d'apparat des Grands Appartements, les appartements d'habitation officiels, semi-publics, et les appartements privés. Au 18e s., un nouveau stade de retrait est franchi avec les Petits Appartements où Louis XV puis Louis XVI se livrent à leurs occupations favorites.
Chapelle*** – Dédiée à Saint Louis, la chapelle séduit par son harmonieux décor blanc et or. Chef-d'œuvre de Mansart, elle fut terminée en 1710 par son beau-frère Robert de Cotte.
Galerie des Glaces*** – C'est, avec les deux salons qui l'encadrent, le chef-d'œuvre décoratif de l'équipe de Le Brun. Longue de 73 m, large de 10,50 m et haute de 12,30 m, elle est éclairée par 17 grandes fenêtres auxquelles correspondent 17 panneaux de glace sur le mur opposé. Les « miroirs de glace » qui composent ces panneaux sont les plus grands que l'on sût couler à l'époque.
En 1980, la galerie des Glaces a retrouvé son état de 1770, lors des fêtes du mariage du dauphin, futur Louis XVI, et de Marie-Antoinette : torchères sculptées (moulages pris sur les six originaux subsistants), lustres de cristal.
C'est ici que fut proclamé l'Empire allemand le 18 janvier 1871 et que les plénipotentiaires de l'Allemagne vaincue signèrent le traité de Versailles le 28 juin 1919.
Des fenêtres centrales, on a la **perspective***** de l'« axe du Soleil ».

Circuit de la « Chambre du Roi »***

Visite audioguidée, entrée C. Mai-sept. : tlj sf lun. (1h) 9h-17h30 ; oct.-avr. : 9h-16h30. 14€ (-10 ans : gratuit), supplément à ajouter aux droits d'entrée. ☎ 01 30 83 77 88.
Appartement du Roi*** – Il se distribue autour de la cour de Marbre. Il fut aménagé de 1682 à 1701 par Hardouin-Mansart dans le château de Louis XIII ; sa décoration marque une nette évolution du style Louis XIV. Les plafonds ne sont plus compartimentés mais peints en blanc ; des lambris blanc et or remplacent les revêtements de marbre ; de grandes glaces surmontent les cheminées. La chambre du Roi est reconstituée à peu près exactement avec son « meuble d'été » de 1722.

Appartement privé du Roi ou appartement de Louis XV★★★

Visite-conférence. L'enfilade de pièces est, avec ses boiseries dessinées par Gabriel, une fête pour les yeux. Le rocaille, surtout, s'y déploie sous le ciseau de Verberckt.

Cabinet de la Pendule – Cette pièce servait sous Louis XV jusqu'en 1769 de salon de jeux les soirs de souper. La célèbre **pendule astronomique**★★★ de Passemant et Dauthiau (bronzes, par Caffieri) fut apportée ici en janvier 1754.

Cabinet intérieur du Roi – Louis XV tint à donner à ce cabinet un éclat tout à fait exceptionnel : c'est un chef-d'œuvre de l'art décoratif – Gabriel et Verberckt s'y sont surpassés en fait de décor rocaille – et de l'ébénisterie française du 18e s. Le **bureau à cylindre**★★★ (1769) fit partie des pièces de prestige échappées à la dispersion du mobilier et des œuvres d'art en 1792.

Opéra royal★★

L'Opéra, commencé par Gabriel en 1768, fut inauguré en 1770 pour les fêtes du mariage du dauphin, le futur Louis XVI, avec Marie-Antoinette.
Première salle de forme ovale en France, il constituait en plein règne de Louis XV une des premières manifestations du style qu'on appellera Louis XVI ; la décoration, inspirée de l'Antiquité, a été sculptée par Pajou. Il fut, d'autre part, doté de moyens techniques exceptionnels étudiés par le machiniste Arnoult : pour les fêtes et les festins, les planchers de la corbeille et du parterre pouvaient être mis au niveau de la scène. Cette salle, toute de bois intérieurement, offre une résonance d'une rare qualité et peut contenir environ 700 personnes.

H. Le Gac/MICHELIN

Œuvre de Marsy, le bassin de Latone marque en 1670 l'avènement de la statuaire en marbre dans le parc.

Jardins★★★

Visite libre du parc (accès 4,5€ pour les voitures, 5,5€ w.-end et j. fériés) tlj du lever au coucher du soleil. Accès au jardins payant de déb. avr. à fin oct. (et pdt les Grandes Eaux) : 3€. ☎ 01 30 83 77 88.
Le parc se découvre à pied, bien sûr, mais aussi en calèche et pourquoi pas en barque sur le Grand Canal. Les jardins du château et des trianons sont d'un grand raffinement. L'apothéose a lieu les jours des **Grandes Eaux musicales**★★★, et lors des **Fêtes de nuit**★★★ qui ont lieu sept fois par été, en soirée, au bassin de Neptune, et se terminent par un feu d'artifice *(voir le carnet pratique)*. Près de 300 sculptures – statues, termes, vases décoratifs – embellissent les jardins, faisant de Versailles le plus grand musée de plein air de la sculpture classique.

Bassin de Neptune★★ – C'est le plus vaste bassin de Versailles. Construit par Le Nôtre, il prit son aspect actuel sous Louis XV, en 1741, avec l'inauguration de sa grandiose décoration de plomb : Neptune et Amphitrite entourés de dieux et d'animaux marins.

Grand Canal★★ – Composé de deux bras en croix, le Grand Canal, mis en eau en 1670, mesure 1 650 m de long sur 62 m de large pour le grand bras et 1 070 m sur 80 m pour le petit.

Grand Trianon★★

Mansart bâtit en six mois, le « Trianon de Marbre » que Louis XIV réservait à la famille royale. L'ensemble, d'une délicate harmonie de marbres multicolores à dominante rose, est infiniment gracieux. Il est dépouillé de ses meubles à la Révolution ; Napoléon Ier le fait remettre en état et remeubler lors de son mariage avec Marie-Louise.

▶▶ Petit Trianon★★ ; Hameau de la reine★★

Vézelay★★

Aux confins du Morvan, Vézelay occupe pentes et sommet d'une colline qui domine la vallée de la Cure. « Les charmes de Vézelay se méritent... Ils se découvrent aux flâneurs, aux curieux, aux courageux, aux amoureux et chaque détail, chaque pierre, chaque raie de lumière les rend plus fidèles encore à la colline éternelle... » Étape importante sur la route de Compostelle, Vézelay est si proche de l'esprit que nombre d'écrivains y ont élu domicile.

La situation

492 Vézeliens - Cartes Michelin Local 319 F-G 7-9, Regional 519 - Le Guide Vert Bourgogne - Yonne (89). Accès par l'A6 sortie Avallon ou la N6 puis D951 à Blannay ou D957 d'Avallon; de l'Ouest, N151 puis D151 à Clamecy. N'ayez crainte, la basilique se voit de loin.

R. St Pierre, 89450 Vézelay, ☎ 03 86 33 23 69.

Pour poursuivre la visite, voir aussi : AUXERRE, BOURGES, DIJON, AUTUN, GIEN.

carnet pratique

RESTAURATION

• *À bon compte*

La Petite Auberge Chez Millette – *Pl. M.-Basdevant - 58230 Planchez - 10 km au S de Montsauche par D 37 et D 520 - ☎ 03 86 78 41 89 - - 14/23€.* Une boucherie-charcuterie-bar de village dans toute son authenticité ! L'ambiance du comptoir au rez-de-chaussée est animée. Salle à manger à l'étage plus tranquille. Les affamés seront rassasiés d'une cuisine traditionnelle simple et généreuse.

HÉBERGEMENT

• *Valeur sûre*

Chambre d'hôte La Palombière – *Pl. du Champ-de-Foire - 89450 Vézelay - ☎ 03 86 33 28 50 - fermé janv. - 9 ch. : 54/77€ - 6€.* Cette maison de maître du 18e s. recouverte de vigne vierge a du caractère. Les chambres sont cossues avec leur mobilier de style Louis XIII, Louis XV ou Empire, dessus-de-lit en satin et salles de bains rétro. Confitures maison au petit déjeuner sous la véranda.

visiter

Basilique Ste-Madeleine★★★

Fondé au 9e s., le monastère passe en 1050 sous l'invocation de sainte Madeleine dont il conserve les reliques. Les miracles qui se produisent sur le tombeau de celle-ci attirent bientôt une telle foule de pénitents qu'il faut agrandir l'église (1096-1104); en 1120, un violent incendie éclate, détruisant toute la nef. Les travaux reprennent aussitôt. En 1215, le chœur et le transept sont terminés.

Entrez dans la basilique par la porte latérale droite du narthex. Cette avant-nef, consacrée en 1132 par le pape Innocent II, apparaît comme une première église. Trois portails font communiquer le narthex avec la nef et les bas-côtés. Lorsque le premier est ouvert, la perspective, sur le long vaisseau radieux de lumière que forment la nef et le chœur, est un émerveillement. Il faut prendre le temps d'examiner en détail leurs sculptures datant du second quart du 12e s., et surtout celles du portail central dont le **tympan★★★** offre un magnifique exemple de l'art roman bourguignon.

Au centre de la composition, le Christ trône dans une mandorle (amande). Il étend les mains vers ses apôtres, et de ses stigmates rayonne le Saint-Esprit. Autour, se pressent les peuples appelés : chasseurs, pêcheurs, agriculteurs, et des peuples lointains et légendaires : géants, pygmées, hommes à grandes oreilles. Sur la deuxième voussure, on voit un calendrier où alternent les signes du zodiaque et

Le grand portail est consacré à la mission évangélique universelle que le Christ confie à ses apôtres avant son ascension au ciel. Tout pèlerin qui arrive à Vézelay peut donc constater que Dieu, le premier, est allé vers lui.

Ph. Gajic/MICHELIN

les travaux des mois. Un vent tumultueux agite les draperies et les plis des robes, modèle les corps et dessine des tourbillons.
La nef romane se distingue par ses dimensions imposantes – 62 m de longueur –, son appareil en pierre calcaire de tons différents et sa luminosité. Un gracieux décor d'oves, de rosaces et de rubans plissés souligne les doubleaux, les arcades ainsi que les corniches, trouvant son point d'orgue dans les **chapiteaux*****. Avec une science étonnante de la composition et du mouvement, le génie des artistes qui les ont créés se manifeste avec esprit et malice, et le réalisme n'exclut pas le lyrisme, le sens dramatique et même psychologique.

circuit

LE MORVAN**

Dépourvu de limites historiques et d'existence politique ou administrative propre, ce sont ses caractères géographique et géologique qui le différencient des contrées environnantes. Aujourd'hui, toujours à l'écart des grandes routes, le Morvan avec ses vastes forêts, ses escarpements rocheux et ses cours d'eau rapides, est un espace privilégié pour les randonneurs, les sportifs et les pêcheurs. Dans la partie la plus élevée du massif, autour du Haut-Folin au Sud-Est de Château-Chinon, on a même aménagé un champ de ski alpin et de nombreuses pistes de ski de fond.
75 km. Quitter Vézelay au Sud par la D958.

Château de Bazoches*

Avr.-oct. : 9h30-12h, 14h15-18h ; nov.-mars : 9h30-12h, 14h15-17h. 5,64€. ☎ 03 86 22 10 22.
Édifié à la fin du 12e s., il a gardé son aspect féodal à l'extérieur. L'intérieur meublé en Louis XV et Louis XVI est riche en souvenirs du **maréchal Vauban** (1633-1707).
Gagner Vauclaix au Sud de Lormes, puis prendre à gauche la D977bis.

Lac des Settons*

Entouré de bois de sapins et de mélèzes, le réservoir s'étale au travers de la vallée de la Cure. On y pratique la pêche et, dès l'automne, le gibier d'eau fait son apparition. La beauté du site et les multiples activités proposées font du plus ancien lac artificiel du Morvan un lieu de séjour très fréquenté en saison.
Suivre vers le Nord la D977bis puis la D20.

Maison du Parc, à St-Brisson

Maison Centre de l'écomusée du Morvan et expo. temporaire : de déb. avr. à mi-nov. 10h30-18h. Accueil touristique : de mi-nov. à fin mars : tlj sf w.-end 8h445-12h, 13h30-17h30. Visite de la propriété (jardin botanique, arboretum, sentier de découverte de l'étang du Taureau, borne interactive) toute l'année. Gratuit. ☎ 03 86 78 79 00.
Parmi de nombreuses « maisons » à thème, citons celles du seigle à Ménessaire, des galvachers (charroyeurs itinérants) à Anost, du Charolais à Moulins-Engilbert, de la Résistance à St-Brisson et la maison Vauban à St-Léger-Vauban.

Vichy

Illustre station thermale et ville-séjour, Vichy séduit par la qualité de ses commerces et par le large éventail des distractions qu'elle propose : casino-théâtre, cabarets, festivals, concerts, expositions, conférences, courses hippiques. Le centre omnisports constitue l'un des plus beaux complexes sportifs européens. Le lac d'Allier, voué aux compétitions internationales (aviron, régate, ski nautique, etc.), complète cet ensemble dédié aux loisirs.

La situation

26 528 Vichyssois – Cartes Michelin Local 326 H 6, Regional 522 – Le Guide Vert Auvergne – Allier (03). Vichy est raccordé au réseau autoroutier (A75 sortie 12), à 16 km de l'échangeur de Gannat, ou directement à Clermont-Ferrand par la D 210 (via Ennezat et Randan). C'est l'arrivée par la montagne qui procure la plus belle vue.
19 r. du Parc, 03200 Vichy, ☎ 04 70 98 71 94.www.vichy.auvergne.net
Pour poursuivre la visite, voir aussi : MOULINS, CLERMONT-FERRAND.

séjourner

Les vertus curatives des eaux de Vichy étaient déjà reconnues des Romains. Après une longue éclipse, cette activité revint en faveur au 17e s. Aujourd'hui, on y soigne surtout les affections du foie, de la vésicule et de l'estomac, le diabète, les migraines et les troubles de la nutrition et de la digestion, mais aussi les affections relevant de la rhumatologie.

carnet pratique

Restauration

• *Valeur sûre*

Jacques Decoret – *7 av. Gramont - 03200 Vichy - ☏ 04 70 97 65 06 - fermé vac. de fév., 16 août au 6 sept., mar. et mer. - 26€ déj. - 30/65€.* Allez-y sans hésiter ! Dans ce restaurant proche de la gare, vous goûterez une cuisine bien tournée réalisée avec des produits frais du marché rehaussée de quelques touches régionales. Vichyssois et Vichyssoises l'ont adopté...

Hébergement

• *À bon compte*

Atlanta – *23 r. Pasteur - 03200 Vichy - ☏ 04 70 98 42 95 - fermé 13 déc. au 13 janv. - 13 ch. : 29/38€ - ☕ 5€.* Voilà un petit hôtel bon marché proche de la gare. Les chambres sont simples mais proprettes et bien insonorisées. L'été, prenez votre petit déjeuner dans le patio fleuri.

Arverna Hôtel – *12 r. Desbrest - 03200 Vichy - ☏ 04 70 31 31 19 - fermé 18 au 26 oct., 21 déc. au 6 janv. et dim. de déc. à fév. - 26 ch. : 30/48€ - ☕ 5,50€.* Un hôtel familial dans une rue ombragée, entre la gare et les thermes. La salle des petits déjeuners ouvre sur un jardinet. Les chambres sont fonctionnelles et les prix raisonnables.

Achats

Pastillerie de Vichy – *94 allée des Ailes - 03200 Vichy - ☏ 04 70 30 94 70 - lun.-jeu. 9h-12h, 14h-18h, ven. jusqu'à 11h - fermé 29 juil. au 18 août, sam.-dim. et j. fériés.* Après une visite de l'atelier de conditionnement suivie d'un diaporama, vous n'ignorerez plus rien des secrets de fabrication de la légendaire et véritable pastille de Vichy.

Vichy Prunelle – *38 r. Montaret - ☏ 04 70 98 20 02 - Tlj 9h-12h, 14h-19h dim. et fêtes 10h-12h, 14h30-19h.* Cette grande confiserie à l'ancienne propose des spécialités maison comme les Perles de la Marquise (noisette grillée enrobée de sucre vanillé ou chocolatée), les guimauves (une quinzaine de variétés), les pâtes de fruits d'Auvergne, les fameuses pastilles et les sucres d'orge de Vichy que n'aurait sans doute pas dédaignés la marquise de Sévigné.

Spectacles

Les concerts du kiosque à musique – *Source de l'Hôpital - 03200 Vichy - mai-sept. : ven. et w.-end à 16h (variétés, jazz) et lun. à 21h (classique).*

Quartier thermal★

Restaurées et protégées depuis quelques années, les réalisations les plus remarquables forment un patrimoine insolite et d'une densité exceptionnelle. L'atmosphère mondaine de la station, son combat quotidien contre l'ennui et sa propension au défoulement doré prédisposèrent les architectes à cette recherche du jamais vu, de l'inattendu qui les exposa aux influences divergentes de Byzance, de l'art roman auvergnat, du Quattrocento florentin, sans oublier les cottages anglais et les chalets alpestres, et assura le triomphe d'un « éclectisme baroquisant » faisant coexister dans une charmante anarchie tous les styles et toutes les époques.

Le **parc des Sources★** planté de marronniers et de platanes est depuis lors au cœur de la vie thermale. Le matin, c'est l'atmosphère si particulière des villes d'eaux, avec le va-et-vient des curistes et les groupes qu'ils forment autour des sources. L'après-midi et les soirs de galas, c'est l'animation entretenue par les promeneurs, les consommateurs du Grand Café et les adeptes des réceptions mondaines.

Le **Grand Casino★** ouvert en 1865 associe sous un même toit salles de spectacles ou de bal et établissement de jeux ; il fut le premier du genre en France. À l'intérieur, la qualité du décor de style Art nouveau doit beaucoup au ferronnier Émile Robert et au maître verrier François Chigot. La façade principale, expression du goût « Belle Époque », donne sur le parc par un bel escalier.

L'alignement de **chalets★** qui borde le boulevard des États-Unis fut construit à partir de 1862 pour accueillir Napoléon III et sa suite, qui prenaient les eaux à Vichy. C'est toutefois après la chute de l'Empire que les architectes déployèrent des trésors d'imagination et bâtirent des villas excentriques. On en découvre de remarquables boulevard de Russie, rue de Belgique et rue Prunelle.

Le Gouvernement à Vichy

Des premiers jours de juillet 1940 au 20 août 1944, Vichy fut le siège de l'État français. Bien reliée à Paris par le Thermal Express et des moyens de télécommunications modernes, disposant d'une importante capacité d'hébergement et située à peu de distance de la ligne de démarcation qu'on franchissait à Moulins, la ville fut choisie comme base de repli par les pouvoirs publics signataires, au nom de la France, de l'armistice avec l'Allemagne et l'Italie. C'est au Grand Casino-théâtre que les Assemblées réunies votent le 10 juillet 1940 l'attribution des pleins pouvoirs au maréchal Pétain. Le 20 août 1944, les personnalités représentatives du régime déchu demeurées sur place sont emmenées par les Allemands en repli. Six jours plus tard, salués par une marée de drapeaux tricolores, les FFI font leur entrée dans la ville.

alentours

Château de Lapalisse★★

20 km au Nord-Est de Vichy par la D 906^B. Avr.-oct. : visite guidée (1h) 9h-12h, 14h-18h. 5€. ☏ 04 70 99 37 58.

L'édifice entrepris en 1527 est l'œuvre de Florentins que Jacques II de Chabannes, seigneur de La Palice, avait ramenés d'Italie ; il relève de la première Renaissance. De la terrasse haute du château où se situe le porche d'entrée, vous bénéficierez de points de vue sur la Besbre, où les pêcheurs trouvent leur bonheur.

Dans les appartements, le **Salon doré**★★ est orné d'un magnifique plafond à caissons dorés et des deux tapisseries des Preux.

Massif des Vosges★★

Montagnes douces, air pur et horizon bleuté, c'est la diversité des paysages qui fait la renommée des Vosges : pâturages d'altitude, tourbières, cirques glaciaires, lacs, rivières et collines couvertes de résineux, tout contribue à l'appellation « ligne bleue des Vosges ». Ici vivent des chamois, des lynx, des écrevisses, des truites, des tritons, et poussent des lys martagon, des gentianes jaunes, des myrtilles... En hiver, les champs de neige offrent des kilomètres de randonnées à skis. Les possibilités de découvertes sont infinies.

La situation

Cartes Michelin Local 315 I-J 3-10, Regional 515 – Le Guide Vert Alsace Lorraine – Haut-Rhin (68), Vosges (88), Haute-Saône (70) et Territoire de Belfort (90).

Pour poursuivre la visite, voir aussi : MULHOUSE, COLMAR, RIQUEWIHR, BELFORT.

carnet pratique

Restauration

• *À bon compte*

Auberge La Chaume de Schmargult – *Rte des Crêtes - La Bresse - 88400 Gérardmer - 1 km au S du pied du Hohneck par rte secondaire - ☏ 03 29 63 11 49 - fermé nov. et avr. lun. soir et mar. - 14/20€.* Séjour nature garanti dans cette grosse maison montagnarde de La Bresse. Au programme, ski en hiver, dégustation de munster et visite de la marcairerie, où se fabriquaient les fromages. Restaurant avec vue sur les pistes et chambres simples.

• *Valeur sûre*

À la Belle Marée – *88400 Gérardmer - 4 km au S de Gérardmer par D 486 - ☏ 03 29 63 06 83 - fermé 24 juin au 6 juil., lun. et mar. - 21/41€.* Pour prendre le large, c'est ici qu'il faut aller ! Dans un décor de bois sombre éclairé de hublots, les saveurs de la mer sont à l'honneur dans ce restaurant, niché dans les montagnes vosgiennes. Grandes baies vitrées ouvrant sur la nature et terrasse couverte en été.

Hébergement

• *Valeur sûre*

Viry – *Pl. des Déportés - 88400 Gérardmer - ☏ 03 29 63 02 41 - 17 ch. : 44,50/58€ - ☕ 6,10€.* Des fresques de style tyrolien agrémentent la façade et les chambres, sobres et bien tenues, de cet hôtel familial agrémenté de balcons au 1er étage. Plaisant petit salon-cheminée. Le restaurant et sa chaleureuse ambiance campagnarde évoquent l'Autriche. Recettes traditionnelles et saveurs du terroir.

Hôtel Le Chalet du Lac – *88400 Gérardmer - 1 km à l'O de Gérardmer par D 417 (rte d'Épinal) - ☏ 03 29 63 38 76 - fermé oct. - P - 11 ch. : 51,83/65,55€ - ☕ 7,17€ - restaurant 15,24/53,36€.* Ce gros chalet ouvre ses fenêtres sur le lac. Tenu par deux couples, il a tout d'un gentil petit hôtel familial, avec ses chambres simplettes mais bien tenues et sa salle à manger lambrissée de bois où l'on s'attable autour de menus régionaux sans prétention... avec vue.

Hôtel Les Vallées – *31 r. P.-Claudel - 88400 Gérardmer - 14 km au S de Gérardmer par D 486 - ☏ 03 29 25 41 39 - P - 54 ch. : 55/76€ - ☕ 7,50€ - restaurant 15,50/45,50€.* Dans cet hôtel, au centre de la station, vous pourrez lézarder dans d'agréables chambres modernes et profiter de la piscine couverte. Studios à louer. La piste des chamois en été ou le ski en hiver, vos journées seront bien remplies à La Bresse...

R. Mattes/MICHELIN

circuits

BALLON D'ALSACE***

La route du col du Ballon d'Alsace, la plus ancienne du massif, a été construite sous le règne de Louis XV. Au cours de la montée au col du Ballon, la D465, que l'on prend au départ de St-Maurice-sur-Moselle, offre de jolies vues sur la vallée de la Moselle, puis pénètre dans une superbe forêt de sapins et de hêtres.

Col du Ballon

Belle vue sur le sommet du Ballon d'Alsace et sur la trouée de Belfort, où brillent des étangs, et le Jura.

Ballon d'Alsace***

1/2h à pied AR. Le sentier d'accès s'amorce sur la D465, devant la ferme-restaurant. Il passe à travers les pâturages, vers la statue de la Vierge : avant le retour de l'Alsace à la France, cette statue se trouvait exactement à la frontière. Du balcon d'orientation, le **panorama**** s'étend au Nord jusqu'au Donon, à l'Est sur la plaine d'Alsace et la Forêt-Noire, au Sud jusqu'au Mont-Blanc.

La descente vers le **lac d'Alfeld*** est très belle. Elle permet de découvrir en avant le Grand Ballon, point culminant des Vosges (1 424 m), puis la vallée de la Boller.

ROUTE DES CRÊTES***

105 km. Accès au col du Bonhomme depuis Colmar par la N 415, après Kaysersberg. La route des Crêtes est généralement fermée entre la Schlucht et le Grand Ballon du 15 novembre au 15 mars à cause de l'enneigement. Elle se transforme alors en pistes de ski de fond.

Col du Bonhomme

À 949 m d'altitude, il fait communiquer l'Alsace et la Lorraine, de Colmar à Nancy.

Prendre à gauche la D 148.

Col de la Schlucht

Situé à 1 135 m d'altitude, il fait communiquer la vallée de la Meurthe, qui prend sa source à 1 km de là, avec celle de la Fecht. Au croisement de la route des Crêtes et de la route de Gérardmer à Colmar, c'est l'un des passages les plus fréquentés des Vosges.

Jardin d'altitude du Haut-Chitelet

À 2 km du col de la Schlucht, vers le Markstein, sur le côté droit de la D430. Juil.-août : 10h-18h ; juin : 10h-12h, 14h-18h ; sept. : 10h-12h, 14h-17h30. 2,30€. ☎ 03 83 41 47 447.

Ce jardin conserve une hêtraie et une tourbière. Des rocailles présentent 2 700 espèces de plantes originaires des principaux massifs montagneux du monde.

Plus loin, jolie **vue*** sur la vallée de la Vologne au fond de laquelle dorment les lacs de Longemer et de Retournemer *(belvédère aménagé)*.

Le Hohneck***

Le chemin d'accès en forte montée s'embranche sur la route des Crêtes à 4 km de la Schlucht. Ce sommet, l'un des plus célèbres des Vosges, et l'un des plus élevés (1 362 m), est le point culminant de la crête qui constituait, avant la guerre de 1914-1918, la frontière franco-allemande.

Panorama*** exceptionnel sur les Vosges, du Donon au Grand Ballon, sur la plaine d'Alsace et la Forêt-Noire. Par temps clair, on aperçoit les sommets des Alpes.

La route parcourt les chaumes. Sur la droite, le lac de Blanchemer, dans un beau site boisé. Plus loin, vue magnifique sur la vallée de la Fecht. En descendant du **Grand Ballon**, on passe à côté des ruines du château de Freundstein, nid d'aigle médiéval.

À **Cernay**, prendre la D35 vers **Thann*** *(voir Riquewihr)*.

Les chaumes alsaciens, domaine estival des troupeaux, sont de vastes prairies naturelles aux herbes courtes, situées au-dessus de la limite des forêts.

R. Mattes/MICHELIN

Index

Dijon . . . . .Curiosités et lieux géographiques.
Vauban . . . . .Personnages ou termes faisant l'objet d'une explication.

Manufacture française des pneumatiques Michelin
Société en commandite par actions au capital de 304 000 000 EUR
Place des Carmes-Déchaux – 63 Clermont-Ferrand (France)
R.C.S. Clermont-Fd B 855 200 507

Dépôt légal février 2003 - ISSN 0293-9436
Printed in Singapore : 12-2006/7.1

Compogravure : Maury, Malesherbes
Impression et Brochage : KHL Printing, Singapour

Conception graphique : Christiane Beylier à Paris 12e
Maquette de couverture extérieure : Agence Carré Noir à Paris 17e